COMPORTE-SE

ROBERT M. SAPOLSKY

Comporte-se
A biologia humana em nosso melhor e pior

Tradução
Giovane Salimena
Vanessa Barbara

10ª reimpressão

Copyright © 2018 by Robert M. Sapolsky
Todos os direitos reservados.

*Grafia atualizada segundo o Acordo Ortográfico da Língua Portuguesa de 1990,
que entrou em vigor no Brasil em 2009.*

Título original
Behave: The Biology of Humans at Our Best and Worst

Capa
Eduardo Foresti/ Foresti Design

Preparação
Cacilda Guerra

Índice remissivo
Luciano Marchiori

Revisão
Adriana Moreira Pedro
Carmen T. S. Costa

Dados Internacionais de Catalogação na Publicação (CIP)
(Câmara Brasileira do Livro, SP, Brasil)

Sapolsky, Robert M.
 Comporte-se : A biologia humana em nosso melhor e pior /
Robert M. Sapolsky ; tradução Giovane Salimena, Vanessa Bar-
bara — 1ª ed. — São Paulo : Companhia das Letras, 2021.

 Título original: Behave : The Biology of Humans at Our Best
and Worst
 Bibliografia.
 ISBN 978-65-5921-082-4

 1. Comportamento animal 2. Neurobiologia 3. Neuropsicolo-
gia I. Felitti, Chico. II. Título.

21-61731   CDD-612.8

Índice para catálogo sistemático:
1. Biologia humana : Ciências médicas   612.8

Cibele Maria Dias – Bibliotecária – CRB-8/9427

Todos os direitos desta edição reservados à
EDITORA SCHWARCZ S.A.
Rua Bandeira Paulista, 702, cj. 32
04532-002 — São Paulo — SP
Telefone: (11) 3707-3500
www.companhiadasletras.com.br
www.blogdacompanhia.com.br
facebook.com/companhiadasletras
instagram.com/companhiadasletras
twitter.com/cialetras

Para Mel Konner, que me ensinou.
Para John Newton, que me inspirou.
Para Lisa, que me salvou.

Sumário

Introdução 9

1. O comportamento 21
2. Um segundo antes 27
3. De segundos a minutos antes 84
4. De horas a dias antes 101
5. De dias a meses antes 138
6. Adolescência ou: "Cara, cadê meu córtex frontal?" 154
7. De volta ao berço, de volta ao útero 173
8. De volta a quando você era apenas um óvulo fertilizado 221
9. De séculos a milênios antes 262
10. A evolução do comportamento 322
11. Nós versus eles 381
12. Hierarquia, obediência e resistência 418
13. Moralidade e fazer a coisa certa, uma vez que você descobriu qual é 468
14. Sentir, entender e aliviar a dor do outro 507
15. Metáforas pelas quais matamos 536
16. Biologia, sistema de justiça criminal e (ora, por que não?) livre-arbítrio 562
17. Guerra e paz 593

Epílogo 647

Agradecimentos 651

Apêndice 1: Neurociência para iniciantes 655

Apêndice 2: Princípios básicos de endocrinologia 681

Apêndice 3: Noções básicas sobre proteínas 685

Glossário de abreviaturas 693

Abreviaturas das notas 695

Notas 697
Créditos das imagens 791
Índice remissivo 793

Introdução

Imagino a história sempre do mesmo jeito: nossa equipe conseguiu entrar no bunker secreto... Bem, é apenas uma fantasia, então vamos caprichar. Eu *sozinho* neutralizei a guarda de elite e irrompi no bunker, com uma metralhadora Browning em punho. Ele se estende para pegar sua pistola Luger e eu a arranco de suas mãos. Ele tenta pegar a pílula de cianeto que mantém consigo para cometer suicídio em vez de ser capturado. Eu também arranco a pílula de sua mão. Ele grunhe, furioso, e me ataca com uma força sobrenatural. Nós lutamos, mas consigo levar vantagem, jogá-lo no chão e algemá-lo. "Adolph Hitler", anuncio, "você está preso por crimes contra a humanidade."

E é aí que a versão medalha de honra da fantasia termina e a imagem escurece. O que eu faria com Hitler? A emoção fica tão à flor da pele que mentalmente passo a usar a voz passiva, a fim de tomar certa distância da cena. O que seria feito com Hitler? É fácil imaginar, desde que eu me permita. Decepar sua espinha na altura do pescoço, deixando-o paralítico, mas com sensações. Arrancar seus olhos com um instrumento sem corte. Romper seus tímpanos, cortar sua língua. Mantê-lo vivo, entubado, num respirador. Imóvel, impossibilitado de falar, ver ou ouvir, capaz apenas de sentir. Então injetar-lhe alguma coisa que provoque um câncer que infecte e crie pústulas em cada canto de seu corpo; que cresça cada vez mais até cada uma de suas células guinchar de agonia, até que todos os instantes pareçam uma infinidade passada no fogo do inferno. É o que deveria ser feito com Hitler. É o que eu gostaria que tivesse sido feito com Hitler. É o que eu gostaria de fazer com Hitler.

Alimentei inúmeras versões dessa fantasia desde a infância. Ainda faço isso às vezes. E quando realmente mergulho nela, meu coração acelera e fico ruborizado, com os punhos cerrados. Todos aqueles planos para Hitler, a pessoa mais perversa da história, a alma mais merecedora de punição.

Mas há um grande problema. Eu não acredito em alma ou em maldade, acho que o termo "maligno" é mais adequado a um musical,* e não estou certo de que a punição deva ser um fator relevante para a justiça criminal. Só que há um problema em relação a isso também: eu realmente acho que algumas pessoas deveriam ser executadas, ainda que seja contra a pena de morte. Já apreciei muitos filmes toscos e violentos, apesar de defender um estrito controle de armas. E com certeza me diverti quando, em uma festa infantil, indo contra vários princípios vagamente formados na minha cabeça, brinquei de guerrinha de laser e, escondido, atirei em estranhos (quer dizer, me diverti até um adolescente cheio de espinhas me alvejar um milhão de vezes e depois ficar tirando sarro de mim, o que fez com que eu me sentisse inseguro e pouco viril). Ainda assim, ao mesmo tempo, conheço a maior parte da letra de "Down by the Riverside",** além de saber em quais momentos você tem que bater palmas.

Em outras palavras, carrego um arranjo confuso de sentimentos e pensamentos sobre violência, agressividade e competição. Assim como a maioria dos seres humanos.

Ou, explicando de uma maneira ainda mais óbvia: nossa espécie tem problemas com a violência. Dispomos dos meios para criar milhares de cogumelos atômicos; chuveiros e sistemas de ventilação de metrôs já disseminaram gases venenosos, cartas levaram *anthrax*, aviões de passageiros foram transformados em armas; estupros em massa podem constituir uma estratégia militar; bombas explodem em mercados, crianças com armas massacram outras crianças; existem bairros onde todo mundo, dos entregadores de pizza aos bombeiros, temem por sua segurança. E há as formas mais sutis de violência: digamos, uma infância inteira de abusos, ou as consequências para uma população minoritária quando os símbolos da maioria exalam dominação e ameaça. Estamos sempre à sombra do perigo de ter outros seres humanos nos machucando.

Se tudo fosse apenas o jeito como as coisas são, a violência seria um problema fácil de abordar intelectualmente. Aids — sem dúvida uma má notícia — erradicar. Alzheimer — a mesma coisa. Esquizofrenia, câncer, desnutrição, fasciíte necrosante, aquecimento global, meteoros atingindo a Terra — idem.

O problema, porém, é que a violência não entra nessa lista. Às vezes, não temos nenhum problema com ela.

Este é um ponto central deste livro: não odiamos a violência. Odiamos e teme-

---

* Referência ao musical *Wicked*, da Broadway. (N. T.)
** Referência a uma tradicional canção gospel americana, muito usada nos protestos pacifistas contra a Guerra do Vietnã. "Vou abandonar minha espada e escudo à margem do rio/ Não vou mais estudar a guerra", dizem os versos. (N. T.)

mos o tipo *errado* de violência, aquela que ocorre no contexto errado. Porque a violência no contexto certo é diferente. Pagamos um bom dinheiro para vê-la em um estádio, ensinamos nossos filhos a revidar e nos orgulhamos quando, numa meia-idade já meio decrépita, conseguimos atingir o adversário com um desonesto tranco de cintura durante um jogo de basquete de fim de semana. Nossas conversas estão repletas de metáforas militares: nós reorganizamos as tropas quando nossas ideias são massacradas. Nossos times esportivos celebram a violência: Warriors, Vikings, Lions, Tigers e Bears. Pensamos dessa forma até em áreas tão cerebrais quanto o xadrez: "Kasparov continuou pressionando por um ataque matador. Mais para o fim, teve de se opor a ameaças de violência com mais do mesmo".[1] Construímos tecnologias em torno da violência, elegemos líderes que se destacam nisso e, no caso de tantas mulheres, escolhemos como companheiros, de preferência, campeões no combate humano. Quando é o tipo "certo" de agressividade, nós adoramos.

É a ambiguidade da violência — o fato de podermos apertar o gatilho tanto como um ato hediondo de agressão quanto de amor abnegado — que é tão desafiadora. Como resultado, a violência sempre será uma parte da experiência humana profundamente difícil de entender.

Este livro explora a biologia da violência, da agressividade e da competição — os comportamentos e os impulsos por trás delas, os atos de indivíduos, grupos e Estados, e quando eles são bons ou ruins. É um livro sobre as formas como os seres humanos machucam uns aos outros. Mas é também um livro sobre as maneiras pelas quais as pessoas fazem o oposto. O que a biologia nos ensina sobre cooperação, afiliação, reconciliação, empatia e altruísmo?

O livro tem uma série de bases pessoais. Uma delas é que, embora eu felizmente tenha tido pouco contato com a violência ao longo da vida, esse fenômeno me apavora de verdade. Eu penso como um típico intelectualoide acadêmico: acredito que, se eu escrever numerosos parágrafos sobre um assunto assustador e der palestras suficientes a respeito, ele vai desistir e acabará indo embora em silêncio. E que, se todos estudarem muito e assistirem aulas o bastante sobre a biologia da violência, conseguiremos até tirar uma soneca entre o leão cochilando e a ovelha. Assim é o delirante senso de eficácia de um professor.

Também há outra base pessoal para este livro. Sou, por natureza, muito pessimista. É só me dar um tema e encontrarei um jeito de fazer com que as coisas desmoronem. Ou talvez elas saiam maravilhosamente bem e, de algum modo, por causa disso, se tornem tristes e pungentes. É um saco, sobretudo para quem precisa conviver comigo. Mas, quando tive filhos, percebi que precisava conter essa tendência de vez. Então procurei indícios de que as coisas não estavam tão ruins. Comecei aos poucos, praticando com meus filhos: não chore, um tiranossauro nunca virá comê-lo, é claro que o pai do Nemo irá encontrá-lo. À medida que eu aprendia mais sobre o assunto deste livro, surgia uma clareza inesperada: de que as esferas de ação dos seres humanos que machucam uns aos outros não são nem universais nem inevitáveis, e de que estamos obtendo alguns insights científicos de como evitá-las. Meu eu pessimista custou para admitir isso, mas há lugar para o otimismo.

A ABORDAGEM DESTE LIVRO

Ganho a vida como um misto de neurobiólogo — alguém que estuda o cérebro — e primatólogo — alguém que estuda os macacos e os grandes primatas. Desse modo, este é um livro enraizado na ciência, sobretudo na biologia. E daí surgem três pontos importantes. Primeiro, não é possível começar a entender coisas como agressividade, competição, cooperação ou empatia sem a biologia; digo isso tendo em mente um certo tipo de cientista social que acha a matéria irrelevante e um tanto suspeita em termos ideológicos quando se trata de estudar o comportamento social humano. Em segundo lugar, e não menos importante, você terá um problema tão grande quanto se contar *apenas* com a biologia; isso é dito tendo em mente uma espécie de fundamentalistas moleculares que acreditam que as ciências sociais estão fadadas a serem absorvidas pela ciência "de verdade". E, em terceiro lugar, quando você terminar de ler este livro, verá que não faz mesmo nenhum sentido fazer uma distinção entre os aspectos de um comportamento que são "biológicos" e os que seriam descritos como, digamos, "psicológicos" ou "culturais". Ambos estão entrelaçados por completo.

Entender a biologia envolvida nesses comportamentos humanos é importante, claro. Mas, por azar, isso é infernalmente complicado.[2] Quando se está interessado na biologia por trás de como, por exemplo, os pássaros em migração se orientam, ou do reflexo de acasalamento que ocorre nas fêmeas de hamster quando estão ovulando, essa é uma tarefa mais fácil. Mas não é nisso que estamos interessados. Pelo contrário, é no comportamento humano, no comportamento social humano e, em muitos casos, no comportamento social humano anormal. E é mesmo uma confusão, pois é um assunto que envolve a química do cérebro, hormônios, pistas sensoriais, ambiente pré-natal, experiências iniciais, genes, evolução — tanto biológica quanto cultural —, e pressões ecológicas, entre outros.

Como seria possível abordar todos esses fatores ao estudar o comportamento? Tendemos a usar uma determinada estratégia cognitiva ao lidar com fenômenos complexos e multifacetados, na qual desmembramos essas facetas em categorias, em compartimentos de explicação. Imagine que existe um galo perto de você e uma galinha do outro lado da rua. O galo faz um sinal sexualmente convidativo que é irresistível para os padrões galináceos, e ela de imediato atravessa a rua para acasalar-se com ele. (Não sei bem se é assim que funciona, mas imaginemos que sim.) E então temos uma pergunta essencial para o ramo da biologia do comportamento: por que a galinha atravessou a rua? Se você é um psiconeuroendocrinologista, sua resposta será: "Porque os níveis de estrogênio em circulação na galinha atuaram em determinada parte do cérebro para torná-la receptiva a essa sinalização masculina". Se é um bioengenheiro, a resposta será: "Porque o osso comprido da pata da galinha forma um sustentáculo para a pélvis [ou algo assim], o que permite a ela mover-se rapidamente". Se você é um biólogo evolucionista, dirá: "Porque, ao longo de milhões de anos, galinhas que responderam a tais gestos quando estavam férteis deixaram mais cópias de seus genes, portanto esse agora é um comportamento inato em galinhas", e assim por diante, sempre pensando em categorias, em diferentes disciplinas de explicação científica.

O objetivo deste livro é evitar esse tipo de pensamento categórico. Dispor os fatos em compartimentos de explicação limpinhos e bem demarcados tem suas vantagens — por exemplo, pode ajudá-lo a se lembrar melhor deles. Mas também pode destruir sua capacidade de *pensar* sobre os fatos. Isso porque, embora as fronteiras entre diferentes categorias sejam em geral arbitrárias, uma vez que qualquer fronteira aleatória exista, nós esquecemos que é arbitrária e ficamos impressionados demais com sua importância. Por exemplo, o espectro visível é um continuum de comprimentos de onda que vai do violeta ao vermelho, e é arbitrária a demarcação das fronteiras entre os diferentes nomes de cores (por exemplo, o ponto em que enxergamos a transição entre azul e verde); como prova disso, diferentes idiomas delimitam de forma discricionária o espectro visível em pontos distintos ao dar nomes para suas cores. Mostre para uma pessoa duas cores mais ou menos parecidas. Se o limite entre os nomes dessas cores em seu idioma cair entre as duas indicadas, ela irá superestimar a diferença entre ambas. Se elas costumam ser agrupadas na mesma categoria, o contrário se dá. Em outras palavras, quando você pensa de forma categórica, tem dificuldade de enxergar o quanto duas coisas são parecidas ou diferentes. Ao prestar atenção demais à localização das fronteiras, perde-se a noção do todo.

Portanto, oficialmente, o objetivo intelectual deste livro é evitar compartimentos categóricos ao estudar a biologia envolvida em alguns de nossos comportamentos mais complexos, mais até do que o de galinhas atravessando a rua.

Qual seria a alternativa?

Um comportamento acaba de ocorrer. Por que ocorreu? Sua primeira categoria de explicação será neurobiológica. O que se passou no cérebro dessa pessoa um segundo antes de ocorrer o comportamento? Agora, afaste-se para um campo de visão ligeiramente maior, sua próxima categoria de explicação, que surge um pouco antes no tempo. Que visão, som ou cheiro captados durante os segundos ou minutos antes do ato ativaram o sistema nervoso para que se produzisse esse comportamento? Então seguimos para a próxima categoria. Que hormônios agiram durante as horas ou dias anteriores a fim de modificar o grau de resposta desse indivíduo a estímulos sensoriais que acionassem o sistema nervoso para produzir o comportamento? A essa altura, na tentativa de explicar o que aconteceu, você ampliou seu campo de visão e está considerando a neurobiologia *e também* o mundo sensorial de nosso ambiente, *além da* endocrinologia de curto prazo.

E você continua expandindo. Que aspectos ambientais nas semanas (ou anos) precedentes modificaram a estrutura e a função do cérebro dessa pessoa, e, portanto, alteraram a forma como ela respondia aos hormônios e aos estímulos ambientais? Regressamos ainda mais, até a infância do sujeito, a seu desenvolvimento fetal e sua composição genética. E então ampliamos a visão para abranger elementos maiores que o indivíduo: de que modo a cultura delineou o comportamento das pessoas de seu grupo? Quais fatores ecológicos ajudaram a moldar essa cultura? Expandindo e expandindo até considerar eventos que ocorreram incontáveis milênios antes e a evolução desse comportamento.

Certo, então isso representa um avanço: em vez de tentar explicar todo comportamento usando uma única disciplina — por exemplo: "Tudo pode ser explicado com o conhecimento deste único [faça sua escolha] hormônio, ou gene, ou acontecimento na infância" —, trabalharemos com uma série de compartimentos disciplinares. Mas algo mais sutil vai acontecer, e esta é a ideia mais importante deste livro: quando você explica um comportamento a partir de uma dessas disciplinas, está evocando de forma implícita todas as outras — qualquer tipo de explicação é o produto final das influências que a precederam. E tem de funcionar assim. Quando você afirma: "O comportamento ocorreu por causa da liberação do composto neuroquímico Y no cérebro", também quer dizer: "O comportamento ocorreu porque a alta secreção do hormônio X hoje de manhã elevou os níveis do composto neuroquímico Y". E também está dizendo: "O comportamento ocorreu porque o ambiente no qual essa pessoa foi criada tornou seu cérebro mais propenso a liberar o composto neuroquímico Y em resposta a determinados tipos de estímulo". E também está dizendo: "[...] por causa do gene que codifica para essa versão em específico do composto neuroquímico Y". E se você já mencionou a palavra "gene", também está dizendo: "[...] e devido aos milênios de fatores que moldaram a evolução desse gene em particular". E assim por diante.

Não existem diferentes compartimentos disciplinares. Em vez disso, cada um deles é o produto final de todas as influências biológicas que o precederam, e irá influir em todos os fatores que irão sucedê-lo. Portanto, é impossível concluir que um comportamento é causado por um único gene, um único hormônio, um único trauma de infância, porque, no instante em que você evoca um tipo de explicação, está na verdade invocando todas elas. Sem compartimentos. Uma explicação "neurobiológica", "genética" ou "de desenvolvimento" para um comportamento é uma simplificação, uma conveniência expositiva para poder abordar de forma provisória todo o arco multifatorial a partir de uma perspectiva específica.

Bem impressionante, né? Na verdade, talvez não. Quem sabe eu só esteja afirmando de forma pretensiosa: "É preciso pensar de maneira complexa a respeito de coisas complexas". Uau, que revelação. E talvez o que eu esteja arquitetando em silêncio seja um espantalho frágil e presunçoso que diz: "Oh, nós iremos pensar de forma mais sutil. Não seremos enganados por respostas simplistas, não como esses neuroquímicos da escola da galinha-atravessando-a-rua, ou esses biólogos evolucionistas e psicanalistas de frangos, todos vivendo em seus próprios e limitados compartimentos categóricos".

É evidente que os cientistas não são assim. Eles são inteligentes. Entendem que precisam levar uma porção de ângulos em consideração. Por necessidade, sua pesquisa pode se concentrar num objeto restrito, afinal, há limites para a obsessão de uma pessoa. Mas eles sabem, é claro, que seus compartimentos categóricos particulares não são tudo.

Talvez sim, talvez não. Considere as seguintes citações de alguns cientistas de carteirinha. A primeira:

Deem-me uma dúzia de crianças pequenas saudáveis e bem formadas e o meu mundo específico para criá-las, e garanto escolher uma delas ao acaso e treiná-la para tornar-se qualquer tipo de especialista que eu quiser: médico, advogado, artista, comerciante, e, sim, até mendigo ou ladrão, sem levar em conta seus talentos, capacidades, inclinações, habilidades, vocação ou a raça de seus antepassados.[3]

Esse era John Watson, fundador do behaviorismo, por volta de 1925. O behaviorismo, com sua noção de que o comportamento é totalmente maleável, ou seja, que pode ser moldado em qualquer formato, desde que esteja no ambiente certo, dominou a psicologia americana em meados do século xx; iremos retornar ao behaviorismo e suas consideráveis limitações. A questão é que Watson foi patologicamente flagrado dentro de um compartimento que trata das influências ambientais sobre o desenvolvimento. "Garanto [...] treiná-la para tornar-se qualquer tipo [...]."

Ainda assim, não nascemos todos iguais, com o mesmo potencial, a despeito de como somos treinados.*[4]

Próxima citação:

A vida psíquica normal depende do bom funcionamento sináptico; e as perturbações mentais provêm do desarranjo das sinapses [...]. É necessário alterar esses arranjos sinápticos e modificar os caminhos escolhidos pelos impulsos em sua passagem constante, a fim de modificar as ideias correspondentes e forçar caminho por canais diferentes.[5]

Alterar arranjos sinápticos. Parece delicado. Pois é. Essas foram as palavras do neurologista português Egas Moniz, na época em que ganhou o prêmio Nobel, em 1949, por seus avanços no ramo das leucotomias frontais. Aqui temos um indivíduo patologicamente confinado em um compartimento que trata de uma versão bruta do sistema nervoso. Afinal, bastaria ajustar essas sinapses microscópicas com um bom e velho picador de gelo (é assim que eram feitas as leucotomias, rebatizadas como lobotomias frontais, tão logo se tornaram uma linha de montagem).

E uma última citação:

A altíssima taxa de reprodução dos imbecis morais já foi estabelecida há tempos [...]. Ao material humano socialmente inferior é permitido [...] penetrar e por fim aniquilar toda uma nação saudável. Essa seleção para a tenacidade, o heroísmo, a utilidade social [...] deve ser levada a cabo por alguma instituição, de forma que a humanidade, na ausência de fatores seletivos, não seja arruinada por uma degeneração induzida pela domesticação. A ideia racial como base do nosso Estado já conquistou muito a esse respeito. Devemos — e deveríamos — confiar nos instintos saudáveis de nossos melhores homens e encarregá-los [...] do extermínio de elementos da população repletos de escória.[6]

Esse era Konrad Lorenz, behaviorista animal, ganhador do Nobel, cofundador do campo da etologia (não mude de canal) e frequentador assíduo de programas televisivos sobre a natureza.[7] Vovô Konrad, com suas bermudas austríacas e suspensórios, escoltado por seus filhotes de ganso "estampados",** também era um fanáti-

---

* Pouco depois de fazer esse pronunciamento, Watson abandonou o mundo acadêmico em decorrência de um escândalo sexual, e mais tarde ressurgiu como vice-presidente de uma empresa de publicidade. Você pode não conseguir moldar as pessoas para deixá-las do jeito que você quer, mas pelo menos pode moldá-las para comprarem uma quinquilharia inútil qualquer.

** No original, *"imprinted"*. *Imprinting* é um termo oriundo da psicologia e da etologia que se refere ao

co propagandista do nazismo. Lorenz filiou-se ao partido tão logo os austríacos começaram a ser aceitos e juntou-se ao Escritório de Políticas da Raça, trabalhando na triagem psicológica de poloneses com ascendência mista polonesa e alemã. Ele ajudou a determinar quem era alemão o suficiente para escapar da morte. Aqui temos um homem patologicamente atolado em um compartimento imaginário que trata de conclusões para lá de equivocadas sobre a função dos genes.

E esses não eram cientistas obscuros produzindo ciência de quinta categoria numa universidade de fundo de quintal. Eles estavam entre os mais influentes do século xx e ajudaram a definir quem nós educamos e como, quais males sociais julgamos corrigíveis e quando não devemos nos incomodar com eles. Esses cientistas permitiram a destruição de cérebros de seres humanos sem a anuência deles. E ajudaram a implementar soluções finais para problemas que não existiam. Pode ser muito mais que mera questão acadêmica quando um cientista acha que o comportamento humano pode ser explicado em sua totalidade a partir de uma única perspectiva.

NOSSAS VIDAS COMO ANIMAIS E A VERSATILIDADE HUMANA PARA A AGRESSÃO

Portanto, temos um primeiro desafio intelectual, que é sempre pensar dessa forma interdisciplinar. O segundo é entender os seres humanos como hominoideos, como primatas, como mamíferos. É isso mesmo: somos um tipo de animal. E será um desafio distinguir quando somos como qualquer outro animal e quando somos de todo diferentes.

Algumas vezes, somos, de fato, como qualquer outro animal. Quando assustados, secretamos o mesmo hormônio que um peixe subalterno ao ser atormentado por um valentão. A biologia do prazer envolve as mesmas substâncias químicas em nós e numa capivara. Os neurônios dos seres humanos e das artêmias funcionam da mesma forma. Coloque duas fêmeas de rato vivendo no mesmo lugar e em questão de semanas elas sincronizam seus ciclos reprodutivos e acabam ovulando com poucas horas de diferença. Tente a mesma coisa com duas mulheres (como relatado em alguns estudos, mas não em todos), e algo parecido acontece. Chama-se efeito Wellesley e foi demonstrado pela primeira vez em colegas de quarto da faculdade exclusivamente feminina Wellesley College.[8] E, quando se trata de violência, podemos

---

aprendizado pré-moldado que ocorre em circunstâncias específicas. O conceito foi popularizado por Konrad Lorenz e seus estudos com gansos. (N. T.)

agir da mesma forma que outros grandes primatas:* golpeamos, espancamos, apedrejamos e matamos com nossas próprias mãos.

Dessa forma, algumas vezes o desafio intelectual é compreender o quanto somos semelhantes a animais de outras espécies; em outros casos, é reconhecer como, apesar de a fisiologia humana guardar semelhanças com a de outras espécies, nós a utilizamos de maneiras distintas. Ativamos a fisiologia clássica do alerta quando assistimos a um filme de terror. Incitamos uma resposta de estresse ao pensar acerca da nossa mortalidade. Secretamos hormônios relacionados aos cuidados infantis e ao vínculo social, só que em resposta a um adorável bebê panda. E isso decerto se aplica à agressividade — utilizamos os mesmos músculos que um chimpanzé macho ao atacar um competidor sexual, mas para machucar alguém por causa de sua ideologia.

Por fim, às vezes a única forma de entender nossa condição humana é levar em conta apenas os seres humanos, pois as coisas que fazemos são únicas. Enquanto umas outras poucas espécies praticam o sexo não reprodutivo, somos os únicos que depois conversam sobre como foi. Construímos culturas baseadas em crenças sobre a natureza da vida e podemos transmitir essas crenças de geração em geração, mesmo entre indivíduos separados por milênios — pense em nosso best-seller mais perene, a Bíblia. Nesse sentido, podemos causar danos sem precedentes e que não exigem um esforço físico maior que apertar um gatilho, consentir com a cabeça ou olhar para o outro lado. Podemos ser passivo-agressivos, condenar com um elogio débil, interromper com desdém, expressar desprezo com uma preocupação condescendente. Todas as espécies são únicas, mas nós somos únicos de formas bastante únicas.

Aqui vão dois exemplos de quão estranhos e singulares podem ser os seres humanos quando decidem se machucar ou cuidar uns dos outros. O primeiro envolve, bem, minha esposa. Estamos numa minivan com as crianças no banco de trás e ela ao volante. Então um completo imbecil nos dá uma fechada e quase provoca um acidente, de um jeito que deixa claro que não foi distração de sua parte, apenas egoísmo. Minha esposa buzina e ele mostra o dedo do meio. Estamos furiosos e indignados. Que-filho-da-mãe-onde-está-a-polícia-quando-precisamos-dela, e coisa e tal. E, de repente, minha esposa anuncia que iremos segui-lo, só para deixá-lo nervoso. Ainda estou fulo, mas isso não me parece a coisa mais prudente do mundo. Mesmo assim, ela se põe no encalço dele, colada na traseira do automóvel.

---

* No original, *"apes"*, os primatas da superfamília Hominoidea, que inclui gibões, orangotangos, gorilas, chimpanzés e humanos. Ao longo do texto, usaremos "hominoideos" e "grandes primatas" como sinônimos. (N. T.)

Depois de alguns minutos, o sujeito está dirigindo de forma esquiva, mas minha esposa continua em sua cola. Por fim, ambos os carros param num sinal vermelho, que sabemos que é bem demorado. Há outro veículo na frente do vilão. Ele não tem para onde ir. De repente, minha esposa apanha alguma coisa da divisória do banco da frente, abre a porta e diz: "Agora, sim, ele vai se arrepender". Eu me adianto, num tom débil: "Ãhm, querida, você acha mesmo que é uma boa id...", mas ela já está do lado de fora do carro, esmurrando a janela dele. Chego bem a tempo de ouvi-la dizer: "Se você é capaz de fazer algo tão ruim para outra pessoa, então provavelmente merece isto", num tom de voz muito maldoso. Então ela arremessa algo contra a janela. Volta para o carro gloriosa e triunfante.

"O que você jogou lá dentro!?"

Ela ainda não está falando. O sinal muda para verde, não tem ninguém atrás de nós e apenas ficamos parados. O malfeitor começa a piscar a seta de forma muito contida, faz uma curva devagar e segue em direção a uma rua paralela à velocidade de, sei lá, uns dez quilômetros por hora. Se fosse possível um carro parecer envergonhado, este parecia.

"Querida, o que você jogou lá dentro, me diz?"

Ela deixa escapar um sorrisinho maligno.

"Um pirulito de uva." Fico impressionado com sua entonação feroz e passivo-agressiva: "... Você é um ser humano tão ruim e horrível que algo de muito errado deve ter acontecido na sua infância, e talvez este pirulito ajude a corrigir esse problema só um pouquinho". Esse cara vai pensar duas vezes antes de mexer de novo com a gente. Fiquei cheio de orgulho e amor.

E o segundo exemplo: em meados da década de 1960, um golpe militar de direita derrubou o governo da Indonésia, instaurando a ditadura de Suharto, a "Nova Ordem", que durou trinta anos. Na sequência do golpe, o governo patrocinou o expurgo de comunistas, esquerdistas, intelectuais, sindicalistas e cidadãos de etnia chinesa, resultando em meio milhão de mortos. Execuções em massa, tortura, vilarejos incendiados com seus habitantes dentro. O escritor V. S. Naipaul conta em seu livro *Entre os fiéis: Irã, Paquistão, Malásia, Indonésia — 1981* que,[9] quando estava na Indonésia, ouviu rumores de uma situação absurda: sempre que um grupo paramilitar chegava para exterminar todas as pessoas em um determinado vilarejo, trazia consigo uma tradicional orquestra de gamelão. Mais tarde, Naipaul encontrou um impenitente veterano de um massacre e lhe perguntou sobre o boato. Sim, é verdade, nós levávamos músicos de gamelão, cantores, flautas, gongos, o serviço completo. Por quê? Por que vocês fariam isso? O homem pareceu perplexo e deu o que lhe parecia uma resposta óbvia: "Bem, para tornar tudo mais bonito".

Flautas de bambu, incêndio em vilarejos, a balística de pirulitos do amor materno. Nosso trabalho agora está delimitado: tentaremos entender o virtuosismo com que nós, seres humanos, nos machucamos ou cuidamos uns dos outros, e quão interligada é a biologia por trás de ambas as ações.

1. O comportamento

Temos nossa estratégia a postos. Ocorreu um comportamento — seja ele repreensível, admirável ou algo que flutua de forma ambígua entre ambas as categorias. O que ocorreu um segundo antes e que precipitou o comportamento? Esse é o território do sistema nervoso. O que ocorreu nos segundos ou minutos anteriores e que levou o sistema nervoso a produzir esse comportamento? Eis o território dos estímulos sensoriais, muitos deles captados de forma inconsciente. O que ocorreu nas horas ou dias anteriores para mudar a sensibilidade do sistema nervoso a tal estímulo? Ações agudas de hormônios. E assim por diante, remontando até as pressões evolutivas que entraram em campo nos últimos milhões de anos e que botaram a bola em jogo.

Então estamos prontos. Exceto que, ao nos aproximarmos dessa enorme e difusa bagunça de assunto, talvez seja importante, ou mesmo obrigatório, definir primeiro os nossos termos. O que não é uma perspectiva muito agradável.

Aqui vão algumas palavras de importância central neste livro: agressividade, violência, compaixão, empatia, simpatia, competição, cooperação, altruísmo, inveja, *Schadenfreude*, desdém, perdão, reconciliação, vingança, reciprocidade e (por que não?) amor. Tudo isso nos arremessa em um atoleiro de definições.

Por que a dificuldade? Conforme enfatizado na introdução, uma das razões disso é que muitos desses termos se tornaram campos de batalha ideológicos sobre a apropriação e a distorção de seus significados.*[1] As palavras têm poder e tais defi-

---

* Encontrei há pouco tempo um exemplo alarmante de definição não ortodoxa de um termo. Envolveu Menachem Begin, um dos surpreendentes arquitetos dos Acordos de Paz de Camp David, em 1978, na condição de primeiro-ministro de Israel. Em meados dos anos 1940, ele comandou o Irgun, grupo paramilitar sionista, em seu propósito de expulsar a Grã-Bretanha da Palestina, facilitando assim a fundação do Estado de Israel. O Irgun arrecadou fundos para a compra de armas por meio de roubo e extorsão, capturou e enforcou dois soldados britânicos e ocultou armadilhas minadas sob seus cadáveres, além de promover uma série de atentados, incluindo, de forma mais notória, o bombardeio ao hotel King David, base da Grã-Bretanha em Jerusalém, uma ação que não só matou inúmeros oficiais

nições são carregadas de valores, muitas vezes idiossincráticos. Aqui vai um exemplo, a saber, as diferentes formas como penso a palavra "competição": a) "competição" — sua equipe de laboratório disputa com a equipe de Cambridge para ver quem chega primeiro a uma descoberta (emocionante, mas dá vergonha de admitir); b) "competição" — uma pelada de futebol (legal, contanto que o melhor jogador troque de lado se o placar ficar muito desigual); c) "competição" — o professor do seu filho anuncia um prêmio para o melhor desenho de peru de Ação de Graças, daqueles feitos com o contorno da mão (tolice e talvez um sinal de alerta — se isso continuar acontecendo, talvez seja bom se queixar com o diretor); d) "competição" — em nome de qual divindade vale mais a pena matar? (tentar evitar).

Mas a maior razão para esse desafio designativo foi enfatizada na introdução: esses termos significam coisas distintas para cientistas de diferentes disciplinas. "Agressão" se refere ao pensamento, à emoção ou tem a ver com os músculos? "Altruísmo" é algo que pode ser estudado matematicamente em várias espécies, incluindo as bactérias, ou estamos discutindo o desenvolvimento moral das crianças? Implícitas nessas diferentes perspectivas, as disciplinas possuem orientações distintas quando se trata de agregar (*lumping*) ou dividir (*splitting*): alguns cientistas acreditam que o comportamento X consiste em dois subtipos diferentes, enquanto outros acham que vem em dezessete sabores.

Vamos examinar isso com relação aos tipos diferentes de "agressão".[2] Os behavioristas animais estabelecem uma dicotomia entre agressão ofensiva e defensiva, fazendo distinção, por exemplo, entre o intruso e o habitante de um território; a biologia por trás desses dois tipos é diferente. Tais cientistas também distinguem entre a agressão coespecífica (entre membros da mesma espécie) e a expulsão de um predador. Enquanto isso, criminologistas diferenciam a agressão impulsiva da premeditada. Antropólogos se preocupam com níveis diversos de organização subjacentes à agressão, fazendo distinção entre guerra, vendeta de clãs e homicídio.

Além disso, inúmeras disciplinas estabelecem uma distinção entre a agressão que ocorre de forma reativa (em resposta a uma provocação) e a agressão espontânea, bem como entre a agressão passional irrefletida e a agressão instrumental a sangue-frio (por exemplo: "Quero seu território para construir meu ninho, então suma daqui ou furo seus olhos; mas não é nada pessoal, eu juro").[3] E há também outra versão do "não é nada pessoal": mirar em um indivíduo só porque ele é fraco e você está frustrado, estressado ou sofrendo e precisa descontar sua agressividade em alguém. Essa hostilidade transferida a terceiros é generalizada: dê um choque em um

---

britânicos como também vários civis árabes e judeus. E qual foi a interpretação de Begin para essas atividades? "Do ponto de vista histórico, nós não éramos 'terroristas'. Éramos, estritamente falando, *antiterroristas*" (grifo meu).

rato e é provável que ele vá morder o rato menor que estiver mais próximo; um babuíno de segundo escalão perde uma briga com o macho alfa e persegue o ômega;* quando a taxa de desemprego sobe, a violência doméstica também aumenta. De forma deprimente, como discutiremos no capítulo 4, a agressividade deslocada pode ser capaz de diminuir os níveis do hormônio do estresse no agressor; ou seja, dar úlceras a alguém pode ajudá-lo a evitá-las. E é claro que existe um tenebroso mundo de agressões que não são nem reativas nem instrumentais, mas executadas por prazer.

Também há subtipos especializados de agressão, como a maternal, que muitas vezes possui uma endocrinologia característica. E há diferenças entre uma agressão e *ameaças ritualísticas* de agressão. Por exemplo, muitos primatas têm índices mais baixos de agressão efetiva do que de ameaças ritualísticas (como mostrar os dentes caninos). De modo similar, a agressão entre peixinhos beta é quase sempre ritualística.**

Encontrar uma definição adequada para os termos mais positivos também não é fácil. Há empatia versus simpatia, reconciliação versus perdão e altruísmo versus "altruísmo patológico".[4] Para um psicólogo, o último termo pode designar a codependência empática de permitir que o parceiro faça uso de drogas. Para um neurocientista, o termo descreve a consequência de um tipo de dano ao córtex

---

* Pude observar um exemplo notável desse fenômeno entre os babuínos que estudei na África Oriental. Ao longo de mais ou menos trinta anos de observação, testemunhei diversas ocorrências daquilo que, a meu ver, equivaleria ao termo "estupro", que seria supostamente exclusivo de seres humanos: quando um babuíno macho penetrava vaginalmente à força uma fêmea fora do cio que não estava sexualmente receptiva e tentava se defender e, além disso, manifestava todo tipo de indicação de estresse e dor durante o ato. Cada uma dessas ocorrências foi perpetrada pelo macho alfa nas horas que se sucederam à sua derrubada de posição.

** Há uma ótima versão contemporânea da agressividade ritualística humana, a saber, o ritual *haka* executado pelos times de rúgbi da Nova Zelândia. Pouco antes de o jogo começar, os kiwis se organizam no meio do campo e executam um tipo de dança de guerra neomaori, repleta de pisadas rítmicas, gestos de intimidação, berros guturais e expressões faciais histrionicamente ameaçadoras. É bacana assistir de longe pelo YouTube (melhor ainda é assistir ao vídeo em que Robin Williams faz uma imitação do *haka* no programa *Charlie Rose*, da PBS), mas, de perto, a dança parece de fato apavorar os adversários. Contudo, alguns times rivais inventaram respostas ritualísticas retiradas diretamente do manual dos babuínos: encaram bem os jogadores que estão executando o *haka* e tentam fazê-los desviar o olhar para baixo. Outros times inventaram respostas de caráter bem humano: ignorar a turma do *haka* enquanto se aquecem de forma despreocupada, ou usar seus smartphones para filmar a apresentação, emasculando assim o ritual e o transformando em algo com um teor vagamente turístico, e em seguida aplaudindo de forma educada e condescendente. Também se registrou uma resposta que, à primeira vista, parecia apenas humana, mas que poderia ser compreendida por outros primatas depois de passar por uma tradução: o boletim de notícias de um time australiano divulgou uma foto dos inimigos mortais neozelandeses executando o *haka*, com uma montagem de Photoshop na qual cada um dos jogadores segurava uma bolsa feminina.

frontal — em jogos econômicos com mudanças de estratégia, os indivíduos com tais danos fracassam em migrar para uma tática menos altruística mesmo sendo apunhalados nas costas várias vezes pelo rival, a despeito de serem capazes de verbalizar a estratégia deste.

Quando se trata de comportamentos mais positivos, a questão principal, no fundo, transcende a semântica: existe altruísmo puro? É possível isolar o ato de fazer o bem das expectativas de reciprocidade, de reconhecimento público, de autoestima ou da promessa de ir para o céu?

Essa discussão se dá num território fascinante, conforme relatado em "The Kindest Cut" [O corte mais bondoso],[5] matéria de Larissa MacFarquhar publicada em 2009 na revista *New Yorker*. Ela fala de pessoas que doam seus órgãos — não para membros da família ou amigos íntimos, mas para desconhecidos. Ao que parece, trata-se de um ato de puro altruísmo. Mas esses samaritanos irritam a todos, despertando desconfiança e ceticismo. Será que a pessoa espera ser remunerada secretamente por seu rim? Será que está desesperada por atenção? Será que está abrindo caminho para entrar na vida do receptor e dar uma de *Atração fatal*? Qual é a dela? O artigo sugere que esses atos profundos de bondade provocam irritação por sua natureza desprendida e fria.

Isso dialoga com uma questão importante que perpassa este livro. Conforme observado, distinguimos entre violência passional e violência a sangue-frio. Entendemos melhor a primeira e conseguimos enxergar nela fatores atenuantes — pense no homem desconsolado e furioso que mata o assassino do filho. De modo contrário, a violência imperturbável parece aterradora e incompreensível; é o campo do sociopata matador de aluguel, do Hannibal Lecter que esfaqueia pessoas sem que sua frequência cardíaca suba um batimento sequer.*[6] É por isso que assassinato *a sangue-frio* é um rótulo tão poderoso.

---

* Um exemplo fascinante e grotesco disso é a síndrome de Munchausen por procuração, na qual a mulher (o transtorno ocorre quase sempre com o sexo feminino) provoca doenças no filho em virtude de uma necessidade patológica de atenção, cuidado e envolvimento do sistema médico. Não se trata de mentir para o pediatra, dizendo que a criança teve febre na noite anterior. Trata-se de dar eméticos para induzi-la ao vômito, de envenená-la, de asfixiá-la para simular sintomas de hipóxia — muitas vezes com consequências fatais. Uma das características desse distúrbio é a chocante falta de afeto nas mães. Seria de esperar um ar de loucura espumante para combinar com suas ações. Em vez disso, há um distanciamento frio e indicativo de que, se elas pudessem obter benefícios similares, mentiriam sem hesitar para o veterinário sobre seu peixinho dourado em tese doente, ou para o serviço de atendimento ao consumidor sobre sua torradeira supostamente quebrada. Para uma visão geral da síndrome de Munchausen por procuração, ver R. Sapolsky, "Nursery Crimes", em *Monkeyluv and Other Essays on Our Lives as Animals* (Nova York: Simon and Schuster/Scribner, 2005).

De modo similar, esperamos que nossas melhores e mais solidárias ações sejam calorosas e repletas de afeição positiva. A bondade fria nos parece contraditória e perturbadora. Fui certa vez a uma conferência entre neurocientistas e renomados monges budistas meditadores, com os primeiros estudando o cérebro dos últimos durante a prática. Um dos cientistas perguntou a um dos monges se ele alguma vez já havia interrompido uma meditação porque seus joelhos estavam doendo de tanto manter as pernas cruzadas. Ele respondeu: "Às vezes paro antes do que pretendia, mas não porque dói, não é algo que eu perceba; é mais um ato de bondade para com os meus joelhos". "Opa", pensei, "esses caras são de outro planeta." Um lugar bacana e admirável, mas, de qualquer forma, outro planeta. Tanto os crimes quanto as boas ações passionais fazem mais sentido para nós (ainda assim, como veremos, às vezes a bondade desapaixonada tem muito a ensinar).

A maldade de sangue quente, a bondade calorosa e a incongruência irritante de suas contrapartes de sangue-frio levantam uma questão importante, condensada nesta citação de Elie Wiesel, ganhador do Nobel da Paz e sobrevivente de um campo de concentração: "O oposto do amor não é o ódio; o oposto do amor é a indiferença". A biologia por trás do amor intenso e do ódio intenso é similar em muitos aspectos, como veremos.

O que nos faz lembrar que não odiamos a agressividade; odiamos o tipo errado dela, mas a amamos quando ela está no contexto certo. E vice-versa: no contexto errado, nossos comportamentos mais louváveis podem ser considerados tudo, menos louváveis. As características mecânicas de nossos comportamentos são menos importantes e desafiadoras de compreender do que o significado subjacente às ações de nossos músculos.

Isso foi provado com um estudo engenhoso.[7] Voluntários dentro de um aparelho de tomografia cerebral entravam numa sala virtual onde poderiam encontrar um homem ferido que precisava de ajuda ou um extraterrestre ameaçador; eles deviam escolher entre fazer um curativo ou atirar no indivíduo. Apertar o gatilho e fazer um curativo são comportamentos diferentes. Mas também são parecidos, já que aplicar uma bandagem no ferido e matar o alienígena são, ambos, a coisa "certa" a fazer. E pensar nessas duas versões diferentes de fazer a coisa certa ativou o mesmo circuito na parte mais contextualmente esperta do cérebro, o córtex pré--frontal.

Portanto, as palavras-chave que sustentam este livro são mais difíceis de serem definidas por causa de sua profunda dependência contextual. Assim, irei agrupá-las de um modo que reflita isso. Não enquadrarei os comportamentos a seguir nem como pró-sociais nem como antissociais — seria muito sangue-frio para meus gostos explicativos. Tampouco irei rotulá-los de "bons" ou "maus" — seria sangue quente e superficial demais. Em vez disso, em mais uma de nossas convenientes simplificações de conceitos que desafiam verdadeiramente a brevidade, este livro trata da biologia por trás de nossos melhores e piores comportamentos.

2. Um segundo antes

Vários músculos se mexeram e um comportamento ocorreu. Talvez seja um ato de bondade: você tocou o braço de alguém em sofrimento, num gesto de empatia. Talvez seja um ato torpe: você apertou o gatilho, mirando em um inocente. Talvez seja um ato de bondade: você apertou o gatilho e atraiu disparos em sua direção, a fim de salvar outras vidas. Talvez seja um ato torpe: você tocou o braço de alguém e deu início a uma reação em cadeia de eventos libidinosos que culminaram na traição de uma pessoa querida. Atos que, conforme foi enfatizado, só são definíveis pelo contexto.

Assim, façamos a pergunta que dará início aos próximos oito capítulos: por que esse comportamento ocorreu?

Como ponto de partida, sabemos que diferentes disciplinas produzem diferentes respostas — por causa de um hormônio; por causa da evolução; por causa de experiências na infância, ou genes, ou cultura —, e que, como premissa central deste livro, elas estão totalmente entrelaçadas, ou seja, nenhuma das respostas é autônoma. Mas, em um nível mais próximo, neste capítulo iremos perguntar: o que ocorreu no segundo anterior ao comportamento e que propiciou sua ocorrência? Isso nos coloca no território da neurobiologia, no afã de tentar entender o cérebro que comandou esses músculos.

Este capítulo é uma das bases do livro. O cérebro é a via final comum, o canal que faz a mediação entre as influências de todos os fatores distais a serem abordados nos capítulos a seguir. O que ocorreu uma hora, uma década, 1 milhão de anos antes? O que aconteceu foram fatores que afetaram o cérebro e o comportamento que ele produziu.

Este capítulo apresenta dois grandes desafios. O primeiro é sua assombrosa extensão. Peço desculpas: tentei ser sucinto e não muito técnico, mas trata-se de um conteúdo de base que precisa ser abordado. O segundo desafio é que, a despeito das minhas tentativas de não ser técnico, o material pode ser sufocante para quem não tem nenhum conhecimento de neurociência. Para ajudar nisso, por favor dê uma olhada agora no apêndice 1.

Agora perguntamos: que fatores cruciais ocorreram no segundo anterior a esse comportamento pró ou antissocial? Ou, traduzindo para a neurobiologia: o que estava acontecendo com os potenciais de ação, os neurotransmissores e os circuitos neurais em determinadas regiões do cérebro durante esse segundo?

TRÊS CAMADAS METAFÓRICAS (NÃO LITERAIS)

Começamos examinando a macro-organização do cérebro, a partir de um modelo proposto nos anos 1960 pelo neurocientista Paul MacLean.[1] Sua teoria do "cérebro trino" conceitualiza o cérebro como detentor de três domínios principais:

Camada 1: Parte mais antiga do cérebro, localizada na base do órgão e presente em várias espécies, de seres humanos a lagartixas. Essa camada faz a mediação das funções automáticas e regulatórias. Se a temperatura do corpo cai, ela percebe e manda os músculos tremerem. Se os níveis de glicose no sangue despencam, isso é detectado nessa camada, gerando fome. Se um ferimento ocorre, um circuito diferente inicia o mecanismo de resposta ao estresse.

Camada 2: Uma região evoluída mais recentemente que se expandiu nos mamíferos. Segundo MacLean, essa camada lida com emoções, numa espécie de invenção mamífera. Se você vê algo repugnante e assustador, ela envia comandos para a camada 1, fazendo-o tremer de emoção. Se está se sentindo tragicamente desprezado, as regiões daqui estimulam a camada 1 a produzir um desejo por comida reconfortante. Se você é um roedor e sente cheiro de gato, os neurônios daqui fazem a camada 1 iniciar o mecanismo de resposta ao estresse.

Camada 3: Camada de aparecimento mais recente na evolução, o "neocórtex" se localiza na superfície superior do cérebro. Proporcionalmente, os primatas dedicam uma maior parte do cérebro a essa camada, em relação a outras espécies. Cognição, armazenamento de memória, processamento sensorial, abstrações, filosofia, contemplação do umbigo. Leia um trecho assustador de um livro e a camada 3 manda para a camada 2 um sinal que o faz sentir medo, impelindo a camada 1 a iniciar o tremor. Veja uma propaganda de biscoitos Oreo e você sente um desejo incontrolável de comê-los — é a camada 3 influenciando a 2 e a 1. Reflita sobre o fato de que seus entes queridos não irão viver para sempre, ou acerca das crianças em campos de refugiados, ou sobre como a Árvore-Lar dos Na'vi foi destruída por aqueles humanos idiotas em *Avatar* (se bem que, espere: *os Na'vi não são reais!*), e a camada 3 coloca a 2 e a 1 em cena, fazendo com que você se sinta triste e manifeste a mesma espécie de resposta ao estresse que teria caso estivesse fugindo de um leão.

Dessa forma, temos o cérebro dividido em três categorias funcionais, com as habituais vantagens e desvantagens de se categorizar um espectro contínuo. A maior desvantagem é a simplificação. Por exemplo:

a. Em termos anatômicos, há uma sobreposição considerável entre as três camadas (por exemplo, uma parte do córtex pode ser considerada pertencente à camada 2; não mude de canal).

b. O fluxo de informações e comandos não corre apenas de cima para baixo, das camadas 3 à 2 à 1. Um exemplo ótimo e bem esquisito disso que será explorado no capítulo 15: quando uma pessoa segura uma bebida gelada (a temperatura é processada na camada 1), ela se torna mais propensa a achar que o interlocutor tem uma personalidade fria (camada 3).

c. Aspectos automáticos do comportamento (que são, de forma simplista, atribuições da camada 1), da emoção (camada 2) e do pensamento (camada 3) são inseparáveis.

d. O modelo trino nos leva erroneamente a pensar que a evolução atingiu cada nova camada sem fazer nenhuma modificação nas que já existiam.

Apesar dessas deficiências, enfatizadas pelo próprio MacLean, o modelo será uma boa metáfora organizadora para nós.

O SISTEMA LÍMBICO

A fim de compreender nossos melhores e piores comportamentos, devemos considerar tanto o automatismo quanto a emoção e a cognição; começarei de forma arbitrária pela camada 2 e sua ênfase na emoção.

Os neurocientistas do início do século xx achavam que a função da camada 2 era óbvia. Pegue uma cobaia-padrão de laboratório, um rato, e examine seu cérebro. Bem na frente estarão esses dois lobos gigantes, os "bulbos olfatórios" (um por narina), a principal área receptiva para odores.

Naquela época, os neurocientistas se perguntavam com quais partes do cérebro esses gigantescos bulbos olfatórios se comunicavam (ou seja, para onde enviavam suas projeções axonais). Quais regiões do cérebro estavam a apenas uma sinapse de receber a informação olfatória, quais estavam a duas sinapses, a três e assim por diante?

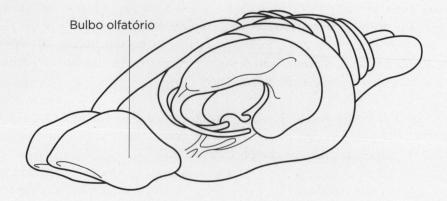

E eram as estruturas da camada 2 que recebiam os primeiros informes. Ah, todos concluíram, então essa parte do cérebro deve processar os odores, e assim foi batizada de rinencéfalo — o cérebro do nariz.

Enquanto isso, nos anos 1930 e 1940, neurocientistas como o jovem MacLean, James Papez, Paul Bucy e Heinrich Klüver estavam começando a descobrir o que faziam as estruturas da camada 2. Por exemplo, quando você lesiona (ou destrói) as estruturas dessa camada, isso gera a "síndrome de Klüver-Bucy", que provoca anormalidades na socialidade, sobretudo nos comportamentos sexuais e agressivos. Eles concluíram que tais estruturas, logo chamadas de "sistema límbico" (por razões obscuras), estavam relacionadas com as emoções.

Rinencéfalo ou sistema límbico? Olfato ou emoção? Batalhas campais se desenrolaram até que alguém apontou o óbvio: para um rato, emoção e olfato são praticamente sinônimos, já que quase todos os estímulos ambientais que provocam emoções num roedor são olfatórios. Paz na Terra aos homens. Num roedor, os estímulos olfatórios são aquilo de que o sistema límbico mais depende para obter as notícias emocionais do mundo. Em contraste, o sistema límbico dos primatas é mais instruído por estímulos visuais.

Hoje, a função límbica é reconhecida como central nas emoções que alimentam nossos melhores e piores comportamentos, e um extenso trabalho de pesquisa revelou a função de suas estruturas (tais como a amígdala, o hipocampo, os septos, a habênula e os corpos mamilares).

Mas na verdade não existem "centros" no cérebro "para" comportamentos específicos. Isso é verdadeiro sobretudo com relação ao sistema límbico e às emoções. Há, de fato, uma sub-sub-região do córtex motor que chega perto de ser "central" para fazer o seu mindinho esquerdo se dobrar; outras regiões têm papéis importantes na regulação da respiração ou da temperatura do corpo. Mas não há centros para ficar irritado ou sexualmente excitado, para sentir uma saudade agridoce ou um caloroso instinto de proteção com uma pitada de desprezo, ou para aquela sensação de o-que-é-essa-coisa-chamada-amor. Portanto, não é de espantar que o esquema de circuitos que conecta variadas estruturas límbicas seja tão complexo.

O sistema nervoso autônomo e as principais regiões antigas do cérebro

As regiões do sistema límbico formam circuitos complexos de excitação e inibição. É mais fácil entender isso quando consideramos o desejo mais profundo de toda estrutura límbica: influenciar as ações do hipotálamo.

Por quê? Por causa da sua relevância. O hipotálamo, uma estrutura límbica, é a interface entre as camadas 1 e 2, as partes regulatórias e emocionais mais importantes do cérebro.

De forma consistente com essa função de intermediação, o hipotálamo recebe uma enorme quantidade de estímulos das estruturas límbicas da camada 2, mas envia uma quantidade desproporcional de projeções para as regiões da camada 1. Estamos falando do mesencéfalo e do tronco encefálico, estruturas evolutivamente primitivas que regulam as reações automáticas por todo o corpo.

Para os répteis, tal regulação automática é bem direta. Se os músculos estiverem trabalhando duro, isso é percebido pelos neurônios espalhados pelo corpo, que enviam a informação medula acima para as regiões da camada 1, resultando em sinais medula abaixo que aumentam a frequência cardíaca e a pressão arterial; o resultado é mais oxigênio e glicose para os músculos. Ao se empanturrar de comida, as paredes do estômago se distendem; os neurônios localizados no local detectam isso, transmitem a informação e logo os vasos sanguíneos das vísceras se dilatam, aumentando o fluxo sanguíneo e facilitando a digestão. Está quente demais? O sangue é enviado à superfície do corpo para dissipar o calor.

Tudo isso é automático, ou "autonômico". E, assim, as regiões do mesencéfalo e do tronco encefálico, junto com suas projeções espinha abaixo e corpo afora, são coletivamente chamadas de "sistema nervoso autônomo".*

---

* Também chamado de "sistema nervoso involuntário", em contraste com o "sistema nervoso voluntário". Este último tem a ver com o movimento consciente e voluntário, e envolve neurônios nas re-

E onde entra o hipotálamo? É o meio pelo qual o sistema límbico influencia a função autonômica, a forma como a camada 2 se comunica com a camada 1. Fique com a bexiga cheia e com os músculos de suas paredes distendidos, e logo o circuito do mesencéfalo/tronco encefálico vota por urinar. Exponha-se a algo aterrorizante o suficiente e as estruturas límbicas, via hipotálamo, convencem o mesencéfalo/tronco encefálico a tomar a mesma atitude. É assim que as emoções afetam as funções do corpo, e é por isso que os caminhos límbicos sempre levam ao hipotálamo.*

O sistema nervoso autônomo tem duas partes: os sistemas nervosos simpático e parassimpático, com funções bem opostas.

O sistema nervoso simpático (sns) comanda a reação do corpo a circunstâncias estimulantes, produzindo, por exemplo, a famosa resposta ao estresse de "luta ou fuga" (*fight or flight*). Para usar a lamentável piada contada aos estudantes de medicina de primeiro ano, o sns age sobre os quatro Fs: *fear, fight, flight and sex* (medo, luta, fuga e sexo). Certos núcleos do mesencéfalo/tronco encefálico enviam longas projeções do sns medula abaixo e em seguida a postos avançados ao longo do corpo, onde os terminais axonais liberam o neurotransmissor noradrenalina. Há uma exceção que torna o sns mais familiar. Na glândula adrenal, em vez de liberar noradrenalina (ou norepinefrina), ele libera a famosa adrenalina (ou epinefrina).**

Por sua vez, o sistema nervoso parassimpático (snp) surge de diferentes núcleos do mesencéfalo/tronco encefálico que se projetam medula abaixo para o corpo. Em contraste com o sns e seus quatro Fs, o snp lida com estados calmos e vegetativos. Enquanto o sns apressa o coração, o snp o desacelera. O snp promove a digestão, o sns a inibe (o que faz sentido: se você estiver correndo para salvar sua vida, tentando não virar o almoço de alguém, não gaste energia digerindo o café da

---

giões "motoras" do cérebro, bem como suas projeções medula abaixo para os músculos esqueléticos.

* Apenas como alerta para as complexidades ainda por vir, o hipotálamo consiste num punhado de núcleos diferentes, cada um recebendo uma orquestração única de impulsos límbicos e gerando sinais igualmente distintos para várias regiões do mesencéfalo/tronco cerebral. E, ainda que cada núcleo hipotalâmico tenha um conjunto diferente de funções, todas entram na categoria geral de regulação autonômica.

** E para complicar ainda mais as coisas sem necessidade, justificando, portanto, por que isso está enterrado numa nota de rodapé, há na verdade uma sinapse intermediária entre os neurônios de projeção espinhal longa do sns e os neurônios do sns que chegam às células-alvo. Logo, é o segundo neurônio numa via de duas etapas que libera a noradrenalina. O primeiro neurônio de cada via libera a acetilcolina.

manhã).* Como veremos no capítulo 14, se presenciar o sofrimento de alguém ativa o seu SNS, é mais provável que você se preocupe com sua própria angústia, em vez de ajudar; mas, se o SNP for ativado, acontece o contrário. Como o SNS e o SNP fazem coisas opostas, o SNP obviamente irá liberar um neurotransmissor diferente a partir de seus terminais axonais: a acetilcolina.**

Há uma segunda maneira tão importante quanto pela qual a emoção pode influenciar o corpo. De forma mais específica, o hipotálamo também regula a liberação de muitos hormônios; isso será discutido no capítulo 4.

Então o sistema límbico regula de maneira indireta as funções autonômicas e de liberação de hormônios. O que isso tem a ver com o comportamento? Muito: afinal, os estados autonômicos e hormonais do corpo mandam de volta informações para o cérebro, o que influencia o comportamento (em geral de forma inconsciente).*** Não perca as próximas cenas dos capítulos 3 e 4.

A interface entre o sistema límbico e o córtex

Hora de acrescentar o córtex. Como já foi observado, o córtex é a superfície superior do cérebro (vem do latim *córtico*, de "tronco de árvore"), assim como sua parte mais nova.

O córtex é a reluzente, lógica e analítica joia da coroa da camada 3. A maior parte da informação sensorial circula por lá para ser decodificada. É onde os músculos recebem o comando de se mover, onde a linguagem é compreendida e produzida, onde as memórias são armazenadas, as habilidades espaciais e matemáticas residem, onde decisões executivas são tomadas. Ele flutua sobre o sistema límbico,

---

* Que belo fragmento de lógica. Imagine que você está estressado não porque está fugindo de um leão, mas porque precisa fazer um discurso. Sua boca fica seca, o que é o primeiro passo para que seu SNS interrompa a digestão, adiando-a para uma hora mais propícia.

** Assim como o SNS, o SNP faz o cérebro alcançar os órgãos em duas etapas. Uma das complicações é que os ramos do SNS e do SNP nem sempre trabalham em completa oposição; em alguns casos, funcionam de maneira mais cooperativa e sequencial. Por exemplo, a ereção e a ejaculação envolvem uma coordenação tão complicada entre o SNS e o SNP que é um milagre que qualquer um de nós tenha sido concebido.

*** Em outras palavras, as camadas 2 e 3 podem influenciar as funções autonômicas da camada 1, alterando eventos pelo corpo, o que por sua vez influencia todas as partes do cérebro. Os sinais dão voltas e mais voltas.

encorajando filósofos, desde pelo menos Descartes, a ressaltar a dicotomia entre pensamento e emoção.

É claro que isso tudo está errado, como evidenciado pela temperatura de um copo — processada no hipotálamo — alterando o parecer sobre a frieza da personalidade de outra pessoa. As emoções filtram a natureza e a precisão do que é lembrado. Lesões provenientes de derrames em certas regiões corticais bloqueiam a habilidade da fala; alguns pacientes redirecionam o universo cerebral da fala através de desvios emotivos e límbicos — eles são capazes de cantar o que querem dizer. O córtex e o sistema límbico não são separados, já que muitas projeções axonais fluem entre ambos. O fato de essas projeções serem bidirecionais é decisivo: o sistema límbico fala com o córtex, em vez de ser apenas conduzido por ele. A falsa dicotomia entre pensamento e sentimento é apresentada no clássico *O erro de Descartes*, do neurologista Antonio Damasio, da Universidade do Sul da Califórnia; seu trabalho será discutido mais adiante.[2]

Enquanto o hipotálamo se concentra na interface das camadas 1 e 2, é o córtex frontal, essa parte tão incrível e interessante, que faz a interface entre as camadas 2 e 3.

Um vislumbre essencial do córtex frontal foi proporcionado na década de 1960 pelo gigante da neurociência Walle Nauta, do Instituto de Tecnologia de Massachusetts (MIT).*[3] Nauta estudou quais regiões do cérebro enviavam axônios ao córtex frontal e quais regiões os recebiam. E o córtex frontal estava bidirecionalmente enredado com o sistema límbico, levando o cientista a propor que ele era quase um membro desse sistema. Todo mundo o chamou de idiota, claro. O córtex frontal era a região mais recentemente evoluída do tão refinado córtex — o único motivo pelo qual o córtex frontal poderia estar frequentando o sistema límbico seria o de pregar as virtudes do trabalho honesto e da temperança cristã aos pés-rapados de lá.

É óbvio que Nauta estava certo. Em circunstâncias distintas, o córtex frontal e o sistema límbico estimulam ou inibem um ao outro, colaboram entre si e agem de forma coordenada, ou discutem e trabalham por objetivos contrários. Ele é mesmo um membro honorário do sistema límbico. E as interações entre o córtex frontal e as (demais) estruturas límbicas são a essência de boa parte deste livro.

---

* Nauta não foi apenas um importante cientista: foi também uma força de integridade, bem como um renomado professor que fez da neuroanatomia, ensinada em aulas noturnas de três horas, uma disciplina muitíssimo engraçada. Durante a faculdade, eu pesquisava num laboratório vizinho ao dele, e era tão fascinado por Nauta que encontrava todo tipo de desculpa autonômica para ir ao banheiro sempre que o via seguir naquela direção, só pela oportunidade de casualmente dar um "oi" para ele no urinol. (Minha admiração cresceu ainda mais quando, mais tarde, descobri que ele e a família abrigaram judeus da perseguição nazista na Holanda, durante a Segunda Guerra Mundial, sendo mencionados pelo Museu do Holocausto em Washington.)

Mais dois detalhes. Em primeiro lugar, o córtex não é uma superfície lisa, mas dobrada em circunvoluções. Essas circunvoluções compõem uma superestrutura de quatro lobos separados: temporal, parietal, occipital e frontal, cada uma delas com funções distintas.

Em segundo lugar, o cérebro tem, é evidente, um lado esquerdo e um lado direito, ou "hemisférios", que, grosso modo, espelham um ao outro.

Assim, com exceção das poucas estruturas da linha média, as regiões do cérebro existem em pares (amígdala esquerda e direita, hipocampo esquerdo e direito, lobo temporal esquerdo e direito, e assim por diante). As funções são muitas vezes lateralizadas, de tal forma que os hipocampos esquerdo e direito, por exemplo, possuem funções diferentes, embora relacionadas. A maior lateralização ocorre no córtex; o hemisfério esquerdo é analítico e o direito, mais envolvido na intuição e na criatividade. Tais contrastes caíram no gosto do público, e assim a lateralização cortical foi exagerada por muitos até chegar a um nível absurdo em que a expressão "cérebro esquerdo" traria a conotação de uma preocupação anal-retentiva com minúcias, enquanto "cérebro direito" envolveria fazer mandalas ou cantar com baleias. Na verdade, em geral as diferenças funcionais entre os hemisférios são sutis, então, na maioria das vezes, irei ignorar a lateralização.

O córtex

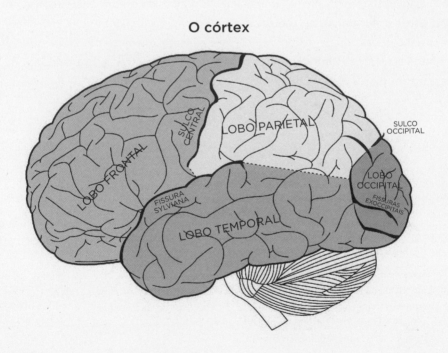

Lateralização cerebral

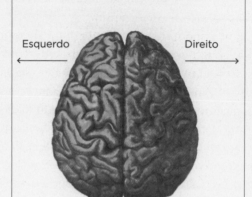

Esquerdo:
- Pensamento analítico
- Percepção para detalhes
- Sequenciamento ordenado
- Pensamento racional
- Verbal
- Cuidadoso
- Planejador
- Matemática/ciência
- Lógica
- Visão do campo direito
- Habilidades motoras do lado direito

Direito:
- Pensamento intuitivo
- Percepção holística
- Sequenciamento randômico
- Pensamento emocional
- Não verbal
- Aventureiro
- Impulso
- Escrita criativa/arte
- Imaginação
- Visão do campo esquerdo
- Habilidades motoras do lado esquerdo

Agora estamos prontos para examinar as regiões do cérebro mais importantes para este livro: a amígdala, o córtex frontal e o sistema dopaminérgico mesolímbico/mesocortical (discussões sobre outras regiões coadjuvantes serão incluídas no âmbito dessas três). Vamos começar com aquela que é, talvez, a mais fundamental para nossos piores comportamentos.

A AMÍGDALA

A amígdala* é a estrutura límbica arquetípica, localizada sob o córtex no lobo temporal. Ela é essencial para a mediação da agressividade, bem como para outros comportamentos que dizem muito sobre nossa agressividade.

---

* A palavra vem do grego ἀμυγδαλή (obrigado, Wikipedia), que significa "amêndoa", com o que a amígdala guarda uma semelhança bem vaga. Estranhamente, essa palavra também significa "tonsila" [em português, também chamamos de "amígdala" a estrutura formada por tecidos linfoides presente entre a boca e a faringe], o que deve ter gerado alguns bons processos judiciais de negligência quando gregos antigos marcavam uma tonsilectomia.

Uma primeira tentativa de explicar a relação entre amígdala e agressividade

As evidências que comprovam o papel da amígdala na agressividade são abundantes, baseadas em abordagens de pesquisa que logo se tornarão familiares.

Em primeiro lugar, há a abordagem correlativa de "registro". Basta implantar eletrodos de registro nas amígdalas* de indivíduos de várias espécies e ver quando os neurônios do local estabelecem potenciais de ação; é nesse momento que o animal está sendo agressivo.** Em uma estratégia relacionada, deve-se identificar, no momento da agressão, quais regiões do cérebro estão consumindo uma dose extra de oxigênio ou glicose, ou sintetizando certas proteínas relacionadas à atividade — a amígdala está no topo dessa lista.

Para além da mera correlação, se você provoca uma lesão na amígdala de um animal, suas taxas de agressividade diminuem. O mesmo ocorre de forma transitória ao silenciá-la temporariamente injetando novocaína na estrutura. De forma oposta, implantar eletrodos que estimulam os neurônios ou borrifar neurotransmissores excitatórios na amígdala (não mude de canal) precipita a agressividade.[4]

Mostre a seres humanos imagens que provocam raiva e a amígdala é ativada (como se pode concluir por meio de neuroimagem). Implante um eletrodo na amígdala de alguém e a estimule (procedimento realizado antes de certos tipos de neurocirurgia) e você produzirá raiva.

Os dados mais convincentes envolvem raros indivíduos com lesões restritas à amígdala, provocadas por um tipo de encefalite ou por um distúrbio congênito chamado doença de Urbach-Wiethe, ou em indivíduos nos quais a amígdala foi destruída por meio de uma cirurgia a fim de controlar convulsões severas e refratárias a drogas que se originam ali.[5] Tais indivíduos são incapazes de detectar expressões faciais de raiva (embora não tenham nenhum problema em reconhecer outros estados emocionais — não mude de canal).

E o que uma lesão na amígdala faz com o comportamento agressivo? Isso foi estudado em seres humanos que se submeteram a amigdalectomias, não para controlar convulsões, mas para controlar a agressividade. Tal psicocirurgia provocou uma feroz controvérsia nos anos 1970. E não estou me referindo a cientistas que

---

* A amígdala é uma dessas estruturas "bilaterais", o que significa que há duas amígdalas, uma em cada hemisfério, uma espelhando a outra.

** Uma nota sobre especificidade. Para ter mesmo certeza de que a amígdala lida especificamente com a agressividade, você também precisa provar que, naquele momento, ela é mais ativada do que *outras* regiões do cérebro, e também que não é tão ativada na mesma intensidade durante uma barafunda de *outros* comportamentos.

param de se cumprimentar em simpósios. Estou falando de uma pública e gigantesca tempestade de merda.

O assunto trouxe à tona alguns para-raios bioéticos: o que contava como agressividade patológica? Quem decidia isso? Que outras intervenções haviam sido tentadas sem sucesso? Alguns tipos de indivíduos hiperagressivos tinham mais chance de ir para a mesa de cirurgia do que outros? O que constituía uma cura?[6]

Muitos desses casos envolviam raros pacientes epilépticos cuja origem das convulsões estava associada à agressividade descontrolada, e nos quais o objetivo era conter esse comportamento. (Tais artigos tinham títulos como: "Efeitos clínicos e fisiológicos da amigdalectomia estereotáxica bilateral para a agressividade intratável".) O furacão fecal incluiu a extração da amígdala em pacientes não epilépticos com histórico de agressividade severa. Bem, fazer isso poderia ser bastante útil. Ou orwelliano. É uma história comprida e tétrica que vou guardar para outra ocasião.

Destruir a amígdala humana diminuiu a agressividade? Sim, ao menos nos casos em que a violência era uma explosão reflexiva e rudimentar que precedia uma convulsão. Contudo, quando a cirurgia era feita apenas para controlar o comportamento, a resposta é, ãhm, talvez — a heterogeneidade de pacientes e abordagens cirúrgicas, a falta de métodos modernos de neuroimagem para localizar com exatidão quais partes da amígdala foram destruídas em cada indivíduo e a imprecisão dos dados comportamentais (com artigos anunciando taxas de "sucesso" de 33% a 100%). O que torna as coisas inconclusivas. O procedimento praticamente caiu em desuso.

A relação entre amígdala e agressividade chama a atenção em dois casos notórios de violência. O primeiro envolve Ulrike Meinhof, fundadora, em 1970, da Fração do Exército Vermelho (ou "Grupo Baader-Meinhof"), uma célula terrorista responsável por atentados a bomba e roubos a banco na Alemanha Ocidental. Meinhof levava uma vida normal como jornalista antes de se tornar violentamente radical. Durante seu julgamento, em 1976, ela foi encontrada enforcada na cela da prisão. (Suicídio ou assassinato? Até hoje não está claro.) Em 1962, Meinhof fizera uma cirurgia para extrair um tumor benigno do cérebro; a autópsia de 1976 mostrou que restos do tumor e do tecido de cicatrização pós-cirúrgico estavam pressionando a amígdala.[7]

Um segundo caso envolve Charles Whitman, o "atirador da Torre do Texas", que, em 1966, após matar a esposa e a mãe, abriu fogo do alto de uma torre na Universidade do Texas, em Austin, matando dezesseis pessoas e ferindo 32, num dos primeiros massacres em escolas. Whitman havia sido escoteiro e participara do coral da igreja quando criança; era engenheiro, tinha um casamento feliz e um QI na faixa dos 1% mais inteligentes. No ano anterior, tinha consultado alguns médicos com queixas de enxaqueca severa e impulsos violentos (como o de alvejar pessoas da torre do campus). Deixou bilhetes ao lado dos cadáveres da esposa e da mãe, declarando seu amor e a confusão diante de suas ações: "Não consigo apontar racionalmente nenhum motivo específico para [matá-la]", e "Não tenham dúvidas de que amei esta mulher com todo o meu coração". A nota suicida solicitava uma autópsia de seu cérebro e declarava que o dinheiro que ele possuísse deveria ser doado para uma fundação de saúde mental. A autópsia provou que sua intuição estava certa: havia um glioblastoma pressionando a amígdala de Whitman. Será que esse tumor "causou" sua violência? É provável que não, no sentido estrito de "tumor amigdaloide = assassino", já que ele apresentava fatores de risco que acabaram interagindo com seus problemas neurológicos. Whitman cresceu apanhando do pai e vendo a mãe e os irmãos sofrerem a mesma violência. Esse escoteiro de coral de igreja agredira a esposa inúmeras vezes e, como fuzileiro naval, tinha sido condenado na corte marcial por ameaçar fisicamente outro soldado.* E, num provável indício da existência de um fio condutor familiar, seu irmão foi assassinado aos 24 anos durante uma briga de bar.[8]

Entra em cena outro domínio da função da amígdala

Portanto, evidências consideráveis implicam a amígdala na agressividade. Mas se você perguntar a especialistas qual comportamento lhes vêm à mente quando pensam em sua estrutura cerebral favorita, "agressividade" não estaria no topo. A resposta seria: medo e ansiedade.[9] De forma crucial, a região do cérebro mais envolvida em sentir-se assustado e ansioso é também a mais envolvida em provocar agressividade.

O vínculo entre amígdala e medo se baseia em evidências similares às do vínculo entre amígdala e agressividade.[10] Em animais de laboratório, foi preciso lesionar a estrutura, detectar sua atividade neuronal com "eletrodos de registro", estimulá-la eletricamente ou manipular seus genes. Tudo isso aponta para o papel crucial da amígdala na percepção de estímulos causadores de temor e na própria expressão do medo. Além disso, o medo ativa a amígdala nos seres humanos, e uma ativação maior prenuncia mais sinais comportamentais de medo.

Em um estudo, voluntários foram postos em um aparelho de tomografia cerebral jogando uma partida de videogame, uma espécie de "Pac-Man do mal" no qual

---

* Espere aí: então os fuzileiros não querem que você seja fisicamente ameaçador? Não é para isso que eles nos treinam? Esse é um ótimo exemplo do assunto principal deste livro, a saber, a dependência de um contexto para que nossos comportamentos sejam considerados bons ou maus: sim, os fuzileiros são treinados para serem fisicamente ameaçadores... mas só em certos contextos.

eram perseguidos por um pontinho num labirinto; se fossem capturados, tomariam um choque.[11] Enquanto eles conseguiam fugir do pontinho, a amígdala permanecia em silêncio. Contudo, a atividade dessa região cerebral crescia conforme o pontinho se aproximava; quanto mais fortes fossem os choques, mais longe o pontinho poderia estar antes que a amígdala fosse ativada pela primeira vez, mais forte era essa ativação e maior o autodeclarado sentimento de pânico.

Em outro estudo, voluntários tinham de esperar um tempo indeterminado para tomar um choque.[12] Essa falta de previsibilidade e controle era tão aversiva que muitos *optavam* por receber de imediato um choque mais forte. E, nos demais, o período de apreensão antecipatória foi ativando progressivamente a amígdala.

Portanto, a amígdala humana responde sobretudo a estímulos que causam medo, mesmo estímulos tão efêmeros que ficam abaixo da detecção consciente.

Um poderoso reforço ao papel da amígdala no processamento do medo vem do transtorno de estresse pós-traumático (TEPT). Nos que sofrem desse distúrbio, a amígdala reage com intensidade excessiva a estímulos que causam um leve temor, e demora para se acalmar depois disso.[13] Além do mais, ela aumenta de tamanho em casos de TEPT de longo prazo. O papel do estresse nessa expansão será abordado no capítulo 4.

A amígdala também está envolvida na expressão da ansiedade.[14] Pense num baralho no qual metade das cartas é preta e metade vermelha; quanto você apostaria na probabilidade de a carta do topo ser vermelha? Isso tem a ver com risco. Pense em outro baralho em que pelo menos uma carta é preta e uma é vermelha; quanto você apostaria na probabilidade de a carta do topo ser vermelha? Isso tem a ver com ambiguidade. Ambas as circunstâncias carregam probabilidades idênticas, mas as pessoas ficam mais ansiosas com o segundo cenário, e, portanto, a amígdala é mais ativada. Ela é sensível em especial a circunstâncias perturbadoras de cunho social. Um macaco reso de alto escalão hierárquico se encontra em convívio sexual com uma fêmea; em um dos casos, ela é colocada em uma sala onde o macho pode vê-la. No segundo, a fêmea está em outra sala junto com um rival dele. Não é nada surpreendente que essa situação venha a ativar a amígdala. Mas isso teria a ver com agressividade ou com ansiedade? Ao que tudo indica, com a última: a magnitude da ativação não correspondeu à frequência de comportamentos agressivos e vocalizações executadas pelo macho, ou à quantidade de testosterona secretada. Pelo contrário, correspondeu à magnitude da ansiedade exibida (por exemplo, ranger os dentes ou ficar se coçando).

A amígdala também está relacionada com a incerteza social de outras formas. Em um estudo de neuroimagem, um voluntário participava de um jogo competitivo contra um grupo de outros jogadores; os resultados eram fraudados para que ele terminasse numa posição mediana no ranking.[15] Depois, os pesquisadores manipulavam os dados para que as posições dos voluntários se tornassem estáveis ou flutuassem de maneira descontrolada. Os rankings mais estáveis ativaram partes do córtex frontal que logo iremos considerar. A instabilidade ativou o córtex frontal e a amígdala. Não se sentir seguro em seu lugar é perturbador.

Outro estudo explorou a neurobiologia por trás do ato de se conformar.[16] Simplificando, um sujeito faz parte de um grupo (no qual, em segredo, todos os demais são cúmplices); eles recebem uma imagem "X". Vem a pergunta: "O que vocês viram?". Todos os outros respondem: "Y". Será que o sujeito também vai dizer "Y"? Muitas vezes. Os indivíduos que mantêm sua posição e dizem "X" apresentaram ativação da amígdala.

Por fim, é possível ligar e desligar a ansiedade ativando circuitos específicos no interior da amígdala de camundongos; a ativação de outros circuitos os torna incapazes de distinguir entre parâmetros seguros e causadores de ansiedade.*[17]

A amígdala também ajuda a mediar tanto o medo inato quanto o adquirido.[18] A essência do medo inato (ou fobia) é que você não precisa aprender por tentativa e erro que algo é aversivo. Por exemplo, um rato nascido em laboratório, que só interagiu com outros ratos e estudantes de pós-graduação, teme e evita de forma instintiva o cheiro de gatos. Enquanto diferentes fobias ativam circuitos cerebrais distintos (por exemplo, a fobia de dentista envolve mais o córtex do que a fobia de cobras), todas ativam a amígdala.

Tais medos inatos contrastam com as coisas que aprendemos a temer: uma vizinhança perigosa, uma carta da Receita Federal. A dicotomia entre medo inato e medo adquirido é na verdade um pouco vaga.[19] Todos sabem que os seres humanos têm um medo inato de cobras e aranhas. Mas algumas pessoas as adotam como animais de estimação e lhes dão nomes bonitinhos.** Em vez de um medo inevitável, exibimos uma "aprendizagem prévia": aprendemos mais rápido a ter medo de cobras e aranhas do que de pandas ou beagles.

O mesmo ocorre em outros primatas. Por exemplo, macacos de laboratório que nunca viram cobras (ou flores artificiais) podem ser condicionados com mais rapidez a temer as primeiras do que as segundas. Como veremos no próximo capítulo, os seres humanos mostram aprendizagem prévia, estando predispostos ao condicionamento de temer pessoas com determinada aparência.

---

* A propósito, como é a ansiedade dos camundongos? Eles não gostam de luzes muito brilhantes e espaços abertos — vai entender, em se tratando de um animal noturno que muitas espécies gostam de comer. Então uma medida para a ansiedade dos camundongos é o tempo que eles demoram para ir até o centro de uma área muito iluminada a fim de conseguir comida.

** Inclusive temos exemplos de uma renúncia profunda à aracnofobia, ou seja, crianças que ficam devastadas quando Charlotte morre no livro *A teia de Charlotte*.

A vaga distinção entre medo inato e medo adquirido se traduz com perfeição na estrutura da amígdala. Evolutivamente primitiva, a amígdala central exerce um papel essencial nos medos inatos. Ao redor dela está a amígdala basolateral (daqui para a frente, ABL), uma estrutura de evolução mais recente e que de certa forma lembra o moderno e sofisticado córtex. É a ABL que aprende o medo e manda as notícias para a amígdala central.

Joseph LeDoux, da Universidade de Nova York (NYU), mostrou como a ABL aprende o medo.*[20] Exponha um rato a um gatilho inato de medo, como um choque. Quando esse "estímulo não condicionado" ocorre, a amígdala central é ativada, hormônios do estresse são secretados, o sistema nervoso simpático se mobiliza e, como um claro desfecho, o rato fica paralisado no lugar: "O que foi isso? O que eu faço?". Agora aplique um pouco de condicionamento. Antes de cada choque, exponha o rato a um estímulo que não costuma evocar medo, como um som. E através de um pareamento repetido do som (estímulo condicionado) com o choque (estímulo não condicionado), ocorre o condicionamento do medo: o som por si só leva à paralisia, à liberação do hormônio do estresse e assim por diante.**

LeDoux e outros mostraram como a informação auditiva do som estimula os neurônios da ABL. Primeiro, tal ativação é irrelevante para a amígdala central (cujos neurônios estão destinados a se ativar após o choque). Mas, depois da conjunção repetida do som com o choque, há um remapeamento, e esses neurônios da ABL adquirem os meios para ativar a amígdala central.***

---

* Uma observação importante: ao longo deste livro, sempre que menciono uma pesquisa feita por fulana ou sicrano, estou na verdade me referindo a "uma pesquisa feita por fulana e toda uma equipe de pós-doutorandos, técnicos, estudantes de pós-graduação e colaboradores espalhados por toda parte ao longo dos anos". Menciono apenas fulana ou sicrano por questões de brevidade, mas não para insinuar que eles fizeram o trabalho todo sozinhos — a ciência é basicamente um processo de equipe. Além disso, já que estamos falando no assunto, outra observação: em inúmeros momentos deste livro, reporto os resultados de um estudo com a frase: "E quando se faz tal coisa nessa região do cérebro/neurotransmissor/hormônio/gene etc., então X acontece". O que quero dizer é que, *na média*, X acontece, e numa taxa confiável em termos estatísticos. Sempre há muitas variabilidades, o que inclui indivíduos nos quais nada ou mesmo o oposto de X acontece.

** Isso é chamado de "condicionamento pavloviano", em homenagem a Ivan Pavlov; é o mesmo processo por meio do qual os cães de Pavlov aprendem a associar o estímulo condicionado do som de um sino com o estímulo não condicionado da comida, tanto que, no fim das contas, o som do sino sozinho é capaz de provocar a salivação. Menos confiáveis são as abordagens de "condicionamento operante", nas quais o grau em que algo é assustador é avaliado pelo tamanho do esforço de um indivíduo para evitar ser exposto a ele.

*** Como é de costume na ciência, as coisas não são tão simples: algumas dessas mudanças "plásticas" ocorridas durante o condicionamento do medo também se dão na amígdala central.

Os neurônios da ABL que respondem ao som só depois que um condicionamento ocorreu também responderiam se o condicionamento fosse feito com uma luz. Em outras palavras, esses neurônios respondem ao significado do estímulo, e não à sua modalidade específica. Além disso, se você usa um estímulo elétrico, os ratos ficam mais receptivos ao condicionamento do medo; dessa forma, você diminuiu o limiar necessário para que essa associação seja feita. E se você estimula eletricamente a entrada sensorial auditiva ao mesmo tempo que ocorrem os choques (ou seja, não há o som, só a ativação da via que normalmente leva notícias do som à amígdala), provoca no bicho o condicionamento do medo a um som. Você engendrou o aprendizado de um medo falso.

Há também mudanças sinápticas. Uma vez que ocorreu o condicionamento a um som, as sinapses do acoplamento entre a ABL e os neurônios do núcleo central se tornaram mais excitáveis; é possível entender como isso ocorre examinando a alteração na quantidade de receptores de neurotransmissores excitatórios nas espinhas dendríticas desses circuitos.* Além disso, o condicionamento aumenta os níveis de "fatores de crescimento", incitando o desenvolvimento de novas conexões entre a ABL e os neurônios da amígdala central; alguns dos genes envolvidos nesse processo inclusive já foram identificados.

Então temos o aprendizado do medo sob o nosso controle.**[21] Agora as condições mudaram: o som ainda ocorre vez ou outra, mas não há mais o choque. De forma gradual, a resposta ao medo condicionado diminui. Como se dá essa "extinção do medo"? Como aprendemos que aquela pessoa não é assim tão aterrorizante, que o que é diferente nem sempre é assustador? Lembre-se de como um subgrupo de neurônios da ABL responde ao som só depois que o condicionamento ocorreu. Outro grupo faz o oposto, respondendo ao som apenas quando ele não está mais

---

* Apenas para complicar ainda mais as coisas, é provável que os neurônios da ABL se comuniquem com os da amígdala central através de intermediários chamados células intercaladas.

** Eu seria omisso se não tocasse em um assunto relacionado: quando um novo medo é aprendido, onde essa memória é armazenada? Perto da amígdala está o hipocampo, que tem papel fundamental no aprendizado "explícito" sobre fatos diretos (por exemplo, o nome de alguém). Mas se o hipocampo é onde o conhecimento de curto prazo do nome se transforma em memória de longo prazo, por outro lado é provável que o traço da memória em si esteja no córtex. Para usar uma metáfora que possivelmente estará obsoleta assim que este livro for publicado, o hipocampo é o teclado, o canal, o portal para o disco rígido cortical onde a memória está armazenada. Mas será que a amígdala é apenas o teclado — e as memórias do medo estão armazenadas em outro lugar —, ou é também o disco rígido? Essa tem sido uma discussão em curso e ainda não resolvida, com a visão "teclado + disco rígido" defendida por LeDoux e a visão "só teclado" sustentada por James McGaugh, outro cientista bem-sucedido da Universidade da Califórnia, em Irvine.

sinalizando o choque (logicamente, as duas populações de neurônios se inibem). De onde esses neurônios do "Ahhh, o som não me assusta mais" recebem seus estímulos? Do córtex frontal. Quando deixamos de ter medo de algo, não é porque alguns neurônios da amígdala perderam a excitabilidade. Nós não esquecemos que alguma coisa é assustadora de maneira passiva. Nós aprendemos de forma ativa que ela não é mais.*

A amígdala também desempenha um papel lógico nos âmbitos social e emocional da tomada de decisões. No Jogo do Ultimato, um jogo econômico envolvendo dois competidores, o primeiro faz uma oferta de como dividir um pote de dinheiro, que o outro deve aceitar ou rejeitar.[22] Se ele rejeitar, nenhum dos dois ganha nada. Estudos mostram que recusar a proposta é uma decisão emocional, provocada pela raiva de receber uma oferta ruim e pelo desejo de punir. Quanto maior for a ativação da amígdala do segundo jogador ao ter conhecimento da oferta, mais provável será a rejeição. Indivíduos com lesões nas amígdalas demonstram uma generosidade atípica no Jogo do Ultimato e não elevam suas taxas de rejeição quando começam a receber ofertas injustas.

Por quê? Esses indivíduos compreendem as regras e são capazes de dar conselhos sensatos e estratégicos para outros jogadores. Além disso, utilizam as mesmas táticas que os indivíduos do grupo de controle numa versão nonsense do jogo, quando acreditam que o rival é um computador. Eles não têm uma perspectiva particularmente ampla, não sendo distraídos pelo tumulto emocional da amígdala, e pressupõem que sua generosidade incondicional irá levar à reciprocidade e compensar a longo prazo. Quando questionados, antecipam os mesmos níveis de reciprocidade do que os do grupo de controle.

Em contraste, esses achados sugerem que a amígdala injeta alerta e desconfiança implícita na tomada de decisões sociais.[23] Tudo graças ao aprendizado. Nas palavras dos autores do estudo:

> A generosidade no jogo de confiança exibida pelos pacientes com lesões na ABL pode ser considerada um altruísmo patológico, ou seja, devido às lesões na ABL, os comportamentos altruísticos inatos não chegaram a ser desaprendidos pela experiência social negativa.

---

* Um exemplo do tipo de complexidade que estamos enfrentando: tanto o condicionamento do medo quanto sua extinção envolvem a ativação de neurônios inibitórios. Hum, esse compartilhamento parece estranho, considerando os resultados opostos. Acontece que a extinção do medo envolve a ativação de neurônios que inibem neurônios excitatórios, enquanto o condicionamento do medo envolve a ativação de neurônios inibitórios que inibem outros neurônios inibitórios que projetam para neurônios excitatórios. Um duplo negativo é igual a um positivo.

Em outras palavras, o padrão é confiar, e o que a amígdala faz é aprender a ficar alerta e desconfiar.

De forma inusitada, a amígdala e um de seus alvos hipotalâmicos também exercem um papel na motivação sexual dos homens — outros núcleos hipotalâmicos são fundamentais para o desempenho sexual masculino* —, mas não das mulheres.** Do que estamos falando aqui? Um estudo de neuroimagem lançou alguma luz sobre o assunto. "Rapazes heterossexuais" olhavam para fotos de mulheres atraentes (no grupo de controle, as fotos eram de homens atraentes). A observação passiva ativou o circuito de recompensa já mencionado. Em contraste, quando foi preciso *se esforçar* para ver as fotos — apertando repetidas vezes um botão —, a amígdala também foi ativada. De forma semelhante, outros estudos mostraram que a amígdala é mais suscetível a estímulos positivos quando o valor da recompensa não é sempre o mesmo. Além disso, certos neurônios da ABL que respondem naquela circunstância também o fazem quando a severidade de alguma coisa aversiva está mudando — tais neurônios prestam atenção à mudança, independente da direção dessa modificação. Para eles, "o nível de recompensa está se alterando" e "o nível de punição está se alterando" são a mesma coisa. Estudos como esse deixam claro que a amígdala não tem a ver com o prazer de experimentar prazer. Ela trata do desejo incerto e instável por um prazer em potencial; da ansiedade, da raiva e do medo de que a recompensa possa ser menor que o antecipado, ou de que ela nem sequer se efetive. Ou seja, estamos falando aqui de quanto os nossos prazeres e a nossa busca por eles contêm uma veia corrosiva patológica.***[24]

A amígdala como parte das redes no cérebro

Agora que conhecemos as subpartes da amígdala, convém considerar suas conexões extrínsecas — ou seja, quais partes do cérebro lhe enviam projeções e para quais partes ela projeta?[25]

---

* Como se distingue motivação sexual de desempenho em um rato macho? Bem, o último é fácil de identificar: quais são a frequência e a latência do sujeito quando está com uma fêmea sexualmente receptiva? Mas e a motivação sexual? Isso é avaliado determinando a frequência com que um macho pressiona uma alavanca para ter acesso a uma fêmea.

** Não posso deixar de mencionar o estudo de caso de uma mulher com convulsões epilépticas originadas na amígdala. Antes do início da convulsão, ela tinha a ilusão de ser homem, incluindo a sensação de ter voz grossa e braços peludos.

*** Contrastando com esse cenário de excitação crescente e precária, a amígdala é desativada tanto nos homens quanto nas mulheres durante o orgasmo.

Alguns sinais de entrada para a amígdala

Sinais de entrada sensoriais. Para começar, a amígdala, especificamente a ABL, recebe projeções de todos os sistemas sensoriais.[26] De que outra forma você ficaria apavorado com a música-tema de *Tubarão*? Em geral, as informações sensoriais oriundas de várias modalidades (olhos, ouvidos, pele...) correm em direção ao cérebro, alcançando a região cortical apropriada para seu processamento (córtex visual, auditivo, tátil...). Por exemplo, o córtex visual precisaria convocar camadas e mais camadas de neurônios para transformar os pixels da estimulação da retina em imagens reconhecíveis antes de poder gritar para a amígdala: "É uma arma!". Mas, de modo notável, certas informações sensoriais que entram no cérebro tomam um atalho, passando ao largo do córtex e indo direto para a amígdala. Dessa forma, ela pode ser informada sobre algo assustador antes de o córtex ter a menor ideia do que está acontecendo. Mais que isso, graças à extrema excitabilidade dessa via, a amígdala pode responder a estímulos efêmeros ou fracos demais para serem notados pelo córtex. E as projeções que tomam esse atalho formam sinapses mais fortes e excitáveis na ABL do que as do córtex sensorial; a excitação emocional intensifica o condicionamento do medo nessa via. O poder desse tipo de atalho pode ser demonstrado pelo caso de um homem com lesões no córtex visual decorrentes de um derrame que apresentou "cegueira cortical". Embora fosse incapaz de processar a maioria das informações visuais, ele ainda reconhecia expressões faciais de emoção por meio do atalho.*

De forma crucial, ainda que a informação sensorial alcance a amígdala com rapidez por meio desse atalho, ela não é muito precisa (afinal de contas, precisão é a especialidade do córtex). Como veremos no próximo capítulo, isso pode levar a circunstâncias trágicas nas quais, digamos, a amígdala decide que está vendo um revólver antes que o córtex visual possa avisar que, na verdade, é um telefone celular.

Informações sobre a dor. A amígdala recebe as notícias desse gatilho confiável de medo e agressividade que é a dor.[27] Isso é mediado por projeções de uma estrutura antiga e central do cérebro, a substância cinzenta periaquedutal (CPA); a estimulação da CPA pode evocar ataques de pânico, tanto que essa área é maior em pessoas acometidas por ataques de pânico de forma crônica. Como reflexo dos papéis da amígdala nos sentimentos de alerta, incerteza, ansiedade e medo, é a dor imprevisível — e não a dor em si — o que ativa a amígdala. A dor (e a resposta da amígdala a ela) tem a ver com o contexto.

---

* Esse atalho foi comprovado de forma mais clara no âmbito da informação auditiva, por LeDoux. As evidências para outras modalidades sensoriais foram mais inferenciais.

Aversão para todos os gostos. A amígdala também recebe um tipo de projeção bastante interessante do "córtex insular", uma região honorária do córtex pré-frontal que abordaremos melhor em outros capítulos.[28] Se você (ou qualquer outro mamífero) der uma mordida num alimento rançoso, o córtex insular se acende, fazendo com que você o cuspa fora, tenha ânsia de vômito, sinta náuseas e responda com uma expressão facial de repugnância — o córtex insular processa a aversão gustativa. O mesmo vale para cheiros repulsivos.

De forma notável, o córtex insular de seres humanos também é ativado quando eles pensam em algo *moralmente* repugnante — violações de normas sociais ou indivíduos que em geral são estigmatizados pela sociedade. E, sob essas circunstâncias, isso resulta, por sua vez, na ativação da amígdala. Alguém faz algo abominável e egoísta durante um jogo, e a magnitude da ativação insular e amigdaloide é capaz de prever o quão ultrajado você está e o quanto de vingança irá pôr em prática. É tudo questão de socialidade — a ínsula e a amígdala não se ativam quando foi um computador que o apunhalou pelas costas.

A ínsula se ativa quando comemos uma barata ou quando nos imaginamos fazendo tal coisa. E tanto a ínsula quanto a amígdala se ativam quando pensamos nos membros da outra tribo como baratas repugnantes. Como veremos, isso é essencial para entender a forma como nosso cérebro processa a dicotomia "nós e eles".

E, por fim, a amígdala recebe toneladas de estímulos do córtex frontal. Há muito mais por vir.

Alguns sinais de saída da amígdala

Conexões bidirecionais. Como veremos, a amígdala responde a muitas das regiões que se comunicam com ela, entre as quais o córtex frontal, a ínsula, a substância cinzenta periaquedutal e as projeções sensoriais, modulando a sensibilidade de todas.

A interface entre amígdala e hipocampo. Como era de esperar, a amígdala se comunica com outras estruturas límbicas, entre elas o hipocampo. Já vimos que, em geral, a amígdala aprende o medo e o hipocampo aprende fatos objetivos e imparciais. Mas, em períodos de medo extremo, a amígdala traz o hipocampo para uma espécie de aprendizado do medo.[29]

De volta ao rato passando por um condicionamento de medo. Quando ele está na jaula A, um determinado som é seguido de um choque. Na jaula B, ocorre apenas o som. Isso produz um condicionamento dependente do contexto — o som provoca a paralisia de medo na jaula A, mas não na B. A amígdala aprende qual é a pista que precede o estímulo — o som —, enquanto o hipocampo aprende sobre os contextos das jaulas A e B. O aprendizado pareado entre a amígdala e o hipocampo é bem focado — todos nós nos lembramos da cena do avião batendo na segunda torre do World Trade Center, mas não sabemos dizer se havia nuvens no céu. O hipocampo decide se vale a pena arquivar um detalhe trivial, e isso depende de a amígdala ter se alvoroçado ou não com esse detalhe. Além disso, o acoplamento pode se redimensionar. Imagine que você é assaltado à mão armada num beco de um bairro perigoso. Depois disso, dependendo das circunstâncias, o revólver pode ser a pista e o beco, o contexto, ou o beco ser a pista e o bairro perigoso, o contexto.

Sinais motores de saída. Existe um segundo atalho relativo à amígdala, especificamente para quando ela está se comunicando com os neurônios que comandam o movimento.[30] De forma lógica, quando a amígdala deseja mobilizar um comportamento — digamos, de fuga —, ela se comunica com o córtex frontal, buscando sua aprovação executiva. Mas, se estiver excitada o bastante, a amígdala fala diretamente com as vias motoras subcorticais e reflexivas. Mais uma vez, há perdas e ganhos: ao ignorar o córtex, a velocidade é aumentada, mas a precisão é reduzida. Portanto, o atalho dos sinais de entrada pode fazer você enxergar o telefone celular como sendo um revólver. E o atalho dos sinais de saída pode levá-lo a apertar o gatilho antes de ter a intenção consciente de fazê-lo.

Excitação. Em última análise, os sinais de saída da amígdala tratam sobretudo de desligar alarmes pelo cérebro e pelo corpo. Como vimos, a essência da amígdala é a amígdala central.[31] As projeções axonais dessa estrutura vão para outra estrutura próxima, chamada de núcleo leito da estria terminal (NLET). O NLET então envia projeções a partes do hipotálamo que iniciam a resposta hormonal ao estresse (ver capítulo 4), bem como a sítios no mesencéfalo e no tronco encefálico, que, por sua vez, estimulam o sistema nervoso simpático e inibem o parassimpático. Quando algo emocionalmente excitante acontece, a amígdala límbica da camada 2 envia sinais para regiões da camada 1, aumentando a frequência cardíaca e a pressão arterial.*

A amígdala também ativa uma estrutura do tronco encefálico chamada *locus ceruleus*, semelhante ao próprio sistema nervoso simpático.[32] Ele envia projeções que liberam noradrenalina para o cérebro, sobretudo o córtex. Se o seu *locus ceruleus* está letárgico e silencioso, você também está. Se está moderadamente ativado,

---

* Apenas para sermos mais específicos, o padrão exato de quais sub-regiões do hipotálamo e quais núcleos autonômicos de transmissão são ativados pode variar conforme o tipo de estímulo — é por isso que o medo e a agressividade associados à resposta a um predador são um pouco diferentes daqueles associados à ameaça de um membro da sua própria espécie; de modo similar, o padrão de resposta em um roedor ao cheiro de um gato é um pouco diferente da resposta ao gato em si.

você está alerta. E se estiver disparando feito uma tropa de choque da polícia, graças aos sinais de entrada de uma amígdala excitada, todos os neurônios irão subir a bordo para ajudar.

O padrão de projeção da amígdala levanta um ponto importante.[33] Quando é que o sistema nervoso simpático atinge sua potência máxima? Durante o medo, a fuga, a luta e o sexo. Ou então se você ganhou na loteria, se está correndo alegremente por um campo de futebol ou se acaba de resolver o teorema de Fermat (se você for esse tipo de pessoa). Como reflexo disso, em camundongos machos, cerca de 25% dos neurônios de um único núcleo hipotalâmico estão envolvidos tanto no comportamento sexual quanto — se estimulados numa intensidade mais alta — na agressividade.

Isso tem duas implicações. Tanto o sexo quanto a agressão ativam o sistema nervoso simpático, que por sua vez é capaz de influenciar o comportamento — sentimos as coisas de formas diferentes se, por exemplo, nosso coração estiver acelerado ou batendo devagar. Isso significa que o padrão da sua excitação autonômica influencia *o que* você sente? Não exatamente. Mas a retroalimentação autonômica influencia a *intensidade* do que é sentido. Mais sobre isso no próximo capítulo.

A segunda consequência disso reflete uma ideia fundamental para este livro. Seu coração faz mais ou menos a mesma coisa quando você tem um surto homicida ou um orgasmo. Mais uma vez, o oposto do amor não é o ódio, é a indiferença.

E assim concluímos o nosso panorama da amígdala. Em meio a tanto jargão e a tanta complexidade, a questão mais importante é o papel dual da amígdala tanto na agressividade quanto nos aspectos de medo e ansiedade. Medo e agressividade não estão interligados de forma inevitável — nem todo medo provoca agressão, nem toda agressão tem origem no medo. Este, em geral, estimula a agressão apenas naqueles indivíduos já predispostos a isso; entre os indivíduos subordinados que não têm a opção de expressar a agressividade de forma segura, o medo faz o oposto.

A dissociação entre medo e agressividade é evidente em psicopatas violentos, que são a antítese do amedrontamento: eles são psicológica e subjetivamente menos reativos à dor; suas amígdalas respondem de maneira um tanto impassível aos habituais estímulos assustadores e são menores do que o normal.[34] O que cabe na imagem da violência psicopática; ela não é consequência de uma reação impulsiva a uma provocação. Em vez disso, é um ato apenas instrumental, que usa os outros seres humanos como meios para um fim, ato este que é executado com uma indiferença fria, implacável e reptiliana.

Portanto, medo e violência não estão sempre ligados na raiz. Porém, uma conexão é provável quando a agressão evocada é reativa, frenética e exaltada. Num cenário onde nenhum neurônio amigdaloide precisa ter medo e, em vez disso, pode sentar-se debaixo de sua vinha e debaixo de sua figueira, o mundo tem mais chances de ser um lugar pacífico.*

Agora partimos pra a segunda das três regiões do cérebro que estamos examinando em detalhes.

O CÓRTEX FRONTAL

Passei décadas da minha vida estudando o hipocampo. Foi bom para mim; gosto de pensar que também fui bom em retribuição. Ainda assim, acho que, na época, fiz a escolha errada: talvez devesse ter estudado o córtex frontal durante todos esses anos. Porque é a parte mais interessante do cérebro.

O que faz o córtex frontal? Sua lista de especialidades inclui a memória de trabalho, as funções executivas (organizar o conhecimento de forma estratégica e depois iniciar uma ação baseada numa decisão executiva), o adiamento de recompensas, o planejamento de longo prazo, a regulação das emoções e o controle da impulsividade.[35]

Trata-se de um extenso portfólio. Agruparei essas variadas funções em uma única definição, pertinente a cada página deste livro: *o córtex frontal leva você a fazer a coisa mais difícil quando é a coisa certa a se fazer.*

Para começar, aqui vão algumas características importantes do córtex frontal:

> É a região de evolução mais recente do cérebro, que só atingiu seu esplendor com a emergência dos primatas; uma porcentagem desproporcional dos genes exclusivos dos primatas está ativa no córtex frontal. Além disso, os padrões para a expressão desses genes são altamente individuais, com maior variabilidade interindividual do que os níveis médios de diferenças encefálicas entre seres humanos e chimpanzés.

> O córtex frontal dos seres humanos é conectado de forma mais complexa do que o dos outros grandes primatas e, de acordo com algumas definições relativas a seus limites, também é proporcionalmente maior.[36]

---

* Peço desculpas a Miqueias 4,4.

O córtex frontal é a última região do cérebro a amadurecer por completo, e suas sub-partes mais recentes do ponto de vista evolutivo são as últimas de todas a fazê-lo. De forma surpreendente, o córtex frontal não alcança seu pleno funcionamento até que os seres humanos atinjam *os vinte e poucos anos*. Pode apostar que essa curiosidade será relevante no capítulo sobre a adolescência.

Por fim, o córtex frontal tem um tipo particular de célula. Em geral, o cérebro humano não é singular pelo fato de termos desenvolvido tipos únicos de neurônios, neurotrans-missores, enzimas e assim por diante. Os neurônios dos humanos e das moscas são notadamente parecidos; a singularidade é quantitativa: para cada neurônio de mosca, temos um zilhão a mais de neurônios e outros zilhões a mais de conexões.[37]

A única exceção, conforme sugerido acima, é um tipo obscuro de neurônio com uma forma e um padrão de conexão característicos, chamado neurônio de "Von Economo" (ou neurônio fusiforme). De início, ele parecia ser exclusivo dos humanos, mas agora já o encontramos em outros primatas, além de baleias, golfinhos e elefantes.* Um time de estrelas formado apenas por espécies socialmente complexas.

Além disso, os poucos neurônios de Von Economo estão presentes apenas em duas sub-regiões do córtex frontal, como mostrado por John Allman, do Instituto de Tecnologia da Califórnia (Caltech). Já ouvimos falar de uma delas: a ínsula, com seu papel na aversão gustativa e moral. A segunda é uma área tão interessante quanto chamada de córtex cingulado anterior. Só para dar uma dica (falarei disso mais tarde), ele é central para a empatia.

Portanto, do ponto de vista da evolução, do tamanho, da complexidade, do desenvolvimento, da genética e do tipo de neurônio, o córtex frontal tem um caráter distintivo no cérebro, sendo a versão humana a mais singular de todas.

As sub-regiões do córtex frontal

A anatomia do córtex frontal é de uma complicação dos infernos, e discute-se

---

* O que sugere fortemente que esses neurônios evoluíram de forma independente em três ocasiões separadas, dadas as distâncias evolutivas entre primatas, cetáceos e elefantes. Os parentes mais próximos dos elefantes, por exemplo, são os híraces e os manatis. A evolução convergente dos neurônios de Von Economo a partir de três linhagens separadas deixa claro que essas células têm relação direta com uma maior socialidade.

inclusive se algumas partes do córtex frontal primata chegam a existir em espécies "mais simples". Ainda assim, há alguns temas amplos que podem ser úteis.

Bem na frente está o córtex *pré*-frontal (CPF), a parte mais nova do córtex frontal. Conforme já mencionado, o córtex frontal é essencial para funções executivas. Para citar George W. Bush, dentro do córtex frontal, o CPF é o "decididor". De forma mais ampla, ele escolhe entre opções conflituosas: Coca ou Pepsi; deixar escapar o que você de fato pensa ou se conter; apertar o gatilho ou não. E muitas vezes o conflito a ser resolvido é entre uma decisão quase toda dominada pela cognição e outra governada pelas emoções.

Após tomar sua decisão, o CPF envia ordens por meio de projeções para o restante do córtex frontal, que fica logo atrás dele. Tais neurônios então falam com o "córtex pré-motor", localizado atrás deste e que então transmite a mensagem para o "córtex motor", que por sua vez, a envia para os músculos. E um comportamento acontece.*

Antes de analisar como o córtex frontal influencia o comportamento social, vamos começar com um domínio mais simples de sua função.

O córtex frontal e a cognição

O que significa, no âmbito da cognição, "fazer a coisa mais difícil quando é a coisa certa a fazer"? (Nesse caso, a cognição é definida por Jonathan Cohen, de Princeton, como a "habilidade de orquestrar pensamento e ação de acordo com objetivos internos".)[38] Imagine que você acaba de consultar um número de telefone de uma cidade onde já morou. O córtex frontal não só se lembra dele por um tempo suficiente para discá-lo como também o examina de forma estratégica. Pouco antes de discar, você se recorda de forma consciente de que o número fica naquela outra cidade e resgata a memória do código de área. Então você se lembra de que é preciso discar "1" antes do código.**

O córtex frontal também está relacionado à concentração em uma tarefa. Quando sai da calçada para atravessar a rua fora da faixa, você dá uma olhada no

---

* Só para ter uma ideia de como isso funciona: imagine alguém decidindo se irá pressionar ou não um botão. O córtex frontal toma sua decisão; sabendo quais são os padrões de disparo de seus neurônios, é possível prever qual será a resolução, com 80% de precisão, cerca de setecentos milissegundos antes que a própria pessoa perceba de forma consciente qual é.

** Esse parágrafo curiosamente obsoleto foi escrito com total consciência de que isso tudo é irrelevante na era dos smartphones e da companhia constante da assistente de voz Siri.

tráfego, presta atenção na movimentação e calcula se é possível cruzar com segurança. Quando sai da calçada para chamar um táxi, concentra-se em identificar se algum dos carros tem no topo um daqueles troços acesos de táxi. Num ótimo estudo, macacos foram treinados para olhar uma tela cheia de pontos coloridos que se moviam em direções específicas; de acordo com um sinal, o macaco tinha de prestar atenção só nas cores ou só nos movimentos. A cada sinal indicando uma mudança de tarefa, registrava-se um aumento da atividade do CPF e, ao mesmo tempo, a supressão do fluxo das informações (cor ou movimento) que havia se tornado irrelevante. Isso é o CPF forçando o indivíduo a fazer a coisa mais difícil, lembrando-o que a regra mudou e que ele não deve dar a resposta habitual de antes.[39]

O córtex frontal também age sobre a "função executiva", analisando fragmentos de informação, buscando padrões e então escolhendo uma ação estratégica.[40] Tomamos como exemplo este teste bastante exigente para o córtex frontal. O pesquisador declara para voluntários certamente masoquistas: "Vou ao mercado e comprarei pêssegos, sucrilhos, sabão em pó, canela...". Ele recita dezesseis itens e pede para os voluntários repetirem a lista. Talvez eles se lembrem dos primeiros e dos últimos itens, ou cometam alguns pequenos enganos — digamos, citar noz-moscada em vez de canela. Então o pesquisador repete a lista. Dessa vez, os voluntários se lembram de mais alguns itens, e evitam repetir o erro com a noz-moscada. Então tudo é repetido de novo, várias vezes.

Isso é mais do que um simples teste de memória. Com a repetição, os voluntários percebem que quatro dos itens são frutas, quatro são produtos de limpeza, quatro são temperos, quatro são carboidratos. Eles vêm em categorias. E isso altera a estratégia de codificação dos voluntários, que logo começam a agrupar os itens por grupos semânticos: "Pêssegos. Maçãs. Mirtilos — não, quer dizer, amoras-pretas. Tem também outra fruta, não lembro qual. Certo: sucrilhos, pão, rosquinhas, *muffins*. Cominho, orégano, noz-moscada — ih, de novo! —, quer dizer, canela...". E, ao longo desse tempo, o CPF impõe uma estratégia executiva abrangente para memorizar esses dezesseis itens.*

O CPF é essencial para o pensamento categórico, para organizar e refletir sobre

---

* Esse teste remete a algo chamado Teste de Aprendizado Verbal da Califórnia (TAVC). Minha esposa, que iniciou a vida profissional como neuropsicóloga, costumava treinar a aplicação de testes em mim quando estava na faculdade; o TAVC era, sem dúvida, o pior de todos. Era estressante demais — quando ela por fim o dava por encerrado, eu estava encharcado de suor, num estado calamitoso. Mas, por outro lado, fui muito recompensado dali a umas décadas, quando me saí bem nos testes neuropsíquicos só por força do hábito, apesar de estar seriamente senil... e, por isso, não recebi os cuidados médicos necessários. Hum, acho que preciso repensar isto aqui.

pedaços de informação com rótulos diferentes. O CPF agrupa maçãs e pêssegos como sendo itens mais próximos uns dos outros no mapa conceitual do que maçãs e desentupidores de pia. Num estudo relevante, macacos foram treinados para distinguir entre as imagens de um cão e de um gato. O CPF continha neurônios individuais que respondiam ao "cão" e outros que respondiam ao "gato". Então os cientistas manipularam as fotos, criando híbridos com porcentagens variadas de cão e gato. Os neurônios "cão" do CPF responderam tanto aos híbridos que eram 80% cão e 20% gato, ou 60:40, quanto aos que eram 100% cão. Mas não responderam aos 40:60 — nesse caso, os neurônios "gato" entravam em ação.[41]

O córtex frontal privilegia a vitória do menos favorecido, motivado por ideias oriundas de influências descritas no restante deste livro — pare, esses biscoitos não são seus; você vai para o inferno; autodisciplina é bom; você era mais feliz quando era mais magro —, todas dando a algum solitário neurônio motor inibitório uma chance maior de ganhar.

O metabolismo frontal e a vulnerabilidade implícita

Isso levanta uma questão importante, pertinente tanto às funções sociais quanto às funções cognitivas do córtex frontal.[42] Todo esse movimento do córtex frontal que diz: "Eu não faria isso se fosse você" é exaustivo. Outras regiões do cérebro respondem a instâncias de certa contingência; o córtex frontal segue regras. Apenas pense em como, aos três anos de idade, seu córtex frontal aprendeu uma regra a ser seguida pelo resto da vida — não faça xixi sempre que tiver vontade —, e ganhou os meios de aplicar essa regra ao aumentar sua influência sobre os neurônios que regulam a bexiga.

Além disso, o mantra usado pelo córtex frontal quando os biscoitos estão acenando para você ("autodisciplina é bom") também é invocado quando se trata de economizar para aumentar a poupança da aposentadoria. Os neurônios corticais frontais são generalistas, com padrões mais amplos de projeções, o que resulta em mais trabalho.[43]

Tudo isso toma energia e, quando está dando duro, o córtex frontal apresenta taxas altíssimas de metabolismo e de ativação dos genes relacionados à produção de energia.[44] *Força* de vontade é mais do que apenas uma metáfora; o autocontrole é um recurso finito. Os neurônios frontais são células caras, e células caras são também vulneráveis. Assim, o córtex frontal é atipicamente vulnerável a vários danos neurológicos.

Pertinente a isso é o conceito de "carga cognitiva". Faça o córtex frontal trabalhar duro — executar uma tarefa difícil de memória de trabalho, regular o comportamento social ou tomar várias decisões ao fazer compras. Logo depois, cai o desempenho em uma tarefa diferente e que também depende do córtex frontal.[45] O mesmo acontece quando executamos várias tarefas ao mesmo tempo e os neurônios do CPF participam simultaneamente de vários circuitos ativados.

De modo notável, basta aumentar a carga cognitiva do córtex frontal e, logo em seguida, o indivíduo fica menos pró-social:* menos caridoso ou prestativo, e mais propenso a mentir.[46] Aumentando-se a carga cognitiva através de uma tarefa que exija uma difícil regulação emocional, o indivíduo trapaceia mais na dieta.**[47]

Assim, o córtex frontal está submerso em autodisciplina calvinista, um superego que se força a trabalhar duro.[48] Mas, como atributo importante, logo depois que somos treinados a usar o penico, fazer a coisa mais difícil com os músculos da bexiga se torna automático. O mesmo acontece com outras tarefas frontais que de início parecem árduas. Por exemplo, você está aprendendo a tocar uma música no piano, há um trinado difícil, e, toda vez que você chega perto dessa passagem, pensa: "Lá vamos nós. Lembre-se: cotovelo dobrado, liderar com o polegar". Uma clássica tarefa de memória de trabalho. Então um dia você percebe que já passou cinco compassos do trinado, tudo foi bem e não foi preciso pensar nisso. É quando a execução da tarefa é transferida do córtex frontal para regiões mais reflexas do cérebro (por exemplo, o cerebelo). Essa transição para o automatismo também ocorre quando você se torna bom em um esporte, ou seja, quando metaforicamente seu corpo sabe o que fazer sem ter que pensar no assunto.

O capítulo sobre moralidade vai analisar o automatismo num âmbito mais importante. Resistir a contar uma mentira seria uma tarefa para o córtex frontal ou um hábito sem esforço? Como veremos, a honestidade muitas vezes surge com mais facilidade graças ao automatismo. Isso ajuda a explicar a resposta que as pessoas costumam dar depois de ter sido muito corajosas. "Em que você estava pensando quando mergulhou no rio para salvar aquela criança prestes a se afogar?" "Eu não estava pensando — quando dei por mim, já tinha pulado." Muitas vezes, a neurobiologia por trás do automatismo incide sobre os atos moralmente mais difíceis, enquanto a neurobiologia subjacente ao córtex frontal incide sobre o trabalho árduo de escrever um ensaio acadêmico sobre o assunto.

---

* Há uma exceção importante, que será abordada no capítulo 13, sobre moralidade.
** Há uma controvérsia em curso nessa área que tenta definir se é a "força de vontade" ou a "motivação" que diminui conforme a carga cognitiva aumenta. Para os nossos propósitos, iremos tratá-las como sinônimos.

O córtex frontal e o comportamento social

As coisas ficam interessantes quando o córtex frontal tem de acrescentar fatores sociais a essa mistura cognitiva. Por exemplo, uma parte do CPF dos macacos contém neurônios que se ativam quando o animal comete um erro em uma tarefa cognitiva ou observa outro macaco fazendo isso; alguns só se ativam quando é um macaco específico que cometeu o erro. Num estudo de neuroimagem, seres humanos precisavam fazer uma escolha, comparando o resultado de suas próprias opções anteriores com o conselho de outra pessoa. Diferentes circuitos do CPF acompanhavam a cogitação "baseada em recompensa" e a cogitação "baseada em conselho".[49]

Descobertas como essa nos levam ao papel central do córtex frontal no comportamento social.[50] Isso é vislumbrado ao compararmos vários primatas. Entre as espécies de primatas, quanto maior o tamanho do grupo social médio, maior o tamanho relativo do córtex frontal. Isso é verdadeiro em particular para espécies que seguem a dinâmica de "fissão-fusão", na qual há momentos em que os subgrupos se separam e funcionam de forma independente por um tempo antes de se reagruparem. Tal estrutura social é exigente, pois demanda o reajuste do comportamento conforme o tamanho e a composição do subgrupo. Logicamente, primatas de espécies organizadas em fissão-fusão (chimpanzés, bonobos, orangotangos e macacos-aranha) têm um melhor controle frontocortical inibitório sobre o comportamento do que primatas que não seguem tal dinâmica (gorilas, macacos-prego,* indivíduos do gênero *Macaca*).**

Entre os seres humanos, quanto maior a rede social de um indivíduo (medida pelo número de pessoas diferentes com quem são trocadas mensagens), maior o tamanho de uma sub-região específica do CPF (não mude de canal).[51] Isso é legal, mas não dá para saber se regiões maiores do cérebro estimulam a socialidade ou se é o contrário (partindo do princípio de que há uma causalidade). Outro estudo encontrou uma solução para isso: quando macacos reso são alocados de forma aleatória em grupos sociais, nos quinze meses seguintes, quanto maior o grupo, maior se torna o CPF — a complexidade social expande o córtex frontal.

Utilizamos o córtex frontal para fazer as coisas mais difíceis em contextos sociais: elogiamos os anfitriões pelo jantar intragável; evitamos bater no colega de trabalho irritante; não fazemos avanços sexuais sobre alguém, a despeito de nossas fantasias; não arrotamos de maneira barulhenta durante um discurso fúnebre. Uma

---

* No original, *capuchins*, que são macacos da subfamília Cebinae, e incluem o macaco-prego-de-cara-branca e o macaco-prego-do-peito-amarelo. (N. T.)

** No original, *macaques*, que são macacos do gênero *Macaca* e da subfamília Cercopithecinae, e incluem o macaco reso e o macaco-de-gibraltar. (N. T.)

ótima forma de analisar o córtex frontal é considerar o que acontece quando ele é lesionado.

O primeiro paciente "frontal" da história, o famoso Phineas Gage, foi identificado em 1848, em Vermont. Gage, que trabalhava como capataz na construção de ferrovias, feriu-se quando um acidente com pólvora projetou uma barra de ferro de quase seis quilos através do lado esquerdo de seu rosto, saindo pelo topo de seu crânio. O artefato foi parar a 25 metros de distância, junto com boa parte de seu córtex frontal esquerdo.[52]

De forma notável, ele sobreviveu e recuperou a saúde. Mas o respeitado e comedido Gage se transformou. Nas palavras do médico que o acompanhou ao longo dos anos:

> O equilíbrio, por assim dizer, entre suas faculdades intelectuais e propensões animais parece ter sido destruído. Ele é volátil e irreverente. Às vezes cede às profanidades mais grosseiras (o que não era de seu feitio antes), manifesta pouquíssima deferência pelos colegas, é intolerante a limitações ou conselhos quando estes vão de encontro a seus desejos. De vez em quando fica bastante obstinado, ainda que caprichoso e hesitante, concebendo vários planos para atividades futuras, que não são postos em prática antes de serem abandonados e substituídos por outros aparentemente mais exequíveis.

As duas únicas fotos conhecidas de Gage, com sua barra de ferro.

Descrito pelos amigos como "não mais o Gage", ele foi incapaz de prosseguir no emprego e sujeitou-se a aparecer (com sua barra de ferro) como atração no museu de excentricidades de P. T. Barnum. Comovente pra caramba.

De forma surpreendente, Gage melhorou. Alguns anos depois do acidente, conseguiu voltar a trabalhar (sobretudo como motorista de diligências) e seu comportamento foi descrito como sendo em geral apropriado. O que restou de seu tecido cortical frontal direito assumiu algumas das funções perdidas no acidente. Tal maleabilidade do cérebro é o foco do capítulo 5.

Outro exemplo do que ocorre quando o córtex frontal é danificado pode ser observado na demência frontotemporal (DFT), que começa deteriorando essa parte específica do cérebro; de forma intrigante, os primeiros neurônios a morrer são aqueles misteriosos neurônios de Von Economo, que são exclusivos de primatas, elefantes e cetáceos.[53] Como são os pacientes com DFT? Eles demonstram uma desinibição do comportamento e atitudes sociais inapropriadas. Há também apatia e falta de iniciativa, que refletem o fato de que o "decididor" está sendo destruído.*

Comportamento parecido ocorre na doença de Huntington, um distúrbio terrível que tem origem numa mutação muito esquisita. Os circuitos subcorticais que coordenam a sinalização aos músculos são destruídos, e o paciente fica cada vez mais incapacitado devido a movimentos involuntários anormais. Só que também há dano frontal, muitas vezes anterior à lesão subcortical. Além disso, cerca de metade dos pacientes apresenta desinibição comportamental: roubo, agressividade, hipersexualidade, arroubos compulsivos e inexplicáveis de jogo patológico.** A desinibição social e comportamental também ocorre em indivíduos com lesões no córtex frontal oriundas de derrame — por exemplo, a conduta de assédio sexual em um octogenário.

Há outra circunstância na qual o córtex frontal se torna hipofuncional, produzindo manifestações comportamentais similares: hipersexualidade, arroubos de emoção, atos extravagantes e ilógicos.[54] Que doença é essa? Nenhuma. É quando você está sonhando. Durante o sono REM, quando ocorrem os sonhos, o córtex frontal é desligado e os roteiristas de sonho fazem a festa. Além disso, se o córtex

---

* A apatia contrasta com o comportamento de pacientes nos estágios iniciais de Alzheimer, que ficam mortificados após cometer gafes sociais terríveis devido a problemas de memória — digamos, perguntar sobre a saúde da esposa de alguém por não lembrar que a pessoa morreu anos atrás.

** O romance *Sábado*, de Ian McEwan, gira em torno da desinibição comportamental de um personagem com doença de Huntington. É brilhante.

frontal é estimulado enquanto as pessoas estão sonhando, os sonhos se tornam menos esquisitos, com mais autoconsciência. E há outra circunstância na qual o CPF se cala, causando tsunamis emocionais: durante o orgasmo.

Uma última esfera de domínio da lesão frontal. Adrian Raine, da Universidade da Pensilvânia, e Kent Kiehl, da Universidade do Novo México, constataram que criminosos psicopatas têm a atividade no córtex frontal reduzida e menos acoplamento do CPF com outras regiões do cérebro (comparados a criminosos não psicopatas e a pacientes do grupo de controle não criminosos). Além disso, uma porcentagem imensa das pessoas encarceradas por crimes violentos tem histórico de trauma do córtex frontal.[55] Mais sobre isso no capítulo 16.

Uma declaração necessária sobre a falsidade da dicotomia entre cognição e emoção

O CPF é formado por várias partes, subpartes e subsubpartes, em quantidade suficiente para manter seguro o emprego dos neuroanatomistas. Duas áreas são cruciais. Primeiro, há a parte dorsal do CPF, em especial o CPF dorsolateral (CPFdl) — não se preocupe com "dorsal" e "dorsolateral", é apenas jargão.* O CPFdl é o decididor dos decididores, a parte mais racional, cognitiva, utilitária e não sentimental do CPF. É a parte do CPF de evolução mais recente e a última a amadurecer por completo. Ela basicamente ouve outras regiões corticais e também fala com elas.

Em contraste com o CPFdl, temos a parte ventral do CPF, em particular o CPF ventromedial (CPFvm). É a região frontocortical que o visionário neuroanatomista Nauta elegeu como membro honorário do sistema límbico por causa de suas interconexões. De forma lógica, o CPFvm lida sobretudo com o impacto das emoções sobre a tomada de decisões. E muitos de nossos melhores e piores comportamentos envolvem interações do CPFvm com o sistema límbico e o CPFdl.**

---

* Um manual rápido de referências cerebrais, para quem tiver interesse. Elas vêm em três dimensões: 1) Dorsal/ventral: dorsal = na parte de cima do cérebro (da mesma forma que a barbatana no topo de um golfinho na posição horizontal é a barbatana dorsal); ventral = a parte inferior, o fundo. 2) Medial/lateral: medial = nas proximidades da linha média do cérebro, quando visto em um corte transversal; lateral = o mais distante possível da linha média, para a esquerda ou para a direita. Portanto, o CPF "dorsolateral" é a parte que se localiza no topo e perto da borda. 3) Anterior/posterior: na parte da frente ou de trás do cérebro. As estruturas cerebrais lateralizadas vêm em pares — uma no hemisfério esquerdo e outra no direito, ambas no mesmo lugar nos planos dorsal/ventral e anterior/posterior, mas em localizações opostas no plano medial/lateral.

** Para manter claras as distinções entre CPFdl e CPFvm, irei com frequência me referir às suas funções falsamente dicotômicas, só como lembrete: "o cognitivo CPFdl" e o "emocional CPFvm". Ou aqui vai

As funções do CPFdl são a essência do que é fazer a coisa mais difícil.[56] É a região frontocortical mais ativa quando alguém abre mão de uma recompensa imediata em troca de outra maior mais tarde. Considere um clássico dilema moral: é aceitável matar uma pessoa inocente para salvar outras cinco? Quando voluntários ponderam sobre essa questão, a maior ativação do CPFdl prevê uma probabilidade maior de responder que sim (mas, como veremos no capítulo 13, isso também vai depender de como você faz a pergunta).

Macacos com lesões no CPFdl são incapazes de, durante uma tarefa, trocar de estratégia quando se alteram as recompensas dadas para cada abordagem — eles continuam com a que oferece a recompensa mais imediata.[57] De forma similar, seres humanos com danos no CPFdl são deficientes nas áreas de planejamento e adiamento de recompensas, persistem em estratégias que oferecem recompensa imediata e mostram pouco controle executivo sobre seu comportamento.* De maneira notável, a técnica da estimulação magnética transcraniana é capaz de silenciar por um tempo parte do córtex, como observado num estudo fascinante de Ernst Fehr, da Universidade de Zurique.[58] Quando o CPFdl foi silenciado, voluntários em um jogo econômico aceitaram, de forma impulsiva, ofertas medíocres que em outras situações rejeitariam por terem esperança de obter ofertas melhores no futuro. De modo crucial, isso teve a ver com socialidade — silenciar o CPFdl não teve efeito algum quando os voluntários acreditavam que o adversário era um computador. Além disso, tanto o grupo de controle quanto os voluntários com o CPFdl silenciado classificaram as ofertas medíocres como igualmente injustas; portanto, conforme os autores concluíram, "os voluntários [com o CPFdl silenciado] agiram como se não fossem mais capazes de implementar suas metas de equidade".

Quais são as funções do emocional CPFvm?[59] São o que você esperava, dados os sinais de entrada que ele recebe das estruturas límbicas. O CPFvm se ativa quando a pessoa por quem você está torcendo vence uma partida, ou se você ouve músicas agradáveis, em vez de dissonantes (sobretudo se a música provoca arrepios na espinha).

E quais são os efeitos de uma lesão no CPFvm?[60] Muitas coisas continuam normais: inteligência, memória de trabalho, capacidade de fazer estimativas. É possível

---

uma regra mnemônica: o "dl" do cognitivo CPFdl tem a ver com "deliberação", enquanto o "vm" do CPFvm é "very (e)motional" [muito emotivo]. Meio tosco, mas já me salvou várias vezes.

* Além disso, pacientes com lesões no CPFdl têm dificuldades com a árdua tarefa de assumir a perspectiva alheia. Trata-se de um subtipo da chamada Teoria da Mente, que envolve interações entre o CPFdl e uma região do cérebro conhecida como junção temporoparietal. Mais sobre isso num capítulo próximo.

fazer "a coisa mais difícil" com tarefas frontais puramente cognitivas (por exemplo, brincadeiras nas quais você tem que desistir de um passo à frente a fim de ganhar outros dois).

As diferenças aparecem quando se trata de tomar decisões sociais/emocionais: pacientes com lesões no CPFvm simplesmente não conseguem decidir.* Eles entendem as opções e conseguem dar conselhos sábios para alguém em uma circunstância parecida. Mas, quanto mais íntima e emocional for a situação, mais eles têm problemas.

Damasio produziu uma influente teoria sobre a tomada de decisões com forte carga emocional, com base nas ideias de Hume e William James; isso logo será discutido.[61] De forma resumida, o córtex frontal conduz experimentos do tipo "como se" nas intuições viscerais — "Como eu me sentiria se tal resultado ocorresse?" —, e faz escolhas tendo essa resposta em mente. Lesionar o CPFvm, removendo assim o sinal límbico de entrada ao CPF, elimina as sensações viscerais e torna as decisões mais difíceis.

Além disso, decisões finais são bastante utilitaristas. Os pacientes com lesão no CPFvm estão atipicamente dispostos a sacrificar uma pessoa, mesmo se for um membro da própria família, a fim de salvar cinco desconhecidos.[62] Estão mais interessados no resultado do que em suas causas emocionais subjacentes, punindo alguém que matou sem querer, mas não aquele que tentou matar e não conseguiu; afinal de contas, no segundo caso ninguém morreu.

Esse é o sr. Spock, funcionando só com o CPFdl. Agora vamos para um ponto crucial. Quem faz essa dicotomia entre pensamento e emoção em geral prefere o primeiro, pois considera a emoção suspeita. Ela sabota a tomada de decisões, fazendo a pessoa ficar sentimental, cantar alto demais, vestir-se de forma extravagante e ter uma quantidade perturbadora de pelos no sovaco. Sob essa ótica, deveríamos nos livrar do CPFvm, assim seríamos mais racionais e funcionaríamos melhor.

Mas não é o caso, como foi enfatizado com eloquência por Damasio. Pacientes com lesão no CPFvm não só têm dificuldade de tomar decisões como também fazem péssimas escolhas.[63] Eles demonstram pouco discernimento ao escolher amigos e parceiros, e não mudam de atitude com base em feedbacks negativos. Por exemplo, imagine um jogo de azar no qual as taxas de recompensa para várias estratégias se alteram sem que os voluntários saibam, e eles são livres para mudar de

---

* Um lembrete: como em todos os bons estudos envolvendo pacientes com danos em regiões específicas do cérebro, a comparação é feita não só com um grupo de controle de pessoas sem lesões cerebrais como também com um grupo adicional de indivíduos com lesões em outras partes do cérebro não relacionadas.

estratégia. Os voluntários do grupo de controle conseguem trocá-la pela melhor opção possível, mesmo que não saibam verbalizar como as taxas de recompensa se alteraram. Os pacientes com danos no CPFvm não conseguem trocá-la, mesmo quando *são capazes* de verbalizar a mudança. Sem um CPFvm, você até pode saber o significado de um feedback negativo, mas não consegue *senti-lo* em suas vísceras, deixando, portanto, de modificar seu comportamento.

Como já vimos, sem o CPFdl, o superego metafórico vai embora, resultando em indivíduos que se resumem a seus ids hiperagressivos e hipersexuais. Porém, sem o CPFvm, o comportamento é inapropriado de uma forma mais distanciada. Trata-se daquela pessoa que, ao encontrar alguém depois de um bom tempo, afirma: "Olá, vejo que você engordou". E, quando repreendida mais tarde pelo cônjuge mortificado, responde com tranquila perplexidade: "Mas é verdade". O CPFvm não é o apêndice vestigial do córtex frontal, em que a emoção se parece com a apendicite por inflamar um cérebro sensível. Em vez disso, ele é essencial.[64] Não seria se tivéssemos evoluído na direção dos vulcanos. Mas, já que o mundo é habitado por humanos, a evolução jamais nos teria feito dessa forma.

A ativação do CPFdl e do CPFvm pode se correlacionar de modo inverso. Num estudo inspirado, no qual pianistas de jazz tocavam um teclado enquanto eram examinados por um aparelho de tomografia cerebral, o CPFvm ficou mais ativo e o CPFdl, menos ativo quando os músicos improvisaram. Em outro estudo, voluntários tinham de julgar atitudes prejudiciais hipotéticas. Ponderar sobre a responsabilidade dos perpetradores ativou o CPFdl; decidir o tamanho da punição ativou o CPFvm.* Quando os indivíduos participaram de um jogo de azar no qual as probabilidades de recompensa para estratégias distintas se alteraram e eles tinham a chance de mudar de estratégia, a tomada de decisões baseou-se em dois fatores: a) o resultado de sua ação mais recente (quanto melhor o resultado, maior ativação do CPFvm); e b) as taxas de recompensa de todas as rodadas anteriores, algo que exigia uma longa análise retrospectiva (quanto melhores as recompensas a longo prazo, maior era a ativação do CPFdl). A ativação relativa entre as duas regiões foi capaz de prever as decisões que os indivíduos tomaram.[65]

Uma visão simplista é que o CPFvm e o CPFdl travam uma batalha perpétua de dominação entre emoção e cognição. Mas, enquanto a emoção e a cognição podem ser de alguma forma separáveis, é raro que elas estejam em oposição. Pelo contrário, estão interconectadas numa relação colaborativa e necessária para o funcionamento normal. Conforme as tarefas dotadas de componentes emotivos e cogniti-

---

* Para aqueles que se importam, algumas das respostas mais intensas foram registradas numa sub-região do CPFvm chamada córtex orbitofrontal.

vos se tornam mais difíceis (tomar uma decisão econômica cada vez mais complexa num cenário progressivamente injusto), a atividade em ambas as estruturas fica mais sincronizada.

O córtex frontal e sua relação com o sistema límbico

Agora temos alguma noção do que fazem as diferentes subdivisões do CPF e de como a cognição e a emoção interagem no âmbito neurobiológico. Isso nos leva a examinar como o córtex frontal e o sistema límbico dialogam.

Em estudos memoráveis, Joshua Greene, de Harvard, e Jonathan Cohen, de Princeton, mostraram como as partes "emocional" e "cognitiva" do cérebro podem de alguma forma se dissociar.[66] Eles utilizaram o famoso dilema do "bonde desgovernado", no qual o veículo avança sobre cinco pessoas e você precisa decidir se é aceitável matar uma pessoa para salvar as cinco. O segredo é como enquadrar o problema. Em uma versão, você acionaria uma alavanca a fim de desviar o bonde para um trilho secundário. Isso salva as cinco pessoas, mas mata um sujeito que se encontrava nesse outro trilho; de 70% a 90% dos participantes afirmam que fariam isso. Na segunda situação, você tem de empurrar a pessoa na frente do bonde com suas próprias mãos. Isso detém o veículo, mas o sujeito morre; de 70% a 90% dos participantes dizem que jamais fariam isso. A mesma compensação numérica, mas decisões totalmente diferentes.

Greene e Cohen forneceram aos voluntários as duas versões do dilema enquanto registravam sua atividade cerebral por neuroimagem. Ponderar sobre o ato de matar alguém com as próprias mãos ativa o "decididor" CPFdl, bem como as regiões relativas às emoções que respondem a estímulos aversivos (incluindo uma região cortical estimulada por palavras emocionalmente carregadas), a amígdala e o CPFvm. Quanto maior a ativação da amígdala e mais emoções negativas o participante registrava nessa ponderação, menor a probabilidade de ele decidir empurrar a pessoa na frente do bonde.

E quando as pessoas refletem de forma desprendida se devem ou não acionar uma alavanca que acabaria matando alguém? Apenas o CPFdl é ativado. Trata-se de uma decisão puramente cerebral, da mesma forma que escolher qual ferramenta usar para consertar um aparelho. Um ótimo estudo.*

---

* Voltaremos aos estudos subsequentes de Greene sobre a "ciência dos bondes" no capítulo sobre moralidade. Em linhas gerais, ele demonstra que a diferença nas decisões tem a ver com: a) o contraste pessoal/impessoal entre acionar uma alavanca e empurrar alguém com as próprias mãos; b) o

Outras pesquisas examinaram as interações entre partes "cognitivas" e "emocionais" do cérebro. Alguns exemplos:

O capítulo 3 discute algumas pesquisas perturbadoras: coloque um cidadão médio num aparelho de tomografia cerebral e mostre a ele a imagem de alguém de outra raça por apenas um décimo de segundo. É um período muito curto para que ele tenha consciência do que viu. Mas, graças àquele atalho anatômico, a amígdala sabe... e é ativada. Por outro lado, mostre a imagem durante um tempo maior. De novo a amígdala é ativada, mas então o CPFdl faz o mesmo, inibindo a amígdala — num esforço para controlar o que, para a maioria das pessoas, é uma resposta inicial repulsiva.

O capítulo 6 discorre sobre experimentos nos quais um voluntário participa de um jogo com outras duas pessoas e é induzido a sentir que está sendo deixado de lado. Isso ativa a amígdala, a substância cinzenta periaquedutal (a região antiga do cérebro que ajuda a processar a dor física), o córtex cingulado anterior e a ínsula, ou seja, trata-se de uma representação anatômica de raiva, ansiedade, dor, aversão e tristeza. Logo em seguida, o CPF é ativado à medida que as racionalizações entram em ação: "É só um jogo idiota", "Eu tenho amigos", "Meu cachorro me ama". E a amígdala & seus colegas se calam. E se você fizer a mesma coisa com alguém cujo córtex frontal não é de todo funcional? A amígdala é ativada cada vez mais; a pessoa se sente mais e mais aflita. Que doença neurológica está envolvida nisso? Nenhuma. Trata-se de um adolescente típico.

Por fim, o CPF age sobre a extinção do medo. Ontem o rato aprendeu: "Este som é seguido por um choque", portanto o som passou a provocar uma paralisia. Hoje não há choques, e o rato adquiriu outra verdade que toma precedência: "Mas hoje não". A primeira verdade continua lá; como prova disso, basta parear de novo o som ao choque, e a paralisia diante do som é "reinstituída" mais rapidamente do que foi aprendida na primeira vez.

Onde o "mas não hoje" é consolidado? No CPF, depois de receber informação do hipocampo.[67] O CPF medial ativa os circuitos inibitórios na ABL e o rato não fica mais paralisado ao ouvir o som. Numa disposição similar, mas refletindo a cognição específica dos seres humanos, basta condicionar as pessoas a associarem um choque a um quadrado azul numa tela, e a amígdala se ativa ao ver esse quadrado — mas

---

contraste meio/efeito colateral entre a morte como necessidade e como consequência não intencional; c) a distância psicológica com relação à potencial vítima.

em menor grau nos indivíduos que reavaliam a situação e ativam o CPF medial, ao pensarem, digamos, em um belo céu azul.

Isso se estende à questão da regulação emocional por meio do pensamento.[68] É difícil controlar o pensamento (tente não pensar em um hipopótamo), mas é ainda pior com as emoções; pesquisas realizadas por meu colega em Stanford e grande amigo James Gross chegaram a explorar essa questão. Antes de mais nada, "pensar diferente" quando se trata de algo emocional não é o mesmo que suprimir a expressão das emoções. Por exemplo, mostre a alguém um vídeo bem explícito de, digamos, uma amputação. Os voluntários se contraem na cadeira e a amígdala e o sistema nervoso simpático são ativados. Agora um dos grupos é instruído a esconder suas emoções ("Vou lhe mostrar outro vídeo e quero que você esconda suas reações emocionais"). Como fazer isso de forma mais efetiva? Gross faz distinção entre estratégias focadas nos "antecedentes" e na "resposta". As que se baseiam na resposta consistem em arrastar o cavalo emocional de volta ao estábulo antes que ele fuja — você assiste ao próximo vídeo horripilante, fica enjoado e pensa: "O.k., continue sentado, respire devagar". Em geral, isso causa uma ativação ainda maior da amígdala e do sistema nervoso simpático.

Estratégias antecedentes em geral funcionam melhor, já que deixam a porta do estábulo fechada desde o início. Elas consistem em pensar/sentir outra coisa (por exemplo, lembrar-se daquelas férias maravilhosas), ou pensar/sentir de forma diferente o que você está enxergando (fazer reconsiderações tais como: "Isso não é real; são apenas atores"). Quando executada de maneira correta, a estratégia é capaz de ativar o CPF, em particular o CPFdl, amortecer a amígdala e o sistema nervoso simpático e reduzir a angústia subjetiva.*

A reavaliação antecedente é o motivo pelo qual os placebos funcionam.[69] Pensar: "Meu dedo está prestes a ser espetado por uma agulha" ativa a amígdala junto com um circuito de regiões do cérebro que respondem à dor, e a picada dói. Mas se alguém lhe disser antes que o creme hidratante que está sendo espalhado em seu dedo é um poderoso analgésico, você pensa: "Meu dedo está prestes a ser espetado por uma agulha, mas este creme vai bloquear a dor". Então o CPF é ativado, embotando a atividade na amígdala e nos circuitos da dor, bem como a percepção desta.

Processos de pensamento como esse, em níveis muito maiores, estão no centro de um tipo particularmente efetivo de psicoterapia — a terapia cognitivo-comportamental (TCC) — para o tratamento de transtornos de regulação emocional.[70] Imagine alguém com um distúrbio de ansiedade social causado por uma horrível e traumáti-

---

* Considerando os circuitos do CPF, a sequência mais provável é: ativação do CPFdl, depois ativação do CPFvm e, por fim, inibição da amígdala.

ca experiência na infância. De forma simplificada, a TCC procura fornecer ferramentas para o indivíduo poder reavaliar as circunstâncias que evocam a ansiedade — lembrar-se de que, nesta situação social, aquela coisa horrível que se sentiu uma vez tem a ver com o que aconteceu no passado, não com o que está acontecendo agora.*

Controlar respostas emocionais com o pensamento é um processo que vai de cima para baixo; o córtex frontal tranquiliza a amígdala superexcitada. Mas o relacionamento entre o CPF e o sistema límbico também pode se dar de baixo para cima, nos casos em que a decisão envolve um sentimento visceral. Essa é a espinha dorsal da hipótese dos marcadores somáticos de Damasio. Escolher entre várias opções pode implicar uma análise racional de custo-benefício. Mas também envolve "marcadores somáticos", simulações internas de como cada resultado seria sentido, que são executadas no sistema límbico e relatadas para o CPFvm. O processo não é um experimento mental; é um experimento emocional, ou melhor, uma memória emocional de um futuro possível.

Um marcador somático mais suave só consegue ativar o sistema límbico.[71] "Devo ter o comportamento A? Talvez não — a possibilidade do resultado B me assusta." Um marcador somático mais vibrante ativa também o sistema nervoso simpático. "Devo ter o comportamento A? Com certeza não — posso sentir a minha pele ficando pegajosa só de pensar no resultado B." Ao potencializar de forma experimental a força desse sinal simpático, reforça-se a aversão.

Isso acontece em um cenário de colaboração normal entre o sistema límbico e o córtex frontal.[72] Claro, as coisas não são sempre equilibradas. A raiva, por exemplo, faz as pessoas agirem de forma menos analítica e mais reflexa em decisões que envolvem uma punição. Em geral, indivíduos estressados fazem escolhas espantosamente ruins, afogados em emoções; o capítulo 4 analisa o que o estresse provoca na amígdala e no córtex frontal.**

---

* E isso se estende a um metanível de reavaliação, já que Gross mostrou que um mediador de resultados do tratamento com TCC para ansiedade social é a *crença* de que se pode de fato reavaliar as circunstâncias.

** E também há circunstâncias em que o sistema límbico sobrecarrega o córtex frontal, e daí não existe nenhuma possível boa decisão, cada escolha é pior do que a outra. Pense naquela cena que, para quem tem filhos, deve ser a mais excruciante da história do cinema: em *A escolha de Sofia*, quando Sofia tem de fazer a Escolha e, de repente, tem poucos segundos para definir qual dos filhos irá viver e qual irá morrer. Tomar essa inimaginável e opressiva decisão requer que seus neurônios frontocorticais enviem sinais para o córtex pré-frontal e depois para o córtex motor — afinal de contas, ela tem de dizer coisas e mexer as mãos, empurrando uma das crianças para a frente. E a bidirecionalidade do circuito é revelada pelo fato de que seu sistema límbico estava, sem dúvida, gritando em agonia para o córtex frontal.

Os efeitos do estresse no córtex frontal foram esmiuçados por Daniel Wegner, um psicólogo de Harvard já falecido, em um artigo adequadamente intitulado: "How to Think, Say or Do Precisely the Worst Thing on Any Occasion" [Como pensar, dizer ou fazer exatamente a pior coisa em qualquer ocasião].[73] Ele examina o que Edgar Allan Poe chamou de "demônio da perversidade":

> Vemos um buraco na estrada à nossa frente e decidimos conduzir a bicicleta bem em sua direção. Fazemos uma nota mental para não mencionar um ponto delicado em uma conversa e então nos retorcemos de horror enquanto deixamos escapar exatamente aquilo. Sustentamos nas mãos com todo o cuidado uma taça de vinho tinto ao atravessarmos a sala, pensando o tempo todo: "Não derrube", e então a arremessamos no tapete sob o olhar do anfitrião.

Wegner demonstrou que existe um processo de duas etapas para a regulação frontocortical: a) uma corrente identifica X como *muito* importante; b) a outra tenta descobrir se a conclusão é *"Faça X"* ou *"Nunca faça X"*. Durante momentos de estresse, distração ou pesada carga cognitiva, as duas correntes podem se dissociar; A exerce sua influência sem que B indique qual dos caminhos tomar. A chance de você fazer exatamente a pior coisa cresce, não a despeito de seus melhores esforços, mas por causa de como eles se comportam sob o efeito desconcertante do estresse.

Isso conclui nosso panorama do córtex frontal; o mantra é que ele nos leva a fazer a coisa mais difícil quando é a mais certa. Cinco observações finais:

- "Fazer a coisa mais difícil" de forma eficaz não é justificativa para valorizar mais a emoção do que a cognição, ou vice-versa. Por exemplo, como será discutido no capítulo 11, somos mais pró-sociais quanto à moralidade intragrupal quando quem domina são nossas emoções e intuições rápidas e implícitas, mas somos mais pró-sociais quanto à moralidade fora do grupo quando a cognição predomina.
- É fácil concluir que o CPF trata de evitar comportamentos imprudentes ("Não faça isso; você vai se arrepender"). Mas nem sempre é o caso. Por exemplo, no capítulo 17 examinaremos a surpreendente quantidade de esforço frontocortical que pode ser necessária para apertar o gatilho.
- Como tudo que diz respeito ao cérebro, a estrutura e o funcionamento do córtex frontal podem ter uma enorme variação entre indivíduos; por exemplo, a taxa metabólica de repouso no CPF varia até trinta vezes de uma pessoa para a outra.* O que causa tais diferenças individuais? Leia o resto deste livro.[74]

---

* Tomemos como exemplo indivíduos com personalidades "reprimidas". Eles têm o afeto e o compor-

- "Fazer a coisa mais difícil quando é coisa certa a se fazer." A palavra "certa", nesse caso, é usada num sentido neurobiológico e instrumental, e não moral.
- Considere o ato de mentir. É óbvio que o córtex frontal auxilia na árdua tarefa de resistir às tentações. Mas também são funções frontocorticais importantes, sobretudo do CPFdl, mentir de forma competente, controlar o conteúdo emocional de um sinal, gerar uma distância abstrata entre meio e mensagem. O que explica um fato curioso: mentirosos patológicos têm quantidades atipicamente grandes de substância cinzenta no CPF, indicando uma estrutura de conexões mais complexa.[75]

Mas, de novo, "a coisa certa", no contexto da mentira auxiliada pelo córtex frontal, é amoral. Um ator mente para a audiência sobre ter os sentimentos de um soturno príncipe dinamarquês. Uma criança situacionalmente ética não fala a verdade ao dizer à avó que ficou animada com o presente, ocultando o fato de que já tem esse brinquedo. Um líder político conta mentiras deslavadas, dando início a uma guerra. Um financista com esquemas de pirâmide no sangue engana seus investidores. Uma camponesa mente para um brutamontes fardado, dizendo não saber o paradeiro de refugiados escondidos em seu próprio sótão. Como tudo no córtex frontal, é uma questão de contexto, contexto, contexto.

Onde o córtex frontal consegue a motivação metafórica para fazer a coisa mais difícil? Para descobrir isso, daremos uma olhada em nossa ramificação final, o sistema dopaminérgico de "recompensa" do cérebro.

O SISTEMA DOPAMINÉRGICO MESOLÍMBICO/MESOCORTICAL

Recompensa, prazer e felicidade são sentimentos complexos, e a motivação para buscá-los ocorre em inúmeras espécies, pelo menos de forma rudimentar. O neurotransmissor dopamina é essencial para compreender isso.

---

tamento altamente regulados — não são expressivos em termos emocionais nem bons em ler as emoções dos outros. Gostam de levar uma vida ordenada, estruturada e previsível, são capazes de informar o que irão comer no jantar daqui a uma semana, entregam todas as tarefas a tempo. E apresentam um metabolismo elevado no córtex frontal, além de níveis altos de hormônios do estresse em circulação, mostrando que pode ser muitíssimo estressante construir um mundo no qual nada de estressante jamais ocorra.

Núcleos, sinais de entrada, sinais de saída

A dopamina é sintetizada em várias regiões do cérebro. Uma delas ajuda a iniciar o movimento; um dano nesse local produz a doença de Parkinson. Outra regula a liberação de um hormônio pituitário. Mas o sistema dopaminérgico que nos interessa surgiu de uma região antiga e evolutivamente conservada próxima ao tronco encefálico, a chamada área tegmentar ventral (ou "tegmento").

Um dos principais alvos desses neurônios dopaminérgicos é a última região polissilábica do cérebro a ser introduzida neste capítulo, o núcleo *accumbens*. Há controvérsias sobre se o *accumbens* deveria contar como parte do sistema límbico, mas pode-se dizer no mínimo que ele é bastante "limbístico".

Aqui vai nossa primeira investida sobre a organização desse circuito:[76]

a. O tegmento envia projeções para o *accumbens* e (outras) áreas límbicas como a amígdala e o hipocampo. Em conjunto, isso é chamado de "via dopaminérgica mesolímbica".
b. O tegmento também dispara para o CPF (mas, de forma significativa, não para outras áreas corticais). Isso é chamado de "via dopaminérgica mesocortical". Agruparei as vias mesolímbica e mesocortical como "sistema dopaminérgico", ignorando o fato de que elas não são sempre ativadas ao mesmo tempo.*
c. O *accumbens* envia projeções para regiões associadas ao movimento.
d. Naturalmente, a maioria das áreas que recebe projeções do tegmento e/ou do *accumbens* envia projeções de volta para eles. Mais interessantes serão as projeções da amígdala para o CPF.

Recompensa

Em termos gerais, o sistema dopaminérgico lida com recompensas — inúmeros estímulos prazerosos ativam os neurônios do tegmento, precipitando a libera-

---

* Nos seres humanos, a ativação do sistema dopaminérgico costuma ser avaliada por meio de técnicas de imagem funcional como a RMF (ressonância magnética funcional), que detecta mudanças no metabolismo de diferentes partes do cérebro. Para ser mais preciso, embora um aumento na demanda metabólica nessas regiões se deva em geral à grande quantidade de potenciais de ação (de liberação de dopamina) nos neurônios, ambos não são sinônimos. Ainda assim, para simplificar, usarei sem distinção os termos "a sinalização dopaminérgica aumenta", "as vias dopaminérgicas se ativam" e "a dopamina é liberada".

ção de dopamina.[77] Algumas evidências probatórias: a) drogas como cocaína, heroína e álcool liberam dopamina no *accumbens*; b) se a liberação tegmental de dopamina é bloqueada, estímulos outrora recompensadores se tornam aversivos; c) o estresse crônico e a dor consomem dopamina e diminuem a sensibilidade dos neurônios dopaminérgicos à estimulação, produzindo um dos principais sintomas da depressão: a "anedonia", ou incapacidade de sentir prazer.

Algumas recompensas, como o sexo, liberam dopamina em todas as espécies examinadas.[78] Nos seres humanos, apenas pensar em sexo já basta.*[79] A comida provoca a liberação de dopamina em indivíduos famintos de todas as espécies, com uma peculiaridade entre os seres humanos. Mostre a foto de um milk-shake a alguém que acaba de tomar um, e raramente há ativação dopaminérgica, pois existe saciedade. Mas, entre indivíduos que estão de dieta, há *maior* ativação. Se você está empenhado em restringir seu consumo de calorias, tomar um milk-shake apenas faz você querer mais um.

O sistema dopaminérgico mesolímbico também responde a uma estética prazerosa.[80] Em um estudo, voluntários ouviam músicas novas; quanto maior a ativação do *accumbens*, maiores as chances de comprarem a música depois. E há a ativação dopaminérgica provocada por invenções culturais artificiais: por exemplo, quando homens típicos olham para fotos de carros esportivos.

Os padrões de liberação de dopamina são mais interessantes quando estão relacionados a interações sociais.[81] Algumas descobertas são bastante reconfortantes. Em um estudo, um indivíduo participava de um jogo econômico com alguém, no qual podia ser recompensado sob duas circunstâncias: a) se ambos os jogadores cooperassem, cada um recebia uma recompensa moderada; e b) trair o rival pelas costas rendia ao indivíduo uma grande recompensa, enquanto o outro não ganhava nada. Embora os dois resultados tenham aumentado a atividade dopaminérgica, o aumento maior ocorreu no caso da cooperação.**

Outra pesquisa examinou o comportamento econômico de punir babacas.[82] Em um estudo, indivíduos participaram de um jogo no qual o jogador B podia sacanear o A para ganhar uma recompensa. Dependendo da rodada, o jogador A poderia: a) não fazer nada; b) punir o jogador B tirando parte do dinheiro dele (sem

---

* E, num fato que aponta para todo um universo de diferenças entre os sexos, as respostas dopaminérgicas a estímulos visuais sexualmente excitantes são maiores em homens do que em mulheres. De forma notável, essa diferença não é exclusiva dos humanos. Macacos reso machos abrem mão de beber água quando estão com sede só para ver fotos de — não sei bem como dizer isso de outra forma — closes das partes pudendas de fêmeas de macacos reso (ao passo que não se interessam por outros tipos de imagens de macacos reso).

** Uma observação importante: todos os voluntários eram do sexo feminino.

custo para o jogador A); ou c) pagar uma unidade de dinheiro a cada duas unidades tomadas do jogador B. A punição ativou o sistema dopaminérgico, sobretudo quando os sujeitos tiveram de pagar para punir; quanto maior o aumento de dopamina durante a punição sem custo, mais o indivíduo estaria disposto a pagar para fazê-lo. Punir violações a normas causa satisfação.

Outro ótimo estudo, conduzido por Elizabeth Phelps, da NYU, trata de "lances exagerados" em leilões, quando as pessoas pagam mais dinheiro do que estavam antecipando.[83] Isso é interpretado como reflexo da recompensa adicional de vencer alguém no aspecto competitivo dos leilões. Portanto, "vencer" um leilão é um ato socialmente competitivo em seu cerne, à diferença de "ganhar" na loteria. Ganhar na loteria e dar um lance vencedor num leilão ativam a sinalização dopaminérgica nos indivíduos; perder na loteria não tem nenhum efeito, ao passo que perder em um leilão inibe a liberação de dopamina. Não ganhar na loteria é azar; não vencer um leilão é subordinação social.

Isso desperta o fantasma da inveja. Em um estudo de neuroimagem, voluntários receberam informações sobre o registro acadêmico, a popularidade, a beleza e a riqueza de uma pessoa hipotética.[84] As descrições que evocaram inveja autodeclarada ativaram as regiões corticais envolvidas na percepção da dor. Em seguida, os voluntários foram informados de que essa pessoa hipotética havia sofrido um infortúnio (por exemplo, fora demitida). Uma maior ativação das vias de dor diante das notícias do sucesso alheio prediziam uma maior ativação dopaminérgica ao saber do infortúnio da pessoa. Ou seja, existe ativação dopaminérgica durante a *Schadenfreude* — o deleite com a desgraça de uma pessoa de quem se tem inveja.

O sistema dopaminérgico nos traz perspectivas sobre a inveja, o ressentimento e a animosidade, levando-nos a outra descoberta sobre a depressão.[85] Um macaco aprendeu que, se pressionar dez vezes uma alavanca, recebe uma uva-passa como recompensa. Então ele o faz e, como resultado, dez unidades de dopamina são liberadas em seu *accumbens*. Agora — surpresa! — o macaco pressiona a alavanca dez vezes e ganha *duas* uvas-passas. Uau: vinte unidades de dopamina são liberadas. E, conforme o macaco continua a ganhar um salário de duas uvas-passas, o tamanho da resposta dopaminérgica retorna ao nível das dez unidades. Agora recompense o macaco com uma única uva-passa e os níveis de dopamina *diminuem*.

Por quê? Esse é o nosso mundo da habituação, onde nada é tão bom como da primeira vez.

Infelizmente, as coisas precisam funcionar assim devido à nossa variedade de recompensas.[86] Afinal, a codificação da recompensa precisa acomodar as propriedades tanto de resolver uma equação matemática quanto de ter um orgasmo. As respostas dopaminérgicas à gratificação, em lugar de serem absolutas, são relativas ao valor de recompensa de outros possíveis resultados. A fim de acomodar os prazeres da matemática e dos orgasmos, o sistema precisa se redimensionar o tempo todo para acolher as diferentes intensidades oferecidas por estímulos específicos. A resposta a qualquer recompensa precisa se habituar diante da repetição para que o sistema possa responder com força total à próxima novidade.

Isso foi mostrado em um belo estudo de Wolfram Schultz, da Universidade de Cambridge.[87] Dependendo das circunstâncias, os macacos eram treinados para esperar duas ou vinte unidades de recompensa. Se, sem esperar, ganhavam quatro ou quarenta, respectivamente, havia uma elevação idêntica na liberação de dopamina; fornecer uma ou dez unidades produziu uma diminuição idêntica. Foi o tamanho relativo da surpresa, não o absoluto, que importou nessa escala de multiplicação por dez.

Esses estudos mostram que o sistema dopaminérgico é bidirecional.[88] Ele responde com aumentos de livre escala diante de boas notícias inesperadas e com reduções diante das más. Schultz demonstrou que, depois de uma recompensa, o sistema dopaminérgico determina como lidaremos com as discrepâncias de expectativa: se você conseguir o que esperava, há um estado de equilíbrio no escoamento de dopamina. Se conseguir mais recompensa e/ou consegui-la antes do esperado, há uma rápida elevação; menos recompensa e/ou atrasada, e ocorre uma redução. Alguns neurônios tegmentais respondem a discrepâncias positivas de expectativa, outros, a negativas; de forma apropriada, os últimos são neurônios locais que liberam o neurotransmissor inibitório GABA. Esses mesmos neurônios participam da habituação, fenômeno pelo qual a recompensa que antes provocava uma grande resposta dopaminérgica vai se tornando cada vez menos excitante.*

É claro, esses dois tipos diferentes de codificação no tegmento (bem como no *accumbens*) recebem projeções do córtex frontal: é lá que todos os cálculos de expectativa e discrepância acontecem — "Certo, pensei que ia ganhar cinco, mas ganhei 4,9. Quão desanimador é isso?".

Outras regiões corticais pesam nessa equação. Em um estudo, voluntários tomaram conhecimento de um objeto à venda, com o grau de ativação no *accumbens* predizendo quanto o indivíduo pagaria pelo item.[89] Então eles descobriam o preço: se fosse menor do que o que estavam dispostos a gastar, havia ativação do emocional CPFvm; se fosse maior, havia ativação daquele córtex insular relacionado à aversão. Ao combinar os dados de neuroimagem, era possível prever se o indivíduo compraria ou não o objeto.

---

* De forma notável, no paradigma de um jogo de azar no qual ambos os resultados resultam em choque, depois de um tempo, obter o menor dos dois choques passa a ativar a sinalização dopaminérgica.

Portanto, em mamíferos típicos, o sistema dopaminérgico determina, a despeito de qualquer escala, como receberemos uma vasta gama de experiências, sejam surpresas boas ou ruins, e está o tempo todo se habituando às notícias de ontem. Mas os seres humanos têm algo a mais, a saber, nós inventamos prazeres muito mais intensos do que qualquer coisa fornecida pelo mundo natural.

Certa vez, durante um concerto de órgão de catedral, enquanto estava sentado e todo arrepiado em meio àquele tsunami sonoro, ocorreu-me um pensamento: para um camponês medieval, esse deve ter sido o som artificial mais alto que ele já experimentou, algo que causava espanto de maneiras hoje inimagináveis. Não é surpreendente que os camponeses tenham aderido à religião que estava sendo oferecida. E hoje somos o tempo todo massacrados por sons que ofuscam os antiquados órgãos. No passado, caçadores-coletores podiam encontrar por acaso um tanto de mel em uma colmeia e, dessa forma, satisfazer por algum tempo sua ânsia por comida gravada no cérebro. Hoje temos centenas de alimentos industrializados que fornecem uma explosão de sensações, algo difícil de ser alcançado pela maioria das modestas comidas naturais. No passado, em meio a consideráveis privações, levávamos vidas que também ofereciam inúmeros prazeres sutis, obtidos com muito custo. Hoje temos drogas que causam espasmos de prazer e liberam dopamina numa escala mil vezes maior do que qualquer coisa excitatória existente em nosso antigo mundo sem drogas.

Um vazio surge a partir dessa combinação entre fontes exageradas e artificiais de recompensa e a inevitabilidade da habituação; isso ocorre porque explosões anormalmente fortes de experiência sintética, de sensações e de prazer evocam níveis anormalmente fortes de habituação.[90] Isso tem duas consequências. Primeiro, logo deixamos de notar os sussurros efêmeros das folhas no outono, ou o olhar demorado da pessoa certa, ou a promessa de recompensa depois de concluir uma tarefa difícil e digna de esforço. Outra consequência é que acabamos nos habituando até a essas inundações artificiais de intensidade. Se fôssemos criados por engenheiros, nosso desejo diminuiria à medida que consumíssemos mais coisas. Mas a frequente tragédia dos seres humanos é que, quanto mais consumimos, mais famintos ficamos. Queremos sempre mais, com mais rapidez e com mais força. O que era um prazer inesperado ontem é algo de que nos julgamos merecedores hoje e que não será suficiente amanhã.

A antecipação da recompensa

Portanto, a dopamina trata de recompensas invejáveis e de rápida habituação. Mas ela é mais interessante que isso. De volta ao nosso macaco bem treinado que trabalha por uma recompensa. Uma luz se acende em seu recinto, sinalizando o início de uma prova de recompensa. Ele vai até a alavanca, pressiona-a dez vezes e ganha a uva-passa; isso já aconteceu tantas vezes que ocorre apenas um pequeno aumento na dopamina a cada uva-passa.

Contudo, há um detalhe importante: uma grande quantidade de dopamina é liberada quando a luz se acende pela primeira vez, sinalizando o início da prova de recompensa, antes que o macaco comece a pressionar a alavanca.

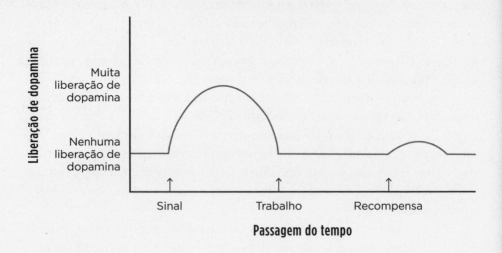

Em outras palavras, uma vez que as contingências da recompensa são aprendidas, a dopamina lida mais com a antecipação do que com a recompensa. De modo similar, um estudo de Brian Knutson, meu colega de Stanford, mostrou como se dá a ativação da via dopaminérgica em pessoas que antecipam uma recompensa monetária.[91] A dopamina tem a ver com domínio, expectativa e confiança. É algo como: "Eu sei como as coisas funcionam; isso vai ser ótimo". Em outras palavras, o prazer está na antecipação da recompensa. Ela em si é praticamente um pensamento secundário (a menos, é claro, que a recompensa não apareça; nesse caso, é a coisa mais importante do mundo). Quando você sabe que seu apetite será saciado, o prazer vem mais do apetite do que da saciedade.* Isso é importantíssimo.

A antecipação requer aprendizado.[92] Aprenda qual é o nome do meio de War-

---

* Esse fenômeno me faz lembrar de um comentário terrivelmente cínico de um colega de quarto durante a faculdade, que tinha um histórico extenso de relacionamentos turbulentos e desastrosos: "Um relacionamento é o preço que você paga pela antecipação dele".

ren G. Harding e as sinapses no hipocampo ficam mais excitáveis. Aprenda que luz acesa é prenúncio de recompensa, e quem fica mais excitável são os neurônios do hipocampo, amígdala e córtex frontal que projetam para os neurônios dopaminérgicos.

Isso explica por que, em casos de dependência, a fissura depende do contexto.[93] Imagine um alcoólatra que passou vários anos sóbrio e limpo. Devolva-o ao local onde seu consumo de álcool costumava ocorrer (por exemplo, aquela esquina decrépita, aquele clube masculino chique) e as sinapses potencializadas, as pistas que ele aprendeu a associar com o álcool, voltam à ativa de forma estrondosa, a dopamina aumenta com a antecipação e a fissura inunda tudo.

Pode uma pista confiável de uma recompensa iminente um dia se tornar ela mesma recompensadora? Isso foi mostrado por Huda Akil, da Universidade de Michigan. Uma luz acesa no canto esquerdo da gaiola do rato sinalizava que a pressão da alavanca iria resultar em recompensa por meio de uma canaleta de comida localizada no canto direito. De forma notável, os ratos se esforçavam para ficar nas proximidades do canto esquerdo da gaiola, só porque era uma sensação muito agradável estar ali. O sinal adquiriu o poder dopaminérgico daquilo que estava sendo sinalizado. De modo similar, os ratos se esforçam para se expor a uma pista que indica que *algum tipo* de recompensa é provável, mesmo sem saber quando virá ou o que será. É isso que são os fetiches, tanto no sentido antropológico quanto no sexual.[94]

A equipe de Schultz mostrou que a magnitude do aumento dopaminérgico antecipatório reflete duas variáveis. Primeiro, o tamanho da recompensa prevista. Um macaco aprendeu que a luz acesa significa que dez toques na alavanca resultam em uma unidade de recompensa, enquanto um som significa que dez toques resultam em dez unidades. E logo o som libera mais dopamina antecipatória do que a luz. É o "Isso vai ser ótimo" contra o "Isso vai ser ótimo".

A segunda variável é extraordinária. A regra é que a luz acende, você pressiona a alavanca e ganha a recompensa. Agora as coisas mudaram. A luz acende, você pressiona a alavanca e ganha a recompensa… só metade das vezes. É notável como, uma vez que esse novo contexto é aprendido, ocorre a liberação de uma quantidade ainda maior de dopamina. Por quê? Porque nada incentiva mais a liberação desse neurotransmissor do que o "talvez" do reforço intermitente.[95]

Essa dopamina adicional é liberada num momento específico. A luz se acende no cenário dos 50% e produz o habitual aumento antecipado de dopamina antes mesmo que a alavanca seja pressionada. Naqueles dias previsíveis nos quais sempre havia recompensa, depois que a alavanca era pressionada dez vezes, os níveis de dopamina permaneciam baixos até que a recompensa chegasse, seguida por uma pequena fagulha do neurotransmissor. Mas, no cenário dos 50%, assim que a ala-

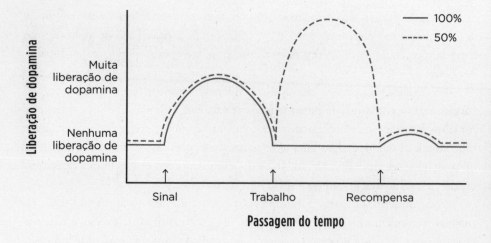

vanca era pressionada dez vezes, os níveis de dopamina passavam a aumentar, guiados pela incerteza do "talvez sim, talvez não".

Modifique ainda mais o experimento: a recompensa agora surge em 25% ou 75% das vezes. Uma mudança de 50% para 25% e uma mudança de 50% para 75% são exatamente opostas, em termos de probabilidade de recompensa; o trabalho da equipe de Knutson mostrou que, quanto maior a chance de recompensa, maior a ativação no CPF medial.[96] Mas ambas as mudanças, de 50% a 25% e de 50% a 75%, reduzem a magnitude da incerteza. E o aumento secundário de dopamina para os cenários de 25% ou 75% de probabilidade de recompensa é menor do que no de 50%. Portanto, a liberação antecipatória de dopamina atinge seu ápice quanto mais alta for a incerteza de que a recompensa irá ocorrer.* Curiosamente, em circunstâncias de incerteza, o aumento da liberação dopaminérgica antecipatória ocorre sobretudo na via mesocortical, em vez de na mesolímbica, indicando que, em termos cognitivos, a incerteza é um estado mais complexo do que a antecipação de uma recompensa previsível.

Nada disso é novidade para os psicólogos honorários que administram Las Vegas. Do ponto de vista lógico, os jogos de azar não deviam suscitar uma grande quantidade de dopamina antecipatória, dada a probabilidade baixíssima de vencer. Mas a engenharia comportamental — o funcionamento 24 horas e a falta de noção do tempo, os drinques baratos prejudicando o julgamento frontocortical, as mani-

---

* Essa informação levou Greene a comentar secamente, em uma conversa comigo, sobre como as projeções orçamentárias de Harvard incorporam a expectativa de que, trabalhando duro o suficiente, cerca de metade dos professores temporários assumirá a cátedra.

pulações que fazem os jogadores sentirem que aquele é seu dia de sorte — distorce e transforma a percepção dessas chances para um âmbito em que a dopamina é liberada e, ah, por que não?, vamos tentar de novo.

A interação entre o "talvez" e a propensão ao jogo patológico foi demonstrada em um estudo de "quase vitórias" — quando duas figuras iguais, dentre as três possíveis, se alinham na tela de uma máquina caça-níqueis. No grupo de controle, houve uma ativação dopaminérgica mínima depois de ocorrer fracassos de qualquer tipo; entre os jogadores patológicos, a quase vitória ativou loucamente o sistema dopaminérgico. Outro estudo envolveu duas situações de aposta com idênticas probabilidades de ganho, mas níveis diferentes de informação sobre as contingências da recompensa. A circunstância com menos informações (ou seja, que era mais uma questão de indefinição que de risco) ativou a amígdala e silenciou a sinalização dopaminérgica; aquilo que é percebido como risco bem calibrado é viciante, enquanto a indefinição é apenas inquietante.[97]

Busca

Então a dopamina lida mais com a antecipação da recompensa do que com a recompensa em si. Chegou a hora de acrescentar mais uma peça do quebra-cabeça. Imagine aquele macaco treinado para responder ao estímulo da luz pressionando uma alavanca, ciente de que logo virá a recompensa; como agora sabemos, uma vez que essa correlação de certeza é estabelecida, grande parte da liberação de dopamina é antecipatória, ocorrendo logo depois do estímulo.

O que acontece se não ocorrer essa liberação de dopamina depois da pista luminosa?[98] Basicamente, o macaco não pressiona a alavanca. De forma similar, se você destrói o *accumbens*, os ratos fazem escolhas impulsivas, em vez de se conter e esperar uma recompensa maior. Por outro lado, voltando ao macaco: se, em vez de recorrer à pista luminosa, você estimula eletricamente o tegmento a liberar dopamina, o macaco pressiona a alavanca. A dopamina não lida apenas com a antecipação da recompensa; também alimenta o *comportamento direcionado ao objetivo*, que é necessário para obter a recompensa; a dopamina "conecta" o valor de uma recompensa ao esforço resultante. Ela lida com a motivação oriunda daquelas projeções dopaminérgicas ao CPF e que são essenciais para fazer a coisa mais difícil (ou seja, trabalhar).

Em outras palavras, a dopamina não diz respeito à felicidade da recompensa, mas à felicidade da busca por uma recompensa que tem chances razoáveis de ocorrer.*[99]

---

* Eis um ótimo exemplo dessa felicidade da busca, quando a qualidade recompensatória de algo se

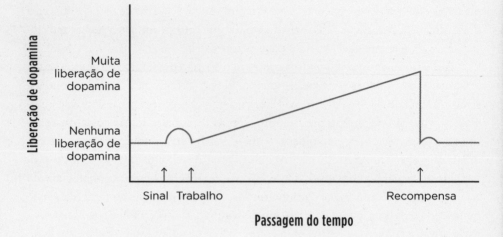

Isso é essencial para entender a natureza da motivação, bem como suas deficiências (por exemplo, na depressão, quando há inibição da sinalização dopaminérgica devido ao estresse, ou na ansiedade, quando tal inibição é causada por projeções da amígdala).[100] E também nos diz muito sobre a origem do poder frontocortical por trás da força de vontade. Numa tarefa em que um voluntário escolhe entre uma recompensa imediata e outra tardia (só que maior), contemplar a recompensa imediata ativa os alvos límbicos da dopamina (ou seja, a via mesolímbica), ao passo que contemplar a recompensa adiada ativa os alvos frontocorticais (ou seja, a via mesocortical). Quanto maior a ativação destes últimos, mais provável é o adiamento.

Tais estudos envolvem situações nas quais há um breve empenho, logo seguido por uma recompensa.[101] Mas e quando o esforço necessário é prolongado e a recompensa é substancialmente adiada? Nesse contexto, há um aumento secundário de dopamina, uma elevação gradual que alimenta o esforço sustentado; a dimensão desse incremento dopaminérgico é uma função da duração do adiamento e do tamanho previsto da recompensa:

Isso revela como a dopamina alimenta o processo de adiamento de recompensas. Se o ato de esperar uma quantia x de tempo por uma recompensa tem o valor de z; esperar $2x$ deveria logicamente ter o valor de $1/2z$; em vez disso, damos um "desconto no tempo", e o valor fica menor, por exemplo, $1/4z$. Não gostamos de esperar.

---

encontra tanto no processo quanto no resultado: o sistema dopaminérgico mesolímbico tem um papel essencial na motivação do cuidado maternal em fêmeas de rato.

A dopamina e o córtex frontal estão no centro desse fenômeno. As curvas de desconto — um valor de $1/4z$ em vez de $1/2z$ — estão codificadas no *accumbens*, enquanto os neurônios do CPFdl e do CPFvm fazem isso com o tempo de demora.[102]

Isso produz algumas interações complexas. Por exemplo, se ativarmos o CPFvm ou desativarmos o CPFdl, a recompensa a curto prazo se torna mais tentadora. Um estudo bacana de neuroimagem de Knutson nos fornece um insight sobre indivíduos impacientes, que possuem curvas acentuadas de desconto; seu *accumbens*, na verdade, subestima a magnitude da recompensa adiada, e o CPFdl exagera a extensão da demora.[103]

Juntos, esses estudos mostram como nosso sistema dopaminérgico, córtex frontal, amígdala, ínsula e outros membros do coro lidam com aspectos distintos de magnitude, demora e probabilidade da recompensa. Eles possuem graus diferentes de precisão e influenciam a probabilidade de conseguirmos ou não fazer a coisa mais difícil e correta.[104]

Nossas diferenças individuais em relação à capacidade de adiar recompensas surgem de variações no volume dessas vozes neurais específicas.[105] Por exemplo, há anormalidades nos perfis de resposta dopaminérgica durante tarefas de desconto no tempo em pessoas com a impulsividade inadaptada do transtorno do déficit de atenção com hiperatividade (TDAH). De modo similar, drogas que causam dependência predispõem o sistema dopaminérgico à impulsividade.

Ufa. Mais uma complicação: os estudos de desconto no tempo em geral lidam com atrasos na ordem de segundos. Embora o sistema dopaminérgico seja semelhante em várias espécies, os seres humanos tem um tipo de comportamento bastante singular: nós adiamos a recompensa por períodos insanamente longos. Nenhum javali africano decide restringir calorias para ficar bem em um biquíni no próximo verão. Nenhum roedor estuda bastante para obter boas notas no vestibular para entrar numa boa faculdade para ser aceito num bom mestrado para arrumar um bom emprego para acabar num bom asilo. Nós fazemos coisas que inclusive vão além desse adiamento de recompensas sem precedentes: usamos nosso poder dopaminérgico da "felicidade na busca" para nos motivar na direção de recompensas que só surgirão *depois da nossa morte* — dependendo da sua cultura, saber que sua nação está mais próxima de ganhar uma guerra porque você se sacrificou na batalha, que seus filhos herdarão dinheiro por causa de seus sacrifícios financeiros, ou que você irá passar a vida eterna no Paraíso. Trata-se de um extraordinário circuito neural que consegue domar o desconto no tempo o suficiente para permitir (a alguns de nós) que nos importemos com a temperatura do planeta que nossos bisnetos vão herdar. Em essência, não se sabe por que os seres humanos fazem isso. Podemos ser só mais um tipo de animal, mamífero, primata e hominoideo, mas somos de um tipo profundamente único.

Um último e pequeno tópico: a serotonina

Esta longa seção falou sobre a dopamina, mas há outro neurotransmissor, a serotonina, que exerce um papel nítido em vários de nossos comportamentos.

Começando com um estudo de 1979, níveis baixos de serotonina no cérebro passaram a ser associados a níveis elevados de agressividade em seres humanos, com desfechos que variavam de atitudes psicológicas de hostilidade a atos de violência explícita.[106] Uma relação parecida entre serotonina e agressividade foi observada em outros mamíferos e, o que é curioso, até em grilos, moluscos e crustáceos.

Conforme os estudos progrediram, surgiu um importante fator modificador. Níveis baixos de serotonina não prenunciavam violência premeditada e instrumental. Eles prenunciavam agressão *impulsiva*, bem como impulsividade cognitiva (ou seja, descontos acentuados no tempo ou dificuldade de inibir uma resposta habitual). Outros estudos ligaram a baixa serotonina ao suicídio impulsivo (independente da severidade da doença psiquiátrica associada).[107]

Além disso, tanto em animais quanto em seres humanos, a redução farmacológica na sinalização da serotonina aumenta a impulsividade comportamental e cognitiva (por exemplo, sabotar de forma repentina o relacionamento estável e cooperativo com alguém em um jogo econômico).[108] Um detalhe importante: ainda que o aumento da sinalização da serotonina não tenha reduzido a impulsividade em pessoas normais, isso aconteceu entre indivíduos propensos à impulsividade, como adolescentes com transtornos de conduta.

Como a serotonina faz isso? Ela é sintetizada quase que em sua totalidade em uma única região do cérebro,* que envia projeções para os suspeitos de sempre: o tegmento, o *accumbens*, o CPF e a amígdala, onde a serotonina aumenta os efeitos da dopamina no comportamento direcionado ao objetivo.[109]

Trata-se de uma descoberta tão confiável quanto qualquer outra nessa área.[110] Pelo menos até chegarmos ao capítulo 8 e examinarmos os genes relacionados à serotonina, quando então tudo se torna uma bagunça totalmente contraditória. Só uma pista do que ainda está por vir: uma variante de gene já foi chamada por alguns cientistas, a sério, de "gene do guerreiro", e sua presença foi utilizada com sucesso em certos tribunais para reduzir a pena para assassinatos impulsivos.

CONCLUSÃO

Isso completa nossa introdução ao sistema nervoso e seu papel nos comporta-

---

* Seu nome — núcleo da rafe — não é importante.

mentos pró e antissociais. O capítulo foi organizado em torno de três temas: o eixo do medo, da agressão e da excitação centrado na amígdala; o eixo da recompensa, da antecipação e da motivação do sistema dopaminérgico; e o eixo da regulação e da contenção de comportamentos do córtex frontal. Outras regiões do cérebro e neurotransmissores serão introduzidos nos próximos capítulos. Não se preocupe com essa montanha de informações, pois as principais regiões do cérebro, circuitos e neurotransmissores se tornarão familiares à medida que o livro avançar.

Espere um pouco. O que tudo isso significa? Seria útil começar com três coisas que essa informação não significa:

1. Primeiro, existe a tentação de usar a neurobiologia para confirmar o óbvio. Uma pessoa diz, por exemplo, que o bairro sórdido e violento onde mora lhe traz tanta ansiedade que ela não é capaz de funcionar de maneira adequada. Coloque-a em um aparelho de tomografia cerebral e mostre imagens de diversos bairros; quando o dessa pessoa aparece, a atividade da amígdala explode. "Ah", é tentador concluir, "agora está *provado* que ela se sente mesmo assustada."

   A neurociência não deveria ser necessária para validar o estado interior de um indivíduo. Um exemplo dessa falácia são os relatos de atrofia no hipocampo em veteranos de guerra que sofrem de TEPT; eles estão de acordo com pesquisas básicas (inclusive do meu laboratório) que mostram que o estresse pode danificar o hipocampo. A atrofia do hipocampo em pacientes com TEPT ganhou grande repercussão em Washington, ajudando a convencer os céticos de que o TEPT era um distúrbio orgânico, e não um fingimento neurótico. Fiquei pensando que, se foi preciso uma série de tomografias cerebrais para convencer os legisladores de que havia uma lesão trágica e orgânica nos veteranos de guerra com TEPT, então é provável que esses legisladores sofressem eles mesmos de problemas neurológicos. Ainda assim, isso foi necessário para "provar" a muita gente que o TEPT era um distúrbio orgânico do cérebro.

   A ideia de que "se um neurocientista é capaz de demonstrar sua existência, sabemos que o problema da pessoa é real" tem um corolário: quanto mais sofisticada a neurobiologia utilizada, mais confiável é a verificação. Isso simplesmente não é verdade; por exemplo, um bom neuropsicólogo é capaz de compreender melhor o que está acontecendo com alguém a partir de problemas de memória sutis, porém generalizados, do que um aparelho de tomografia de um zilhão de dólares.

   A neurociência não deveria ser essencial para "provar" o que pensamos e sentimos.

2. Tem ocorrido uma proliferação de disciplinas que começam com o termo "neuro". Algumas, como a neuroendocrinologia e a neuroimunologia, são hoje instituições antigas e sólidas. Outras são bastante novas: neuroeconomia, neuromarketing, neuroética e, não estou brincando, neuroliteratura e neuroexistencialismo. Em outras palavras, um neurocientista hegemônico poderia concluir que seu campo explica tudo. E daí vem o perigo — mencionado por Adam Gopnik, escritor da *New Yorker*, sob a bandeira sarcástica do "neuroceticismo" — de pensar que explicar tudo levaria a perdoar tudo.[111] Essa premissa se encontra no centro dos debates do novo campo do "neurodireito". No capítulo 16, argumentarei que é errado supor que a compreensão leva necessariamente ao perdão — sobretudo porque, na minha opinião, um termo como "perdão" e outros relativos à justiça criminal (exemplos: "maldade", "alma", "volição" e "culpa") são incompatíveis com a ciência e devem ser abandonados.

3. Por fim, há o perigo de pensar que a neurociência apoia uma espécie tácita de dualismo. Um sujeito faz algo impulsivo e horrível, e um exame de neuroimagem revela que, de forma inesperada, ele não tem nenhum neurônio do CPF. Hoje em dia há uma tentação dualista de enxergar esse comportamento como sendo vagamente mais "biológico" ou "orgânico" do que se ele tivesse cometido o mesmo crime tendo um CPF normal. A única diferença é que o funcionamento do cérebro sem CPF é mais fácil de examinar com nossas ferramentas primitivas de pesquisa.

Então o que tudo isso nos diz?

Às vezes, esses estudos nos ensinam o que fazem diferentes regiões do cérebro. E eles estão se tornando cada vez mais sofisticados; já chegam inclusive a fornecer informações sobre os circuitos, graças à crescente resolução do campo da neuroimagem, que foi de: "Este estímulo ativa as regiões A, B e C" a "Este estímulo ativa tanto A quanto B, e depois C, e daí C é ativada apenas se B também for". Identificar o que fazem regiões/circuitos específicos se torna mais difícil conforme as pesquisas ficam mais refinadas. Considere, por exemplo, a área fusiforme de faces. Como será discutido no próximo capítulo, trata-se de uma região cortical que responde à imagem de rostos em seres humanos e outros primatas. Nós, primatas, sem dúvida somos criaturas sociais.

Mas o trabalho de Isabel Gauthier, da Universidade Vanderbilt, sugere elementos mais complexos. Basta mostrar imagens de diversos carros para ativar a área fusiforme... em fanáticos por automóveis.[112] Mostre imagens de pássaros e o mesmo acontece entre ornitófilos. A área fusiforme não diz respeito a rostos; ela tem a ver com reconhecer exemplos de coisas pertencentes a categorias emocionalmente importantes para cada indivíduo.

Portanto, o estudo do comportamento é útil para compreender a natureza do cérebro: "Ah, não é curioso que o comportamento A seja criado a partir da ligação entre as regiões do cérebro X e Y?". Por exemplo, para mim a coisa mais interessante sobre a amígdala é seu envolvimento dual tanto na agressão quanto no medo; não é possível entender a primeira sem reconhecer a importância do segundo.

Um último tema relacionado ao cerne deste livro: ainda que a neurobiologia seja bastante impressionante, não é no cérebro que um comportamento "começa". Ele é apenas a via final comum por meio da qual convergem todos os fatores listados nos capítulos a seguir, e que criam o comportamento.

3. De segundos a minutos antes

Nada vem do nada. Nenhum cérebro é uma ilha.

Graças às mensagens que circulam pelo cérebro, um comando foi enviado para os seus músculos exigindo que você aperte o gatilho ou toque um braço. São grandes as chances de que, pouco tempo antes, algo exterior ao seu cérebro tenha provocado isso, suscitando as questões principais deste capítulo: a) que estímulo exterior, agindo através de que canal sensorial e projetando para quais partes do cérebro, provocou isso?; b) você teve consciência desse estímulo ambiental?; c) para quais estímulos seu cérebro o tornou particularmente sensível?; e, é claro, d) o que isso nos diz sobre nossos melhores e piores comportamentos?

Inúmeras informações sensoriais podem instigar o cérebro a agir. Isso pode ser avaliado quando consideramos essa variedade de informações em outras espécies. Muitas vezes não fazemos ideia disso porque os animais podem sentir coisas em amplitudes que nós não podemos, ou por modalidades sensoriais que não sabíamos que existiam. Portanto, é preciso pensar como o animal se queremos saber o que está acontecendo. Começaremos vendo que isso pertence ao campo da etologia, a ciência de entrevistar um animal em seu próprio idioma.

REGRAS UNIVERSAIS VERSUS JOELHOS OSSUDOS

A etologia foi criada na Europa, no início do século XX, em resposta a uma corrente americana da psicologia, o "behaviorismo". O behaviorismo teve origem com John Watson, citado na introdução deste livro; a maior estrela da área foi B. F. Skinner. Os behavioristas se importavam com as universalidades de comportamento entre as espécies. Eles veneravam um belo pressuposto, aparentemente universal, envolvendo estímulo e resposta: recompensar um organismo por um comportamento o torna mais propenso a repetir esse comportamento, enquanto a falta de recompensa, ou, pior, uma punição, torna o organismo menos propenso a repeti-lo.

Qualquer comportamento pode se transformar em algo bastante comum por meio do "condicionamento operante" (termo cunhado por Skinner), ou seja, o processo de controlar recompensas e punições no ambiente desse organismo.

Portanto, para os behavioristas (ou "skinnerianos", um termo que Skinner lutou para que se convertesse em um sinônimo dessa corrente), praticamente qualquer comportamento pode ser "moldado" para ocorrer com maior ou menor frequência, ou mesmo para ser "extinto" por completo.

Já que todos os organismos obedeciam a essas regras universais, podia-se muito bem estudar uma espécie mais conveniente. Boa parte da pesquisa dos behavioristas foi realizada em ratos ou nos animais preferidos de Skinner, os pombos. Os cientistas do behaviorismo amavam informações e estatísticas precisas e categóricas; elas eram geradas por animais pressionando ou bicando alavancas em "caixas de condicionamento operante" (também conhecidas como "caixas de Skinner"). E tudo que era descoberto se aplicava a qualquer espécie. Um pombo é um rato é um homem, pregava Skinner. Um autômato sem alma.*

Os behavioristas estavam certos em muitas coisas sobre o comportamento, mas também estavam errados em outras bem importantes, já que inúmeros comportamentos interessantes não seguem regras behavioristas.**[1] Por exemplo, se um filhote de rato ou macaco for criado por uma mãe abusiva, ele se tornará mais apegado a ela. As regras behavioristas tampouco explicam como os seres humanos podem amar a pessoa errada e abusiva.

Enquanto isso, a etologia estava surgindo na Europa. Em contraste com a obsessão behaviorista pela uniformidade e pela universalidade do comportamento, os etologistas adoravam a variedade comportamental. Eles davam ênfase ao fato de que todas as espécies desenvolviam comportamentos únicos em resposta a demandas singulares, e que era preciso observar com a mente aberta os animais em seu habitat natural a fim de compreendê-los ("Estudar o comportamento social de ratos numa gaiola é como estudar o comportamento natatório em golfinhos numa banheira" é um adágio etologista). Eles se perguntavam: O que, em termos objetivos, é o comportamento? O que veio a precipitá-lo? Ele teve de ser aprendido? Como evoluiu? Qual é seu valor adaptativo? Clérigos do século XIX iam à natureza para

---

* Segundo uma lenda urbana que persistiu por muito tempo, Skinner teria criado a própria filha em uma gigantesca caixa de Skinner, onde ela teria aprendido a pressionar alavancas para obter todas as coisas de que precisava. Naturalmente, de acordo com a lenda, ela enlouqueceu depois de adulta, cometeu suicídio, processou o pai, tentou matá-lo etc. Tudo mentira.

** Quando eu estava na faculdade, Skinner veio uma vez à minha residência estudantil para jantar e, em seguida, fez um discurso extraordinariamente dogmático. Isso produziu em mim um pensamento esquisito, enquanto eu o escutava: "Uau, esse cara é um *perfeito* skinneriano".

coletar borboletas, deleitavam-se com a variedade de cores de suas asas e ficavam admirados com aquilo que Deus engendrou. Etologistas do século xx iam à natureza para coletar comportamentos, deleitavam-se com sua variedade e ficavam admirados com aquilo que a evolução engendrou. Ao contrário dos behavioristas em seus jalecos de laboratório, etologistas chafurdavam por aí com botas de caminhada e exibiam graciosos joelhos ossudos.*

Gatilhos sensoriais do comportamento em algumas outras espécies

Usando um enquadramento etologista, analisaremos agora os gatilhos sensoriais do comportamento nos animais.**[2] Primeiro há o canal auditivo. Os animais vocalizam para intimidar, proclamar e seduzir. Pássaros cantam, veados soltam bramidos, bugios gritam, orangotangos emitem chamadas territoriais audíveis por quilômetros. Em um exemplo sutil de informação sendo repassada, quando as fêmeas de panda ovulam, suas vocalizações ficam mais agudas, o que é apreciado pelos machos. De forma notável, a mesma mudança e preferência ocorre nos seres humanos.

Há também gatilhos visuais de comportamento. Cães se agacham como um convite para brincar, pássaros exibem suas penas, macacos mostram os caninos de

---

* Dá para perceber para qual dos times eu torço, sendo eu mesmo uma espécie de etologista (mas só para minimizar um tantinho essa ode à etologia, lembre-se de que um de seus fundadores foi o odioso Konrad Lorenz). Em um movimento inspirado, os três fundadores da etologia — Lorenz, Niko Tinbergen e Karl von Frisch — ganharam o prêmio Nobel de Fisiologia ou Medicina em 1973. A comunidade biomédica ficou escandalizada. Dar o prêmio para uns sujeitos com micose, cuja técnica principal de pesquisa era olhar através de binóculos — o que isso tinha a ver com medicina? Nesse trio, Lorenz se dedicava com alarde a uma vigorosa autopromoção e à popularização da disciplina; Tinbergen, um de meus heróis, era um pensador profundo e excelente experimentalista; e Von Frisch tocava baixo elétrico e não falava muito.

** De que forma os etologistas conseguem distinguir qual informação sensorial é relevante para um animal? Um exemplo: nas gaivotas, o bico da mãe tem um chamativo ponto vermelho. Quando ela traz comida aos filhotes, eles dão uma bicada nesse local e a mãe regurgita o alimento. Tinbergen provou que o ponto vermelho é o gatilho do comportamento da bicada das seguintes formas: a) por uma estratégia de subtração, na qual ele cobria com tinta o ponto vermelho nos pássaros: os filhotes paravam de bicar; b) por uma estratégia de replicação, na qual arrumava um pedaço de pau, pintava nele um ponto vermelho e o abanava sobre o ninho; os filhotes começavam a bicar; c) ou por uma superestimulação, na qual ele pintava um *gigantesco* ponto vermelho no bico da mãe; os filhotes enlouqueciam nas bicadas. Hoje, essa estratégia incorpora a robótica, já que etologistas inventaram, por exemplo, abelhas artificiais que se infiltram em colônias de abelhas e maldosamente as enganam, fazendo um estardalhaço a respeito de fontes de alimentos inexistentes, que elas então se põem a buscar.

modo ameaçador com "bocejos intimidatórios". E existem as pistas visuais da fofura dos bebês (olhos grandes, nariz pequeno, testa arredondada), que enlouquecem os mamíferos e os motivam a cuidar dos filhos. Stephen Jay Gould notou que o grande etologista não reconhecido Walt Disney havia compreendido exatamente quais as alterações necessárias para transformar roedores em Mickey e Minnie.*[3]

E também há animais sinalizando de formas que não conseguimos detectar, o que exige criatividade para entrevistar um animal em seu próprio idioma.[4] Uma porção de mamíferos demarca seu território com feromônios — odores que carregam informações sobre gênero, idade, status reprodutivo, saúde e composição genética. Certas cobras enxergam em infravermelho, enguias elétricas flertam com o uso de canções elétricas, morcegos competem interferindo nos sinais de ecolocação uns dos outros e aranhas identificam intrusos por meio de padrões vibratórios em suas teias. E mais: faça cócegas em um rato e ele emite uma risadinha ultrassônica conforme seu sistema dopaminérgico mesolímbico é ativado.

De volta à guerra entre o rinencéfalo e o sistema mesolímbico, e à solução que os etologistas já conheciam: para um roedor, a emoção em geral é provocada pelo olfato. Entre as espécies, a modalidade sensorial dominante — visão, audição, o que for — tem o acesso mais direto ao sistema límbico.

Fora do radar: fornecendo pistas subliminares e inconscientes

É fácil entender como o vislumbre de uma faca, o som de uma voz chamando o seu nome e um toque na mão podem alterar rapidamente o cérebro.[5] Mas, de forma crucial, inúmeros gatilhos sensoriais subliminares ocorrem ao mesmo tempo — tão fugazes ou mínimos que não os percebemos de maneira consciente, ou de um tipo que, mesmo se for notado, não parece ter importância para um comportamento subsequente.

O fornecimento subliminar de pistas e a pré-ativação (*priming*) inconsciente influenciam inúmeros comportamentos não relacionados com este livro. As pessoas acham que a batata frita é mais saborosa quando escutam sons crocantes. Elas apreciam mais um estímulo neutro se, pouco antes de vê-lo, a imagem de uma carinha feliz for exibida por um vigésimo de segundo. Quanto mais caro for um pretenso (placebo) analgésico, mais eficaz as pessoas dizem que ele é. Pergunte a voluntários qual é seu detergente favorito; se eles tiverem acabado de ler um

---

* Um ótimo exemplo de resposta à fofura interespécies: um fator significativo da quantia de dinheiro que as pessoas se comprometem a doar para ajudar uma espécie ameaçada é o tamanho relativo dos olhos do animal. Olhos enormes e salientes fazem as carteiras se abrirem.

parágrafo contendo a palavra "oceano", é mais provável que escolham a marca Tide* — e depois expliquem suas virtudes de limpeza.[6]

Portanto, em questão de segundos, as pistas sensoriais podem moldar seu comportamento de forma inconsciente.

Uma pista sensorial bastante perturbadora está ligada a questões raciais.[7] Nosso cérebro está incrivelmente afinado com a cor de nossa pele. Mostre a foto de um rosto por menos de um décimo de segundo (cem milissegundos), um tempo tão curto que as pessoas nem têm certeza de que viram qualquer coisa. Peça que elas adivinhem a raça daquele rosto e há uma chance de acerto maior do que 50%. Podemos até dizer que julgamos as pessoas pelo seu caráter, e não pela cor da pele. Mas nosso cérebro, sem sombra de dúvida, e de maneira muito rápida, *percebe* a cor.

Em cem milissegundos, a função cerebral já diverge de duas formas deprimentes, dependendo da raça do rosto (conforme mostrado em estudos de neuroimagem). Primeiro, de acordo com uma descoberta replicada várias vezes, a amígdala se ativa. Além disso, quanto mais racista alguém se mostrar em um teste implícito de viés racial (não mude de canal), mais a amígdala será acionada.[8]

De modo similar, basta mostrar repetidas vezes a voluntários a imagem de um rosto acompanhada por um choque; logo a visão do rosto é capaz de sozinha ativar a amígdala.[9] Como demonstrado por Elizabeth Phelps, da NYU, esse "condicionamento ao medo" se concretiza mais rápido para rostos de raças diferentes da sua. As amígdalas estão preparadas para aprender a associar algo de ruim com Eles. Além disso, as pessoas costumam julgar rostos neutros de indivíduos de outras raças como estando mais zangados do que os da mesma raça.

Dessa forma, se brancos veem o rosto de um negro numa velocidade subliminar, a amígdala se ativa.[10] Mas se a imagem for exibida por tempo suficiente para haver o processamento consciente, então o córtex cingulado anterior e o "cognitivo" CPFdl se ativam e inibem a amígdala. É o córtex frontal exercendo controle executivo sobre a resposta mais profunda e sombria da amígdala.

Segunda descoberta deprimente: a sinalização subliminar da raça também afeta a área fusiforme de faces, região cortical especializada no reconhecimento facial.[11] Lesões na área fusiforme, por exemplo, produzem de maneira seletiva uma "cegueira para feições" (ou prosopagnosia), ou seja, uma incapacidade de reconhecer rostos. Uma pesquisa de John Gabrieli no MIT demonstrou uma menor ativação fusiforme para rostos de outras raças, com um efeito mais pronunciado em voluntários mais implicitamente racistas. Não se trata de estranhamento — mostre um rosto de coloração roxa e a área fusiforme reage como se fosse alguém da mesma

---

* "Maré", em inglês. (N. T.)

raça do voluntário. A área fusiforme não se deixa enganar: "Esse não é um Outro; é só um rosto 'normal' manipulado no Photoshop".

Em concordância com isso, americanos brancos se lembram melhor de rostos brancos do que de negros; além disso, rostos multirraciais são recordados com mais facilidade se forem descritos como pertencentes a pessoas brancas do que a negras. De forma notável, se, durante o estudo, indivíduos multirraciais forem designados eles mesmos como pertencentes a uma ou outra raça, acabam exibindo uma menor resposta fusiforme a rostos da "outra" raça, ainda que a designação tenha sido arbitrária.[12]

Nossa afinação para a raça também pode ser comprovada de outra forma.[13] Mostre o vídeo de uma mão anônima sendo espetada por uma agulha e os voluntários apresentam uma resposta "sensório-motora isomórfica": suas próprias mãos ficam tensas, uma resposta empática. Tanto em brancos quanto em negros, a resposta é embotada para mãos de outras raças; quanto maior o racismo implícito, maior o embotamento. De modo similar, entre voluntários de ambas as raças, houve maior ativação do (emocional) CPF medial ao considerar infortúnios ocorridos com membros da própria raça, em comparação aos sofridos por indivíduos de outra raça.

Isso tem implicações importantes. Numa pesquisa de Joshua Correll, da Universidade do Colorado, voluntários tiveram um rápido vislumbre da imagem de pessoas segurando um revólver ou um celular, e foram orientados a atirar (apenas) nos que portavam armas. A situação é dolorosamente evocativa do assassinato de Amadou Diallo, em 1999. Diallo, um imigrante da África Ocidental que morava em Nova York, correspondia à descrição de um estuprador. Quatro policiais brancos o interrogaram e, no momento em que o desarmado Diallo fez menção de pegar a carteira, julgaram que era uma arma e dispararam nele 41 tiros. A neurobiologia subjacente aqui tem a ver com os "potenciais relacionados a eventos" (PRE), que são alterações na atividade elétrica do cérebro induzidas por estímulos (segundo dados de análise eletroencefalográfica). Rostos ameaçadores produzem uma alteração distintiva (chamada de componente P200) na forma de onda dos PRE em menos de duzentos milissegundos. Entre indivíduos brancos, ver uma pessoa negra evoca uma forma de onda P200 mais forte do que ver uma branca, independente de a pessoa estar armada ou não. Então, alguns milissegundos depois, surge uma segunda e inibitória forma de onda (o componente N200), originada do córtex frontal, que sugere: "Vamos pensar um segundo sobre o que estamos vendo antes de atirar". Vislumbrar um indivíduo negro evoca menos a onda N200 do que ver um branco. Quanto maior a razão P200/N200 (ou seja, quanto maior a razão entre "estou me sentindo ameaçado" e "espere só um segundo"), maiores as chances de atirar em um negro desarmado. Em outro estudo, voluntários tiveram de identificar figuras fragmentadas de objetos. A pré-ativação de voluntários brancos através de vislumbres subliminares de rostos de negros (mas não de brancos) os tornou mais hábeis na tarefa de detectar imagens de armas (mas não de câmeras ou livros).[14]

Por fim, para a mesma acusação criminal, quanto mais próximas do estereótipo africano forem as feições do réu negro, maior a sentença.[15] Em contraste, os jurados enxergam réus negros (mas não brancos) de modo mais favorável se estiverem usando óculos grandes e esquisitos; certos advogados de defesa chegam a explorar essa "defesa nerd" ao providenciar óculos falsos para seus clientes, e os promotores indagam se esses óculos tolos são verdadeiros. Em outras palavras, mesmo quando a justiça cega e imparcial está, em tese, sendo administrada, os jurados estão sendo inconscientemente influenciados por estereótipos raciais sobre o rosto de alguém.

Isso é muito deprimente — será que estamos programados em termos físicos para temer alguém de outra raça, para processar seu rosto como sendo menos que um rosto, para sentir menos empatia? Não. Em primeiro lugar, há uma tremenda variação individual — não é a amígdala de todas as pessoas que se ativa em resposta a um rosto de outra raça, e essas exceções são instrutivas. Além disso, manipulações sutis podem alterar rapidamente a resposta da amígdala ao rosto do Outro. Isso será abordado no capítulo 11.

Lembre-se do atalho para a amígdala discutido no capítulo anterior, quando a informação sensorial entra no cérebro. A maior parte é canalizada para uma estação sensorial de passagem no tálamo e depois para a região cortical adequada (por exemplo, o córtex visual ou auditivo), onde passa pelo exaustivo e lento processo de decodificação de pixels luminosos, ondas sonoras e assim por diante, até assumir uma forma reconhecível. E só então a informação sobre isso ("É Mozart") é encaminhada para o sistema límbico.

Como vimos, existe aquele atalho que vai direto do tálamo para a amígdala, tanto que, enquanto as primeiras camadas do córtex visual ainda estão penando para decifrar uma imagem complexa, a amígdala já está pensando: "É uma arma!", e reagindo. Também vimos que há uma compensação: a informação alcança a amígdala rapidamente, *mas em geral de forma imprecisa*.[16] A amígdala pensa que sabe o que está vendo antes que o córtex frontal possa pisar no freio; um homem inocente tenta pegar a carteira e morre.

Outros tipos de informação visual subliminar influenciam o cérebro.[17] Por exemplo, o gênero de um rosto é processado em 150 milissegundos. O mesmo acontece com o status social. A dominância social tem a mesma aparência em várias culturas: olhar direto e postura aberta (por exemplo, reclinar-se com os braços atrás da cabeça), enquanto a subordinação é indicada por um olhar esquivo e por braços protegendo o tronco. Depois de uma mera exposição de quarenta milissegundos, indivíduos conseguem diferenciar de forma precisa uma aparência de alto status de outra cujo status é mais baixo. Como veremos no capítulo 12, quando as pessoas estão examinando relações estáveis de status, as áreas lógicas do córtex frontal (o CPFvm e o CPFdl) se ativam; mas, no caso de relações instáveis e oscilantes, a amígdala também se ativa. É perturbador quando não sabemos direito quem está dando úlceras e quem as está recebendo.

Também existe o fornecimento subliminar de pistas sobre beleza.[18] Desde cedo, em ambos os sexos e através das culturas, pessoas atraentes são consideradas mais capazes, bondosas e honestas. Somos mais propensos a votar em pessoas atraentes ou mesmo a contratá-las, menos propensos a condená-las por crimes, e, quando são condenadas, elas recebem penas mais curtas. De forma notável, o córtex orbitofrontal medial avalia tanto a beleza de um rosto quanto a bondade de um comportamento, e seu nível de atividade durante uma dessas tarefas prevê qual será o nível durante a outra. O cérebro faz algo parecido ao contemplar belos corações, mentes e maçãs do rosto. E pressupõe que as maçãs do rosto dizem algo sobre corações e mentes. Isso será discutido no capítulo 12.

Ainda que sejamos capazes de extrair informações subliminares de pistas corporais como a postura, obtemos a maior parte da informação a partir dos rostos.[19] De que outra forma teria evoluído a área fusiforme? O formato do rosto das mulheres muda de maneira sutil durante o ciclo ovulatório, e os homens têm maior preferência pela face feminina da época da ovulação. Voluntários são capazes de adivinhar a afiliação política e a religião de alguém apenas olhando para seu rosto, com índices de acerto acima do que se esperaria pelo acaso. E, para o mesmo tipo de transgressão, pessoas que aparentam estar envergonhadas — que ficam coradas, desviam o olhar, têm o rosto voltado para baixo e para o lado — são perdoadas com mais rapidez do que outras que não demonstram constrangimento.

Os olhos fornecem a maior parte da informação.[20] Fotografe dois rostos que expressem emoções diferentes e, manipulando as imagens, embaralhe de forma aleatória alguns fragmentos desses rostos. Que emoção é detectada? A que estiver nos olhos.*[21]

---

* Pistas inconscientes não se referem sempre a rostos e postura. Entre times com habilidades comparáveis ou competidores individuais de atletismo masculino, usar um uniforme vermelho aumenta a performance. Isso foi identificado nas modalidades olímpicas de esportes como boxe, luta livre e tae kwon do, além de rúgbi, futebol e em um jogo de computador gladiatório virtual. Especulou-se que, em muitas espécies (por exemplo, em mandris e pássaros do gênero *Euplectes*), as demonstrações de

Em geral, os olhos carregam um implícito poder de censura.[22] Cole uma foto grande de um par de olhos em um ponto de ônibus (em vez de uma foto de flores) e as pessoas ficam mais propensas a manter o ambiente limpo. Cole uma foto de olhos na sala de café de um escritório e o dinheiro que elas depositam em um sistema de honra chega a triplicar. Mostre um par de olhos numa tela de computador e elas se tornam mais generosas em jogos econômicos on-line.

Pistas subliminares auditivas também alteram o comportamento.[23] Voltemos à ativação da amígdala em pessoas brancas que foram expostas subliminarmente à imagem de rostos negros. Chad Forbes, da Universidade de Delaware, mostrou que a ativação da amígdala aumenta quando ao fundo está tocando um rap — gênero em geral mais associado a afro-americanos. O oposto acontece com o *death metal*, que evoca estereótipos negativos relacionados aos brancos.

Outro exemplo de fornecimento de pistas auditivas justifica uma anedota bastante pungente contada por Claude Steele, meu colega de Stanford, que fez um influente trabalho de pesquisa sobre estereótipos.[24] Steele conta que um de seus alunos afro-americanos de pós-graduação, ciente dos estereótipos que um jovem negro pode evocar nas requintadas ruas de Palo Alto, assobiava Vivaldi ao voltar para casa à noite, esperando suscitar outro pensamento: "Ei, isso não é Snoop Dogg. É um compositor branco e morto [suspiro aliviado]".

Nenhuma discussão sobre o fornecimento de pistas sensoriais subliminares estaria completa sem levar em conta o olfato, ou seja, um assunto sobre o qual o pessoal do marketing vem salivando há tempos, já que fomos projetados para um dia apreciar filmes com Smell-O-Vision.* O sistema olfatório dos seres humanos é atrofiado; cerca de 40% do cérebro do rato é dedicado ao processamento olfatório, contra 3% no caso dos seres humanos. Mesmo assim, ainda levamos vidas inconscientemente olfatórias, e, como os roedores, nosso sistema olfatório envia mais projeções diretas para o sistema límbico do que qualquer outro sistema sensorial. Como já mencionado, os feromônios dos roedores carregam informações sobre gênero, idade, status reprodutivo, saúde e composição genética, e alteram a fisiologia e o comportamento. Versões similares disso, ainda que mais moderadas, foram identificadas em alguns (mas não todos) estudos com seres humanos, que vão do

---

dominância masculina envolvem exibir uma certa parte do corpo vermelha, onde mais testosterona equivaleria a um vermelho mais intenso. Tenho dúvidas sobre essa explicação, que me soa como uma conveniente seleção de um exemplo de outra espécie.

* Sistema criado no final da década de 1950 para exalar odores durante a projeção de um filme no cinema. (N. T.)

efeito Wellesley, discutido na introdução, à preferência de mulheres heterossexuais pelo cheiro de homens com níveis altos de testosterona.

É importante notar que feromônios sinalizam medo. Em um estudo, pesquisadores coletaram amostras das axilas de voluntários sob duas condições: após suar alegremente em uma corrida leve e após suar de pavor em seu primeiro salto de paraquedas em dupla (nota: nessa modalidade você salta junto com o instrutor, que faz todo o esforço físico; portanto, se você está suando, é de pânico, e não de esforço físico). Voluntários cheiraram cada tipo de suor e não conseguiram diferenciá-los conscientemente. Contudo, cheirar o suor de pavor (mas não o suor alegre) provocou a ativação da amígdala e uma maior reação de alarme, além de aumentar a detecção subliminar de rostos zangados e a probabilidade de interpretar um rosto de expressão ambígua como estando assustado. Se as pessoas ao seu redor têm cheiro de amedrontadas, seu cérebro tende a concluir que você também está.[25]

Por fim, odores não feromonais também nos influenciam. Como veremos no capítulo 12, quando voluntários se sentam numa sala com forte cheiro de lixo, tornam-se mais conservadores em questões sociais (por exemplo, casamento homoafetivo), sem mudar suas opiniões sobre, digamos, política externa ou economia.

Informação interoceptiva

Além de informações sobre o mundo externo, nosso cérebro com frequência recebe informações "interoceptivas" sobre o estado interno do corpo. Você está com fome, suas costas doem, você sente pontadas de gases intestinais, seu dedão do pé coça. E tais informações interoceptivas também influenciam nosso comportamento.

Isso nos leva à consagrada teoria James-Lange, batizada em homenagem a William James, grande guru da história da psicologia, e a um obscuro médico dinamarquês chamado Carl Lange. Nos anos 1880, eles engendraram a mesma ideia bizarra. Como se dá a interação entre os nossos sentimentos e o funcionamento automático ("autonômico") do corpo? Parece óbvio: um leão corre em seu encalço, você fica apavorado e seu coração acelera. James e Lange sugeriram o oposto: você percebe o leão de modo subliminar, acelerando os batimentos cardíacos; então seu cérebro consciente recebe essa informação interoceptiva, concluindo: "Uau, meu coração se acelerou; devo estar apavorado". Em outras palavras, você decide como se sente com base em sinais de seu corpo.

Existem fatos que corroboram essa ideia — três dos meus favoritos são: a) forçar pessoas deprimidas a sorrir faz com que se sintam melhor; b) instruir pessoas a adotar uma postura mais "dominante" faz com que se sintam desse jeito (pois isso reduz os níveis de hormônios do estresse); c) relaxantes musculares reduzem a ansiedade ("As coisas continuam péssimas, porém, se meus músculos estão tão relaxados a ponto de eu estar quase cochilando e caindo desta cadeira, a situação deve estar melhorando"). Ainda assim, por motivos de especificidade, uma versão estrita da teoria James-Lange não se sustenta — se os batimentos cardíacos se aceleram por motivos variados, então como seu cérebro decide se é uma reação a um leão ou a um olhar sedutor? Além disso, muitas respostas autonômicas são lentas demais para preceder a detecção consciente de uma emoção.[26]

Ainda assim, informações interoceptivas influenciam, quando não determinam, nossas emoções. Certas regiões do cérebro com papéis relevantes no processamento de emoções sociais — o CPF, o córtex insular, o córtex cingulado anterior e a amígdala — recebem um monte de informações interoceptivas. Isso ajuda a explicar um gatilho certeiro de agressividade, ou seja, a dor, que ativa a maioria dessas regiões. Como um tema recorrente deste livro, a dor não provoca a agressividade; ela amplifica tendências agressivas preexistentes. Em outras palavras, a dor torna as pessoas agressivas ainda mais agressivas, enquanto faz o oposto com indivíduos pacatos.[27]

A informação interoceptiva pode alterar o comportamento de forma mais sutil do que a conexão entre dor e agressividade.[28] Um exemplo é como o córtex frontal tem a ver com a força de vontade, remetendo a um tópico já discutido no último capítulo. Inúmeros estudos, sobretudo realizados por Roy Baumeister, da Universidade do Estado da Flórida, mostraram que, quando o córtex frontal trabalha duro em uma tarefa cognitiva, logo depois os indivíduos se tornam mais agressivos e menos empáticos, caridosos e honestos. Em termos metafóricos, o córtex frontal diz: "Dane-se. Estou cansado e nem um pouco a fim de pensar no meu semelhante".

Isso parece estar relacionado ao custo metabólico de o córtex frontal fazer a coisa certa. Durante tarefas que exigem muito do córtex frontal, os níveis de glicose do sangue caem; a função frontal melhora quando os indivíduos tomam alguma bebida açucarada (os voluntários do grupo de controle consomem um líquido preparado com um substituto do açúcar sem valor nutricional). Além disso, quando as pessoas estão com fome, tornam-se menos caridosas e mais agressivas (por exemplo, escolhendo punições mais severas para o adversário em um jogo).* Não há

---

* Essas descobertas não podem ser confundidas com a lógica por trás da "defesa Twinkie". Em 1978, o prefeito de San Francisco, George Moscone, e o supervisor da prefeitura Harvey Milk — o primeiro político declaradamente homossexual da Califórnia — foram assassinados por Dan White, um ex-supervisor insatisfeito. De acordo com uma errônea concepção popular, os advogados de defesa de Whi-

consenso sobre se o declínio da regulação frontal nessas circunstâncias representa uma deficiência na capacidade de autocontrole ou uma deficiência na motivação para isso. Em todo caso, ao longo de segundos a minutos, a quantidade de energia que chega ao cérebro e a quantidade de energia de que o córtex frontal necessita vai depender de a coisa mais difícil e mais correta ocorrer.

Portanto, a informação sensorial que flui em direção ao cérebro, originada tanto no mundo exterior quando em seu próprio corpo, é capaz de alterar seu comportamento de forma rápida, poderosa e automática. Nos minutos anteriores ao nosso comportamento prototípico, estímulos mais complexos também nos influenciam.

Efeitos inconscientes da linguagem

As palavras carregam poder. São capazes de salvar, curar, incentivar, devastar, invalidar e matar. E a pré-ativação verbal inconsciente pode influenciar comportamentos pró e antissociais.

Um dos meus exemplos favoritos tem a ver com o Dilema do Prisioneiro, um jogo econômico no qual os participantes decidem se irão cooperar ou competir uns contra os outros em diferentes conjunturas.[29] O comportamento pode ser alterado por meio de "rótulos situacionais": chame o desafio de "Jogo de Wall Street" e as pessoas se tornam menos cooperativas; chamá-lo de "Jogo Comunitário" tem o efeito oposto. De modo similar, faça os participantes lerem listas de palavras aparentemente aleatórias antes de participar do jogo; ao incluir palavras aconchegantes e pró-sociais na lista ("ajuda", "harmonia", "justo", "mútuo"), estimula-se a cooperação, ao passo que palavras como "hierarquia", "poder", "feroz" e "falta de consideração" incentivam uma atitude oposta. Perceba que não se trata de ler o Sermão da Montanha ou Ayn Rand, mas apenas uma inócua cadeia de palavras. Elas alteram pensamentos e sentimentos de forma inconsciente. O "terrorista" de alguém pode ser o "combatente da liberdade" de outro; os políticos competem entre si para capitanear os "valores da família" e, de alguma forma, você se torna incapaz de defender ao mesmo tempo a "escolha" e a "vida".*[30]

---

te teriam alegado que seu vício por junk food rica em açúcar teria, de certa forma, prejudicado seu julgamento e autocontrole. Na verdade, a defesa alegou que White incorria em uma diminuição de capacidade jurídica por causa da depressão, e a substituição de uma dieta saudável por uma de junk food era apenas uma evidência de seu estado depressivo.

* Um estudo recente demonstrou uma incisiva variante desse fenômeno: descrever alguém como "afro-americano" evocou uma associação a níveis de educação e renda mais altos do que descrevê-lo como "negro".

Existem outros exemplos. Daniel Kahneman e Amos Tversky, em um trabalho premiado com o Nobel, provaram de forma célebre que o enquadramento das palavras influencia a tomada de decisões. Os voluntários tinham de decidir se iriam administrar ou não um medicamento hipotético. Quando eram informados de que "o medicamento tem uma taxa de sobrevivência de 95%", as pessoas, incluindo médicos, ficavam mais propensas a aprová-lo do que mediante a afirmação de que "o medicamento tem uma taxa de mortalidade de 5%".*[31] Inclua as palavras "rude" ou "agressivo" (em oposição a "atencioso" ou "gentil") em uma lista e, na sequência, os voluntários interrompem os outros mais prontamente. Em jogos econômicos, os indivíduos pré-ativados com a palavra "lealdade" (em oposição a "igualdade") se tornam mais tendenciosos com relação ao seu time.[32]

Pré-ativações verbais também afetam a tomada de decisões morais.[33] Como todos os advogados de tribunal sabem, jurados decidem de forma diferente dependendo do quão vivamente você descreve os atos de alguém. Estudos de neuroimagem mostram que um palavreado mais vivo aciona mais o córtex cingulado anterior. Além disso, as pessoas julgam transgressões morais com mais severidade quando estas são descritas como "erradas" ou "inapropriadas" (em oposição a "proibidas" ou "censuráveis").

Tipos ainda mais sutis de pré-ativação inconsciente

Nos minutos anteriores à precipitação de um comportamento, elementos mais sutis do que visões, cheiros, dores provocadas por gases e a escolha de palavras nos influenciam de forma inconsciente.

Em um estudo, voluntários convocados a preencher um questionário expressaram princípios igualitários mais fortes quando havia na sala uma bandeira dos Estados Unidos. Em um experimento com espectadores de partidas de futebol na Inglaterra, um pesquisador infiltrado na torcida fingia tropeçar, supostamente machucando o tornozelo. Será que alguém iria ajudá-lo? Se o infiltrado estivesse usando a camisa do time da casa, recebia mais ajuda do que se estivesse usando uma

---

* Um estudo recente mostra as consequências potencialmente fatais de se oferecer certas pistas linguísticas. Em relação a tempestades de igual intensidade, furacões que ganham nomes femininos matam mais gente do que os batizados com nomes masculinos (os nomes escolhidos alternam entre os dois gêneros). Por quê? As pessoas levam mais a sério os furacões com nomes masculinos e ficam mais propensas a seguir ordens de evacuação. Isso apesar de os nomes de ambos os gêneros terem sido selecionados por sua inocuidade — não se trata de comparar o Furacão Mary Poppins com o Furacão Vlad, o Empalador.

camiseta neutra ou do time adversário. Outro estudo envolveu uma sutil manipulação de afiliação a um grupo: por um determinado número de dias, pares de hispânicos vestidos com roupas comuns se postaram em estações de trem, durante a hora do rush, em subúrbios de Boston de maioria branca, conversando de maneira discreta em espanhol. A consequência? Os passageiros brancos expressaram atitudes mais negativas e excludentes com relação a imigrantes hispânicos (mas não de outras origens).[34]

A pré-ativação relativa à afiliação a um grupo fica mais complexa no caso de indivíduos que pertencem a vários grupos. Considere o famoso experimento no qual mulheres ásio-americanas fizeram um teste de matemática.[35] Todos sabem que as mulheres são piores em matemática do que os homens (veremos no capítulo 9 que não é bem assim) e que ásio-americanos são melhores no quesito do que os demais americanos. As voluntárias pré-ativadas antecipadamente a pensar em sua identidade racial tiveram melhor desempenho do que as que foram levadas a se concentrar em seu gênero.

Outro domínio de influência imediata do grupo sobre o comportamento costuma ser difundido de forma errônea. Trata-se do "efeito espectador" (ou "síndrome de Genovese").[36] O termo se refere ao notório caso de Kitty Genovese, uma nova-iorquina que, em 1964, foi estuprada e apunhalada até a morte durante uma hora inteira na área externa de um edifício de apartamentos, enquanto 38 pessoas ouviam seus gritos de socorro sem se incomodar em chamar a polícia. Apesar de esse relato ter sido publicado no *New York Times*, e de a indiferença coletiva ter se tornado emblemática de tudo o que há de errado com os seres humanos, os fatos foram outros: o número de vizinhos era menor do que 38, ninguém testemunhou o crime em sua totalidade, as janelas dos apartamentos estavam fechadas naquela noite de inverno e a maioria dos vizinhos presumiu que ouvia os sons abafados de uma briga de casal.*

Os elementos míticos do caso Genovese estimulam o mito aparente de que, numa emergência que requer uma intervenção corajosa, quanto mais pessoas presentes, menores são as chances de alguém ajudar: "Há muita gente aqui; outra pessoa vai se oferecer". O efeito espectador ocorre em situações sem nenhum perigo, quando o preço de fornecer ajuda é a inconveniência. Contudo, em situações perigosas, quanto mais pessoas presentes, *maiores* são as chances de os indivíduos acorrerem em auxílio. Por quê? Talvez seja uma questão de reputação, pois uma multidão maior equivale a mais testemunhas para seus atos heroicos.

---

* Para um caso horrível e documentado de espectadores sendo ao menos tão insensíveis quanto as pessoas acharam que foram os vizinhos de Kitty, dê um google na morte da pequena Wang Yue, de dois anos de idade.

Outro efeito rápido de contexto social retrata homens em seus momentos mais patéticos.[37] Especificamente, quando mulheres estão presentes, ou quando eles são incentivados a pensar nelas, os voluntários se tornam mais propensos a assumir riscos, exibem um desconto no tempo mais acentuado em decisões econômicas e gastam mais em itens de luxo (mas não em despesas rotineiras).* Além disso, a atração exercida pelo sexo oposto faz com que os homens fiquem mais agressivos — por exemplo, mais propensos em um jogo competitivo a punir o adversário com sons altos e retumbantes. É importante notar que isso não é inevitável — em circunstâncias nas quais o status é alcançado através de caminhos pró-sociais, a presença de mulheres os torna mais pró-sociais. Conforme resumido pelo título de um artigo sobre o assunto, trata-se de um caso de "Generosidade masculina como sinal de acasalamento". Voltaremos a esse assunto no próximo capítulo.

Portanto, o ambiente social é capaz de moldar nosso comportamento de forma inconsciente em questão de minutos. Assim como o ambiente físico.

Desse modo, chegamos à teoria criminal das "janelas quebradas", de James Q. Wilson e George Kelling.[38] Eles propuseram que pequenos indícios de desordem urbana — lixo no chão, pichações, vidraças quebradas, bebedeira pública — formam uma ladeira escorregadia que leva a elementos maiores de desordem, elevando as taxas de criminalidade. Por quê? Porque tomar o lixo e as pichações como normais significa que as pessoas não se importam ou são incapazes de tomar providências, consistindo em um convite para jogar mais lixo no chão ou fazer coisa pior.

A ideologia das janelas quebradas moldou a prefeitura de Rudy Giuliani nos anos 1990, quando Nova York estava se transformando numa pintura de Hieronymus Bosch. O comissário de polícia William Bratton instituiu uma política de tolerância zero com relação a pequenas infrações, mirando passageiros do metrô que pulavam a catraca, artistas de grafite, vândalos, pedintes e a enlouquecida infestação de limpadores de para-brisa nos semáforos. A medida levou a uma redução acentuada nas taxas de crimes sérios. Resultados parecidos ocorreram por toda parte; em Lowell, Massachusetts, medidas de tolerância zero foram aplicadas de forma experimental em apenas uma parte da cidade; a taxa de crimes sérios caiu só naquela área. Os críticos questionam se os benefícios do policiamento de janelas quebradas foram inflacionados, já que a estratégia foi testada quando as taxas de criminalidade já estavam caindo em todo o país (em outras palavras, em contraste com o louvável exemplo de Lowell, os estudos em geral careceram de grupos de controle).

---

* Nesses estudos, a situação de controle é quando os voluntários estão na presença de outro homem. E, para sua informação, a presença de homens não exerce tais efeitos sobre o comportamento das mulheres.

Para testar essa teoria, Kees Keizer, da Universidade de Groningen, na Holanda, quis saber se exemplos de um tipo de violação à norma tornavam as pessoas mais propensas a violar outras normas.[39] Quando bicicletas eram amarradas a uma cerca (a despeito de uma placa de proibição), as pessoas ficavam mais propensas a tomar um atalho por um buraco na cerca (apesar de uma placa de proibição); elas jogaram mais lixo no chão quando os muros estavam grafitados; também se mostraram mais inclinadas a roubar uma nota de cinco euros quando havia lixo espalhado por toda parte. Os efeitos observados foram grandes, com taxas redobradas de comportamentos condenáveis. Uma violação à norma que aumenta as probabilidades de violação *daquela mesma norma* é um processo consciente. Mas, quando o som de fogos de artifício torna alguém mais propenso a jogar lixo no chão, outros processos inconscientes entram em ação.

Um pedaço maravilhosamente complicado dessa história

Assim, vimos como informações sensoriais e interoceptivas estimulam o cérebro a produzir um comportamento em questão de segundos a minutos. Mas, como fator de complicação, o cérebro é capaz de alterar a *sensibilidade* a essas modalidades sensoriais, aumentando a influência de certos estímulos.

Em um exemplo óbvio, cachorros erguem as orelhas quando estão alertas — o cérebro estimulou os músculos das orelhas de forma a torná-las mais receptivas à detecção de sons, que então influenciam o cérebro.[40] Durante episódios agudos de estresse, todos os nossos sistemas sensoriais se tornam mais sensíveis. De forma mais seletiva, quando você está com fome, fica mais sensível ao cheiro de comida. Como algo desse tipo funciona? Em teoria, parece que todos os caminhos sensoriais levam ao cérebro. Mas o cérebro também envia projeções neuronais *para* os órgãos sensoriais. Por exemplo, um baixo índice de glicose no sangue pode ativar certos neurônios do hipotálamo. Estes, por sua vez, projetam sinais e estimulam neurônios receptores no nariz que respondem a cheiros de comida. A estimulação não é suficiente para gerar um potencial de ação nesses neurônios receptores, mas agora umas poucas moléculas odoríferas de comida são necessárias para estabelecê-lo. Algo nessa linha explica como o cérebro altera a sensibilidade seletiva dos sistemas sensoriais.

Isso decerto se aplica aos comportamentos descritos neste livro. Lembre-se de que os olhos carregam inúmeras informações sobre o estado emocional. Acontece que o cérebro nos induz a olhar de preferência para os olhos dos outros. Isso foi demonstrado por Damasio, que estudou uma paciente com a doença de Urbach-Wiethe, que destrói seletivamente a amígdala. Conforme o esperado, ela era inábil em detectar com precisão rostos assustados. Porém, além disso, enquanto os voluntários do grupo de controle passaram metade do tempo focando a região dos olhos, ela passou só metade disso. Quando foi instruída a se concentrar nos olhos, seu desempenho melhorou na identificação de expressões de medo. Portanto, a amígdala não só detecta rostos amedrontados como também nos induz a obter informações sobre esses rostos.[41]

Psicopatas costumam ser incapazes de identificar expressões de medo (embora reconheçam com precisão outros tipos de expressão).[42] Eles também olham menos do que o normal para os olhos dos outros e se saem melhor na detecção do medo quando são instruídos a se concentrar nessa região. Isso faz sentido, dadas as anormalidades da amígdala presentes nos psicopatas, conforme discutido no capítulo 2.

Agora um exemplo que prenuncia o foco na cultura do capítulo 9. Mostre para voluntários a imagem de um objeto inserido em um pano de fundo complexo. Em questão de segundos, pessoas oriundas de culturas coletivistas (por exemplo, a China) tendem a olhar mais (e se lembrar mais de) informações "contextuais" dos arredores, ao passo que indivíduos de culturas individualistas (por exemplo, Estados Unidos) fazem o mesmo com o objeto focal. Quando instruídos a se concentrar no domínio menos evidenciado por sua cultura, houve ativação do córtex frontal desses indivíduos — trata-se de uma difícil tarefa perceptiva. Portanto, a cultura literalmente define como e para onde olhamos neste mundo.*[43]

CONCLUSÕES

Nenhum cérebro opera no vácuo e, ao longo de segundos a minutos, a riqueza de informações que aflui para o cérebro tem influência na probabilidade de ocorrerem ações pró ou antissociais. Como vimos, as informações pertinentes variam desde uma coisa tão simples e unidimensional quanto a cor de uma camisa até coisas tão complexas e sutis quanto pistas ideológicas. Além disso, o cérebro também recebe o tempo todo informações interoceptivas. E, ainda mais importante, muitos desses variados tipos de informação são subliminares. No fim das contas, o ponto que mais interessa neste capítulo é que, nos momentos imediatamente anteriores à escolha de nossos atos mais relevantes, somos tomadores de decisão menos racionais e autônomos do que gostamos de acreditar.

* Um ponto importante: trata-se, na verdade, de um caso de aculturação, mais do que de um reflexo das diferenças genéticas da população — americanos oriundos do Leste Asiático mostram o típico padrão americano.

4. De horas a dias antes

Agora daremos mais um passo atrás em nossa cronologia, levando em conta eventos ocorridos de horas a dias antes de um dado comportamento ter lugar. Para isso, entraremos no reino dos hormônios. Quais são os efeitos dos hormônios no cérebro e nos sistemas sensoriais descritos nos últimos dois capítulos? Como os hormônios influenciam nossos melhores e piores comportamentos?

Embora este capítulo examine inúmeros hormônios, daremos mais atenção a um deles, inextricavelmente ligado à agressividade: a testosterona. E o mais engraçado é que ela é muito menos relevante para a agressividade do que em geral se pensa. Do outro lado do espectro, este capítulo também considera um hormônio com a reputação cult de promover uma pró-socialidade macia e quentinha: a ocitocina. Como veremos, ela não é tão bacana quanto parece.

Aqueles que não têm familiaridade com hormônios e endocrinologia, por favor, consultem o manual no apêndice 2.

A TESTOSTERONA E SUA REPUTAÇÃO INJUSTA

A testosterona é secretada pelos testículos como passo final do eixo "hipotalâmico/pituitário/testicular"; ela tem efeito sobre as células de todo o corpo (incluindo os neurônios, é claro). E é o suspeito de sempre quando se trata de causas hormonais para a agressividade.

Correlação e causalidade

Por que, na totalidade do reino animal e em todas as culturas humanas, os machos são responsáveis pela maioria dos atos de agressão e violência? Bem, não seria por causa da testosterona e de certos hormônios a ela relacionados? (Estes são chamados coletivamente de "androgênios", um termo que, a menos que indicado em contrário, usarei de forma simplista como sinônimo de "testosterona".) Em quase todas as espécies, os machos têm mais testosterona em circulação do que as fêmeas (que secretam quantidades pequenas de androgênios a partir das glândulas adrenais). Além disso, a agressividade masculina é mais prevalente quando os níveis de testosterona estão altos (na adolescência e durante a temporada de acasalamento, em reprodutores sazonais).

Portanto, testosterona e agressividade estão relacionadas. Mais do que isso, há níveis particularmente altos de receptores de testosterona na amígdala, em uma estação de passagem por meio da qual ela envia projeções para o resto do cérebro (o núcleo leito da estria terminal), e em seus alvos principais (o hipotálamo, a substância cinzenta central do mesencéfalo e o córtex frontal). Mas esses dados são apenas correlacionais. Provar que a testosterona *provoca* a agressividade requer uma "subtração" e também um experimento de "substituição". Subtração: castre um macho. Os níveis de agressividade diminuem? Sim (inclusive em seres humanos). Isso mostra que alguma coisa oriunda dos testículos provoca a agressividade. Seria a testosterona? Substituição: dê testosterona a esse indivíduo castrado. Os níveis de agressividade pré-castração retornam? Sim (inclusive em seres humanos).

Portanto, a testosterona causa agressividade. E agora é hora de entender o quanto isso está errado.

O primeiro indício de complicação surge depois que o indivíduo é castrado, quando os níveis médios de agressividade despencam em todas as espécies. Mas, de forma crucial, não desaparecem de todo. Bem, talvez a castração não tenha sido executada com precisão e ainda haja alguns pedaços de testículos. Ou talvez alguns androgênios adrenais menores estejam sendo secretados em quantidade suficiente para manter a agressividade. Mas não: mesmo quando a testosterona e os androgênios são eliminados por completo, um pouco de agressividade permanece. Portanto, parte da agressividade masculina independe da testosterona.*

Esse argumento pode ser comprovado pela castração de agressores sexuais, um procedimento legal em alguns estados.[1] Ele é realizado por meio da "castração química", com a administração de drogas que inibem a produção de testosterona ou bloqueiam seus receptores.** A castração reduz os impulsos sexuais no subgrupo dos agressores que apresentam rompantes intensos, obsessivos e patológicos. Mas, fora isso, a castração não diminui as taxas de recidividade; conforme estabelecido em uma meta-análise, "estupradores hostis e aqueles que cometem crimes se-

---

* Isso não é surpresa para quem conhece a história dos eunucos, figuras centrais do Exército da China Imperial, considerados soldados ferozes.

** Uma exceção: o Texas, onde ainda se usa faca.

xuais motivados pelo poder ou pela raiva não são afetados pelo tratamento com [drogas antiandrogênicas]".

Isso nos leva a um ponto bastante informativo: quanto maior a experiência de agressividade do homem antes de sofrer castração, mais agressividade irá persistir depois. Em outras palavras, ser menos agressivo no futuro terá menos relação com a testosterona e mais com o aprendizado social.

Vamos passar para o próximo fator que reduz a primazia da testosterona: o que os níveis individuais desse hormônio têm a ver com a agressividade? Se alguém apresenta níveis mais altos de testosterona do que os outros, ou níveis maiores nesta semana do que na anterior, estaria mais propenso a ser agressivo?

De início, a resposta parecia ser "sim", pois as pesquisas registraram uma correlação entre diferenças individuais nos níveis de testosterona e de agressividade. Em um estudo típico, níveis mais altos desse hormônio foram registrados em prisioneiros homens com maiores taxas de agressividade. Mas ser agressivo *estimula* a secreção de testosterona; não é surpresa alguma que indivíduos mais agressivos apresentem níveis mais altos do hormônio. Tais estudos não conseguem descobrir "quem nasceu primeiro, o ovo ou a galinha".

Portanto, seria mais útil perguntar se as diferenças individuais nos níveis de testosterona são capazes de *prever* quem *será* agressivo. Entre pássaros, peixes, mamíferos e, sobretudo, outros primatas, a resposta em geral é "não". Isso foi estudado de forma exaustiva em seres humanos, através da análise de vários atos de agressão. E a conclusão é clara. Para citar o endocrinologista britânico John Archer, numa revisão definitiva da literatura realizada em 2006, "há uma associação fraca e inconsistente entre os níveis de testosterona e a agressividade em adultos [humanos], e [...] a administração desse hormônio em voluntários não aumentou sua agressividade". O cérebro não presta atenção a flutuações nos níveis de testosterona dentro da faixa normal.[2]

(As coisas mudam de figura quando esses níveis se tornam "suprafisiológicos" — mais altos do que os produzidos normalmente pelo corpo. Esse é o mundo dos atletas e fisiculturistas que abusam de altas doses de esteroides anabolizantes similares à testosterona; nesses casos, o risco de agressividade de fato aumenta. Duas complicações: quem *escolhe* fazer uso dessas drogas não o faz de forma aleatória, e os que abusam de substâncias já são em geral predispostos à agressão; níveis suprafisiológicos de androgênios geram ansiedade e paranoia, de modo que o aumento da agressividade pode ser secundário a isso.)[3]

Portanto, a agressividade tem mais a ver com o aprendizado social do que com a testosterona, e níveis díspares desse hormônio em geral não são capazes de explicar por que certos indivíduos são mais agressivos do que outros. Então, como a testosterona de fato influi no comportamento?

As sutilezas dos efeitos da testosterona

Quando olhamos para rostos que expressam emoções fortes, temos a tendência de fazer microexpressões para imitá-los; a testosterona diminui tal imitação empática.*[4] Além disso, ela faz com que as pessoas fiquem menos aptas a identificar emoções olhando para os olhos dos outros; rostos desconhecidos ativam mais a amígdala do que rostos familiares, e são considerados menos confiáveis.

A testosterona também aumenta a confiança e o otimismo, ao mesmo tempo que diminui o medo e a ansiedade.[5] Isso explica o efeito do "vencedor" em animais de laboratório, quando ganhar uma luta aumenta a disposição do animal de participar de outra dessas interações — bem como suas chances de sucesso. É provável que parte desse incremento na taxa de sucesso venha do fato de que a vitória estimula a secreção de testosterona, que, por sua vez, aumenta a distribuição de glicose e o metabolismo nos músculos do animal, fazendo com que seus feromônios tenham um cheiro mais assustador. Além disso, a vitória amplia o número de receptores de testosterona no núcleo leito da estria terminal (a estação de passagem por meio da qual a amígdala se comunica com o resto do cérebro), aumentando sua sensibilidade para o hormônio. O sucesso em todos os campos, do atletismo ao xadrez, passando pela bolsa de valores, faz disparar os níveis de testosterona.

Confiantes e otimistas. Bem, uma infinidade de livros de autoajuda nos encoraja a ser precisamente assim. Mas a testosterona torna as pessoas confiantes e otimistas *demais*, com péssimas consequências. Em um estudo, pares de voluntários podiam consultar um ao outro antes de fazer escolhas individuais em uma tarefa. A testosterona os deixou mais propensos a achar que sua opinião era correta e a ignorar o conselho do parceiro. O hormônio nos torna arrogantes, egocêntricos e narcisistas.[6]

A testosterona encoraja a impulsividade e a propensão ao risco, levando as pessoas a fazer a coisa mais fácil quando é a coisa mais imbecil a fazer.[7] A testosterona alcança esse objetivo diminuindo a atividade no córtex pré-frontal e sua ligação funcional com a amígdala, e aumentando a ligação da amígdala com o tálamo — onde tem início aquele atalho de informação sensorial para a amígdala. Portanto, há maior influência dos estímulos de entrada que ocorrem em uma fração de segundo e têm baixa precisão, e menor influência daqueles do tipo vamos-parar-e-pensar-sobre-isso do córtex frontal.

---

* Nesse, assim como em outros estudos, tanto os voluntários quanto o examinador não sabiam quem estava recebendo testosterona ou placebo. Além disso, os níveis de testosterona produzidos estavam sempre dentro da faixa normal.

Ser destemido, confiante demais e delirantemente otimista é, sem dúvida, uma sensação boa. Não é nenhuma surpresa, portanto, que a testosterona possa ser agradável. Ratos trabalham (pressionando alavancas) para receber administrações de testosterona e mostram uma clara "preferência condicionada de lugar", pois retornam para um canto aleatório da gaiola onde as administrações ocorrem. "Não sei por quê, mas me sinto bem quando fico parado ali."[8, 9]

A neurobiologia subjacente se encaixa com perfeição. É preciso haver dopamina para ocorrer a preferência condicionada de lugar, e a testosterona aumenta a atividade na área tegmentar ventral, onde começam todas aquelas projeções dopaminérgicas mesolímbicas e mesocorticais. Além disso, a preferência condicionada de lugar é induzida quando a testosterona é administrada diretamente no núcleo *accumbens*, o principal alvo de projeções da área tegmentar ventral. Quando um rato vence uma luta, o número de receptores de testosterona aumenta na área tegmentar ventral e no *accumbens*, elevando a sensibilidade aos efeitos prazerosos do hormônio.[10]

Portanto, a testosterona tem efeitos sutis sobre o comportamento. Ainda assim, isso não nos diz muito, porque tudo pode ser interpretado de todas as maneiras possíveis. A testosterona aumenta a ansiedade — você se sente ameaçado e se torna reativamente agressivo. A testosterona diminui a ansiedade — você se torna arrogante e se sente confiante ao extremo, tornando-se mais agressivo de forma preventiva. A testosterona encoraja a correr riscos — "Ei, vamos apostar e invadir". A testosterona encoraja a correr riscos — "Ei, vamos apostar e fazer uma oferta de paz". A testosterona faz você se sentir bem — "Vamos arrumar outra briga, já que a última foi tão boa". A testosterona faz você se sentir bem — "Vamos todos dar as mãos".

É um conceito crucial e unificador: os efeitos da testosterona são extremamente dependentes do contexto.

Efeitos contingenciais da testosterona

Essa dependência do contexto quer dizer que, em vez de causar X, a testosterona amplifica o poder de outra coisa causar X.

Um exemplo clássico vem de um estudo de 1977 com vários grupos de macacos *talapoin* machos.*[11] A testosterona foi administrada para o macho de nível hierárquico médio de cada grupo (digamos, o número 3 de uma hierarquia de 5), ele-

---

* No original, *"talapoin monkeys"*, que são macacos do gênero *Miopithecus*. São duas as espécies: o *Miopithecus ogouensis* e o *Miopithecus talapoin*. (N. T.)

vando seus níveis de agressividade. Isso significa que esses caras, eufóricos por causa dos esteroides, passaram a desafiar os números 1 e 2 da hierarquia? Não. Eles se tornaram babacas agressivos com os coitados de números 4 e 5. A testosterona não criou novos padrões sociais de agressividade; ela exagerou padrões preexistentes.

Em estudos com seres humanos, a testosterona não aumentou a atividade de base da amígdala; ela impulsionou a resposta da amígdala e a reatividade da frequência cardíaca a rostos zangados (mas não a rostos felizes ou neutros). De modo similar, a testosterona não tornou os voluntários mais egoístas ou não cooperativos em um jogo econômico; ela os tornou mais punitivos quando eram provocados e tratados de maneira inadequada, intensificando a "agressividade reativa de vingança".[12]

A dependência do contexto também ocorre no nível neurobiológico, já que o hormônio encurta o período refratário em neurônios da amígdala e nos alvos amigdaloides no hipotálamo.[13] Lembre-se de que o período refratário surge nos neurônios depois dos potenciais de ação. É quando o potencial de repouso do neurônio está hiperpolarizado (ou seja, mais negativamente carregado do que o normal), tornando-o menos excitável e produzindo um período de silêncio depois que ocorre o potencial de ação. Portanto, períodos refratários mais curtos significam uma taxa mais alta de potenciais de ação. De modo que a testosterona está causando potenciais de ação nesses neurônios, certo? Não. Está fazendo com que disparem mais rápido *apenas se* forem estimulados por algo mais. De modo similar, a testosterona aumenta a resposta da amígdala a rostos zangados, mas não a outros tipos de rosto. Portanto, se a amígdala já estiver respondendo a algum âmbito de aprendizado social, a testosterona eleva o tom da resposta.

Uma síntese importante: a hipótese do desafio

Portanto, as ações da testosterona são contingenciais e amplificadoras, exacerbando tendências preexistentes de agressividade, em vez de criar agressividade a partir do nada. Esse cenário inspirou a "hipótese do desafio", uma conceituação maravilhosamente unificadora das ações desse hormônio.[14] Como foi proposto em 1990 pelo excelente endocrinologista comportamental John Wingfield, da Universidade da Califórnia em Davis, e seus colegas, a ideia é que a elevação dos níveis de testosterona aumenta a agressividade só em momentos de desafio. É bem desse jeito que as coisas funcionam.

Isso explica por que os níveis basais de testosterona têm pouco a ver com a agressividade subsequente, e por que o incremento desse hormônio durante a puberdade, a estimulação sexual ou o início da temporada de acasalamento tampouco aumenta a agressividade.[15]

Mas as coisas são diferentes quando se trata de um desafio.[16] Entre vários primatas, os níveis de testosterona aumentam quando uma hierarquia de dominância se forma pela primeira vez ou passa por uma reorganização. Os níveis sobem em seres humanos durante competições esportivas, tanto em modalidades individuais quanto coletivas, entre as quais basquete, luta, tênis, rúgbi e judô; em geral, há um aumento da testosterona em antecipação ao evento e outro, maior, depois — sobretudo entre os vencedores.* De forma notável, *assistir* à vitória de seu time aumenta os níveis de testosterona, provando que essa elevação tem menos a ver com a atividade muscular do que com a psicologia da dominância, da identificação e da autoestima.

Mais importante ainda, o aumento da testosterona depois de um desafio torna a agressividade mais provável.[17] Pense nisso. Os níveis de testosterona sobem, alcançando o cérebro. Se isso ocorre porque alguém o está desafiando, você irrompe em agressividade. Se um aumento idêntico do hormônio se dá porque os dias estão se prolongando e vem aí a temporada de reprodução, você decide voar milhares de quilômetros para o seu local de acasalamento. E se o mesmo acontece devido à puberdade, você fica idiota e dando risadinhas diante daquela garota que toca clarinete na banda. A dependência do contexto é notável.**[18]

---

* Existe uma vasta literatura que registra as sutilezas da psique humana. O efeito da vitória sobre os níveis de testosterona é reduzido em circunstâncias nas quais as pessoas acham que ganharam por sorte ou quando, apesar de vencer, elas sentem que sua performance não foi tão boa. Em contraste, o efeito é ampliado entre aquelas que entraram na competição com as mais fortes razões psicológicas de dominação. Por fim, os níveis de testosterona podem se elevar de forma notável em "perdedores" que, apesar de tudo, tiveram uma performance bem melhor do que esperavam. Portanto, é possível registrar o aumento de testosterona após uma maratona em um sujeito que chegou em último lugar, mas está triunfante, pois tinha certeza de que iria abandonar a corrida na metade; e a diminuição na testosterona em alguém que chegou em terceiro, mas esperava ganhar. Todos nós pertencemos a inúmeras hierarquias, mas algumas das mais poderosas são as que estão em nossa cabeça e se baseiam em padrões internos.

** Todas essas circunstâncias de elevação dos níveis de testosterona suscitam uma questão: por que não produzir níveis mais altos o tempo inteiro e poupar esforços? Para começar, todos esses androgênios são péssimos para o sistema cardiovascular. Porém, o mais importante é que eles prejudicariam diversos comportamentos pró-sociais. Por exemplo, entre pássaros e roedores monogâmicos, se os níveis de testosterona não caírem na época em que a fêmea dá à luz, os machos não agem de forma paternal. Alguns padrões similares parecem se aplicar a seres humanos: pais têm níveis menores de testosterona em comparação a outros homens da mesma idade, casados e sem filhos; pais mais envolvidos com a criação dos filhos têm níveis menores do que os ausentes. Além disso, evocar o comportamento de cuidado infantil para os homens reduz os níveis de testosterona, assim como ocorre no nascimento de um filho. E, quando comparados a pais com mais testosterona, aqueles com índices inferiores são considerados pais melhores pelos parceiros e exibem maior ativação da área ventral tegmentar, relacionada a recompensas, ao ver uma foto do filho.

A hipótese do desafio tem uma segunda parte. Quando a testosterona aumenta após um desafio, ela não induz à agressividade. Em vez disso, induz *aos comportamentos necessários para manter o status*. Isso muda tudo de forma cabal.

Bem, talvez não: é que, no caso dos primatas machos, manter o status consiste sobretudo em agressões ou ameaças — desde esquartejar seu oponente até lançar-lhe um olhar de "Você não tem ideia de com quem está mexendo".[19]

E atenção agora para uma pesquisa espantosamente importante. O que acontece se a defesa de seu status exige que você seja legal? Isso foi explorado em um estudo realizado por Cristoph Eisenegger e Ernst Fehr, da Universidade de Zurique.[20] Os voluntários participavam do Jogo do Ultimato (introduzido no capítulo 2), no qual é preciso decidir como dividir o dinheiro entre você e outro jogador. O outro pode aceitar a proposta ou rejeitá-la, e, nesse último caso, nenhum dos dois ganha nada. Pesquisas anteriores mostraram que, quando a oferta de alguém é rejeitada, o indivíduo se sente desdenhado e subjugado, sobretudo se essa informação for repassada em rodadas futuras para outros jogadores. Ou seja, nesse cenário, o status e a reputação residem em agir de forma justa.

E o que acontece quando voluntários recebem testosterona antes do jogo? *Eles fazem ofertas mais generosas.* O efeito do hormônio depende do que conta como virilidade. Isso requer conexões neuroendócrinas mais sofisticadas e sensíveis ao aprendizado social. Não dá para conceber uma descoberta que seja mais contrária à reputação da testosterona.

O estudo continha uma ardilosa descoberta adicional que apartou ainda mais o mito da realidade. Como de costume, os voluntários recebiam testosterona ou uma solução salina, sem saber qual delas lhes fora administrada. Os que achavam que era testosterona (independente de ser ou não o caso) faziam ofertas menos generosas. Em outras palavras, a testosterona não faz com que você necessariamente se comporte de forma sórdida, mas *acreditar* que ela faz isso e que você está afogado nessa substância o leva a se comportar de forma sórdida.

Pesquisas adicionais mostraram que a testosterona promove a pró-socialidade no contexto adequado. Em um desses estudos, em circunstâncias nas quais o senso de orgulho individual residia na honestidade, a testosterona reduziu o comportamento trapaceiro dos homens em um jogo. Em outro, voluntários tinham de decidir quanto dinheiro manteriam consigo e com quanto contribuiriam publicamente para um fundo coletivo compartilhado por todos os jogadores; a testosterona estimulou a maioria dos voluntários a ser mais pró-social.[21]

O que isso significa? Que a testosterona nos torna mais dispostos a fazer o que for preciso para alcançar e manter nosso status. E a questão aqui é "fazer o que for preciso". Basta engendrar as circunstâncias sociais certas para que o aumento dos níveis de testosterona durante um desafio estimule as pessoas a competirem feito loucas para promover mais atos de bondade aleatória. Em um mundo inundado de violência masculina como o nosso, o problema não é a testosterona ser capaz de aumentar os níveis de agressividade. O problema é a frequência com que recompensamos a agressividade.

OCITOCINA E VASOPRESSINA: UM SONHO DE MARKETING

Se o objetivo da seção anterior foi mostrar que a testosterona carrega uma reputação injusta, o objetivo desta é mostrar que a ocitocina (e a vasopressina, estreitamente relacionada à primeira) está hoje em dia beirando uma presidência Teflon.* De acordo com a lenda, a ocitocina torna os organismos menos agressivos, mais sintonizados em termos sociais, mais abertos e empáticos; os indivíduos tratados com ocitocina se convertem em parceiros mais fiéis e atenciosos; ela faz com que ratos de laboratório sejam mais caridosos e ouçam com mais atenção e leva as moscas-das-frutas a cantar feito Joan Baez. Naturalmente, as coisas são mais complicadas do que isso, e a ocitocina tem um instrutivo lado sombrio.

O básico

Do ponto de vista químico, a ocitocina e a vasopressina são hormônios similares; as sequências de DNA que constituem seus genes são parecidas, e os dois genes se encontram próximos entre si no mesmo cromossomo. Houve um único gene ancestral que, algumas centenas de milhões de anos atrás, foi "duplicado" por acaso no genoma, e as sequências de DNA nas duas cópias variaram de forma independente, evoluindo para dois genes estritamente relacionados (não perca as próximas cenas no capítulo 8). Essa duplicação ocorreu quando os mamíferos estavam surgindo; outros vertebrados têm apenas a versão ancestral, chamada vasotocina, que se localiza estruturalmente entre os dois hormônios separados dos mamíferos.

Para os neurobiólogos do século xx, a ocitocina e a vasopressina não tinham a menor graça. Eram produzidas nos neurônios do hipotálamo que enviavam axônios para a hipófise posterior (ou neuro-hipófise). De lá, eram liberadas na corrente sanguínea, atingindo assim o status de hormônios, e nunca mais teriam relações

---

* No original, *"Teflon presidency"*, uma administração na qual nada de ruim é capaz de "grudar". Ou seja, quando os políticos continuam populares a despeito de escândalos e da insatisfação pública. (N. T.)

com o cérebro. A ocitocina estimulava a contração uterina durante o parto e a descida do leite. A vasopressina (também conhecida como "hormônio antidiurético") regulava a retenção de água nos rins. E, refletindo suas estruturas semelhantes, cada uma delas possuía versões suaves dos efeitos da outra. E fim de papo.

Neurobiólogos se dão conta

As coisas ficaram interessantes com a descoberta de que esses neurônios hipotalâmicos que produziam a ocitocina e a vasopressina também enviavam projeções para todo o cérebro, incluindo a área tegmentar ventral (relacionada à dopamina), o núcleo *accumbens*, o hipocampo, a amígdala e o córtex frontal, regiões essas com um vasto número de receptores para os hormônios. Além disso, descobriu-se que a ocitocina e a vasopressina eram, na verdade, sintetizadas e secretadas em outros lugares do cérebro. Esses dois hormônios entediantes e tradicionalmente periféricos afetavam a função cerebral e o comportamento. Passaram a ser chamados de "neuropeptídeos" — mensageiros neuroativos com estrutura de peptídeos —, que é uma forma chique de dizer que são pequenas proteínas. (Para evitar ter de escrever sem parar "ocitocina e vasopressina", irei me referir a eles como neuropeptídeos; saiba, porém, que existem outros neuropeptídeos.)

As descobertas iniciais sobre seus efeitos comportamentais faziam sentido.[22] A ocitocina prepara o corpo das fêmeas de mamíferos para o parto e a lactação; de forma lógica, também favorece o comportamento maternal. O cérebro impulsiona a produção de ocitocina quando uma fêmea de rato dá à luz, graças a um circuito hipotalâmico com funções bastante distintas em fêmeas e machos. Além disso, a área tegmentar ventral aumenta a própria sensibilidade aos neuropeptídeos, multiplicando os níveis de receptores de ocitocina. Administre esse hormônio no cérebro de uma fêmea de rato virgem, e ela irá agir de forma maternal — resgatando, limpando e lambendo os filhotes. Bloqueie a ação da ocitocina em uma mãe roedora*[23] e ela suspenderá o comportamento maternal, incluindo a amamentação. A ocitocina age no sistema olfatório, ajudando a nova mãe a conhecer o cheiro de sua cria. Enquanto isso, a vasopressina tem efeitos semelhantes, porém mais suaves.

Logo surgiram notícias sobre outras espécies. A ocitocina faz as ovelhas aprenderem o cheiro da cria e auxilia as macacas a cuidar da higiene dos filhotes.** Bor-

---

* Nesse tipo de estudo, isso é em geral alcançado com a administração de uma droga bloqueadora dos receptores de ocitocina ou por meio de técnicas de engenharia genética que eliminam o gene da ocitocina ou de seu receptor.

** O termo no original, *"grooming"*, se refere à prática social de cuidar uns dos outros, executando ações como limpar o pelo e catar piolhos e pulgas. (N. T.)

rife ocitocina no nariz de uma mulher (uma forma de fazer o neuropeptídeo passar pela barreira hematoencefálica e entrar no cérebro) e ela vai achar que bebês são mais fofinhos. Além disso, mulheres com variantes de genes que produzem níveis altos de ocitocina ou receptores de ocitocina exibem, em média, taxas mais altas de contato físico e de troca sincronizada de olhares com seus bebês.

Assim, entre as fêmeas de mamíferos, a ocitocina é essencial para amamentar o filho, para *querer* amamentar o filho e para lembrar qual deles é o seu. Os machos então entram em cena, já que a vasopressina exerce um papel no comportamento paternal. Quando uma roedora fêmea dá à luz, o pai registra um aumento dos níveis de vasopressina e de seus receptores pelo corpo, incluindo o cérebro. Entre os macacos, pais experientes têm mais dendritos nos neurônios do córtex frontal que contêm receptores de vasopressina. Além disso, a administração desse hormônio é capaz de expandir o comportamento paternal. Contudo, um alerta etológico: isso só ocorre em espécies nas quais os machos têm instinto paternal (por exemplo, micos* e arganazes-do-campo).**[24]

Portanto, dezenas de milhões de anos atrás, alguma espécie roedora ou primata desenvolveu de forma independente a formação de casais monogâmicos, junto com os neuropeptídeos essenciais para o processo.[25] Entre micos e macacos-titis,*** ambos formadores de casais, a ocitocina fortalece esse vínculo, aumentando a preferência do macaco por aconchegar-se junto à sua parceira em lugar de uma desconhecida. Então veio um estudo embaraçosamente semelhante aos estereotípicos casais humanos. Entre saguis**** formadores de vínculos, altas taxas de catação de piolho e de contato físico eram capazes de prever níveis altos de ocitocina na fêmea de um casal. O que previa altos níveis de ocitocina no macho? Muito sexo.

Uma bela e pioneira pesquisa realizada por Thomas Insel, do Instituto Nacional de Saúde Mental, Larry Young, da Universidade Emory, e Sue Carter, da Universidade de Illinois, possivelmente elevou uma espécie de arganaz ao status de roedor mais célebre do mundo.*****[26] A maioria dos arganazes (como o arganaz-da-mon-

---

* No original, *"marmoset monkeys"*, que são macacos dos gêneros *Callithrix*, *Cebuella*, *Callibella* e *Mico*. Para fins de clareza, iremos nos referir aos *marmoset* como "micos". (N. T.)

** Em outras palavras, um tema familiar: a vasopressina não provoca o comportamento paternal, mas o favorece em espécies já predispostas a isso.

*** No original, *"titi monkeys"*, que são macacos do gênero *Callicebus*. (N. T.)

**** No original, *"tamarin monkeys"*, que são macacos do gênero *Saguinus*. Para fins de clareza, iremos nos referir aos *tamarin* como "saguis". (N. T.)

***** Neste livro, há menções a três espécies de arganaz. São eles: *prairie voles* (*Microtus ochrogaster*), aqui traduzidos como arganazes-do-campo; *montane voles* (*Microtus montanus*), os arganazes-da-montanha; e *meadow voles* (*Microtus pennsylvanicus*), os roedores-da-campina. (N. T.)

tanha) é poligâmica. Em contraste, os arganazes-do-campo, em uma mesura a Garrison Keillor,* formam pares monogâmicos de acasalamento para a vida toda. Claro que não é bem assim: ainda que eles sejam "formadores de casais sociais", com seus relacionamentos permanentes, não são "formadores de casais sexuais" lá muito perfeitos, já que os machos às vezes dão as suas escapadelas. Ainda assim, os arganazes-do-campo estabelecem mais vínculos do que os outros arganazes, levando Insel, Young e Carter a se perguntarem por quê.

Primeira descoberta: o sexo libera ocitocina e vasopressina no núcleo *accumbens* de arganazes fêmeas e machos, respectivamente. Teoria óbvia: os arganazes-do-campo liberam mais hormônios durante o sexo do que os arganazes poligâmicos, gerando um alarde mais recompensador, o que encorajaria os indivíduos a permanecer com seus parceiros. Mas os arganazes-do-campo não liberam mais neuropeptídeos do que os arganazes-da-montanha. Em vez disso, eles têm mais dos receptores específicos desses hormônios no núcleo *accumbens* do que os arganazes poligâmicos.** Além disso, arganazes-do-campo machos dotados de uma certa variante do gene receptor da vasopressina que produz mais receptores no núcleo *accumbens* eram formadores de casais ainda mais ávidos. Então os cientistas conduziram dois estudos que são verdadeiras proezas. Primeiro, manipularam geneticamente o cérebro de camundongos machos para expressar a mesma versão do receptor da vasopressina dos arganazes-do-campo, de modo que os roedores passaram a fazer a higiene mútua e se aconchegar com mais frequência a fêmeas familiares (mas não a desconhecidas). Em seguida, os cientistas manipularam o cérebro de arganazes-da-montanha para que tivessem mais receptores de vasopressina no núcleo *accumbens*; os machos ficaram mais apegados socialmente a fêmeas individuais.***

---

* Referência ao apresentador de um longevo programa de rádio americano chamado *A Prairie Home Companion*. (N. T.)

** Isso se deve a uma diferença genética entre as duas espécies. De forma interessante, não se trata de uma diferença na sequência do DNA que constitui o gene para o receptor da vasopressina. Mas, sim, de uma diferença na sequência que constitui o botão de liga/desliga desse gene. Mais sobre isso no capítulo 8.

*** Isso gerou todo tipo de discussões cáusticas em conferências, pois havia dificuldade em determinar se esse era um caso de "transferência genética" (ou seja, o processo neutro de valores que consiste em transferir um gene novo para um indivíduo com o objetivo de alterar uma função) ou "terapia genética" (transferir um gene com o objetivo de curar arganazes-da-montanha machos da doença da infidelidade). Tenho a impressão de que, se essa pesquisa tivesse sido realizada em Berkeley durante o Verão do Amor em 1967, o objetivo da geneterapia teria sido fazer com que arganazes-do-campo transcendessem sua genética burguesa de classe média americana e se tornassem poligâmicos. *The times, they are a changin'* [Os tempos, eles estão mudando], para citar um ganhador recente do prêmio Nobel.

E quanto a versões dos genes receptores da vasopressina em outras espécies? Quando comparados a chimpanzés, os bonobos possuem uma variante associada a uma maior expressão de receptores e mais vínculos sociais entre fêmeas e machos (embora, em comparação com os arganazes-do-campo, os bonobos sejam tudo menos monogâmicos).[27]

E quanto aos seres humanos? É difícil dizer, pois não conseguimos medir esses neuropeptídeos nas minúsculas regiões do cérebro humano, sendo necessário, portanto, examinar os níveis dos hormônios na corrente sanguínea, uma medição positivamente indireta.

Ainda assim, esses neuropeptídeos parecem desempenhar um papel importante na formação de vínculos em seres humanos.[28] Para começar, os níveis de ocitocina em circulação no sangue são elevados em casais que ficam juntos pela primeira vez. Além disso, quanto maiores esses níveis, maior a afeição física, mais sincronizados ficam os comportamentos, mais duradouro é o relacionamento e mais feliz é a percepção dos entrevistados sobre a relação.

Ainda mais interessantes são os estudos nos quais a ocitocina (ou um spray de controle) é administrada por via intranasal. Em um experimento divertido, casais tinham de discutir sobre um ponto de discórdia; quando a ocitocina havia sido borrifada em seu nariz, eles exibiram uma comunicação mais positiva e secretaram menos hormônios do estresse. Outro estudo sugere que a ocitocina fortalece de forma inconsciente o vínculo do casal. Alguns voluntários homens e heterossexuais, com ou sem borrifo de ocitocina, eram convidados a interagir com uma atraente pesquisadora em uma tarefa sem sentido. Entre os homens em relacionamentos estáveis, a ocitocina aumentou a distância física mantida entre eles e a mulher, em média, de dez a quinze centímetros. Para os solteiros, não houve qualquer efeito. (Por que a ocitocina não os levou a se aproximar ainda mais? Os pesquisadores notaram que eles já estavam tão perto quanto possível.) Quando o pesquisador era homem, não houve qualquer efeito. Além disso, a ocitocina fez com que homens em relacionamentos sérios passassem menos tempo olhando para fotos de mulheres atraentes. É importante notar que a ocitocina não fez com que eles julgassem essas mulheres menos atraentes; eles estavam apenas menos interessados.[29]

Portanto, a ocitocina e a vasopressina auxiliam no vínculo entre pais e filhos, e também entre casais.* Agora vejamos algo de fato adorável que a evolução engen-

---

* Perceba que toda a literatura sobre a formação de pares românticos que discuti até agora concerne apenas a casais heterossexuais. Até onde sei, muito pouco foi estudado nesse campo com voluntários gays ou voluntárias lésbicas.

drou em tempos recentes. Em algum momento nos últimos 50 mil anos (ou seja, menos de 0,1% do tempo de existência da ocitocina), o cérebro dos seres humanos e dos lobos domesticados desenvolveram uma nova resposta ao hormônio: quando um cachorro e seu dono (mas não um desconhecido) interagem, eles secretam o hormônio.[30] Quanto mais tempo passam olhando nos olhos um do outro, maior o aumento. Dê ocitocina a cachorros e eles passam mais tempo olhando nos olhos dos seres humanos... o que, por sua vez, aumenta os níveis de ocitocina destes. De modo que um hormônio que evoluiu para fortalecer o vínculo entre mãe e bebê agora exerce um papel nessa forma bizarra e inédita de vínculo entre espécies.

Em consonância com seus efeitos vinculatórios, a ocitocina inibe a amígdala central, suprimindo o medo e a ansiedade, e ativa o "calmo e vegetativo" sistema nervoso parassimpático. Além disso, indivíduos que possuem uma variante de gene receptor da ocitocina associada a uma maior sensibilidade no cuidado com os filhos também têm menores reações cardiovasculares de alarme. Nas palavras de Sue Carter, a exposição à ocitocina é uma "metáfora fisiológica para a segurança". Além disso, o hormônio reduz a agressividade em roedores; camundongos cujo sistema de ocitocina foi silenciado (ao deletar o gene da ocitocina ou de seu receptor) se tornaram anormalmente agressivos.[31]

Outros estudos mostraram que, ao receber ocitocina, as pessoas julgam rostos como sendo mais confiáveis e confiam mais nos outros durante jogos econômicos (o hormônio não teve nenhum efeito quando os voluntários achavam que estavam jogando com um computador, o que prova que a reação tem mesmo a ver com o comportamento social).[32] Esse aumento da confiança nos outros era interessante. Em geral, quando o oponente faz algo dúbio no jogo, os indivíduos ficam mais desconfiados nas rodadas subsequentes; em contrapartida, os voluntários tratados com ocitocina não modificaram seu comportamento dessa forma. Em termos científicos, "a ocitocina inoculou a aversão à traição entre os investidores"; em termos sarcásticos, a ocitocina torna as pessoas otárias e irracionais; em termos mais angelicais, a ocitocina faz com que as pessoas ofereçam a outra face.

E novos efeitos pró-sociais da ocitocina foram emergindo. Ela tornou as pessoas mais hábeis na detecção de rostos felizes (mas não de rostos zangados, assustados ou neutros) e de palavras com conotações sociais positivas (mas não negativas), quando estes eram exibidos de forma breve. Além disso, fez com que as pessoas fossem mais caridosas. Indivíduos que possuíam a versão do gene receptor da ocitocina associado a uma maior sensibilidade no cuidado com os filhos foram considerados por observadores como sendo mais pró-sociais (ao discutir um momento de sofrimento pessoal), assim como mais sensíveis à aprovação social. O neuropeptídeo também tornou os indivíduos mais receptivos ao reforço social, aprimorando a performance em uma tarefa na qual respostas certas ou erradas provocavam um sorriso ou uma carranca, respectivamente (ao passo que não teve qualquer efeito quando as respostas certas e erradas suscitavam luzes de cores diferentes).[33]

Então a ocitocina produz um comportamento pró-social e é liberada quando experimentamos comportamentos pró-sociais (ser visto como confiável em um jogo, receber um contato afetuoso e assim por diante). Em outras palavras, um ciclo macio e quentinho de retroalimentação positiva.[34]

É óbvio que a ocitocina e a vasopressina são os hormônios mais bacanas do universo.* Bastaria despejá-los no sistema de abastecimento de água e as pessoas se tornariam mais caridosas, abertas e empáticas. Seríamos pais melhores e faríamos amor, não guerra (ainda que fosse sobretudo um amor platônico, já que os indivíduos em relacionamentos sérios manteriam distância de todo o resto). Melhor de tudo, compraríamos todo tipo de quinquilharia inútil, confiando nos anúncios promocionais das lojas, tão logo a ocitocina passasse a ser borrifada através do sistema de ventilação.

Certo, é hora de baixar um pouco a bola.

Pró-socialidade versus socialidade

A ocitocina e a vasopressina dizem respeito à pró-socialidade ou à competência social? Esses hormônios nos fazem enxergar rostos contentes por toda parte ou nos tornam mais interessados em reunir informações sociais acuradas sobre expressões faciais? Esta última não é uma atitude necessariamente pró-social; afinal de contas, obter informações precisas sobre as emoções das pessoas faz com que seja mais fácil manipulá-las.

A Escola do Neuropeptídeo Bacana defende a ideia da pró-socialidade generalizada.[35] Mas os neuropeptídeos também promovem o interesse e a competência sociais. Fazem as pessoas encararem umas às outras por mais tempo, aumentando a precisão da leitura de emoções. Além disso, a ocitocina intensifica a atividade na

---

* Compradores on-line mais exigentes já podem adquirir o "Liquid Trust" [Confiança Líquida], anunciado como "o primeiro produto de feromônio de ocitocina do mundo". Pior do que isso, publicações científicas perfeitamente conservadoras já se referiram à ocitocina como a "droga do amor" ou a "droga do carinho". Essa parte do "carinho" é intrigante, já que a literatura fala de arganazes-do-campo carregados de ocitocina se amontoando, e não se acariciando, o que, sejamos francos, não evoca imagens de festas de amor hippie, mas de ajuntamentos de massas de tuberculosos ansiosos para respirar livremente.

junção temporoparietal (aquela região envolvida na Teoria da Mente) enquanto os indivíduos executam uma tarefa de reconhecimento social. O hormônio aumenta a precisão da avaliação de pensamentos alheios, com um diferencial de gênero: as mulheres ficam mais hábeis em detectar relações de parentesco e os homens, em detectar relações de dominância. Além disso, a ocitocina aumenta a acuidade da memória de rostos e suas expressões emocionais, e indivíduos com a variante do gene receptor da ocitocina relativo a "pais sensíveis" são particularmente habilidosos em avaliar emoções. De modo similar, entre roedores, os hormônios auxiliam no aprendizado do cheiro de um indivíduo, mas não de odores não sociais.

Estudos de neuroimagem mostram que esses neuropeptídeos dizem respeito tanto à competência social quanto à pro-socialidade.[36] Por exemplo, variantes de um gene relativo à sinalização da ocitocina* estão associadas a graus diferentes de ativação da área fusiforme de faces quando se olha para rostos.

Descobertas como essas sugerem que anormalidades nesses neuropeptídeos aumentam a probabilidade de problemas de socialidade, como o transtorno do espectro autista (TEA). (De modo impressionante, indivíduos com TEA registram respostas fusiformes embotadas para rostos.)[37] De maneira notável, o TEA tem sido associado a variações dos genes da ocitocina e da vasopressina, bem como a mecanismos não genéticos para silenciar o gene receptor da ocitocina, e a níveis baixos do receptor em si. Além disso, os neuropeptídeos aprimoram as habilidades sociais em certos indivíduos com TEA — estimulando, por exemplo, o contato visual.

Dessa forma, a ocitocina e a vasopressina às vezes nos tornam mais pró-sociais, mas também podem nos tornar coletores de informações sociais mais ávidos e precisos. Ainda assim, há um viés otimista, já que a precisão é mais aprimorada no caso de emoções positivas.[38]

É hora de mais complicações.

Efeitos contingenciais da ocitocina e da vasopressina

Lembre-se dos efeitos contingenciais da testosterona (por exemplo, tornar um macaco mais agressivo, mas só com relação a indivíduos que ele já domina). Naturalmente, os efeitos dos neuropeptídeos também têm a ver com as contingências.[39]

Uma delas, já mencionada, é o gênero: a ocitocina ressalta aspectos diferentes da competência social em homens e mulheres. Além disso, seu efeito calmante na

---

* Para os que estiverem de fato interessados, o gene codifica para uma proteína chamada CD38, que auxilia na secreção de ocitocina nos neurônios.

amígdala é mais consistente em homens do que em mulheres. De forma previsível, os neurônios que produzem esses neuropeptídeos são regulados tanto pelo estrogênio quanto pela testosterona.[40]

Em um efeito contingencial bastante interessante, a ocitocina intensifica a prática da caridade — mas só em pessoas já caridosas. Isso corresponde ao efeito da testosterona de apenas aumentar a agressividade em indivíduos já propensos a ela. É raro que os hormônios atuem fora do contexto do indivíduo ou de seu ambiente.[41]

Por fim, um estudo fascinante mostra as contingências culturais na ação da ocitocina.[42] Durante fases de estresse, americanos buscam apoio emocional (por exemplo, contar a um amigo sobre seu problema) com mais rapidez do que leste-asiáticos. Um estudo identificou variantes do gene receptor da ocitocina em voluntários americanos e coreanos. Sob circunstâncias não estressantes, nem o panorama cultural nem a variante do receptor afetaram o comportamento de buscar apoio. Em períodos estressantes, a busca se intensificou nos indivíduos que possuíam essa variante do receptor, associada a uma sensibilidade aumentada para feedback e aprovação social — mas só entre os americanos (incluindo os americanos de ascendência coreana). Qual é o efeito da ocitocina para o comportamento de buscar apoio? Depende de você estar ou não estressado. E da variante genética do seu receptor de ocitocina. E de sua cultura. Mais informações nos capítulos 8 e 9.

E o lado sombrio desses neuropeptídeos

Como vimos, a ocitocina (assim como a vasopressina) reduz a agressividade nas fêmeas de roedores. Exceto pela agressividade em defesa da prole, que é induzida pelo neuropeptídeo através de seus efeitos na amígdala central (e seu envolvimento no medo instintivo).[43]

Isso combina perfeitamente com o efeito dos neuropeptídeos de realçar o maternalismo, incluindo aquela variante colérica de maternalismo que grita: "Não avance nem mais um passo". De modo similar, a vasopressina aumenta a agressividade em arganazes-do-campo paternais. Quanto mais agressivo for o arganaz-do-campo, menos esse comportamento diminui quando seu sistema de vasopressina é bloqueado — assim como acontece no caso da testosterona, com a experiência prolongada, a agressividade é mantida pelo aprendizado social, e não por um hormônio/neuropeptídeo. Além disso, a vasopressina aumenta a agressividade sobretudo em roedores machos que já são propensos a ela — trata-se de mais um efeito biológico que depende do contexto individual e social.[44]

E agora iremos de fato subverter nossa visão desses agradáveis neuropeptídeos. Para começar, voltemos à ocitocina e seu efeito de aumentar a confiança e a cooperação em um jogo econômico — mas não se o outro jogador for anônimo e estiver em outro recinto. Nesse caso, quando a partida se dá contra estranhos, a ocitocina *reduz* a cooperação, aumenta a inveja quando temos azar e eleva o regozijo quando temos sorte.[45]

Por fim, belas pesquisas realizadas por Carsten de Dreu, da Universidade de Amsterdam, mostraram quão fria e brutal a ocitocina pode ser.[46] No primeiro estudo, voluntários do sexo masculino formaram dois times; cada indivíduo decidia quanto de seu dinheiro iria depositar em um pote compartilhado por todos os membros da equipe. Como de costume, a ocitocina aumentou a generosidade dos voluntários. Mas então eles jogaram o Dilema do Prisioneiro com alguém do time adversário.* Quando as apostas financeiras eram altas, levando os indivíduos a ficarem mais motivados, a ocitocina os tornou *mais* propensos a apunhalar o rival pelas costas de forma preventiva. Portanto, a ocitocina o torna mais pró-social com relação a pessoas iguais a você (ou seja, seus colegas de time), porém mais detestável com os Outros que representam uma ameaça. Como destacado por De Dreu, talvez a ocitocina tenha evoluído para aumentar a competência social que nos torna mais hábeis para identificar quem é um de Nós.

No segundo estudo de Dreu, estudantes holandeses se submeteram ao Teste de Associação Implícita para vieses inconscientes.** E a ocitocina exagerou os vieses contra dois grupos de fora: habitantes do Oriente Médio e alemães.[47]

Então veio a segunda parte, de fato reveladora, do estudo. Os voluntários tinham de decidir se era aceitável matar uma pessoa a fim de salvar outras cinco. Nessa situação, o nome do bode expiatório soava bem típico da Holanda (Dirk ou Peter), da Alemanha (Markus ou Helmut) ou do Oriente Médio (Ahmed ou Youssef); as cinco pessoas em perigo não tinham nome. De modo notável, a ocitocina tornou os participantes *menos* propensos a sacrificar o bom e velho Dirk ou Peter, em lugar de Helmut ou de Ahmed.

---

* No Dilema do Prisioneiro, cada um dos dois competidores deve decidir se irá ou não cooperar com o outro. Se ambos cooperarem, cada um ganha, digamos, duas unidades de recompensa. Se ambos se apunhalarem pelas costas, cada um recebe uma unidade. Se um cooperar e o outro o apunhalar pelas costas, o traidor ganha três unidades e o pateta não ganha nada.

** O Teste de Associação Implícita será descrito em detalhes num capítulo mais adiante — de forma resumida, ele se aproveita do fato de que levamos alguns milissegundos a mais para processar combinações de informação que parecem discordantes, em comparação a combinações que fazem sentido; assim, se você tem preconceito contra o grupo X, levará um pouco mais de tempo para processar a combinação do grupo X com um termo positivo — por exemplo, "maravilhoso" — do que com um termo negativo — "perigoso".

A ocitocina, o hormônio do amor, nos torna mais pró-sociais entre Nós e muito menos com todo o resto. Isso não é pró-socialidade generalizada. É etnocentrismo e xenofobia. Em outras palavras, os efeitos desses neuropeptídeos dependem drasticamente do contexto: quem você é, quando é seu ambiente e quem aquela pessoa é. Como veremos no capítulo 8, o mesmo se aplica à regulação dos genes relevantes para esses neuropeptídeos.

A ENDOCRINOLOGIA DA AGRESSIVIDADE FEMININA

Socorro!

Este tópico me confunde. Eis as razões:

- Trata-se de um domínio no qual a proporção entre os dois hormônios pode importar mais do que seus níveis absolutos, e em que o cérebro responde da mesma maneira a: a) duas unidades de estrogênio mais uma unidade de progesterona; e b) 2 zilhões de unidades de estrogênio mais 1 zilhão de unidades de progesterona. Isso requer uma neurobiologia complexa.
- Os níveis de hormônios são bastante dinâmicos, com variações na casa das centenas em poucas horas — nenhum testículo masculino jamais teve de comandar a endocrinologia envolvida na ovulação ou no parto. Entre outras coisas, recriar tais flutuações endócrinas em animais de laboratório é difícil.
- Há uma variabilidade estonteante entre as espécies. Algumas acasalam o ano inteiro, outras só em períodos específicos; a amamentação inibe a ovulação em algumas espécies e a estimula em outras.
- A progesterona raramente atua no cérebro como progesterona. Em vez disso, em geral é convertida em inúmeros "neuroesteroides" com efeitos diferentes em várias regiões do cérebro. E "estrogênio" descreve uma sopa de hormônios relacionados, nenhum dos quais funciona de forma idêntica.
- Por fim, é preciso derrubar o mito de que fêmeas são sempre bondosas e têm comportamento afiliativo (a menos, é claro, que estejam protegendo agressivamente suas crias, o que é considerado bacana e inspirador).

Agressão maternal

Os níveis de agressividade aumentam em roedores durante a gravidez, chegando a seu ápice na época do parto.*[48] De modo apropriado, as taxas mais altas ocorrem em espécies e linhagens com maior ameaça de infanticídio.[49]

Nos últimos estágios da gravidez, o estrogênio e a progesterona aumentam a agressividade maternal ao intensificar a liberação de ocitocina em certas regiões do cérebro, o que nos traz de volta a uma situação na qual a ocitocina promove a agressividade das mães.[50]

Duas complicações ilustram alguns princípios endócrinos.** O estrogênio contribui para a agressividade materna. Mas ele também é capaz de *reduzir* a agressividade e aumentar a empatia e o reconhecimento emocional. Acontece que há dois tipos diferentes de receptores de estrogênio no cérebro para mediar esses efeitos opostos, e cada um deles é regulado de forma independente. Portanto, o mesmo hormônio e os mesmos níveis podem levar a diferentes resultados se o cérebro for programado para responder de forma distinta.[51]

Segunda complicação: como já foi observado, a progesterona, em conjunto com o estrogênio, promove a agressividade materna. Contudo, quando está sozinha, ela reduz a agressividade e a ansiedade. O mesmo hormônio e os mesmos níveis podem levar a resultados diametralmente opostos, a depender da presença de um segundo hormônio.[52]

A progesterona reduz a ansiedade por meio de uma rota muito legal. Ao entrar nos neurônios, ela é convertida em outro esteroide.*** Este, por sua vez, se liga aos receptores GABA, tornando-os mais sensíveis aos efeitos inibitórios do GABA, o que acaba acalmando o cérebro. Ou seja, uma verdadeira linha cruzada entre hormônios e neurotransmissores.

Agressividade feminina desenfreada

A visão tradicional é que, com exceção da agressividade materna, qualquer competição entre duas fêmeas é passiva e velada. Como observado pela pioneira primatóloga Sarah Blaffer Hrdy, da Universidade da Califórnia em Davis, antes dos anos 1970 quase ninguém pesquisava esse assunto.[53]

Ainda assim, há muita agressividade entre fêmeas. Isso costuma ser descartado

---

* A agressividade materna envolve a amígdala; até aqui, nenhuma surpresa. Mas, remetendo ao capítulo 1 e à discussão sobre a heterogeneidade dos tipos de agressividade, tal comportamento também depende de forma singular e crucial de uma minúscula região do cérebro que ainda não foi mencionada, o núcleo pré-mamilar ventral do hipotálamo.

** Você pode pular os dois parágrafos seguintes se já tiver complicações suficientes na vida.

*** Chamado de alopregnanolone.

com base em um argumento psicopatológico: se, digamos, uma fêmea de chimpanzé for assassina, é porque, bem, ela é louca. Ou então a agressividade feminina é vista como um "vazamento" endócrino.[54] Fêmeas sintetizam pequenas quantidades de androgênios nas adrenais e ovários; na hipótese do vazamento, o processo de sintetização dos hormônios esteroides "de fato" femininos é de certa forma descuidado; já que a evolução foi preguiçosa e não eliminou os receptores de androgênios do cérebro das fêmeas, há certa agressividade promovida pelos androgênios.

Essas visões estão erradas por uma série de motivos.

O cérebro feminino não possui receptores de androgênios simplesmente porque surgiu de um projeto similar ao cérebro masculino. Em lugar disso, os receptores de androgênios estão distribuídos de forma diferente em machos e fêmeas, com níveis mais altos em certas regiões das fêmeas. Houve uma seleção ativa para os efeitos dos androgênios nas fêmeas.[55]

Ainda mais importante do que isso, a agressividade feminina faz *sentido* — elas são capazes de aumentar sua aptidão evolutiva por meio de uma agressividade estratégica e instrumental.[56] Dependendo da espécie, as fêmeas podem competir ferozmente por recursos (comida ou lugar para fazer um ninho), atormentar competidoras reprodutivas de baixa posição hierárquica até gerar uma infertilidade induzida pelo estresse, ou matar os filhotes das outras (como ocorre entre chimpanzés). E, nas espécies de pássaros e (raros) primatas nas quais os machos são de fato paternais, as fêmeas competem de forma violenta por tais príncipes.

De modo notável, existem até espécies nas quais as fêmeas são socialmente dominantes e mais agressivas (até mais musculosas) do que os machos: é o caso de alguns primatas (bonobos, lêmures, micos e saguis), roedores (o rato da Califórnia, o hamster sírio e os ratos-toupeira pelados) e damões-do-cabo.[57] O exemplo mais célebre de um sistema de reversão sexual é o da hiena-malhada, conforme registrado por Laurence Frank, da Universidade da Califórnia em Berkeley, e seus colegas.* Entre os carnívoros tipicamente sociais (leões, por exemplo), as fêmeas cuidam da maior parte da caçada, e depois os machos aparecem para comer primeiro. Entre as hienas, são os machos socialmente subordinados que caçam; eles são depois chutados pelas fêmeas para bem longe da carcaça, a fim de que os filhotes possam comer

---

* As hienas possuem uma reputação terrível, graças a uma zoologia ultrapassada que as caracteriza, de maneira desdenhosa, como "necrófagas" ou "catadoras de carniça" (o tom sarcástico faz pouco sentido, já que a maioria de nós é catadora de coisas mortas no supermercado). Em vez de viver das sobras da caça dos leões, elas são caçadoras altamente eficazes. Em geral, são os leões necrófagos que tentam espantar as hienas de uma carcaça, mais do que o contrário. E as hienas de verdade não cantam músicas bobas como em *O Rei Leão*.

primeiro. E vejam só: em muitos mamíferos, a ereção é um sinal de dominância, ou seja, de um cara ostentando seu material. Entre as hienas, acontece o oposto: quando uma fêmea está prestes a aterrorizar um macho, ele tem uma ereção. ("Por favor, não me machuque! Veja, sou apenas um macho inofensivo.")*

O que explicaria a agressividade competitiva feminina (tanto em espécies com reversão sexual quanto em animais "normais")? Esses androgênios nas fêmeas são os suspeitos mais óbvios, e em algumas espécies com reversão sexual as fêmeas têm níveis desses hormônios iguais ou superiores aos dos machos.[58] Isso ocorre nas hienas, para quem passar a vida fetal inundada nos abundantes andróginos da mamãe produz um estado "pseudo-hermafrodita"** — hienas fêmeas têm um saco escrotal falso, nenhuma vagina externa e um clitóris tão grande quanto um pênis, e que também fica ereto.*** Além disso, algumas das diferenças sexuais registradas no cérebro da maioria dos mamíferos não ocorrem em hienas ou ratos-toupeira pelados, refletindo sua androgenização fetal.

Isso dá a entender que a agressividade feminina elevada em espécies com reversão sexual seria provocada pela exposição aumentada a androgênios e, por extensão, sugere também que a agressividade reduzida entre fêmeas de outras espécies teria origem em seus níveis baixos de androgênios.

Mas surgem algumas complicações. Para começar, há espécies (como os preás brasileiros) em que as fêmeas têm níveis altos de androgênios, mas não são particularmente agressivas ou dominantes com relação aos machos. De modo inverso, há espécies de pássaros com reversão sexual que não apresentam níveis elevados desses hormônios nas fêmeas. Além disso, como acontece com os machos, os níveis individuais de androgênios nas fêmeas, seja em espécies convencionais ou com reversão sexual, não prenunciam as taxas individuais de agressividade. De forma mais ampla, os níveis de androgênios não tendem a subir em momentos de agressividade feminina.[59]

---

* Pense: entre mamíferos típicos, quando os machos estão com medo, eles perdem a ereção. Entre as hienas, é nessa hora que eles ganham uma (assim, quando algum macho estropiado tem a chance de acasalar, é provável que ele esteja se borrando de medo). Isso exige uma fiação bem diferente do sistema nervoso autônomo, na qual o estresse promoveria, e não inibiria, ereções.

** Mais de 2 mil anos atrás, por motivos obscuros até para os mais entendidos, Aristóteles dissecou algumas hienas mortas e as discutiu em seu tratado *Historia Animalium*, VI, xxx. Ele chegou à conclusão incorreta de que esses animais eram hermafroditas, pois possuíam todo o maquinário de ambos os sexos.

*** Isso nos leva a outra grande curiosidade do mundo das hienas. Se uma fêmea de baixo nível hierárquico estiver sendo ameaçada por uma de nível mais alto, a subordinada tem uma ereção do clitóris: "Por favor, não me machuque! Veja, sou apenas uma dessas fêmeas estropiadas e inócuas"...

Isso faz sentido. A agressividade feminina está relacionada sobretudo à reprodução e à sobrevivência da prole — agressividade materna, é claro, mas também competição feminina na busca de machos, de lugares para fazer um ninho e do alimento necessário para o período da gravidez e da lactação. Os androgênios prejudicam aspectos da reprodução e do comportamento maternal em fêmeas. Como enfatizado por Hrdy, elas precisam equilibrar as vantagens da pró-agressividade dos androgênios com suas desvantagens antirreprodutivas. De forma ideal, os androgênios nas fêmeas deveriam afetar as partes do cérebro relativas à "agressão", mas não as partes relativas à "reprodução" e ao "maternalismo". O que, no fim das contas, foi precisamente o que evoluiu.*[60]

Agressividade e irritabilidade perimenstruais

É inevitável nos voltarmos para a síndrome pré-menstrual (SPM)** — os sintomas de mau humor e irritabilidade que surgem na época da menstruação, junto com o inchaço causado pela retenção de água, cólicas, acne etc. Há muitas ideias preconcebidas e falácias sobre a SPM (e também sobre o TDPM — transtorno disfórico pré-menstrual, cujos sintomas são graves o suficiente para prejudicar o funcionamento normal; ele afeta de 2% a 5% das mulheres).[61]

O assunto está marcado por duas controvérsias: o que causa a SPM e o TDPM, e como isso é relevante para a agressividade? A primeira é uma verdadeira encrenca. Será que a SPM e o TDPM são doenças biológicas ou construções sociais?

Para os que defendem a posição extrema de que ela "é só uma construção social", a SPM é *inteiramente* definida pela cultura, o que significa que ocorre apenas em certas sociedades. Foi Margaret Mead quem lançou essa ideia em 1928, ao asseverar, no livro *Coming of Age in Samoa*, que as mulheres samoanas não exibiam mudanças de humor ou de comportamento na época da menstruação. Já que os samoanos foram incensados por Mead como os primatas mais legais, pacíficos e sexualmente livres a leste dos bonobos, isso deu início a uma onda de alegações antropológicas de que as mulheres pertencentes a outras culturas, mais seminuas e vanguardistas, também não manifestavam a SPM.*** Naturalmente, culturas com

---

* Isso se deve a um hormônio obscuro chamado desidroepiandrosterona (DHEA), que é convertido em um androgênio apenas em certos neurônios; de forma ainda mais estranha, alguns desses neurônios ainda por cima sintetizam seus próprios androgênios.

** Muita gente considera mais propriamente a SPM como síndrome *peri*menstrual, pois os sintomas ocorrem não só antes da menstruação como também alguns dias depois.

*** Mead foi destroçada pelas gerações subsequentes de antropólogos da Oceania por ter pintado um retrato extremamente inexato de Samoa como o Jardim do Éden, em parte por causa de seu desejo

taxas vertiginosas de SPM (por exemplo, entre os primatas americanos) eram antissamoanas, e tais sintomas tinham origem nos maus-tratos e na repressão sexual das mulheres. Essa visão inclusive deu espaço a uma crítica socioeconômica que produziu tolices como: "A SPM é uma forma de expressão da raiva feminina que resulta de sua posição oprimida na sociedade capitalista americana".*[62]

Um desdobramento dessa visão é a ideia de que, em tais sociedades repressivas, são as mulheres mais oprimidas as que têm os piores sintomas da SPM. Portanto, dependendo da fonte, mulheres com SPM severa só podem ser ansiosas, deprimidas, neuróticas, hipocondríacas, sexualmente reprimidas, aduladoras da repressão religiosa, ou mais complacentes com estereótipos de gênero; e respondem a esse desafio se retraindo, em vez de encarar as coisas de cabeça erguida. Em outras palavras, nenhuma única samoana legal entre elas.

Por sorte, essa visão praticamente já caiu por terra. Inúmeros estudos registram mudanças normais no cérebro e no comportamento ao longo do ciclo reprodutivo, com uma quantidade igualmente grande de correlações comportamentais na ovulação e na menstruação.**[63] A SPM, portanto, é apenas uma versão muito nociva dessas mudanças. Ainda que ela seja real, seus sintomas variam de acordo com a cultura. Por exemplo, mulheres perimenstruais na China relatam uma quantidade menor de emoções negativas que as mulheres ocidentais (não sabemos dizer se elas as experimentam menos ou relatam menos o que sentem). Considerando os mais de cem sintomas ligados à SPM, não é surpresa que diferentes efeitos predominem em diferentes populações.

Como uma forte evidência de que as mudanças comportamentais e de humor no período perimenstrual são biológicas, elas ocorrem em outros primatas.[64] Fêmeas de babuínos e de macacos-vervet*** se tornam mais agressivas e menos sociais antes da menstruação (até onde sei, elas não têm problemas com o capitalismo americano). É interessante notar que o estudo dos babuínos registrou elevação da

---

ideológico de ver Samoa dessa forma e, em parte, porque os nativos se divertiram à beça inventando coisas e vendo a estupefata senhora branca cair como um patinho na conversa deles.

* Essa corrente de pensamento também produziu frases como: "Tal análise simbólica é consistente com o foco hermenêutico, centrado no significado, da 'nova psiquiatria intercultural'". Não faço ideia do que diabos isso quer dizer.

** Por exemplo, a "área fusiforme de faces" fica mais reativa a rostos nas mulheres que estão ovulando, em comparação com as que estão menstruando. De modo similar, o "emocional" CPFVM responde melhor a rostos de homens quando as mulheres estão se aproximando da ovulação (e não da menstruação); quanto maior a razão entre estrogênio e progesterona na corrente sanguínea durante essa fase pré-ovulatória, maior a receptividade do CPFVM. Por fim, quando estão ovulando, as mulheres julgam os rostos de homens de aparência "agressiva" como mais atraentes.

*** *Chlorocebus pygerythrus*. (N. T.)

agressividade apenas em fêmeas dominantes; presume-se que as fêmeas subordinadas não tiveram a oportunidade de expressar maior agressividade.

Todas essas descobertas sugerem que as mudanças comportamentais e de humor têm base biológica. Construção social é, *isso sim*, o ato de medicalizar e patologizar essas mudanças como "sintomas", como uma "síndrome" ou como "distúrbio".

Portanto, qual é a biologia subjacente aqui? Uma teoria dominante aponta para a queda acentuada nos níveis de progesterona conforme a menstruação se aproxima e, portanto, para a perda de seus efeitos ansiolíticos e sedativos. Nessa ótica, a SPM surgiria de um declínio extremo. Contudo, não há muitas bases factuais para apoiar essa ideia.

Outra teoria, corroborada por algumas evidências, tem a ver com o hormônio beta-endorfina, famoso por ser secretado durante o exercício físico e por induzir um translúcido e eufórico "barato do corredor". Nesse modelo, a SPM diz respeito a níveis anormalmente baixos de beta-endorfina. Há muito mais teorias a respeito, porém pouquíssima certeza.

Agora, para a questão de quanto a SPM está associada à agressividade. Nos anos 1960, estudos realizados por Katharina Dalton, que cunhou o termo "síndrome pré-menstrual" em 1953, revelaram que mulheres criminosas cometiam seus delitos de modo desproporcionalmente maior no período perimenstrual (o que pode dizer menos sobre cometer crimes e mais sobre ser pega).[65] Outros estudos, realizados em um colégio interno, registraram uma parcela desproporcional de "notas ruins" por transgressões comportamentais sendo dadas a alunas em período perimenstrual. No entanto, os estudos na prisão não foram capazes de separar crimes violentos e não violentos, e o estudo no internato não fez distinção entre atos de agressividade e infrações leves, como chegar atrasada. Em termos coletivos, há poucas evidências de que as mulheres exibam mais tendência à agressividade no período menstrual ou de que mulheres violentas sejam mais propensas a cometer seus crimes nesse período.

Ainda assim, argumentos de defesa relacionados à "diminuição de responsabilidade" acarretada pela SPM têm sido bem-sucedidos nos tribunais.[66] Um caso notável de 1980 envolveu Sandie Craddock, que matou um colega de trabalho e tinha um histórico de antecedentes criminais com mais de trinta condenações por furto, incêndio criminoso e roubo. De modo incongruente, porém fortuito, Craddock mantinha um diário meticuloso, com vários anos de registros não só de quando ficava menstruada, mas também de quando saía pela cidade num surto criminoso. Seus delitos e sua menstruação combinavam de modo tão preciso que ela foi posta em liberdade condicional e em tratamento com progesterona. Para tornar o caso ainda mais estranho, mais tarde o médico de Craddock reduziu a dose de progesterona; no período menstrual seguinte, ela foi presa por tentativa de esfaqueamento. De novo saiu em liberdade condicional e com um tantinho mais de progesterona.

Esses estudos sugerem que um pequeno número de mulheres apresenta de fato um comportamento perimenstrual que se caracteriza como psicótico e deveria ser considerado um fator atenuante em um tribunal.* Ainda assim, as mudanças perimenstruais normais e corriqueiras de humor e de comportamento não estão atreladas a um aumento da agressividade.

O ESTRESSE E O FUNCIONAMENTO IMPRUDENTE DO CÉREBRO

O momento anterior a alguns de nossos comportamentos mais importantes e consequentes pode estar repleto de estresse. O que é péssimo, já que o estresse afeta as decisões que tomamos, e quase nunca para melhor.

A dicotomia básica entre as respostas agudas e crônicas ao estresse

Começaremos com um termo de biologia do ensino médio há muito esquecido. Lembra-se da "homeostase"? Significa ter condições ideais de temperatura corporal, frequência cardíaca, níveis de glicose e assim por diante. Um "estressor" é algo que afeta o equilíbrio homeostático — digamos, ser perseguido por um leão quando se é uma zebra, ou perseguir uma zebra quando se é um leão faminto. A resposta ao estresse é o conjunto de mudanças neurais e endócrinas que ocorrem na zebra ou no leão, concebidas para fazê-los sair dessa crise e restabelecer a homeostase.**[67]

Eventos críticos no cérebro provocam o início da resposta ao estresse. (Alerta: os próximos dois parágrafos são técnicos e prescindíveis.) O vislumbre de um leão ativa a amígdala; os neurônios dessa estrutura estimulam os neurônios do tronco encefálico, que então inibem o sistema nervoso parassimpático e mobilizam o simpático, liberando adrenalina e noradrenalina pelo corpo.

A amígdala também age sobre outro setor essencial da resposta ao estresse,

---

* A questão mais ampla quanto ao que essa avalanche de informações nos revela a respeito da justiça criminal será discutida no capítulo 16. Agradeço a Dylan Alegria, um de meus assistentes de pesquisa, pela ajuda extraordinária na revisão da literatura envolvendo SPM e criminalidade.
** Para os verdadeiros entusiastas: nos últimos anos, o termo "homeostase" expandiu-se e sofisticou-se em direção ao conceito novo e elegante de "alostase". De forma resumida, o termo incorpora o fato de que o ponto de ajuste homeostático ideal varia drasticamente, dependendo das circunstâncias.

ativando o núcleo paraventricular (NPV) no hipotálamo. E o NPV envia projeções para a base do hipotálamo, onde libera o hormônio liberador de corticotrofina (HLC); isso induz a hipófise a liberar o hormônio adrenocorticotrófico (HACT), que estimula a secreção de glicocorticoides a partir das adrenais.

Os glicocorticoides, em conjunção com o sistema nervoso simpático, permitem que o organismo sobreviva a um estressor físico ativando a clássica resposta de "luta ou fuga". Não importa se você é a zebra ou o leão: de qualquer forma, vai precisar de energia para os músculos, e a resposta ao estresse logo mobiliza energia na corrente sanguínea a partir de sítios de armazenamento pelo corpo. Além disso, durante o estresse, projetos estruturais de longo prazo — crescimento, reparação de tecidos e reprodução — são postergados até a crise terminar; afinal de contas, quando um leão está no seu encalço, você tem coisas melhores a fazer com sua energia do que, digamos, tornar mais espessa sua parede uterina. A beta-endorfina é secretada, o sistema imunológico é estimulado e a coagulação do sangue é aprimorada: tudo isso será muito útil se houver um ferimento doloroso. Além disso, glicocorticoides alcançam o cérebro e realçam com rapidez alguns aspectos da cognição e da precisão sensorial.

Isso é maravilhosamente adaptativo para a zebra ou para o leão; tente sair correndo sem adrenalina e glicocorticoides e logo você estará morto. Refletindo sua importância, a resposta básica ao estresse se baseia em uma fisiologia ancestral encontrada em mamíferos, pássaros, peixes e répteis.

O que não é ancestral é como o estresse funciona em primatas inteligentes, socialmente sofisticados e de evolução recente. Para os primatas, a definição de estressor se expande para além de um desafio físico à homeostase. Inclui também achar que você está *prestes* a ser empurrado para fora da homeostase. Uma resposta antecipatória ao estresse é adaptativa apenas quando houver um desafio físico a caminho. Contudo, se você está sempre convencido, e sem razão, de que vai sofrer um desequilíbrio homeostático, então está agindo como um primata ansioso, neurótico, paranoico ou hostil que está *psicologicamente* estressado. E a resposta ao estresse não evoluiu para lidar com essa recente inovação mamífera.

Mobilizar energia enquanto você corre para sobreviver ajuda a salvá-lo. Mas se fizer isso de forma crônica por conta de uma hipoteca estressante de trinta anos estará se expondo a inúmeros problemas metabólicos, entre eles diabetes tardia. O mesmo vale para a pressão sanguínea: aumentá-la para poder correr pelas savanas é bom. Aumentá-la por causa de um estresse psicológico crônico pode levá-lo a uma hipertensão induzida pelo estresse. Interferir de forma crônica no crescimento e na reparação dos tecidos o fará pagar o preço. A mesma coisa se aplica à inibição crônica da fisiologia reprodutiva; você prejudica os ciclos ovulatórios em mulheres e provoca a diminuição das ereções e da testosterona em homens. Por fim, ainda que a resposta aguda ao estresse envolva um aumento de imunidade, o estresse crônico a suprime, aumentando a vulnerabilidade para certas doenças infecciosas.*

Temos uma dicotomia: se você estiver estressado como um mamífero normal em uma crise física aguda, a resposta ao estresse salva sua vida. Mas se, em vez disso, você ativar esse mecanismo de maneira crônica por motivos de estresse psicológico, sua saúde sofre. É raro um ser humano ficar doente porque não conseguiu ativar a resposta ao estresse quando necessário. Em lugar disso, ficamos doentes por ativar esse mecanismo com demasiada frequência, por tempo demais e por razões puramente psicológicas. O fato de os efeitos benéficos da resposta ao estresse para zebras e leões em fuga se esgotarem em questão de segundos a minutos é decisivo. Mas, quando você leva o estresse para o curso de tempo deste capítulo (daqui para a frente, ele será chamado de estresse "sustentado"), terá de lidar com consequências adversas. Entre elas, alguns dos efeitos indesejáveis no comportamento que permeiam este livro.

Uma breve digressão: o estresse que amamos

Fugir de um leão ou lidar com anos de congestionamento no trânsito é um estorvo. Isso contrasta com o estresse que nós amamos.[68]

Amamos o estresse que é leve, passageiro e que ocorre em um contexto benéfico. A ameaça estressante de um passeio na montanha-russa é que ela pode nos deixar enjoados, mas não que irá nos decapitar; ela dura três minutos, não três dias. Amamos esse tipo de estresse, imploramos por ele, pagamos para experimentá-lo. Como chamamos essa quantidade ótima de estresse? Estar engajado, absorto, sentir-se desafiado, estimulado. Brincar. A essência do estresse psicológico é a falta de controle e previsibilidade. Porém, em ambientes benéficos, nós renunciamos de bom grado ao controle e à previsibilidade a fim de sermos desafiados pelo inesperado: um declive nos trilhos da montanha-russa, uma reviravolta no enredo, uma bola baixa que você tem que rebater, um movimento inesperado de xadrez do oponente. Surpreenda-me — é divertido.

Isso nos leva a um conceito-chave chamado de U invertido. A completa ausência de estresse é tediosamente aversiva. O estresse moderado e transitório é mara-

---

* Mais informações para os entusiastas: a supressão da imunidade e da inflamação durante o estresse crônico é causada pelos glicocorticoides. É por isso que eles são utilizados para coibir o sistema imunológico em pessoas com hiperatividade imunológica (por exemplo, doenças autoimunes), para prevenir a rejeição de um órgão transplantado ou para conter uma resposta inflamatória exagerada. É o que acontece quando pacientes são tratados com "esteroides" imunossupressores e anti-inflamatórios como a cortisona ou a prednisona (dois glicocorticoides sintéticos).

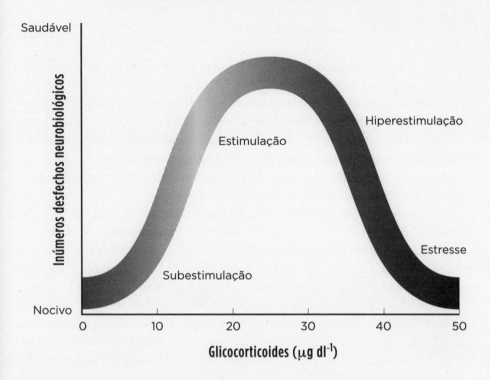

vilhoso: vários aspectos do funcionamento do cérebro são aguçados; os níveis de glicocorticoides nessa faixa aumentam a liberação de dopamina; ratos trabalham pressionando alavancas a fim de receber a quantia exata de glicocorticoides. E, conforme o estresse se torna mais severo e prolongado, esses bons efeitos desaparecem (é claro que há diferenças individuais drásticas quanto ao ponto em que ocorre a transição do estresse estimulante para o estimulante em demasia; o pesadelo de uma pessoa é o hobby de outra).*

* Como é que o cérebro consegue executar esse U invertido, segundo o qual um aumento moderado nos níveis de glicocorticoides aguça a memória (por exemplo), mas um aumento maior faz o oposto? Uma solução desenvolvida pelo cérebro é possuir dois sistemas de receptores para os glicocorticoides. Um deles (o "MR") responde a pequenos aumentos acima do parâmetro de base dos níveis de glicocorticoides, e lida com os efeitos estimulantes. Os outros receptores ("GR") respondem apenas a elevações enormes e prolongadas, e lidam com os efeitos adversos. De modo previsível, os níveis dos dois tipos de receptores variam de acordo com a região do cérebro, o indivíduo e a circunstância.

Amamos a quantia certa de estresse e definharíamos sem ela. Mas agora é hora de voltar ao estresse sustentado e à metade direita do U invertido.

Estresse sustentado e a neurobiologia por trás do medo

Para começar, o estresse sustentado faz com que as pessoas olhem mais para rostos zangados de forma implícita (ou seja, de maneira inconsciente). Mais que isso, durante o estresse, aquele atalho sensorial que vai do tálamo à amígdala se torna mais ativo, com sinapses mais excitáveis; sabemos qual é o compromisso resultante entre velocidade e precisão. Para complicar as coisas ainda mais, os glicocorticoides diminuem a ativação do (cognitivo) CPF medial durante o processamento de rostos expressivos. Em conjunto, o estresse ou a administração de glicocorticoides reduz a precisão ao avaliar com rapidez as emoções dos rostos.[69]

Enquanto isso, durante o estresse, as coisas não vão bem na amígdala. A região é altamente sensível aos glicocorticoides, com um grande número de receptores para esses hormônios; o estresse e os glicocorticoides aumentam a excitabilidade dos neurônios da amígdala,* em particular da amígdala basolateral (ABL), com seu papel no aprendizado do medo. Portanto, trata-se de mais uma ação hormonal contingencial — os glicocorticoides não provocam potenciais de ação nos neurônios da amígdala, ou seja, não inventam a excitação. Em vez disso, amplificam a excitação preexistente. O estresse e os glicocorticoides também aumentam os níveis de HLC na ABL, e de um fator de crescimento que fabrica novos dendritos e sinapses (o fator neurotrófico derivado do cérebro, o FNDC).[70]

Lembre-se de como, no capítulo 2, durante uma situação assustadora, a amígdala recruta o hipocampo para rememorar informações contextuais sobre o evento (por exemplo, a amígdala se lembra da faca do ladrão, ao passo que o hipocampo se lembra de onde o roubo ocorreu).[71] O estresse fortalece esse recrutamento, tornando o hipocampo um subúrbio amigdaloide acossado pelo medo. Graças a essas ações dos glicocorticoides na amígdala,** o estresse facilita o aprendizado da associação do medo e sua consolidação em uma memória de longo prazo.

---

* Como acabamos de observar, o estresse aumenta a excitabilidade na amígdala como um todo. Isso envolve a *inibição* de alguns neurônios em particular — a saber, os interneurônios inibitórios GABA. A inibição dos inibidores nesse circuito provoca o aumento da atividade dos grandes e excitatórios neurônios liberadores de glutamato.

** E também, de forma obscura, graças ao sistema nervoso simpático que ativa indiretamente a amígdala ao projetar em direção a ela uma liberação de noradrenalina a partir do *locus ceruleus* (aquela região do tronco encefálico mencionada brevemente no capítulo 2 — sua ativação faz com que todo o cérebro fique agitado).

Isso estabelece um ciclo de retroalimentação positiva. Como observamos, com o início do estresse, a amígdala ativa indiretamente a resposta dos glicocorticoides. E os glicocorticoides, por sua vez, aumentam a excitabilidade da amígdala.

O estresse também torna mais difícil *desaprender* o medo, ou seja, "extinguir" uma associação de medo condicionado. Esse mecanismo envolve o córtex pré-frontal, que provoca a extinção do medo ao inibir a ABL (conforme discutido no capítulo 2); o estresse enfraquece o poder do CPF sobre a amígdala.[72]

Lembre-se de como funciona a extinção do medo. Você aprendeu a associar com apreensão uma luz a um choque, mas hoje ela continua vindo sem nenhum choque. Extinção não é esquecer de forma passiva que a luz é sinônimo de choque. É a ABL aprender ativamente que a luz não é mais sinônimo de choque. Portanto, o estresse facilita o aprendizado de associações de medo, mas prejudica o aprendizado da extinção do medo.

Estresse sustentado, função executiva e julgamento

O estresse compromete outros aspectos do funcionamento do córtex frontal. A memória de trabalho é prejudicada; em um estudo, a administração prolongada de altos níveis de glicocorticoides a indivíduos saudáveis danificou a memória de trabalho em proporções semelhantes às registradas depois de ocorrerem lesões no córtex frontal. Os glicocorticoides fazem isso de duas formas: aumentando a sinalização de noradrenalina no CPF de tal modo que, em vez de provocar uma concentração estimulante, temos um tumulto cognitivo do tipo galinha-sem-cabeça-correndo; e aguçando os sinais de interferência da amígdala ao CPF. O estresse também dessincroniza a ativação em diferentes regiões frontocorticais, o que afeta a habilidade de alternar a atenção entre tarefas.[73]

Esses efeitos do estresse no funcionamento frontal também nos tornam mais pertinazes — estancados na rotina, inflexíveis, funcionando no automático e como de hábito. Nós todos sabemos disso: o que costumamos fazer em momentos estressantes, quando alguma coisa não está dando certo? A mesma coisa de novo, várias e várias vezes, de modo mais rápido e intenso — parece inconcebível que o habitual não esteja funcionando. É justo nesse momento que o córtex frontal o induz a fazer a coisa mais difícil quando é a mais certa: reconhecer que é hora de mudar. Exceto em um córtex frontal estressado ou que foi exposto a uma grande quantia de glicocorticoides. Em ratos, macacos e seres humanos, o estresse enfraquece as conexões frontais com o hipocampo — essenciais para incorporar as novas informações que o levariam a mudar de estratégia —, ao mesmo tempo que fortalece as conexões frontais com os circuitos do cérebro mais habituais.[74]

Por fim, a diminuição das funções frontais e o aumento da função amigdaloide causados pelo estresse são capazes de alterar o comportamento de inclinação ao risco. Por exemplo, o estresse oriundo da privação do sono ou de falar em público, ou mesmo a administração de altos níveis de glicocorticoides, modifica a tendência a se proteger das perdas, tornando o indivíduo mais propenso a buscar ganhos maiores em jogos de azar. Isso envolve uma interessante diferença de gêneros: em geral, grandes estressores tornam os indivíduos de ambos os gêneros mais dispostos a assumir riscos. Já os estressores moderados induzem os homens a assumir riscos, mas não as mulheres, que passam a fugir deles. Na ausência de estresse, os homens são mais propensos a arriscar do que as mulheres; portanto, mais uma vez, os hormônios aguçam uma tendência preexistente.[75]

Tanto no caso da pessoa que se torna atraída ao risco de forma irracional (sem conseguir mudar de estratégia como resposta a uma taxa de recompensa cada vez menor) quanto no da que se torna aversiva ao risco (sem conseguir responder ao cenário oposto), ela não está sabendo incorporar novas informações. De modo mais amplo, o estresse sustentado prejudica a avaliação de riscos.[76]

Estresse sustentado, pró-sociabilidade e antissocialidade

Durante o estresse sustentado, a amígdala processa informações sensoriais emocionais de forma mais rápida e menos precisa, dominando o funcionamento do hipocampo e prejudicando a atividade frontocortical; ficamos com mais medo, nossos pensamentos se embaralham, avaliamos mal os riscos e agimos por impulso devido à força do hábito, em vez de incorporar novos dados.[77] É uma receita para a agressividade rápida e reativa; o estresse e a administração aguda de glicocorticoides aumentam tal agressividade em roedores e em seres humanos. Temos duas ressalvas bem conhecidas: a) em vez de criar agressividade, o estresse e os glicocorticoides aumentam a sensibilidade a seus gatilhos sociais; b) isso ocorre com mais rapidez em indivíduos já predispostos a ser agressivos. Como veremos no próximo capítulo, o estresse que dura de semanas a meses produz um quadro com menos nuanças.

Há mais uma razão deprimente para que o estresse estimule a agressividade: ela reduz o próprio estresse. Dê um choque em um rato e seus níveis de glicocorticoides e pressão sanguínea aumentam; depois de receber choques o suficiente, ele corre o risco de desenvolver uma úlcera "de estresse". Inúmeras coisas podem fazê-lo relaxar durante os choques: correr numa roda de exercícios, comer e roer madeira por causa da frustração. A agressividade deslocada induzida pelo estresse (ou pela frustração) é generalizada em várias espécies. Entre os babuínos, por exemplo, quase metade das agressões é desse tipo: um macho de alto nível hierárquico perde uma briga e persegue um macho subadulto, que de imediato morde uma fêmea, que então investe contra um filhote. Minha pesquisa mostra que, dentro da mesma hierarquia de dominância, quanto mais um babuíno tende a descontar sua agressividade depois de perder uma briga, menores são seus níveis de glicocorticoides.[78]

Os seres humanos se destacam na agressividade deslocada induzida pelo estresse — considere como as recessões econômicas levam a um aumento das taxas de violência doméstica contra mulheres e crianças. Ou considere um estudo sobre violência familiar e futebol profissional. Se o time local tem uma derrota inesperada, a violência doméstica praticada pelos homens aumenta 10% logo após a partida (não há elevação quando o time ganha ou quando a derrota já era esperada). Conforme as apostas aumentam, esse padrão é exacerbado: há um aumento de 13% depois de uma derrota na fase eliminatória e de 20% se ela for causada por um arquirrival.[79]

Pouco se sabe sobre a neurobiologia por trás da agressividade deslocada que ameniza a resposta ao estresse. Meu palpite é que partir para o ataque ativa as vias dopaminérgicas de recompensa, uma forma garantida de inibir a liberação de HLC.*[80] Com demasiada frequência, dar uma úlcera ajuda a evitar ter uma úlcera.

Mais uma má notícia: o estresse nos inclina ao egoísmo. Em um estudo, voluntários respondiam a questões sobre cenários de tomadas de decisões morais depois de passar por um estressor social ou uma situação neutra.** Certos cenários eram de baixa intensidade emocional ("Você está esperando no balcão de carnes do supermercado e um senhor idoso entra na sua frente. Você reclamaria?"), outros de alta intensidade ("Você conhece o amor da sua vida, mas você é casado e tem filhos. Abandonaria a sua família?"). O estresse fez as pessoas darem respostas mais egoístas sobre decisões morais emocionalmente intensas (mas não no caso das mais leves); quanto mais os níveis de glicocorticoides subiam, mais egoístas eram as respostas. Além disso, no mesmo paradigma, o estresse reduziu os níveis de altruísmo que os indivíduos alegavam ter em questões pessoais (mas não impessoais) de cunho moral.[81]

---

* A neurobiologia subjacente a esse fenômeno talvez seja similar àquela registrada em outros domínios de tomadas de decisão desastrosas em momentos de estresse — por exemplo, comer ou beber mais.

** Trata-se de um teste bastante comum nesse campo, chamado Teste de Estresse Social de Trier — a combinação de uma entrevista de emprego simulada com uma tarefa aritmética mental, ambas executadas em quinze minutos diante de uma banca de examinadores impassíveis.

Temos aqui outro efeito endócrino contingencial: o estresse torna as pessoas mais egoístas, mas só nas circunstâncias que envolvem emoções mais intensas e pessoais.* Isso é evocativo de outra conjuntura de mau funcionamento frontal — lembre-se do capítulo 2, no qual os indivíduos com lesões no córtex frontal faziam julgamentos razoáveis sobre os assuntos alheios, mas, quanto mais pessoal e emocionalmente potente fosse o assunto, mais dificuldades eles apresentavam.

Sentir-se melhor por agredir um inocente ou pensar mais em suas próprias necessidades não são atitudes compatíveis com o sentimento de empatia. Será que o estresse diminui a empatia? Pelo visto, sim, tanto em camundongos quanto em seres humanos. Um memorável artigo de 2006 escrito por Jeffrey Mogil, da Universidade McGill, e publicado na revista *Science* mostrou os rudimentos da empatia nos camundongos: o limiar de dor de um roedor fica mais baixo quando ele está perto de outro camundongo em sofrimento, mas só se este for seu colega de gaiola.[82]

Isso gerou um estudo complementar que fiz com a equipe de Mogil aplicando o mesmo paradigma. A presença de um camundongo desconhecido ativa uma resposta ao estresse. Mas, quando a secreção de glicocorticoides é temporariamente bloqueada, os roedores exibem a mesma "empatia à dor" ao camundongo desconhecido e ao colega de gaiola. Em outras palavras, personificando os camundongos, os glicocorticoides definem quem conta o suficiente como Nós a fim de evocar nossa empatia. O mesmo ocorreu em seres humanos: um desconhecido não foi capaz de estimular a empatia à dor, a menos que a secreção de glicocorticoides fosse bloqueada (com a administração de uma droga de curta duração ou depois de o indivíduo e o desconhecido interagirem socialmente). Lembre-se do capítulo 2 e do envolvimento do córtex cingulado anterior na empatia à dor. Aposto que esses glicocorticoides fazem uns estragos bem incapacitantes e atrofiantes nos neurônios de lá.

Dessa forma, o estresse sustentado tem efeitos comportamentais bastante desagradáveis. Ainda assim, há circunstâncias em que ele é capaz de extrair o melhor e mais magnífico comportamento de algumas pessoas. Um estudo de Shelley Taylor, da Universidade da Califórnia em Los Angeles (UCLA), mostrou que o mecanismo de "luta ou fuga" é a típica resposta masculina ao estresse, e, naturalmente, a maior parte da literatura nessa área é composta por estudos de homens sobre homens.[83] As coisas em geral são diferentes nas fêmeas. Mostrando que é páreo para os velhos sujeitos de sempre na hora de cunhar frases de efeito, a pesquisadora enquadrou a resposta feminina ao estresse como sendo mais sobre "cuidar e integrar"

---

* Note que são estudos sobre o que as pessoas *dizem* que fariam, e não sobre o que *de fato* fariam. A diferença entre ambos será discutida no capítulo 13, quando iremos considerar o raciocínio moral versus a ação moral.

(*tend and befriend*): cuidar dos mais jovens e buscar afiliação social. Isso condiz com as diferenças gritantes entre os sexos no que tange ao estilo de lidar com o estresse; além disso, é muito provável que cuidar-e-integrar reflita a resposta feminina ao estresse envolvendo um componente mais forte de secreção de ocitocina.

Naturalmente, as coisas são bem mais sutis do que "macho = luta ou fuga" e "fêmea = cuidar e integrar". Há frequentes contraexemplos para cada um: o estresse estimula a pró-socialidade em muitos outros machos além dos micos formadores de casais, e já vimos que as fêmeas são bastante capazes de cometer agressões. Então há Mahatma Gandhi e há Sarah Palin.* Por que certas pessoas são exceções a esses estereótipos de gênero? É sobre isso que fala o resto deste livro.

O estresse pode prejudicar a cognição, o controle de impulsos, a regulação emocional, a tomada de decisões, a empatia e a pró-socialidade. Uma última observação. Lembre-se do capítulo 2, quando alertei que não há juízo de valor na afirmação de que o córtex frontal o induz a fazer a coisa mais difícil quando é a coisa certa a se fazer — "a coisa certa" é um termo puramente instrumental. A mesma lógica se aplica ao estresse. Seus efeitos sobre a tomada de decisão são "adversos" apenas no sentido neurobiológico. Durante uma crise de estresse, um paramédico pode se tornar obsessivo, o que irá incapacitá-lo para salvar vidas. Isso é péssimo. Durante uma crise de estresse, um déspota sociopata pode se tornar obsessivo, o que irá incapacitá-lo para fazer uma limpeza étnica em um vilarejo. Isso não é nada mau.

UM DESMASCARAMENTO IMPORTANTE: O ÁLCOOL

Nenhuma revisão dos eventos biológicos ocorridos de minutos a horas antes de um comportamento poderia omitir o álcool. Como todos sabemos, o álcool reduz as inibições, tornando as pessoas mais agressivas. Errado, e de um modo bem conhecido: o álcool só estimula a agressividade em: a) indivíduos propensos a ela (por exemplo, camundongos com níveis mais baixos de serotonina sinalizando no córtex frontal e homens com a variante do gene receptor da ocitocina menos reativo a esse hormônio); e b) pessoas que *acreditam* que o álcool as torna mais agressivas, mais uma vez comprovando o poder do aprendizado social na hora de moldar a biologia.[84] O álcool tem efeitos diferentes em cada indivíduo — por exemplo, um estupor de embriaguez leva a uma porção de casamentos-relâmpago em Las Vegas que não parecem uma ideia lá tão boa quando o sol nasce no dia seguinte.

---

* Tá bom, foi só uma maldadezinha juvenil para aumentar o número de alces que comprarão exemplares deste livro.

RESUMO E ALGUMAS CONCLUSÕES

- Os hormônios são ótimos; eles superam em muito os neurotransmissores em termos de versatilidade e duração dos efeitos. E isso inclui afetar os comportamentos que são relevantes para este livro.
- A testosterona tem muito menos a ver com agressividade do que muitos supõem. Dentro de uma faixa normal, as diferenças individuais nos níveis desse hormônio não são capazes de prever quem será agressivo. Além disso, quanto mais um organismo tiver sido agressivo, menos testosterona será necessária para estimular agressões futuras. Nos momentos em que a testosterona de fato desempenha um papel, é de facilitador — ela não "inventa" a agressividade. Ela nos faz mais sensíveis a gatilhos de agressividade, sobretudo nos indivíduos mais propensos a agir dessa forma. O aumento dos níveis desse hormônio estimula a agressividade apenas quando o status do indivíduo é desafiado. Por fim, de forma crucial, a elevação da testosterona durante um desafio de status não aumenta necessariamente a agressividade; ela aumenta o que quer que seja necessário para manter sua posição hierárquica. Em um mundo no qual o status social é concedido para o melhor de nossos comportamentos, a testosterona seria o hormônio mais pró-social existente.
- A ocitocina e a vasopressina facilitam a formação de vínculos entre mãe e bebê e a formação de casais monogâmicos, diminuem a ansiedade e o estresse, reforçam a confiança e a afiliação social, e tornam as pessoas mais cooperativas e generosas. Mas isso vem com uma enorme limitação: esses hormônios aumentam a pró-socialidade apenas em relação a um de Nós. Ao lidar com Eles, a ocitocina e a vasopressina nos fazem mais etnocêntricos e xenofóbicos. A ocitocina não é o hormônio universal do amor. O efeito é apenas paroquial.
- A agressividade feminina em defesa da prole costuma ser adaptativa e facilitada pelo estrogênio, pela progesterona e pela ocitocina. É importante notar que as fêmeas são agressivas em muitas outras circunstâncias evolutivamente adaptativas. Tal agressividade é estimulada pela presença de androgênios e por truques neuroendócrinos complexos de geração de sinais androgênicos em partes "agressivas" do cérebro feminino, e não "maternais" ou "afiliativas". As mudanças de humor e de comportamento na época da menstruação são uma realidade biológica (ainda que não muito bem compreendida em seus aspectos práticos); por outro lado, a patologização

dessas mudanças é uma construção social. Por fim, exceto em casos raros e extremos, a ligação entre SPM e agressividade é mínima.

- O estresse sustentado tem inúmeros efeitos adversos. A amígdala se torna hiperativa e mais conectada às vias de comportamentos habituais; fica mais fácil aprender o medo e mais difícil desaprendê-lo. Processamos informações emocionalmente salientes de forma mais rápida e automática, mas sem muita precisão. O funcionamento frontal — memória de trabalho, controle de impulsos, tomada executiva de decisões, avaliação de riscos e alternância de tarefas — é prejudicado, e o córtex frontal tem menos controle sobre a amígdala. Nos tornamos menos empáticos e pró-sociais. Reduzir o estresse sustentado é benéfico para nós e para os que nos rodeiam.
- "É que andei bebendo" não é desculpa para a agressividade.
- No decurso de minutos a horas, os efeitos hormonais são sobretudo contingenciais e facilitadores. Hormônios não determinam, comandam, provocam ou inventam comportamentos. Em vez disso, eles nos tornam mais sensíveis para gatilhos sociais de comportamentos emocionalmente carregados e exageram nossas tendências preexistentes nesses domínios. E de onde vêm essas tendências preexistentes? Do conteúdo dos capítulos a seguir.

5. De dias a meses antes

Nossa ação ocorreu: apertamos o gatilho ou tocamos um braço em um gesto que pode ter significados diferentes de acordo com o contexto. Por que isso acaba de acontecer? Como vimos há alguns segundos, esse comportamento foi um produto do sistema nervoso, cujas ações foram moldadas por pistas sensoriais surgidas de minutos a horas antes; vimos também como a sensibilidade do cérebro para essas pistas foi moldada pela exposição hormonal nas horas ou dias precedentes. Que eventos ocorridos num período de dias a meses antes moldaram esse resultado?

O capítulo 2 introduziu a plasticidade dos neurônios, ou seja, o fato de que as coisas se alteram dentro deles. A força de um sinal dendrítico de entrada, o ponto de referência do cone axonal para iniciar um potencial de ação, a duração do período refratário. O capítulo anterior mostrou que, por exemplo, a testosterona aumenta a excitabilidade dos neurônios corticais. Vimos inclusive como a progesterona eleva a eficácia com que os neurônios secretores de GABA reduzem a excitabilidade de outros neurônios.

Essas modalidades de plasticidade neuronal ocorrem no decurso de horas. Iremos agora examinar uma plasticidade mais drástica que ocorre de dias até meses antes. Uns poucos meses são tempo suficiente para uma Primavera Árabe, para um inverno de descontentamento,* ou para que doenças sexualmente transmissíveis se espalhem durante um Verão do Amor. Como veremos, também é o suficiente para ocorrerem enormes alterações na estrutura do cérebro.

EXCITAÇÃO NÃO LINEAR

Começaremos com calma. De que forma os eventos de meses atrás poderiam produzir uma sinapse de excitabilidade alterada hoje? Quando neurocientistas abor-

---

* Referência ao início da peça *Ricardo III*, de William Shakespeare: "Este é o inverno de nosso descontentamento". (N. T.)

daram o mistério da memória pela primeira vez, no início do século XX, conceberam a pergunta em uma escala mais ampla: como o cérebro é capaz de lembrar? Parecia óbvio que uma lembrança era armazenada em um único neurônio, e que uma nova lembrança exigia um novo neurônio.

A descoberta de que o cérebro adulto não produz novos neurônios desbancou essa ideia. Microscópios mais sofisticados revelaram a arborização neuronal, ou seja, a complexidade estonteante das ramificações de dendritos e terminais axonais. Então talvez uma nova lembrança exigisse de um neurônio a produção de uma nova ramificação axonal ou dendrítica.

Surgiram novas informações sobre as sinapses, a ciência dos neurotransmissores foi criada e essa ideia se transformou: uma nova memória exigiria a formação de uma nova sinapse, ou seja, de uma nova conexão entre um terminal axonal e uma espinha dendrítica.

Tais especulações foram jogadas na lata do lixo da história em 1949, graças ao trabalho do neurobiólogo canadense Donald Hebb, um homem tão visionário que até hoje, quase setenta anos depois, neurocientistas ainda possuem bonequinhos de balançar a cabeça com a fisionomia dele. Em seu livro seminal, *The Organization of Behavior* [A organização do comportamento], Hebb propôs aquilo que se tornou o paradigma dominante. A formação de memórias não requer novas sinapses (muito menos novas ramificações ou neurônios); requer o fortalecimento das sinapses *preexistentes*.[1]

O que significa "fortalecimento"? Em termos de circuito, se o neurônio A forma uma sinapse com o neurônio B, isso quer dizer que um potencial de ação no neurônio A ativa de imediato um potencial de ação no neurônio B. Eles ficam mais estreitamente ligados; eles "lembram". Traduzindo em termos celulares, "fortalecimento" significa que a onda de excitação em uma espinha dendrítica se espalha de maneira mais ampla, chegando mais perto do distante cone axonal.

Pesquisas sistemáticas mostram que uma experiência que provoca disparos repetidos através de uma sinapse tem o poder de "fortalecê-la", e quem tem um papel essencial nesse processo é o neurotransmissor glutamato.

Lembre-se do capítulo 2, no qual examinamos como um neurotransmissor excitatório se liga a seu receptor na espinha dendrítica pós-sináptica, causando a abertura de um canal de sódio; certa quantidade de sódio se desloca para dentro, produzindo uma fagulha de excitação, que então se espalha.

A sinalização do glutamato funciona de uma maneira mais sofisticada que é essencial para o aprendizado.[2] Para resumir bastante, enquanto as espinhas dendríticas em geral contêm apenas um tipo de receptor, as responsivas ao glutamato contêm dois. O primeiro (o "não NMDA") funciona de maneira convencional: para cada pequeno naco de glutamato ligado a esses receptores, um naco de sódio se desloca para dentro, provocando um naco de excitação. O segundo (o "NDMA") funciona de maneira não linear e dependente de um limiar. Ele geralmente não responde ao glutamato. Apenas quando o não NMDA é estimulado repetidas vezes por uma longa sequência de liberação de glutamato, que permitiu a entrada de grandes quantidades de sódio, é que o receptor NMDA é ativado. De repente ele responde a todo esse glutamato, abrindo seus canais e permitindo uma explosão de excitação.

Essa é a essência do aprendizado. O palestrante diz alguma coisa; ela entra por um ouvido e sai pelo outro. A informação é repetida; acontece o mesmo. É repetida vezes o suficiente e — arrá! — a lampadinha se acende e, de súbito, você entende. Em um nível sináptico, o terminal axonal tendo que liberar glutamato várias e várias vezes é o palestrante recitando as mesmas informações sem parar; no instante em que o limiar pós-sináptico é ultrapassado e os receptores NMDA se ativam pela primeira vez, a espinha dendrítica enfim entendeu.

"ARRÁ" VERSUS LEMBRAR-SE DE VERDADE

Mas isso só nos fez chegar até a primeira base. A lampadinha se acendendo no meio da palestra não significa que ela continuará acesa dali a uma hora, que dirá na época do exame final. Como podemos fazer esse ímpeto de excitação persistir de forma que os receptores NMDA se "lembrem" e sejam ativados com mais facilidade no futuro? Como a excitação potencializada se torna de longo prazo?

É a nossa deixa para introduzir o conceito icônico de PLD, "potencialização de longa duração". A PLD, demonstrada pela primeira vez em 1966 por Terje Lømo, da Universidade de Oslo, é o processo por meio do qual o primeiro ímpeto de ativação do receptor NMDA causa um aumento prolongado de excitabilidade da sinapse.* Centenas de carreiras produtivas foram gastas tentando entender como a PLD funciona; o segredo é que, quando os receptores NMDA enfim se ativam e abrem seus canais, é o cálcio, e não o sódio, que entra. Isso provoca uma série de mudanças; aqui vão algumas delas:

- Esse maremoto de cálcio faz com que mais cópias de receptores de glutamato sejam inseridas na membrana da espinha dendrítica, o que, daí em diante, torna o neurônio mais responsivo para o glutamato.**

---

* Ainda que, na época, a existência dos receptores NMDA e não NMDA fosse desconhecida.

** De onde vêm essas cópias adicionais dos receptores? A uma enorme distância daquela espinha

- O cálcio também altera os receptores de glutamato que já estão na linha de frente daquela espinha dendrítica; cada um deles agora ficará mais sensível a sinais de glutamato.*
- O cálcio também provoca a síntese de neurotransmissores peculiares na espinha dendrítica, que são liberados e viajam *de trás para a frente* através da sinapse; lá eles aumentam a quantidade de glutamato secretado dos terminais axonais depois da ocorrência de futuros potenciais de ação.

Em outras palavras, a PLD decorre de uma combinação entre o terminal axonal pré-sináptico gritando "glutamato" mais alto, bem como da espinha dendrítica ouvindo com mais atenção.

Como eu disse, existem no momento mecanismos adicionais subjacentes à PLD, e os neurocientistas discutem *qual deles* é mais importante (no caso, o que cada um deles estuda, é claro) nos neurônios de organismos enquanto o aprendizado de fato está ocorrendo. Em geral, eles discutem se as mudanças pré ou pós-sinápticas seriam as mais cruciais.

Depois da PLD, veio uma descoberta que aponta para um universo em equilíbrio. É a DLD — depressão de longa duração —, que consiste em reduções de longo prazo, provocadas pela experiência, na excitabilidade das sinapses. (O interessante é que os mecanismos subjacentes à DLD não são apenas contrários aos da PLD.) A DLD também não é o oposto funcional da PLD: em vez de ser a base do esquecimento generalizado, ela aguça a sinalização ao apagar aquilo que é irrelevante.

Uma última observação sobre a PLD. Existe a longa duração e existe a *longa* duração. Como já foi observado, um dos mecanismos subjacentes à PLD é a alteração nos receptores de glutamato para que eles se tornem mais responsivos a esse neurotransmissor. Essa mudança pode persistir pela vida inteira das cópias desse receptor que estavam na sinapse quando ocorreu a PLD. Mas isso só costuma durar alguns *dias*, até que essas cópias acumulem lesões provocadas por radicais de oxigênio, sejam degradadas e substituídas por novas cópias (uma atualização similar de

---

dendrítica, no centro daquele neurônio, encontra-se o núcleo, que contém o DNA e os genes que codificam para os receptores de glutamato. De alguma forma, o núcleo precisa ficar sabendo que um maremoto de cálcio ocorreu em uma das espinhas dendríticas lá dos cafundós. O núcleo então comanda a síntese de mais cópias do receptor, que são enviadas para aquela espinha em específico, de todas as dezenas de milhares daquele neurônio. Isso é insanamente difícil. Em geral, contudo, há receptores extras de glutamato em estado de suspensão dentro das espinhas dendríticas, sendo o maremoto de cálcio o sinal que os empurra para a membrana da espinha.

* Informação para os verdadeiros entusiastas: os receptores não NMDA são "fosforilados", o que faz com que seus canais de sódio passem mais tempo abertos.

todas as proteínas ocorre com frequência). De alguma maneira, as mudanças provocadas pela PLD no receptor são transferidas para a próxima geração de cópias. De que outra forma os octogenários poderiam se lembrar do jardim de infância? O mecanismo é elegante, mas está além do escopo deste capítulo.

Tudo isso é bacana, mas a PLD e a DLD são o que acontece no hipocampo quando você aprende fatos explícitos, como o telefone de alguém. Porém, estamos interessados em outros tipos de aprendizado: como aprendemos a ficar com medo, a controlar nossos impulsos, a sentir empatia ou a não sentir nada mais por alguém.

As sinapses que utilizam o glutamato se encontram por toda parte no sistema nervoso, e a PLD não é exclusiva do hipocampo. Isso foi uma descoberta traumática para muitos pesquisadores da área do hipocampo/PLD — afinal, a PLD é o que ocorreu no hipocampo de Schopenhauer quando ele leu Hegel, não o que a medula espinhal faz para torná-lo mais coordenado na execução do *twerking*.*

Ainda assim, a PLD é encontrada por toda parte no sistema nervoso.**[3] Por exemplo, o condicionamento do medo exige que as sinapses executem a PLD na amígdala basolateral. A PLD dá suporte ao aprendizado do córtex frontal no controle da amígdala. É como os sistemas dopaminérgicos aprendem a associar estímulos com uma recompensa — por exemplo, é como os viciados passam a associar um lugar com uma droga, sentindo fissura quando estão no local.

Vamos acrescentar hormônios a essa equação, traduzindo alguns de nossos conceitos de estresse para a linguagem da plasticidade neural. O estresse moderado e passageiro (ou seja, o estresse bom e estimulante) promove a PLD no hipocampo, ao passo que o estresse prolongado a interrompe e estimula a DLD — um dos motivos pelos quais a cognição falha nessas horas. Esse é o conceito do U invertido de estresse em uma escala sináptica.[4]

Além disso, o estresse sustentado e a exposição aos glicocorticoides aumentam a PLD e suprimem a DLD na amígdala, impulsionando o condicionamento do medo; também suprimem a PLD no córtex frontal. A combinação desses efeitos — mais sinapses excitáveis na amígdala, menos no córtex frontal — ajuda a explicar a impulsividade induzida pelo estresse e a péssima regulação emocional.[5]

---

* Na verdade, a PLD na medula espinhal tem mais a ver com a dor "neuropática", um conjunto de síndromes nas quais uma lesão severa faz com que todo tipo de estímulos inofensivos comecem a causar dor de forma crônica — com efeito, sua espinha "aprende" a sempre sentir dor. O interessante é que tal PLD surge em parte da inflamação que acompanha a lesão original.

** Os mecanismos subjacentes à PLD em outras partes do sistema nervoso costumam diferir daqueles da PLD do hipocampo — alguns envolvem uma terceira classe de receptores de glutamato e outros podem nem sequer envolver o glutamato. A PLD da velha guarda foi basicamente capaz de aguentar a indignidade da PLD de fora do hipocampo enxergando a si mesma como clássica, canônica, exemplar, divina etc., e o resto como uma imitação barata.

Resgatada do lixo

A ideia de que a memória depende do fortalecimento de sinapses preexistentes é dominante nesse campo. Contudo, de maneira bastante irônica, a hipótese descartada de que a memória exigiria a formação de novas sinapses foi ressuscitada. Técnicas de contagem de todas as sinapses de um neurônio mostram que colocar os ratos em um ambiente rico e estimulante aumenta o número de sinapses do hipocampo.

Técnicas muitíssimo sofisticadas são capazes de seguir uma ramificação dendrítica de um neurônio ao longo do tempo, enquanto um rato aprende alguma coisa. De modo surpreendente, uma nova espinha dendrítica surge no decorrer de minutos a horas, seguida por um terminal axonal pairando nas redondezas; nas semanas subsequentes, eles formam uma sinapse funcional que estabiliza a nova memória (em outras circunstâncias, as espinhas dendríticas se retraem, eliminando sinapses).

Tal "sinaptogênese dependente da atividade" está acoplada à PLD — quando uma sinapse passa pela PLD, o tsunami de cálcio lançado na direção da espinha pode se espalhar e induzir à formação de uma nova espinha no trecho adjacente da ramificação dendrítica.

Novas sinapses se formam por todo o cérebro — nos neurônios do córtex motor quando você aprende uma tarefa motora e no córtex visual depois de muita estimulação da visão. Basta estimular bastante os bigodes de um rato e o mesmo acontece no "córtex do bigode".[6]

Além disso, quando são formadas bastantes novas sinapses em um neurônio, o comprimento e o número de ramificações em sua "árvore" dendrítica muitas vezes também se expandem, aumentando a força e a quantidade de neurônios capazes de falar com ela.

O estresse e os glicocorticoides também causam efeitos de U invertido por aqui. O estresse moderado e passageiro (ou a exposição a níveis equivalentes de glicocorticoides) aumenta o número de espinhas no hipocampo; o estresse sustentado ou a exposição a glicocorticoides faz o oposto.[7] Além disso, a depressão maior ou a ansiedade — dois transtornos associados a níveis elevados de glicocorticoides — são capazes de reduzir o número de dendritos e espinhas do hipocampo. Isso se dá por causa dos níveis reduzidos daquele fator essencial de crescimento já mencionado neste capítulo, o FNDC.

O estresse sustentado e os glicocorticoides também causam retração dendrítica e perda de sinapses, níveis baixos de MACN (uma "molécula de adesão celular neuronal" que estabiliza as sinapses) e menos liberação de glutamato no córtex frontal. Quanto mais mudanças desse tipo, maiores os danos na atenção e na tomada de decisões.[8]

Lembre-se do capítulo 4, em que examinamos como o estresse agudo fortalece a conectividade entre o córtex frontal e as áreas motoras, ao passo que enfraquece as conexões entre o córtex frontal e o hipocampo; o resultado é que tomamos decisões habituais em vez de incorporar novas informações. De modo similar, o estresse crônico aumenta a quantidade de espinhas nas conexões frontal-motoras e a reduz nas conexões frontal-hipocampais.[9]

Dando prosseguimento ao tema da amígdala discordando do córtex frontal e do hipocampo, o estresse sustentado aumenta os níveis de FNDC e expande os dendritos na ABL, elevando a ansiedade e o condicionamento do medo de forma persistente.[10] O mesmo ocorre naquela estação de passagem por meio da qual a amígdala se comunica com o resto do cérebro (o NLET — núcleo leito da estria terminal). Lembre-se de que, enquanto a ABL age sobre o condicionamento do medo, a amígdala central é mais envolvida em fobias inatas. Curiosamente, o estresse não parece aumentar a força das fobias ou o número de espinhas na amígdala central.

Há nesses efeitos uma admirável dependência do contexto. Quando um rato secreta baldes de glicocorticoides porque está apavorado, os dendritos se atrofiam no hipocampo. Contudo, se ele secretar a mesma quantidade desses hormônios ao correr por vontade própria na rodinha de exercícios, os dendritos se expandem. A ativação (ou não) da amígdala parece determinar se o hipocampo interpreta os glicocorticoides como bom ou mau estresse.[11]

A quantidade de espinhas e o comprimento das ramificações no hipocampo e no córtex frontal também são aumentados pelo estrogênio.[12] De forma notável, o tamanho das árvores dendríticas no hipocampo se expande e se contrai como um acordeão ao longo do ciclo ovulatório de uma fêmea de rato, com o tamanho (e suas habilidades cognitivas) atingindo o ápice quando o nível de estrogênio está lá no alto.*

Portanto, neurônios são capazes de formar novas ramificações dendríticas e espinhas, aumentando o tamanho da árvore dendrítica; em outras circunstâncias, fazem o oposto. Os hormônios em geral fazem a mediação desses efeitos.

---

* De forma tão notável quanto, ao longo do ciclo menstrual em mulheres, a quantidade de mielina no corpo caloso — o feixe maciço de axônios que conecta os dois hemisférios — também apresenta flutuações.

Plasticidade axonal

Enquanto isso, existe plasticidade na outra ponta do neurônio, onde os axônios são capazes de fazer brotar ramais secundários que se espalham em novas direções. Em um exemplo espetacular, quando um deficiente visual lê em braille, há a mesma ativação do córtex tátil que ocorre em todos nós; porém, de forma incrível e única, também se dá a ativação do córtex *visual*.[13] Em outras palavras, os neurônios que em geral enviam axônios para a região do córtex que processa as sensações da ponta dos dedos empreendem um desvio enorme de sua rota, propagando projeções para o córtex visual. Um caso extraordinário envolveu uma deficiente visual congênita, leitora de braille, que sofreu um derrame no córtex visual. Em consequência disso, ela perdeu a habilidade de ler braille — as protuberâncias no papel pareciam achatadas e imprecisas —, enquanto outras funções táteis permaneceram. Em outro estudo, deficientes visuais foram treinados a associar letras a sons específicos, a ponto de conseguir escutar uma sequência de sons como se fossem letras e palavras. Quando esses indivíduos "liam o som", eles ativavam a mesma região do córtex visual que é acionada durante a leitura em indivíduos dotados de visão. De modo similar, quando um deficiente auditivo fluente em Língua de Sinais Americana observa alguém fazendo sinais, há a ativação da região do córtex auditivo normalmente ativada pela fala.

O sistema nervoso danificado é capaz de se "remapear" de maneiras similares. Imagine que a região do seu córtex que recebe informações táteis da mão sofreu danos depois de um derrame. Os receptores táteis da mão funcionam bem, mas não há neurônios com os quais se comunicar; portanto, você perde as sensações na mão. Nos meses ou mesmo anos subsequentes, os axônios desses receptores podem crescer em direções diferentes, forçando o caminho para partes adjacentes do córtex, onde formam novas sinapses. Um senso impreciso de toque pode aos poucos retornar à mão (junto com um senso menos preciso de toque na parte do corpo que envia projeções à região cortical que abrigou esses terminais axonais refugiados).

Imagine, em lugar disso, que os receptores táteis da mão são destruídos e param de enviar projeções para esses neurônios corticais sensoriais. Os neurônios abominam o vácuo, de modo que os neurônios táteis do pulso podem fazer brotar ramificações axonais colaterais e expandir seu território para aquela região cortical negligenciada. Considere a cegueira causada por degeneração da retina, na qual as projeções ao córtex visual são silenciadas. Como foi descrito, os neurônios táteis da ponta dos dedos que estão envolvidos na leitura em braille propagam projeções para o córtex visual, montando acampamento no local. Ou suponha que há uma pseudolesão: em um estudo, depois de meros cinco dias com os olhos vendados, as projeções auditivas dos indivíduos começam a ser remapeadas para o córtex visual (isso se reverteu após a retirada das vendas).[14]

Considere como os neurônios táteis da ponta dos dedos que carregam informações sobre braille são remapeados para o córtex visual de um deficiente visual. O córtex sensorial e o visual estão bem distantes um do outro. Então como esses neurônios táteis "sabem": a) que há terrenos vazios no córtex visual; b) que estabelecer uma conexão com esses neurônios desocupados ajudaria a transformar as informações dos dedos em "leitura"; e c) como enviar projeções axonais para esse novo continente cortical? Tudo isso é tema de pesquisas em curso.

O que acontece em um deficiente visual quando os neurônios de projeção auditiva expandem o alcance de seu alvo para o inativo córtex visual? A escuta se torna mais apurada — o cérebro é capaz de responder a deficiências em um âmbito por meio de compensações em outro.

Então os neurônios de projeção sensorial são capazes de se remapear. Uma vez que, digamos, os neurônios do córtex visual estão processando o braille em um deficiente visual, *aqueles* neurônios precisam remapear o destino para onde irão enviar projeções, gerando remapeamentos adicionais mais adiante. Ocorrem ondas de plasticidade.

Mesmo na ausência de lesões, o remapeamento acontece com regularidade por todo o cérebro. Meus exemplos favoritos são relativos aos músicos, que possuem representações auditivas corticais de sons musicais bem maiores do que os não músicos, sobretudo para o som de seu próprio instrumento, bem como para detectar a tonalidade na fala; quanto mais cedo o indivíduo começa a aprender música, maior o remapeamento.[15]

Tal remapeamento não requer décadas de prática, como comprovado no belo trabalho de Alvaro Pascual-Leone, em Harvard.[16] Voluntários não músicos aprenderam um exercício de cinco dedos no piano, que praticaram por duas horas ao dia. Dentro de poucos dias, a porção do córtex motor dedicada ao movimento daquela mão se expandiu, mas esse aumento durou menos de um dia desde que a prática foi interrompida. É provável que essa expansão tenha sido "hebbiana" em sua natureza, já que certas conexões preexistentes se fortaleceram temporariamente com o uso repetido. Contudo, quando os voluntários executavam o exercício durante desvairadas quatro semanas, o remapeamento persistia por vários dias. Essa expansão provavelmente envolveu o brotamento adicional de axônios e a formação de novas conexões. De modo notável, o remapeamento também ocorreu em indivíduos que passaram duas horas por dia *imaginando* que estavam executando o exercício de piano.

Em mais um exemplo de remapeamento, depois que fêmeas de ratos davam à luz, registrou-se a expansão do mapa tátil que representava a pele ao redor dos mamilos. Em outro exemplo bastante diferente, basta passar três meses aprendendo a fazer malabarismo e há uma expansão do mapa cortical para o processamento visual do movimento.*[17]

Portanto, a experiência altera a quantidade e a força das sinapses, a extensão da árvore dendrítica e os alvos de projeção dos axônios. Agora, é hora de introduzir a maior revolução da neurociência dos últimos anos.

CHAFURDANDO BEM FUNDO NA LATA DE LIXO DA HISTÓRIA

Lembre-se da ideia crua e um tanto neandertal de que novas memórias exigiam novos neurônios, uma hipótese descartada quando Hebb ainda usava fraldas. O cérebro adulto não fabrica novos neurônios. Você adquire seu número máximo de neurônios assim que nasce e, a partir daí, é ladeira abaixo, graças ao envelhecimento e à imprudência.

Você já deve ter percebido para onde estamos nos encaminhando: o cérebro adulto, inclusive o de pessoas idosas, fabrica, sim, novos neurônios. A conclusão é de fato revolucionária, e a descoberta, épica.

Em 1965, um professor assistente temporário do MIT chamado Joseph Altman (junto com um colaborador de longa data, Gopal Das) encontrou a primeira evidência da neurogênese adulta, usando uma técnica que à época era bem recente. Uma célula recém-produzida contém DNA que acaba de ser produzido. Então, procure uma molécula única ao DNA. Encha um tubo de ensaio com essas moléculas e conecte um minúsculo marcador radioativo a cada uma delas. Injete esse conteúdo em um rato adulto, espere um tempo e examine o cérebro do animal. Se algum neurônio contiver o marcador radioativo, significa que ele nasceu durante o período de espera, com o marcador radioativo incorporado ao novo DNA.

Foi isso que Altman constatou em uma série de estudos.[18] Como ele mesmo observa, de início o trabalho foi bem recebido, saiu em boas publicações científicas e gerou certa comoção. Mas dali a alguns anos alguma coisa mudou, e Altman e suas conclusões foram rejeitados pelos líderes da área — elas não podiam ser verda-

---

* Nem todo remapeamento é lógico; alguns são apenas esquisitos. Anos atrás, durante um período de estresse extremo, desenvolvi um tique — quando ficava muito chateado com alguma coisa, o segundo e o terceiro dedos da minha mão esquerda se contraíam de forma ritmada por uns poucos segundos. O que diabos era aquilo? Não faço ideia, mas sempre me admiro com a aleatoriedade desse remapeamento e com a maneira como um tumulto desagradável no circuito límbico de alguma forma extrapolou para o circuito motor.

deiras. Ele não conseguiu obter a cátedra, passou o resto da carreira na Universidade Purdue e perdeu o financiamento para seu trabalho sobre neurogênese adulta.

O silêncio reinou por uma década até que um professor assistente da Universidade do Novo México chamado Michael Kaplan ampliou as conclusões de Altman com a ajuda de novas técnicas. Mais uma vez, isso provocou uma rejeição avassaladora por parte das figuras mais antigas do ramo, incluindo um dos nomes mais consagrados da neurociência, Pasko Rakic, de Yale.[19]

Rakic rejeitou publicamente o trabalho de Kaplan (e, de maneira tácita, o de Altman), dizendo que ele mesmo havia procurado por novos neurônios sem encontrar nada, e que Kaplan estava confundindo outros tipos de células com neurônios. Em uma conferência, disse a Kaplan uma frase que ficou famosa: "Eles até podem parecer neurônios no Novo México, mas não em New Haven". Kaplan logo abandonou a pesquisa (e, 25 anos depois, em meio ao entusiasmo da redescoberta da neurogênese em adultos, escreveu um breve artigo biográfico intitulado "Environmental Complexity Stimulates Visual Cortex Neurogenesis: Death of a Dogma and a Research Career" [A complexidade ambiental estimula a neurogênese no córtex visual: A morte de um dogma e de uma carreira de pesquisa]).

O campo ficou adormecido por mais uma década até surgirem evidências inesperadas de neurogênese em adultos no laboratório de Fernando Nottebohm, da Universidade Rockefeller. Nottebohm, um neurocientista de muitas realizações e bastante estimado, tão bom quanto qualquer figurão da área, estava estudando a neuroetologia do canto dos pássaros. Ele provou algo notável usando técnicas recentes e mais sensíveis: novos neurônios eram produzidos no cérebro de pássaros que aprendiam um canto territorial diferente a cada ano.

A qualidade da ciência de Nottebohm e seu prestígio silenciaram aqueles que duvidavam da existência da neurogênese. Em vez disso, eles questionaram a relevância do trabalho — oh, que ótimo para Fernando e seus passarinhos, mas e quanto às espécies de verdade, como os mamíferos?

Contudo, isso foi logo comprovado de forma convincente em ratos, com o uso de técnicas ainda mais novas e sofisticadas. Grande parte disso foi produto do trabalho de dois jovens cientistas, Elizabeth Gould, de Princeton, e Fred "Rusty" Gage, do Instituto Salk.

Em pouco tempo, várias outras pessoas estavam encontrando a neurogênese em adultos usando essas novas técnicas, inclusive — quem diria! — Pasko Rakic.[20] Uma nova modalidade de ceticismo surgiu, liderada por ele. Sim, o cérebro adulto produz novos neurônios, mas eles são poucos, não vivem muito e nunca aparecem onde de fato importa (ou seja, no córtex); além disso, o fenômeno foi registrado apenas em roedores, não em primatas. Pouco depois, a ocorrência da neurogênese foi demonstrada em macacos.*[21] Certo, disseram os céticos, mas não em seres humanos, e, além disso, não há evidência de que esses novos neurônios se integrem aos circuitos preexistentes e de fato funcionem.

Tudo isso foi enfim comprovado: ocorre uma considerável neurogênese adulta no hipocampo (onde cerca de 3% dos neurônios são substituídos a cada mês) e, em menor quantidade, no córtex.[22] Ela se dá em seres humanos durante toda a vida adulta. A neurogênese no hipocampo, por exemplo, é estimulada por: aprendizado, exercício, estrogênio, antidepressivos, enriquecimento ambiental e lesão no cérebro,** e inibida por vários estressores.***[23] Além disso, os novos neurônios do hipocampo se integram a circuitos preexistentes, com a mesma empolgação atrevida dos jovens neurônios no cérebro perinatal. Mais importante ainda, os novos neurônios são essenciais para integrar novas informações a esquemas preexistentes, o que é chamado "separação de padrão". É quando você aprende que duas coisas que julgava iguais são, na verdade, diferentes: focas e leões-marinhos, fermento e bicarbonato, Zooey Deschanel e Katy Perry.

---

* Entrevistado para um excelente artigo na *New Yorker* que reconta sua história, Nottebohm afirmou: "Pasko assumiu o papel de teimoso defensor do cânone. E tudo bem — é até justificado... [Mas,] por mais que eu odeie dizer isso, acho que Pasko Rakic sozinho atrasou o campo da neurogênese em pelo menos uma década".

** O fato de danos no cérebro, tais como derrames, ativarem a neurogênese foi motivo de grande comoção — uau, o cérebro possui um meio de tentar reparar a si mesmo após uma lesão! O quanto isso é bacana? O que ficou óbvio desde o início foi que, seja qual for a magnitude dessa neurogênese compensatória, ela não é muito grande, já que inúmeros insultos neurológicos deixam o sistema nervoso numa bagunça irreparável. Contudo, para aumentar ainda mais o estrago, pesquisas nessa área começaram a mostrar que, às vezes, os novos neurônios só pioravam as coisas, migrando para onde não deviam, integrando-se a circuitos do jeito errado e tornando esses circuitos mais propensos a convulsões. Para utilizar metaforicamente um conceito do capítulo 1, parece um caso de altruísmo patológico neuronal — tome cuidado quando neurônios novatos que ainda não têm a menor noção do que está se passando se oferecem para ajudar.

*** Listar os inúmeros fatores que "estimulam" ou "inibem" a neurogênese pressupõe passar por cima de um monte de detalhes. O número de novos neurônios integrados a circuitos reflete: a) o número de novas células formadas a partir de células-tronco no cérebro; b) a porcentagem de novas células que se diferenciam em neurônios (em comparação a células gliais); e c) a taxa com que os novos neurônios sobrevivem e formam sinapses funcionais. Cada uma dessas manipulações — aprendizado, exercício, estresse etc. — age sobre diferentes etapas. Para complicar ainda mais, nem todos os estressores são iguais. Se um roedor secreta glicocorticoides porque acha que existe um predador à espreita e as sirenes de luta ou fuga estão falhando, a neurogênese é inibida. Mas se ele secreta glicocorticoides enquanto corre por vontade própria em uma rodinha de exercícios, então ela é estimulada (em outras palavras, o contraste entre "mau" e "bom" estresse.)

A neurogênese adulta é hoje o assunto mais comentado na neurociência. Nos cinco anos que se seguiram à publicação do artigo de Altman, em 1965, ele foi citado (respeitáveis) 29 vezes na literatura; nos últimos cinco anos, mais de mil. Hoje, pesquisas em andamento examinam como o exercício físico estimula o processo (provavelmente ao aumentar os níveis de certos fatores de crescimento no cérebro), como os novos neurônios sabem para onde migrar, se a depressão é causada por uma falha na neurogênese hipocampal e se a neurogênese estimulada por antidepressivos é determinante para a eficácia desses remédios.[24]

Por que demorou tanto tempo para a neurogênese adulta ser aceita? Convivi com inúmeros dos protagonistas dessa história e me surpreendo com suas diferentes opiniões. Em um extremo está a visão de que, embora os céticos como Rakic fossem meio toscos, eles estabeleciam um certo controle de qualidade, e que, contrariando o mito do caminho árduo seguido pelos heróis, as primeiras pesquisas na área não eram tão sólidas. No outro extremo está a ideia de que Rakic e seus colegas, tendo falhado ao tentar descobrir a neurogênese adulta, não foram capazes de aceitar sua existência. Essa visão psico-histórica da velha guarda que se agarra ao dogma mesmo diante dos ventos da mudança perde um pouco da força porque Altman não foi um jovem anarquista investindo às cegas contra os arquivos; na verdade, ele era um pouco mais velho que Rakic e os principais céticos. Tudo isso precisa ser analisado por historiadores, roteiristas e em breve, assim espero, pelo pessoal de Estocolmo.

Altman, que, à época em que escrevo, está com 89 anos,* publicou um capítulo de suas memórias em 2011.[25] Alguns trechos têm um tom queixoso e confuso: de início, todo mundo ficou empolgado, então o que aconteceu? Talvez ele tenha gastado muito tempo no laboratório e pouco tempo divulgando a descoberta, sugere. Há a ambivalência de alguém que passou um longo tempo como profeta desdenhado e que, pelo menos, conseguiu se vingar por completo. Ele é filosófico a esse respeito: ei, sou um judeu húngaro que escapou de um campo de concentração nazista; a gente tende a levar as coisas de forma mais tranquila depois disso.

ALGUNS OUTROS DOMÍNIOS DE NEUROPLASTICIDADE

Já vimos como, em adultos, a experiência é capaz de alterar o número de sinapses e de ramificações dendríticas, remapear circuitos e estimular a neurogênese.[26] Juntos, esses efeitos podem ser significativos o suficiente para de fato mudar o

---

* Joseph Altman morreu aos noventa anos, em 19 de abril de 2016. (N. T.)

tamanho das regiões do cérebro. Por exemplo, o tratamento pós-menopausa com estrogênio aumenta o tamanho do hipocampo (provavelmente por meio de uma combinação de mais ramificações dendríticas e mais neurônios). De modo inverso, o hipocampo se atrofia (causando problemas cognitivos) durante a depressão prolongada, talvez refletindo um estado de estresse permanente e os níveis em geral elevados de glicocorticoides atrelados à doença. Problemas de memória e perda de volume hipocampal também ocorrem em indivíduos com síndrome da dor crônica, ou com a síndrome de Cushing (uma série de distúrbios nos quais um tumor induz a níveis elevadíssimos de glicocorticoides). Além disso, o transtorno de estresse pós-traumático está associado a um volume maior (e, como sabemos, à hiper-reatividade) da amígdala. Em todas essas instâncias, não está claro qual porcentagem desses efeitos do estresse e dos glicocorticoides se deve a mudanças no número de neurônios ou na quantidade de processos dendríticos.*

Um exemplo bacana de mudança do tamanho de uma região do cérebro provocada pela experiência tem a ver com a parte de trás do hipocampo, que desempenha um papel na memória de mapas espaciais. Taxistas usam mapas espaciais para ganhar a vida, e um estudo notório registrou a ampliação dessa parte do hipocampo em condutores de táxi londrinos. Além disso, um estudo complementar produziu imagens do hipocampo de indivíduos antes e depois do árduo processo plurianual de trabalhar e estudar para o exame de licença para taxistas em Londres (considerado pelo *New York Times* como o exame mais difícil do mundo). O hipocampo aumentava no decorrer do processo — naqueles que eram aprovados.[27]

Portanto, a experiência, a saúde e as flutuações hormonais são capazes de mudar o tamanho de partes do cérebro em questão de meses. A experiência também provoca mudanças duradouras no número de receptores de neurotransmissores e hormônios, nos níveis de canais iônicos e no estado dos botões de liga/desliga dos genes no cérebro (a serem discutidos no capítulo 8).[28]

No estresse crônico, o núcleo *accumbens* é exaurido de dopamina, tornando os ratos mais inclinados à subordinação social e os humanos, à depressão. Como vimos no último capítulo, quando um roedor ganha uma luta em seu próprio território, ocorre uma elevação duradoura nos níveis de receptores de testosterona no núcleo *accumbens* e na área tegmentar ventral, potencializando os efeitos agradáveis da testosterona. Há inclusive um parasita (*Toxoplasma gondii*) capaz de infectar o

* Como uma peça adicional e sombria desse cenário de plasticidade neural, casos extremos de estresse crônico e superexposição a glicocorticoides também são capazes de matar os neurônios do hipocampo. Ainda que isso pertença provavelmente ao reino dos pesadelos extremos do estresse, não se sabe bem qual é sua relevância para os tipos mais corriqueiros de estresse sustentado.

cérebro e que, no decorrer de semanas a meses, torna os ratos menos temerosos ao cheiro de gato e os humanos menos assustados e mais impulsivos de formas sutis. Basicamente, quase tudo que se pode medir no sistema nervoso é passível de ser alterado em resposta a um estímulo sustentado. É importante notar que essas mudanças são muitas vezes reversíveis em um ambiente diferente.*

ALGUMAS CONCLUSÕES

A descoberta da neurogênese adulta é revolucionária, e o tema geral da neuroplasticidade, em todas as suas formas, é muitíssimo importante — como em geral se dá com achados que os especialistas dizem não ter relevância alguma.[29] O assunto é também fascinante por causa da natureza do revisionismo: a neuroplasticidade irradia otimismo. Os livros sobre o tema têm títulos como: *O cérebro que se transforma*; *Treine a mente, mude o cérebro*; e *Modifique e melhore o seu cérebro: Se quer mudar a sua vida, comece pelo seu cérebro*, que apontam para uma "nova neurologia" (ou seja, a neurologia não será mais necessária quando conseguirmos dominar por completo a neuroplasticidade). Há um espírito de faça-você-mesmo à la Horatio Alger para onde quer que se olhe.**

Em meio a tudo isso, algumas limitações:

- Lembre-se do alerta enfatizado nos últimos capítulos: a habilidade do cérebro de se transformar em resposta a experiências é destituída de juízo de valor. O remapeamento axonal em deficientes visuais ou auditivos é ótimo, empolgante e comovente. É bacana que seu hipocampo aumente de tamanho se você for um taxista londrino. O mesmo vale para o tamanho e a especialização do córtex auditivo de quem toca triângulo na orquestra. Mas, por outro lado, é desastroso quando o trauma expande a amígdala e atrofia o hipocampo, incapacitando os indivíduos com TEPT. De modo si-

---

* Por exemplo, o fenômeno pelo qual a experiência é capaz de alterar o botão liga/desliga em uma direção específica costumava ser considerado uma mudança permanente; isso está se revelando falso. De modo similar, a atrofia hipocampal na síndrome de Cushing parece se reverter dentro de mais ou menos um ano depois que o tumor é removido. Como única exceção nessa área, a maioria dos estudos sugere que a atrofia do hipocampo produzida pela depressão de longa duração persiste mesmo depois que o tratamento da doença é bem-sucedido. Além disso, a reversibilidade de alguns desses efeitos (por exemplo, da retração dos processos dendríticos induzida pelo estresse) diminui com a idade.

** Referência ao popular escritor norte-americano Horatio Alger Jr., que, no século XIX, publicou mais de 120 romances sobre pessoas pobres que saíam de sua condição de miséria e enriqueciam graças ao próprio esforço, perseverança, bravura e honestidade. (N. T.)

milar, a expansão da área do córtex motor devotada à destreza manual é ótima para neurocirugiões, mas talvez não seja uma vantagem social em arrombadores de cofres.

- O alcance da neuroplasticidade é sem dúvida finito. Do contrário, cérebros severamente lesionados e medulas espinhais cortadas poderiam, no fim das contas, se curar sozinhos. Além disso, os limites da neuroplasticidade se mostram o tempo todo. Malcolm Gladwell explorou a quantidade imensa de tempo que os indivíduos mais habilidosos tiveram de investir na prática de seu ofício: 10 mil horas de prática é seu número mágico. Apesar disso, o contrário não se sustenta: 10 mil horas de prática não garantem a neuroplasticidade necessária para converter qualquer um de nós em um Yo-Yo Ma ou um LeBron James.

É verdade que a manipulação da neuroplasticidade para a recuperação de uma função tem um potencial enorme e animador na neurologia. Mas esse domínio passa longe das preocupações deste livro. Apesar de todo esse potencial, é improvável que um dia possamos borrifar fatores de crescimento neuronais no nariz das pessoas para torná-las mais abertas ou empáticas, por exemplo, ou focar na neuroplasticidade com terapia genética para amenizar a inclinação de um imbecil a cometer agressões deslocadas.

Então qual é a utilidade desse assunto para o universo deste livro? Acho que os benefícios são sobretudo psicológicos. Isso nos remete a uma questão do capítulo 2, durante a discussão sobre os estudos de neuroimagem que registraram perda de volume no hipocampo em pessoas com TEPT (sem dúvida um exemplo dos efeitos adversos da neuroplasticidade). Apontei que era ridículo que muitos legisladores precisassem de imagens de cérebros para acreditar que havia algo desesperadamente errado — no sentido orgânico — com os veteranos que sofriam desse transtorno.

De modo similar, a neuroplasticidade torna a maleabilidade funcional do cérebro uma possibilidade tangível, a "comprovação científica" de que o órgão se transforma e de que as pessoas mudam. No decurso de tempo analisado neste capítulo, habitantes do mundo árabe saíram da condição de indivíduos "sem voz" para a de cidadãos capazes de derrubar ditadores; Rosa Parks deixou de ser vítima para se tornar uma catalisadora; Sadat e Begin, antes inimigos, viraram arquitetos da paz; Mandela foi de prisioneiro a estadista. E você pode apostar que as transformações nos moldes apresentados neste capítulo ocorreram no cérebro de todos os que foram afetados por essas mudanças. Um mundo diferente resulta em uma visão de mundo diferente, o que, por sua vez, significa um cérebro diferente. E, quanto mais tangível e real for a neurobiologia subjacente a essas transformações, mais fácil será imaginar que elas podem tornar a acontecer.

6. Adolescência ou: "Cara, cadê meu córtex frontal?"

Este capítulo é o primeiro de dois com enfoque no desenvolvimento. Estabelecemos nosso padrão recorrente: um comportamento acaba de acontecer; quais os eventos que se deram nos últimos segundos, minutos, horas e assim por diante que ajudaram a provocá-lo? O próximo capítulo estenderá isso para o domínio do desenvolvimento: que acontecimento da infância ou da vida fetal de um indivíduo contribuiu para um determinado comportamento?

O presente capítulo quebra nosso padrão ao se concentrar na adolescência. Será que a biologia apresentada nos capítulos anteriores funciona de maneira diferente em um adolescente, quando comparado a um adulto, produzindo comportamentos diferentes? Sem dúvida.

Um fato domina este capítulo. O capítulo 5 tratou do dogma segundo o qual cérebros adultos estão gravados em pedra. Outro dogma era que os cérebros estão praticamente formatados no início da infância — afinal, aos dois anos de idade, eles já alcançaram 85% do volume adulto. Mas o percurso do desenvolvimento é muito mais lento que isso. O fato central deste capítulo é que a última região cerebral a amadurecer por completo (em termos de número de sinapses, mielinização e metabolismo) é o córtex frontal, que não se encontra conectado por completo antes dos *vinte e poucos* anos.[1]

Isso tem duas implicações de extrema importância. Primeiro, nenhuma parte do cérebro adulto é mais moldada pela adolescência do que o córtex frontal. Segundo, nada sobre essa fase pode ser entendido fora do contexto de um amadurecimento cortical frontal atrasado. Se, na época da adolescência, os sistemas límbico, autonômico e endócrino estão trabalhando a todo vapor, enquanto o córtex frontal ainda está conferindo suas instruções de montagem, então acabamos de explicar por que os adolescentes são tão frustrantes, incríveis, tolos, impulsivos, inspiradores, destrutivos, autodestrutivos, abnegados, autocentrados, insuportáveis e transformadores. Pense nisso, a adolescência e o início da vida adulta são os períodos em que alguém tem a maior chance de: matar e ser morto; sair de casa para sempre;

inventar uma nova forma de arte; ajudar a derrubar um ditador; fazer limpeza étnica em um vilarejo; devotar-se aos necessitados; tornar-se viciado; casar-se com alguém de fora do grupo; transformar a física; ter um gosto terrível para a moda; quebrar o pescoço por esporte; dedicar sua vida a Deus; roubar uma velhinha; convencer-se de que toda a história convergiu para fazer daquele momento o mais significativo, o mais carregado de perigo e de promessa, o que mais exige que você se envolva e faça a diferença. Em outras palavras, é o período da vida com máxima atração pelo risco, pela busca de novidades e pela afiliação com outros iguais. Tudo isso por causa do córtex frontal imaturo.

A REALIDADE DA ADOLESCÊNCIA

A adolescência é real? Existe alguma coisa específica em termos qualitativos que a diferencie do antes e do depois, em lugar de uma progressão suave da infância à vida adulta? Talvez "adolescência" seja apenas uma construção cultural — no Ocidente, à medida que a melhoria da alimentação e da saúde resultou em um início prematuro da puberdade, e as forças educacionais e econômicas da modernidade empurraram a maternidade para uma idade mais avançada, teria surgido entre as duas tendências um espaço vazio no desenvolvimento. *Voilà!*, eis a invenção da adolescência.*[2]

Como veremos, a neurobiologia sugere que a adolescência existe de verdade, que o cérebro adolescente não é apenas um cérebro de adulto malcozido, ou um cérebro infantil deixado fora da geladeira por muito tempo. Além disso, a maioria das culturas tradicionais reconhece a adolescência como algo distinto, isto é, ela não incorre nos mesmos direitos e responsabilidades da idade adulta. No entanto, o que o Ocidente inventou foi o mais longo período de adolescência.**

---

* Por vezes, a aquisição tardia da maioridade legal no Ocidente também podia refletir algo tão mundano como a massa muscular. Na Inglaterra do século XIII, a maioridade legal foi aumentada de quinze para 21 anos — as armaduras estavam se tornando mais pesadas, e antes dessa idade mais elevada os homens em geral não eram fortes o bastante para portá-las no campo de batalha. Não há qualquer menção à elevação da maioridade dos cavalos empregados para carregar esses pesos maiores. Mas, outras vezes, avanços tecnológicos permitiram que adolescentes mais jovens se juntassem às fileiras profissionais dos adultos — já foi apontado que o desenvolvimento de armas automáticas mais leves foi essencial para o emprego de um contingente estimado de 300 mil crianças-soldados no mundo.
** Sem falar na ideia de que adultos deveriam aspirar a ser adolescentes em muitos sentidos — reter ou retomar gosto juvenil pela novidade e pela socialidade, e os níveis de densidade capilar no topo da cabeça, a falta de celulite nas coxas e os períodos refratários. Caçadores-coletores não estão interessa-

O que de fato parece ser uma construção de culturas individualistas é a adolescência como um período de conflito entre gerações; a juventude de culturas coletivistas parece menos inclinada a revirar os olhos diante da tolice dos adultos, a começar por seus pais. Além disso, mesmo em culturas individualistas, a adolescência não constitui de modo universal um período de acne da psique e de ímpetos intempestivos.* A maioria de nós passa por ela sem grandes problemas.

ASPECTOS PRÁTICOS DO AMADURECIMENTO CORTICAL FRONTAL

O amadurecimento atrasado do córtex frontal sugere um cenário óbvio: no início da adolescência essa região possuiria menos neurônios, ramificações dendríticas e sinapses que em um adulto, e essas quantidades aumentariam até os vinte e poucos anos. Em vez disso, essas quantidades *diminuem*.

Isso acontece por causa de um belo artifício da evolução no cérebro dos mamíferos. De maneira notável, o cérebro do feto gera bem mais neurônios que aqueles encontrados em um adulto. Por quê? Durante o desenvolvimento fetal tardio, há uma competição dramática em grande parte do cérebro, com os neurônios vencedores sendo aqueles que migram para os lugares certos e maximizam as conexões sinápticas com outros neurônios. E os neurônios que não passam no teste? Eles se submetem à "morte celular programada" — genes que os fazem murchar e morrer são ativados, e os materiais resultantes, reciclados. A superprodução neuronal seguida de poda competitiva (processo que foi denominado "darwinismo neural") permitiu a evolução de circuitos neurais otimizados, um exemplo de quando menos é mais.

O mesmo ocorre no córtex frontal adolescente. No início da adolescência, existe um volume maior de massa cinzenta (uma medida indireta da quantidade total de neurônios e ramificações dendríticas) e mais sinapses que na fase adulta; ao longo da década seguinte, a densidade da massa cinzenta diminui, à medida que processos dendríticos e conexões menos otimizadas vão sendo aparadas.**[3] Dentro do córtex

---

dos em "Pareça dez anos mais jovem!". Eles querem ter a aparência de anciãos, para poder mandar em todo mundo.

* No original, *Sturm und Drang*, movimento literário alemão do fim da década de XVIII que exaltava a natureza, o sentimento e o individualismo. Goethe e Schiller foram seus membros proeminentes. (N. T.)

** De forma nada surpreendente, o pico de massa cinzenta cortical frontal ocorre mais cedo para as meninas que para os meninos. Exceto por isso, o que mais impressiona é a falta de grandes diferenças entre os sexos no percurso do desenvolvimento do cérebro adolescente.

frontal, as sub-regiões mais antigas do ponto de vista evolutivo amadurecem primeiro; o novíssimo córtex pré-frontal dorsolateral nem sequer começa a perder massa cinzenta antes da parte final da adolescência. A importância desse padrão de desenvolvimento foi demonstrada em um estudo marcante no qual um grupo de crianças foi examinado por neuroimagem e teve seu QI testado repetidas vezes até a fase adulta. Quanto mais longo o período de acúmulo de densidade de massa cinzenta cortical no princípio da adolescência, antes do início da poda neuronal, maior o QI do adulto.

Portanto, o amadurecimento cortical frontal durante a adolescência tem a ver com um cérebro mais eficiente, não com mais cérebro. Isso pode ser mostrado em estudos de neuroimagem (facilmente mal interpretados) comparando adolescentes e adultos.[4] Um tema recorrente é como os adultos têm mais controle executivo sobre o comportamento durante certas atividades e apresentam maior ativação cortical frontal nesse período. Porém, tome agora uma tarefa na qual, de forma atípica, os adolescentes alcançam níveis de controle executivo equivalentes aos dos adultos. Nesses casos, eles apresentam *mais* ativação cortical — uma regulação equivalente exige menos esforço em um bem aparado córtex frontal adulto.

Há outras maneiras de demonstrar que o córtex frontal adolescente ainda não alcançou eficiência máxima. Por exemplo, adolescentes não têm a mesma habilidade que os adultos para detectar ironia, e, quando tentam fazê-lo, ativam o CPF dorsomedial (CPFdm) de modo mais intenso. Por outro lado, adultos apresentam maior ativação na área fusiforme de faces. Em outras palavras, a detecção de ironia não é tanto uma tarefa frontal para um adulto: uma olhada no rosto basta.[5]

O que dizer da substância branca do córtex frontal (aquela medida indireta da mielinização dos axônios)? Aqui as coisas divergem da abordagem superproduza-depois-apare da massa cinzenta; em vez disso, os axônios são mielinizados ao longo da adolescência. Como discutido no apêndice 1, isso permite aos neurônios se comunicarem de maneira mais rápida e coordenada — à medida que a adolescência avança, a atividade em diferentes partes do córtex frontal se torna mais correlacionada, uma vez que essa região passa a operar com mais intensidade como uma unidade funcional.[6]

Esse é um ponto importante. Quando aprendemos neurociência, é fácil tratar as diferentes regiões do cérebro como distintas em termos funcionais (e essa tendência piora se depois você dedica toda a carreira a estudar apenas uma dessas regiões). Como uma amostra disso, há entre os periódicos biomédicos de alta qualidade um chamado *Cortex*, e outro, *Hippocampus*, cada um deles dedicado a publicar artigos sobre a sua correspondente região favorita do cérebro. Em encontros de neurociência com a presença de dezenas de milhares de pessoas, há eventos sociais voltados a todas aquelas que estudam a mesma região obscura do cérebro, momento em que podem fofocar, criar laços e paquerar. Mas, na realidade, o cérebro é uma questão de circuitos, de padrões de conectividade funcional entre regiões. A mielinização progressiva do cérebro adolescente mostra a importância de uma conectividade mais intensa.

É interessante notar que outras partes do cérebro adolescente parecem auxiliar o córtex frontal subdesenvolvido, assumindo algumas das tarefas para as quais ele ainda não está preparado. Por exemplo, em adolescentes, mas não em adultos, o corpo estriado ventral auxilia na regulação das emoções. Retornaremos mais tarde a esse ponto.[7]

Existe algo mais mantendo esse córtex frontal novato fora do eixo, a saber, o estrogênio e a progesterona nas mulheres, e a testosterona nos homens. Como discutido no capítulo 4, tais hormônios alteram a estrutura e a função cerebral, inclusive do córtex frontal, onde hormônios gonadais modificam as taxas de mielinização e os níveis dos receptores de vários neurotransmissores. Logicamente, os marcos do amadurecimento adolescente no cérebro e no comportamento estão menos ligados à idade cronológica que ao tempo decorrido desde o início da puberdade.[8]

Além disso, a puberdade não se resume apenas a um ataque em massa de hormônios gonadais. É uma questão de *como* eles são ativados.[9] A característica principal da função endócrina ovariana é a ciclicidade da liberação de hormônios: "É aquela fase do mês". Em garotas, a puberdade não chega em plena floração, por assim dizer, com a primeira menstruação. Em vez disso, durante os primeiros anos, apenas cerca de metade dos ciclos envolve ovulação e picos de estrogênio e progesterona. Portanto, as adolescentes mais jovens não apenas experimentam seus primeiros ciclos ovulatórios, mas também flutuações de ordem mais elevada quanto à ocorrência ou não da oscilação ovulatória. Enquanto isso, ainda que garotos adolescentes não tenham perturbações hormonais equivalentes, de nada ajuda que os seus córtices frontais sofram períodos de hipóxia em decorrência do fluxo sanguíneo priápico em direção à região púbica.

Assim, à medida que desperta a adolescência, a eficiência cortical frontal se vê enfraquecida por sinapses irrelevantes sendo malsucedidas no teste, uma comunicação lenta graças à baixa mielinização e uma confusão de sub-regiões descoordenadas agindo em desacordo; além disso, embora o corpo estriado tente ajudar, não há muito que um batedor reserva possa fazer nesse jogo. Por fim, o córtex frontal está mergulhado no fluxo e no refluxo dos hormônios gonadais. Não surpreende que ajam como adolescentes.

Mudanças corticais frontais da cognição na adolescência

Para entender como o amadurecimento cortical frontal se relaciona com os nossos melhores e piores comportamentos, é importante, em primeiro lugar, ver como se dá esse amadurecimento nos domínios cognitivos.

Durante a adolescência, há um aperfeiçoamento constante da memória de trabalho, do uso flexível de regras, da organização executiva e da regulação inibitória frontal (por exemplo, alternância de tarefas). Em geral, essas melhorias são acompanhadas de uma maior ativação das regiões frontais durante uma tarefa, e a dimensão desse aumento reflete a precisão no desempenho destas.[10]

Adolescentes também melhoram nas tarefas de mentalização (compreender a perspectiva de outra pessoa). E não me refiro à perspectiva emocional (não mude de canal), mas a desafios mais puramente cognitivos, como compreender qual seria a aparência de um objeto do ponto de vista de outra pessoa. A melhora na detecção da ironia reflete o aperfeiçoamento da percepção cognitiva abstrata de perspectivas.

Mudanças corticais frontais na regulação emocional

Adolescentes mais velhos experimentam as emoções de forma mais intensa que crianças e adultos, algo óbvio para qualquer um que tenha passado por essa fase. Por exemplo, eles são mais reativos a rostos que expressam emoções fortes.*[11] Nos adultos, olhar para um "aparato de exibição facial afetivo" ativa a amígdala, e logo depois o regulador emocional CPFvm, à medida que o indivíduo se adapta ao conteúdo emocional. Na adolescência, contudo, a resposta do CPFvm é menor, de modo que a resposta amigdaloide segue aumentando.

O capítulo 2 introduziu a "reavaliação" — quando a resposta a estímulos emocionais fortes é regulada ao concebermos a questão de maneira diferente.[12] Tire uma nota baixa em uma prova e logo ocorre uma inclinação emocional na direção de "sou burro"; a reavaliação pode levá-lo, no entanto, a considerar o fato de que você não havia estudado, ou que ficara gripado, para concluir que o resultado da prova foi circunstancial, em vez de uma consequência da sua incorrigível natureza.

As estratégias de reavaliação são aperfeiçoadas durante a adolescência, o que, é evidente, se reflete em bases neurobiológicas. Relembre que, no princípio da adolescência, o corpo estriado ventral, tentando colaborar, assume algumas das tarefas

---

* Uma exceção interessante é que os adolescentes não têm respostas particularmente fortes a estímulos de repugnância, tanto no nível subjetivo quanto no nível da ativação do córtex insular.

frontais (de maneira bem ineficaz, uma vez que está trabalhando fora das suas qualificações). Nessa idade, a reavaliação envolve o corpo estriado: mais ativação nessa região indica menos atividade amigdaloide e melhor regulação emocional. À medida que o adolescente amadurece, o córtex frontal assume o comando, e as emoções se tornam mais estáveis.[13]

Colocar o corpo estriado na jogada traz consigo dopamina e recompensa, do que deriva a predileção dos adolescentes pelo bungee jump.

A INCLINAÇÃO DOS ADOLESCENTES AO RISCO

As Cavernas da Califórnia, localizadas nos contrafortes da cordilheira de Serra Nevada, são um sistema de cavernas que conduz, passada uma estreita e convoluta descida de dez metros buraco abaixo, a uma queda abrupta de sessenta metros (que hoje pode ser vencida por rapel). Os guardas do parque encontraram esqueletos de séculos atrás no fundo desse abismo, pertencentes a exploradores que foram um passo além do que deveriam em direção à escuridão. E todos são de adolescentes.

Como demonstrado por meios experimentais, durante a tomada de decisões arriscadas, os adolescentes ativam menos o córtex pré-frontal do que os adultos; a atividade menor resulta em uma pior avaliação de riscos. E ela assume uma forma particular, como mostrou Sarah-Jayne Blakemore, da University College de Londres.[14] Peça a alguns voluntários que estimem a probabilidade de um determinado evento acontecer (ganhar na loteria ou morrer em um acidente de avião); em seguida, revele a eles a probabilidade real. Esse retorno de informação pode representar uma boa notícia (por exemplo, ser mais provável do que se esperava que alguma coisa boa aconteça, ou menos provável que algo ruim ocorra). De maneira recíproca, a informação recebida pode também representar uma má notícia. Peça então aos voluntários que estimem de novo a probabilidade de os mesmos eventos acontecerem. Adultos incorporam em suas novas estimativas as informações recebidas. Adolescentes atualizam suas estimativas do mesmo modo que adultos em relação às boas notícias. Mas as informações que constituem notícias negativas passam batidas. (Pesquisador: "Quais são as chances de você se envolver em um acidente de carro ao dirigir alcoolizado?". Adolescente: "Uma chance em um zilhão". Pesquisador: "Na verdade, as chances são de cerca de 50%; quanto você acha que são as suas chances agora?". Adolescente: "Ei, é de mim que estamos falando; uma chance em

---

* Com a regulação frontal das emoções aparecendo mais tarde nos homens do que nas mulheres.

um zilhão".) Acabamos de explicar por que as taxas de jogadores patológicos entre adolescentes são de duas a quatro vezes mais altas que entre adultos.[15]

Portanto, adolescentes tomam atitudes mais temerárias e são péssimos na avaliação dos riscos. Porém, não é só uma questão de estar mais disposto a se arriscar. Afinal de contas, tanto adolescentes quanto adultos desejariam evitar atitudes perigosas, mas os adultos se contêm melhor por causa da maturidade cortical frontal. Há uma diferença etária quanto ao tipo de sensações buscadas — adolescentes são mais tentados ao bungee jump; adultos, a trapacearem em suas dietas com restrição de sal. A adolescência se caracteriza não apenas por uma maior exposição ao risco, mas também por uma maior busca por novidades.*[16]

A ânsia por novidades permeia a adolescência. Esse é o período em que costumamos desenvolver nossas predileções em relação a música, comida e moda, e a abertura a novas experiências vai declinando a partir daí.[17] E não se trata de um fenômeno somente humano. Ao longo da vida dos roedores, são os adolescentes os mais inclinados a provar um novo alimento. A busca por novidades é especialmente intensa em outros primatas. Entre muitos dos mamíferos sociais, os adolescentes de um dos sexos deixam grupo de origem, emigrando para outras populações, uma clássica estratégia para evitar o cruzamento consanguíneo. Entre as impalas, organizam-se grupos de fêmeas aparentadas, suas crias e um único macho fértil; os demais vagam desconsolados em "manadas de solteiros", cada um deles maquinando formas de usurpar o lugar do macho reprodutor. Quando um jovem macho atinge a puberdade, ele é retirado do grupo pelo macho dominante (e, para evitar qualquer besteira edípica, é improvável que este seja seu pai, que deve ter reinado inúmeras mudanças de comando atrás).

Mas não entre os primatas. Considere os babuínos. Suponha que dois bandos se encontrem em alguma fronteira natural — um riacho, digamos. Os machos ameaçam uns aos outros por um tempo, acabam se cansando e voltam a fazer o que estavam fazendo. Menos um adolescente, que permanece à beira do riacho, extasiado. Novos babuínos, um bando inteiro deles! Ele corre cinco passos em direção ao outro grupo, então retrocede quatro, nervoso, agitado. Atravessa, cauteloso, para a outra margem, fugindo depressa caso algum outro babuíno lhe dirija um olhar.

Assim começa o gradual processo de transferência, com o adolescente passando cada dia mais tempo junto ao novo bando, até romper o cordão umbilical e passar uma noite entre eles. Ninguém o pressionou. Em vez disso, se tivesse que passar mais uma noite entre os mesmos babuínos monótonos que conhece desde que nasceu, teria vontade de gritar. Entre chimpanzés adolescentes, são as fêmeas

---

* O pico na busca por sensações chega mais cedo para as mulheres que para os homens.

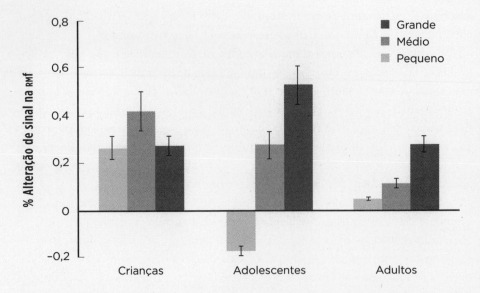

Mudanças no nível de atividade dopaminérgica no "centro de recompensa" do cérebro depois de diferentes magnitudes de recompensa. Entre os adolescentes, os picos são mais altos; e os vales, mais baixos.

que não conseguem parar de pensar em sair do bando de origem o mais rápido possível. Nós, primatas, não somos expulsos na adolescência. Ansiamos desesperadamente por novidades.*

Portanto, a adolescência envolve a disposição para o risco e a busca por novidades. Onde se encaixa o sistema de recompensa da dopamina aqui?

Lembre-se do capítulo 2 e de como a área tegmentar ventral constitui a origem da projeção dopaminérgica mesolímbica para o núcleo *accumbens*, e da projeção dopaminérgica mesocortical para o córtex frontal. Durante a adolescência, a densidade e a sinalização das projeções dopaminérgicas crescem de maneira progressiva em ambas as vias (embora a busca de novidades em si alcance um pico nos meados da adolescência, refletindo talvez a regulação frontal emergente a partir daí).[18]

Não fica claro qual é a quantidade de dopamina liberada na antecipação de recompensas. Alguns estudos mostram uma maior ativação antecipatória das vias de recompensa em adolescentes em comparação com adultos, enquanto outras

---

* Mas isso não explica por que, por exemplo, são os machos que partem entre os babuínos, e as fêmeas entre os chimpanzés, nem por que isso varia para os humanos. Essa questão será tratada de maneira tangencial no capítulo 10.

pesquisas indicam o oposto, apresentando como a menor de todas as receptividades dopaminérgicas aquela dos adolescentes mais propensos ao risco.[19]

As variações por faixa etária nos níveis absolutos de dopamina são menos interessantes que as diferenças nos padrões de liberação desse neurotransmissor. Em um ótimo estudo, crianças, adolescentes e adultos foram analisados por tomografia cerebral enquanto executavam tarefas nas quais respostas corretas geravam recompensas monetárias de tamanhos variados (ver figura anterior).[20] Durante os testes, a ativação pré-frontal, tanto em crianças quanto em adolescentes, foi difusa e desconcentrada. No entanto, a ativação do núcleo *accumbens* dos adolescentes foi característica. Nas crianças, uma resposta correta produziu mais ou menos o mesmo aumento de atividade, independente da magnitude da recompensa. Nos adultos, prêmios menores, medianos e maiores causaram aumentos menores, medianos e maiores na atividade do *accumbens*. E nos adolescentes? Os resultados foram os mesmos das outras faixas etárias no caso de uma remuneração mediana. Uma grande recompensa produziu um aumento gigantesco, muito maior que nos adultos. E uma pequena recompensa? A atividade do *accumbens decaiu*. Em outras palavras, os adolescentes experimentam prêmios maiores que o esperado de forma mais positiva que os adultos, e prêmios aquém do esperado como sendo repulsivos. Como um pião girando, prestes a perder o controle.

Isso sugere que, em adolescentes, grandes recompensas produzem sinalização dopaminérgica exagerada, e recompensas simples e razoáveis por ações prudentes parecem desprezíveis. O córtex frontal imaturo não tem a mínima chance de se contrapor a um sistema de dopamina como esse. Mas existe um elemento curioso.

Em meio a seus neurônios malucos e descontrolados de dopamina, os adolescentes têm habilidades de raciocínio que, em muitos campos da percepção de risco, equiparam-se às dos adultos. Porém, apesar disso, a lógica e a razão costumam ser postas de lado, e eles agem como adolescentes. O trabalho de Laurence Steinberg, da Universidade Temple, identificou um momento-chave no qual eles estão particularmente inclinados a saltar antes de olhar para baixo: quando estão junto de outros adolescentes.

PARES, ACEITAÇÃO SOCIAL E EXCLUSÃO SOCIAL

A vulnerabilidade dos adolescentes à pressão dos amigos e, mais ainda, daqueles de quem eles desejam ser amigos é bem conhecida. Pode também ser demonstrada em termos experimentais. Em uma das pesquisas de Steinberg, adolescentes e adultos apresentaram as mesmas taxas de exposição ao risco em um jogo eletrônico de pilotagem. Acrescentar dois indivíduos de idade semelhante para encorajar os voluntários não teve efeito sobre os adultos, mas triplicou o risco nos adolescentes. Além disso, em estudos de neuroimagem, a existência de pares apoiando os voluntários (por um sistema de comunicação remota) reduz a atividade do CPFVM e aumenta a do corpo estriado ventral nos adolescentes, mas não nos adultos.[21]

Por que os adolescentes sofrem tanta influência social de seus pares? Para começar, eles são mais sociáveis e têm relações mais complexas que crianças e adultos. Por exemplo, um estudo de 2013 demonstrou que eles têm em média mais de quatrocentos amigos no Facebook, bem mais que os adultos.[22] Além disso, a socialidade adolescente está ligada, em particular, ao afeto e à sensibilidade com relação à sinalização emocional — lembre-se de como eles apresentam uma maior resposta límbica, e uma menor resposta cortical frontal, a rostos emotivos. Ademais, eles não colecionam quatrocentos amigos no Facebook para obter dados para seus doutorados em sociologia. Em vez disso, há uma necessidade desesperada de pertencer ao grupo.

Isso provoca a vulnerabilidade dos adolescentes à pressão de seus pares e ao contágio emocional. Além do mais, essa pressão em geral constitui um "treinamento em transgressão", aumentando as chances de violência, uso de drogas, crimes, sexo sem proteção e maus hábitos de saúde (isto é, poucas gangues juvenis obrigam outros garotos a acompanhá-las no uso do fio dental seguido por atos aleatórios de caridade). Por exemplo, em dormitórios universitários, o bebedor inveterado tem mais chance de influenciar o colega de quarto abstêmio do que o contrário. A incidência de distúrbios alimentares em adolescentes se espalha entre seus pares em um padrão que se assemelha ao do contágio viral. O mesmo ocorre com a depressão entre as garotas, o que reflete a tendência delas a "corruminar" os problemas, reforçando os sentimentos negativos umas das outras.

Estudos de neuroimagem demonstram a intensa sensibilidade dos adolescentes à influência dos pares. Peça a um grupo de adultos para pensar primeiro no que eles consideram ser a opinião dos outros a seu respeito, depois no que eles próprios pensam de si mesmos. Duas redes diferentes e parcialmente superpostas de estruturas límbicas e frontais são ativadas pelas duas tarefas. Entre os adolescentes, porém, os perfis de ativação são idênticos. À pergunta: "O que você pensa de si mesmo?", responde-se neurologicamente com: "Aquilo que as outras pessoas pensam de mim".[23]

A desesperada necessidade que os adolescentes têm de pertencer ao grupo foi demonstrada de forma belíssima por pesquisas sobre a neurobiologia por trás da exclusão social. Um projeto de Naomi Eisenberger, da UCLA, desenvolveu o inteligente e perverso paradigma da "bola virtual"* para fazer com que as pessoas se sintam desprezadas.[24] O voluntário se deita em um aparelho de tomografia cerebral, acreditando que irá participar de um jogo on-line com outras duas pessoas (é claro que não existem outras pessoas — trata-se apenas de um programa de computador). Cada jogador ocupa um ponto da tela, formando um triângulo. Os jogadores devem passar a bola entre si; o voluntário escolhe para qual dos outros prefere arremessar e acredita que eles estão fazendo o mesmo. Depois de a bola ser lançada algumas vezes, sem que o voluntário saiba, o experimento começa: os outros dois jogadores param de lançar-lhe a bola. Ele está sendo excluído pelos dois babacas. Em adultos, ocorre ativação da massa cinzenta periaquedutal, da amígdala e dos córtices cingulado anterior e insular. Perfeito: essas regiões são fundamentais para a percepção de dor, raiva e repugnância.** E então, depois de um período, ativa-se o CPF ventrolateral (CPFvl); quanto maior a magnitude dessa ativação, mais silenciados são o cingulado e a ínsula, e menos irritação os voluntários relatam mais tarde. O que significa essa ativação atrasada do CPFvl? "Por que estou irritado? É só um jogo de bola idiota." O córtex frontal vem ao resgate trazendo perspectiva, racionalização e regulação emocional.

Agora repita o teste com adolescentes. Alguns apresentam o mesmo padrão de neuroimagem que os adultos. Esses são os que se avaliam como menos sensíveis à rejeição, e que passam a maior quantidade de tempo com amigos. Contudo, para a maioria deles, quando ocorre a exclusão social, o CPFvl mal é ativado, as outras alterações cerebrais são mais intensas que nos adultos, e eles relatam uma maior sensação de desconforto — falta aos adolescentes mais intensidade do córtex frontal para efetivamente articular razões para não se importarem com aquilo. A rejeição *dói* mais nos adolescentes, produzindo uma maior necessidade de ser aceito no grupo.[25]

---

* No original, *"Cyberball"*. (N. T.)

** Estudos que empregam o paradigma da "bola virtual" contam normalmente com um importante grupo de controle. Nesse caso, o voluntário participa do mesmo jogo triangular de arremesso virtual quando é informado: "Opa, houve uma falha no computador. Perdemos contato com os outros dois jogadores. Espere um pouco até consertarmos isso". Enquanto as coisas estão sendo "consertadas", os outros dois jogadores ficam trocando passes entre si. Em outras palavras, o voluntário se vê excluído, mas por problemas técnicos, não por motivos sociais. E nenhuma daquelas regiões cerebrais é ativada. (Observe, porém, que, se fosse eu num estado mental mais inseguro, sem dúvida passaria pela minha cabeça que, até o computador ser consertado, os outros dois jogadores já teriam criado laços, percebido que estão mais felizes sem a minha participação e continuariam a me excluir, ou, mesmo que voltassem a me passar a bola, seria apenas por pura condescendência, causando a imediata atrofia do meu sistema dopaminérgico mesolímbico.)

Um estudo de neuroimagem examinou um dos elementos neurais básicos da conformidade.[26] Ao observar uma mão se movendo, neurônios das regiões pré-motoras que contribuem para o movimento da sua própria mão se tornam ligeiramente ativados — seu cérebro está pronto para imitar o gesto. Na pesquisa, crianças de dez anos assistiram a trechos de vídeos com gesticulações e expressões faciais. As mais vulneráveis à influência do grupo (em uma escala desenvolvida por Steinberg)* demonstraram maior ativação pré-motora — mas apenas para as expressões faciais. Em outras palavras, crianças mais sensíveis à pressão dos pares estão mais predispostas a imitar a condição emocional dos outros. (Dada a idade dos voluntários, os pesquisadores apresentaram seus resultados como indicadores potenciais de comportamento adolescente futuro.)**

Esse nível atomístico de explicação para a conformidade poderia talvez predizer quais dos adolescentes estariam mais predispostos a participar de uma desordem em massa. Mas não nos diz muito a respeito daquele indivíduo que decide não convidar alguém para uma festa porque os colegas mais populares o consideram um *loser*.

Outra pesquisa mostrou os correlatos neurobiológicos de aspectos mais abstratos da conformidade com o grupo. Lembre-se de que o corpo estriado ventral adolescente auxilia o córtex pré-frontal na reavaliação da exclusão social. No estudo, os adolescentes mais jovens que eram mais resistentes à influência dos pares eram os que apresentavam as respostas estriadas ventrais mais fortes. E o que poderia explicar essa maior intensidade? A essa altura você deve saber minha resposta — veremos nos capítulos restantes.

EMPATIA, SIMPATIA E RACIOCÍNIO MORAL

Ao atingir a adolescência, os indivíduos são em geral bastante eficientes em considerar diferentes perspectivas, ou seja, em ver o mundo como outra pessoa o faria. Esse é o período em que costumamos ouvir pela primeira vez algo como:

---

* O questionário pede que a pessoa indique até que ponto várias afirmativas ligadas à conformidade social se aplicam a ela mesma: "Algumas pessoas fazem o que seus amigos esperam só para deixá-los felizes"; "Algumas pessoas dizem coisas nas quais não acreditam de fato porque pensam que isso conquistará maior apreço de seus amigos"; e assim por diante.

** Alguns leitores reconhecerão que esses neurônios pré-motores que se preparam para imitar um movimento observado são os "neurônios-espelho". Como veremos em um capítulo mais adiante, o sistema dos neurônios-espelho é fascinante, apesar de todo esse enorme *hype*.

"Bem, mesmo assim eu discordo, mas consigo entender por que ele se sentiria dessa maneira, considerando o que passou".

Apesar disso, adolescentes ainda não são adultos. Ao contrário destes, eles continuam sendo melhores em assumir a perspectiva de primeira pessoa, em oposição à de terceira ("Como *eu* me sentiria na situação dela?", em vez de: "Como ela se sente nessa situação?").[27] Os julgamentos morais dos adolescentes, embora apresentem um refinamento crescente, ainda não atingiram o nível daqueles dos adultos. Eles deixaram para trás a tendência igualitária das crianças de dividir todos os recursos da mesma forma; no lugar disso, tomam na maioria das vezes decisões meritocráticas (com uma pitada de pontos de vista utilitaristas e libertaristas). O pensamento meritocrático é mais sofisticado que o igualitário, uma vez que este último faz referência apenas aos resultados, enquanto o primeiro incorpora considerações quanto às causas. Entretanto, o pensamento meritocrático dos adolescentes é menos complexo que o dos adultos — por exemplo, eles são tão competentes quanto os adultos em compreender como as circunstâncias individuais afetam o comportamento, mas não em compreender as circunstâncias sistêmicas.

À medida que amadurecem, eles vão distinguindo cada vez melhor entre dano intencional e dano acidental, considerando o primeiro mais grave.[28] Quando pensam no último, há agora menos ativação das três regiões cerebrais ligadas ao processamento da dor, a saber, a amígdala, a ínsula e as áreas pré-motoras (esta última refletindo a tendência de contrair os músculos da face quando se ouve um relato sobre algo dolorido). Enquanto isso, há uma ativação crescente do CPFdl e do CPFvm quando eles pensam em uma situação de dano intencional. Em outras palavras, é uma tarefa frontal perceber o sofrimento de alguém que está sendo ferido de maneira intencional.

Conforme crescem, os adolescentes também distinguem cada vez melhor entre um dano infligido a pessoas e outro que impacta objetos (com o primeiro sendo considerado mais grave). O mal causado a pessoas ativa cada vez mais a amígdala, enquanto o contrário ocorre em relação a objetos. É interessante notar que, à medida que os adolescentes envelhecem, existe uma *menor* diferenciação entre as punições sugeridas para dano a objetos, seja ele intencional ou não intencional. Em outras palavras, o ponto mais importante passa a ser que, acidente ou não, aquilo precisa ser consertado — mesmo que haja menos choro sobre o leite derramado, não há menos sujeira para limpar.*

---

* Jamais encontrei um estudo que analisasse o refinamento produzido pelo amadurecimento com relação a circunstâncias em que o dano causado ao objeto produzisse enorme prejuízo emocional aos indivíduos — por exemplo, na destruição de relíquias religiosas. Como mostraremos em um capítulo mais adiante, existe grande força em tais objetos simbólicos.

O que dizer de uma das coisas mais incríveis sobre os adolescentes com respeito ao escopo deste livro — a exaltada, agitada e incandescente capacidade de sentir a dor de outra pessoa, de sentir a dor de todos, de tentar fazer com que tudo fique bem? Um capítulo futuro distingue entre simpatia e empatia, entre sentir *por* alguém que está sofrendo e sentir-se *como* essa pessoa. Os adolescentes são especialistas nesta última, na qual a intensidade de se sentir *como* o outro pode levar quase a *ser* o outro.

Essa intensidade não surpreende, sendo uma intersecção de várias facetas da adolescência. Há, de um lado, a abundância de emoções e revoluções límbicas. Os picos são mais altos, e os vales, mais baixos; o sofrimento empático é escaldante e o ardor de fazer a coisa certa torna plausível que estejamos aqui com um propósito. Outro fator determinante é a abertura à novidade. Uma mente aberta é um pré-requisito para um coração aberto, e o apetite adolescente por novas experiências torna possível vestir a pele do outro por bastante tempo. E existe ainda o egotismo desse período da vida. Durante o final da minha adolescência, eu costumava andar com os quacres, e eles por vezes utilizavam o aforismo: "Tudo o que Deus tem é você". Esse é um Deus de recursos limitados, e que não só necessita da ajuda dos seres humanos para corrigir um mal, mas que precisa de você, apenas você, para fazer isso. O apelo ao egotismo é feito sob medida para os adolescentes. Junte a isso a energia inesgotável, mais o sentimento de onipotência, e parece possível consertar o mundo todo. Então por que não?

No capítulo 13, discutiremos como nem a mais inflamada capacidade emocional para a empatia ou o mais presunçoso raciocínio moral prático tornam mais provável que um indivíduo tome uma atitude corajosa e difícil. Isso levanta uma sutil limitação à empatia adolescente.

Como veremos, uma situação em que reações empáticas não necessariamente levam a atitudes de fato é quando pensamos o suficiente para racionalizar a questão ("Não é um problema tão grande assim" ou "Alguma outra pessoa vai cuidar disso"). Mas sentir com muita intensidade também tem seus problemas. Experimentar a dor alheia é em si doloroso, e os indivíduos que o fazem com maior intensidade, com a mais pronunciada excitação e ansiedade, têm na verdade *menos* probabilidade de tomar uma atitude pró-social. Em vez disso, a aflição pessoal produz um foco sobre si mesma que leva ao escape — "Isso é terrível, não aguento mais ficar aqui". À medida que o sofrimento empático aumenta, a própria dor da pessoa se torna a principal preocupação.

Por outro lado, quanto maior a capacidade do indivíduo de regular emoções empáticas adversas, maior a probabilidade de ele agir de maneira pró-social. Relacionado a isso, se uma circunstância que provoca empatia, mas também aflição pessoal, promove um aumento dos seus batimentos cardíacos, é menos provável que você tome uma ação pró-social, em comparação com o cenário de uma diminuição do ritmo cardíaco. Portanto, um fator preditivo para indivíduos que agem de fato é a habilidade de estabelecer certo distanciamento, de surfar a onda da empatia, em vez de se deixar afogar por ela.

Onde nisso tudo se encaixam os adolescentes, com suas emoções à flor da pele, seus sistemas límbicos com carga completa e seus córtices frontais que se esforçam para tirar o atraso? A resposta é óbvia. A tendência para a superexcitação empática pode atrapalhar a ação efetiva.[29]

Esse furor de empatia adolescente pode parecer um pouco demais para os adultos. Mas quando vejo meus melhores alunos nesse estado, tenho sempre o mesmo pensamento: era tão mais fácil ser como eles. Meu córtex frontal adulto pode permitir qualquer bondade descompromissada que eu pretenda realizar. A dificuldade, claro, é que esse mesmo distanciamento torna fácil decidir que o problema não é meu.

VIOLÊNCIA ADOLESCENTE

É óbvio que os anos da adolescência não giram apenas em torno de arrecadar contribuições para a luta contra o aquecimento global. O período entre o final da adolescência e o início da vida adulta representa o pico da violência, considerando tanto o homicídio premeditado quanto o por impulso, tanto as trocas de socos vitorianas quanto as pistolas modernas, as disputas isoladas ou organizadas (com ou sem farda) e as agressões dirigidas a estranhos ou a companheiros íntimos. E então, as taxas despencam. Como já foi dito, a melhor ferramenta de combate ao crime é um aniversário de trinta anos.

Em um certo nível, a biologia subjacente à atitude do assaltante adolescente é similar à do jovem que entra para o Clube de Ecologia e doa sua mesada para ajudar a salvar os gorilas-das-montanhas. É o de sempre: intensidade emocional exacerbada, desejo de aprovação dos pares, busca por novidades e, ah, aquele córtex frontal. Mas é aí que terminam as semelhanças.

O que sustenta o pico de violência dos adolescentes? Estudos de neuroimagem não revelaram nada de característico em comparação com a violência dos adultos.[30] Tanto os psicopatas adolescentes quanto os psicopatas adultos têm menos sensibilidade do CPF e do sistema de dopamina à retroalimentação negativa, menor susceptibilidade à dor e menos conjunção amigdaloide e cortical frontal durante tarefas de raciocínio moral ou empatia.

Além disso, o pico da violência não é causado pelo súbito influxo de testosterona. Retomando o capítulo 4, a testosterona não provoca mais violência entre homens adolescentes do que entre adultos. Além do mais, os níveis de testosterona atingem o pico no início da adolescência, enquanto o máximo de violência vem mais tarde.

O próximo capítulo discute alguns dos fundamentos da violência adolescente. Por enquanto, o ponto importante é que o adolescente médio não possui a autorregulação ou a capacidade de julgamento de um adulto médio. Isso pode levar à ideia de que infratores adolescentes têm menos responsabilidade que os adultos por atos criminosos. Uma perspectiva alternativa seria que, mesmo em meio a um juízo e uma autorregulação inferiores, há ainda o bastante para merecer uma atribuição de penas equivalentes. O primeiro ponto de vista foi defendido em duas decisões marcantes da Suprema Corte americana.

No primeiro julgamento, o caso Roper contra Simmons, de 2005, a corte decidiu por cinco votos a quatro que executar alguém por crimes cometidos antes dos dezoito anos é inconstitucional, violando a proibição da Oitava Emenda para punições cruéis ou incomuns. Mais tarde, no caso Miller contra o Alabama, de 2012, em outra decisão por cinco a quatro, a corte proibiu as sentenças de prisão perpétua sem chance de liberdade condicional para infratores adolescentes, com base nos mesmos princípios.[31]

O fundamento racional da corte parte diretamente do que discutimos neste capítulo. Representando o voto da maioria no caso Roper contra Simmons, o juiz Anthony Kennedy declarou:

> Em primeiro lugar, [como todos sabem,] a falta de maturidade e o senso de responsabilidade subdesenvolvido se encontram entre os adolescentes de maneira mais frequente que entre adultos, e são mais compreensíveis entre os jovens. Essas qualidades por vezes resultam em ações e decisões destemperadas e impensadas.[32]

Concordo plenamente com esses julgamentos. Porém, para abrir o jogo antecipadamente, acredito que isso seja apenas uma representação superficial. Como será apresentado no longo discurso que constitui o capítulo 16, acredito que a ciência contida neste livro deveria transformar a justiça penal em todos os seus detalhes.

UMA REFLEXÃO FINAL: POR QUE O CÓRTEX FRONTAL PRECISA AGIR CONFORME SUA IDADE?

Como prometido, o fator dominante deste capítulo foi o amadurecimento cortical frontal atrasado. Por que acontece esse atraso? Seria porque o córtex frontal é o projeto de engenharia mais complicado do cérebro?

Provavelmente não. O córtex frontal emprega os mesmos sistemas de neurotransmissores que o restante do cérebro, com os mesmos neurônios básicos. A densidade neuronal e a complexidade das interconexões são similares às do restante do (requintado) córtex. Não é mais difícil construir o córtex frontal que qualquer outra região cortical.

Portanto, é improvável que, se o cérebro "pudesse" produzir um córtex frontal com tanta rapidez quanto o restante do córtex, ele "quereria" fazê-lo. Em vez disso, acredito que existe um processo evolutivo de seleção envolvendo o amadurecimento frontal atrasado.

Se o córtex frontal amadurecesse tão rápido quanto o restante do cérebro, não haveria nenhuma turbulência adolescente, nenhuma exploração ou criatividade nervosa e inquieta, nenhuma longa fila de gênios adolescentes espinhentos que largaram a faculdade e trabalharam em suas garagens para inventar o fogo, a pintura rupestre e a roda.

Talvez. Mas essa hipótese precisaria explicar de que modo a evolução do comportamento levaria à transmissão de cópias dos genes de um indivíduo, e não para o bem da espécie (não mude de canal até o capítulo 10). E, para cada indivíduo que marcasse muitos pontos no quesito reprodução graças à inventividade adolescente, haveria muitos outros mais que quebrariam o pescoço por causa da imprudência da juventude. Não creio que o amadurecimento cortical frontal tenha evoluído para que os adolescentes pudessem agir de maneira desenfreada.

Em vez disso, acredito que o atraso acontece para que o cérebro possa fazer tudo direito. Claro, ele tem que "fazer tudo direito" com todas as suas partes. Mas de um modo particular em relação ao córtex frontal. O ponto central do último capítulo foi a plasticidade do cérebro: novas sinapses se formam, novos neurônios são criados, circuitos são refeitos, regiões cerebrais se expandem ou se contraem. É por meio dela que aprendemos, mudamos e nos adaptamos. Não há nenhum lugar em que isso seja mais importante que no córtex frontal.

Um fato muitas vezes repetido a respeito dos adolescentes é que a "inteligência emocional" e a "inteligência social" são indicadores melhores para prever o sucesso e a felicidade que eles terão quando adultos que o QI ou as notas do SAT.*[33] É tudo uma questão de memória social, perspectiva emocional, controle de impulsos, empatia, capacidade de trabalhar em equipe, autorregulação. Existem paralelos em outros primatas, com seus grandes córtices frontais de amadurecimento lento. Por exemplo, o que conta para um babuíno macho ser "bem-sucedido" na hierarquia de

---

* O SAT (Scholastic Aptitude Test) é um exame aplicado aos estudantes do ensino médio americano, cujas notas são utilizadas nos processos de admissão às universidades. (N. T.)

dominância? *Alcançar* um posto elevado é uma questão de músculos, caninos afiados e agressividade no momento oportuno. Mas, uma vez que se atinge um status elevado, *manter-se* é uma questão de esperteza social — saber quais coalizões formar, como intimidar um rival, como ter suficiente controle dos impulsos para ignorar grande parte das provocações e conservar a agressividade deslocada em níveis aceitáveis. De modo similar, como observado no capítulo 2, entre os macacos reso machos um córtex frontal grande segue lado a lado com uma maior dominância social.

A vida adulta está cheia de encruzilhadas significativas nas quais fazer a coisa certa é sem dúvida mais complicado. Conduzir-se a contento por esse caminho faz parte do portfólio do córtex frontal, e desenvolver as habilidades necessárias para fazer isso de maneira correta requer um profundo aprimoramento por meio da experiência.

Isso pode ser a resposta. Como veremos no capítulo 8, o cérebro recebe grande influência dos genes. Mas desde o nascimento até o início da vida adulta, a parte do cérebro humano que melhor nos define é menos um produto dos genes com os quais você começou a sua vida que daquilo que a vida colocou no seu caminho. Por ser o último a amadurecer, o córtex frontal, por definição, é a região cerebral menos limitada pelos genes e mais esculpida pela experiência. Tinha que ser assim, para que fôssemos essa espécie social tão absurdamente complexa que somos. De maneira irônica, tudo indica que o programa genético do desenvolvimento cerebral humano evoluiu para, tanto quanto possível, liberar dos genes o córtex frontal.

7. De volta ao berço, de volta ao útero

Depois da viagem ao Planeta Adolescência, retornamos à nossa abordagem-padrão. Determinado comportamento — bom, mau ou ambivalente — se manifesta em nós. Por quê? Quando procuramos as raízes das nossas atitudes, muito antes de pensar em neurônios ou hormônios, é normalmente para a infância que nos dirigimos em primeiro lugar.

COMPLEXIFICAÇÃO

A infância é obviamente um período de crescente complexidade em todos os campos do comportamento, do pensamento e da emoção. De forma crucial, essa complexidade progressiva aparece em sequências de estágios tipificados e universais. A maior parte da pesquisa em torno do desenvolvimento comportamental infantil é orientada de forma implícita a definir-se por estágios, que tratam: a) da sequência em que os estágios aparecem; b) de como a experiência afeta a velocidade e a confiabilidade com que se desenrola a linha sequencial de amadurecimento; c) de como isso ajuda a gerar o adulto que aquela criança irá se tornar. Começaremos examinando a neurobiologia inerente à composição "em estágios" do desenvolvimento.

UMA BREVE EXCURSÃO PELO DESENVOLVIMENTO CEREBRAL

Os estágios do desenvolvimento cerebral humano fazem sentido. Algumas semanas depois da concepção de um ser humano, uma leva de neurônios nasce e migra para suas posições apropriadas. Por volta da vigésima semana, há uma explosão na formação de sinapses — os neurônios passam a se comunicar. E então os axônios começam a ser envolvidos pela mielina, o isolamento de células gliais (formando a "substância branca") que aumenta a velocidade do potencial de ação.

A formação, a migração e a sinaptogênese dos neurônios são em grande parte pré-natais nos seres humanos.[1] Em contrapartida, existe pouca mielina à época do nascimento, sobretudo em regiões cerebrais mais recentes em termos evolutivos; como vimos, a mielinização continua então por um quarto de século. Os estágios da mielinização são tipificados, e a funcionalidade se desenvolve em seguida. Por exemplo, a região cortical fundamental à compreensão da linguagem se mieliniza alguns meses antes daquela responsável pela produção da linguagem — crianças entendem a língua antes que possam utilizá-la.

A mielinização tem maior impacto quando envolve os axônios mais longos, em neurônios que se comunicam através de distâncias maiores. Assim, ela auxilia sobretudo as regiões cerebrais a *conversarem umas com as outras*. Nenhuma região cerebral é uma ilha, e a formação de circuitos conectando as partes mais afastadas é crucial — de que outra maneira o córtex frontal poderia utilizar suas poucas células mielinizadas para se comunicar com os neurônios no segundo subsolo do cérebro, permitindo que você aprendesse a usar o penico sozinho?[2]

Como vimos, os fetos de mamíferos produzem neurônios e sinapses em excesso. Aqueles que se mostram ineficazes ou desnecessários são podados, dando origem a redes bem calibradas e mais eficientes. Para retomar um tema do último capítulo, quanto mais tarde uma certa região cerebral amadurece, menos ela é moldada pelos genes, e mais pelo ambiente.[3]

ESTÁGIOS

Quais estágios do desenvolvimento infantil ajudam a explicar o comportamento adulto bom/mau/meio-termo que deu início ao capítulo 1?

A mãe de todas as teorias de estágios de desenvolvimento foi proposta em 1923, a partir dos elegantes e inteligentes experimentos de Jean Piaget, que revelaram quatro fases da progressão cognitiva:[4]

- *Estágio sensório-motor* (do nascimento até mais ou menos dois anos). O pensamento se concentra apenas naquilo que a criança pode sentir e explorar de maneira direta. Durante essa fase, em geral por volta dos oito meses a criança desenvolve a "permanência do objeto", compreendendo que, mesmo que não possa ver uma coisa, ela continua a existir — o bebê é capaz de gerar uma imagem mental de algo que não aparece mais.*

---

* Como você demonstra a permanência do objeto em um bebê pré-verbal? Mostre um bicho de pelúcia a uma criança que ainda não alcançou esse estágio; em seguida, coloque-o dentro de uma caixa.

- *Estágio pré-operatório* (dos dois aos sete anos). A criança é capaz de manter ideias a respeito de como o mundo funciona sem ter exemplos explícitos diante de si. Os pensamentos são cada vez mais simbólicos; abundam as brincadeiras de imaginação. No entanto, o raciocínio é intuitivo — nada de lógica, nem de causa e efeito. Esse é o período em que as crianças não conseguem ainda incorporar a "conservação de volume". Dois vasos idênticos A e B são preenchidos com quantidades equivalentes de água. Despeja-se o conteúdo de B no vaso C, que é mais alto e mais fino. Pergunta-se então: "Qual tem mais água, A ou C?". As crianças no estágio pré-operatório utilizam uma intuição comum: a linha d'água em C é mais elevada que em A, logo aquele deve conter mais água.
- *Estágio das operações concretas* (dos sete aos doze anos). As crianças pensam de forma lógica, não caindo mais na enganação dos vasos de formatos diferentes. No entanto, a generalização lógica a partir de casos específicos é duvidosa. Assim como o pensamento abstrato: por exemplo, provérbios são interpretados ao pé da letra ("'A cada ovelha sua parelha' significa que ovelhas andam em pares").
- *Estágio das operações formais* (da adolescência em diante). Os indivíduos se aproximam dos níveis adultos de abstração, raciocínio e metacognição.

Outros aspectos do desenvolvimento cognitivo também são conceitualizados em estágios. Uma fase inicial ocorre quando as crianças formam limites para o ego: "Há um 'eu', separado de todas as outras pessoas". Uma falha nesses limites se mostra quando a criança não está bem certa sobre onde ela termina e a mamãe começa: é a mãe quem se cortou, mas é a criança quem diz que o dedo dói.[5]

Em seguida vem o estágio em que a criança percebe que outros indivíduos podem ter informações diferentes das suas. Bebês de nove meses de idade olham para o lugar para o qual alguém aponta (assim como o fazem os outros grandes primatas e os cães), compreendendo que a pessoa que aponta sabe algo a mais. Isso é estimulado pelo interesse: *cadê* aquele brinquedo? Para onde ela está olhando?

Para ela, o bichinho não existe mais. Agora retire-o de novo, e a criança pensa: meu Deus, de onde veio isso? Seu batimento cardíaco se acelera. Uma vez que o bebê tenha dominado a representação de objetos, tire o bichinho da caixa e, bocejo, claro, foi aí que você colocou o brinquedo — nenhum aumento no ritmo cardíaco. Melhor ainda: ponha o bichinho dentro da caixa e depois retire algo diferente, uma bola, digamos. Um bebê sem permanência do objeto não se surpreende: o animal deixou de existir e depois a bola passou a existir. Mas se for um bebê com permanência do objeto: opa, essa pelúcia se transformou numa bola — aceleração da frequência cardíaca.

Criança brincando de esconde-esconde no estágio "se não posso ver você, ou mesmo se não posso ver você tão facilmente quanto o normal, então você não pode me ver".

Crianças maiores compreendem de forma mais clara que as outras pessoas têm pensamentos, opiniões e conhecimentos diferentes dos seus, um marco para alcançar uma Teoria da Mente (TM).[6]

Eis um exemplo de como é não ter TM. Uma criança de dois anos e um adulto veem um biscoito ser colocado na caixa A. O adulto sai da sala, e o pesquisador muda o quitute para a caixa B. Pergunte à criança: "Quando aquela pessoa voltar, onde ela irá procurar pelo biscoito?". Na caixa B — a criança sabe que ele está lá dentro, logo, todo mundo sabe. Por volta dos três ou quatro anos, no entanto, a criança é capaz de raciocinar de outra maneira: "A pessoa vai pensar que está na A, mesmo que *eu* saiba que está na B". Shazam: TM.

Superar esses testes de "falsa crença" é um grande marco no desenvolvimento. A TM então progride para níveis mais refinados de discernimento — por exemplo, percepção de ironia, tomada de perspectiva ou TM secundária (compreender a TM da pessoa A em relação à pessoa B).[7]

Diversas regiões corticais medeiam a TM: partes do CPF medial (surpresa!) e alguns novos atores, entre os quais o *precuneus*, o sulco temporal superior e a junção temporoparietal (JTP). Isso pode ser mostrado por meio de neuroimagem: por déficits de TM se essas regiões se encontram danificadas (indivíduos autistas, que têm uma TM limitada, apresentam menos substância cinzenta e menor atividade no sulco temporal superior); e pelo fato de que, se você desativar por um tempo a JTP, as pessoas deixam de levar em conta as intenções dos outros ao julgá-los moralmente.[8]

Portanto, há estágios de acompanhamento do olhar, seguidos por TM primária, depois TM secundária e então tomada de perspectiva, sendo a rapidez dessas transições influenciada pela experiência (por exemplo, crianças com irmãos mais velhos atingem TM mais cedo, em relação à média).[9]

É claro que existem críticas à abordagem de estágios no desenvolvimento cognitivo. Uma delas se encontra no cerne deste livro: uma estrutura piagetiana se fecha em uma redoma de "cognição", ignorando o impacto de fatores sociais e emocionais.

Um exemplo que será discutido no capítulo 12 diz respeito aos bebês pré-verbais, que sem dúvida não compreendem a transitividade (se A > B, e B > C, então A > C). Apresente, em uma tela, uma violação de transitividade nas interações entre formas diferentes (a forma A deveria derrubar a forma C, mas o oposto acontece), e a criança fica impassível, não se fixa na imagem por muito tempo. Mas personifique essas formas com olhos e boca e ocorre então um aumento do ritmo cardíaco, e a criança se fixa por mais tempo — "Nossa, o *personagem* C deveria sair da frente do *personagem* A, não o contrário". Os humanos entendem as operações lógicas entre indivíduos antes do que aquelas entre objetos.[10]

O estado social ou motivacional pode também alterar os estágios cognitivos. Rudimentos de TM são mais facilmente observáveis em chimpanzés que estão interagindo com outros da mesma espécie (em vez de um humano) e se há alguma motivação — comida — envolvida.*[11]

Emoções e afetos podem modificar os estágios cognitivos de maneiras notáveis em situações específicas. Tive um ótimo exemplo disso quando minha filha mostrou tanto TM quanto *falta* de TM de uma vez só. Ela acabara de mudar de pré-escola e estava visitando a antiga turma. Contou a todos os colegas sobre a nova vida: "Aí, depois do almoço, brincamos no balanço. Tem balanços na escola nova. E aí, depois disso, fomos para a sala e a Carolee contou uma história. Aí, depois disso...". TM: "brincamos no balanço" — espere, eles não sabem que há balanços na escola nova, preciso contar a eles. Falha de TM: "Carolee contou uma história". A mesma lógica deveria se aplicar: deveria contar aos colegas quem é Carolee. Mas como Carolee era a mais incrível professora do mundo, a TM falhou. Mais tarde,

---

* Como seria possível testar isso? Dois humanos permanecem de pé diante de um macaco, um deles usando uma venda. Um petisco para o macaco é então escondido em algum lugar. Retire a venda; o macaco deve escolher um dos humanos para procurar o petisco. "Não escolha aquele que estava vendado. Ele não sabe onde está o petisco", pensa o macaco Mestre do Universo em TM.

perguntei a ela: "Ei, por que você não disse para eles quem era a Carolee?". "Ah, todo mundo sabe quem é." Como poderiam não saber?

Sentindo a dor do outro

A TM conduz à próxima fase: as pessoas podem ter *sentimentos* diferentes dos meus, inclusive de sofrimento.[12] Essa compreensão não é suficiente para haver empatia. Afinal, os sociopatas, que apresentam uma falha patológica de empatia, empregam uma excelente TM para se manterem sempre três passos de manipulação e crueldade à frente dos demais. E essa compreensão também não é estritamente necessária para a empatia, na medida em que crianças jovens demais para empregar a TM demonstram rudimentos de capacidade de sentir a dor dos outros: uma criança pequena tenta consolar alguém que finge estar chorando, oferecendo-lhe sua chupeta (e essa empatia é ainda rudimentar, pois a criança não é capaz de imaginar que alguém seja consolado de maneira diferente da que ocorre com ela).

Sim, bastante rudimentar. Talvez a criança sinta uma profunda empatia. Ou talvez esteja apenas incomodada com o choro e seu objetivo seja silenciar o adulto em interesse próprio. A capacidade infantil para a empatia progride nesse sentido: vai de sentir a dor de outra pessoa porque você é ela para sentir *por* ela, e então para um sentir-se *como* ela.

A neurobiologia subjacente à empatia infantil faz sentido. Como apresentado no capítulo 2, nos adultos o córtex cingulado anterior se ativa quando eles observam alguém ferido. O mesmo vale para a amígdala e a ínsula, sobretudo em situações de dano intencional — há raiva e aversão. Regiões do CPF, entre elas o (emocional) CPFvm, entram em campo. Observar uma dor física (por exemplo, um dedo sendo espetado por uma agulha) produz um padrão vicário e concreto: ocorre a ativação da substância cinzenta periaquedutal (CPA), região essencial para a percepção da *própria* dor, de partes do córtex sensorial que recebem sensações dos *próprios* dedos, e de neurônios motores responsáveis por comandar o movimento dos *próprios* dedos.* Você tensiona os músculos da mão.

Uma pesquisa feita por Jean Decety, da Universidade de Chicago, mostrou que quando crianças de sete anos observam alguém sentindo dor, se dá uma maior ati-

---

* Essa "ressonância sensorial motora" pode trazer à mente os "neurônios-espelho". O capítulo 14 examina como operam esses neurônios (muitas vezes em completa divergência com o que se especula sobre eles). O envolvimento da CPA também traz à mente os sociopatas, com a sua falta de capacidade para a empatia. Como discutimos no capítulo 2, esses indivíduos têm uma percepção de dor atipicamente embotada.

vação das regiões mais concretas — a CPA e os córtices motor e sensorial —, e a atividade da CPA se associa à mínima ativação do CPFvm. Em crianças mais velhas, o CPFvm se associa às cada vez mais ativadas estruturas límbicas.[13] E na adolescência, uma ativação mais intensa do CPFvm é acompanhada pela atividade das regiões de TM. O que está acontecendo? A empatia está se deslocando de um mundo concreto de "o dedo dela deve estar *doendo*, de repente estou consciente dos meus próprios dedos" para se concentrar nas emoções e na experiência da pessoa espetada de forma "mais TM".

A empatia das crianças mais novas não distingue entre dano intencional e não intencional, ou entre dano a pessoas e dano a objetos. Essas distinções surgem com a idade, por volta da época em que a participação da CPA nas respostas empáticas diminui e há maior envolvimento das regiões do CPFvm e de TM. Além disso, o dano intencional passa a ativar a amígdala e a ínsula — raiva e aversão ao agressor.* Esse é também o momento em que as crianças começam a distinguir entre a dor autoinfligida e a dor causada por outros.

Mais refinamento: por volta dos sete anos, as crianças estão expressando sua empatia. Entre os dez e os doze anos, a empatia se torna mais generalizada e abstrata — empatia por "gente pobre", em vez de por um indivíduo (lado ruim: nessa época as crianças começam a atribuir estereótipos negativos às pessoas).

Há também sinais de senso de justiça. Crianças do jardim de infância tendem a ser igualitárias (por exemplo, se ela ganha um biscoito, é melhor que o amigo também ganhe). Mas antes que nos deixemos levar pela generosidade da juventude, ocorre já nessa idade uma discriminação em favor do grupo: se a outra criança é um estranho, há menos igualitarismo.[14]

Há ainda uma crescente tendência de as crianças reagirem de forma negativa a uma injustiça, quando alguém foi tratado de modo desigual.[15] Porém, mais uma vez, antes que nos empolguemos demais, isso vem acompanhado por uma percepção enviesada. Entre os quatro e os seis anos, as crianças de culturas de várias partes do mundo se incomodam quando são *elas* que estão sendo passadas para trás. Mas não é antes dos oito ou dez anos que começam a reagir quando *outra* pessoa está sendo tratada de maneira injusta. Além disso, há uma considerável variabilidade intercultural quanto a se esse segundo estágio chega mesmo a se desenvolver. O senso de justiça das crianças é de um tipo bastante autocentrado.

---

* O artigo de Decety citado no capítulo anterior trouxe outra importante descoberta: em relação aos atos que ferem pessoas, a resposta típica dos adultos é defender uma maior punição para os atos intencionais. Faz-se bem menos distinção entre intencional e não intencional quando se trata de dano a objetos. "Poxa, não me importa se ele teve ou não a intenção de passar Super Bonder na correia da ventoinha, vamos ter que comprar uma nova."

Logo depois que as crianças começam a reagir de maneira negativa quando outra pessoa está sendo tratada de forma injusta, elas passam a tentar corrigir as desigualdades passadas ("Ele deveria receber mais agora porque ganhou menos antes").[16] Na pré-adolescência, o igualitarismo dá lugar a uma aceitação da desigualdade em decorrência do mérito, do esforço ou do bem maior ("Ela deveria jogar mais vezes do que ele. Ela é melhor/se esforçou mais/é mais importante para o time"). Algumas crianças dão conta até mesmo de um autossacrifício pelo bem maior ("Ela deveria jogar mais vezes do que eu; ela é melhor").* Na adolescência, os garotos tendem a aceitar a desigualdade mais facilmente que as garotas, em bases utilitaristas. E ambos os sexos são condescendentes com a desigualdade enquanto convenção social — "Não há o que fazer, as coisas são assim".

Desenvolvimento moral

Uma vez que a TM, a tomada de perspectiva, uma empatia refinada e um senso de justiça estejam funcionando bem, a criança pode dar início ao esforço de separar o certo do errado.

Piaget enfatizou o modo como grande parte das brincadeiras infantis trata da formulação de regras de comportamento apropriado (que podem diferir daquelas dos adultos)** e como isso envolve estágios crescentes de complexidade. Essa observação inspirou um psicólogo mais jovem a investigar a questão com maior rigor, com resultados de enorme influência.

Na década de 1950, Lawrence Kohlberg, à época um estudante de pós-graduação na Universidade de Chicago (e mais tarde professor em Harvard), começou a formular sua monumental ideia dos estágios de desenvolvimento moral.[17]

Apresentavam-se às crianças certos dilemas morais. Por exemplo: a única dose do único remédio capaz de salvar uma pobre senhora da morte tem um preço proibitivo. Ela deveria roubá-lo? Por quê?

---

* O "bem maior" para as crianças, como em qualquer outra idade, está nos olhos de quem vê. No clássico *The Moral Life of Children* [A vida moral das crianças], do psicólogo Robert Coles (Nova York: Atlantic Monthly Press, 1986), ele descreve seu trabalho de campo no Sul dos Estados Unidos durante a dessegregação, e como as crianças dos dois lados estavam dispostas a suportar o sacrifício para o bem do *próprio* grupo ideológico.

** Certa vez, tive uma lição a respeito do mundo privado infantil de formulação de regras com meu filho, então com quatro anos de idade. Havíamos ido juntos a um banheiro público. Ficamos lado a lado, em frente a dois urinóis, e terminei um pouco antes. "Queria que tivéssemos terminado ao mesmo tempo", disse ele. Por quê? "A gente ganha mais pontos desse jeito."

Kohlberg concluiu que o julgamento moral é um processo *cognitivo*, construído em torno de raciocínios de crescente complexidade à medida que a criança amadurece. Ele propôs então seus famosos estágios de desenvolvimento moral, cada um deles com duas subpartes.

Disseram-lhe para não comer o apetitoso biscoito posto à sua frente. Você deveria comê-lo? Eis aqui os passos terrivelmente simplificados envolvidos nessa decisão:

Nível 1: Deveria comer o biscoito?
Raciocínio pré-convencional

Estágio 1. Depende. Qual é a chance de que eu seja punido? Ser punido é desagradável. Em geral, a agressividade atinge o pico entre dois e quatro anos de idade; a partir desse ponto as crianças são refreadas pela punição dos adultos ("Vá sentar no cantinho") ou dos pares (isto é, sendo excluída do grupo).

Estágio 2. Depende. Se eu me contiver, serei recompensado? Ser recompensado é uma coisa boa.

Ambos os estágios são orientados ao ego — obediência e interesse próprio (o que eu ganho com isso?). Kohlberg descobriu que as crianças em geral ficam nesse nível até a idade de oito a dez anos.

Existe motivo de preocupação quando a agressividade, em especial quando é do tipo indiferente e cruel, não vai desaparecendo por volta dessa idade — isso indica um risco elevado de sociopatia no adulto (também conhecida como personalidade antissocial).* O fato de o comportamento dos futuros sociopatas parecer imune a respostas críticas é crucial. Como observado, os altos limiares de dor dos sociopatas ajudam a explicar a falta de empatia — é difícil sentir a dor das outras pessoas quando não se consegue sentir a própria dor. Isso também ajuda a explicar o caráter refratário às respostas corretivas — por que mudar seu comportamento se a punição não é sentida?

Também é por volta dessa fase que as crianças começam a se reconciliar depois de se envolver em conflitos e a extrair bem-estar dessa reconciliação (por exemplo, diminuindo a secreção de glicocorticoides e a ansiedade). Esses benefícios sem dúvida sugerem o interesse próprio como motivação para a reconciliação. O que também se demonstra de outra maneira, ao estilo da *realpolitik*: as crianças se reconciliam mais facilmente quando a relação é importante para elas.

---

* A agressividade indiferente se liga a outro fator da infância preditivo de sociopatia adulta: os maus-tratos a animais.

Nível 2: Deveria comer o biscoito?
Raciocínio convencional

Estágio 3. Depende. Quem ficará desprovido se eu comer? Alguém de quem eu gosto? O que as outras pessoas fariam? O que pensarão de mim se eu comer? É bacana pensar nos outros. É bom que as pessoas me tenham em alta estima.

Estágio 4. Depende. O que diz a lei? As leis são sacrossantas? E se todo mundo descumprisse as leis? É bom ter ordem. Esse é caso do juiz que, considerando as práticas predatórias, porém legais, de um banco, pensa: "Tenho pena das vítimas... mas estou aqui para decidir se o banco violou a lei... e ele não o fez".

O raciocínio moral convencional implica certas relações (diz respeito às interações com os outros e suas consequências). A maioria dos adultos e dos adolescentes se encontra nesse nível.

Nível 3: Deveria comer o biscoito?
Raciocínio pós-convencional

Estágio 5: Depende. Quais circunstâncias colocaram o biscoito ali? Quem determinou que eu não poderia pegá-lo? Eu salvaria uma vida ao pegar o biscoito? É bom quando regras claras são aplicadas de maneira flexível. Agora o juiz pensaria: "Certo, as ações do banco estavam dentro da legalidade, mas no fundo as leis existem para proteger os mais fracos contra os mais fortes, então, com contrato assinado ou não, esse banco tem que ser detido".

Estágio 6: Depende. A minha convicção moral nesse caso é mais essencial que a lei, uma convicção pela qual eu pagaria o maior dos preços se necessário? É bom saber que existem coisas pelas quais eu seria capaz de entoar repetidas vezes: "Não iremos recuar".

Esse nível é egoístico, no sentido de que as regras e suas aplicações vêm de dentro e são um reflexo da consciência, de modo que uma transgressão cobra o preço máximo: ter que conviver consigo mesmo no futuro. Ele reconhece que ser bom e ser obediente às leis não são sinônimos. Como Woody Guthrie escreveu na letra de "Pretty Boy Floyd": "Adoro um homem bom fora da lei, do mesmo modo que detesto um homem mau dentro da lei".*

O estágio 6 também é egotista, baseado de forma implícita na superioridade

---

* Não tenho nem ideia se isso se aplicaria a Floyd, um ladrão de bancos (e assassino) da época da Depressão, que apesar disso se tornou uma espécie de herói popular dos mais pobres, e cujo funeral em Oklahoma reuniu entre 20 mil e 40 mil pessoas.

moral de quem se considera acima da pequena burguesia convencional dos políticos e dos burocratas, do Sistema, daquelas ovelhas que só obedecem etc. Citando Emerson, como se costuma fazer ao tratar do estágio pós-convencional: "Todo ato heroico se mede pelo desprezo a algum bem exterior". O raciocínio do estágio 6 pode ser inspirador, mas também insuportável, partindo da premissa de que "ser bom" e "ser obediente à lei" são antagônicos. "Para viver fora da lei, é preciso ser honesto", escreveu Bob Dylan.

Os partidários de Kohlberg não encontraram quase ninguém que se enquadrasse de forma consistente nos estágios 5 ou 6.

Kohlberg basicamente inventou o estudo científico do desenvolvimento moral em crianças. Seu modelo de estágios é tão canônico que membros do mundo corporativo se referem de forma pejorativa a uma pessoa dizendo que ela está presa em uma sopa primordial de um estágio kohlbergiano primitivo. Como veremos no capítulo 12, existem inclusive evidências de que conservadores e liberais raciocinam em diferentes estágios kohlbergianos.

É claro que o trabalho de Kohlberg tem seus problemas.

O de sempre: Não tome nenhum modelo muito a sério — há exceções, as transições de amadurecimento não são bem definidas e o estágio no qual uma pessoa se enquadra pode ser dependente do contexto.

O problema da visão em túnel e da ênfase indevida: De início, Kohlberg estudou o grupo usual de humanos não representativos, a saber, americanos, e, como veremos em capítulos adiante, julgamentos morais são diferentes a depender da cultura. Além disso, os voluntários eram do sexo masculino, algo que foi questionado na década de 1980 por Carol Gilligan, da NYU. Os dois concordaram quanto à sequência geral de estágios, mas Gilligan e outros mostraram que, ao fazer julgamentos morais, meninas e mulheres davam em geral mais valor ao bem-estar alheio que à justiça, ao contrário de meninos e homens. Como consequência, as pessoas do sexo feminino têm uma inclinação para o raciocínio convencional e sua ênfase em relacionamentos, enquanto indivíduos do sexo masculino tendem para abstrações pós-convencionais.[18]

A ênfase cognitiva: Os julgamentos morais são mais um resultado do raciocínio ou da intuição e da emoção? Kohlbergianos dão primazia ao raciocínio, mas, como veremos no capítulo 13, muitos organismos com habilidades cognitivas limitadas, entre os quais crianças pequenas e primatas não humanos, demonstram sensos rudimentares de equidade e justiça. Tais descobertas embasam pontos de vista "intuicionistas sociais" das tomadas de decisões morais, associados a psicólogos como Martin Hoffman e Jonathan Haidt, ambos da NYU.[19] Naturalmente, a questão passa a ser o modo como o raciocínio moral e o interacionismo moral interagem. Como veremos: a) em vez de ser um produto apenas da emoção, a intuição moral é um estilo diferente de cognição, em comparação com o raciocínio consciente; e b) por outro lado, o raciocínio moral é por vezes flagrantemente ilógico. Não mude de canal.

A falta de previsibilidade: Será que tem algo nisso tudo que de fato ajude a prever quem toma a decisão mais difícil quando chega a hora certa? Será que os medalhistas de ouro do raciocínio kohlbergiano são aqueles dispostos a pagar o preço de denunciar o esquema, imobilizar o atirador ou abrigar refugiados? Ora, esqueçam o heroísmo: eles ao menos têm mais chance de se mostrarem honestos em simples testes psicológicos? Em outras palavras, o raciocínio moral é um fator preditivo da *ação* moral? Raramente. Como veremos no capítulo 13, o heroísmo moral poucas vezes surge de uma incrível força de vontade cortical frontal. Em vez disso, ele ocorre quando a coisa certa a fazer não parece a decisão mais difícil a tomar.

Marshmallows

O córtex frontal e sua crescente conectividade com o restante do cérebro embasam a neurobiologia por trás da progressiva sofisticação das crianças, sobretudo com relação à capacidade de regulação das emoções e do comportamento. A demonstração mais icônica disso gira em torno de um objeto improvável — o marshmallow.[20]

Nos anos 1960, o psicólogo Walter Mischel, de Stanford, desenvolveu o "teste do marshmallow" para estudar a postergação de recompensa. Mostra-se um marshmallow a uma criança; o pesquisador diz: "Vou deixar a sala por um instante. Você pode comer o marshmallow depois que eu sair. Mas se quiser esperar e não o comer até eu voltar, vou lhe dar um a mais", e então sai. E a criança, sendo observada por um espelho falso, dá início ao desafio solitário de resistir durante quinze minutos até que o pesquisador retorne.

Depois de estudar centenas de crianças de três a seis anos, Mischel observou uma enorme variabilidade — algumas comiam o marshmallow antes que o pesquisador tivesse saído da sala. Em torno de um terço aguentava os quinze minutos. O restante se distribuía entre os dois extremos, com um adiamento médio de onze minutos. As estratégias para resistir ao canto da sereia do marshmallow diferiam, como pode ser visto em versões contemporâneas do teste disponíveis no YouTube.

Algumas cobrem os olhos, escondem a guloseima ou cantam para se distrair. Outras fazem caretas ou sentam-se sobre as mãos. E outras cheiram o marshmallow, beliscam-lhe uma parte minúscula para comer, seguram-no de modo reverente, beijam-no ou acariciam-no.

Como mostrado em estudos subsequentes, descritos no livro de Mischel (nos quais, por alguma razão, foram utilizados *pretzels* no lugar de marshmallows), vários fatores regulavam a resistência das crianças. A confiança no sistema fazia diferença: se os pesquisadores haviam quebrado suas promessas antes, as crianças em geral não esperavam tanto tempo. Incentivá-las a imaginar quão crocante e delicioso seria o *pretzel* (o que Mischel chamou de "ideação quente") implodia o autocontrole. Incentivá-las a pensar em uma "ideação fria" (por exemplo, quanto ao formato do *pretzel*) ou em uma ideação quente alternativa (por exemplo, em sorvete) reforçava a resistência.

De forma previsível, crianças mais velhas aguentavam por mais tempo, utilizando estratégias mais eficientes. As mais novas descreviam artifícios como: "eu ficava pensando em como seria bom o gosto daquele segundo marshmallow". O problema, claro, é que essa estratégia está a duas sinapses de distância de pensar no doce à sua frente. Por outro lado, a garotada mais velha empregava esquemas de distração: pensar em brinquedos, animais de estimação ou no aniversário. Isso depois progredia para estratégias de reavaliação ("O que importa não são os marshmallows. O que importa é que tipo de pessoa eu sou"). Para Mischel, o amadurecimento da força de vontade é mais uma questão de artifícios de distração e reavaliação do que de estoicismo.

Então as crianças melhoram no adiamento de recompensa. O passo seguinte de Mischel tornou icônicos seus experimentos: ele acompanhou as crianças pelos anos seguintes, observando se o tempo de espera no teste era preditivo de algum fator na vida adulta.

E como. Os campeões de cinco anos de idade na perseverança do marshmallow alcançavam notas mais altas nos exames do SAT no ensino médio (em comparação àqueles que não conseguiam esperar) e tinham mais sucesso e resiliência social, além de um comportamento menos agressivo* e opositor. *Quarenta anos* pós-marsh-

---

* Um estudo recente adiciona uma importante peculiaridade a essa história. Existem crianças com problemas de controle de impulso, do tipo que pensa: "Eu com certeza vou me segurar até aquele segundo marshmallow" — e logo come a primeira guloseima. Esse perfil é, em termos estatísticos, um fator preditivo para crimes de violência em adultos. Em contraste, há crianças que têm curvas de desconto no tempo muito acentuadas — "Esperar quinze minutos por dois marshmallows quando posso ter um bem agora? Que tipo de boboca espera quinze minutos?". Esse é um preditivo para crimes de furto e dano à propriedade.

mallow, eles se sobressaíam na função frontal, exibiam mais ativação do CPF durante tarefas frontais e menor índice de massa corporal (IMC).[21] Um aparelho de tomografia cerebral de um zilhão de dólares não tem maior poder preditivo que um doce. Todos os pais e mães ansiosos de classe média que têm obsessão por essas descobertas transformaram os marshmallows em objetos de fascinação.

CONSEQUÊNCIAS

Temos agora uma noção de vários domínios do desenvolvimento comportamental. É hora de dispor as coisas de acordo com a questão central do livro. Nosso adulto apresentou certo comportamento louvável, ou mesquinho, ou ambivalente. Quais eventos da infância contribuíram para esse acontecimento?

Um primeiro desafio é conseguir de fato incorporar a biologia ao nosso modo de pensar. Uma criança sofre de desnutrição e, quando adulta, tem habilidades cognitivas deficientes. Isso é fácil de enquadrar segundo a biologia: a desnutrição afeta o desenvolvimento cerebral. Em outra situação, uma criança é criada por pais indiferentes e inexpressivos e, quando adulta, se sente incapaz de ser amada. É mais difícil estabelecer uma conexão biológica entre esses dois elementos, mais difícil resistir à ideia de que, de alguma maneira, esse é um fenômeno *menos biológico* que a relação desnutrição-cognição. Pode ser que exista menos *conhecimento* acerca das mudanças biológicas que explicam a ligação entre pais indiferentes e adultos com baixa autoestima em comparação com aquela da desnutrição. Pode ser menos *conveniente* articular, em termos biológicos, a primeira do que a segunda. Pode ser mais difícil *aplicar* à primeira uma terapia biológica proximal (por exemplo, um remédio imaginário de fator de crescimento neural que aumentasse a autoestima) do que à segunda. Mas a biologia faz a mediação nos dois casos. Uma nuvem pode ser menos palpável que um tijolo, mas é construída utilizando as mesmas regras sobre como os átomos interagem.

De que forma a biologia conecta a infância ao comportamento do adulto? Por meio da plasticidade neural, que abordamos no capítulo 5, conduzida desde cedo e em alta escala. O cérebro em desenvolvimento é um exemplo máximo de plasticidade, e cada soluço de experiência provoca um efeito, ainda que em geral minúsculo, no cérebro.

Agora analisaremos como diferentes tipos de infância produzem diferentes espécies de adultos.

VAMOS COMEÇAR BEM DO PRINCÍPIO: A IMPORTÂNCIA DAS MÃES

Nada como um título de seção afirmando o óbvio. Todo mundo precisa de uma mãe. Até roedores: separe filhotes de rato de sua mãe por algumas horas ao dia e, ao se tornarem adultos, eles apresentam níveis elevados de glicocorticoides e habilidades cognitivas deficientes, são ansiosos e, se forem machos, são mais agressivos.[22] Mães são essenciais. Exceto que, até princípios do século xx, a maioria dos especialistas não pensava assim. O Ocidente desenvolveu técnicas de criação segundo as quais, em comparação com as culturas tradicionais, as crianças tinham menos contato físico com suas mães, dormiam sozinhas desde cedo e tinham um período de latência maior antes de serem pegas no colo quando estavam chorando. Por volta de 1900, o principal especialista da área, Luther Holt, da Universidade Columbia, alertava contra a "prática viciosa" de pegar um bebê quando estivesse chorando ou de segurá-lo com muita frequência. Esse era o mundo das crianças ricas, criadas por babás e apresentadas aos pais antes da hora de dormir, para que fossem rapidamente vistas, mas não ouvidas.

Esse período provocou um dos encontros casuais mais estranhos da história, a saber, quando freudianos e behavioristas se juntaram para explicar por que os bebês se fixam em suas mães. Para os behavioristas, obviamente, isso se dá porque as mães reforçam essa fixação nos filhos, oferecendo calorias quando estão com fome. Para os freudianos, também é óbvio, falta às crianças pequenas "desenvolvimento do ego" para criar uma relação com qualquer outra pessoa ou coisa que não sejam os seios da Mamãe. Quando combinadas à linha crianças-devem-ser-vistas-mas-não-ouvidas, isso sugeria que, uma vez que fossem atendidas suas necessidades de nutrição, temperatura adequada e mais uma ou outra coisa, as crianças estavam o.k. Afeição, calor humano, contato físico? Supérfluos.

Tal maneira de pensar provocou ao menos um desastre. Quando uma criança era hospitalizada por um período, a convicção era que a mãe seria desnecessária — ela apenas acrescentava mais perturbação emocional, e tudo que fosse essencial seria providenciado pela equipe médica. Em geral, a mãe podia visitar a criança uma vez por semana, durante alguns minutos. Quando os períodos de internação eram muito longos, as crianças definhavam por "hospitalismo", morrendo aos montes por infecções indeterminadas e enfermidades gastrointestinais sem relação com suas doenças originais.[23] Essa era uma época em que a teoria microbiana havia se transformado na crença de que crianças hospitalizadas estariam melhores não sendo tocadas, seguindo em isolamento antisséptico. De modo evidente, o hospitalismo atingia níveis mais altos nas instituições equipadas com as novíssimas incubadoras (adaptadas a partir das utilizadas na criação de aves); os hospitais mais seguros eram aqueles mais pobres, que precisavam contar com o ato primitivo de seres humanos de fato manuseando os bebês e interagindo com eles.

Nos anos 1950, o psiquiatra britânico John Bowlby desafiou a concepção de que os bebês seriam meros organismos com poucas necessidades emocionais. Sua "teoria do apego" deu origem à visão moderna do vínculo entre mãe e bebê.[24] Na trilogia *Apego e perda*, Bowlby resumiu a resposta trivial que daríamos hoje à questão sobre o que as crianças necessitam de suas mães: amor, calor humano, afeto, receptividade, estímulo, consistência e confiabilidade. O que se produz na ausência disso? Adultos ansiosos, deprimidos e/ou pouco afeiçoados.**

Bowlby serviu de inspiração para um dos experimentos mais icônicos da história da psicologia, realizado por Harry Harlow, da Universidade de Wisconsin, que destruiu os dogmas freudianos e behavioristas a respeito do vínculo entre mãe e bebê.[25] Harlow criou um filhote de macaco reso sem a mãe, mas com dois "substitutos" no lugar dela. Ambos eram feitos de um tubo de tela de galinheiro com o formato aproximado de um torso, com uma cabeça simiesca de plástico no topo. Um dos substitutos tinha uma mamadeira saindo do "torso". O outro, um

---

* Bowlby, ao contrário da maioria dos freudianos e behavioristas, tinha de fato uma profunda experiência com o mundo infantil, que abrangia crianças da década de 1940 separadas das mães — pequenos londrinos enviados para o interior durante o período de bombardeios, crianças judias da Europa Central enviadas à Inglaterra no esquema de resgates que se adiantava aos avanços de Hitler, e, claro, órfãos de guerra. A propósito, como foi a infância de Bowlby? Ele era filho de Sir Anthony Bowlby, médico da casa real, e foi criado por babás.

** Naturalmente, hoje os seguidores de Bowlby — a escola da "criação com apego" — estão tão estabelecidos a ponto de gerarem incontáveis concepções equivocadas, modinhas, cultos, facções lunáticas e noções enlouquecedoras de insuficiência neurótica ou superioridade moral entre pais e mães. Para abrir um espacinho nesse vespeiro, não há nenhum embasamento científico para concluir que uma mulher tenha causado dano irreparável ao filho se não o amamentou, se amamentou por um tempo menor que a primeira década de vida da criança, se não foi capaz de amamentar segundos após o nascimento ou se deixou a criança por mais de dois segundos sozinha, muito menos se trabalha fora de casa. E nada na ciência diz que os mesmos efeitos positivos do apego não podem ser fornecidos por um homem, uma mãe solo, duas mães ou dois pais.

tecido felpudo enrolado em torno do arame. Em outras palavras, um deles oferecia calorias; o outro, uma comovente imitação da pelagem de uma mãe macaca. Freud e B. F. Skinner teriam se digladiado pelo acesso à mãe de arame. Mas o bebê macaco escolheu a de felpa.* "O homem não pode viver apenas de leite. O amor é uma emoção que não precisa ser dada por mamadeira ou colher", escreveu Harlow.

Evidências quanto à necessidade mais fundamental provida por uma mãe surgiram de uma fonte controversa. A partir dos anos 1990, as taxas de crimes despencaram em todos os Estados Unidos. Por quê? Para os liberais, a resposta era a prosperidade econômica. Para os conservadores, eram os orçamentos maiores para o policiamento, a expansão do sistema prisional e a lei dos três *strikes*.** Enquanto isso, uma explicação parcial foi sugerida pelo jurisconsulto John Donohue, de Stanford, e pelo economista Steven Levitt, da Universidade de Chicago — era a legalização do aborto. A análise dos autores, estado por estado, sobre as leis de legalização e a demografia da diminuição de crimes mostrou que, quando as medidas abortivas se tornavam acessíveis em determinada região, as taxas de crimes cometidos por jovens adultos decaíam por volta de vinte anos depois. Surpresa — isso foi muitíssimo controverso, mas fazia um completo e deprimente sentido para mim. O que prenuncia em grande parte uma vida criminosa? Nascer de uma mãe que, podendo escolher, teria preferido que você não existisse. Qual é a coisa mais fundamental provida por uma mãe? Saber que ela se sente feliz porque você existe.***[26]

Harlow também ajudou a demonstrar um dos elementos fundamentais deste livro, a saber, o que as mães (e mais tarde os pares) proveem às crianças enquanto elas crescem. Para isso, ele realizou algumas das mais provocadoras pesquisas da história da psicologia. Isso envolveu a criação de bebês macacos em isolamento, na ausência de mães e de companheiros. Eles tiveram de passar os primeiros meses, e até anos, de suas vidas sem qualquer contato com outros seres vivos, antes de serem inseridos em um grupo social.****

---

* A natureza icônica desse estudo é tal que ouvi psicólogos se referirem a Harlow de maneira sarcástica, como em "Tive uma infância de merda; nunca conheci meu pai e minha mãe era um tubo de tela de galinheiro".

** As leis dos três *strikes*, adotadas por diversos estados americanos durante a década de 1990, determinam o agravamento da pena para prisão perpétua na ocorrência do terceiro delito grave. (N. T.)

*** É interessante notar que o primeiro artigo publicado por Bowlby relatava que ladrões têm uma maior incidência de separação prolongada das mães durante a infância. Com relação a isso, uma pesquisa de 1994 demonstrou que indivíduos que sofreram uma combinação de complicações no parto e rejeição materna quando tinham um ano apresentavam uma chance marcadamente elevada de cometer crimes violentos (mas não aqueles sem violência) dezoito anos mais tarde.

**** A desumanidade desses estudos ajudou a promover o surgimento dos movimentos pelos direitos dos animais. Estou em profundo conflito interno quanto aos trabalhos de Harlow desde que cheguei

Como era previsível, os filhotes ficavam arrasados. Alguns se sentavam sozinhos, abraçando a si mesmos, balançando para a frente e para trás "autisticamente". Outros exibiam comportamentos hierárquicos ou sexuais nitidamente inadequados.

Havia algo interessante. Não é que esses ex-reclusos tivessem comportamentos errados — eles não se impunham de modo agressivo como um avestruz nem faziam gestos de solicitação sexual como uma lagartixa. Os comportamentos eram normais, mas ocorriam no lugar e no momento errados — digamos, fazendo sinais de subordinação para membros sem importância com a metade da altura deles ou ameaçando alfas perante os quais deveriam se encolher. Mães e pares não ensinam os aspectos motores de padrões de ação fixos; esses são pré-programados. O que eles ensinam é quando, onde e com quem — o *contexto* apropriado para esses comportamentos. Eles dão as primeiras lições quanto aos momentos em que tocar o braço de alguém ou puxar um gatilho podem estar entre os melhores ou os piores de nossos comportamentos.

Vi um exemplo impressionante disso entre os babuínos que estudo no Quênia, quando duas fêmeas, uma de alto nível hierárquico e outra de baixo nível, deram à luz filhotes do sexo feminino na mesma semana. A cria da primeira atingiu cada marco de desenvolvimento mais cedo que a outra, sendo o campo de disputa desequilibrado desde o princípio. Quando as duas tinham algumas semanas de vida, quase tiveram sua primeira interação. A cria da mãe subordinada avistou a cria da mãe dominante e caminhou, desajeitada, para dizer "oi". Quando estava se aproximando, sua mãe a pegou pelo rabo e a levou embora.

Essa foi sua primeira lição sobre seu lugar no mundo. "Você está vendo essa aí? Ela é *muito* superior a você, então você não anda simplesmente e fala com ela. Se ela estiver por perto, sente quietinha, evite fazer contato visual e torça para que ela não tome seja lá o que você estiver comendo." De forma surpreendente, depois de vinte anos, essas duas jovens serão velhas senhoras, sentadas na savana, exibindo ainda as assimetrias hierárquicas que aprenderam naquela manhã.

às lágrimas lendo sobre eles quando era adolescente. Harlow era horrivelmente insensível, admitia de pronto não sentir nada pelos macacos e fez demasiados estudos de privação. Mas, ao mesmo tempo, a pesquisa ajudou, entre outras coisas, a estabelecer os fundamentos para a compreensão biológica de como a perda em idade precoce predispõe à depressão em adultos. Dada a opinião prevalente à época com relação à criação e à suposta irrelevância de aspectos que hoje consideramos vitais, é irônico que tenha sido o trabalho pioneiro de Harlow aquele que mais claramente demonstrou a imoralidade de se realizar tais pesquisas.

EM UMA TEMPESTADE, QUALQUER MÃE SERVE

Harlow nos deixou outro importante ensinamento, graças a mais um estudo difícil de encarar. Filhotes de macacos foram criados junto a bonecos de arame com saídas de ar no meio do torso. Quando um filhote se agarrava ao boneco, recebia uma rajada de ar repulsiva. O que um behaviorista esperaria que o macaco fizesse em face de tal punição? Fugisse. Mas, como no mundo das crianças maltratadas e dos parceiros vítimas de violência, os filhotes se agarravam ao boneco com mais força.

Por que nos apegamos com frequência a fontes de reforço negativo e buscamos consolo para nossa aflição na própria causa dessa aflição? Por que será que amamos a pessoa errada, sofremos maus-tratos e, mesmo assim, voltamos para padecer ainda mais?

Há muitas sugestões de origem psicológica: por causa de uma baixa autoestima; por acreditar que você nunca conseguirá nada melhor; por uma convicção de dependência mútua, ou seja, de que é sua sina mudar aquela pessoa; talvez você se identifique com seu opressor, ou tenha concluído que é sua culpa e que o agressor tem seus motivos, a fim de que ele pareça menos irracional e assustador. Essas são ideias válidas, que podem ter grande poder explicativo e terapêutico. Mas uma pesquisa feita por Regina Sullivan, da NYU, revelou um pedacinho desse fenômeno a quilômetros de distância da psique humana.

Sullivan condicionava filhotes de ratos para associarem um odor neutro a um choque elétrico.[27] Se um filhote que havia sido condicionado aos dez dias de vida ou mais tarde ("filhotes mais velhos") era exposto ao odor, coisas previsíveis aconteciam — ativação da amígdala, secreção de glicocorticoides e evasão ao odor. Mas se o mesmo era feito com um filhote mais novo, nada disso acontecia; de maneira surpreendente, ele era *atraído* pelo cheiro.

Por quê? Há um detalhe interessante com relação ao estresse em recém-nascidos. Fetos de roedores são perfeitamente capazes de secretar glicocorticoides, mas algumas horas depois do nascimento as glândulas adrenais se atrofiam de maneira drástica, mal conseguindo manter a capacidade secretora. Esse "período hiporresponsivo ao estresse" (PHE) se dissipa ao longo das semanas seguintes.[28]

Qual é o sentido do PHE? Os glicocorticoides têm tantos efeitos adversos no desenvolvimento cerebral (não mude de canal) que o PHE representa uma aposta — "Não vou secretar glicocorticoides em resposta ao estresse para que eu me desenvolva de maneira ótima; se algo estressante ocorrer, minha mãe vai cuidar disso para mim". Por conseguinte, retire os filhotes de perto de suas mães e, dentro de algumas horas, suas adrenais se expandem e readquirem a capacidade de secretar glicocorticoides em abundância.

Durante o PHE, os filhotes parecem seguir mais uma diretriz: "Se a mamãe está por perto (e portanto não estou secretando glicocorticoides), devo me apegar a qualquer estímulo intenso. Não pode ser ruim para mim, ela não deixaria isso acontecer". Como prova, injete glicocorticoides na amígdala de filhotes jovens durante o condicionamento; ela se ativa, e os ratos desenvolvem uma aversão ao odor. De modo inverso, bloqueie a secreção de glicocorticoides em filhotes mais velhos durante o condicionamento e eles passam a ser atraídos pelo cheiro. Ou condicione-os na presença das mães e eles não produzem secreções e não são atraídos. Em outras palavras, em filhotes jovens, mesmo coisas repulsivas são reforçadas na presença da mãe, mesmo que ela seja a *origem* dos estímulos aversivos. Como Sullivan e seus colegas escreveram, "o apego [de tal filhote] por quem cuida dele evoluiu para garantir que o filhote estabeleça uma ligação com o cuidador, independente da qualidade dos cuidados recebidos". Em uma tempestade, qualquer mãe serve.

Caso se aplique aos seres humanos, isso ajudaria a explicar por que certos indivíduos vítimas de maus-tratos quando crianças se tornam adultos inclinados a relacionamentos nos quais sofrem maus-tratos de seus parceiros.[29] Mas e o outro lado da moeda? Qual é a razão para que cerca de 33% dos adultos que foram vítimas de maus-tratos se tornem eles mesmos agressores?

Mais uma vez, há muitas sugestões úteis de origem psicológica, construídas em torno da identificação com o perpetrador dos maus-tratos e a racionalização do medo: "Amo meus filhos, mas dou umas palmadas quando eles precisam. Meu pai fez o mesmo comigo, então ele também pode ter me amado". Mas outra vez algo mais profundo em termos biológicos também acontece — macacas filhotes cujas mães lhes infligiram maus-tratos têm mais chance de se tornarem mães violentas.[30]

DIFERENTES CAMINHOS PARA O MESMO DESTINO

Antecipei que, uma vez coberta a questão das mães, examinaríamos em seguida as consequências de outros fatores, como privação paterna, pobreza na infância ou exposição a violência e desastres naturais. E faríamos a mesma pergunta: quais mudanças biológicas específicas cada um deles causou nas crianças para aumentar as chances de determinados comportamentos nos adultos?

Mas esse plano não funcionou — as similaridades nos efeitos desses diversos tipos de trauma são maiores que as diferenças. Claro, existem conexões específicas (por exemplo, a exposição à violência doméstica durante a infância torna a violência antissocial em adultos mais provável que a exposição a furacões). Mas todos eles convergem o bastante para que eu os agrupe, como se costuma fazer nessa área, como exemplos de "adversidades da infância".

Basicamente, as adversidades aumentam as chances de o adulto ter: a) depressão, ansiedade e/ou tendência ao abuso de drogas; b) capacidades cognitivas prejudicadas, em especial as relacionadas à função cortical frontal; c) controle de impulsos e regulação emocional prejudicados; d) comportamento antissocial, inclusive violento; e) relacionamentos que reproduzem as adversidades da infância (por exemplo, permanecer com um parceiro que inflige maus-tratos).[31] E apesar disso, alguns indivíduos suportam muito bem suas infâncias terríveis. Mais sobre isso adiante.

Agora examinaremos as conexões biológicas entre as adversidades da infância e um maior risco dessas consequências em adultos.

O PERFIL BIOLÓGICO

Todas essas formas de adversidade são obviamente estressantes e causam anormalidades na fisiologia do estresse. Em diversas espécies, fatores de estresse graves no início da vida produzem crianças e adultos com níveis elevados de glicocorticoides (bem como de HLC e HACT, os hormônios hipotalâmico e hipofisário que regulam a liberação de glicocorticoides) e hiperatividade do sistema nervoso simpático.[32] Os níveis basais de glicocorticoides são elevados — a resposta ao estresse está sempre de algum modo ativada — e há um atraso no retorno à linha de base depois de ocorrer um fator de estresse. Michael Meaney, da Universidade McGill, mostrou como o estresse nos primeiros anos de vida enfraquece de modo permanente a capacidade do cérebro para refrear a secreção de glicocorticoides.

Como comentado no capítulo 4, manter o cérebro marinando em um excesso de glicocorticoides, sobretudo durante o desenvolvimento, afeta de maneira adversa a cognição, o controle de impulsos e assim por diante.[33] Há um aprendizado hipocampo-dependente prejudicado no adulto. Por exemplo, crianças vítimas de maus-tratos que desenvolvem TEPT têm um menor volume de hipocampo quando adultas. O psiquiatra Victor Carrion, de Stanford, mostrou que ocorre uma diminuição do crescimento hipocampal alguns meses depois do incidente traumático. Como uma possível causa, os glicocorticoides reduziriam a produção hipocampal do fator de crescimento FNDC (fator neurotrófico derivado do cérebro).

Portanto, as adversidades na infância prejudicam o aprendizado e a memória. Elas também atrapalham o amadurecimento e o funcionamento do córtex frontal, o que é crucial. De novo, os glicocorticoides, via inibição do FNDC, são os prováveis culpados.

A conexão entre adversidade e amadurecimento frontal cortical tem relação direta com a pobreza na infância. Um estudo conduzido por Martha Farah, da Universidade da Pensilvânia, Tom Boyce, da Universidade da Califórnia em San Francisco (UCSF), e outros pesquisadores demonstrou algo ultrajante: aos cinco anos de idade, quanto mais baixo o nível socioeconômico (NSE), em média: a) mais altos os níveis basais de glicocorticoides e/ou mais reativa a resposta ao estresse por glicocorticoides; b) menos espesso o córtex frontal e menor o seu metabolismo; e c) mais fraca a função frontal em relação à memória, à regulação emocional, ao controle de impulsos e à tomada de decisões executivas. Além disso, para alcançar uma regulação frontal equivalente, crianças com baixo NSE precisam ativar mais do córtex frontal que aquelas de alto NSE. Também a pobreza na infância prejudica o amadurecimento do corpo caloso, um feixe de fibras axonais que conecta os dois hemisférios do cérebro e integra o funcionamento de ambos. Isso é *tão* injusto — escolha imprudentemente uma família pobre para nascer e, à época do jardim de infância, as chances de ser bem-sucedido nos testes de marshmallow da vida já estarão enviesadas contra você.[34]

Uma quantidade considerável de pesquisas se concentra em estudar como a pobreza "gruda na pele". Alguns mecanismos são específicos dos seres humanos: se você é pobre, é mais provável que cresça próximo a poluentes tóxicos*[35] ou em uma vizinhança perigosa com mais lojas de bebidas que hortifrútis; é menos provável que frequente uma boa escola ou tenha pais com tempo disponível para você. Sua comunidade tem mais chances de ter reduzido capital social, e você, baixa autoestima. Mas parte da ligação entre a pobreza e suas consequências reflete os efeitos corrosivos da subordinação observados em todas as espécies hierárquicas. Por exemplo, ter uma mãe de baixo nível na hierarquia é um fator preditivo para quantidades elevadas de glicocorticoides em babuínos adultos.[36]

Portanto, as adversidades na infância podem atrofiar o funcionamento do hipocampo e do córtex frontal. Mas ocorre o oposto com relação à amígdala: passe por muitas adversidades e a amígdala se torna maior e hiper-reativa. Uma das consequências disso é um maior risco de distúrbios de ansiedade. Quando associado a um desenvolvimento cortical frontal deficiente, isso explica problemas com a regulação das emoções e do comportamento, em especial o controle de impulsos.[37]

As adversidades na infância aceleram o amadurecimento amigdaloide de modo particular. Em geral, por volta da adolescência, o córtex frontal ganha a capaci-

---

* Por exemplo, exposição ao chumbo nos primeiros anos de vida — um fator fortemente correlacionado à vida em uma comunidade pobre — prejudica o desenvolvimento cerebral e constitui um fator preditivo para deficiências nas habilidades de regulação cognitiva e emocional e maior incidência de criminalidade em adultos.

dade de inibir a amígdala, dizendo: "Eu não faria isso se fosse você". Mas depois da adversidade, a amígdala desenvolve a capacidade de inibir o córtex frontal, dizendo: "Estou fazendo isso e nem tente me deter".

As adversidades também danificam o sistema de dopamina (com sua função de recompensa, antecipação e comportamento direcionado a objetivos) de duas maneiras.

Primeiro, a adversidade precoce gera um organismo adulto mais vulnerável à dependência de álcool e drogas. O caminho para essa vulnerabilidade tem provavelmente três frentes: a) efeitos no desenvolvimento do sistema de dopamina; b) exposição excessiva do adulto a glicocorticoides, o que aumenta o desejo pela droga; c) aquele córtex frontal com desenvolvimento deficiente.[38]

Segundo, a adversidade na infância aumenta de modo substancial o risco de depressão em adultos. O sintoma definidor da depressão é a anedonia, a incapacidade de sentir, antecipar ou buscar prazer. O estresse crônico consome a dopamina do sistema mesolímbico, gerando anedonia.* A ligação entre adversidade e depressão envolve tanto efeitos organizacionais no desenvolvimento do sistema mesolímbico quanto níveis elevados de glicocorticoides, que podem esgotar a dopamina.[39]

As adversidades na infância elevam o risco de depressão por meio de cenários de "segundo ataque" — diminuindo os limiares, certos fatores de estresse que os adultos em geral são capazes de absorver acabam disparando episódios depressivos. Essa vulnerabilidade faz sentido. A depressão é, em essência, um senso patológico de perda de controle (justificando a clássica descrição da depressão como "desamparo aprendido"). Se uma criança tem a experiência de uma adversidade severa e incontrolável, a conclusão mais favorável a que poderia chegar quando adulta seria: "Aquelas foram circunstâncias terríveis sobre as quais eu não tinha controle". Mas quando os traumas infantis produzem depressão, há uma generalização distorcida em termos cognitivos: "E a vida sempre será incontrolavelmente terrível".

DOIS TÓPICOS PARALELOS

Como já foi mostrado, tipos variados de adversidades na infância convergem para produzir problemas similares em adultos. Apesar disso, duas variedades devem ser tratadas de maneira separada.

---

* Como é a anedonia em ratos? Dê a um rato normal duas garrafas de água para escolher, uma com água comum e a outra adoçada com sacarose; o rato prefere a água adoçada. Mas um rato estressado com anedonia não demonstra nenhuma preferência. O mesmo se dá com relação a outras fontes de prazer.

Testemunhando atos de violência

O que acontece quando uma crianças presencia situações de violência doméstica, de guerra, assassinatos por gangues ou um massacre na escola? Testemunhar um ato de violência com arma de fogo dobra a probabilidade de que uma criança venha a cometer atos de violência grave dentro dos próximos dois anos. E a chegada da vida adulta traz consigo os aumentos usuais nos riscos de depressão, ansiedade e agressividade. De modo consistente com isso, criminosos violentos têm mais chance, em comparação com os não violentos, de terem testemunhado atos de violência quando crianças.*[40]

Isso se enquadra dentro do panorama geral da adversidade na infância. Um tópico à parte são os efeitos da violência *midiática* sobre as crianças.

Inumeráveis estudos analisaram os efeitos de se assistir a cenas de violência na TV, em filmes, noticiários e videoclipes, e tanto da observação quanto da participação em atos de violência em videogames. Em resumo:

A exposição de crianças a um trecho violento de programa de TV ou filme aumenta as chances de agressão logo em seguida.[41] É interessante notar que o efeito é mais pronunciado em garotas (considerando-se que elas têm em geral níveis mais baixos de agressividade). Os efeitos também são mais intensos no caso de crianças mais novas ou quando a violência é mais realista e/ou apresentada de forma heroica. Tal exposição pode fazer com que as crianças se tornem mais tolerantes à agressão — em uma pesquisa, assistir a videoclipes violentos aumentou a tolerância de garotas adolescentes à violência nos encontros. A violência é o ponto-chave: a agressividade não é estimulada por conteúdos meramente empolgantes, excitantes ou decepcionantes.

Uma grande exposição à violência midiática durante a infância é um fator preditivo para altos níveis de agressividade em jovens adultos de ambos os sexos ("agressividade" aqui variando entre o comportamento em condições experimentais e a criminalidade violenta). O efeito em geral se mantém mesmo depois que são controladas as variáveis: tempo total de consumo midiático, maus-tratos ou abandono, nível socioeconômico, níveis de violência na comunidade, escolaridade dos pais, doenças psiquiátricas e QI Essa é uma descoberta confiável de grande magnitude. A ligação entre exposição à violência midiática na infância e maior agressividade em adultos é mais forte que a ligação entre exposição ao chumbo e QI, ingestão de cálcio e massa óssea, e amianto e câncer de laringe.

---

* De maneira notável, a exposição a múltiplos incidentes de violência até acelera o envelhecimento dos cromossomos em crianças.

Duas observações: a) não existe nenhuma evidência de que indivíduos catastroficamente violentos (por exemplo, atiradores em massa) são desse jeito por causa de exposição à violência midiática durante a infância; b) a exposição não garante nem de longe uma maior agressividade — em vez disso, os efeitos são mais pronunciados em crianças que já têm inclinação para a violência, para quem a exposição à violência dessensibiliza e normaliza sua própria agressividade.*

Bullying

Sofrer *bullying* é, em grande parte, outro tipo comum de adversidade na infância, com consequências na vida adulta comparáveis às dos maus-tratos no lar.[42]

Há uma complicação, contudo. Como muitos de nós observaram, exploraram ou experimentaram quando jovens, os alvos de *bullying* não são escolhidos ao acaso. Crianças com um metafórico sinal de "chute-me" nas costas têm mais chances de apresentar problemas psiquiátricos pessoais ou na família e baixa inteligência social ou emocional. Essas são crianças que já estão em risco de vivenciar consequências ruins quando forem adultas, e adicionar o *bullying* à mistura faz com que o futuro delas seja ainda mais desanimador.

O retrato dos agressores também não é surpreendente, a começar pelo fato de que uma fatia desproporcional deles vem de famílias de mães solo ou casais jovens com baixa escolaridade e poucas perspectivas de emprego. Existem em geral dois perfis para as crianças em si: o mais típico é o da criança ansiosa e isolada, com pouca habilidade social, que pratica *bullying* para dar vazão à frustração e tentar ser aceita. Tais crianças em geral amadurecem e deixam o *bullying*. O segundo perfil é o da criança autoconfiante, não empática e socialmente inteligente, com um sistema nervoso simpático imperturbável — esse é o futuro sociopata.

Há ainda outra descoberta impressionante. Quer ver uma criança com chances realmente grandes de ficar desequilibrada ao se tornar adulta? Encontre uma que pratica *e* sofre *bullying*, que aterroriza os mais fracos na escola e volta para casa para ser aterrorizada por uma pessoa mais forte.[43] Das três categorias (agressora, agredida e agressora/agredida), essa é a que tem maior probabilidade de exibir problemas psiquiátricos preexistentes, mau desempenho na escola e pouca adaptação emocional. Ela tem mais chances que as exclusivamente agressoras de usar armas e causar danos graves. Quando adulta, tem maior risco de sofrer com depressão, ansiedade e tendências suicidas.

---

* Gostaria de agradecer a um aluno de graduação realmente excelente, Dylan Alegria, que me ajudou a atravessar esse volume imenso de pesquisas.

Em uma pesquisa, crianças dessas três categorias tiveram de ler sobre casos de *bullying*.[44] Vítimas de *bullying* condenavam a agressão e demonstravam simpatia. Os que praticavam *bullying* também condenavam a agressão, mas racionalizavam as circunstâncias (por exemplo: dessa vez foi culpa da vítima). E os valentões/vítimas? Estes diziam que não havia problema em praticar *bullying*. Não surpreende que sofram as piores consequências.

> Os fracos merecem sofrer *bullying*, então tudo bem quando eu faço isso. Mas isso significa que eu mereço sofrer *bullying* em casa. Mas eu não mereço, e aquele parente que faz isso comigo é terrível. Talvez eu seja terrível quando faço *bullying*... Mas não sou, porque os fracos merecem sofrer *bullying*...

Uma fita de Möbius do inferno.*

UMA QUESTÃO-CHAVE

Examinamos até aqui as consequências das adversidades na infância e seus mediadores biológicos. Uma questão-chave permanece. Sim, ser vítima de maus-tratos infantis aumenta as chances de se tornar um futuro agressor; testemunhar atos de violência aumenta o risco de desenvolver TEPT; a morte de um dos pais significa mais chances de depressão no adulto. Apesar disso, muitas, talvez a maioria, das vítimas de tais adversidades se tornam adultos razoavelmente funcionais. Há uma sombra sobre a infância, demônios seguem à espreita nos recônditos da mente, mas de modo geral as coisas estão bem. O que explica tal resiliência?

Como veremos, os genes e o ambiente fetal têm relevância. Porém, o mais importante é: lembre-se do raciocínio usado para agrupar tipos diferentes de traumas em uma única categoria. O que conta é a quantidade absoluta de vezes que uma criança é maltratada pela vida e a quantidade de fatores de proteção. Seja molestado durante a infância, ou presencie um ato de violência, e seu prognóstico como adulto será melhor do que se tivesse passado por ambas as experiências. Tenha uma infância pobre e sua perspectiva de futuro será melhor caso sua família seja estável e amorosa, em vez de fragmentada e disfuncional. De maneira bastante direta, quanto mais tipos de adversidade uma criança enfrenta, mais tênues são as chances de ter uma vida adulta feliz e integrada.[45]

---

* Agradeço a outro excelente aluno de graduação, Ali Maggioncalda, pela ajuda com esse tópico.

UM EXEMPLO DESTRUIDOR

O que acontece quando *tudo* dá errado — mãe ou família inexistente, interação mínima com os pares, negligência emocional e cognitiva e mais um pouco de subnutrição?[46]

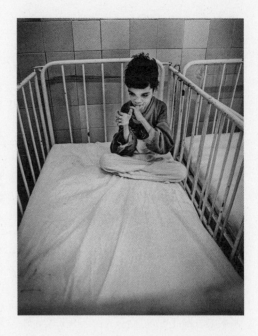

Esses são os órfãos da Romênia, exemplos perfeitos de quão aterrorizante pode ser a infância. Na década de 1980, o ditador romeno Nicolae Ceaușescu proibiu os contraceptivos e o aborto e exigiu que as mulheres dessem à luz ao menos cinco filhos. Logo os orfanatos se encheram com milhares de bebês e crianças abandonados por famílias empobrecidas (muitas tinham a intenção de recuperar os filhos quando a situação econômica melhorasse).*
As crianças eram armazenadas em instituições superlotadas, o que resultava em negligência severa e desamparo. A história veio à tona com a derrocada de Ceaușescu, em 1989. Muitas das crianças foram adotadas por europeus ocidentais e americanos, e a cobertura midiática internacional provocou algumas melhoras nos orfanatos. Desde então, as crianças adotadas no Ocidente, as que por fim retornaram às famílias e as que permaneceram institucionalizadas têm sido objeto de estudo, sobretudo por Charles Nelson, de Harvard.

Como adultos, esses órfãos são em grande parte aquilo que se esperaria: têm baixo QI e habilidades cognitivas deficientes; dificuldades para estabelecer relações, muitas vezes beirando o autismo; elevados níveis de ansiedade e depressão. Quanto mais duradoura a institucionalização, pior o prognóstico.

E o cérebro? Há redução no tamanho total, nas substâncias cinzenta e branca, no metabolismo cortical frontal, na conectividade entre as regiões e no tamanho das áreas individuais do órgão. Exceto pela amígdala, que é aumentada. Isso diz tudo.

---

* Uma parte chocante dessa história: crianças ciganas com frequência eram abandonadas em orfanatos e deixadas lá até que se tornassem adolescentes — e pudessem trabalhar.

CULTURA, COM C MAIÚSCULO E C MINÚSCULO

O capítulo 9 tratará dos efeitos da cultura em nossos melhores e piores comportamentos. Daremos agora uma prévia desse capítulo, concentrando-nos em dois fatos: a infância é o momento em que a cultura é gravada, e os pais intermedeiam esse processo.

Existe uma enorme variabilidade cultural no modo como a infância é experimentada: durante quanto tempo e com que frequência as crianças são amamentadas; quão reiterado é seu contato com os pais e outros adultos; com que frequência alguém conversa com elas; por quanto tempo choram até que alguém tome uma providência; em que idade passam a dormir sozinhas.

Levar em consideração as variações interculturais no modo de criação das crianças costuma trazer à tona o aspecto mais competitivo e neurótico dos pais — será que outras culturas estão fazendo um trabalho melhor que o meu? Tem que existir um combo perfeito em algum lugar, uma mistura de dieta dos kwakiutl, rotina do sono das ilhas Trobriand e abordagem do povo Ituri com relação a vídeos de Mozart para bebês. Mas não existe um ideal antropológico de criação. As culturas (a começar pelos pais) educam as crianças para se tornarem adultos que se comportem da maneira apreciada por aquela cultura, um ponto que foi enfatizado pela antropóloga Meredith Small, da Universidade Cornell.[47]

Comecemos pelos estilos parentais, o primeiro contato da criança com valores culturais. É interessante notar que a mais influente tipologia de estilos parentais, de menor escala, desenvolveu-se a partir de estilos culturais, de maior escala.

Em meio às ruínas da Segunda Guerra Mundial, os estudiosos tentavam entender de onde tinham surgido Hitler, Franco, Mussolini, Tojo e seus seguidores. Quais são as raízes do fascismo? Dois pensadores especialmente influentes haviam deixado a Alemanha de Hitler como refugiados, a saber, Hannah Arendt (com seu livro *As origens do totalitarismo*, de 1951) e Theodor Adorno (com seu livro *A personalidade autoritária*, de 1950, em coautoria com Else Frenkel-Brunswik, Daniel Levinson e Nevitt Sanford). Adorno em particular investigou os traços da personalidade fascista, que incluem conformidade extrema, submissão e crença na autoridade, agressividade e hostilidade contra o intelectualismo e a introspecção — características em geral com raízes na infância.[48]

Isso influenciou a psicóloga Diana Baumrind, da Universidade da Califórnia em Berkeley, que, na década de 1960, identificou três estilos parentais básicos (em uma pesquisa que desde então foi reproduzida e estendida a várias culturas).[49] Primeiramente, existe o estilo *autoritativo*. As regras e as expectativas são claras, consistentes e explicáveis — "Porque eu mandei" é anátema —, com espaço para a flexibilidade; o elogio e o perdão valem mais que a punição; os pais valorizam as sugestões dos filhos; desenvolver o potencial e a autonomia das crianças é fundamental. Pelos padrões dos neuróticos de alta escolaridade que vão ler (sem falar nos que escreveram...) este livro, isso produz como resultado um bom adulto: feliz, maduro e realizado emocional e socialmente, independente e autoconfiante.

Em seguida vem o estilo *autoritário*. As regras e as exigências são numerosas, arbitrárias, rígidas e não precisam de justificação; o comportamento é em grande parte moldado pelo castigo; as necessidades emocionais da criança têm baixa prioridade. A motivação dos pais com frequência é o fato de o mundo ser duro e implacável, então as crianças devem estar preparadas. O estilo autoritário tende a produzir adultos que podem ser mais ou menos bem-sucedidos, obedientes, conformistas (muitas vezes com um fundo de ressentimento que pode ser explosivo) e não muito felizes. Além disso, as habilidades sociais em geral são fracas porque, em vez de aprenderem pela experiência, eles crescem seguindo ordens.

E então há o estilo *permissivo*, a aberração que, segundo consta, permitiu aos *boomers** inventar os anos 1960. São poucas as exigências e as expectativas, as regras raramente são postas em prática e as crianças definem a ordem do dia. Resultado nos adultos: indivíduos autoindulgentes com baixo controle de impulsos, baixa tolerância ao fracasso e com habilidades sociais fracas graças à infância vivida livre de consequências.

O trio de Baumrind foi expandido pelos psicólogos Eleanor Maccoby e John Martin, de Stanford, para incluir o estilo parental *negligente*.[50] Esse acréscimo permite construir uma matriz dois por dois: a criação pode ser autoritativa (alta exigência, alta capacidade de resposta), autoritária (alta exigência, baixa capacidade de resposta), permissiva (baixa exigência, alta capacidade de resposta) ou negligente (baixa exigência, baixa capacidade de resposta).

É importante frisar que cada estilo costuma produzir adultos que dão continuidade àquela mesma abordagem parental, com diferentes culturas prezando diferentes estilos.

Depois disso vem outro modo pelo qual os valores culturais são transmitidos aos jovens, a saber, pelos pares. Esse lado foi enfatizado no livro *Diga-me com quem anda...*, de Judith Rich Harris. Psicóloga sem afiliação acadêmica nem doutorado, Harris tomou o campo da psicologia de assalto, defendendo que a importância dos pais na formação da futura personalidade dos filhos é superestimada.[51] Em vez disso, a partir do momento em que as crianças ultrapassam uma faixa etária sur-

---

* Nome dado aos nascidos entre 1946 e 1964, com o boom da taxa de natalidade nos Estados Unidos ocorrido após a Segunda Guerra Mundial. (N. T.)

preendentemente baixa, os pares passam a ter maior influência. Alguns dos pontos incluídos na argumentação foram: a) a influência dos pais é muitas vezes mediada pelos pares. Por exemplo, ser criado por uma mãe solo aumenta o risco de comportamento adulto antissocial, mas não por causa da criação; em vez disso, devido à renda familiar mais baixa, as crianças têm maior probabilidade de morar em uma vizinhança povoada por valentões; b) os pares têm impacto no desenvolvimento da linguagem (por exemplo, as crianças adquirem o sotaque dos colegas, não dos pais); c) outros primatas jovens são em grande parte socializados pelos pares, não pelas mães.

O livro causou polêmica (em parte porque o tema estava destinado a ser distorcido: "Psicólogos provam que pais não fazem diferença"), atraindo crítica e aclamação.* Depois que a poeira baixou, a convicção hoje tende a ir no sentido de que a influência dos pares é subestimada, mas que os pais são bastante importantes, inclusive por influenciarem com que grupos de amigos seus filhos convivem.

Por que os pares são tão importantes? A interação com eles ensina habilidades sociais: comportamento dependente do contexto, quando ser amigo ou inimigo, onde você se enquadra nas hierarquias. Organismos jovens utilizam a melhor ferramenta de aprendizado de todos os tempos para adquirir essas informações: a brincadeira.[52]

O que é a brincadeira social entre os jovens? Grosso modo, é um conjunto de comportamentos que treina os indivíduos em termos de habilidades sociais. De modo mais específico, são fragmentos da vida real, pedaços de padrões fixos de ação, oportunidades para experimentar diferentes papéis com segurança e melhorar as habilidades motoras. De modo preciso e endócrino, é uma demonstração de que estresse moderado e transitório — "estímulo" — é ótimo. De modo preciso e neurobiológico, é uma ferramenta para decidir quais sinapses em excesso devem ser podadas.

O historiador Johan Huizinga definiu os humanos como *"Homo ludens"*, o Homem Jogador, por nossas brincadeiras estruturadas e governadas por regras — ou seja, jogos. Apesar disso, brincar é algo universal entre as espécies socialmente complexas, sendo onipresente entre os jovens, com pico na puberdade. Todas as brincadeiras envolvem comportamentos similares, depois de certa transcrição eto-

---

* Uma grande ironia: como uma das consequências da publicação do livro, Harris recebeu um prêmio importante da Associação Americana de Psicologia, um prêmio batizado em homenagem... ao mesmo homem que, décadas antes, como chefe do departamento de psicologia de Harvard, havia jubilado Harris do programa de pós-graduação por falta de talento.

lógica (por exemplo, um cão dominante sinaliza a benevolência necessária para iniciar uma brincadeira ao se curvar, diminuindo a si mesmo; traduzindo para uma linguagem babuína, um jovem dominante oferece a parte traseira para alguém de nível hierárquico inferior).

Brincadeiras são essenciais. A fim de brincar, os animais deixam de procurar comida, gastam calorias, se distraem e se tornam mais visíveis para predadores. Organismos jovens dissipam energia em brincadeiras mesmo em períodos de escassez. É raro que uma criança privada de brincadeiras, ou sem interesse nelas, tenha uma vida adulta socialmente satisfatória.

Acima de tudo, brincar é intrinsecamente prazeroso — por qual outro motivo se realizaria uma parte mínima de uma sequência comportamental em uma situação irrelevante? Vias dopaminérgicas se ativam durante o jogo. Ratos jovens, quando estão brincando, emitem as mesmas vocalizações de quando são recompensados com comida; cães gastam metade das calorias balançando o rabo para anunciar feromonicamente sua presença e disposição para brincar. Como enfatizado pelo psiquiatra Stuart Brown, fundador do Instituto Nacional das Brincadeiras, o contrário do jogo não é o trabalho — é a depressão. Um desafio é entender como o cérebro codifica para as propriedades de reforço dos diversos jogos. Afinal, brincar engloba de tudo, desde os matemáticos que competem pela mais hilária piada sobre cálculo até as crianças que disputam o prêmio de mais hilário som de pum feito com os sovacos.

Um tipo importante de brincadeira envolve fragmentos de agressividade, o que Harlow chamou de brincadeiras de "agarrar e derrubar" — crianças lutando, impalas adolescentes batendo as cabeças, cachorrinhos brincando de morder uns aos outros.[53] Os machos em geral o fazem com mais frequência que as fêmeas, e, como veremos em seguida, isso é impulsionado pela testosterona. Será que as brincadeiras de agarrar e derrubar são um treino para as disputas de status que a vida anuncia? Ou será que você já está na arena? Um pouco dos dois.

Expandindo para além dos pares, as vizinhanças de pronto transmitem a cultura para as crianças. Há lixo por toda parte? As casas são decrépitas? O que é ubíquo: bares, igrejas, bibliotecas ou lojas de armas? Existem muitos parques, e você está seguro ao entrar neles? Os cartazes, anúncios e adesivos anunciam paraísos celestiais ou materiais, celebram atos de martírio ou de bondade e acolhimento?

E então chegamos à cultura no nível das tribos, nações e Estados. A seguir, de maneira sucinta, estão elencadas algumas das maiores diferenças culturais nas práticas de criação.

Culturas coletivistas versus individualistas

Como veremos no capítulo 9, esse é o contraste cultural mais estudado, que em geral envolve comparar as culturas coletivistas do Leste Asiático com os hiperindividualistas Estados Unidos. As culturas coletivistas enfatizam a interdependência, a harmonia, a adaptação, as necessidades e responsabilidades do grupo; em contraste, as culturas individualistas valorizam a independência, a competição, as necessidades e os direitos do indivíduo.

Na média, as mães de culturas individualistas, quando comparadas com aquelas de sociedades coletivistas, falam mais alto, ouvem música em volume mais elevado e têm expressões mais animadas.[54] Elas veem a si mesmas como professoras em vez de protetoras, abominam uma criança entediada e valorizam os afetos mais energéticos. Seus jogos destacam a competição individual, incentivam hobbies nos quais é preciso fazer alguma coisa em vez de apenas observar. As crianças são treinadas em termos de assertividade verbal, para serem autônomas e exercerem influência. Mostre o desenho de um cardume de peixes com um deles à frente, e ela o descreverá para o filho como sendo o líder.*

As mães de culturas coletivistas, em contraste, passam mais tempo que as individualistas confortando os filhos, mantendo contato e facilitando a interação com outros adultos. Elas valorizam afetos de pouca excitação e dormem com as crianças até uma idade mais tardia. Os jogos são sobre cooperação e adaptação ao grupo: ao brincar com a criança usando, digamos, um carrinho, o ponto central não é explorar o que um carro faz (por exemplo, ser um automóvel), mas o processo de compartilhar ("Obrigado por me dar o seu carro. Agora vou devolvê-lo a você"). As crianças são treinadas para se relacionar bem com os outros, pensar neles, aceitar e se adaptar em vez de mudar a situação; moralidade e conformidade são quase sinônimos. Mostre o desenho com o cardume de peixes, e o peixinho à frente deve ter feito algo de errado, porque ninguém quer brincar com ele.

Logicamente, as crianças em culturas individualistas adquirem TM mais tarde e ativam os circuitos pertinentes de modo mais intenso para obter o mesmo grau de competência. Para uma criança coletivista, a habilidade social é uma questão de assumir a perspectiva de outra pessoa.[55]

É interessante notar que as crianças no (coletivista) Japão jogam mais jogos eletrônicos violentos que as americanas, e ainda assim são menos agressivas. Além disso, expor crianças japonesas a vídeos violentos aumenta menos a agressividade do que em crianças americanas.[56] Por que a diferença? Três possíveis fatores podem contribuir: a) as crianças americanas jogam sozinhas com mais frequência, um ter-

---

* Todas essas diferenças são típicas também dos pais, mas foram estudadas bem mais nas mães.

reno fértil para formar um lobo solitário; (b) as crianças japonesas raramente têm uma TV ou computador no quarto, então jogam próximas aos pais; c) a violência dos jogos de videogame japoneses tem mais probabilidade de exibir temas pró-sociais e coletivistas.

Mais sobre culturas coletivistas versus individualistas no capítulo 9.

Culturas de honra

Essas culturas enfatizam regras de civilidade, cortesia e hospitalidade. Espera-se do indivíduo que busque reparação por afrontas à própria honra, da família ou do clã; deixar de fazê-lo é considerado vergonhoso. São culturas repletas de vendetas, vinganças e mortes por honra; não se dá a outra face. Uma típica cultura de honra é aquela do Sul dos Estados Unidos, mas, como veremos no capítulo 9, tais culturas ocorrem por todo o globo, com certos correlatos ecológicos. Um combo particularmente mortal aparece quando uma cultura de vitimização — fomos injustiçados na semana passada, ou na última década ou milênio — é associada ao espírito vingativo de uma cultura de honra.

A criação dos jovens nas culturas de honra tende a ser autoritária.[57] As crianças são agressivas, em especial depois que ocorrem transgressões à honra, e endossam com firmeza respostas agressivas para situações nas quais a honra é violada.

Diferenças de classe

Como apontado, um filhote de babuíno aprende seu lugar na hierarquia com a mãe. As lições de status de uma criança humana são mais complexas: existem sinalizações implícitas, sugestões linguísticas sutis, o peso cognitivo e emocional de relembrar o passado ("Quando seus avós emigraram para cá, não podiam nem...") e de criar expectativas para o futuro ("Quando você crescer, vai ser..."). Mães babuínas ensinam à prole o contexto comportamental adequado; pais humanos ensinam aos filhos os tipos de sonhos que podem ter.

Diferenças de classe se refletem na criação dos jovens em países ocidentais de modo semelhante às diferenças entre países desenvolvidos e países em desenvolvimento. Nos países ricos, um pai ou uma mãe ensina e auxilia o filho a explorar o mundo. Nos recantos mais árduos dos países em desenvolvimento, espera-se pouco dos pais além da incrível tarefa de manter seu filho vivo e protegido das ameaças da vida.*

---

* Testemunhei uma amostra de tal criação nas décadas que passei em trabalho de campo no Quênia, onde meus vizinhos mais próximos eram membros nada ocidentalizados de uma tribo massai. Às ve-

Em culturas ocidentais, as diferenças de classe se organizam conforme a tipologia de Baumrind. Em classes de NSE elevado, a criação tende a ser autoritativa ou permissiva. Em contrapartida, a criação nos degraus de NSE mais baixo é em geral autoritária. Isso reflete dois aspectos. O primeiro tem a ver com proteção. Em que momento os pais de alto NSE são autoritários? Quando há perigo. "Querida, adoro que você questione as coisas, mas se você correr em direção à rua e eu gritar 'pare', você para." A infância nas classes de NSE baixo está cheia de perigos. O outro aspecto é a preparação da criança para o duro mundo lá fora — para os pobres, a vida adulta consiste em indivíduos socialmente dominantes ameaçando-os de forma autoritária.

A influência das diferenças de classe foi investigada em um famoso estudo da antropóloga Adrie Kusserow, do St. Michael's College, que fez um trabalho de campo observando pais em três tribos de Nova York: famílias ricas no Upper East Side de Manhattan; uma sólida comunidade de operários; e uma vizinhança pobre com alta criminalidade (as últimas duas situadas no Queens).[58] As divergências foram fascinantes.

A criação dos jovens na comunidade pobre envolvia um "duro individualismo defensivo". A vizinhança era repleta de casos de dependência química, falta de moradia, encarceramento e morte, e o objetivo dos pais era proteger os filhos das ruas literal e metaforicamente. Seus discursos eram recheados de alegorias sobre não perder aquilo que se conquista — manter o seu espaço, conservar o seu orgulho, não cair na provocação dos outros. A criação era autoritária, endurecendo a meta. Por exemplo, os pais provocavam as crianças bem mais que nas outras comunidades.

Em contrapartida, a criação na classe operária envolvia um "duro individualismo ofensivo". Os pais tinham algum ímpeto socioeconômico, e era esperado que as crianças mantivessem essa trajetória precária. As conversas dos pais quanto às expectativas para os filhos continham imagens de movimento, progresso e atividades atléticas: passar na frente, sentir a temperatura, ir atrás do ouro. Com trabalho árduo e o impulso de gerações esperançosas, o filho poderia ser o pioneiro a alcançar a classe média.

Em ambas as comunidades, a criação enfatizava o respeito à autoridade, em especial dentro da família. Além disso, as crianças eram tratadas como elementos

---

zes eu encontrava alguém que não via havia tempo, e que tivera um bebê nesse ínterim: foram necessários vários anos para que eu abandonasse minha absurda reação ocidental de dizer: "Um novo bebê! Que maravilha! *Mazel tov*! Como se chama?". Silêncio constrangedor — não se dá nome a um bebê (ou talvez você não esteja disposto a dizê-lo em voz alta) até que ele tenha sobrevivido à primeira temporada chuvosa de malária e à primeira temporada de seca famélica.

fungíveis de uma categoria, em vez de serem individualizadas: "Atenção, criançada, quero todos aqui".

E então havia o "individualismo suave" da classe média alta.* O sucesso futuro dos filhos, pelos padrões convencionais, era dado como certo, assim como se considerava garantida a sua saúde física. Bem mais vulnerável era a saúde psicológica das crianças: em um cenário no qual elas poderiam se tornar o que quisessem, o dever dos pais era auxiliá-las nessa jornada épica em direção à "realização" individual. Além disso, a ideia de realização era pós-convencional — "Espero que meu filho nunca tenha de trabalhar em algo de que não gosta só pelo dinheiro". Essa, afinal, é uma tribo atormentada pelas histórias de executivos ambiciosos, na linha sucessória para se tornarem CEOS, mas que abandonaram tudo para aprender carpintaria ou oboé. As falas dos pais estavam repletas de metáforas sobre potencial realizado — germinar, desabrochar, florescer. A criação era autoritativa ou permissiva, permeada de autoquestionamentos quanto à diferença de poder entre pais e filhos. Em vez de: "Vamos lá, criançada, ponham ordem nessa bagunça", havia um pedido individualizado e escusatório: "Caitlin, Zach, Dakota, será que vocês poderiam dar uma arrumadinha nas coisas, por favor? A Malala vai vir jantar".**

Até aqui, vimos como os acontecimentos da infância — da primeira interação entre mãe e bebê aos efeitos da cultura — têm influências duradouras e como a biologia medeia tais influências. Quando juntamos isso ao conteúdo dos capítulos precedentes, concluímos nosso tour pelos efeitos do ambiente sobre o comportamento, desde um segundo antes que um comportamento aconteça até um segundo depois do nascimento. De fato, terminamos com o "ambiente"; é hora de passarmos para o próximo capítulo e os "genes".

Mas isso deixa de fora algo crucial: o ambiente não começa no nascimento.

---

* Essa classe, como observou Kusserow, continha a maior porcentagem de famílias nas quais o pai se dispunha a ser entrevistado.

** Uma vez tive uma demonstração pungente de quão disseminadas podem ser as consequências da falta de privilégios sociais no meu universo profissional. Estava entrevistando candidatos para uma vaga no meu laboratório. No processo, perguntava a cada um sobre como lidava com conflitos interpessoais, mirando em pessoas que tivessem prontidão para buscar resolver uma tensão social, em vez de deixar que ela se inflamasse até se tornar uma relação passivo-agressiva. Em certo momento, entrevistei um cara que era do Queens, e não do Upper East Side. Quando fiz a pergunta, em vez da resposta Upper East Side que eu esperava ("Claro, estou ciente de quão complicadas as coisas podem ficar quando não nos comunicamos; eu saberia bem como apenas pedir à pessoa para ter mais consideração e por favor devolver minha pipeta depois de usá-la"), recebi a resposta certa para o Queens: "Não, sem problemas. Sei que um laboratório não é lugar para brigas. Tem que resolver isso lá fora. Não precisa se preocupar comigo quanto a isso".

NOVE LONGOS MESES

O gatola da cartola *no útero*

A existência de influências pré-natais do ambiente cativou a imaginação popular com alguns estudos encantadores mostrando que, perto do fim da gestação, fetos ouvem (o que está acontecendo fora da barriga), sentem sabores (do fluido amniótico) e recordam e preferem esses estímulos depois que nascem.

Isso foi demonstrado de forma experimental: injete uma solução salina com aroma de limão no fluido amniótico de uma rata prenhe e seus filhotes nascem com preferência por sabor de limão. Além disso, alguns condimentos consumidos pelas grávidas chegam ao fluido amniótico. Assim, podemos nascer com uma inclinação para as comidas que nossas mães ingeriram durante a gravidez — uma transmissão cultural bastante fora do comum.[59]

Os efeitos pré-natais podem também ser auditivos, como demonstrado por uma inspirada pesquisa de Anthony DeCasper, da Universidade da Carolina do Norte.[60] A voz de uma grávida pode ser ouvida no útero, e o recém-nascido reconhece e prefere o som da voz da mãe.* DeCasper utilizou o repertório da etologia para demonstrar isso. Um recém-nascido pode aprender a usar uma chupeta em dois padrões diferentes, de chupadas longas ou curtas. Se ele produzia um certo padrão, ouvia a voz da mãe; se produzia o outro, ouvia a voz de uma mulher qualquer. Conclusão: os bebês desejavam a voz da mãe. Elementos da linguagem também são aprendidos no ventre — as formas do choro de um recém-nascido se assemelham às formas da fala na língua da mãe.

As capacidades cognitivas de fetos prestes a nascer são ainda mais notáveis. Por exemplo, eles são capazes de distinguir entre dois pares de sílabas sem sentido ("bibu" versus "bubi"). Como conseguem? Veja esta: a mãe diz várias vezes "bibu, bibu, bibu" enquanto a frequência cardíaca fetal é monitorada. "Que chato [ou, talvez: 'que tranquilizante']", pensa o feto, e a frequência diminui. Então a mãe muda para "bubi". Se o feto não distingue entre os dois, a desaceleração cardíaca continua. Mas se alguma diferença é percebida — "Opa, o que aconteceu?" —, os batimentos aceleram. Foi isso que DeCasper relatou.[61]

Ele e sua colega Melanie Spence mostraram então (usando o sistema de detecção da chupeta) que recém-nascidos em geral não distinguem entre o som da mãe lendo trechos de *O gatola da cartola* e do ritmicamente similar *The King, the Mice and*

---

* Em contrapartida, os recém-nascidos reconhecem, mas não demonstram preferência pela voz do pai.

the Cheese.[62] Mas os bebês cujas mães haviam lido *O gatola da cartola* em voz alta por várias horas durante o último trimestre da gravidez tinham predileção pelo Dr. Seuss. Uau.

Apesar do encanto desses achados, o interesse central deste livro não está vinculado a essa aprendizagem pré-natal — poucos bebês nascem com uma preferência para passagens, digamos, do *Mein Kampf*. No entanto, outros efeitos pré-natais do ambiente são bastante importantes.

CÉREBROS DE MENINOS E DE MENINAS, SEJA LÁ O QUE ISSO SIGNIFIQUE

Começamos com uma versão simples do que significa o "ambiente" para um cérebro fetal: nutrientes, mensageiros imunológicos e, o mais importante, hormônios transportados para o cérebro através da circulação.

Uma vez que as glândulas pertinentes tenham se desenvolvido no feto, elas são perfeitamente capazes de secretar seus hormônios característicos. Isso tem consequências muito importantes. Quando os hormônios apareceram pela primeira vez no capítulo 4, nossa discussão enfatizou os efeitos "ativacionais" com duração na ordem de horas ou dias. Em contrapartida, os hormônios no feto têm efeitos "organizacionais" no cérebro, provocando mudanças permanentes em sua estrutura e funcionamento.

Por volta de oito semanas depois que a concepção se deu, as gônadas fetais humanas começam a secretar os hormônios esteroides (testosterona nos homens; estrogênio e progesterona nas mulheres). De maneira crucial, a testosterona mais o "hormônio antimülleriano" (também oriundo dos testículos) masculinizam o cérebro.

Três complicações, em ordem crescente de complexidade:

- Em muitos roedores, o cérebro não está sexualmente diferenciado por completo na hora do nascimento, e os efeitos hormonais continuam a agir durante o período pós-natal.
- Uma complicação maior: de modo surpreendente, poucos dos efeitos da testosterona no cérebro decorrem da ligação desse hormônio a receptores androgênicos. Em vez disso, a testosterona penetra nas células-alvo e, de forma bizarra, se converte em estrogênio, e então se liga a receptores de estrogênio intracelulares (enquanto fora do cérebro a testosterona age na sua forma própria ou então convertida em um androgênio correlacionado,

a di-hidrotestosterona). Portanto, a testosterona exerce grande parte do seu efeito masculinizante no cérebro sob a forma de estrogênio. A conversão da testosterona em estrogênio também ocorre no cérebro fetal. Calma aí — independente do sexo do feto, a circulação fetal está repleta de estrogênio materno e, além disso, os fetos femininos secretam estrogênio, portanto os cérebros fetais femininos estão banhados por esse hormônio. Por que isso não masculiniza o cérebro desses fetos? Muito provavelmente porque os fetos produzem algo chamado alfafetoproteína, que se liga ao estrogênio circulante, tirando-o de ação. Assim, nem o estrogênio da mãe nem o estrogênio de origem fetal masculinizam os cérebros fetais femininos. E no final, a menos que haja testosterona e hormônio antimülleriano circulando, os cérebros fetais dos mamíferos se feminilizam de maneira automática.[63]

- Agora a supercomplicação. O que exatamente é um cérebro "feminino" ou "masculino"? É aí que começam as disputas.

Para começar, os cérebros masculinos meramente fazem escorrer os hormônios reprodutivos para fora do hipotálamo, enquanto os cérebros femininos precisam controlar a secreção periódica dos ciclos ovulatórios. Desse modo, a vida fetal produz um hipotálamo conectado de maneira mais complexa em mulheres.

Mas e quanto às diferenças sexuais no comportamento, que é o que nos interessa? A questão é: quanto da agressividade masculina decorre da masculinização pré-natal do cérebro?

Quase toda ela, se estivermos falando de roedores. Um trabalho feito nos anos 1950 por Robert Goy, da Universidade de Wisconsin, mostrou que, em porquinhos-da-índia, um efeito organizacional da testosterona pré-natal é fazer com que o cérebro fique suscetível à testosterona na vida adulta.[64] Na pesquisa, fêmeas no período final da gestação eram tratadas com testosterona. Isso gerava uma prole feminina que, quando adulta, parecia normal, mas era "masculinizada" quanto ao comportamento: eram mais sensíveis que o grupo de controle a uma injeção de testosterona, com maior aumento da agressividade e comportamento sexual tipicamente masculino (isto é, montando outras fêmeas). Além disso, o estrogênio era menos eficiente em provocar comportamentos sexuais tipicamente femininos (isto é, o reflexo de arquear as costas chamado lordose). Assim, a exposição pré-natal à testosterona tinha efeitos organizacionais masculinizantes, de modo que essas fêmeas, quando adultas, respondiam aos efeitos ativacionais dos hormônios como os machos o fariam.

Isso desafiou os dogmas de que a identidade sexual decorria de influências sociais e não biológicas. Essa era a visão dos sociólogos que odiavam biologia na escola… e também da comunidade médica. De acordo com essa perspectiva, se um bebê nascia com genitália indefinida (o que corresponde a cerca de 1% a 2% dos nascimentos), não importava em qual gênero ele seria criado, desde que isso fosse decidido dentro dos primeiros dezoito meses — basta fazer a cirurgia reconstrutiva mais conveniente.*[65]

Então aqui tínhamos Goy relatando que o ambiente hormonal pré-natal, não os fatores sociais, determinava os comportamentos sexuais típicos do adulto. "Mas isso para os porquinhos-da-índia", rebateram. Então Goy e seu grupo estudaram primatas não humanos.

Façamos um breve tour pelo comportamento dos primatas sexualmente dimórficos (isto é, com distinções entre os sexos). Espécies da América do Sul, como micos e saguis, que formam vínculos de casais, apresentam poucas diferenças sexuais no comportamento. Em contrapartida, os primatas do Velho Mundo, em sua maioria, são bastante dimórficos: os machos são mais agressivos e as fêmeas passam mais tempo em comportamentos associativos (por exemplo, catação social ou interação com filhotes). Que tal isto como uma diferença sexual: em uma pesquisa, macacos reso machos adultos se mostraram bem mais interessados em utilizar brinquedos humanos "masculinos" (por exemplo, carrinhos) do que "femininos" (por exemplo, bichos de pelúcia), enquanto as fêmeas tinham uma ligeira preferência pelos femininos.[66]

O que vem em seguida? Macacos fêmeas preferem romances juvenis de fantasia tendo mulheres como protagonistas? Por que brinquedos humanos seriam relevantes para as diferenças sexuais em macacos? Os autores da pesquisa propuseram a hipótese de que isso reflete o maior nível de atividade dos machos, e o modo como brinquedos masculinos favorecem um divertimento mais ativo.

Goy estudou esse alto dimorfismo sexual dos macacos reso. Já havia indicações de que a testosterona tem efeitos organizacionais sobre o comportamento — algumas semanas depois de nascerem, os machos eram mais ativos que as fêmeas e passavam mais tempo em brincadeiras de agarrar e derrubar. Isso ocorria muito antes da puberdade e da explosão na secreção de testosterona. Ademais, quando seus níveis de testosterona eram suprimidos no momento do nascimento (eram baixos, ainda que mais elevados que os das fêmeas), os machos ainda assim praticavam mais brincadeiras de luta. Isso sugeria que as variações sexuais decorriam de diferenças nos níveis fetais do hormônio.

---

* Essa visão foi defendida na maioria dos círculos médicos por muitos anos depois disso. Para um exemplo de quão errada pode ser essa abordagem, veja o livro *Sexo trocado: A história real do menino criado como menina*, de John Colapinto.

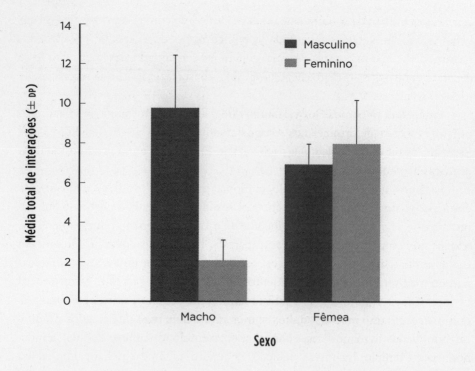

Macacos reso machos mostram uma forte preferência por brinquedos humanos estereotipicamente "masculinos" em comparação aos "femininos".

Goy conseguiu provar isso administrando testosterona a macacas prenhes e depois examinando sua prole feminina. A exposição à testosterona durante a gravidez produzia filhotes fêmeas que eram "pseudo-hermafroditas": por fora tinham a aparência de machos, mas por dentro suas gônadas eram femininas. Quando comparadas ao grupo de fêmeas de controle, essas fêmeas androgenizadas praticavam mais brincadeiras de agarrar e derrubar, eram mais agressivas e exibiam comportamento de monta e vocalizações tipicamente masculinas (tanto quanto os machos, sob determinados parâmetros). De maneira importante, a maioria dos comportamentos, mas não todos, era masculinizada, e essas fêmeas androgenizadas demonstravam tanto interesse nos filhotes quanto aquelas do grupo de controle. Portanto, a testosterona tem efeitos organizacionais em alguns, mas não em todos os comportamentos.

Em estudos subsequentes, muitos deles conduzidos por um aluno de Goy, Kim Wallen, da Universidade Emory, as fêmeas prenhes receberam doses mais baixas de testosterona, e apenas no último trimestre.[67] Isso produzia filhotes fêmeas com genitália normal, mas comportamento masculinizado. Os pesquisadores observaram a relevância desse fato para indivíduos transgêneros: aparência externa de um dos sexos, mas cérebro, por assim dizer, do outro.*

E nós

De início parecia evidente que a exposição pré-natal à testosterona também era responsável pela agressividade masculina em seres humanos. Isso se baseava em pesquisas envolvendo uma doença rara, a hiperplasia adrenal congênita (HAC): uma enzima nas glândulas adrenais tem uma mutação e, em vez de as adrenais produzirem glicocorticoides, secretam testosterona e outros androgênios, com início já durante a vida fetal.

A falta de glicocorticoides causa problemas metabólicos graves, que requerem reposição hormonal. E o que acontece com os androgênios em excesso em meninas com HAC (que em geral nascem com a genitália indefinida e são estéreis quando adultas)?

Nos anos 1950, o psicólogo John Money, da Universidade Johns Hopkins, relatou que meninas com HAC apresentavam níveis patologicamente altos de comportamento tipicamente masculino, uma deficiência de comportamentos tipicamente femininos e QI elevado.

Isso sem dúvida deixou todos estupefatos. Mas a pesquisa tinha alguns problemas. Primeiro, os resultados quanto ao QI eram espúrios — pais dispostos a inscrever filhos com HAC nesse tipo de pesquisa tinham, em média, níveis de escolaridade mais altos que o grupo de controle. E os comportamentos típicos de gênero? O "normal" foi avaliado pelos padrões Ozzie e Harriet de 1950: as meninas com HAC eram patologicamente interessadas em seguir carreira e desinteressadas em ter bebês.

Opa, de volta às mesas de projeto. Pesquisas de HAC modernas e cuidadosas foram conduzidas por Melissa Hines, da Universidade de Cambridge.[68] Quando comparadas com meninas sem HAC, aquelas que apresentavam HAC brincavam mais de agarrar e derrubar, brigavam mais e eram fisicamente mais agressivas. Além disso, preferiam brinquedos "masculinos" em vez de bonecas. Quando adultas, ti-

---

* De modo notável, houve pesquisas que examinaram o cérebro de indivíduos transgêneros, concentrando-se em regiões cerebrais que, em média, diferem de tamanho entre homens e mulheres. E de forma consistente, independente da direção da mudança de sexo desejada e, ainda mais, independente do fato de a pessoa já ter realizado a cirurgia de readequação sexual, as regiões cerebrais dimórficas nos indivíduos transgêneros se assemelhavam àquelas do gênero a que sempre se sentiram pertencer e não à do gênero dito "real". Em outras palavras, não é o caso de indivíduos transgêneros pensarem que são de sexo diferente do real. É mais como se estivessem presos a um corpo de gênero diferente daquele ao qual pertencem de verdade.

nham resultados mais baixos em testes de ternura e mais altos nos de agressividade, e se autoavaliavam como mais agressivas e com menor interesse em bebês. Além do mais, mulheres com HAC têm mais chances de serem homossexuais, bissexuais ou de terem uma identidade transgênero.*

De modo importante, os tratamentos farmacológicos começam, tão logo se dá o nascimento, a normalizar os níveis de androgênios nessas meninas, de modo que o excesso de exposição a esses hormônios se restrinja ao período pré-natal. Portanto, a exposição à testosterona antes do nascimento parece causar mudanças organizacionais que aumentam a incidência de comportamento tipicamente masculino.

Uma conclusão similar pode ser obtida pelo caso inverso da HAC, a saber, a síndrome de insensibilidade androgênica (SIA, historicamente conhecida como "síndrome de feminilização testicular").[69] Um feto é macho: ele tem cromossomos XY e testículos que secretam testosterona. Mas uma mutação no receptor androgênico o torna insensível à testosterona. Assim, os testículos podem secretar testosterona até não dar mais que ainda assim não haverá masculinização. E com frequência o indivíduo nasce com um fenótipo exterior feminino e é criado como menina. Então vem a puberdade, a menstruação não chega e uma visita ao médico revela que a "garota" na verdade é um "garoto" (com testículos normalmente próximos ao estômago, e uma vagina encurtada e sem saída). O indivíduo em geral continua com a identidade feminina, mas é estéril quando adulto. Em outras palavras, quando pessoas do sexo masculino não experimentam os efeitos organizacionais pré-natais da testosterona, obtém-se identidade e comportamentos tipicamente femininos.

Entre a HAC e a SIA, a questão parece resolvida: a testosterona pré-natal tem um papel fundamental na explicação das diferenças sexuais em termos de agressividade e nos vários comportamentos associativos pró-sociais em humanos.

Leitores atentos podem ter percebido dois problemas enormes com essa conclusão:[70]

- Lembre-se de que meninas com HAC nascem com uma etiqueta de "alguma coisa está *muito* diferente aqui": a genitália indefinida, que em geral requer múltiplas cirurgias reconstrutivas. Mulheres com HAC não são apenas androgenizadas no período pré-natal, elas também são criadas por pais que sabem que alguma coisa nelas é diferente, têm um monte de médicos bas-

---

* O rastreamento pré-natal da HAC é possível hoje, e a masculinização fetal pode ser evitada até certo ponto com tratamentos hormonais fetais. Isso tem sido apresentado por alguns clínicos como forma de aumentar as chances de uma mulher com HAC ter orientação heterossexual, o que atraiu a indignação de bioeticistas e da comunidade LGBTQ.

tante interessados em suas partes íntimas e são medicadas com todo tipo de hormônio. É impossível atribuir o perfil comportamental delas apenas aos androgênios pré-natais.

- A testosterona não tem efeito em indivíduos com SIA por causa da mutação no receptor androgênico. Mas a testosterona não causa a maior parte de seus efeitos fetais no cérebro na forma de estrogênio, interagindo com o receptor desse hormônio? Esse aspecto da masculinização do cérebro deveria ocorrer apesar da mutação. Para complicar as coisas, parte dos efeitos masculinizantes da testosterona pré-natal em macacos não requer a conversão em estrogênio. Então temos indivíduos que pertencem, em termos genéticos e gonadais, ao sexo masculino, com ao menos alguma masculinização cerebral e que são criados com sucesso como sendo do sexo feminino.

O quadro se complica ainda mais: indivíduos com SIA criados como mulheres têm uma probabilidade maior do que o esperado de serem homossexuais e de se identificarem quanto a gênero/sexo como não feminino ou nem feminino nem masculino.

Ai, ai. Tudo o que podemos dizer é que existem evidências (incompletas) de que a testosterona tem efeitos pré-natais masculinizantes em humanos, como ocorre em outros primatas. A questão é quão *expressivos* são esses efeitos.

Responder a isso seria fácil se soubéssemos a quantidade de testosterona a que as pessoas são expostas no período fetal. O que traz à tona uma descoberta peculiar, capaz de levar os leitores a começar a manejar desajeitadamente uma régua.

De forma estranha, a exposição pré-natal à testosterona influencia o comprimento dos dedos.[71] De maneira mais específica: embora o segundo dedo seja em geral mais curto que o quarto, a diferença entre eles (a razão "2D:4D") é maior em homens que em mulheres, algo notado pela primeira vez na década de 1880. Essa diferença pode ser observada em fetos que estão no terceiro trimestre, e quanto maior a exposição à testosterona (como mensurado por meio de amniocentese), mais pronunciada é a razão entre os comprimentos. Além disso, mulheres com HAC têm uma proporção mais masculina, assim como mulheres que dividiram o ambiente fetal (e, portanto, certa quantidade de testosterona) com um gêmeo do sexo masculino, enquanto homens com SIA apresentam uma proporção mais feminina. A diferença sexual na razão 2D:4D ocorre em outros primatas e em roedores. E ninguém sabe por que ela existe. Além disso, essa peculiaridade não está sozinha. Um ruído de fundo quase imperceptível gerado pelo ouvido interno ("emissões otoacústicas") apresenta uma diferença sexual que reflete a exposição pré-natal à testosterona. Vá explicar isso.

A razão 2D:4D é tão variável, e a diferença sexual tão pequena, que não é possível determinar o sexo de uma pessoa a partir do conhecimento dessa medida. Mas ela decerto diz algo a respeito da quantidade de exposição fetal à testosterona.

O que, então, esse grau de exposição (como estimado pela razão 2D:4D) permite predizer com relação ao comportamento do adulto? Homens com razões mais "masculinas" tendem a ter níveis mais altos de agressividade e melhores resultados em matemática, personalidade mais assertiva, incidência mais alta de TDAH e autismo (transtornos com forte tendência masculina), e menor risco de depressão e ansiedade (transtornos com inclinação feminina). O rosto e a caligrafia desses homens são considerados mais "masculinos". Além disso, alguns estudos indicam uma menor probabilidade de eles serem homossexuais.

Mulheres com uma proporção mais "feminina" apresentam menos chances de ter autismo e mais de ter anorexia (uma doença com tendência feminina). Têm também menor probabilidade de serem canhotas (uma característica com inclinação masculina). Além disso, elas apresentam menos habilidade atlética e mais atração por rostos fortemente masculinos. E têm mais chances de serem heterossexuais ou, se homossexuais, maior probabilidade de assumirem papéis sexuais estereotípicos femininos.[72]

Esses fatos constituem algumas das mais fortes evidências de que: a) a exposição fetal a androgênios tem efeitos organizacionais no comportamento dos adultos tanto em seres humanos como em outras espécies; e b) *diferenças individuais* no grau de tal exposição estão relacionadas a diferenças individuais no comportamento adulto.*[73] O ambiente endócrino pré-natal determina nosso destino.

Bem, não exatamente. Esses efeitos são pequenos e variáveis, produzindo uma relação significativa apenas quando se consideram grandes quantidades de indivíduos. Então os efeitos organizacionais da testosterona determinam a qualidade e/ou a quantidade de agressão? Não. E quanto aos efeitos organizacionais *mais* os ativacionais? Também não.

Expandindo o escopo do "ambiente"

Portanto, o cérebro fetal pode ser influenciado por hormônios secretados pelo feto. Mas, além disso, o mundo exterior altera a fisiologia da grávida, o que por sua vez afeta o cérebro fetal.

---

* Enquanto isso, não existem evidências consistentes de que o grau de exposição a androgênios no período de horas até semanas após o nascimento tenha qualquer poder preditivo quanto a comportamentos futuros.

A versão mais trivial dessa questão é como a comida ingerida pela gestante influencia quais nutrientes são liberados na circulação fetal.* Em um extremo, a subnutrição materna impacta de forma ampla o desenvolvimento do cérebro fetal.**[74] Além disso, os patógenos adquiridos pela mãe podem ser transmitidos ao feto — por exemplo, o protozoário parasita *Toxoplasma gondii* pode infectar a grávida (em geral depois de ela ser exposta a fezes de gato contaminadas) e acabar alcançando o sistema nervoso fetal, com potencial para provocar grande devastação. E esse também é o universo do abuso materno de álcool e drogas, que produz os bebês do crack e da heroína e a síndrome do alcoolismo fetal.

Também crucial é o fato de o estresse materno ter impacto no desenvolvimento fetal. Existem vias indiretas — por exemplo, pessoas estressadas têm dieta menos saudável e consomem mais álcool e drogas. De maneira mais direta, o estresse altera a pressão sanguínea e as defesas imunológicas da mãe, o que impacta o feto. Mais importante, mães estressadas secretam glicocorticoides, os quais penetram na circulação fetal e produzem basicamente as mesmas consequências negativas que teriam em bebês e crianças.

Os glicocorticoides realizam isso por meio de efeitos organizacionais na construção do cérebro fetal e diminuindo os níveis dos fatores de crescimento, o número de neurônios e sinapses e assim por diante. Do mesmo modo que a exposição pré-natal à testosterona produz um cérebro adulto que é mais sensível aos gatilhos ambientais para a agressividade, a exposição pré-natal excessiva a glicocorticoides produz um cérebro adulto mais sensível a gatilhos ambientais para a depressão e a ansiedade.

Além disso, a exposição pré-natal a glicocorticoides tem efeitos que misturam a biologia clássica do desenvolvimento com a biologia molecular. Para entender isso melhor, eis uma versão bastante simplificada dos genes, foco do próximo capítulo: a) cada gene especifica a produção de um tipo determinado de proteína; b) um gene tem que ser "ativado" para que a proteína possa ser produzida, e "desativado" para que pare de fazê-lo — portanto, genes vêm com botões de liga/desliga; c) cada célula do corpo contém a mesma biblioteca de genes; d) durante o desenvolvimento, o padrão segundo o qual os genes são ativados determina quais células se transformam em nariz, quais em dedos dos pés, e assim por diante; e) para sempre a

---

* Por que não "determina" em vez de "influencia"? Porque o corpo da mulher pode converter um nutriente em outro antes de passá-lo ao feto.

** Subnutrição durante o terceiro trimestre da gestação também altera aspectos da fisiologia, de modo que o feto tem um aumento vitalício no risco de desenvolver diabetes, obesidade e síndrome metabólica, algo conhecido como o "efeito do Inverno da Fome na Holanda".

partir daí, nariz, dedos dos pés e outras células mantêm os padrões característicos de ativação genética.

O capítulo 4 examinou o modo como alguns hormônios provocam efeitos ativacionais ao mudar a posição dos botões de liga/desliga em genes específicos (por exemplo, genes ativados pela testosterona e relacionados a um maior crescimento das células musculares). O campo da "epigenética" trata de como os efeitos organizacionais hormonais decorrem da alteração *permanente* de genes específicos para a posição "ligado" ou "desligado" em determinadas células.[75] Muito mais sobre isso no próximo capítulo.

Isso ajuda a explicar por que seus dedos dos pés e seu nariz funcionam de maneira distinta. Mais importante, mudanças epigenéticas também ocorrem no cérebro.

Esse domínio da epigenética foi revelado por uma pesquisa marcante, feita por Meaney e colegas em 2004, resultando em um dos artigos mais citados do prestigiado periódico *Nature Neuroscience*. Eles haviam demonstrado anteriormente que os filhotes de mães ratazanas mais "atenciosas" (aquelas que alimentam, limpam e lambem os filhotes com frequência) se tornam adultos com níveis mais baixos de glicocorticoides, menos ansiedade, melhor aprendizagem e envelhecimento cerebral tardio. O artigo também demonstrou que essas mudanças são epigenéticas: aquele estilo de criação materna alterava o botão ligado/desligado em um gene relevante para a resposta do cérebro ao estresse.* Opa, o *estilo* de criação materna altera a regulação genética no cérebro de filhotes. De modo notável, Meaney, em associação com Darlene Francis, da Universidade da Califórnia em Berkeley, demonstrou então que tais filhotes de ratos, quando adultos, se tornavam mães mais atenciosas — passando essa característica de maneira epigenética para a próxima geração.** Portanto, o comportamento adulto produz mudanças cerebrais moleculares persistentes na prole, "programando" os filhotes de modo a favorecer as chances de replicarem esse comportamento particular na vida adulta.[76]

Mais descobertas se sucederam aos montes, muitas obtidas por Meaney, seu colaborador Moshe Szyf, também de McGill, e Frances Champagne, da Universidade Columbia.[77] As respostas hormonais a diversas experiências do período fetal e da infância têm efeitos epigenéticos nos genes relacionados ao fator de crescimento FNDC, ao sistema da vasopressina e da ocitocina e à sensibilidade ao estrogênio. Es-

---

* Para sua informação, o gene que codifica para o receptor de glicocorticoides.

** O próximo capítulo discutirá como essa transmissão não genética, mas epigenética, de características entre múltiplas gerações se assemelha à ideia há muito desacreditada da herança adquirida, proposta pelo cientista do século XVIII Jean-Baptiste Lamarck.

ses efeitos se refletem na cognição, na personalidade, na emotividade e na saúde mental do adulto. Os maus-tratos infantis, por exemplo, causam mudanças epigenéticas em centenas de genes no hipocampo humano. Além disso, Stephen Suomi, dos Institutos Nacionais da Saúde, e Szyf descobriram que o estilo de criação materna em macacos tem efeitos epigenéticos em mais de *mil* genes corticais frontais.*

Isso é totalmente revolucionário. Ou algo assim. O que nos leva ao resumo deste capítulo.

CONCLUSÕES

Efeitos ambientais epigenéticos no desenvolvimento cerebral são muito empolgantes. Todavia, é necessário refrear o entusiasmo. As descobertas foram infladas, e, à medida que mais pesquisadores afluíram para esse campo, a qualidade dos estudos decaiu. Além disso, existe a tentação de concluir que a epigenética explica "tudo", seja lá o que isso possa ser. Mas a maioria dos efeitos das experiências da infância sobre as condições do adulto não envolve epigenética, e (não mude de canal) muitas mudanças epigenéticas são temporárias. Algumas das críticas mais duras em relação a isso vêm dos geneticistas moleculares e não dos cientistas do comportamento (que, em geral, abraçam esse tópico); parte da negatividade dos primeiros é alimentada, acredito, pela indignidade de terem de incorporar, ao mundo perfeito da regulação gênica, coisas como mães ratazanas lambendo os filhotes.

Mas a empolgação precisa ser refreada em um nível mais profundo, que é pertinente para o capítulo como um todo. Ambientes estimulantes, pais rígidos, boas vizinhanças, professores pouco inspiradores, dietas ideais — tudo afeta os genes no cérebro. Uau. E não muito tempo atrás a revolução estava no modo como o ambiente e as experiências alteram a excitabilidade e o número de sinapses, os circuitos neurais e até a quantidade de neurônios. Opa. E antes disso, a revolução ocorreu em torno de como o ambiente e as experiências podem modificar as dimensões de partes diferentes do cérebro. Impressionante.

Mas, na verdade, nada disso é de fato espantoso. Porque as coisas *têm* de funcionar desse jeito. Embora pouco do que ocorre na infância determine o compor-

---

* Observação: isso não significa que cada neurônio do córtex frontal teve alterada a regulação de mil e poucos genes. Existem também as células gliais e muitos são os tipos de neurônio. Portanto, na verdade, a quantidade média de alterações em cada célula foi provavelmente bem inferior a mil. Observação sobre a observação: isso não é capaz de tornar nada disso menos interessante, apenas mais difícil de estudar.

tamento de um adulto, praticamente tudo na infância afeta as inclinações para certos comportamentos. Freud, Bowlby, Harlow, Meaney, a partir de suas diferentes perspectivas, levantam o mesmo ponto fundamental e outrora revolucionário: a infância *importa*. Tudo aquilo que essas coisas como fatores de crescimento, botões de liga/desliga e taxas de mielinização fazem é oferecer uma visão mais nítida do cerne dessa constatação.

Tal visão é bastante útil. Ela revela os passos que ligam o ponto A da infância ao ponto Z da vida adulta. Revela também como os pais podem criar filhos cujos comportamentos se assemelham aos seus. Identifica os pontos fracos que explicam como as adversidades da infância podem levar a adultos perturbados ou perturbadores. E sugere como consequências ruins podem ser revertidas e como consequências boas podem ser reforçadas.

E existe mais uma utilidade. No capítulo 2, contei como foi necessária a comprovação da perda de volume hipocampal em veteranos de guerra com TEPT para enfim convencer muitos dos que estavam no poder de que o transtorno era "real". De modo similar, não deveriam ser necessários factoides da genética molecular ou da neuroendocrinologia para provar que a infância importa, e que, portanto, é importantíssimo oferecer infâncias permeadas de boa saúde e segurança, amor, acolhimento e oportunidade. Mas, dado que às vezes parece ser preciso exatamente esse tipo de validação científica, eis a situação: mais poder para esses factoides.

8. De volta a quando você era apenas um óvulo fertilizado

Lembro-me de um cartum em que um cientista de jaleco conta para o outro: "Sabe quando você está falando ao telefone com alguém e a outra pessoa quer terminar a ligação, mas não quer admitir, e então ela diz: 'Bem, acho que já deve estar na sua hora', como se fosse *você* que quisesse desligar, quando na verdade é *ela*? Acho que encontrei o gene para isso".

Este capítulo fala sobre o progresso em encontrar "o gene para isso".

Nosso comportamento prototípico ocorreu. Como ele teria sido influenciado por eventos da época em que o óvulo e o espermatozoide se fundiram para formar aquele organismo, criando um genoma — os cromossomos, as sequências de DNA —, destinado a ser duplicado em cada célula do corpo daquela futura pessoa? Que papel tiveram aqueles genes na determinação de tal comportamento?

Os genes são relevantes para, digamos, a agressividade, e é por isso que ficamos menos alarmados quando um bebê puxa as orelhas de um bassê em vez de as de um pitbull. Os genes são importantes para tudo neste livro. Muitos neurotransmissores e hormônios são codificados por genes, assim como as moléculas que constroem e degradam esses mensageiros, e também seus receptores. O mesmo vale para os fatores de crescimento que guiam a plasticidade cerebral. Os genes em geral ocorrem em versões diferentes; cada um de nós consiste numa orquestração específica das variedades distintas de nossos aproximadamente 20 mil genes.

Esse assunto traz consigo dois obstáculos. O primeiro deles diz respeito às muitas pessoas que se sentem incomodadas com a associação entre genes e comportamento. Em um episódio da minha juventude acadêmica, uma conferência organizada com fundos federais foi cancelada por sugerir que os genes tinham relação com a violência. Essa desconfiança em relação ao elo gene/comportamento existe por causa da genética pseudocientífica utilizada para justificar vários "ismos", preconceitos e formas de discriminação. Esse tipo de pseudociência fomentou o racismo e o sexismo, deu origem à eugenia e a esterilizações forçadas, e permitiu que versões cientificamente sem sentido de palavras como "inato" fossem usadas para justificar o descaso com os despossuídos. E distorções monstruosas da genética têm dado munição àqueles que lincham, promovem limpezas étnicas ou conduzem crianças a câmaras de gás.*[1]

Mas o estudo da genética do comportamento traz consigo também o obstáculo oposto, o das pessoas que se entusiasmam em excesso. Afinal de contas, esta é a era da genômica, da medicina personalizada com base nos genes, um período em que as pessoas têm seus genomas sequenciados e no qual textos populares sobre o tema são exaltados com expressões como "o santo graal" e "o código dos códigos". Em uma visão reducionista, compreender alguma coisa complexa exige que o objeto seja dividido em partes constitutivas — entenda essas partes, junte-as de novo e você chegará a uma compreensão do quadro geral. E nessa perspectiva reducionista, para entender como funcionam as células, os órgãos, os corpos e o comportamento, a melhor parte constitutiva para estudar seriam os genes.

O excesso de entusiasmo pela genética pode exprimir a concepção de que as pessoas possuem uma essência característica e imutável (embora o essencialismo seja anterior à genômica). Tomemos, por exemplo, uma pesquisa a respeito do "transbordamento moral" baseado no parentesco.[2] Suponha que um indivíduo tenha ferido outras pessoas duas gerações atrás: os netos dele têm a obrigação de ajudar os netos das vítimas? Os voluntários do estudo consideraram que um descendente biológico tinha uma responsabilidade maior do que alguém adotado pela família logo depois de nascer — a relação biológica carregava uma mancha de culpa. Além disso, os voluntários demonstraram maior propensão a mandar para a prisão dois gêmeos idênticos separados no nascimento do que dois sujeitos sem nenhuma relação, mas em tudo iguais na aparência, por um crime que apenas um dos indivíduos cometeu — os gêmeos, mesmo sendo criados em ambientes diferentes, compartilhavam uma mácula moral devido ao genoma equivalente. As pessoas percebem um essencialismo implícito nas linhagens de sangue — isto é, nos genes.**

---

* As críticas ideológicas mais duras à genética vieram em geral da esquerda. Apesar disso, e para minha surpresa, o único estudo que conheço que examinou essa questão não encontrou desequilíbrios no eixo esquerda/direita no que tange à tendência de atribuir as diferenças entre os indivíduos à genética. O ponto em que os dois lados diferem é no tipo de características que são atreladas aos genes. Assim, as ideologias de direita estão mais associadas com interpretações genéticas para as diferenças de raça ou classe, enquanto as de esquerda sobressaem quando se trata de explicar a orientação sexual.

** Minha experiência pessoal com o essencialismo extremo: entre 1976 e 1977, Nova York (e adjacências) foi aterrorizada pela sequência de assassinatos do "Filho de Sam" (eu estava em casa no Brooklin durante o verão de 1977, de férias da universidade, e posso confirmar que o impacto psicológico da

Este capítulo transita entre esses dois extremos, concluindo que, embora os genes sejam importantes para as questões do livro, eles têm um efeito bem menor do que muitas vezes se pensa. As próximas páginas introduzem noções sobre a função e a regulação genética, mostrando os limites do poder dos genes. Em seguida, serão analisadas as influências genéticas no comportamento em geral. Por fim, examinaremos a influência dos genes sobre os nossos melhores e piores comportamentos.

PARTE I: OS GENES DA BASE PARA O TOPO

Começamos com uma consideração sobre os limites do poder dos genes. Se você se sente inseguro em relação a assuntos como o dogma central (DNA codifica para RNA que codifica para uma sequência de proteínas), a estrutura da proteína como determinante da função, o código de três nucleotídeos dos códons ou os fundamentos das mutações pontuais, de inserção ou de deleção, leia primeiro o texto introdutório no apêndice 3.

Será que os genes sabem o que estão fazendo? O triunfo do ambiente

Então os genes especificam a estrutura, a forma e a função das proteínas. E, uma vez que as proteínas fazem virtualmente de tudo, isso torna o DNA o cálice sagrado da vida. Só que não: os genes não "decidem" quando uma nova proteína será criada.

Acreditava-se piamente que haveria uma extensão de DNA em um cromossomo, constituindo um único gene, seguido por um códon de parada, logo seguido por outro gene, e então pelo próximo... Mas os genes não vêm de fato um depois do outro — nem todo o DNA é constituído de genes. Em vez disso, existem, entre os

---

onda de crimes foi enorme). Em agosto de 1977, o caso terminou com a prisão de David Berkowitz, um criminoso de 23 anos, responsável previamente por pequenos delitos e incêndios, que confessou ter cometido os assassinatos por ordem do cachorro de um vizinho, sendo que o referido cachorro estaria, é claro, possuído pelo demônio. Um mês depois, quando eu estava de volta à universidade, o telefone tocou. Meu colega de quarto atendeu e me passou a ligação, parecendo um pouco intrigado. "É a sua mãe. Ela parece meio animada." "Oi, mãe, qual é a novidade?" E num tom eufórico, aliviado e triunfante, ela gritou: "David Berkowitz! Ele é adotado. Adotado! ELE NÃO É JUDEU DE VERDADE!". Do departamento de fins irônicos para minha mãe: a mãe biológica de Berkowitz, cujo nome de nascimento era Richard David Falco, era judia. Assim como o pai biológico dele, que não era o sr. Falco.

genes, faixas de DNA que são não codificantes, que não são "transcritas".* E agora um dado espantoso: 95% do DNA é não codificante. *Noventa e cinco por cento.*

O que são esses 95%? Uma parte é lixo, restos de pseudogenes desativados pela evolução.**[3] Mas soterradas nesse conjunto estão as chaves do reino, o manual de instruções sobre *quando* devem ser transcritos genes específicos, os botões de liga/desliga da transcrição gênica. Um gene não "decide" quando será fotocopiado em RNA para gerar uma proteína. Em vez disso, antes do início de uma extensão de DNA que codifica para um gene, há uma faixa curta chamada de promotor*** — o botão "liga". O que faz com que o promotor seja acionado? Um certo fator de transcrição (FT) se liga a ele. Isso provoca o recrutamento de enzimas que transcrevem o gene para RNA. Enquanto isso, outros fatores de transcrição servem para desativar os genes.

Isso tem um significado enorme. Dizer que um gene "decide" quando será transcrito**** é como dizer que uma receita decide quando o bolo será preparado.

Portanto, os fatores de transcrição regulam os genes. O que regula os fatores de transcrição? A resposta é devastadora para o conceito de determinismo genético: o ambiente.

Para começar de forma não muito empolgante, esse "ambiente" pode significar o meio intracelular. Suponha que um diligente neurônio esteja com pouca energia. Essa condição ativa um fator de transcrição específico, que se liga a um promotor em particular, que ativa o próximo gene na linha (o gene "a jusante"). Esse gene codifica para um transportador de glicose; mais proteínas transportadoras de glicose são criadas e inseridas na membrana da célula, ampliando a capacidade do neurônio de acessar a glicose em circulação.

Em seguida, imagine que o "ambiente" inclui o neurônio vizinho, que libera serotonina para a célula em questão. Suponha que menos serotonina tenha sido liberada recentemente. Fatores de transcrição de prontidão nas espinhas dendríticas percebem isso, dirigem-se ao DNA e se ligam ao promotor a montante do gene do receptor de serotonina. Mais receptores são produzidos e posicionados nas espinhas dendríticas, que se tornam mais sensíveis ao fraco sinal de serotonina.

---

* Terminologia: um gene é "transcrito" quando a cópia de RNA a partir de sua sequência de DNA é criada, e usada então para gerar a proteína correspondente.

**Observe que DNA "lixo" pode ser de fato lixo ou, o que é mais provável, um DNA cuja função ainda não foi descoberta. Há razões para aceitar essa segunda interpretação.

*** Existem faixas relacionadas de DNA não codificante que fazem parte do botão liga/desliga chamadas acentuadores e operadores. Para os nossos fins, utilizaremos apenas o termo "promotores".

**** Ou, para usar outro jargão da área, quando ele é "ativado" ou "expresso" — usarei esses termos como sinônimos.

Às vezes o "ambiente" pode se referir a regiões distantes dentro do organismo. Um macho secreta testosterona, que navega através da corrente sanguínea e se liga aos receptores androgênicos nas células musculares. Isso ativa uma cascata de fatores de transcrição que resulta em mais proteínas integradoras intracelulares, expandindo a célula (isto é, a massa muscular aumenta).

Por fim, e mais importante, existe o "ambiente" no sentido de mundo exterior. Por exemplo, uma fêmea sente o cheiro do recém-nascido, o que significa que moléculas odorantes que flutuaram a partir do bebê se ligam aos receptores do nariz dela. Os receptores são estimulados e (muitas etapas depois, no hipotálamo) um fator de transcrição é ativado, levando à produção de mais ocitocina. Uma vez secretada, a ocitocina causa a liberação do leite. Os genes não são assim um cálice sagrado do determinismo se podem ser regulados pelo cheiro de um bumbum de nenê. E eles são regulados por todas essas diferentes manifestações do ambiente.

Em outras palavras, *os genes não fazem sentido fora do contexto do ambiente*. Promotores e fatores de transcrição introduzem cláusulas do tipo se/então: "Se você sente o cheiro do seu bebê, então ative o gene da ocitocina".

Agora a trama se complica.

Existem múltiplos tipos de fatores de transcrição em uma célula, cada um deles ligando-se a uma sequência específica de DNA que constitui um promotor em particular. Considere um genoma que contém um gene. Nesse organismo imaginário, há apenas um perfil de transcrição (isto é, o gene é transcrito), que requer apenas um fator de transcrição.

Agora considere um genoma constituído pelos genes A e B, configurando três diferentes perfis de transcrição — são transcritos somente A, somente B ou A e B — que requerem três diferentes FTs (pressupondo que você ativa apenas um de cada vez). Para três genes, serão sete perfis de transcrição: A, B, C, A + B, A + C, B + C, A + B + C. Logo, sete diferentes FTs. Para quatro genes, quinze perfis. Cinco genes, 31 perfis.*

À medida que aumenta a quantidade de genes em um genoma, o número de possíveis perfis de expressão cresce de maneira exponencial. Assim como o número de FTs necessários para produzir esses perfis.

E agora mais uma particularidade que, no modo de dizer de uma geração mais antiga, vai fundir a sua cuca.

---

* Para aqueles que se interessam por essas coisas, o número de perfis transcricionais únicos para um número n de genes é $(2^n) - 1$, sem contar o estado em que nenhum gene está sendo transcrito. Assim, insira nessa equação o número aproximado de 20 mil genes humanos e obteremos uma quantidade gargantuesca de possíveis perfis de transcrição.

Os FTS são em geral proteínas codificadas por genes. Voltemos aos genes A e B. Para poder aproveitá-los por completo, você precisa de um FT que ative A, outro que ative B e um terceiro que ative tanto A quanto B. Portanto, é preciso que existam mais três genes, cada um deles codificando para um desses FTS. O que irá exigir outros FTS para ativar *esses* genes. E FTS para os genes que codificam para esses FTS...

Opa. Os genomas não são infinitos; em vez disso, os FTS regulam a transcrição uns dos outros, resolvendo esse problema inconveniente da infinitude. De maneira importante, entre aquelas espécies cujo genoma foi sequenciado, quanto mais longo o genoma (isto é, de forma simplificada, quanto mais genes ele abarcar), maior a porcentagem de genes que codificam para FTS. Em outras palavras, *quanto mais genomicamente complexo o organismo, maior a porcentagem do genoma dedicado à regulação gênica pelo ambiente.*

Voltemos às mutações. Pode haver mutações em trechos de DNA que constituem promotores? Sim, e com mais frequência que nos genes em si. Nos anos 1970, Allan Wilson e Mary-Claire King, em Berkeley, teorizaram corretamente que a evolução dos genes é menos importante que a evolução das sequências regulatórias que se antepõem a eles (e, portanto, menos importante que o modo como o ambiente regula os genes). Como reflexo disso, uma parte desproporcional das diferenças genéticas entre os chimpanzés e os homens está nos genes para FTS.

Hora de aumentar a complexidade. Suponha que você tenha os genes 1 a 10, e os fatores de transcrição A, B e C. O FT-A induz a transcrição dos genes 1, 3, 5, 7 e 9. O FT-B, dos genes 1, 2, 5 e 6. E o FT-C, de 1, 5 e 10. Portanto, anteposto ao gene 1 existem promotores distintos que respondem aos FTS A, B e C — assim, os genes podem ser regulados por múltiplos FTS. De maneira recíproca, cada FT em geral ativa mais de um único gene, o que significa que múltiplos genes são normalmente ativados em *redes* (por exemplo, um dano celular faz com que um FT chamado NF-KB ative uma rede de genes de inflamação). Suponha que o promotor, anteposto ao gene 3, que responde ao FT-A, possui uma mutação que o torna sensível ao FT-B. Qual é o resultado? O gene 3 agora é ativado como parte de uma rede diferente. O mesmo resultado com repercussão em toda a rede acontece se há uma mutação em um gene para determinado FT, produzindo uma proteína que se liga a um tipo diferente de promotor.[4]

Pense nisto: o genoma humano codifica para cerca de 1,5 mil FTS distintos, contém 4 milhões de sítios de ligação de FTS, e uma célula ordinária utiliza por volta de 200 mil desses sítios para gerar um perfil de expressão gênica característico.[5] Isso é incrível.

Epigenética

O último capítulo introduziu o fenômeno das influências ambientais que congelam o botão de liga/desliga em uma das posições. Tais mudanças "epigenéticas"* se mostraram relevantes para certos eventos (em especial durante a infância) que causam efeitos duradouros no cérebro e no comportamento. Por exemplo, lembre-se da formação de casais entre os arganazes-do-campo: quando fêmeas e machos acasalam pela primeira vez, ocorrem mudanças epigenéticas na regulação dos genes receptores para a ocitocina e a vasopressina no núcleo *accumbens*, alvo da projeção dopaminérgica mesolímbica.[6]

Façamos uma tradução das analogias de "congelar o botão de liga/desliga" do último capítulo para a biologia molecular.[7] Quais mecanismos servem de base para as mudanças epigenéticas na regulação gênica? Um estímulo ambiental faz com que uma substância química se conecte firmemente a um promotor, ou a alguma proteína estrutural próxima envolvendo o DNA. O resultado em ambos os casos é que os FTS não conseguem mais ter acesso ou se ligar de modo adequado ao promotor, dessa maneira silenciando o gene.

Como enfatizado no capítulo anterior, as mudanças epigenéticas podem ser transmitidas entre gerações.[8] A visão tradicional era a de que todos os marcadores epigenéticos (isto é, mudanças no DNA ou nas proteínas circundantes) eram apagados nos espermatozoides e nos óvulos. Mas ocorre que esses marcadores podem ser transmitidos em ambos os casos (isto é, crie camundongos machos diabéticos e eles passarão essa característica para a prole por meio de mudanças epigenéticas nos espermatozoides).

Lembre-se de um dos grandes sacos de pancada da história da ciência, o biólogo francês do século XVIII Jean-Baptiste Lamarck.[9] Tudo o que o mundo sabe hoje a respeito do sujeito é que ele estava errado em relação à hereditariedade. Imagine que uma girafa costuma esticar o pescoço para alcançar as folhas mais altas de uma árvore: isso faz com que ele se torne mais comprido. De acordo com Lamarck, quando a girafa tiver filhotes, eles terão pescoços mais longos por causa da "herança adquirida".** Louco! Bufão! Mecanismos de herança mediados pela epigenética —

* Tecnicamente, o termo "epigenética" se refere à alteração da regulação dos genes, em vez da sequência dos genes. Assim, um fator de transcrição que ativa determinado gene por dez minutos também conta como epigenética. Quando os neurocientistas falam de uma "revolução epigenética", contudo, eles quase sempre estão se referindo aos mecanismos de longa duração discutidos aqui.

** Observe que Lamarck estava discutindo o conceito de evolução das espécies muito antes de Darwin

hoje chamados com frequência de "herança neolamarckiana" — provam que Lamarck estava certo nesse domínio bem circunscrito. Séculos depois, o sujeito está conseguindo algum reconhecimento.

Portanto, o ambiente não apenas regula os genes, mas o faz com efeitos que duram desde dias até uma vida inteira.

A construção modular dos genes: éxons e íntrons

Hora de desfazer mais um dogma em torno do DNA. Acontece que a maioria dos genes não é codificada por uma extensão contínua de DNA. Em vez disso, pode existir uma extensão de DNA não codificante no meio. Nesse caso, as duas sequências isoladas de DNA codificante são chamadas de "éxons", as quais são intercaladas por um "íntron". Muitos genes são divididos em vários éxons (com, é claro, um íntron a menos que a quantidade total de éxons).

Como se produz uma proteína a partir de um gene "exônico"? A fotocópia de RNA contém de início os éxons e íntrons; uma enzima remove as partes intrônicas e emenda novamente os éxons.* Algo desajeitado, mas com grandes implicações.

Retornemos ao fato de que cada gene específico codifica para uma proteína em particular.[10] A existência de íntrons e éxons destrói a simplicidade dessa regra. Imagine um gene que consiste nos éxons 1, 2 e 3, separados pelos íntrons A e B. Em uma parte do corpo, existe uma enzima de *splicing* que remove os íntrons mas também descarta o éxon 3, produzindo uma proteína codificada pelos éxons 1 e 2. Enquanto isso, em outro lugar do corpo, uma enzima diferente ejeta o éxon 2 junto com os íntrons, produzindo uma proteína derivada dos éxons 1 e 3. Em outro tipo de célula, uma proteína pode ser feita exclusivamente a partir do éxon 1... Portanto, um "processo de *splicing* alternativo" pode gerar múltiplas proteínas distintas a partir de uma mesma extensão de DNA; e adeus "um gene especifica uma proteína" — o gene do nosso exemplo especifica sete (A, B, C, A-B, A-C, B-C e A-B-C). De maneira notável, 90% dos genes humanos que possuem éxons estão sujeitos ao *splicing* alternativo. Além disso, quando um gene é regulado por vários FTs, cada um deles pode comandar a transcrição de uma combinação diferente de éxons. Ah, e as enzimas de *splicing* são proteínas, o que significa que cada uma delas é codificada por um gene. São laços dentro de laços.

---

e Wallace. Esses dois não inventaram a ideia de evolução. Em vez disso, descobriram como a evolução funciona, a saber, por seleção natural.

* Em inglês, o processo de remoção dos íntrons e integração dos éxons é chamado de *splicing*. (N. T.)

Elementos genéticos móveis, estabilidade do genoma e neurogênese

É hora de desfazer outra ideia bastante cultivada, a saber, a de que os genes herdados dos pais (isto é, o conjunto que você adquiriu como um óvulo fertilizado) são imutáveis. Isso evoca um grande momento da história da ciência. Nos anos 1940, uma proficiente geneticista de plantas chamada Barbara McClintock observou algo impossível. Ela estava estudando a transmissão hereditária da cor dos grãos de milho (uma ferramenta habitual dos geneticistas) e descobriu padrões de mutações inexplicáveis por qualquer mecanismo conhecido. A única possibilidade, ela concluiu, era que as extensões de DNA tivessem sido copiadas, com essas cópias então sendo inseridas de modo aleatório em outras sequências de DNA.

Ah, claro. Com certeza.

Era evidente que McClintock, com os seus (ironicamente batizados) "genes saltitantes", havia ficado maluca, e assim ela foi ignorada (o que não é bem verdade, mas sem isso parte do drama se perderia). Ela perseverou na pesquisa, em um isolamento heroico. E por fim, com a revolução molecular dos anos 1970, provou-se que ela estava certa a respeito dos (agora chamados) elementos genéticos móveis ou transpósons. Ela foi celebrada, canonizada, nobelizada (e se mostrou tremendamente inspiradora, tão indiferente ao reconhecimento quanto fora ao ostracismo, prosseguindo com suas pesquisas até os noventa anos).

Eventos de transposição quase nunca produzem grandes consequências. Considere uma extensão de DNA hipotética que codifica para: "O óvulo fertilizado é implantado no <u>útero</u>".

Ocorreu um evento de transposição, no qual a sequência sublinhada da mensagem foi copiada e largada de maneira aleatória em outro lugar: "o óvulo<u>tero</u> fertilizado é implantado no útero".

Algo sem sentido.

Mas, às vezes, "O óvulo fertilizado é implantado no útero" se torna: "O óvulo plantado fertilizado é implantado no útero".

Isso já é algo que não se vê todo dia.

As plantas empregam transpósons. Suponha que haja um período de seca. As plantas não podem se mover para pastagens mais irrigadas, como fazem os animais. O "estresse" das plantas, como a seca, induz transposições em células específicas, como se houvesse um embaralhamento metafórico das cartas do DNA, na esperança de criar alguma nova proteína salvadora.

Os mamíferos, em comparação, têm menos transpósons. O sistema imunológico é um local de concentração para esses elementos, nas imensas extensões de DNA que codificam para os anticorpos. Quando um vírus desconhecido invade o organismo, embaralhar o DNA aumenta as chances de aparecer um anticorpo que atacará o invasor.*

O ponto principal a se destacar aqui é que há transpósons no cérebro.[11] Em humanos, os eventos transposicionais acontecem em células embrionárias cerebrais no momento em que estão se tornando neurônios, fazendo do cérebro um mosaico de células com diferentes sequências de DNA. Em outras palavras, quando se trata de fazer neurônios, aquela sequência de DNA enfadonha que você herdou não é boa o bastante. De modo notável, eventos transposicionais ocorrem em neurônios que armazenam memórias em *moscas-das-frutas*. Até mesmo as moscas evoluíram de tal maneira que seus neurônios fiquem livres das estritas ordens de comando genéticas herdadas.

O acaso

Por fim, o acaso reduz o status dos genes como Código dos Códigos. O acaso, conduzido por movimento browniano — o movimento aleatório das partículas em um fluido —, tem grande efeito sobre coisas pequeninas como moléculas flutuando dentro das células, inclusive as moléculas que regem a transcrição gênica.[12] Isso influencia a rapidez com que um FT ativado chega ao DNA, ou que uma enzima de *splicing* esbarra com as sequências de RNA que tem como alvo, ou que uma enzima ocupada em sintetizar alguma coisa consegue agarrar as duas moléculas precursoras das quais precisa... Vou parar por aqui; de outro modo, poderia me estender por horas.

Alguns pontos-chave, completando esta parte do capítulo

a. Os genes não são agentes autônomos no comando dos eventos biológicos.
b. Em vez disso, os genes são regulados pelo ambiente, e o "ambiente" consiste em tudo, desde eventos no interior da célula até o universo.

---

* E como uma brilhante contraestratégia, alguns parasitas empregam transpósons para embaralhar o DNA que codifica para as suas proteínas de superfície, depois de intervalos de algumas semanas. Em outras palavras, assim que o hospedeiro infectado está conseguindo construir estoques de anticorpos para reconhecer uma certa proteína de superfície, o parasita muda de identidade, fazendo com que o sistema imunológico tenha que começar do zero.

c. Grande parte do seu DNA transforma influências ambientais em transcrição gênica, em vez de codificar para os genes em si. Além disso, a evolução trata maciçamente de mudanças na regulação da transcrição dos genes, em vez de alterações nos próprios genes.

d. A epigenética permite que efeitos ambientais durem a vida toda, ou mesmo se transmitam entre gerações.

e. E, graças aos transpósons, os neurônios contêm um mosaico de diferentes genomas.

Em outras palavras, os genes não *determinam* muita coisa. Esse continuará sendo o nosso mote, conforme passamos a nos concentrar nos efeitos dos genes sobre o comportamento.

PARTE 2: OS GENES DO TOPO PARA A BASE — A GENÉTICA DO COMPORTAMENTO

Muito antes que se soubesse qualquer coisa a respeito de promotores, éxons ou fatores de transcrição, foi ficando evidente que se pode estudar a genética de cima para baixo, observando as características compartilhadas por pessoas aparentadas. No começo do século passado, isso surgiu como a ciência da "genética comportamental". Como veremos, esse campo tem sido com frequência um lamaçal de controvérsias, em geral devido a desavenças a respeito da magnitude dos efeitos genéticos em questões como QI ou orientação sexual.

Primeiras tentativas

Essa área de pesquisa começou com a ideia primitiva de que, se todas as pessoas de uma família agem do mesmo modo, então a razão deve ser genética. Essa perspectiva foi complicada pelo fato de o ambiente também ser comum a toda a família.

A abordagem seguinte se apoiava no pressuposto de que parentes mais próximos têm mais genes em comum do que os mais distantes. Assim, se uma característica fosse de família e, além disso, mais comum entre parentes próximos, então deveria ser algo genético. Mas, é óbvio, parentes mais próximos compartilham também mais elementos ambientais — pense no caso de pais e filhos, em comparação com netos e avós.

A pesquisa foi se tornando mais refinada. Considere, por exemplo, a tia biológica de alguém (isto é, a irmã de um dos pais) e um tio casado com ela. O tio compartilha algum grau de elementos ambientais com esse indivíduo, enquanto a tia compartilha esses mesmos elementos e também os genes. Portanto, o grau em que a tia é mais semelhante ao indivíduo, em comparação com o tio, refletiria influências genéticas. Porém, como veremos, essa abordagem tem seus problemas.

Mais sofisticação era necessária.

Gêmeos, crianças adotadas e gêmeos adotados

Um grande avanço ocorreu com os "estudos de gêmeos". A princípio, esses casos ajudavam a descartar a possibilidade de determinação genética para um comportamento. Considere, por exemplo, pares de gêmeos idênticos, que compartilham 100% dos genes. Suponha que um indivíduo de cada par tenha esquizofrenia — o mesmo vale para o gêmeo? Se existe ao menos um caso em que o outro gêmeo não tem a característica (isto é, se a "taxa de concordância" é menor do que 100%), então ficou provado que o genoma e o perfil epigenético herdados no nascimento não determinam por completo a incidência de esquizofrenia (na verdade, a taxa de concordância nesse caso é em torno de 50%).

Mas em seguida surgiu uma abordagem mais elegante desse tipo de estudo, envolvendo uma distinção crucial entre gêmeos idênticos (monozigóticos, ou MZ), que compartilham 100% dos genes, e gêmeos fraternos, não idênticos (dizigóticos, ou DZ), que, como todos os outros pares de irmãos, compartilham 50% dos genes. A estratégia seria a seguinte. Compare pares de gêmeos MZ com gêmeos DZ do mesmo sexo. Cada par tem a mesma idade, foi criado no mesmo ambiente e dividiu o mesmo ambiente fetal — a única diferença é a porcentagem de genes em comum. Examine uma característica que ocorre em um dos membros do par; ela aparece também no outro indivíduo? A lógica era que, se uma característica era mais compartilhada entre os gêmeos MZ que entre os DZ, esse grau maior de incidência refletiria uma contribuição genética.

Outro grande avanço aconteceu nos anos 1960: como primeiro passo, identifique indivíduos que foram adotados assim que nasceram. Tudo que eles compartilham com os pais biológicos são os genes; tudo o que compartilham com os pais adotivos é o ambiente. Portanto, se indivíduos adotados têm uma característica partilhada com mais frequência com os pais biológicos que os adotivos, então foi revelada uma influência genética. Isso reproduz uma ferramenta clássica dos estudos com animais, a "adoção cruzada": a troca, entre duas mães, de filhotes de rato recém-nascidos. Essa abordagem se destacou ao revelar um forte componente genético na esquizofrenia.[13]

Então veio a coisa mais fantástica, maravilhosa, e totalmente incrível de toda a genética do comportamento, cujo início se deveu a Thomas Bouchard, da Universidade de Minnesota. Em 1979, Bouchard encontrou um par de gêmeos idênticos que — veja só — haviam sido separados no nascimento e adotados por famílias diferentes, sem nenhum conhecimento da existência um do outro até que se reencontrassem quando adultos.[14] Gêmeos idênticos separados no nascimento são tão espetaculares e raros que os geneticistas do comportamento ficam loucos, querem coletar todos os casos possíveis. Bouchard acabou estudando mais de uma centena desses pares.

O motivo desse fascínio era óbvio: mesmos genes, ambientes diferentes (e quanto mais diferentes, melhor). Assim, era provável que as semelhanças no comportamento refletissem influências genéticas. Eis um par imaginário de gêmeos que seria um presente de Deus para os geneticistas do comportamento: dois meninos, gêmeos idênticos, separados no nascimento; um, Shmuel, é criado como judeu ortodoxo na Amazônia; o outro, Wolfie, é criado por nazistas no Saara. Reúna-os quando adultos e observe se eles têm as mesmas peculiaridades, como, digamos, dar a descarga antes de usar a privada. Por mais espantoso que possa parecer, um par de gêmeos chegou bem perto disso. Os dois nasceram em 1933 em Trinidad, de mãe alemã católica e pai judeu; quando tinham seis meses de idade, os pais se separaram; a mãe retornou para a Alemanha com um dos bebês, enquanto o outro permaneceu em Trinidad com o pai. O que ficou com o pai foi criado primeiro em Trinidad, depois em Israel, como Jack Yufe, um judeu praticante cuja primeira língua era o iídiche. O outro, Oskar Stohr, foi criado na Alemanha como fanático da Juventude Hitlerista. Reunidos e estudados por Bouchard, eles puderam pouco a pouco, com certa desconfiança, se conhecer melhor, descobrindo diversas características de comportamento e personalidade em comum, entre elas... dar descarga na privada antes de usá-la. (Como veremos, as pesquisas foram mais sistemáticas do que apenas ficar documentando manias de banheiro. Esse detalhe da descarga, contudo, sempre ressurge em relatos sobre gêmeos.)

Geneticistas do comportamento, empregando abordagens ligadas a adoções e gêmeos, produziram um monte de estudos, entupindo os periódicos especializados, tais como *Genes, Brain and Behavior* [Genes, cérebro e comportamento] e *Twin Research and Human Genetics* [Pesquisa com gêmeos e genética humana]. Em seu conjunto, as pesquisas demonstraram de maneira consistente que a genética tem papel importante em uma série de domínios de comportamento, entre os quais o QI e seus subcomponentes (isto é, a habilidade verbal e a habilidade espacial),*[15] es-

---

* Houve até resultados indicando a herdabilidade da inteligência nos chimpanzés.

quizofrenia, depressão, transtorno bipolar, autismo, transtorno do déficit de atenção, transtorno do jogo compulsivo e alcoolismo.

Influências genéticas quase tão fortes foram demonstradas em medidas de personalidade relativas a extroversão, afabilidade, consciência, neuroticismo e abertura à experiência (conhecidos como "os Cinco Grandes Fatores" da personalidade).[16] O mesmo vale para influências genéticas no grau de religiosidade, na postura diante da autoridade, na postura com relação à homossexualidade* e na inclinação para a cooperação e para o risco em jogos.

Outros estudos com gêmeos comprovaram influências genéticas na probabilidade de comportamento sexual de risco e no grau de atração por características sexuais secundárias (por exemplo, musculatura em homens, tamanho dos seios em mulheres).[17]

Enquanto isso, alguns cientistas sociais relataram influências genéticas no nível de envolvimento e refinamento político (independentemente da orientação ideológica) — existem artigos de genética do comportamento no *American Journal of Political Science*.[18]

Genes, genes por toda parte. Contribuições genéticas importantes foram descobertas em tudo, desde a frequência com que os adolescentes trocam mensagens de texto até a taxa de incidência de fobia de dentista.[19]

Então isso significa que existe um gene "para" gostar de pelos peitorais em rapazes, para a probabilidade de comparecer à eleição ou para ter reações emocionais à atividade da odontologia? A probabilidade é praticamente zero. Em vez disso, os genes e o comportamento estão com frequência conectados por vias tortuosas.[20] Considere a influência genética no comparecimento às urnas: o fator de mediação entre as duas coisas se apresenta na sensação de controle e efetividade. As pessoas que votam com regularidade sentem que suas ações fazem a diferença, e esse foco central de controle reflete alguns traços de personalidade influenciados pela genética (por exemplo, otimismo elevado, neuroticismo reduzido). Ou o que dizer da ligação entre genes e autoestima? Alguns estudos mostram que a variável interveniente são os efeitos genéticos na estatura: pessoas mais altas são consideradas mais atraentes e são mais bem tratadas, o que serve de impulso para a autoestima (que droga).**

---

* Fiquei contente em ver essa pesquisa. Diversos estudos, que vêm sendo realizados há muitas décadas, têm buscado as raízes genéticas da orientação sexual. A literatura mais antiga se alinhava em peso com a agenda política, ao tentar descobrir o que havia de biologicamente "errado" com os homossexuais. Portanto, já era hora de as pessoas começarem a pesquisar o que há de errado com os homofóbicos.

** Sim, sou mais baixo que a média.

Em outras palavras, as influências genéticas sobre o comportamento com frequência operam por caminhos bastante indiretos, algo raramente enfatizado quando os canais de notícias lançam manchetes sobre a genética do comportamento — "Cientistas apontam influência genética na estratégia das pessoas ao jogar Serpentes e Escadas".

O debate acerca dos estudos de gêmeos e de adoção

Muitos cientistas fizeram duras críticas aos pressupostos dos estudos de gêmeos e de adoção, provando que eles em geral levam a resultados exagerados quanto à importância dos genes.* A maioria dos geneticistas do comportamento admite esses problemas, mas argumenta que os excessos nas estimativas são pequenos.[21] Segue um resumo técnico, mas importante, desse debate:

Crítica nº 1: Esses estudos têm como premissa que pares de gêmeos MZ e DZ do mesmo sexo compartilham o ambiente do mesmo modo (enquanto os genes são compartilhados em proporções bem diferentes). Esse "pressuposto de ambientes equivalentes" (PAE) é incorreto. A começar pelos pais, gêmeos MZ são tratados de maneira mais semelhante que gêmeos DZ, gerando ambientes mais uniformes para os primeiros. Se não se toma esse fato em consideração, uma maior semelhança entre MZs pode ser atribuída de forma inapropriada aos genes.[22]

Cientistas como Kenneth Kendler, da Universidade da Comunidade de Virgínia, uma figura eminente nesse campo, buscaram controlar as variáveis para esse efeito: a) quantificando o quão similares foram as infâncias dos gêmeos (com relação a variáveis como dividir ou não o quarto, as roupas, os amigos, os professores e as adversidades); b) examinando casos de "zigosidade equívoca", em que os pais se enganaram quanto à condição MZ/DZ dos gêmeos (criando assim, por exemplo, gêmeos DZ como se fossem MZ); e c) comparando irmãos, meios-irmãos e irmãos adotivos que foram criados juntos por períodos diferentes. A maioria desses estudos mostra que realizar um controle das variáveis para o pressuposto de que os MZs compartilham o ambiente de modo mais extenso que os DZs não reduz de maneira significativa a dimensão das influências genéticas.**[23] Mantenha isso em mente.

---

* Em termos históricos, as críticas mais entusiásticas à genética comportamental partiram de não geneticistas, que questionaram as intenções e os interesses sociopolíticos ocultos por trás das descobertas desse campo de pesquisa. Em termos históricos, é justificável chegar a essas conclusões em várias conjunturas; no entanto, é algo totalmente inaplicável aos geneticistas do comportamento que conheço. O próximo capítulo examinará uma versão semelhante de controvérsia do tipo "há um plano secreto".

** Conclusões similares podem ser obtidas com relação a parâmetros de avaliação como altura, peso, IMC e várias medidas metabólicas.

Crítica nº 2: Gêmeos MZ têm uma experiência de vida mais similar, a começar pelo período fetal. Gêmeos DZ são "dicoriônicos", o que significa que possuem placentas separadas. Em contrapartida, 75% dos gêmeos MZ dividem uma única placenta (isto é, são "monocoriônicos").* Assim, em sua maioria, fetos de gêmeos MZ compartilham o fluxo sanguíneo da mãe de modo mais intenso que gêmeos DZ, e portanto são expostos a níveis mais similares de hormônios e nutrientes maternos. Se não se leva isso em conta, uma maior similaridade entre MZs pode ser erroneamente atribuída aos genes.

Diversos estudos determinaram que a condição coriônica era diferente nos pares de gêmeos MZ, e então examinaram parâmetros de avaliação ligados a cognição, personalidade e distúrbios psiquiátricos. Por uma pequena margem, a maioria das pesquisas mostrou que a condição coriônica faz, sim, alguma diferença, o que leva a estimativas exageradas com relação à influência genética. E quão grande era esse efeito? Como reportado em um estudo de revisão, "pequeno, mas não desprezível".[24]

Crítica nº 3: Lembre-se de que os estudos de adoção partem do princípio de que, se uma criança é adotada logo após o nascimento, ela compartilha os genes, mas não o ambiente, com os pais biológicos. Mas o que dizer dos efeitos ambientais pré-natais? Um recém-nascido acabou de passar nove meses dividindo o ambiente circulatório com a mãe. Além disso, os óvulos e os espermatozoides podem carregar mudanças epigenéticas para a geração seguinte. Se esses vários efeitos são ignorados, uma similaridade de base ambiental entre mãe e filho pode ser erroneamente atribuída aos genes.

A transmissão epigenética por meio do esperma parece ter pouca importância. Mas os efeitos pré-natais e epigenéticos a partir da mãe podem ser bem grandes — por exemplo, o fenômeno do Inverno da Fome na Holanda mostrou que a desnutrição no terceiro trimestre de gestação aumentava mais de *dez vezes* o risco de algumas doenças na vida adulta.

Esse fator de confusão pode ser sujeito a um controle de variáveis. Cerca de metade dos genes vem de cada um dos pais, mas o ambiente pré-natal vem apenas da mãe. Portanto, características que são compartilhadas com mais frequência com as mães biológicas do que com os pais biológicos depõem contra a influência genética.** Os poucos testes nesse sentido, relacionados a estudos de gêmeos nos quais

---

* A questão de se gêmeos MZ acabam sendo mono ou dicoriônicos depende do momento em que o novo embrião se segmenta.

** Nem sempre: existem alguns mecanismos realmente bizarros de transmissão genética envolvendo "genes impressos" que violam isso, mas estamos ignorando esse fato.

foi demonstrada a influência genética na esquizofrenia, sugerem que os efeitos pré-natais não são grandes.

Crítica nº 4: Os estudos de adoção pressupõem que a criança e os pais adotivos compartilham o ambiente, mas não os genes.[25] Isso pode se aproximar da verdade se a adoção envolveu a escolha de pais adotivos aleatórios entre todas as pessoas da Terra. Em vez disso, as agências de adoção preferem alocar as crianças em famílias com antecedentes raciais e étnicos semelhantes aos dos pais biológicos (uma política defendida pela Associação Nacional dos Trabalhadores Sociais Negros e pela Liga para o Bem-estar Infantil).* Portanto, crianças e pais adotivos em geral compartilham os genes em um nível maior do que o determinado pelo acaso. Se isso não for levado em conta, uma parte da semelhança entre eles será erroneamente atribuída ao ambiente.

Os pesquisadores reconhecem que ocorre uma alocação seletiva, mas questionam se isso traz alguma consequência. Esse debate permanece sem consenso. Bouchard, com seus gêmeos separados no nascimento, fez um controle de variáveis para proximidades culturais, materiais e tecnológicas entre os diferentes lares dos pares de gêmeos, concluindo que a similaridade compartilhada por ambientes domésticos devido à alocação seletiva seria um fator desprezível. Conclusão semelhante foi obtida por uma pesquisa mais ampla realizada por Kendler e outra figura eminente nesse campo, Robert Plomin, do King's College de Londres.

Esses resultados foram postos em dúvida. O crítico mais inflamado é o psicólogo Leon Kamin, de Princeton; para ele, concluir que a alocação seletiva não é importante é um erro, que se deve à interpretação incorreta dos resultados, ao emprego de testes analíticos insuficientes e à confiança excessiva em dados retrospectivos questionáveis. Ele escreveu: "Sugerimos que não serve a nenhum propósito científico a enxurrada de estimativas de herdabilidade gerada por esses estudos".[26]

É aqui que eu jogo a toalha — se pessoas superinteligentes que pensam nessa questão o tempo todo não chegam a um consenso, eu sem dúvida não sei em que medida a alocação seletiva distorce a literatura especializada.

Crítica nº 5: Pais adotivos tendem a ser mais bem-educados, mais ricos e mais saudáveis em termos psiquiátricos do que pais biológicos.[27] Assim, lares adotivos tendem a apresentar "variação limitada", sendo mais homogêneos que os lares biológicos, o que diminui a capacidade de detectar influências ambientais no comportamento. De maneira previsível, as tentativas de estabelecer um controle das variáveis para esses efeitos satisfizeram apenas parte dos críticos.

---

* Agradeço a uma ótima assistente, Katrina Hui, pela ajuda nessa área.

Então, o que sabemos depois dessa árdua caminhada através das críticas e contracríticas acerca dos estudos de adoção e de gêmeos?

- Todos concordam que fatores de confusão relacionados ao ambiente pré-natal, à epigenética, à alocação seletiva, à variação limitada e aos pressupostos relativos à igualdade de ambientes são inevitáveis.
- A maioria desses fatores de confusão exagera a importância aparente dos genes.
- Há um esforço para estabelecer controles das variáveis para esses fatores, e em geral tem-se demonstrado que eles possuem menor magnitude do que sugerido por muitos dos críticos.
- De maneira crucial, essas pesquisas trataram em grande parte de distúrbios psiquiátricos, os quais, apesar de bastante interessantes, não são assim tão relevantes no que concerne a este livro. Em outras palavras, ninguém pesquisou se esses fatores de confusão fazem diferença quando se consideram as influências genéticas em coisas como, digamos, a tendência das pessoas a endossar as regras morais das próprias culturas e ainda assim racionalizar os porquês de essas regras não se aplicarem a elas mesmas no momento, porque estão estressadas e é o dia de seu aniversário. Ainda há muito trabalho pela frente.

A natureza frágil das estimativas de herdabilidade

Agora começa um assunto penoso, difícil e muitíssimo importante. Reviso a sua lógica toda vez que preciso ensiná-lo, porque ele é muito pouco intuitivo, e ainda estou sempre a algumas palavras de me equivocar quando abro a boca durante uma aula.

Os estudos da genética do comportamento em geral produzem um número chamado de coeficiente de herdabilidade.[28] Por exemplo, pesquisas relataram coeficientes de herdabilidade na faixa de 40% a 60% para características relacionadas a comportamento pró-social, resiliência depois de um estresse psicossocial, sensibilidade social, posicionamento político, agressividade e potencial de liderança.

O que é um coeficiente de herdabilidade? A pergunta "O que um gene faz?" engloba ao menos duas questões. Como um gene influencia os níveis médios de uma característica? Como um gene influencia a *variação* entre pessoas nos níveis de uma característica?

Essas são diferenças cruciais. Por exemplo, quanto os genes têm a ver com as pessoas alcançarem um resultado médio de 100 nessa coisa chamada teste de QI? E quanto eles têm a ver com uma pessoa obter um resultado maior que outra?

Ou: quanto os genes ajudam a explicar por que os seres humanos costumam gostar de sorvete? Quanto explicam sobre a preferência individual por sabores diferentes?

Essas questões empregam dois termos com sons similares, mas significados distintos. Se os genes influenciam de maneira pronunciada os níveis médios de uma característica, diz-se que ela é fortemente *hereditável*. Se os genes influenciam fortemente a dimensão da variabilidade em torno de um nível médio, essa característica tem alta *herdabilidade*.* Essa é uma medida populacional, na qual um coeficiente de herdabilidade indica a porcentagem da variação total que pode ser atribuída à genética.

A diferença entre uma característica hereditária e a herdabilidade produz ao menos dois problemas que amplificam a suposta influência dos genes. Primeiro, as pessoas confundem os dois termos (as coisas seriam mais fáceis se a herdabilidade tivesse um nome como "tendência genética"), e sempre do mesmo modo. Em geral, acredita-se, de forma equivocada, que, se uma característica é fortemente hereditária, então ela deve ter alta probabilidade de ser herdável. E é especialmente problemático que a confusão aconteça nessa direção, porque as pessoas em geral estão mais interessadas na variabilidade das características entre os seres humanos que nos níveis médios dessas características. Por exemplo, é mais interessante ponderar por que algumas pessoas são mais espertas que outras, em vez de por que os seres humanos são mais espertos que os rabanetes.

O segundo problema é que as pesquisas com frequência inflam as medidas de herdabilidade, o que leva as pessoas a concluir que os genes influenciam as diferenças individuais mais do que de fato o fazem.

Vamos examinar isso com cuidado, porque é algo muito importante.

A diferença entre uma característica ser hereditável e ter um alto grau de herdabilidade

Você pode perceber a diferença ao considerar casos nos quais as duas coisas se dissociam.

Primeiro, um exemplo de uma característica altamente hereditável, mas com baixa herdabilidade, oferecido pelo filósofo Ned Block:[29] o que os genes têm a ver com o fato de os seres humanos terem, em média, cinco dedos na mão? Bastante;

---

* Embora muitos puristas da área prefeririam dizer que nós na verdade não herdamos uma característica, herdamos o material necessário para construir a característica.

essa é uma característica hereditável. O que os genes têm a ver com a variação em torno da média? Muito pouco — os casos divergentes são em grande parte devidos a acidentes. Embora a quantidade média de dedos seja uma característica hereditável, a herdabilidade da quantidade de dedos é baixa — os genes não explicam muito da diferença entre os indivíduos. Ou apresentado de outro modo: digamos que você queira adivinhar se um membro de determinado animal termina com cinco dedos ou um casco. Conhecer a composição genética da criatura irá ajudar, ao revelar a espécie à qual ela pertence. Por outro lado, suponha que você esteja tentando descobrir se é mais provável uma pessoa ter cinco ou quatro dedos em uma mão. Saber se ela costuma usar serras elétricas com os olhos vendados será mais útil que a sequência do seu genoma.

Em seguida, considere o caso contrário: uma característica que não é muito hereditável, mas que possui alta herdabilidade. O que os genes têm a ver diretamente com o fato de ser maior a probabilidade de que os seres humanos usem brincos, em comparação com os chimpanzés? Não muito. Agora considere as variações individuais entre os humanos: em que medida os genes ajudariam a prever quais indivíduos estariam usando brincos em um baile escolar em 1958? Bastante. Basicamente, tudo indica que alguém com dois cromossomos X traria o adorno auricular, enquanto alguém com um cromossomo Y não o usaria nem morto. Portanto, embora os genes tenham pouco a ver com o fato de a incidência de brincos entre os americanos em 1958 ser de em média 50%, eles têm bastante influência na determinação de *quais* americanos estariam adornados. Portanto, naquela época e lugar, o uso de brincos, embora não fosse uma característica altamente hereditária, tinha alta herdabilidade.

A confiabilidade das medidas de herdabilidade

Estamos agora esclarecidos quanto às diferenças entre características hereditárias e graus de herdabilidade, e podemos reconhecer que as pessoas estão mais interessadas nos últimos — você contra seu vizinho — que nas primeiras — você contra um gnu. Como vimos, grandes quantidades de características comportamentais e de personalidade têm taxas de herdabilidade variando entre 40% e 60%, o que significa que a genética explica em torno de metade da variabilidade entre indivíduos. O ponto-chave desta seção é que a natureza da pesquisa científica em geral infla esses números.*[30]

---

* A próxima seção foi bastante influenciada pelos textos e artigos dos geneticistas Richard Lewontin, de Harvard, e David Moore, do Pitzer College, e do escritor científico Matt Ridley.

Digamos que um geneticista de plantas esteja em um deserto, estudando uma espécie em particular. Nesse cenário imaginário, um único gene (o gene 3127) regula o crescimento da planta. O gene 3127 aparece em três versões: A, B e C. As plantas com a versão A sempre crescem até um centímetro de altura; aquelas com a versão B, até dois centímetros; e as com C, até três centímetros.* Qual fato em específico tem o maior poder de prever a altura da planta? Obviamente, se ela possui a versão A, B ou C: isso explica toda a variação na altura, o que significa 100% de herdabilidade.

Enquanto isso, a 20 mil quilômetros de distância dali, em uma floresta pluvial, um segundo geneticista estuda um clone da mesma planta. E nesse ambiente, as plantas com as versões A, B e C têm 101, 102 e 103 centímetros de altura, respectivamente. Esse geneticista também conclui, nesse caso, que a altura apresenta 100% de herdabilidade.

Em seguida, como é necessário à trama, os dois geneticistas ficam lado a lado em uma conferência, um deles com os dados mostrando um/dois/três centímetros, e o outro, 101/102/103. Eles combinam as duas bases de dados. Agora você deseja prever a altura de um exemplar daquela planta, tirada de qualquer parte do planeta. Você pode saber qual versão do gene 3127 ela possui ou então o ambiente em que ela cresceu. O que é mais útil? Saber o local de origem. Quando se estuda essa espécie de planta em dois ambientes diferentes, descobre-se que a herdabilidade da altura é minúscula.

Acendam os letreiros de neon! Isto é crucial: se você estuda um gene em um único ambiente, então, por definição, você elimina a possibilidade de verificar se ele funciona de maneira diferente em outros locais (em outras palavras, se outras circunstâncias regulam o gene de forma diferente). E assim você inflou de modo artificial a importância da contribuição genética. Quanto maior o número de ambientes em que você estuda uma característica genética, mais efeitos novos provocados por esses ambientes serão descobertos, diminuindo a taxa de herdabilidade.

Os cientistas estudam as coisas em condições controladas para minimizar a variação nos fatores externos, e assim obter resultados mais claros e mais interpretáveis. Por exemplo, ao garantir que as plantas sejam todas medidas por volta da mesma época do ano. Isso infla as taxas de herdabilidade, porque você impede a si mesmo de descobrir que alguns fatores ambientais externos na verdade não são externos.** Portanto, a taxa de herdabilidade diz quanto da variação de uma carac-

---

* Conhecedores da genética terão notado que simplifiquei as coisas neste ponto ao ignorar a heterozigosidade, mas ela não faz diferença aqui.

** Eis aqui um bom exemplo, que me foi apontado por um colega, Bud Ruby. Todas aquelas pesquisas com gêmeos produzem taxas de herdabilidade, indicando a influência dos genes na explicação de va-

terística pode ser explicada pelos genes *no(s) ambiente(s) em que foram estudados*. À medida que se estuda essa característica em um número maior de ambientes, a taxa de herdabilidade irá decrescer. Isso foi reconhecido por Bouchard: "Essas conclusões [derivadas de um estudo de genética comportamental] podem ser generalizadas, mas é óbvio que apenas para outras populações expostas a uma gama de ambientes semelhantes àqueles estudados".[31]

Certo, foi traiçoeiro da minha parte inventar uma planta que cresce tanto em desertos quanto em florestas pluviais, apenas para descredenciar as taxas de herdabilidade. Plantas de verdade raramente ocorrem em ambos os ecossistemas. Em vez disso, as três versões do gene podem gerar plantas de alturas de dez, vinte e trinta centímetros em uma floresta e de onze, 21 e 31 centímetros em outra, produzindo uma taxa de herdabilidade que, mesmo sendo menor que 100%, ainda será bastante alta.

Ainda assim, os genes em geral desempenham papéis bem relevantes na explicação da variabilidade individual, dado que todas as espécies habitam uma gama limitada de ambientes — capivaras se restringem aos trópicos, e ursos polares, ao Ártico. Essa questão de ambientes heterogêneos puxando para baixo as taxas de herdabilidade é importante apenas quando consideramos uma certa espécie hipotética que, digamos, vive tanto na tundra quanto no deserto, nas mais diversas densidades populacionais, e em grupos nômades, comunidades sedentárias de fazendeiros ou prédios de apartamentos urbanos.

Ah, exato, os seres humanos. De todas as espécies existentes, as taxas de herdabilidade dos seres humanos são as que mais despencam quando passamos de condições experimentais controladas para uma consideração do espectro total dos habitat que ocupam. Basta observar o quanto a taxa de herdabilidade para o uso de brincos, com a sua divisão de gêneros, decaiu desde 1958.

Hora de levar em conta uma complicação extremamente importante.

Interações gene/ambiente

Voltemos à nossa planta. Imagine um padrão de crescimento no ambiente A de 1, 1 e 1 para as três versões do gene, enquanto no ambiente B ele é de 10, 10 e 10. Quando combinadas as informações obtidas de ambos os ambientes, a herdabilidade é zero: a variação é totalmente explicada pelo ambiente em que a planta cresceu.

---

riações individuais. Mas esses estudos, por definição, excluíram uma importante fonte de variação não genética: a ordem de nascimento.

Agora, em vez disso, no ambiente A o padrão de crescimento é 1, 2 e 3, enquanto no ambiente B também é 1, 2 e 3. A herdabilidade é 100%, com toda a variabilidade em altura explicada pela variação genética.

Então, digamos que no ambiente A o padrão de crescimento é 1, 2 e 3, e no ambiente B, 1.5, 2.5 e 3.5. A herdabilidade fica em algum ponto entre 0% e 100%.

Agora algo diferente: para o ambiente A, 1, 2 e 3; para o ambiente B, *3, 2 e 1*. Nesse caso, até mesmo falar de uma taxa de herdabilidade se torna problemático, porque versões diferentes do gene têm efeitos diametralmente opostos em ambientes distintos. Temos aí um exemplo de um conceito central em genética, uma *interação gene/ambiente*, na qual os efeitos qualitativos de um gene, e não só os quantitativos, diferem de um ambiente para outro. Eis uma regra geral para reconhecer interações gene/ambiente, traduzidas para a linguagem do dia a dia. Você está estudando os efeitos comportamentais de um gene em dois ambientes distintos. Alguém lhe pergunta: "Quais são os efeitos do gene sobre certo comportamento?". Você responde: "Depende do ambiente". Ele então lhe pergunta: "Quais são os efeitos do ambiente sobre o comportamento?". E você responde: "Depende da versão do gene". Ou seja, "depende" = interação gene/ambiente.

Seguem abaixo alguns exemplos clássicos relacionados ao comportamento.[32]

A doença fenilcetonúria surge de uma mutação em um único gene. Deixando de lado os detalhes, a mutação desativa uma enzima que converte uma substância potencialmente neurotóxica presente nos alimentos, a fenilalanina, em outra inofensiva. Portanto, se você tem uma dieta normal, a fenilalanina se acumula, causando danos ao cérebro. Mas se você se alimenta seguindo uma dieta sem fenilalanina desde pequeno, então não há nenhum dano. Quais são os efeitos da mutação sobre o desenvolvimento cerebral? *Depende* da dieta. Qual é o efeito da dieta sobre o desenvolvimento cerebral? *Depende* da presença dessa (rara) mutação.

Outra interação gene/ambiente diz respeito à depressão, uma doença ligada a anormalidades na serotonina.[33] Um gene chamado 5HTT codifica para um transportador que remove serotonina das sinapses. Possuir uma variante específica do 5HTT aumenta o risco de depressão... mas apenas quando associado a um trauma durante a infância.* Qual é o efeito da variante do 5HTT no risco de depressão? Depende da exposição ao trauma na infância. Qual é o efeito de uma exposição ao trauma no risco de depressão? Depende da versão do 5HTT (além de um monte de outros genes, mas dá para entender a ideia).

---

* Houve certa controvérsia com relação à replicabilidade dessa importantíssima observação, e acompanhei bem de perto essa discussão. Quando consideradas apenas as pesquisas feitas de modo cuidadoso, com amostras de tamanho adequado e um desfecho claro e definido com precisão, acredito que o resultado foi amplamente replicado.

Outro exemplo está relacionado ao FADS2, um gene envolvido no metabolismo da gordura.[34] Uma variante dele está associada a um QI maior, mas apenas em crianças que foram amamentadas. As mesmas perguntas do tipo "qual é o efeito" se aplicam, com as mesmas respostas "depende".

Uma última interação gene/ambiente foi revelada em um importante artigo de 1999 da revista *Science*. A pesquisa foi uma colaboração entre três geneticistas do comportamento: um da Universidade de Saúde e Ciência do Oregon, um da Universidade de Alberta e um da Universidade do Estado de Nova York, em Albany.[35] Eles estudaram linhagens de camundongos conhecidas por ter variações genéticas relevantes para certos comportamentos (por exemplo, dependência química ou ansiedade). Primeiro, eles se asseguraram de que os camundongos de cada linhagem específica possuíam uma genética essencialmente idêntica nos três laboratórios. Depois, contorceram-se para garantir que os animais fossem testados em condições idênticas.

Os pesquisadores padronizaram tudo. Já que alguns camundongos haviam nascido em laboratório, enquanto outros eram provenientes de criadores, aqueles gerados nos próprios institutos tiveram de passear em vans sacolejantes, para simular os solavancos que os roedores criados comercialmente experimentavam durante o transporte — só por garantia, para o caso de esse ser um fator relevante. Os animais foram testados no mesmo dia de idade, na mesma data e no mesmo horário local. Eles também haviam sido desmamados com a mesma idade e tinham crescido em gaiolas da mesma marca, forradas com serragem da mesma marca e da mesma granularidade, que era trocada no mesmo dia da semana. Os animais eram manipulados a mesma quantidade de vezes, por pessoas usando a mesma marca de luvas cirúrgicas. Foram alimentados com a mesma comida e mantidos em ambientes com iluminação e temperatura iguais. Os ambientes não poderiam ter sido mais semelhantes se os três cientistas fossem trigêmeos idênticos separados no nascimento.

O que eles observaram? Algumas variantes dos genes apresentaram fortes interações gene/ambiente, com efeitos radicalmente diferentes nos três laboratórios.

Eis uma amostra do tipo de dados que obtiveram: considere uma linhagem chamada 129/SvEvTac e um teste para mensurar os efeitos da cocaína no nível de atividade. No Oregon, a cocaína aumentou a atividade dos camundongos em 667 centímetros de movimento em um período de quinze minutos. Em Albany, o aumento foi de 701. Esses números são bastante semelhantes, beleza. E em Alberta? Mais de 5 mil. É como se fossem trigêmeos idênticos numa prova de salto com vara, em locais distintos, tendo todos contado com os mesmos preparativos: treinamento, equipamento, pista de corrida, tempo de descanso noturno, café da manhã e marca de roupa de baixo. Mas os dois primeiros saltam seis metros de altura, e o terceiro, 32 metros.

Talvez os cientistas não soubessem o que estavam fazendo; talvez os laboratórios seguissem a teoria do caos. Mas a variabilidade foi pequena dentro dos limites de cada laboratório, indicando condições ambientais estáveis. E de modo crucial, algumas variantes não apresentaram uma interação gene/ambiente, produzindo efeitos similares nos três institutos.

O que isso quer dizer? Que a maioria das variantes dos genes era tão sensível às circunstâncias que as interações gene/ambiente ocorreram mesmo em condições de laboratório obsessivamente semelhantes, de modo que diferenças ambientais muitíssimo sutis (e ainda não identificadas) provocaram alterações enormes no modo como os genes funcionavam.

Alegar "interações gene/ambiente" é um clichê de longa data na genética.[36] Meus alunos reviram os olhos se menciono algo do gênero. Até *eu* reviro os olhos. Coma seus legumes, use fio dental e lembre-se de dizer: "É difícil avaliar em termos quantitativos as contribuições relativas dos genes e do ambiente com relação a uma característica específica, quando eles interagem". Isso sugere uma conclusão radical: *não há sentido em perguntar o que um gene faz, mas apenas o que ele faz em um determinado ambiente.* Isso foi resumido de maneira maravilhosa pelo neurocientista Donald Hebb: "Não é mais apropriado dizer coisas como a característica A é mais influenciada pela natureza que pela criação [...] do que dizer que a área de um retângulo é mais influenciada pelo comprimento que pela largura". É apropriado tentar entender se o comprimento ou a largura explicam uma parte maior da variabilidade em uma população de retângulos. Mas não em figuras individuais.

Uma vez que estamos prestes a concluir a parte dois do capítulo, retomemos alguns pontos-chave:

a. A influência de um gene sobre o valor médio de uma característica (ou seja, se ela é hereditável) é diferente da influência sobre a variabilidade dessa característica entre os indivíduos (a herdabilidade).

b. Mesmo dentro do universo das características hereditáveis — digamos, a herança de cinco dedos no ser humano médio — não se pode de fato dizer que existe uma determinação genética no sentido clássico e inflexível da palavra. Isso acontece porque a herança dos efeitos de um gene exige não apenas a sua transmissão, mas também a do contexto que o regula daquela maneira.

c. As taxas de herdabilidade são relevantes apenas em relação aos ambientes nos quais a característica foi estudada. Quanto maior o número de ambientes em que se investiga uma característica, menor tende a ser a herdabilidade.

d. As interações gene/ambiente estão presentes em toda parte e podem ter efeitos dramáticos. Portanto, não se pode dizer com exatidão o que um gene "faz", mas apenas o que ele faz naqueles ambientes nos quais foi estudado.

A pesquisa atual tem explorado ativamente as interações gene/ambiente.[37] Veja que fascinante: a herdabilidade de diversos aspectos do desenvolvimento cognitivo é bastante alta (por exemplo, em torno de 70% para o QI) em crianças de famílias com alto nível socioeconômico (NSE), mas apenas em torno de 10% nas de baixo NSE. Assim, um alto NSE permite que toda uma gama de influências genéticas na cognição floresça por completo, enquanto as condições de baixo NSE as restringem. Em outras palavras, os genes são quase irrelevantes para o desenvolvimento cognitivo se você está crescendo em condições de intensa pobreza — os efeitos adversos das circunstâncias superam a genética.* De maneira similar, a herdabilidade do consumo de álcool é menor entre indivíduos religiosos, em comparação com não religiosos — isto é, os genes não importam muito se você faz parte de um ambiente religioso que condena a bebida. Campos de pesquisa como esses servem de ilustração para o potencial da genética comportamental clássica.

PARTE 3: AFINAL, O QUE OS GENES TÊM DE FATO A VER COM OS COMPORTAMENTOS EM QUE ESTAMOS INTERESSADOS?

O casamento entre genética comportamental e genética molecular

A genética comportamental recebeu um grande impulso ao incorporar fundamentos moleculares: depois de examinar as semelhanças e as diferenças entre gê-

---

* Uma observação perspicaz, pela qual agradeço a Stephen Manuck, da Universidade de Pittsburgh: esse exemplo constitui uma exceção à regra de que as taxas de herdabilidade diminuem à medida que você estuda uma característica em mais ambientes. Se você começasse analisando apenas indivíduos de baixo NSE, obteria uma herdabilidade bastante baixa (~10%). Assim, ao estudar pessoas tanto de baixo quanto de alto NSE (estas últimas com uma alta herdabilidade, por volta de 70%), a taxa aumentaria.

meos ou entre adotados, encontre os genes que embasam essas semelhanças ou diferenças. Essa poderosa abordagem conseguiu identificar vários genes relevantes para nossos interesses. Mas, primeiro, vamos às tradicionais advertências: a) nem todas essas descobertas foram replicadas de modo consistente; b) a magnitude dos efeitos em geral é pequena (em outras palavras, algum gene pode estar envolvido, mas não de maneira essencial); e c) as descobertas mais interessantes incluem interações gene/ambiente.

Estudando candidatos entre os genes

A investigação genética pode adotar uma abordagem de "candidatos" ou uma abordagem de associação genômica ampla (não mude de canal). A primeira requer uma lista de possíveis suspeitos: genes cuja relação com determinado comportamento já é conhecida. Por exemplo, se você está interessado em um comportamento envolvendo a serotonina, os candidatos óbvios incluiriam os genes que codificam as enzimas que compõem ou degradam esse neurotransmissor, as bombas que o removem das sinapses ou os seus receptores. Escolha o gene que lhe interessa e passe então aos estudos com animais, utilizando ferramentas moleculares para gerar camundongos "inativados" (nos quais um gene foi eliminado) ou "transgênicos" (com uma cópia extra de um gene). Faça modificações como essas apenas em certas regiões cerebrais ou em determinados períodos. Em seguida, avalie o que há de diferente no comportamento. Uma vez que esteja convencido quanto a algum efeito, procure observar se variantes daquele gene ajudam a explicar as diferenças individuais em versões humanas daquele comportamento. Começarei pelo assunto que tem atraído mais atenção, para o bem ou para o mal, na maioria das vezes para o "mal".

O sistema serotoninérgico

O que os genes relacionados à serotonina têm a ver com os nossos melhores e piores comportamentos? Muita coisa.

O capítulo 2 apresentou um quadro bastante claro de como níveis baixos de serotonina promovem comportamentos antissociais impulsivos. Há níveis de produtos de degradação da serotonina menores que a média na corrente sanguínea de pessoas com esse perfil, e a própria serotonina ocorre de forma reduzida no córtex frontal de animais com tais comportamentos. De modo ainda mais convincente, medicamentos que diminuem o "tônus serotoninérgico" (isto é, os níveis de serotonina ou a sensibilidade ao neurotransmissor) aumentam a agressividade impulsiva; o aumento do tônus provoca o efeito contrário.

Isso permite fazer alguns prognósticos simples. Todos os elementos a seguir devem ser associados com agressividade impulsiva, na medida em que produzem baixa sinalização de serotonina:

a. Variantes de baixa atividade do gene para triptofano hidroxilase (TPH), que produz a serotonina.
b. Variantes de alta atividade do gene para monoamina oxidase A (MAO-A), que degrada a serotonina.
c. Variantes de alta atividade do gene para o transportador de serotonina (5HTT), que a remove das sinapses.
d. Variantes dos genes para receptores de serotonina com menor sensibilidade.

Uma vasta literatura técnica mostra que para cada um desses genes os resultados são inconsistentes e vão em geral no sentido contrário ao da máxima "baixa serotonina = agressividade". Argh.

Pesquisas com genes para TPH e receptores de serotonina são uma confusão de inconsistências.[38] Por sua vez, o quadro desenhado para o 5HTT, gene do transportador de serotonina, vai consistentemente em sentido contrário ao esperado. Existem duas variantes, sendo que uma delas produz menos proteína transportadora, o que significa que menos serotonina é removida das sinapses.* E de maneira contrária às expectativas, essa variante, que produz mais serotonina nas sinapses, está associada a mais agressividade impulsiva, não menos. Portanto, de acordo com essas descobertas, "alta serotonina = agressividade" (reconhecendo-se que isso é apenas uma notação simplificada).

As pesquisas com resultados mais claros e inesperados estão ligadas à MAO-A. Essa proteína alcançou destaque depois que um artigo foi publicado com grande repercussão na *Science*, reportando uma família holandesa com uma mutação no gene da MAO-A que eliminava a sua produção.[39] Assim, a serotonina não era degradada e se acumulava nas sinapses. E contrariando as previsões do capítulo 2, essa família se caracterizava por diversos comportamentos antissociais e agressivos.

---

* Voltando mais uma vez nossa atenção para o modo como as regiões regulatórias não codificantes do genoma são ao menos tão importantes quanto aquelas que codificam para os genes em si, as variantes do 5HTT não diferem na sequência de DNA do gene, mas sim na sequência para o promotor do gene. Como resultado, as duas variantes diferem quanto à sensibilidade a um fator de transcrição, e, portanto, na quantidade de proteína transportadora produzida.

Estudos com camundongos nos quais os genes de MAO-A foram "inativados" (gerando uma situação equivalente à mutação da família holandesa) produziram os mesmos níveis elevados de serotonina nas sinapses e geraram animais hiperagressivos com respostas ao medo acentuadas.[40]

Essa descoberta, é claro, dizia respeito a uma *mutação* na MAO-A, resultando na completa ausência dessa proteína. As pesquisas logo se direcionaram para variantes de baixa atividade da MAO-A, que produziam níveis elevados de serotonina.*[41] Pessoas com essa variante tinham em média níveis mais altos de agressividade e impulsividade e, quando observavam rostos raivosos ou amedrontados, apresentavam maior ativação da amígdala e da ínsula e menor ativação do córtex pré-frontal. Isso sugere um cenário de maior reatividade ao medo e menor capacidade frontal para conter tal reação, uma combinação perfeita para a agressividade reativa. Outras pesquisas relacionadas demonstraram uma estimulação reduzida das regiões corticais frontais durante diversas tarefas de atenção, e atividade cingulada anterior aumentada em resposta à rejeição social nesses indivíduos.

Assim, os estudos nos quais os produtos de degradação da serotonina no corpo são mensurados, ou nos quais os níveis desse neurotransmissor são manipulados por meio de medicamentos, apontam que baixa serotonina = agressividade.[42] E as pesquisas genéticas, em particular com a MAO-A, dizem que alta serotonina = agressividade. O que explica essa discrepância? A chave talvez esteja no fato de que a manipulação medicamentosa persiste por algumas horas ou dias, enquanto as variantes genéticas têm efeitos na serotonina ao longo de toda a vida. Possíveis explicações: a) as variantes de baixa atividade da MAO-A não produzem níveis sinápticos mais altos de serotonina de modo tão consistente porque a bomba de recaptação do 5HTT trabalha de forma mais acelerada na remoção da serotonina, compensando o déficit da MAO-A ou até mesmo o *super*compensando; existem evidências disso, só para deixar as coisas mais complicadas; b) aquelas variantes produzem, sim, níveis de serotonina cronicamente elevados nas sinapses, mas os neurônios pós-sinápticos compensam ou supercompensam essa produção excessiva ao reduzir a quantidade de receptores do neurotransmissor, diminuindo assim a sensibilidade a toda aquela serotonina; também existem evidências disso; c) as consequências de longo prazo causadas por diferenças na sinalização da serotonina decorrentes de variações genéticas (em oposição a alterações transientes geradas por medicamentos) produzem mudanças estruturais no cérebro em desenvolvimento; também existem evidências disso e, em concordância com essa hipótese, embora a inibição temporária na ativi-

---

* Mais uma vez, a divergência na sequência de DNA não estava no gene da MAO-A, mas sim no seu promotor.

dade da MAO-A, por via medicamentosa, diminua a agressividade impulsiva em roedores adultos, os mesmos procedimentos, quando aplicados a animais em idade fetal, produzem adultos com agressividade aumentada.

Nossa, isso é complicado. Por que passar pela agonia de todas essas reviravoltas explicativas? Porque essa área obscura da neurogenética tem capturado a atenção do público, com a variante de baixa atividade da MAO-A — não estou brincando — sendo chamada de "gene do guerreiro" tanto por cientistas quanto pela mídia.[*][43] E esse bruaá de guerreiro piora ainda mais porque o gene da MAO-A é ligado ao X, e suas variantes têm maior influência em homens que em mulheres. De modo surpreendente, penas de prisão por assassinato já foram reduzidas, em ao menos dois casos, devido ao argumento de que os criminosos, por possuírem a variante do "gene do guerreiro" da MAO-A, estavam destinados a serem incontrolavelmente violentos. Meu Deus.

Pesquisadores respeitados da área reagiram com espanto a esse tipo de determinismo genético sem fundamento que se infiltrou nos tribunais de justiça. Os efeitos das variantes da MAO-A são minúsculos. Existe uma não especificidade no sentido de que a MAO-A degrada não apenas a serotonina, mas também a noradrenalina. Acima de tudo, existe uma não especificidade nos efeitos comportamentais das variantes. Por exemplo, embora quase todos pareçam se lembrar de que aquela pesquisa marcante que deu início a todo o rebuliço tratava de agressividade (um competente artigo sobre o tema se referia à família holandesa com a mutação como sendo "notória pela agressividade reativa persistente e extremada de alguns indivíduos do sexo masculino"), na realidade as pessoas com a mutação apresentavam retardo mental limítrofe. Além disso, ainda que alguns daqueles com a mutação fossem bastante violentos, o comportamento antissocial de outros consistia em tendências incendiárias ou exibicionismo. Então pode ser que o gene tenha algo a ver com a agressividade reativa extremada de alguns membros da família. Mas ele é também responsável por explicar por que outros indivíduos, em vez de serem agressivos, preferiam expor a genitália em público. Em outras palavras, há tanta razão para matraquear a respeito de um "gene de abaixar as calças" quanto de um "gene do guerreiro".

Provavelmente o maior motivo para rejeitar a bobagem do determinismo do

---

* Parte da explicação para a alcunha pomposa do "gene do guerreiro" pode ser atribuída ao fato de essa variante "agressiva" ser encontrada com maior frequência em populações maoris, sendo a cultura tradicional desse povo associada a uma maior inclinação para atos de guerra. Apesar disso, está longe de ser verdade que *todos* os indivíduos maoris com a variante "guerreira" são muito agressivos, ou que todo maori muito agressivo tem a variante guerreira.

gene guerreiro é algo que já deveria ser de todo previsível a esta altura: os efeitos da MAO-A no comportamento apresentam fortes interações gene/ambiente.

Isso nos leva a um estudo importantíssimo, um dos meus favoritos, conduzido em 2002 por Avshalom Caspi e pesquisadores associados, da Universidade Duke.[44] Os autores acompanharam um grande grupo de crianças desde o nascimento até os 26 anos de idade, estudando sua genética, sua criação e seu comportamento adulto. Seria o tipo de variante de MAO-A um fator preditivo para comportamento antissocial aos 26 anos (como mensurado por um critério misto de avaliações psicológicas padrão e condenações por crimes violentos)? Não. Mas, quando considerado em ligação com algo mais, o tipo de MAO-A tinha um impacto bastante significativo. Possuir a versão de baixa atividade da MAO-A triplicava as chances de comportamento antissocial… mas apenas em pessoas com um histórico de graves maus-tratos na infância. E quando não havia tal histórico, a variante não apresentava nenhum poder preditivo. Essa é a essência das interações gene/ambiente. O que uma determinada variante do gene da MAO-A tem a ver com o comportamento antissocial? Depende do ambiente. "Gene do guerreiro" uma ova.

Essa pesquisa é importante não apenas por demonstrar uma expressiva interação gene/ambiente, mas também pela espécie de interação envolvida, a saber, como um ambiente de maus-tratos na infância tem a capacidade de colaborar com uma determinada constituição genética. Para citar um dos principais artigos subsequentes sobre o tema,

> em um ambiente saudável, a acentuada sensibilidade às ameaças, o controle emocional deficiente e a aguçada memória do medo em homens com MAOA-L [isto é, a variante "do guerreiro"] podem se manifestar apenas como variações em um temperamento dentro do espectro "normal" ou subclínico. Contudo, essas mesmas características em um ambiente de maus-tratos na infância — caracterizado por incerteza constante, ameaça imprevisível, modelagem comportamental e referenciamento social fracos, e reforço inconsistente de tomadas de decisão pró-sociais — podem predispor à agressividade aberta e à violência impulsiva no adulto.

Na mesma linha, relatou-se que a variante de baixa atividade do gene do transportador de serotonina está associada com agressividade em adultos… mas apenas quando somada a adversidades na infância.[45] O que se liga diretamente às conclusões do capítulo anterior.

Desde então, essa interação entre a variante de MAO-A e os maus-tratos na infância tem sido com frequência replicada, e foi comprovada até com relação ao comportamento agressivo em macacos reso.[46] Também houve indicações de como essa interação opera: o promotor do gene da MAO-A é regulado pelo estresse e pelos glicocorticoides.

As variantes de MAO-A apresentam outras importantes interações gene/ambiente. Por exemplo, em uma pesquisa, a variante de baixa atividade da MAO-A foi apontada como um fator preditivo de criminalidade, mas somente quando associada a níveis altos de testosterona (e, nesse sentido, o gene da MAO-A também possui um promotor sensível a andrógenos). Em outro estudo, envolvendo um jogo econômico, participantes com a variante de baixa atividade da MAO-A tinham maior probabilidade de revidar com agressividade quando outro jogador se aproveitava deles, em comparação a participantes com variantes de alta atividade — mas apenas quando o ato lesivo produzia uma perda econômica grande; se a perda era pequena, não havia diferença. Em outra pesquisa, indivíduos com a variante de baixa atividade eram mais agressivos que os demais, mas só em circunstâncias de exclusão social. Assim, os efeitos dessa variante genética podem ser compreendidos apenas quando se consideram outros fatores não genéticos na vida dos indivíduos, como adversidades na infância ou situações de incitamento nos adultos.[47]

O sistema dopaminérgico

O capítulo 2 introduziu o papel da dopamina na antecipação de recompensas e no comportamento direcionado a objetivos. Muitos trabalhos já examinaram os genes envolvidos, mostrando de maneira mais geral que as variantes que produzem sinalização dopaminérgica reduzida (menos dopamina nas sinapses, menor quantidade de receptores de dopamina ou menor sensibilidade nesses receptores) estão associadas com a busca por sensações, a extroversão, a propensão ao risco e problemas de atenção. Tais indivíduos precisam buscar experiências de maior intensidade para compensar a sinalização dopaminérgica atenuada.

Boa parte das pesquisas se concentrou em um receptor de dopamina específico. Existem ao menos cinco tipos diferentes (encontrados em partes diferentes do cérebro, ligando-se à dopamina em graus distintos de intensidade e duração), cada um deles sendo codificado por um gene.[48] Os trabalhos enfocaram sobretudo o gene do receptor de dopamina D4 (o gene é chamado DRD4), o qual aparece na maior parte dos casos em neurônios do córtex e do núcleo *accumbens*. O DRD4 é extremamente diversificado, existindo em ao menos dez formas diferentes nos seres humanos. Uma faixa do gene se repete uma quantidade variável de vezes, e a versão com sete repetições (a forma "7R") produz uma proteína receptora que aparece de modo esparso no córtex e apresenta uma relativa insensibilidade à dopamina. Essa é a variante que se associa com uma série de características relacionadas: busca por sensações e novidades, extroversão, alcoolismo, promiscuidade, criação parental menos sensível, propensão a riscos financeiros, impulsividade e, talvez de maneira mais consistente, TDAH.

As implicações vão nos dois sentidos: a 7R poderia aumentar as chances de você roubar por impulso a máquina de hemodiálise de uma velhinha, mas também de doar por impulso a escritura da sua casa a uma família sem-teto. E assim entram em cena as interações gene/ambiente. Por exemplo, crianças com a variante 7R são menos generosas que a média. Mas apenas quando apresentam uma relação de insegurança com os pais. Crianças seguras demonstram *mais* generosidade que a média. Portanto, a 7R tem algo a ver com a generosidade — mas os seus efeitos dependem totalmente do contexto. Em outra pesquisa, estudantes com a 7R foram os menos interessados em organizações de defesa de causas pró-sociais, a não ser que recebessem um condicionamento religioso,* quando então se mostravam os *mais* solidários. Mais um exemplo: as pessoas com 7R são piores nas tarefas de adiamento de recompensa, mas apenas se cresceram na pobreza. Repita o mantra: não pergunte o que um gene faz, mas sim o que ele faz em determinado contexto.[49]

De modo interessante, o próximo capítulo discute a incidência extremamente diversificada da variante 7R em diferentes populações. Como veremos, isso revela bastante acerca da história das migrações humanas, bem como das diferenças entre culturas coletivistas e individualistas.[50]

Passemos agora para outras partes do sistema dopaminérgico. Como apresentado no capítulo 2, depois que a dopamina se liga a um receptor, ela flutua à deriva e precisa ser removida da sinapse.[51] Um dos caminhos envolve a sua degradação pela enzima catecol O-metiltransferase (COMT). Uma das variantes do gene da COMT está associada a uma enzima mais eficiente. "Mais eficiente" = melhor na degradação da dopamina = menos dopamina na sinapse = menos sinalização dopaminérgica. A variante de alta eficiência da COMT está ligada a níveis mais altos de extroversão, agressividade, criminalidade e transtorno de conduta. Além disso, segundo uma interação gene/ambiente que vem direto do manual da MAO-A, essa variante da COMT está associada a características de raiva, mas apenas quando somada a um quadro de abuso sexual na infância. De forma intrigante, as variantes parecem ter efeito na regulação frontal do comportamento e da cognição, em especial durante o estresse.

Além da degradação, os neurotransmissores podem também ser removidos da sinapse ao serem levados de volta aos terminais axônicos para reciclagem.[52] A re-

---

* Indivíduos do grupo de controle recebiam a tarefa de rearranjar sequências de palavras embaralhadas em frases coerentes. O grupo com condicionamento religioso teve de fazer o mesmo, mas com sequências que continham termos atrelados à religião.

captação é realizada pelo transportador de dopamina (TDA). Naturalmente, o gene do TDA ocorre em variantes diferentes, e aquelas que produzem níveis sinápticos mais elevados de dopamina (isto é, as variantes de transportadores que são menos eficientes) no corpo estriado estão associadas a pessoas que são mais direcionadas à sinalização social — elas têm uma atração maior do que a média por rostos felizes, são mais repelidas por expressões de raiva e têm estilos parentais mais positivos. O modo como essas descobertas se conciliam com aquelas das pesquisas com o DRD4 e a COMT (isto é, de que modo uma inclinação ao risco se encaixa com uma preferência por rostos felizes) não é óbvia

Pessoas bacanas e descoladas com certas versões desses genes ligados à dopamina têm mais chances de apresentar comportamentos interessantes de toda espécie, desde os saudáveis até os patológicos. Mas não nos apressemos:

- Essas descobertas não são consistentes, sem dúvida refletindo interações gene/ambiente desconhecidas.
- De novo: por que o universo da COMT estaria ligado à busca por sensações enquanto as pessoas com o TDA se ocupariam com rostos felizes? Ambos os genes tratam da interrupção da sinalização dopaminérgica. É provável que isso esteja ligado ao fato de que diferentes partes do cérebro possuem configurações distintas quanto a quem ocupa o papel principal, TDA ou COMT.[53]
- A literatura científica da COMT é especialmente tumultuada, pela razão inconveniente de que essa enzima também degrada a noradrenalina. Então as variantes de COMT são pertinentes para dois sistemas em tudo diferentes de neurotransmissores.
- O último fator de confusão parece ser o mais importante, mas é aquele que recebe menos atenção da literatura científica (provavelmente porque seria algo prematuro). Suponha que todas as pesquisas mostrem com uma clareza e uma consistência incontestáveis que certa variante do DRD4 tem grande poder preditivo quanto à busca por novidades. Isso ainda não nos diz por que, para algumas pessoas, a busca por novidades significa alternar com frequência as aberturas nas partidas de xadrez, enquanto, para outras, significa procurar um novo destino na vida, porque está ficando sem graça ser mercenário no Congo. Nenhum gene ou punhado de genes de que tenho conhecimento poderá nos dizer muito a esse respeito.

Os neuropeptídeos ocitocina e vasopressina

Hora de uma breve revisão do capítulo 4. A ocitocina e a vasopressina estão envolvidas na pró-socialidade, que abarca desde os laços entre pais e filhos e as relações monogâmicas até as situações de confiança, empatia, generosidade e inteligência social. Relembremos alguns pontos importantes: a) por vezes, esses neuropeptídeos são mais uma questão de socialidade que de pró-socialidade (em outras palavras, tem mais a ver com ampliar a coleta de informações sociais e menos com atitudes pró-sociais baseadas nessas informações); b) de modo mais consistente, a ocitocina e a vasopressina amplificam a pró-socialidade em pessoas que já estão inclinadas a isso (assim, elas fazem pessoas generosas se tornarem ainda mais generosas, mas não modificam o comportamento dos avarentos); e c) os efeitos pró-sociais são limitados ao grupo, e esses neuropeptídeos podem fazer com que as pessoas estejam mais dispostas a maltratar estranhos — tornando-se mais xenófobas e agressivas por antecipação.

O capítulo 4 também abordou a genética da ocitocina e da vasopressina, mostrando que os indivíduos com variantes genéticas que resultam em níveis elevados de qualquer um dos dois hormônios ou de seus receptores tendem a ter relacionamentos monogâmicos mais estáveis, estilos de criação com envolvimento ativo, habilidades melhores de tomada de perspectiva, mais empatia e respostas mais intensas do córtex fusiforme a rostos. Esses são efeitos bastante consistentes de magnitude moderada.

Por outro lado, existem pesquisas demonstrando que uma variante do gene do receptor de ocitocina está associada à agressividade extrema em crianças, bem como ao estilo duro e pouco emotivo que prefigura a psicopatia em adultos.[54] Além disso, outra variante está associada com desconexão social em crianças e relacionamentos instáveis em adultos. Infelizmente, porém, essas descobertas não são interpretáveis, porque ninguém sabe se essas variantes produzem mais, menos ou a quantidade usual de sinalização da ocitocina.

É claro, existem interações gene/ambiente bem curiosas. Por exemplo, possuir uma certa variante para o receptor de ocitocina constitui um fator preditivo de cuidados maternais menos sensíveis — mas apenas quando isso é somado a adversidades na infância. Outra variante está associada à agressividade — mas somente quando os indivíduos consumiram álcool recentemente. E ainda há outra variante ligada a uma maior busca por apoio emocional em situações de estresse — entre americanos (incluindo os filhos de imigrantes coreanos), mas não entre coreanos (continue ligado para mais informações a respeito no próximo capítulo).

Genes relacionados a hormônios esteroides

Comecemos com a testosterona. Esse hormônio não é uma proteína (assim como todos os outros esteroides), de modo que não existe um gene da testosterona. No entanto, existem genes para as enzimas que constroem esse hormônio, para as que o convertem em estrogênio e para o receptor (androgênico) correspondente. A maioria dos estudos se concentrou no gene para o receptor, que aparece em variantes que se diferenciam por sua sensibilidade à testosterona.*

De forma intrigante, algumas pesquisas demonstraram que, entre criminosos, a ocorrência de uma variante mais potente do receptor está associada a crimes violentos.[55] Uma descoberta relacionada diz respeito às diferenças entre os sexos na estrutura do córtex: garotos adolescentes com essa variante apresentaram uma "masculinização" do córtex mais pronunciada. Ocorre uma interação entre a variante do receptor e os níveis de testosterona. Níveis basais elevados desse hormônio não são fatores preditivos para níveis altos de temperamento agressivo ou reatividade amigdaloide a expressões faciais de ameaça entre homens — exceto naqueles que apresentam essa variante mais potente. Um dado interessante é que a variante equivalente é um fator preditivo para agressividade em cães da raça akita.

Quão importantes são essas descobertas? Um tema central do capítulo 4 foi a maneira como pequenas diferenças individuais nos níveis de testosterona, dentro da faixa normal, antecipam diferenças individuais no comportamento. Mas quanto aumenta essa capacidade preditiva quando se combinam os dados a respeito dos níveis de testosterona *e* da sensibilidade dos receptores? Não muito. E que tal combinar níveis hormonais *e* sensibilidade dos receptores *e* quantidade de receptores? Ainda não muito. Mas sem dúvida ocorre uma melhora no poder de predição.

Questões similares surgem na genética por trás do receptor de estrogênio.[56] Por exemplo, variantes diferentes desse receptor estão associadas à incidência mais elevada de ansiedade em mulheres, mas não em homens, e a uma maior incidência de comportamento social e transtorno de conduta em homens, mas não em mulheres. Enquanto isso, em camundongos geneticamente modificados, a presença ou a ausência do gene do receptor influencia a agressividade nas fêmeas... conforme a quantidade de filhotinhos machos que havia na ninhada no útero — de novo uma interação gene/ambiente. Mais uma vez, a magnitude dessas influências genéticas é minúscula.

---

* Para os aficionados: o receptor de testosterona contém o que se chama de uma repetição de poliglutamina, uma extensão da proteína em que o mesmo aminoácido, a glutamina, ocorre de modo repetido. De maneira importante, existe uma enorme variabilidade entre as pessoas em relação ao número de repetições: quanto menor a quantidade, maior a potência com que o receptor trabalha. Lembre-se de que os receptores para hormônios esteroides como a testosterona operam como fatores de transcrição — e as proteínas que possuem repetições de poliglutamina são em geral fatores de transcrição.

Por fim, existem estudos sobre genes relacionados aos glicocorticoides, em especial quanto às interações gene/ambiente.[57] Por exemplo, há uma interação entre uma variante do gene de um tipo de receptor para glicocorticoides (para os entendidos: trata-se do receptor MR) e maus-tratos na infância, resultando em uma amígdala hiper-reativa a ameaças. Há também uma proteína chamada FKBP5, que modifica a atividade de outro tipo de receptor de glicocorticoides (o receptor GR); uma variante da FKBP5 está associada a agressividade, hostilidade, TEPT e hiper-reatividade da amígdala a ameaças — mas apenas quando somada a maus-tratos na infância.

Motivados por essas descobertas, alguns pesquisadores examinaram ao mesmo tempo dois genes candidatos. Por exemplo, possuir ambas as variantes "de risco" do 5HTT e do DRD4 aumentava por sinergia a chance de comportamento disruptivo em crianças — um efeito amplificado nos casos de nível socioeconômico baixo.[58]

Puxa, todas essas páginas e o máximo que conseguimos foi refletir ao mesmo tempo sobre dois genes e uma variável ambiental. E além de tudo, as coisas não se mostraram tão promissoras:

- O de sempre: os resultados não são muito consistentes quando se comparam diferentes pesquisas.
- O de sempre: a magnitude dos efeitos é pequena. Saber qual variante de um gene candidato uma pessoa possui (ou mesmo quais variantes de um conjunto de genes) não ajuda muito a prever o seu comportamento.
- Um dos principais motivos é que, depois de conseguir entender um pouco das interações do 5HTT e do DRD4, ainda sobram em torno de 19 998 outros genes humanos e um zilhão de outros ambientes a serem estudados. Hora de mudar para outra abordagem fundamental: examinar todos os 20 mil genes de uma vez.

Expedições de pesca, em vez de buscas nas áreas iluminadas

A baixa magnitude dos efeitos reflete uma limitação da abordagem por candidatos: no linguajar científico, o problema é que estamos olhando apenas para onde está iluminado. O clichê nos remete a uma piada. Você encontra uma pessoa no meio da noite, esquadrinhando o chão em volta de um poste de luz. "Qual é o problema?" "Deixei cair meu anel, estou procurando." Tentando ser útil, você pergunta: "Você estava deste lado ou daquele lado do poste quando o deixou cair?". "Ih, não, eu estava lá perto daquelas árvores." "Então por que você está procurando aqui?" "Ora, aqui é onde está iluminado." Com as abordagens por genes candidatos, você procura apenas nas partes claras, analisa apenas os genes que você já sabe que estão envolvidos. E com 20 mil genes ou algo assim, dá para dizer com bastante segurança que ainda existem alguns casos interessantes dos quais você nem sequer ouviu falar. O desafio é encontrá-los.

A maneira mais comum de tentar encontrar todos eles é com estudos de associação genômica ampla (EAGA).[59] Examine, digamos, o gene da hemoglobina e observe o 11º nucleotídeo da sequência: todas as pessoas terão em geral a mesma letra de DNA nessa posição. Contudo, existem alguns pequenos pontos de alta variabilidade, nucleotídeos nos quais, digamos, duas letras diferentes de DNA aparecem, cada uma delas em cerca de 50% da população (e nesses casos normalmente não há alteração no aminoácido especificado, por causa da redundância do DNA). Existe mais de 1 milhão desses "PNUS" (polimorfismos de nucleotídeos únicos) espalhados pelo genoma — em faixas do DNA que codificam para genes, para promotores e para o misterioso DNA lixo. Colete o genoma de um grande número de pessoas e analise se determinados PNUS estão associados a características específicas. Se um PNU se destaca e ocorre em um gene, então você acaba de obter uma pista de que esse gene pode estar envolvido.*

Uma pesquisa do tipo EAGA pode apontar pilhas de genes como estando associados a certo traço. Com sorte, alguns deles serão candidatos conhecidos pela ligação com aquela característica. Mas outros dos genes identificados no estudo podem ser enigmáticos. Vá então conferir o que eles fazem.

Em uma abordagem relacionada, suponha que você tenha duas populações, uma com e outra sem determinada doença muscular degenerativa. Realize uma biópsia de todas as pessoas e veja quais dos cerca de 20 mil genes são transcricionalmente ativos nas células musculares. Nessa abordagem de "microarranjo" ou "chip gênico", buscam-se os genes que estão ativos somente no músculo doente ou no saudável, mas não em ambos. Identifique quais são esses casos e você obterá alguns novos candidatos a explorar.**

---

* E, seguindo essa lógica, se uma característica se associa a uma versão específica de um PNU no promotor de um gene, então você acaba de encontrar uma pista de que a regulação do gene (e não o gene em si) pode estar ligada àquela característica. Um exemplo: o gene para um tipo de receptor de serotonina contém um PNU na terceira base do códon que codifica o 34º aminoácido da proteína, e uma das variantes desse PNU está associada à suscetibilidade a um determinado medicamento em esquizofrênicos.

** Para os que adoram detalhes: observe que as abordagens de EAGA e de microarranjo estão em geral dizendo coisas distintas. Na primeira, buscam-se genes que possuam uma variante ligada a seja lá qual

Essas expedições de pesca* mostram por que somos tão ignorantes a respeito da genética do comportamento.[60] Considere um conhecido EAGA que buscou genes relacionados à altura. Essa foi uma pesquisa insanamente difícil, pois envolveu a análise do genoma de 183 727 pessoas. *183 727 pessoas.* Deve ter sido necessário um exército de cientistas só para colocar as etiquetas nos tubos de ensaios. Como reflexo disso, o artigo apresentando as conclusões do estudo na *Nature* tinha cerca de 280 autores.

E quais foram os resultados? *Centenas* de variantes genéticas estão ligadas à regulação da altura. Alguns desses genes eram conhecidos por sua relação com o crescimento esquelético, mas os demais eram território inexplorado. A variante genética com o maior poder preditivo explicava um total de 0,4% — quatro décimos de 1% — da variação na altura, e todas aquelas centenas de variantes juntas eram responsáveis por algo em torno de 10% da variação.

Enquanto isso, outra pesquisa, tão aclamada quanto, realizou um EAGA sobre o índice de massa corporal (IMC). Tratou-se de outro esforço assombroso — quase um quarto de milhão de genomas foram analisados, contando com ainda mais autores que a pesquisa sobre a altura. E nesse caso a variante genética identificada como a maior contribuição individual na explicação do IMC respondeu por 0,3% da variação. Logo, tanto a altura quanto o IMC são características altamente "poligênicas". E o mesmo vale para a idade da menarca (o momento em que as meninas têm a primeira menstruação). Além disso, outros genes adicionais passam despercebidos porque as variantes correspondentes são muito raras para serem detectadas pelas técnicas de EAGA atuais. Portanto, é provável que essas características sejam influenciadas por centenas de genes.[61]

E quanto ao comportamento? Uma pesquisa magnífica de EAGA de 2013 analisou as variantes genéticas associadas ao nível de escolaridade.[62] Os números, como de costume, foram exorbitantes: 126 559 participantes, em torno de 180 autores. E a variante com o maior poder preditivo respondeu por 0,02% — dois centésimos de 1% — da variação entre indivíduos. Todas as variantes identificadas, somadas, explicavam por volta de 2% da variação. Um texto comentando o artigo continha este notável eufemismo: "Em suma, o nível de escolaridade parece ser uma característica bastante poligênica".

O nível de escolaridade — quantos anos de escola ou faculdade uma pessoa completa — é relativamente fácil de ser mensurado. E quanto aos comportamentos

---

doença ou comportamento estudado. No segundo tipo de pesquisa, buscam-se os genes cujos perfis de expressão estejam associados àquela doença ou comportamento.

* Mais linguajar científico: passe uma grande rede de pesca por uma área do oceano e veja o que você consegue apanhar.

mais sutis e complicados que preenchem as páginas deste livro? Um punhado de estudos se debruçou sobre eles, e os resultados foram mais ou menos os mesmos: no final, obtém-se uma lista com uma série de genes envolvidos e, a partir daí, pode-se tentar entender o que eles fazem (a começar, claro, pelos que apresentaram as associações estatisticamente mais fortes). Essas são investigações muito, muito difíceis, que ainda estão engatinhando. E que ficam mais complicadas pelo fato de as pesquisas de EAGA não conseguirem encontrar pontos mais sutis de variabilidade,* o que significa que talvez ainda mais genes estejam envolvidos.[63]

Para concluir esta seção, vejamos alguns pontos-chave:[64]

a. Este resumo a respeito dos genes candidatos apenas arranha a superfície da superfície. Acesse o PubMed (um dos principais portais de busca para literatura científica da área biomédica) e procure por *"MAO gene/behavior"* ["MAO gene/comportamento"]: mais de quinhentos artigos aparecem. Para *"serotonin transporter gene/behavior"* ["gene do transportador de serotonina/comportamento"]: 1250 artigos. E para *"dopamine receptor gene/behavior"* ["gene do receptor de dopamina/comportamento"]: quase 2 mil.

b. As abordagens por candidatos mostram que os efeitos de genes isolados são em geral minúsculos. Em outras palavras, possuir a variante do "gene do guerreiro" da MAO provavelmente tem menos efeito sobre o comportamento do que acreditar que se possui a variante.

c. Abordagens por associação genômica ampla mostram que esses comportamentos são influenciados por uma quantidade enorme de genes, cada um deles desempenhando um papel bem pequeno.

d. Isso se traduz em não especificidade. Por exemplo, as variantes genéticas do transportador de serotonina foram associadas ao risco de depressão, mas também de ansiedade, de transtorno obsessivo-compulsivo (TOC), de esquizofrenia, de transtorno bipolar, de síndrome de Tourette e de transtorno de personalidade limítrofe. Em outras palavras, esse gene é parte de uma rede de centenas de genes ligados à depressão, mas também de outra rede, tão extensa quanto e parcialmente sobreposta, cujos genes têm ligação com a ansiedade, assim como de outra rede relacionada ao TOC e assim por diante.

---

* Seria o caso de um gene que tivesse um PNU tremendamente associado a alguma característica, mas cuja letra alternativa só ocorresse a cada mil indivíduos. Isso não seria detectado pelas pesquisas de EAGA atuais.

E enquanto isso, seguimos na labuta, tentando entender as interações entre dois genes de cada vez.

e. E, é claro: gene e ambiente, gene e ambiente.

CONCLUSÕES

Até que enfim, você (e eu!) chegamos ao final deste exaustivo, mas necessariamente longo, capítulo. Em meio a todos esses efeitos minúsculos e limitações tecnológicas, é importante não jogar fora o bebê da genética junto com a água do banho, uma bandeira sociopolítica que foi defendida com entusiasmo em alguns momentos. (Durante minha juventude intelectual nos anos 1970, espremida entre os períodos geológicos das Calças Boca de Sino Vermelhas e dos Ternos Brancos Estilo John Travolta, houve a Era Glacial dos Genes-Não-Têm-Nada-a-Ver-com-o--Comportamento.)

Genes têm muito a ver com o comportamento. De maneira ainda mais apropriada, todas as características comportamentais são afetadas em algum grau pela variabilidade genética.[65] E tem que ser assim, uma vez que os genes especificam a estrutura de todas as proteínas relevantes para todos os neurotransmissores, hormônios, receptores etc. existentes. E eles têm muito a ver com as diferenças individuais no comportamento, dado que uma grande porcentagem dos genes é polimórfica, existindo em diferentes configurações. Mas seus efeitos são extremamente dependentes do contexto. Não pergunte o que um gene faz. Pergunte o que faz em determinado ambiente, e quando expressado em uma determinada rede de outros genes (isto é, gene / gene / gene / gene... / ambiente).

Portanto, para os nossos propósitos, os genes não trazem consigo uma ideia de inevitabilidade. Em vez disso, eles remetem a tendências, propensões, potenciais e vulnerabilidades dependentes do contexto. Tudo isso inserido em um conjunto de outros fatores, biológicos ou de outra ordem, distribuídos ao longo destas páginas.

Agora que este capítulo está concluído, por que não fazemos uma pausa para ir ao banheiro e depois ver o que tem na geladeira?

9. De séculos a milênios antes

Vamos começar com uma aparente digressão. Partes dos capítulos 4 e 7 desbancaram algumas das supostas diferenças entre os sexos no que diz respeito ao cérebro, a hormônios e ao comportamento. Uma diferença, porém, persiste. Ela é um pouco apartada dos assuntos que interessam a este livro, mas continue comigo.

Uma conclusão notoriamente consistente, a começar pelos alunos do ensino fundamental, é que os homens são melhores em matemática do que as mulheres. Enquanto a diferença é mínima se considerarmos as notas médias, há uma enorme discrepância quando levamos em conta apenas as estrelas da matemática, as melhores notas na ponta extrema dessa distribuição. Por exemplo, em 1983, para cada garota pontuando no 1% mais alto do SAT de matemática, havia onze meninos.

Qual é o motivo dessa diferença? Sempre houve sugestões de que a testosterona é crucial para entender isso. Durante o desenvolvimento, ela estimula o crescimento de uma área do cérebro envolvida no pensamento matemático, e foi provado que administrar testosterona a adultos ajuda a aprimorar determinadas habilidades matemáticas. Ah, certo, então é biológico.

Mas considere um artigo publicado na *Science* em 2008.[1] Os autores examinaram a relação entre as notas de matemática e a igualdade sexual em quarenta países (baseados em índices econômicos, educacionais e políticos de igualdade entre gêneros; o pior foi a Turquia, no meio ficaram os Estados Unidos e no topo, é claro, estavam os países escandinavos). Pasme: quanto maior a igualdade de gênero no país, menor a discrepância entre as notas de matemática. Na altura dos países escandinavos, essa diferença é estatisticamente insignificante. E quando examinamos o país com a maior igualdade de gênero do mundo naquela época, a Islândia, as meninas são *melhores* em matemática do que os meninos.*

---

* Perceba que outra confiável diferença cognitiva entre sexos, a saber, a melhor performance de leitura em garotas, não desaparece nas sociedades com maior igualdade de gênero. Ela fica ainda maior.

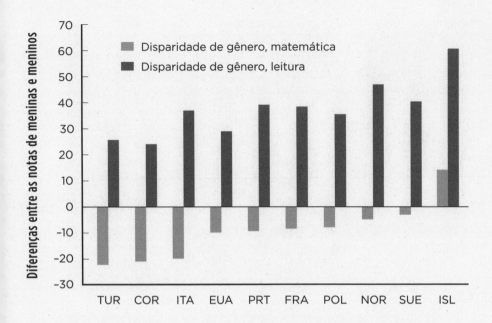

Luigi Guiso et al., "Culture, Gender, and Math". Sci, v. 320, n. 5880, p. 1164, 2008.

Em outras palavras, ainda que não seja possível ter certeza, a garota afegã da foto a seguir, sentada ao lado do marido, tem menos chances de resolver a conjectura de Erdös-Hajnal em teoria dos grafos do que a garota sueca da foto de baixo.

Em outras, outras palavras, a cultura importa. Nós a carregamos conosco para onde quer que formos. Um exemplo: o nível de corrupção — a falta de transparência governamental no uso do poder e das finanças — dos países natais dos diplomatas da ONU é um fator preditivo de suas chances de acumular multas de estacionamento não pagas em Manhattan. A cultura deixa resíduos de longa duração: xiitas e sunitas massacram uns aos outros por uma questão sucessória há catorze séculos; em 33 países, a densidade populacional no ano *1500* é capaz de prever de maneira significativa quão autoritário era o governo no ano 2000; ao longo de milênios, a adoção precoce da enxada sobre o arado prenuncia a igualdade de gêneros nos dias atuais.[2]

E em outras, outras, outras palavras ainda, quando contemplamos nossos atos mais icônicos — apertar o gatilho, tocar um braço — e desejamos explicar por que eles ocorreram usando um enquadramento biológico, é bom que a cultura esteja em nossa lista de fatores explicativos.

Portanto, os objetivos deste capítulo são:

- Examinar os padrões sistemáticos das variações culturais com relação aos nossos melhores e piores comportamentos.
- Explorar de que forma diferentes tipos de cérebro produzem culturas diferentes, e também como diferentes tipos de cultura produzem cérebros diferentes. Em outras palavras, como a cultura e a biologia coevoluem.[3]
- Analisar o papel da ecologia na formação da cultura.

DEFINIÇÕES, SIMILARIDADES E DIFERENÇAS

A "cultura", é claro, já foi definida de diversas formas. Uma definição influente veio de Edward Tylor, renomado antropólogo cultural do século XIX. Para ele, a cultura é "aquele conjunto complexo que inclui o conhecimento, as crenças, a arte, a moralidade, as leis, os costumes e quaisquer outras aptidões e hábitos adquiridos pelo homem [sic] enquanto membro da sociedade".[4]

Essa definição, é óbvio, se orienta na direção de algo específico nos seres humanos. Jane Goodall causou furor generalizado nos anos 1960 ao registrar o fato, hoje icônico, de que os chimpanzés fabricavam ferramentas. Seus sujeitos de pesquisa modificavam galhos arrancando todas as suas folhas, e depois os enfiavam dentro de montículos de cupim; os cupins então mordiam o galho, mantinham-se aferrados a ele enquanto eram erguidos e assim proporcionavam um belo lanchinho para os chimpanzés.

Isso foi apenas o começo. Mais tarde, os chimpanzés foram vistos utilizando várias ferramentas: bigornas de madeira ou de pedra para abrir nozes, maços de folhas mastigadas para absorver depósitos de água difíceis de alcançar, e, numa verdadeira surpresa, gravetos afiados para espetar gálagos.[5] Populações diferentes fabricam ferramentas distintas; novas técnicas se espalham ao longo das redes sociais (entre chimpanzés que andam uns com os outros); filhotes aprendem os truques do ofício observando suas mães; técnicas são transmitidas de um grupo para outro quando alguém emigra; ferramentas com mais de 4 mil anos de idade, utilizadas pelos chimpanzés para abrir nozes, foram desenterradas. Em meu exemplo favorito, que se localiza num meio-termo entre o uso de ferramentas e o emprego de adornos, uma fêmea na Zâmbia encasquetou de sair por aí com um caule de grama enfiado na orelha. A ação não tinha função óbvia; pelo visto ela apenas gostava de ter uma graminha metida na orelha. Vá em frente, pode processá-la. Ela fez isso há anos, e ao longo desse tempo a prática se espalhou por todo o grupo. Uma fashionista.

Nas décadas que se seguiram à descoberta de Goodall, o uso de ferramentas foi observado em grandes primatas, macacos, elefantes, lontras marinhas e mangustos.[6] Golfinhos usam esponjas marinhas para desenterrar peixes que se abrigaram no fundo do mar. Pássaros empregam ferramentas para construir ninhos ou obter alimentos — gaios e galhas-pretas, por exemplo, usam galhos para pescar insetos, exatamente como os chimpanzés. E há uso de ferramentas em cefalópodes, répteis e peixes.

Tudo isso é muito impressionante. Ainda assim, essa transmissão cultural não evidencia uma progressão — a ferramenta que os chimpanzés usam para abrir no-

Edwin van Leeuwen et al., "A Group-Specific Arbitrary Tradition in Chimpanzees (Pan troglodytes)". Animal Cog, v. 17, n. 6, p. 1421, 2014.

zes hoje é basicamente a mesma que usavam há 4 mil anos. E, com poucas exceções — falaremos disso mais tarde —, as culturas não humanas se limitam à cultura material (em oposição, digamos, à organização social).

Então a definição clássica de cultura não é específica dos seres humanos.[7] A maioria dos antropólogos culturais não ficou muito empolgada com a revolução de Goodall — ótimo, daqui a pouco os zoólogos vão dizer que Rafiki convenceu Simba a se tornar o Rei Leão —, e agora com frequência dá ênfase a definições de cultura que excluem chimpanzés e outros pés-rapados dessa festa. Há muita afeição pelas ideias de Alfred Kroeber, Clyde Kluckhohn e Clifford Geertz, três pesos pesados da antropologia social que se concentraram em como a cultura diz respeito a *ideias e símbolos*, e não a meros comportamentos nos quais eles se exemplificam ou a produtos materiais como lâminas de pedra e iPhones. Antropólogos contemporâneos como Richard Shweder defendem uma visão mais afetiva, mas ainda assim humanocêntrica, de que a cultura diz respeito a versões morais e viscerais de certo e errado. É claro que essas ideias têm sido criticadas pelos pós-modernos por razões que mal consigo começar a entender.

Basicamente, não quero chegar nem perto desses debates. Para nossos propósitos, iremos nos apoiar em uma definição intuitiva de cultura que foi defendida por Frans de Waal: "cultura" é a maneira como fazemos as coisas e pensamos sobre elas, e que é transmitida por meios não genéticos.

Trabalhando com essa definição ampla, qual é a coisa mais impressionante a respeito do conjunto de culturas humanas: as similaridades ou as diferenças? Depende do seu gosto.

Se as similaridades lhe parecem mais interessantes, há muitas delas — afinal, diversos grupos de humanos inventaram de forma independente a agricultura, a escrita, a cerâmica, o embalsamamento, a astronomia e a cunhagem de moedas. No extremo das similaridades se encontram pressupostos humanos universais, e inúmeros eruditos propuseram algumas listas deles. Uma das mais longas e citadas é a do antropólogo Donald Brown.[8] Eis uma enumeração parcial dos pressupostos culturais universais segundo ele: existência da estética e preocupação com ela, magia, machos e fêmeas vistos como tendo naturezas diferentes, *baby talk* (linguajar infantil), deuses, indução de estados alterados, casamento, adornos corporais, homicídio, proibição de algum tipo de homicídio, denominações de parentesco, números, culinária, sexo privado, nomes, dança, jogos, distinções entre certo e errado, nepotismo, proibição de certos tipos de sexo, empatia, reciprocidade, rituais, conceitos de equidade, mitos sobre a vida após a morte, música, denominações de cores, proibições, fofoca, denominações binárias de sexo, favoritismo de grupo, linguagem, humor, mentira, simbolismo, o conceito linguístico da palavra "e", ferramentas, comércio e treinamento para usar a privada. E essa é uma lista parcial.

Para os propósitos deste capítulo, o mais interessante são as assombrosas diferenças culturais em termos de como a vida é experimentada, de recursos e privilégios disponíveis, de oportunidades e trajetórias. Só para começar com algumas estatísticas demográficas impressionantes, surgidas a partir de diferenças culturais: uma menina nascida em Mônaco tem uma expectativa de vida de 93 anos; uma menina nascida em Angola, 39. A Letônia tem 99,9% de taxa de alfabetização; a

Nigéria, 19%. Mais de 10% das crianças no Afeganistão morrem em seu primeiro ano de vida, cifra que cai para apenas 0,2% na Islândia. O PIB per capita do Qatar é de 137 mil dólares, enquanto na República Centro-Africana é de 609 dólares. Uma mulher no Sudão do Sul tem mil vezes mais chances de morrer durante o parto do que uma mulher na Estônia.[9]

A experiência da violência também varia enormemente entre as culturas. Um indivíduo em Honduras tem 450 vezes mais chances de ser assassinado do que alguém em Cingapura. Na África Central, 65% das mulheres já sofreram violência doméstica; no Leste Asiático, 16%. Mulheres sul-africanas têm uma probabilidade cem vezes maior de serem estupradas do que as do Japão. Se você for uma criança em idade escolar na Romênia, na Bulgária ou na Ucrânia, tem dez vezes mais chances de sofrer *bullying* de forma crônica do que uma criança na Suécia, na Islândia ou na Dinamarca (não perca os próximos capítulos para mais detalhes sobre isso).[10]

É claro que também há conhecidas diferenças culturais relativas a gênero. Enquanto os países escandinavos se aproximam de uma total igualdade de gêneros e Ruanda* possui 63% dos assentos parlamentares da Câmara dos Deputados preenchidos por mulheres, na Arábia Saudita, em contrapartida, mulheres não podem sair de casa a menos que estejam acompanhadas por um guardião masculino, e no Iêmen, no Qatar e em Tonga há 0% de legisladoras mulheres (os Estados Unidos se encontram na faixa dos 20%).[11]

E temos as Filipinas, onde 93% das pessoas se consideram felizes e amadas, contra 29% dos armênios. Em jogos econômicos, indivíduos da Grécia e de Omã tendem a gastar mais recursos para punir jogadores excessivamente generosos do que para punir trapaceiros, enquanto entre australianos tal "punição antissocial" não existe. E há critérios muitíssimo distintos para definir o comportamento pró-social. Em um estudo com funcionários que trabalhavam para o mesmo banco multinacional ao redor do mundo, qual foi o motivo de maior importância citado na decisão de ajudar alguém? Entre os americanos, era se a pessoa os tinha ajudado antes; para os chineses, era deter uma posição alta na hierarquia; na Espanha, ser um amigo ou conhecido.[12]

Sua vida poderia ser irreconhecivelmente diferente, a depender da cultura na

---

* Esses números mudaram. Segundo os dados atualizados em janeiro de 2021 coletados pela União Interparlamentar, a participação feminina na Câmara dos Deputados em Ruanda passou para 61,3%; Tonga ganhou duas deputadas, chegando a 7,4% do total; Oman agora tem duas (2,3%) e o Iêmen, uma (0,3%). Os países com nenhuma presença parlamentar feminina hoje são Vanuatu, Papua Nova Guiné e Estados Federados da Micronésia. O Brasil se encontra na 142ª posição, com 15,2% de mulheres na Câmara dos Deputados. Mais informações em: <https://data.ipu.org/women-ranking>. (N. T.)

qual a cegonha decidiu largá-lo. Ao navegar por essa variabilidade, há certos padrões, contrastes e dicotomias pertinentes.

CULTURAS COLETIVISTAS VERSUS INDIVIDUALISTAS

Conforme mencionado no capítulo 7, uma grande parcela dos estudos interculturais de psicologia trabalha com comparações entre culturas coletivistas e individualistas. Isso quase sempre significa contrapor indivíduos de culturas coletivistas do Leste Asiático a americanos, oriundos da mãe de todas as culturas individualistas.* Como já foi definido, as culturas coletivistas dizem respeito à harmonia, à interdependência, à conformidade e a nortear o comportamento a partir das necessidades do grupo, enquanto as culturas individualistas podem ser resumidas usando aquele conceito americano clássico de "só pensar em alcançar o topo"; as culturas coletivistas podem ser resumidas utilizando a experiência arquetípica dos professores do Corpo da Paz americano em tais países: faça uma pergunta de matemática a seus alunos e ninguém se oferecerá para dar a resposta correta, porque não deseja sobressair e envergonhar os colegas de classe.

Os contrastes entre individualistas e coletivistas são avassaladores. Em culturas individualistas, é mais comum as pessoas buscarem a singularidade e as realizações pessoais, utilizarem com mais frequência os pronomes de primeira pessoa no singular, definirem-se em termos pessoais ("sou empreiteiro") em vez de relacionais ("sou pai") e atribuírem seus sucessos a características intrínsecas ("sou muito bom em X") em vez de situacionais ("Eu estava no lugar certo na hora certa"). É mais provável que o passado seja evocado através de eventos ("Foi o verão em que aprendi a nadar") do que de interações sociais ("Foi o verão em que ficamos amigos"). A motivação e a satisfação são obtidas a partir do esforço próprio, em vez do coletivo (isso reflete a extensão com que o individualismo americano diz respeito à não cooperação, em lugar da não conformidade). O impulso competitivo se traduz em passar na frente de todos os outros. Quando lhes pedem para desenhar um "sociograma" — um diagrama de sua rede social em que se usam círculos para representar a si mesmos e a seus amigos, todos conectados por linhas —, os americanos

---

* Ao ler sobre norte-americanos versus leste-asiáticos nesta seção, e norte-americanos versus indivíduos de outras culturas em seções vindouras, você perceberá que, de certa forma, estamos falando de norte-americanos — e de europeus ocidentais — versus o resto do mundo em vários aspectos culturais. Eles são simplesmente *weird* [em inglês: "estranhos", mas também o acrônimo dos cinco adjetivos a seguir]: ocidentalizados, educados, industrializados, ricos e democráticos.

tendem a situar o círculo que os representa no centro da página, e o fazem maior do que os demais.[13]

Em contraste, os indivíduos de culturas coletivistas mostram maior compreensão social; alguns estudos sugerem que eles são melhores em tarefas de Teoria da Mente e mais precisos em entender a perspectiva alheia — "perspectiva" essa que diz respeito tanto aos pensamentos abstratos alheios quanto à forma como os objetos se apresentam a partir de onde a outra pessoa está sentada. Há mais reprovação do grupo quando alguém viola uma norma por efeito da pressão dos pares, e maior tendência a dar explicações situacionais para o comportamento. O impulso competitivo se traduz em não ficar em último lugar. E, ao desenhar o sociograma, o círculo que representa o indivíduo fica mais distante do centro e não é nem de longe o maior de todos.

Essas diferenças culturais têm correlatos biológicos, claro. Por exemplo, pessoas de culturas individualistas ativam fortemente o (emocional) CPFVM quando observam uma foto de si mesmas, em comparação à foto de um parente ou amigo; por outro lado, a ativação é bem menor em indivíduos do Leste Asiático.* Outro exemplo vem de uma de minhas demonstrações favoritas sobre as diferenças interculturais em termos de estresse psicológico: quando solicitados a fazer uma evocação livre, os americanos têm maior propensão do que os leste-asiáticos a recordar ocasiões em que foram capazes de influenciar alguém; de forma oposta, os leste-asiáticos têm mais chances de lembrar quando foram influenciados por alguém. Obrigue um americano a discorrer sobre uma ocasião em que alguém os influenciou ou obrigue um leste-asiático a detalhar um momento em que persuadiu uma pessoa, e ambos secretam glicocorticoides por conta do estresse de ter de relatar esse evento embaraçoso. Uma pesquisa realizada por meus amigos de Stanford, Jeanne Tsai e Brian Knutson, mostra que os sistemas dopaminérgicos mesolímbicos se ativam em americanos de origem europeia quando estes olham para expressões faciais entusiasmadas; entre os chineses, quando veem expressões tranquilas.

Como veremos no capítulo 13, essas diferenças culturais produzem diferentes sistemas morais. Nas sociedades coletivistas mais tradicionais, a conformidade e a moralidade são praticamente sinônimos, e o reforço da norma se dá mais pela ver-

---

* São estudos difíceis de executar, já que a neuroimagem, além de ciência, tem um pouco de arte; ser capaz de comparar em termos quantitativos os dados obtidos por dois escâneres e protocolos de escaneamento em lados opostos do globo é desafiador. A alternativa — estudar indivíduos de ambas as culturas no mesmo escâner — é também desafiadora. Os voluntários não seriam representativos, já que metade deles seria provavelmente composta por estudantes internacionais — bem relacionados, ricos e aventureiros o suficiente para se mudar para uma cidade universitária americana e se oferecer como cobaias para um estudo da disciplina Fundamentos da Psicologia.

gonha ("O que as pessoas vão pensar se eu fizer isso?") do que pela culpa ("Como eu poderia viver comigo mesmo?"). As culturas coletivistas estimulam instâncias mais utilitárias e consequenciais (por exemplo, uma pessoa inocente está mais disposta a ser presa para evitar uma revolta). A tremenda ênfase dos coletivistas sobre a importância do conjunto produz um grau maior de viés de grupo do que entre membros de culturas individualistas. Por exemplo, em um estudo, indivíduos coreanos e americanos de origem europeia observaram fotos do sofrimento de membros do próprio grupo e de outros grupos. Todos declararam um aumento de empatia subjetiva e mostraram mais ativação em áreas do cérebro relativas à Teoria da Mente (ou seja, a junção temporoparietal) ao observar membros do próprio grupo, mas o viés foi significativamente maior entre indivíduos coreanos. Além disso, tanto os indivíduos de culturas individualistas quanto os de culturas coletivistas depreciaram os membros de fora do grupo, mas apenas os primeiros inflaram as avaliações de seu próprio grupo. Em outras palavras, os leste-asiáticos, à diferença dos americanos, não precisam inflar as qualidades do próprio grupo para enxergar os demais como inferiores.[14]

É fascinante ver a direção que algumas dessas diferenças tomam, conforme registrado através de abordagens desenvolvidas por um dos gigantes dessa área, Richard Nisbett, da Universidade de Michigan. Os ocidentais resolvem problemas de uma forma mais linear, com maior dependência da linguística do que da codificação espacial. Quando instados a explicar o movimento de uma bola, os leste-asiáticos são mais propensos a invocar explicações relacionais construídas em torno das interações da bola com o ambiente — o atrito —, ao passo que os ocidentais se concentram em propriedades intrínsecas como peso e densidade. Os ocidentais são mais precisos em estimar o comprimento em termos absolutos ("Qual é o comprimento desta linha?"), enquanto os leste-asiáticos são melhores em estimativas relacionais ("Quão mais comprida é esta linha em relação àquela outra?"). E o que dizer disto aqui: imagine um macaco, um urso e uma banana. Quais deles formam um par? Os ocidentais pensam de forma categórica e escolhem o macaco e o urso — ambos são animais. Os leste-asiáticos pensam de forma relacional e ligam o macaco à banana — se você está pensando em um macaco, também pensa no alimento de que ele necessita.[15]

De forma notável, as diferenças culturais se estendem ao processamento sensorial: os ocidentais processam a informação de um modo mais focado, enquanto os leste-asiáticos o fazem de modo mais holístico.[16] Mostre uma foto de alguém em meio a uma cena complexa; os leste-asiáticos são mais precisos em lembrar a cena e o contexto, ao passo que os ocidentais recordam melhor a pessoa no centro. Note-se que isso também é observado no nível do rastreamento do olhar: em geral, os olhos dos ocidentais primeiro se detêm no centro da foto, ao passo que leste-asiáticos fazem uma varredura geral da cena. Além disso, quando obrigamos os ocidentais a se concentrar no contexto holístico de uma foto, ou os leste-asiáticos no sujeito central, o córtex frontal trabalha mais arduamente e é mais ativado.

Como já discutimos no capítulo 7, os valores culturais são inculcados pela primeira vez muito cedo na vida. Então não é surpresa que a cultura venha a moldar nossas atitudes quanto a sucesso, moralidade, felicidade, amor e assim por diante. Mas o que acho espantoso é como essas diferenças culturais também determinam o ponto onde nossos olhos irão se deter em uma foto ou como você contempla macacos e bananas ou a física da trajetória de uma bola. O impacto da cultura é enorme.

Claro, essa comparação entre coletivistas e individualistas tem várias limitações:

- A mais óbvia é a perpétua ressalva do "em média" — há inúmeros ocidentais, por exemplo, que são mais coletivistas do que muitos leste-asiáticos. Em geral, pessoas mais individualistas segundo várias medidas de personalidade são as mais individualistas nos estudos de neuroimagem.[17]
- As culturas mudam com o tempo. Por exemplo, os níveis de conformidade nas culturas leste-asiáticas estão declinando (um estudo registrou um aumento na taxa de bebês japoneses que ganham nomes originais). Além disso, nosso grau de inculcação cultural pode ser alterado com rapidez. Por exemplo, pré-ativar alguém com pistas culturais individualistas ou coletivistas tem o poder de transformar o quão holisticamente essa pessoa processa uma foto. Isso é verdadeiro sobretudo para indivíduos biculturais.[18]
- Logo iremos examinar algumas diferenças genéticas entre populações coletivistas e individualistas. A esse respeito, não há nada parecido com um destino genético — a evidência mais forte para essa conclusão vem de um grupo de controle de vários desses estudos, a saber, os americanos de origem leste-asiática. Em geral, leva uma geração para que os descendentes de imigrantes leste-asiáticos nos Estados Unidos se tornem tão individualistas quanto os americanos de origem europeia.[19]
- É claro que "leste-asiáticos" e "ocidentais" não são entidades monolíticas.
- Basta conversar com alguém que mora em Pequim e então compará-lo a um nativo das estepes do Tibete. Ou coloque três pessoas: uma de Berkeley, uma do Brooklyn e uma de Biloxi num elevador emperrado por algumas horas e veja o que acontece. Como iremos discutir, há uma variação assombrosa no interior das culturas.

Por que os indivíduos de uma parte do planeta desenvolveram culturas coletivistas, enquanto outros viraram individualistas? Os Estados Unidos são o garoto-propaganda do individualismo por, no mínimo, duas razões. Primeiro, a imigração. Hoje, 12% dos americanos são imigrantes, outros 12% (como eu) são filhos de imigrantes, e todos os demais, exceto o 0,9% de indígenas puros, descendem de indivíduos que emigraram nos últimos quinhentos anos.[20] E quem eram os imigrantes? Aqueles que, no mundo estabelecido, eram excêntricos, insatisfeitos, inquietos, heréticos, ovelhas negras, hiperativos, hipomaníacos, misantropos, impacientes, não convencionais, ávidos por liberdade, por riqueza e para fugir de seus malditos, tediosos e repressivos vilarejos — enfim, ávidos. Junte isso com o segundo motivo — na maior parte de sua história colonial e independente, os Estados Unidos possuíam uma fronteira volúvel que atraía aqueles cujo irascível otimismo não se contentava com uma mera visita ao Novo Mundo — e você tem os individualistas Estados Unidos.

Por que o Leste Asiático produziu exemplos típicos de coletivismo?[21] A chave está no amoldamento da cultura pelo modo como os indivíduos tradicionalmente ganham a vida, o que, por sua vez, é moldado pela ecologia. No Leste Asiático, tudo gira em torno do arroz. Esse produto, cultivado ali há cerca de 10 mil anos, requer quantidades enormes de trabalho coletivo. E não estamos falando apenas das extenuantes etapas de plantio e colheita, que são feitas em rodízio porque é preciso um vilarejo inteiro para colher o arroz de cada uma das famílias.* O trabalho cole-

---

* Ao longo da história, os Estados Unidos também contaram com uma agricultura de trabalho intensivo. Mas, em vez de resolver a questão com o coletivismo, resolveram-na com a escravidão.

tivo é fundamental, em primeiro lugar, para transformar o ecossistema — terraplenar montanhas, construir e manter sistemas de irrigação para o alagamento controlado dos campos de arroz. E há a questão de repartir a água de forma justa — em Bali, as autoridades religiosas regulam o acesso à água, simbolizado por icônicos templos da água. E veja que incrível: o sistema de irrigação de Dujiuangyan cobre mais de 5 mil quilômetros quadrados de campos de arroz nos arredores de Changdu, na China, e tem mais de *2 mil anos* de idade. As raízes do coletivismo, como as do arroz, se embrenham profundamente no Leste Asiático.*

Um fascinante artigo publicado em 2014 na *Science* reforça a conexão entre o arroz e o coletivismo através da análise de uma exceção.[22] Em certas partes do Norte da China, cultivar arroz é difícil, e, em vez disso, os habitantes plantam trigo há milênios; isso requer uma agricultura individual, e não coletiva. De acordo com os testes-padrão para a comparação de culturas individualistas e coletivistas (por exemplo, desenhar um sociograma ou adivinhar quem forma um par melhor entre coelho, cachorro e cenoura) —, eles parecem ocidentais. A região tem outros dois marcadores de individualismo, a saber: taxas mais altas de divórcio e de inventividade — registros de patentes — em comparação com as áreas que cultivam arroz. As raízes do individualismo, assim como as do trigo, se embrenham profundamente no Norte da China.

As ligações entre ecologia, modo de produção e cultura são explicitadas em um raro estudo coletivista/individualista que não faz comparações entre asiáticos e ocidentais.[23] Os autores estudaram uma região da Turquia no mar Negro, onde as montanhas abraçam a costa. Lá, em grande proximidade uns com os outros, os habitantes ganham a vida como pescadores, agricultores da estreita faixa de terra entre o mar e as montanhas ou pastores montanheses. Todos os três grupos compartilham o mesmo idioma, a mesma religião e a mesma linhagem genética.

Conduzir rebanhos é um ofício solitário; ainda que os agricultores e pescadores turcos não sejam tão coletivistas como os plantadores de arroz da China, eles pelo menos cultivam seus campos em grupo e manejam os barcos com a ajuda de uma tripulação. Os pastores pensam de forma menos holística do que os agricultores e pescadores — os primeiros eram melhores em avaliar o comprimento absoluto de linhas, e os outros em fazer avaliações relativas; diante de uma luva, um cachecol e uma mão, os pastores agruparam luvas com mãos. Nas palavras dos autores, "a interdependência social fomenta o pensamento holístico".

Esse assunto aparece em outro estudo, que compara garotos judeus de famílias ortodoxas praticantes (dominadas por uma infinidade de regras compartilhadas sobre crenças e comportamentos) a garotos de famílias mais individualistas e secu-

---

* Não faço a menor ideia do quão profundamente se embrenham as raízes do arroz, mas a metáfora estava implorando para ser feita.

lares. O processamento visual era mais holístico entre os ortodoxos e mais focado entre os seculares.[24]

A dicotomia entre o Leste Asiático coletivista e o Ocidente individualista possui um fascinante correlato genético.[25] Lembre-se da dopamina e do DRD4, o gene para o receptor D4 mencionado no capítulo anterior. Ele é extraordinariamente mutável, com pelo menos 25 variantes registradas em seres humanos (a diversidade é menor em outros primatas). Mais que isso, essa variação não é um desvio aleatório e inconsequente das sequências de DNA; pelo contrário, há uma forte seleção positiva para variantes. A mais comum é a 4R, presente em cerca de metade dos leste-asiáticos e americanos de origem europeia. Há também a variante 7R, que produz um receptor menos responsivo à dopamina no córtex, e é mais associada à busca de novidades, extroversão e impulsividade. Ela antecede os humanos modernos, mas se tornou bastante mais comum nos últimos 10 mil a 20 mil anos. A variante 7R ocorre em cerca de 23% dos europeus e americanos de origem europeia. E entre os leste-asiáticos? Em apenas 1%.

Então o que veio primeiro, a maior frequência de 7R ou o estilo cultural? As variantes 4R e 7R, junto com a 2R, ocorrem em todo o mundo, o que indica que já existiam quando os seres humanos se espalharam planeta afora a partir da África, de 60 mil a 130 mil anos atrás. Um estudo clássico de Kenneth Kidd, de Yale, examinou a distribuição de 7R e revelou algo notável.

Começando a partir do lado esquerdo do diagrama a seguir, há uma incidência de cerca de 10% a 25% de 7R em várias populações africanas, europeias e do Oriente Médio. Saltando para o lado direito da figura, há uma incidência um pouco maior entre os descendentes daqueles que passaram a migrar de ilha em ilha a partir da Ásia até a Malásia e Nova Guiné. O mesmo se aplica aos indivíduos cujos ancestrais migraram para a América do Norte através da ponte terrestre de Bering cerca de 15 mil anos atrás: os indígenas das tribos muskoke, cheyenne e pima. Em seguida encontramos os maias, da América Central, com 40% de incidência de 7R. E depois os guihiba e quíchuas do norte da América do Sul, com cerca de 55%. Por fim, os descendentes de indivíduos que conseguiram trilhar caminho até a Bacia Amazônica — ticunas, suruís e caritianas —, com aproximadamente 70% de incidência de 7R, a mais alta do mundo. Em outras palavras, são os descendentes dos indivíduos que, depois de chegarem ao local que no futuro seria o centro urbano de Anchorage, no Alasca, decidiram simplesmente seguir em frente por mais 9,5 mil quilômetros.* Uma alta incidência de 7R, associada à impulsividade e à busca por novidades, é o legado dos indivíduos que empreenderam as maiores migrações da história.

---

* É claro que nenhum indivíduo sozinho chegou a percorrer uma distância dessas — o lento avanço da migração rumo ao sul no hemisfério ocidental levou milênios para acontecer.

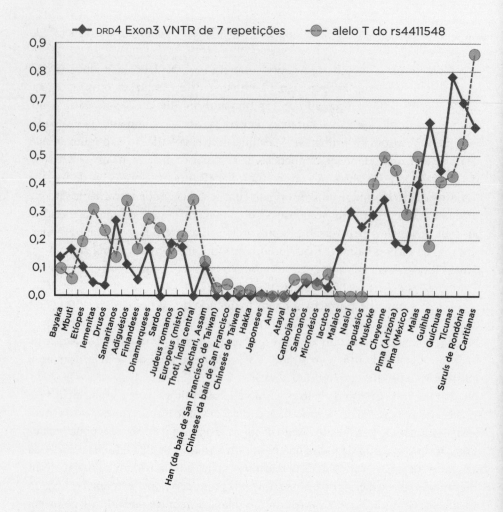

Yuan Ding et al., *"Evidence of Positive Selection Acting at the Human Dopamine Receptor D4 Gene Locus"*. PNAS, v. 99, n. 1, p. 309, 2002.

E então, no meio do gráfico, temos uma incidência próxima de zero de 7R na China, no Camboja, no Japão e em Taiwan (entre os ami e os atayal). Quando os leste-asiáticos começaram a cultivar o arroz e inventaram a sociedade coletivista, houve uma intensa seleção contrária à variante 7R; nas palavras de Kidd, ela foi "quase extinta" nessas populações.* Talvez os portadores de 7R tenham quebrado

---

* Para entusiastas da genética com um conhecimento prévio maior do que o do capítulo 8, a incidência quase nula de 7R significa que, nessas culturas, não há benefícios nem para as versões heterozigóticas de 7R.

o pescoço inventando o voo com asa-delta ou ficaram impacientes e tentaram caminhar até o Alasca, mas se afogaram porque não havia mais uma ponte terrestre de Bering. Talvez eles fossem parceiros menos atraentes. Seja qual for a causa, o coletivismo cultural leste-asiático coevoluiu com a seleção contrária à variante 7R.*

Portanto, nesse que é o mais estudado dos contrastes culturais, há um agrupamento de fatores ecológicos, modos de produção, diferenças culturais e diferenças em endocrinologia, neurobiologia e frequência genética.** Os contrastes culturais se manifestam de formas previsíveis — por exemplo: na moralidade, na empatia, nas práticas de educação infantil, na competição, na cooperação, nas definições de felicidade —, mas também inesperadas; por exemplo: quando seus olhos observam uma figura por milissegundos, ou quando você está pensando em coelhos e cenouras.

PASTORALISTAS E SULISTAS

Outra ligação importante entre ecologia, modo de produção e cultura pode ser observada em ambientes áridos, miseráveis e expostos não adequados à agricultura. É o mundo do pastoralismo nômade — dos indivíduos vagando com seus rebanhos através de desertos, estepes ou tundras.

Há os beduínos na Arábia, os tuaregues no Norte da África, os somalis e massais na África Oriental, os lapões no Norte da Escandinávia, os gujjar na Índia, os yörük na Turquia, os tuvan na Mongólia e os aimarás nos Andes. Há rebanhos de ovelhas, cabras, vacas, lhamas, camelos, iaques, cavalos e renas, com os pastoralistas vivendo da carne, do leite e sangue desses animais, além de comercializar sua lã e couro.

Faz tempo que os antropólogos apontam similaridades entre as culturas pastoralistas, oriundas de seus ambientes brutos e da influência normalmente ínfima de

* Como foi observado, depois de umas poucas gerações de imigrantes, os norte-americanos de origem leste-asiática se tornam tão individualistas quanto os de origem europeia. Isso nos leva a questionar se os leste-asiáticos que escolheram imigrar já tinham uma incidência mais alta de 7R do que os leste--asiáticos em geral (também é possível especular se há uma incidência maior de 7R nas regiões da China que se dedicam ao cultivo do trigo, em comparação aos distritos do arroz). Infelizmente, de acordo com Kenneth Kidd, ninguém sabe responder a nenhuma dessas perguntas.

** Outra notável diferença na frequência de variantes genéticas tem a ver com a codificação para o transportador de serotonina, que remove a serotonina da sinapse e que, como vimos no capítulo anterior, relaciona-se à agressividade impulsiva de várias maneiras bastante confusas. Uma variante do gene está associada a emoções negativas, a um viés de atenção voltado para estímulos negativos, à ansiedade e ao risco de depressão quando ligado a fatores de risco estressantes. Sua incidência é menor do que 50% pelo mundo, mas é de 70% a 80% nas populações do Leste Asiático.

um governo centralizado e um estado de direito sobre elas. Nessa aridez isolada reside um fato central do pastoralismo: enquanto os ladrões não são capazes de roubar uma colheita, uma fazenda ou as centenas de plantas comestíveis dos caçadores-coletores, eles podem roubar um rebanho. Essa é a vulnerabilidade do pastoralismo em um mundo de ladrões de gado e assaltantes.

Isso produz vários correlatos ao pastoralismo:[26]

O militarismo é predominante. Comunidades pastoralistas, sobretudo nos desertos, com seus membros que conduzem rebanhos em áreas remotas, são um terreno fértil para a formação de classes de guerreiros. E com eles normalmente surgem: a) troféus militares servindo como trampolins de status social; b) morte em batalha como garantia de uma gloriosa vida após a morte; c) altas taxas de poligamia econômica e violência contra mulheres; e d) educação parental autoritária. É raro que os pastoralistas sejam pastoris no sentido da *Sexta sinfonia* de Beethoven.

No mundo inteiro, o monoteísmo é mais ou menos raro; quando ocorre, é desproporcionalmente mais provável que seja entre pastoralistas do deserto (ao passo que habitantes de florestas tropicais são atipicamente mais propensos ao politeísmo). Isso faz sentido. Os desertos ensinam coisas brutas e singulares; trata-se de um universo reduzido a seus fundamentos mais simples, ressecados e escaldantes, que são abordados com um profundo fatalismo. Há uma proliferação de mandamentos como: "Eu sou o Senhor, seu Deus", "Não há outro deus além de Alá" e "Antes de mim não houve outros deuses". Como ficou implícito nessa última frase, o monoteísmo do deserto não conta necessariamente com um único ente sobrenatural — as religiões monoteístas estão repletas de anjos, *djinns* (gênios) e demônios. Mas eles decerto seguem uma hierarquia, com deidades menores empalidecendo diante do Ser Onipotente, que tende a ser altamente intervencionista tanto no céu quanto na terra. Em contraste, imagine uma floresta tropical fervilhante de vida, onde é possível encontrar mais espécies de formiga numa única árvore do que em toda a Grã-Bretanha. Deixar que uma centena de deidades floresçam em equilíbrio parece ser a coisa mais natural do mundo.

O pastoralismo estimula as culturas de honra. Como foi introduzido no capítulo 7, elas estabelecem regras de civilidade, cortesia e hospitalidade, sobretudo ao viajante exausto — afinal, não seriam todos os pastores uns viajantes exaustos? Mais do que isso, as culturas de honra pregam a retaliação a afrontas a si próprio, à família ou ao clã, com consequências para a reputação do indivíduo quando isso não é obedecido. Se alguém toma o seu camelo hoje e você não faz nada, amanhã irão tomar o resto do seu rebanho, além de suas esposas e filhas.*

---

* Cheguei a testemunhar como isso se dá em um trecho de longa distância quando viajei com um

Apenas uma pequena parcela dos pontos altos e baixos da humanidade decorre das ações culturalmente fundamentadas de, digamos, lapões vagando com suas renas pelo Norte da Finlândia ou pastores de vacas massais no Serengeti. Pelo contrário, as culturas de honra mais pertinentes a essa questão são as que se encontram em cenários ocidentalizados. O termo "cultura de honra" já foi usado para descrever a operação da máfia na Sicília, os padrões de violência na Irlanda rural do século XIX, e as causas e consequências dos homicídios de retaliação cometidos pelas gangues de bairros pobres. Tudo isso ocorre em circunstâncias de competição por recursos (entre os quais o peculiar recurso de ser o último a cometer um homicídio de retaliação numa vendeta) e de vácuo no poder estabelecido pela presença ínfima de um estado de direito; nessas condições, o prestígio é perdido de forma trágica quando os desafios são deixados sem resposta, sendo essa resposta quase sempre violenta. Em meio a tudo isso, o exemplo mais famoso de uma cultura ocidentalizada de honra é o do Sul dos Estados Unidos, que foi assunto de livros, revistas acadêmicas, conferências e especializações em estudos sulistas nas universidades. O precursor de muitas dessas pesquisas foi Nisbett.[27]

A hospitalidade, o cavalheirismo com as mulheres e a ênfase no decoro social e na etiqueta estão há muito tempo associados ao Sul dos Estados Unidos.[28] Além disso, essa região tradicionalmente dá valor ao legado, à memória cultural de longa duração e à continuidade da família — no Kentucky rural dos anos 1940, por exemplo, 70% dos homens tinham o mesmo prenome do pai, prevalência bem maior do que no Norte do país. Quando aliada a uma menor mobilidade no Sul, a necessidade de defesa da honra logo se estende à família, ao clã e ao lugar. Por exemplo, em 1863, quando os Hatfield e os McCoy deram início a uma rixa familiar que durou trinta anos,* eles viviam na mesma região da fronteira entre a Virgínia Ocidental e o Ken-

---

grupo de somalis que dirigiam caminhões-tanque vazios de gasolina do Sudão para o oceano Índico, a fim de serem reabastecidos no Quênia. No final de cada dia dirigindo pelo deserto, nós nos sentávamos em volta de uma fogueira armada entre os caminhões e preparávamos uma panela de espaguete e leite de camelo. (Por que essa combinação em particular? Essa é outra história...) E inevitavelmente um dos seis somalis fazia algo que era percebido como ofensivo por alguém. Havia então resmungos, palavras raivosas, facas sendo sacadas de dentro de botas, dois caras dando voltas e investindo um contra o outro até que os demais se dispusessem a apartar a briga. Pouco depois, o lado hospitaleiro dessa cultura se revelava e todos faziam o possível para ter certeza de que eu ficasse com a melhor porção daquela massa de espaguete e leite. "Coma, coma. Você é nosso irmão", eles diziam, inclusive os dois que tinham acabado de se hostilizar.

* Bem, até hoje se discute se a rixa de fato terminou nos anos 1890. Ainda que as famílias tenham declarado uma trégua e interrompido os assassinatos em 1891, seus descendentes batalharam por uma semana em 1979 no programa de televisão *Family Feud*. Os McCoy venceram três das cinco partidas, enquanto os Hatfield ganharam mais dinheiro.

tucky havia quase um século. O senso sulista de honra ao lugar também foi exibido pelo general Robert E. Lee; ele se opunha à secessão dos estados do Sul e até fazia certas declarações ambíguas que podiam ser interpretadas como contrárias à escravidão. Ainda assim, quando Lincoln lhe ofereceu o comando do Exército da União, Lee escreveu: "Não desejo viver sob nenhum outro governo e não há sacrifício que eu não esteja disposto a fazer pela preservação da União, salvo o da honra". Quando o estado da Virgínia optou pela secessão, ele cumpriu com pesar o seu senso de honra pela terra natal e liderou o Exército Confederado da Virgínia do Norte.

No Sul, a defesa da honra era sobretudo uma atitude de autossuficiência.[29] O sulista Andrew Jackson foi aconselhado pela mãe moribunda a nunca buscar a reparação da lei por quaisquer afrontas, agindo, em vez disso, como um homem capaz de fazer justiça com as próprias mãos. Foi o que ele sem dúvida fez, pois possuía um histórico de duelos (inclusive fatais) e brigas; em seu último dia como presidente, ele expressou dois arrependimentos ao sair do cargo: ter sido "incapaz de atirar em Henry Clay e de enforcar John C. Calhoun". Fazer justiça de modo individual era visto como imprescindível na ausência de um sistema legal efetivo. Na melhor das hipóteses, a justiça legal e a individual se encontravam em uma situação de equilíbrio desconfortável no Sul do século XIX; nas palavras do historiador sulista Bertram Wyatt-Brown:

> A lei comum e a lei do linchamento eram eticamente compatíveis. A primeira permitia aos profissionais jurídicos apresentar a ordem tradicional, e a segunda conferia aos homens comuns a prerrogativa de garantir que os valores da comunidade tivessem a soberania final.

A essência da retaliação por conta de violações à honra era, é claro, a violência. Paus e pedras podem até quebrar seus ossos, mas xingamentos irão fazer com que você quebre os ossos de quem o ofendeu. Os duelos eram comuns, e a questão não era estar disposto a matar, mas, sim, a morrer por sua honra. Muitos rapazes do lado dos Confederados foram à guerra com uma advertência da mãe de que seria melhor que voltassem num caixão do que como covardes que fugiram da luta.

O resultado de tudo isso se traduz em um duradouro (e ainda atual) histórico de índices elevados de violência nos estados do Sul. Porém, e isso é crucial, trata-se de uma violência de um tipo específico. Uma vez a vi resumida por um acadêmico de estudos sulistas que descrevia a estranheza de deixar o Sul rural para começar a faculdade num lugar estranho, Cambridge, Massachusetts, onde as famílias se reuniam nos piqueniques do Quatro de Julho e *ninguém atirava em ninguém*. Nisbett e Dov Cohen mostraram que os índices elevados de atos de violência (sobretudo homicídios) cometidos por homens brancos do Sul não eram característicos das grandes cidades nem tentativas de obter bens materiais — não estamos falando aqui de assaltos a lojas de bebidas. Ao contrário, a violência é desproporcionalmente rural, ocorre entre pessoas que se conhecem e diz respeito a insultos à honra (aquele seu primo desprezível achou que não tinha problema flertar com a sua esposa na reunião de família, então você atirou nele). Além disso, os jurados do Sul são atipicamente indulgentes com esse tipo de ato.[30]

A violência sulista é explorada em um dos estudos mais descolados de todos os tempos, que envolveu o uso de uma palavra rara em revistas acadêmicas e foi conduzido por Nisbett e Cohen. Estudantes de graduação, todos homens, tiveram uma amostra de sangue colhida. Em seguida, preencheram um questionário a respeito de uma coisa qualquer, que deviam entregar em uma sala no fim do corredor. Era nesse corredor estreito, repleto de arquivos, que o experimento acontecia. Metade dos voluntários atravessava o corredor sem nenhum incidente. Para a outra metade, surgia na direção oposta um confederado (entendeu? ha-ha) dos pesquisadores, um cara alto e musculoso. Quando o voluntário e o infiltrado se espremiam para passar um pelo outro, este último dava um tranco no voluntário e, em um tom de voz irritado, dizia a palavra mágica — "idiota" —, e continuava andando. O indivíduo continuava até o fim do corredor para entregar o questionário preenchido.

Qual foi a resposta a esse insulto? Depende. Os indivíduos do Sul, mas não de outros lugares, registraram aumentos enormes nos níveis de testosterona e glicocorticoides: raiva, fúria, estresse. Depois disso, todos ouviam a história de um sujeito que flagrava um conhecido dando uma cantada em sua noiva — o que acontece depois nessa história? No grupo de controle, os indivíduos do Sul exibiram maior propensão a imaginar um resultado violento, em comparação aos do Norte. E depois de serem insultados? Nada mudou nos estudantes do Norte, ao passo que se registrou uma elevação gigantesca de violência imaginária entre os sulistas.

De onde vêm essas culturas de honra ocidentalizadas? A violência entre os Crips e os Bloods em Los Angeles não pode ser prontamente rastreada e atribuída à mentalidade guerreira de quem cresceu pastoreando iaques. Ainda assim, as raízes pastoralistas têm sido invocadas para explicar a cultura de honra sulista. Essa teoria foi proposta pela primeira vez pelo historiador David Hackett Fischer em 1989: um prematuro regionalismo americano teria surgido com os colonos estabelecidos em diferentes regiões dos Estados Unidos, e vindos de diferentes locais.[31] Havia os peregrinos de East Anglia, estabelecidos na região da Nova Inglaterra; os quacres do norte das Midlands, instalados na Pensilvânia e em Delaware; os servos contratados do Sul da Inglaterra, enviados para a Virgínia. E o restante do Sul? Uma população desproporcionalmente formada por pastores da Escócia, da Irlanda e do Norte da Inglaterra.

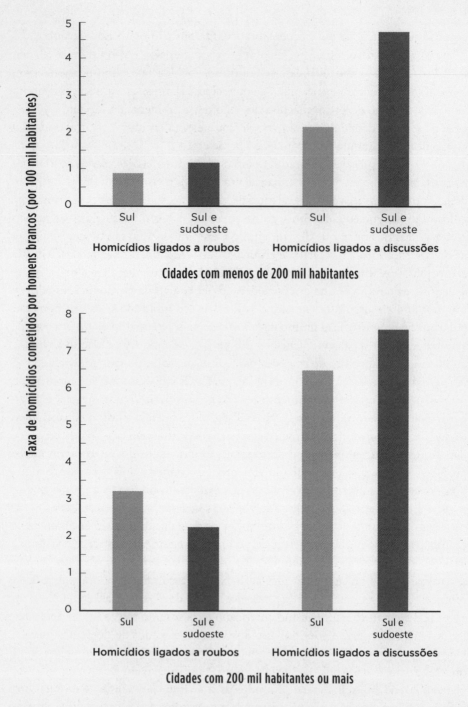

Richard Nisbett e Dov Cohen, Culture of Honor: The Psychology of Violence in the South. Boulder, CO: Westview Press, 1996.

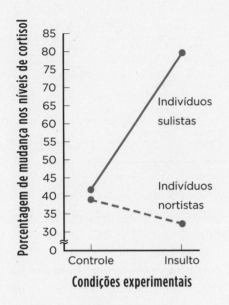 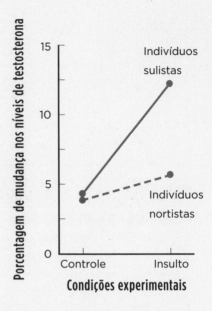

Estudantes de graduação do Sul, mas não do Norte do país, exibem respostas fisiológicas mais fortes a uma provocação social.

Claro que essa teoria tem certas limitações. Os pastoralistas das ilhas Britânicas se estabeleceram sobretudo na região montanhosa do Sul, ainda que a cultura de honra seja mais forte nas planícies sulistas. Outros pesquisadores sugeriram que o éthos da violência de retaliação nasceu do pesadelo branco sulista com a ameaça das rebeliões escravas. Mas a maioria dos historiadores encontrou uma validade razoável na teoria de Fischer.

A violência voltada para o interior

A violência derivada da cultura de honra não diz respeito apenas a ameaças externas — os ladrões de camelo da tribo ao lado, o idiota no bar de beira de estrada que flertou com a namorada de alguém. Pelo contrário, ela é igualmente definida por sua função quando a honra é ameaçada por algum elemento interno. O capítulo 11 examina casos em que as violações à norma cometidas por membros de nosso próprio grupo produzem encobrimentos, desculpas ou leniência, e também quando acarretam uma severa punição pública. Este último exemplo ocorre quando "você nos desonrou na frente de todos", uma especialidade das culturas de honra. Isso nos leva à questão dos assassinatos por honra.

O que constitui um assassinato por honra? Alguém faz uma coisa que se considera prejudicial à reputação da família. Um membro da família então mata o difamador, muitas vezes em público, e assim é capaz de retomar a dignidade do grupo. Impressionante.

Algumas características dos assassinatos por honra:

- Ainda que eles sejam registrados em toda parte e ao longo da história, as ocorrências contemporâneas estão mais restritas a comunidades tradicionais muçulmanas, hindus e siques.
- As vítimas em geral são mulheres jovens.
- Seu crime mais comum? Recusar um casamento arranjado. Pedir o divórcio de um marido abusivo e / ou com quem elas foram obrigadas a se casar quando crianças. Buscar educação. Resistir a costumes coercitivos de ortodoxia religiosa, tais como cobrir a cabeça. Casar-se, morar, sair, interagir ou falar com um homem não aprovado pela família. Infidelidade. Conversão religiosa. Em outras palavras, sempre que uma mulher resiste a se tornar propriedade de seus parentes homens. Além disso, de forma assombrosa e chocante, uma causa frequente de assassinatos por honra é ter sido estuprada.
- Nos raros casos de homens assassinados por honra, a causa mais comum é a homossexualidade.

Há controvérsias sobre se os assassinatos por honra seriam "apenas" casos de violência doméstica, e se a fascinação mórbida do Ocidente por esses crimes seria reflexo de um viés antimuçulmano;[32] se, por exemplo, um sujeito batista no Alabama matasse a esposa porque ela pediu o divórcio, ninguém enquadraria o crime como um "assassinato por honra cristão" para denotar uma barbaridade religiosa profunda. Contudo, os assassinatos por honra em geral diferem da violência doméstica comum de várias formas: a) a violência doméstica costuma ser cometida pelo parceiro, enquanto o assassinato por honra é executado por parentes de sangue, também do sexo masculino, muitas vezes com a aprovação e a facilitação de outras mulheres da família; b) assassinatos por honra raramente consistem em atos de paixão espontânea, sendo muitas vezes planejados com a aprovação de membros da família; c) assassinatos por honra são em geral racionalizados através de argumentos religiosos, apresentados sem remorso e aprovados por líderes religiosos; d) eles também são executados às claras — afinal, de que outra forma seria possível resgatar a "honra" da família? —, e o perpetrador escolhido costuma ser um familiar menor de idade (por exemplo, o irmão caçula), a fim de minimizar a extensão penal do crime.

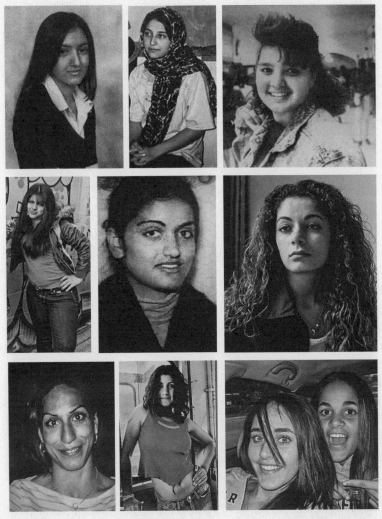

Da esquerda para a direita, começando pelo topo: Shafilea Ahmed, dezessete anos, Inglaterra, morta pelo pai e pela mãe por resistir a um casamento arranjado. Anooshe Sediq Ghulam, 22 anos, Noruega, casada aos treze anos e morta pelo marido depois de pedir o divórcio. Palestina Isa, dezesseis anos, Estados Unidos, assassinada pelos pais por sair com um homem fora de seu círculo religioso, por ouvir música americana e por arrumar em segredo um emprego de meio período. Aqsa Parvez, dezesseis anos, Canadá, morta pelo pai e pelo irmão por se recusar a usar hijab. Ghazala Khan, dezenove anos, Dinamarca, assassinada por nove de seus familiares por rejeitar um casamento arranjado. Fadime Sahindal, 27 anos, Suécia, morta pelo pai por rejeitar um casamento arranjado. Hatun Surucu Kird, 23 anos, Alemanha, morta pelo irmão após se divorciar do primo com quem fora obrigada a se casar aos dezesseis anos. Hina Salem, vinte anos, Itália, morta pelo pai por rejeitar um casamento arranjado. Amina e Sarah Said, dezoito e dezessete anos respectivamente, Estados Unidos, duas irmãs assassinadas pelos pais sob a alegação de estarem se tornando ocidentalizadas demais.

De acordo com alguns critérios bastante significativos, não se trata "apenas" de violência doméstica. Segundo estimativas da ONU e de outras organizações de defesa, todos os anos ocorrem de 5 mil a 20 mil assassinatos por honra. E eles não estão restritos a terras remotas e estrangeiras. Pelo contrário, acontecem por todo o Ocidente, onde os patriarcas esperam que as filhas sigam intocadas pelo mundo no qual eles mesmos as colocaram, e onde uma bem-sucedida assimilação da filha a esse mundo é uma espécie de proclamação da irrelevância do patriarca.

CULTURAS ESTRATIFICADAS VERSUS CULTURAS IGUALITÁRIAS

Outra forma significativa de pensar sobre variação intercultural diz respeito à distribuição desigual de recursos (por exemplo: terra, alimento, bens materiais, poder ou prestígio).[33] As sociedades de caçadores-coletores em geral se mostraram igualitárias, como em breve veremos, ao longo de toda a história dos Hominini. A desigualdade surgiu quando foram inventadas "coisas" — objetos para possuir e acumular —, depois que surgiram a domesticação animal e o desenvolvimento da agricultura. Quanto maior a quantidade de coisas que apontam para o excesso, a especialização profissional e a sofisticação tecnológica, maior a desigualdade em potencial. Além disso, ela cresce muitíssimo quando as culturas inventam a herança familiar. Uma vez criado o conceito de herança, a desigualdade se torna generalizada. Entre os pastoralistas tradicionais ou nas sociedades de agricultura em pequena escala, os níveis de disparidade de riqueza são tão altos ou maiores do que nas sociedades industrializadas mais desiguais.

Por que as culturas estratificadas dominaram o planeta, em geral substituindo outras mais igualitárias? Para o biólogo populacional Peter Turchin, a resposta é que as culturas estratificadas são ideais para atuarem como conquistadoras — elas já vêm com cadeias de comando.[34] Além disso, pesquisas tanto empíricas quanto teóricas sugerem que, em ambientes instáveis, as sociedades estratificadas estão "mais aptas a sobreviver a uma escassez de recursos [do que as culturas igualitárias], isolando a mortalidade para o interior das classes mais baixas". Em outras palavras, quando a coisa fica feia, o acesso desigual à riqueza se transforma em distribuição desigual da miséria e da morte. De modo notável, porém, a estratificação não é a única solução para tal instabilidade — era nesse momento que os caçadores-coletores se beneficiavam de sua habilidade de fazer as malas e se mudar.

Milênios depois da invenção da desigualdade, as sociedades ocidentalizadas que se encontram nos extremos do espectro da desigualdade diferem de formas chocantes.

Uma dessas diferenças diz respeito ao "capital social". O capital econômico é a quantia coletiva de bens, serviços e recursos financeiros. O capital social é a quantia coletiva de recursos tais como confiança, reciprocidade e cooperação. É possível aprender muito sobre o capital social de uma comunidade por meio de duas perguntas simples. A primeira: "As pessoas daqui são em geral confiáveis?". Uma comunidade na qual a maioria responde que sim é aquela que possui menos fechaduras, onde os indivíduos cuidam dos filhos dos outros e intervêm em situações quando seria fácil desviar o olhar. A segunda pergunta é de quantas organizações a pessoa faz parte — desde as puramente recreativas (por exemplo, uma liga de boliche) às mais vitais (sindicatos, grupos de inquilinos, cooperativas de crédito). Em uma comunidade com altos níveis de participação, as pessoas se sentem eficazes e as instituições funcionam com transparência o bastante para que elas acreditem que é possível efetuar mudanças. Pessoas impotentes não se juntam a organizações.

Colocando de forma simples, as culturas com mais desigualdade de renda têm menos capital social.[35] Para haver confiança é preciso haver reciprocidade, e a reciprocidade requer igualdade, ao passo que a hierarquia trata só de dominação e assimetria. Além disso, uma cultura muito desigual em recursos materiais é quase sempre desigual na habilidade de mexer os pauzinhos do poder, de ter eficácia, de ser visível. (Por exemplo, conforme a desigualdade de renda cresce, a porcentagem de pessoas que se dão ao trabalho de ir votar também diminui.) Quase que por definição, é impossível existir uma sociedade com uma desigualdade drástica de renda e uma abundância de capital social. Traduzindo do palavreado da ciência social, desigualdades acentuadas tornam as pessoas mais mesquinhas umas com as outras.

Isso pode ser comprovado de várias formas, seja no nível de países, estados, províncias, cidades e bairros ocidentalizados. Quanto maior a desigualdade de renda, menor a probabilidade de as pessoas ajudarem alguém (em um contexto experimental) e menos generosas e cooperativas elas são em jogos econômicos. Antes neste capítulo, mencionei as taxas interculturais de *bullying* e de "punição antissocial", quando as pessoas em jogos econômicos castigam os jogadores excessivamente generosos mais do que castigam os trapaceiros.* Pesquisas sobre esse fenômeno mostram que níveis mais altos de desigualdade e/ou mais baixos de capital social em um país são capazes de prever altas taxas de *bullying* e punição antissocial.[36]

O capítulo 11 examinará a psicologia com a qual enxergamos pessoas de diferentes status socioeconômicos; sem nenhuma surpresa, nas sociedades desiguais,

---

* De que trata a punição antissocial? A interpretação geral é que essas pessoas estão sendo punidas por serem generosas; porque elas fazem todos os outros ficarem mal ao elevar a expectativa geral de generosidade.

os indivíduos que estão no topo produzem justificativas para seu status.[37] Quanto maior a desigualdade, mais os poderosos acreditam em mitos sobre as bênçãos ocultas da subordinação: "Eles podem ser pobres, mas pelo menos são felizes/honestos/amados". Nas palavras dos autores de um artigo, "as sociedades desiguais talvez precisem dessa ambivalência para a estabilidade do sistema: a desigualdade de renda compensa certos grupos com imagens sociais parcialmente positivas".

Portanto, culturas desiguais tornam as pessoas menos bondosas. A desigualdade também as torna menos saudáveis. Isso ajuda a explicar um fenômeno muitíssimo relevante para a saúde pública, a saber, o "gradiente de nível socioeconômico (NSE) e saúde" — conforme já foi mencionado, em todas as culturas, quanto mais pobre você é, pior é a sua saúde, maiores são a incidência e o impacto de inúmeras doenças, e menor é a sua expectativa de vida.[38]

Inúmeras pesquisas examinaram o gradiente NSE/saúde. Quatro rápidos fatores a serem descartados: a) o gradiente não ocorre porque a saúde precária reduz o nível socioeconômico dos indivíduos; pelo contrário: um baixo NSE, começando na infância, é um fator preditivo de saúde precária na idade adulta; b) não é como se os pobres tivessem a saúde péssima e todos os outros estratos socioeconômicos fossem igualmente saudáveis; em vez disso, para cada degrau abaixo na escala de NSE, começando de cima, a saúde média tende a piorar; c) o gradiente não pode ser explicado pela falta de acesso dos pobres à assistência médica; ele aparece em países com um sistema público e gratuito de saúde, não varia com o grau de utilização dessa rede e ocorre com doenças não relacionadas ao acesso a serviços médicos (por exemplo, a diabetes juvenil, cuja taxa de incidência não muda com cinco checkups por dia); d) apenas um terço desse gradiente é explicado pelo baixo nível socioeconômico levando a mais fatores de risco (por exemplo, um abastecimento de água contaminada por chumbo, um depósito de lixo tóxico nas proximidades, fumar e beber mais) e a menos fatores protetores (desde possuir colchões melhores para uma coluna exausta a matricular-se em uma academia).

Então qual é a principal causa desse gradiente? Uma pesquisa vital realizada por Nancy Adler, da Universidade da Califórnia em San Francisco, mostrou que o principal fator preditivo de uma saúde precária não é exatamente *ser* pobre. É *sentir-se* pobre. O nível socioeconômico subjetivo (por exemplo, a resposta à pergunta: "Como você sente que está indo em termos financeiros quando se compara a outras pessoas?") é um indicador tão bom de saúde quanto o NSE objetivo.

Uma pesquisa crucial feita pelo epidemiologista Richard Wilkinson, da Universidade de Nottingham, acrescentou um detalhe a esse quadro: não é que a pobreza em si prenuncie uma saúde precária, e sim a pobreza em meio à abundância — ou seja, a desigualdade de renda. A forma mais garantida de fazer uma pessoa se sentir pobre é esfregar na cara dela o que ela não possui.

Por que altos graus de desigualdade de renda (independente dos níveis absolutos de pobreza) tornam os pobres menos saudáveis? Dois caminhos se sobrepõem:

Uma explicação *psicossocial* é defendida por Ichiro Kawachi, de Harvard. Quando o capital social diminui (graças à desigualdade), o estresse psicológico vai às alturas. Um volume colossal de literatura explora como esse tipo de estresse — caracterizado pela falta de controle, de previsibilidade, de válvulas de escape para a frustração e de apoio social — é capaz de ativar de forma crônica a resposta ao estresse, que, como vimos no capítulo 4, corrói a saúde de inúmeras maneiras.

Uma explicação *neomaterialista* foi oferecida por Robert Evans, da Universidade da Colúmbia Britânica, e George Kaplan, da Universidade do Michigan. Se você deseja melhorar a saúde e a qualidade de vida do cidadão médio de uma determinada sociedade, deve investir em bens públicos: transporte público melhor, ruas mais seguras, água mais limpa, escolas públicas de qualidade, um sistema de saúde universal. Contudo, quanto maior a desigualdade de renda, maior a distância financeira entre os ricos e a média da população, e, portanto, menos benefícios diretos são sentidos pelos ricos com a melhoria dos bens públicos. Ao contrário, eles se beneficiam mais ao esquivar-se de impostos e gastar com seus bens particulares: motorista, condomínio fechado, água engarrafada, escolas particulares, plano de saúde privado. Como afirma Evans, "quanto mais desiguais forem os salários em uma sociedade, mais acentuadas serão as desvantagens dos gastos públicos para os membros mais privilegiados, e mais recursos eles terão [disponíveis] para exercer uma oposição política efetiva" (por exemplo, fazer lobby). Evans observa que essa "secessão dos ricos" promove "riqueza privada e miséria pública". O que significa uma saúde mais precária para os menos favorecidos.[39]

Essa ligação entre desigualdade e saúde prepara o terreno para entender como a desigualdade também contribui para aumentar as taxas de crime e violência. Eu poderia copiar e colar o trecho anterior, substituindo "saúde precária" por "criminalidade elevada", e estaria tudo explicado. A pobreza não é um indicador criminal tão grande quanto a pobreza em meio à abundância. Por exemplo, a dimensão da desigualdade de renda é um dos principais indicadores das taxas de crimes violentos em vários estados americanos e países industrializados.[40]

Por que a desigualdade de renda leva a mais crimes? De novo temos o ângulo psicossocial: a desigualdade significa menos capital social, menos confiança, menos cooperação e menos indivíduos cuidando uns dos outros. E há o ângulo neomaterialista: a desigualdade implica um afastamento maior dos ricos quanto a contribuir para o bem público. Kaplan mostrou, por exemplo, que os estados com maior desigualdade de renda gastam proporcionalmente menos dinheiro em uma ferramenta essencial de combate ao crime: a educação. Assim como ocorre com a desigualdade e a saúde, as rotas psicossocial e neomaterialista atuam em conjunto.

Eis uma última observação deprimente sobre desigualdade e violência. Como vimos, os ratos têm a resposta ao estresse ativada quando tomam um choque. Mas se, logo em seguida, eles puderem morder loucamente outro rato, essa resposta ao estresse é menor. A mesma coisa ocorre com os babuínos — se você está numa posição baixa na hierarquia, uma forma segura de reduzir a secreção de glicocorticoides é descontar a agressividade naqueles que estão ainda mais abaixo na escala de importância que você. Um fenômeno parecido ocorre aqui: a despeito do pesadelo conservador com a luta de classes e com os pobres se sublevando e massacrando os ricos, quando a desigualdade fomenta a violência, trata-se sobretudo de pobres vitimando outros pobres.

Esse argumento é reforçado com uma bela metáfora das consequências da desigualdade social.[41] A frequência de episódios de "fúria no ar" — passageiros que perdem o controle de forma épica, destrutiva e perigosa com alguma coisa durante o voo — tem aumentado. Acontece que existe um sólido indicador desse fenômeno: se o avião contar com um setor de primeira classe, há uma probabilidade quatro vezes maior de um passageiro da classe econômica ter um episódio de fúria no ar. Obrigue os passageiros da classe econômica a passar pela primeira classe ao embarcar e essa probabilidade é mais do que dobrada. Nada como começar uma briga sendo lembrado do seu lugar na hierarquia de classes. E, para completar o paralelo com os crimes violentos, quando a fúria no ar entre os assentos da classe econômica é estimulada por lembretes de desigualdade, o resultado não é um passageiro enlouquecido invadindo a primeira classe para gritar slogans marxistas. É um sujeito tratando mal a senhora idosa que está sentada ao lado dele ou o comissário de bordo.*

TAMANHO, DENSIDADE E HETEROGENEIDADE DA POPULAÇÃO

O ano de 2008 foi um marco na história da humanidade, assinalando um ponto de transição que esteve em curso nos últimos 9 mil anos: pela primeira vez, a maioria da população passou a viver em cidades.

---

* Nota de rodapé irônica: quando os passageiros da classe econômica embarcam pela primeira classe, os índices de episódios de fúria no ar relacionados ao senso de merecimento aumentam ainda mais entre os passageiros da primeira classe.

A trajetória dos seres humanos a partir de assentamentos semipermanentes até chegar às megalópoles tem sido benéfica. No mundo desenvolvido, os habitantes das cidades em geral são mais saudáveis e ricos, quando comparados às populações rurais; redes sociais mais amplas favorecem a inovação; por causa da economia de escala, os centros urbanos deixam para trás uma pegada ecológica per capita menor.[42] A vida nas cidades contribui para um tipo diferente de cérebro. Isso foi demonstrado em um estudo de 2011 com indivíduos oriundos de inúmeras cidades, povoados e ambientes rurais que se submeteram a um estressor social experimental enquanto passavam por uma tomografia. A principal descoberta foi que quanto maior a população do local onde a pessoa morava, maior a reatividade da amígdala durante o estressor.*[43]

O mais importante para os nossos propósitos é que os seres humanos urbanos experimentam uma situação inédita entre os primatas: deparam-se regularmente com desconhecidos com quem nunca cruzarão mais, fomentando a invenção do ato anônimo. Afinal, foi só na esteira da urbanização do século XIX que o romance policial foi criado, e ele costuma ser ambientado em cidades — nos espaços tradicionais não há mistérios do tipo *whodunit*,** já que todo mundo sabe o que todo mundo fez.

As culturas em expansão tiveram de inventar mecanismos para reforçar as normas entre estranhos. Por exemplo, em várias culturas tradicionais, quanto mais numeroso é o grupo, maior é a punição para violações à norma e maior a ênfase cultural no tratamento igualitário a estranhos. Além disso, grupos maiores desenvolveram sistemas de "punição por terceiros" (não perca as cenas do próximo capítulo): isso consiste em confiar a punição a instâncias externas objetivas como a polícia e os tribunais, em vez de deixar que as próprias vítimas exerçam esse papel. No fundo, o crime não atinge apenas a vítima, mas é também uma afronta à população como um todo — daí o termo "O Povo Contra Fulano de Tal".***[44]

Por fim, a vida em populações maiores promove o desenvolvimento de um supremo castigador externo. Conforme documentado por Ara Norenzayan, da Universidade da Colúmbia Britânica, é apenas quando as sociedades crescem o su-

---

* Essa pesquisa gerou uma quantidade assombrosa de artigos na imprensa leiga, cujos títulos eram variantes de "Stress and the City" ["Estresse e a cidade", referência à série de televisão *Sex and the City*].
** Expressão que designa as histórias de detetive cujo objetivo é descobrir quem é o assassino. Vem da expressão "Who done it?", ou "Quem fez isso?". (N. T.)
*** O universo da internet passa hoje por uma evolução cultural, uma tentativa de entender como lidar com o comportamento tóxico de algumas pessoas quando protegidas pelo anonimato. Psicólogos estão inclusive conduzindo experimentos, com a ajuda de bases de dados gigantescas, para descobrir a melhor forma de refrear esse comportamento, a partir de abordagens de cima para baixo (por exemplo, ser banido por autoridades) e de intervenções lideradas pelos pares (outros usuários).

ficiente, a ponto de os indivíduos se depararem regularmente com pessoas estranhas, que os "Grandes Deuses" emergem — deidades que se preocupam com a moralidade humana e castigam nossas transgressões.[45] Sociedades com frequentes interações anônimas tendem a terceirizar a punição para os deuses.* Em contraste, os deuses dos caçadores-coletores tinham uma probabilidade menor do que a que se esperaria pelo acaso de se importar com as nossas ações boas ou más. Além disso, em pesquisas posteriores com uma série de culturas tradicionais, Norenzayan mostrou que quanto mais informados e punitivos eram considerados os deuses daquelas pessoas, mais generosas elas se mostravam com indivíduos desconhecidos da mesma religião em um jogo de alocação financeira.

Deixando de lado o tamanho da população: e quanto a sua densidade? Um estudo com 33 países desenvolvidos classificou o nível de "restrição" de cada país — quando o governo é autocrático, os dissidentes são suprimidos, o comportamento é monitorado, as transgressões são punidas, a vida é regulada por uma ortodoxia religiosa e os cidadãos enxergam certos comportamentos como inapropriados (por exemplo, cantar no elevador, xingar em uma entrevista de emprego).[46] Uma elevada densidade populacional era um prenúncio de culturas mais restritas — tanto a alta densidade no presente quanto, de forma notável, historicamente, no ano 1500.

A questão dos efeitos da densidade populacional sobre o comportamento deu lugar a um fenômeno bastante conhecido, em geral de forma incorreta.

Nos anos 1950, John Calhoun, do Instituto Nacional de Saúde Mental, examinou o que acontecia com o comportamento de ratos em densidades populacionais elevadas. A pesquisa foi impulsionada pelo constante crescimento das cidades dos Estados Unidos.[47] Em artigos para cientistas e também para o público leigo, Calhoun deu uma resposta clara: morar em locais densamente povoados produziu comportamentos "degenerados" e "patologia social". Os ratos ficavam violentos; os adultos matavam e canibalizavam uns aos outros; as fêmeas eram agressivas com seus filhotes; registrou-se uma hipersexualidade desenfreada entre os machos (por exemplo: tentar acasalar-se com fêmeas que não estavam no cio).

Todo o material escrito sobre esse assunto, a começar pelo trabalho de Calhoun, era chamativo. A pálida definição de "viver em locais com alta densidade demográfica" foi substituída por "abarrotar-se". Machos agressivos foram descritos como "enlouquecidos", e fêmeas agressivas como "amazonas". Os ratos que moravam nessas "favelas roedoras" se tornaram "marginalizados sociais", "autistas" ou "delinquentes juvenis". Um especialista em comportamento dos roedores, A. S. Parkes, descreveu os animais de Calhoun como "mães nada maternais, homosse-

---

* E há notáveis semelhanças entre essas religiões moralizantes.

xuais e zumbis" (bem o tipo de trio que você convidaria para jantar em sua casa nos anos 1950).[48]

O trabalho teve enorme influência e foi apresentado a psicólogos, arquitetos e urbanistas; mais de 1 milhão de reimpressões do artigo original de Calhoun na *Scientific American* foram requisitadas; sociólogos, jornalistas e políticos comparavam explicitamente os moradores de um determinado conjunto populacional de baixa renda aos ratos de Calhoun. A moral da história reverberou por todo o coração dos Estados Unidos, que na época se encaminhavam aos caóticos anos 1960: os centros urbanos produzem violência, patologia e degeneração social.

Os ratos de Calhoun eram mais complicados que isso (esse detalhe não foi enfatizado o suficiente em seus escritos para leigos). Viver em locais com alta densidade demográfica não torna os ratos mais agressivos. Em vez disso, torna os ratos agressivos mais agressivos ainda. (Isso nos faz recordar as conclusões de que nem a testosterona, nem o álcool, nem a violência midiática aumentam a violência de modo uniforme. Em lugar disso, tornam os indivíduos agressivos mais sensíveis a pistas sociais que evocam a violência.) Em contraste, a superpopulação transforma indivíduos pacatos em pessoas mais tímidas. Em outras palavras, ela exagera tendências sociais preexistentes.

As conclusões equivocadas de Calhoun sobre os ratos nem sequer se aplicam a seres humanos. Em certas cidades — Chicago, por exemplo, por volta de 1970 —, o aumento da densidade populacional nos bairros foi de fato um fator que prenunciou mais crimes. Contudo, alguns dos locais mais densamente habitados do mundo — Hong Kong, Cingapura e Tóquio — têm taxas minúsculas de violência. Viver em regiões com alta densidade populacional não é sinônimo de agressividade em ratos ou humanos.

As seções anteriores examinaram as consequências de viver em estreita proximidade com muita gente. E quanto às consequências de viver com diferentes *tipos* de pessoas? Diversidade. Heterogeneidade. Mistura. Mosaicos.

Duas narrativas opostas vêm à tona:

A vizinhança do sr. Rogers:* Quando pessoas de diferentes etnias, raças ou religiões vivem juntas, elas experimentam as similaridades e não as diferenças, e enxergam

---

* Referência ao aprazível programa educativo infantil *Mister Rogers' Neighborhood* [A vizinhança do sr. Rogers], criado e desenvolvido por Fred McFeely Rogers. O programa foi ao ar na televisão americana de 1968 a 2001. (N. T.)

umas às outras como indivíduos, transcendendo os estereótipos. As trocas fluem, promovendo a equidade e a mutualidade. Inevitavelmente, as dicotomias se dissolvem com os casamentos mistos, e logo você está todo alegre assistindo a uma peça de teatro escolar protagonizada por seu neto no lado "de lá" da cidade. Apenas visualize a paz mundial.

Os *Sharks* contra os *Jets*:* Diferentes tipos de pessoas convivendo em estreita proximidade costumam roçar os cotovelos com frequência, e, portanto, as cotoveladas são inevitáveis. Um ato de orgulhosa identificação cultural pode soar como uma alfinetada hostil ao outro lado, espaços públicos podem se tornar campos de batalha entre rivais, recursos compartilhados dão lugar a tragédias.

A surpresa é que ambos os resultados ocorrem; o capítulo final deste livro vai explorar as circunstâncias em que o contato intergrupos leva a um desses resultados e não ao outro. O mais interessante, neste ponto, é notar a importância das características espaciais da heterogeneidade. Imagine uma região habitada por pessoas da Elbônia e do Querplaquistão, dois grupos hostis, cada um representando metade da população. Em um dos cenários extremos, o território é dividido ao meio, cada grupo ocupa um dos lados e produz uma única fronteira entre ambos. No outro cenário extremo há um microtabuleiro de xadrez formado por etnias alternantes, em que cada quadrado tem o tamanho de uma pessoa; isso levaria a uma enorme quantidade de fronteiras entre elbonianos e querplaques.

De modo intuitivo, ambos os cenários tendem a dificultar o conflito. Na condição de separação máxima, cada grupo tem massa crítica para exercer a soberania local; o comprimento total da fronteira e, portanto, a quantidade potencial de cotoveladas intergrupos são minimizados. No cenário de mistura máxima, nenhum retalho de homogeneidade étnica é grande o bastante para fomentar um sentimento de identidade própria que possa dominar o espaço público — grande coisa se alguém fincar uma bandeira entre as próprias pernas e promulgar, em seu metro quadrado, o Império Elboniano ou a República do Querplaquistão.

Porém, no mundo real, as coisas sempre se situam entre os dois extremos, e com variações no tamanho médio de cada "retalho étnico". O tamanho do retalho e, portanto, a extensão da fronteira influenciam os relacionamentos?

Isso foi explorado em um fascinante artigo do (adequadamente intitulado) Instituto de Sistemas Complexos da Nova Inglaterra, que fica a um quarteirão do MIT.[49] Primeiro, os autores formularam uma mistura de elbonianos e querplaques, com indivíduos distribuídos de forma aleatória sob a forma de pixels em uma gra-

---

* Referência às gangues rivais do musical *West Side Story* (*Amor, sublime amor*). (N. T.)

de. Os pixels então foram agraciados com certo grau de mobilidade e uma tendência a agrupar-se junto a outros pixels do mesmo tipo. À medida que o autoagrupamento ocorria, surgiam ilhas e penínsulas de elbonianos em meio a mares de querplaques, ou vice-versa, uma condição que parece bastante propícia à violência intergrupos em potencial. Conforme o autoagrupamento prosseguiu, o número dessas ilhas e penínsulas isoladas diminuiu. O estágio intermediário que maximiza o número de ilhas e penínsulas também maximiza o número de pessoas vivendo em um enclave cercado.*

Os autores então examinaram uma região muito balcanizada, a saber, os Bálcãs, ex-Iugoslávia, em 1990. Isso foi pouco antes de sérvios, bósnios, croatas e albaneses darem início ao pior conflito na Europa desde a Segunda Guerra Mundial; um evento que nos ensinou nomes de lugares como Srebrenica e de pessoas como Slobodan Milosevic. Utilizando uma análise similar, com o tamanho das ilhas étnicas variando de mais ou menos vinte até sessenta quilômetros de diâmetro, eles identificaram os pontos que seriam, em teoria, mais profícuos para a violência; de modo notável, a análise foi capaz de antecipar os locais das principais batalhas e massacres da guerra.

Nas palavras dos autores, a violência pode irromper "devido à estrutura das fronteiras entre os grupos, em vez de ser o resultado de conflitos inerentes à dinâmica entre os grupos". Eles então mostraram que a *clareza* das fronteiras também importa. Boas e nítidas cercas — por exemplo, cadeias de montanhas ou rios dividindo os dois grupos — fazem bons vizinhos. "A paz não depende da coexistência integrada, mas de limites topográficos e políticos bem definidos para separar os grupos, permitindo a existência de autonomias parciais dentro de um único país", concluíram os autores.

Portanto, não é só o tamanho, a densidade e a heterogeneidade das populações que ajudam a explicar a violência intergrupos, mas também os padrões e a clareza da fragmentação. Essas questões serão revisitadas no último capítulo.

RESÍDUOS DE CRISES CULTURAIS

Em tempos de crise — a Blitz de Londres, Nova York depois do Onze de Setembro, San Francisco na sequência do terremoto Loma Prieta, em 1989 —, as

---

* Os autores utilizaram matemática saída diretamente da química para analisar a dimensão da mistura entre diferentes tipos de soluções, além de matemática da física que é em geral usada para desemaranhar as contribuições de ondas sobrepostas. Entendi precisamente zero de tudo isso e estou botando fé no processo de vetos da revista *Science*, o periódico científico mais seletivo dos Estados Unidos.

pessoas se unem para agir em conjunto.* Porém, em contraste, ameaças crônicas, generalizadas e corrosivas não provocam necessariamente o mesmo efeito nas pessoas e nas culturas.

A ameaça primordial da fome deixou marcas históricas. De volta àquele estudo sobre as diferenças entre os níveis de restrição dos países (os mais restritivos eram caracterizados pela autocracia, supressão dos dissidentes, e onipresença e imposição de normas de comportamento).[50] Que tipos de países são mais restritivos?**,*** Além dos correlatos já mencionados com a alta densidade populacional, há nesses países, ao longo da história, mais episódios de escassez de alimentos, menor ingestão alimentar e menores níveis de proteína e gordura na dieta. Em outras palavras, são culturas cronicamente ameaçadas por estômagos vazios.

A restritividade cultural também era prevista no caso de uma maior degradação ambiental — menos terras cultiváveis ou água limpa, mais poluição. De modo similar, a degradação e a exaustão das populações de animais agravam o conflito em culturas dependentes da caça. Um dos principais assuntos do magistral *Colapso: Como as sociedades escolhem o fracasso ou o sucesso*, de Jared Diamond, é como a degradação ambiental explica o colapso violento de inúmeras civilizações.

E há também as doenças. No capítulo 15, faremos uma menção à "imunidade comportamental", a habilidade de várias espécies em detectar pistas de doenças em outros indivíduos; como veremos, pistas implícitas de doenças infecciosas tornam as pessoas mais xenofóbicas. De modo similar, a prevalência histórica de doenças infecciosas antecipa o grau de abertura de uma cultura a pessoas de fora. Além disso, outros indicadores de restritividade cultural incluem uma alta incidência de pandemias ao longo da história, taxas elevadas de mortalidade infantil e uma média cumulativa mais alta de anos perdidos para doenças transmissíveis.

É claro que as condições meteorológicas têm efeito sobre a incidência da violência organizada — considere os séculos de guerras europeias que foram inter-

---

* Eu estava em San Francisco durante o terremoto, e houve muita comoção por hotéis chiques no centro terem aberto as portas para receber pessoas que precisavam de um teto. Vale observar que essa generosidade se aplicava a pessoas *que se tornaram* sem teto devido ao terremoto, e não a pessoas que *já eram* sem teto. Para estas, o terremoto foi só mais um dia de luta. Os hotéis aparentemente exigiam a apresentação de um cartão de crédito das pessoas, não porque iriam cobrá-las pela hospedagem, mas como evidência de que eram o tipo de gente cuja falta de moradia importava. Isso também pode ser apócrifo; é difícil imaginar que os funcionários na recepção precisassem ver um pedaço de plástico para notar a diferença.

** Quais eram os países mais "restritivos"? Paquistão, Malásia, Índia, Cingapura e Coreia do Sul. Os menos restritivos? Ucrânia, Estônia, Hungria, Israel e Holanda.

*** O Brasil está em sexto lugar entre os países menos restritivos, logo depois da Holanda. (N. T.)

rompidas nos invernos mais rigorosos e durante o período de cultivo.[51] Mais ampla ainda é a capacidade do tempo e do clima de moldar a cultura. O historiador queniano Ali Mazrui sugeriu que um dos motivos do sucesso histórico da Europa, com relação à África, era o tempo: o planejamento antecipado ao estilo ocidental surgiu da realidade anual da aproximação do inverno.* Mudanças climáticas de grande escala são famosas por suas consequências. No estudo mencionado, a restritividade cultural também podia ser prenunciada por um histórico de inundações, secas e ciclones. Outro aspecto relevante do clima se refere à Oscilação Sul, conhecida como El Niño, uma flutuação plurianual da média da temperatura da água no oceano Pacífico equatorial. Os El Niños, que ocorrem mais ou menos a cada doze anos, envolvem um clima mais quente e seco (o oposto acontece nos anos de La Niña) e estão associados, em vários países em desenvolvimento, a episódios de seca e escassez de alimentos. Nos últimos cinquenta anos, os El Niños praticamente duplicaram a probabilidade de conflitos civis, sobretudo por atiçar conflitos preexistentes.

A relação entre seca e violência é complicada. O conflito civil ao qual nos referimos no parágrafo anterior diz respeito a mortes provocadas pelo confronto entre forças governamentais e não governamentais (ou seja, guerras civis ou insurgências). Portanto, em vez de brigar por um poço de água ou um pasto para os animais, essa era uma luta por privilégios modernos de poder. Mas, em ambientes tradicionais, a seca pode trazer a necessidade de passar mais tempo procurando ou transportando água para as plantações. Um ataque surpresa para roubar as mulheres do outro grupo não é exatamente uma prioridade, e por que furtar as vacas de alguém se você não consegue nem alimentar as suas? O conflito diminui.

É interessante notar que algo parecido ocorre com os babuínos. Em geral, babuínos em ecossistemas ricos como o Serengeti passam só umas poucas horas por dia procurando comida. Parte do que define esses animais como atraentes temas de estudo para os primatólogos é que isso deixa aos babuínos cerca de nove horas diárias para devotar a maquinações sociais — conspirar, duelar e difamar. Em 1984, houve uma devastadora seca na África Oriental. Entre os babuínos, mesmo que ainda existisse comida o bastante, era preciso gastar cada momento acordado para obter as calorias necessárias; a agressividade diminuiu.[52]

Então a pressão ecológica é capaz de aumentar ou diminuir a agressividade. Isso nos leva ao tema crucial de quais serão os efeitos do aquecimento global em nossos melhores e piores comportamentos. Definitivamente haverá alguns pontos

---

* Por outro lado, contudo, os indivíduos nos trópicos também têm de antecipar as flutuações climáticas anuais, e não consta que algum sueco já tenha precisado se programar com antecedência para a temporada de monções.

positivos. Certas regiões contarão com períodos maiores de cultivo, o que irá aumentar o suprimento de alimentos e reduzir as tensões. Outras pessoas passarão a evitar conflitos, preocupadas em salvar suas casas do oceano invasor ou em cultivar abacaxis no Ártico. Porém, apesar de algumas disputas quanto aos detalhes dos modelos preditivos, o consenso é que o aquecimento global não terá um efeito positivo sobre os conflitos globais. Para começar, as temperaturas mais altas deixam as pessoas mais irritadas: nos centros urbanos, no verão, para cada três graus de elevação da temperatura, registrou-se um aumento de 4% no índice de violência interpessoal e de 14% no de violência grupal. Mas as más notícias do aquecimento global são mais gerais: desertificação, perda de terras cultiváveis devido à elevação dos mares, mais secas. Uma influente meta-análise projetou um aumento de 16% e 50% na violência interpessoal e grupal, respectivamente, em algumas regiões por volta de 2050.[53]

AH, E POR QUE NÃO? RELIGIÃO

É hora de empreender um breve ataque-relâmpago ao tema da religião, antes de examiná-la no último capítulo.

Existem incontáveis teorias sobre por que os seres humanos continuam inventando as religiões. É mais do que uma atração humana pelo sobrenatural; como já foi observado em uma análise, "o Mickey Mouse tem poderes sobrenaturais, mas ninguém o idolatra e tampouco lutaria — e mataria — em nome dele. Nosso cérebro social pode ajudar a explicar por que crianças de todo o mundo se interessam por xícaras de chá falantes, mas a religião é muito mais do que isso". Por que surge a religião? Porque ela torna os membros de um grupo mais cooperativos e viáveis (não perca as cenas do próximo capítulo). Porque os seres humanos precisam de personificação, além de enxergar componentes de ação e causalidade ao encarar o desconhecido. Ou talvez inventar deidades seja um subproduto emergente da arquitetura de nosso cérebro social.[54]

Em meio a essas especulações, algo muito mais desconcertante é a variedade das milhares de religiões que inventamos. Elas podem diferir em: número e gênero de deidades; se há vida após a morte, como funciona e o que é preciso para alcançá-la; se as deidades julgam os seres humanos e se interferem em suas vidas; se nascemos pecadores ou puros e se a sexualidade altera esses estados; se o mito fundador de uma religião é sagrado desde o início (a ponto de fazer com que homens sábios decidam visitar o bebê fundador) ou vem de um sibarita que promove reformas (por exemplo, a transição de Sidarta de uma vida palaciana até se tornar o

Buda); se o objetivo da religião é atrair novos seguidores (digamos, com notícias empolgantes — por exemplo, um anjo me visitou em Manchester, Nova York, e me deu placas de ouro)* ou reter os adeptos (nós temos um contrato com Deus, então mantenha-se conosco). E assim por diante.

Há certos padrões importantes em meio a tanta variação. Como já foi dito, culturas desérticas tendem a adotar religiões monoteístas; os habitantes de florestas tropicais se inclinam para o politeísmo. As deidades dos pastoralistas nômades tendem a valorizar a guerra e a coragem na batalha como portas de entrada para uma boa vida após a morte. Os agricultores inventam deuses que alteram as condições climáticas. Como já foi observado, uma vez que as culturas se tornam grandes o bastante para permitir a ocorrência de atos anônimos, elas começam a inventar deuses moralizantes. Deuses e religiões ortodoxas costumam dominar sobretudo as culturas que se encontram sob ameaças frequentes (guerra, desastres naturais), e que apresentam desigualdade e altas taxas de mortalidade infantil.

Antes de empurrar esse assunto para o último capítulo, três observações óbvias: a) uma religião reflete os valores da cultura que a inventou ou a adotou, e transmite esses valores de forma muito eficaz; b) a religião fomenta nossos melhores e piores comportamentos; c) é complicado.

Acabamos de examinar inúmeros fatores culturais — coletivismo versus individualismo, distribuição de recursos igualitária versus hierárquica, e assim por diante. Ainda que existam outros por considerar, é hora de passar para o assunto final deste capítulo. Trata-se de um tema que desencadeou tempestades de merda sob a forma de discussões tão antigas quanto as camadas desgastadas da garganta de Olduvai e tão novas quanto bumbum de neném, um assunto que quase impeliu os cientistas dos estudos de paz a esganarem uns aos outros.

HOBBES OU ROUSSEAU

Sim, esses dois caras.

Para lançar alguns números, os humanos anatomicamente modernos surgiram há cerca de 200 mil anos, e no aspecto comportamental, de 40 mil a 50 mil anos atrás; a domesticação de animais tem de 10 mil a 20 mil anos de idade, e a agricul-

---

* Referência a O *Livro de Mórmon*. (N. T.)

tura, cerca de 12 mil. Depois que as plantas foram domesticadas, levou mais uns 5 mil anos para que a "história" tivesse início com as civilizações no Egito, no Oriente Médio, na China e no Novo Mundo. Em que ponto desse arco histórico a guerra foi inventada? A cultura material diminui ou aumenta a inclinação para a guerra? Guerreiros bem-sucedidos deixam mais cópias de seus genes? A centralização da autoridade pela civilização de fato nos civilizou, proporcionando uma fachada de contenção socialmente contratual? Os seres humanos se tornaram mais ou menos decentes uns com os outros ao longo da história? Sim, estamos falando do embate entre vida sórdida/embrutecida/curta e o nobre selvagem.

Contrastando com os séculos de guerra de comida entre os filósofos, o debate contemporâneo sobre o tema Hobbes versus Rousseau é fundamentado em dados reais. Alguns deles são arqueológicos, nos quais os pesquisadores procuraram determinar a prevalência e a antiguidade da guerra a partir do registro histórico.

De forma previsível, metade de todas as conferências sobre o assunto é perdida em desavenças sobre definições. O termo "guerra" se aplicaria apenas à violência organizada e mantida entre grupos? Precisa haver armas? E um exército permanente (mesmo que apenas de forma sazonal)? E um exército com hierarquia e cadeia de comando? Se a briga se dá sobretudo entre linhas de parentesco, seria uma vendeta ou uma rixa entre clãs, em vez de uma guerra?

Ossos fraturados

Para a maioria dos arqueólogos, a definição operacional de "guerra" foi convencionada como uma grande quantidade de pessoas sofrendo mortes violentas de forma simultânea. Em 1996, o arqueólogo Lawrence Keeley, da Universidade de Illinois, resumiu a literatura existente em seu bastante influente *A guerra antes da civilização: O mito do bom selvagem*, que provou de forma ostensiva que as evidências arqueológicas da guerra são amplas e antigas.[55]

Uma conclusão parecida se encontra no livro *Os anjos bons da nossa natureza: Por que a violência diminuiu* (2011), de Steven Pinker, de Harvard.[56] Dane-se a polícia do clichê: não dá para mencionar esse livro sem chamá-lo de "monumental". Nessa obra monumental, Pinker argumentou que: a) a violência e os maiores horrores da desumanidade diminuíram ao longo da última metade do milênio, graças às forças restritivas da civilização; e b) a guerra e a barbaridade que precederam essa transição são tão antigas quanto a espécie humana.

Keeley e Pinker documentam uma abundância de selvageria nas sociedades tribais pré-históricas: covas coletivas repletas de esqueletos com múltiplas fraturas, crânios cindidos, traumas de "defesa" (que ocorrem quando a vítima ergue o braço para se proteger de um golpe), projéteis de pedra incrustados nos ossos. Alguns sítios apontam para as consequências de uma batalha, com uma preponderância de esqueletos de homens jovens adultos. Outros sugerem um massacre indiscriminado, com esqueletos destroçados de ambos os sexos e idades. Outros indicam ainda que houve canibalismo contra os vencidos.

Em seus levantamentos independentes da literatura especializada, Keeley e Pinker apresentam evidências de violência tribal pré-Estado vindas de lugares como Ucrânia, França, Suécia, Nigéria, Índia e de inúmeras localidades americanas antes da colonização.[57] A compilação inclui o palco mais antigo desses massacres, o sítio Jebel Sahaba, que tem 12 mil a 14 mil anos de idade e se localiza às margens do Nilo, no norte do Sudão; trata-se de um cemitério de 59 homens, mulheres e crianças, quase a metade deles com projéteis de pedra incrustados nos ossos. E inclui também o sítio do maior massacre, Crow Creek, em Dakota do Sul, uma vala comum de setecentos anos de idade com mais de quatrocentos esqueletos, 60% deles mostrando evidências de morte violenta. Em um total de 21 sítios pesquisados, cerca de 15% dos esqueletos mostraram indícios de "morte em batalha". É claro que alguém pode ser morto em uma guerra de forma que não deixe fraturas ou projéteis incrustados, o que sugere que a porcentagem de mortes em batalha devia ser ainda maior.

Keeley e Pinker também documentam como os assentamentos pré-históricos frequentemente se protegiam com barreiras e fortificações defensivas. E, é claro, não podemos nos esquecer de Otzi, o garoto-propaganda da violência pré-histórica, um "homem de gelo" tirolês de 5,3 mil anos encontrado numa geleira em derretimento em 1991, na fronteira entre a Itália e a Áustria. Em seu ombro havia uma ponta de flecha recém-incrustada.

Portanto, Keeley e Pinker documentam mortes em massa em guerras que antecedem em muito o surgimento das civilizações. Tão importante quanto isso, ambos (a começar pelo subtítulo de Keeley) sugerem que há interesses ocultos por parte dos arqueólogos em ignorar essas evidências. Para usar a expressão de Keeley: por que ocorreu uma "pacificação do passado"? No capítulo 7, vimos como a Segunda Guerra Mundial produziu uma geração de cientistas sociais que tentavam entender as origens do fascismo. Na visão de Keeley, as gerações de arqueólogos pós-Segunda Guerra evitaram o trauma da guerra recuando das evidências de que os seres humanos vinham se preparando havia um bom tempo para esse conflito. Para Pinker, que escreve da perspectiva de uma geração mais jovem, o atual encobrimento da violência pré-histórica tem a conotação de velhos arqueólogos do presente com saudades dos tempos em que fumavam maconha e ouviam "Imagine", de John Lennon.

Otzi, em seu estado atual (à esquerda), e na reconstrução de um artista (à direita). Nota: seu assassino, que não foi pego até hoje, era provavelmente muito parecido com ele.

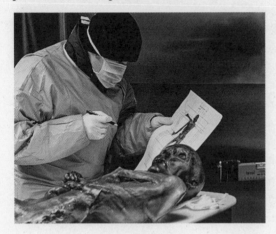

Keeley e Pinker geraram uma reação violenta da parte de muitos arqueólogos notáveis, que os acusaram de "guerrificar o passado". O mais eloquente foi R. Brian Fergunson, da Universidade Rutgers, que publicou artigos com títulos como: "Pinker's List: Exaggerating Prehistoric War Mortality" [A lista de Pinker: Exagerando a mortalidade pré-histórica em guerras]. Keeley e Pinker são criticados por inúmeras razões:[58]

a. Alguns dos sítios que supostamente apresentavam evidências de batalhas continham apenas um único caso de morte violenta, o que apontava para um homicídio, e não uma guerra.
b. Os critérios para inferir uma morte violenta incluíam a presença de pontas de flechas nas proximidades do esqueleto. Contudo, muitos desses artefatos eram na verdade ferramentas para outros propósitos, ou simplesmente gravetos e lascas. Por exemplo, Fred Wendorf, que escavou Jebel Sahaba, classificou a maioria dos projéteis associados a esqueletos como meros detritos.[59]
c. Muitos dos ossos fraturados já estavam cicatrizados. Em vez de aludir a

uma guerra, talvez apontem para as lutas ritualísticas em grupo que existiam em inúmeras sociedades tribais.

d. É difícil provar que um osso humano foi esmagado por um indivíduo humano, e não por algum outro carnívoro. Um brilhante artigo comprovou a existência de canibalismo em um vilarejo pueblo a partir do ano 1100, mais ou menos — as fezes humanas no local continham a versão humana de uma proteína específica dos músculos, a mioglobina.[60] Em outras palavras, aqueles indivíduos andaram comendo carne humana. Ainda assim, mesmo quando o canibalismo é claramente documentado, não dá para saber se houve exo ou endocanibalismo (ou seja: comer inimigos derrotados ou parentes falecidos, como ocorre em certas culturas tribais).

e. Mais importante que isso, Keeley e Pinker são acusados de selecionar cuidadosamente suas estatísticas, levando em conta apenas os sítios de supostas mortes em batalha, em vez de toda a literatura especializada.* Quando você examina os milhares de restos de esqueletos pré-históricos de milhares de sítios pelo mundo, as taxas de mortes violentas são muito menores do que 15%. Além disso, há regiões e períodos destituídos de quaisquer indícios de violência do tipo bélica. O prazer em refutar as conclusões mais gerais de Keeley e Pinker é inequívoco (por exemplo, Ferguson escreve, no artigo já citado aqui: "Por 10 mil anos no sul do Levante, *não há uma única ocorrência em que se possa dizer com certeza: 'a guerra estava lá'* [grifos dele]. Estou errado? Cite um lugar"). Portanto, os críticos concluem que as guerras eram raras antes de surgirem as civilizações humanas. Defensores de Keeley e Pinker retrucam que não se pode ignorar banhos de sangue como os de Crow Creek ou Jebel Sahaba e que a ausência de provas (de guerras ancestrais em muitos desses sítios) não é prova de ausência.

Isso sugere uma segunda estratégia para os debates contemporâneos sobre Hobbes versus Rousseau, a saber: estudar os humanos contemporâneos em sociedades tribais pré-Estado. Com que frequência eles se lançam à guerra?

---

* A resposta de Pinker à acusação de ter feito uma escolha seletiva é a seguinte: "[O livro] *Os anjos bons* registra todas as estimativas publicadas de índices per capita de mortes violentas na literatura arqueológica e antropológica que fui capaz de encontrar" (Steven Pinker, "Violence: Clarified". *Sci*, v. 338, p. 327, 2012). Se entendi direito o que ele quer dizer, isso me parece um tanto superficial. Para ceder ao chiste, seria como não incluir os quacres em uma análise de violência porque ninguém que os tenha estudado publicou algo nestes termos: "Taxas estimadas de mortes per capita em comunidades quacres devido a execuções ao estilo do submundo organizado, dentro de casas noturnas: zero; devido a ataques de drones com mísseis teleguiados: zero; devido a bombas atômicas feitas com plutônio roubado: zero...".

Pré-históricos em carne e osso

Bem, se os pesquisadores são capazes de discutir infinitamente sobre quem ou o que destroçou um osso humano de 10 mil anos de idade, imagine as discordâncias a respeito de humanos que ainda estão vivos.

Keeley e Pinker, junto com Samuel Bowles, do Instituto Santa Fé, no Novo México, concluíram que a guerra é praticamente universal nas sociedades contemporâneas sem Estado. É o universo dos caçadores de cabeças de Nova Guiné e Bornéu, dos guerreiros massais e zulus na África, dos indígenas amazônicos em expedições de ataque na floresta tropical. Keeley estima que, na ausência da pacificação imposta por forças externas como um governo, de 90% a 95% das sociedades tribais se lançam à guerra, muitas delas de forma constante; e considerando um ponto qualquer no tempo, uma porcentagem muito maior dessas sociedades está em guerra, em comparação com as sociedades-Estado. Para Keeley, as raras sociedades tribais pacíficas em geral o são porque foram derrotadas e dominadas por uma tribo vizinha. Ele diz que houve uma subnotificação sistemática da violência por antropólogos contemporâneos com a intenção de pacificar essas relíquias vivas do passado.

Keeley também tenta desbancar a ideia de que a violência tribal é sobretudo ritualística — uma flecha na coxa de alguém, uma ou duas cabeças golpeadas com um tacape e por hoje chega. Em vez disso, a violência nas culturas sem Estado é letal. Keeley parece se gabar disso, documentando como inúmeras culturas utilizaram armas projetadas para a guerra, capazes de provocar danos graves. Muitas vezes ele assume um tom ofendido, quase irritado, ao mencionar aqueles antropólogos pacificadores que acham que os grupos indígenas não têm a organização, a autodisciplina e a ética puritana de trabalho para infligir banhos de sangue. Ele relata a superioridade dos guerreiros tribais em relação aos exércitos ocidentalizados, descrevendo como, por exemplo, na Guerra Anglo-Zulu, as lanças dos nativos eram mais certeiras do que as armas britânicas do século XIX, e afirma que os britânicos ganharam o conflito não porque eram guerreiros superiores, mas por causa da sofisticação logística que lhes permitia lutar em conflitos prolongados.

Assim como Keeley, Pinker conclui que a guerra é praticamente onipresente nas culturas tradicionais, estimando que cerca de 10% a 30% das mortes ocorridas nas tribos da Nova Guiné (como os gebusi e os mae enga) estão ligadas a batalhas, e algo na faixa de 35% a 60% no caso das tribos waorani e jivaro, na região amazônica. Pinker faz certas estimativas sobre as taxas de morte por violência. Hoje em dia, a Europa se encontra na faixa anual de um homicídio a cada 100 mil habitantes. Durante as ondas de crimes dos anos 1970 e 1980, os Estados Unidos chegaram a dez; Detroit se aproximou de cerca de 45. A Alemanha e a Rússia, durante as guer-

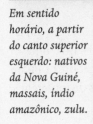

Em sentido horário, a partir do canto superior esquerdo: nativos da Nova Guiné, massais, índio amazônico, zulu.

ras do século XX, exibiram em média índices de 144 e 135, respectivamente.* Em contraste, as 27 sociedades sem Estado examinadas por Pinker têm uma média de

---

* Segundo dados de 2015 coletados pelo Escritório das Nações Unidas sobre Drogas e Crime (UNODC), a taxa do Brasil é atualmente de 26 homicídios por 100 mil habitantes, o que nos garante a 14ª colocação entre os países mais violentos em uma lista de 219 concorrentes. Disponível em: <https://data.unodc.org>. Acesso em: 27 abr. 2021. (N. T.)

524 mortes. Há os dani, do Grand Valley, na Nova Guiné; os piegan blackfoot, das Grandes Planícies dos Estados Unidos; e os dinka, do Sudão. Todas essas sociedades chegaram, em seu ápice, a mil mortes por 100 mil habitantes, o equivalente a perder um conhecido por ano. A medalha de ouro vai para os kato, uma tribo da Califórnia que, nos anos 1840, cruzou a linha de chegada com quase 1,5 mil mortes anuais por 100 mil habitantes.

Nenhum tour pela violência nas culturas indígenas estaria completo sem os ianomâmis, uma tribo que vive na Amazônia brasileira e venezuelana. De acordo com a visão convencional, quase sempre há ataques entre aldeias; 30% das mortes de homens adultos se devem à violência; quase 70% dos adultos têm um parente próximo morto de forma violenta; 44% dos homens já mataram alguém.[61] Um pessoal bem divertido.

Os ianomâmis se tornaram conhecidos por causa de Napoleon Chagnon, um dos mais famosos e controversos antropólogos, um acadêmico briguento, duro, combativo e sem limites que começou a estudá-los nos anos 1960. Ele estabeleceu a reputação dos ianomâmis com sua monografia *Yanomamo: The Fierce People* [Ianomâmis: O povo feroz], de 1967, um clássico da antropologia. Graças a suas publicações e a seus filmes etnográficos sobre a violência dos ianomâmis, tanto a ferocidade desses índios quanto a dele mesmo se converteram em lugares-comuns da antropologia.*

Um conceito central do próximo capítulo é que a evolução consiste em passar cópias de seus genes para a próxima geração. Em 1988, Chagnon publicou o notável relato de que os homens ianomâmis que se destacavam como matadores tinham mais esposas e filhos do que a média — passando adiante mais cópias de seus genes.

---

* Quando, em meus tempos de faculdade, Chagnon foi convidado para dar uma palestra em uma aula de antropologia, os alunos se vestiram de ianomâmis como uma espécie de homenagem a ele (claro que não fiz isso, sou muito inibido); pelo visto, era um costume dos estudantes de antropologia aparecer desse jeito em suas palestras itinerantes, o que talvez tenha se tornado irritante depois de um certo tempo, já que ele tinha de aparentar surpresa e então posar para fotos com eles. Chagnon esteve no centro de uma tempestade de controvérsias no ano 2000, quando o jornalista Patrick Tierney, em seu livro *Trevas no Eldorado: Como cientistas e jornalistas devastaram a Amazônia e violentaram a cultura ianomâmi*, acusou Chagnon e um colaborador de causarem uma epidemia genocida de sarampo entre os ianomâmis, bem como de cometer outros abusos éticos contra os indígenas enquanto sujeitos de pesquisa. A Associação Americana de Antropologia (AAA) de início condenou Chagnon, o que foi interpretado pela comunidade como uma punição tanto por ele ser um sujeito áspero, um *enfant terrible* contrário às redes de companheirismo acadêmico, quanto pela consistência das acusações. No fim das contas, a AAA e investigadores independentes o inocentaram por completo, provando que as acusações de Tierney variavam entre desleixadas e fraudulentas. O livro mais recente de Chagnon, uma biografia, tem o título: *Nobres selvagens: Minha vida entre duas tribos perigosas — os ianomâmis e os antropólogos*.

Isso sugere que, se você é bom de briga, a guerra pode fazer maravilhas por seu legado genético.

Portanto, entre as culturas tribais sem Estado que representam nosso passado pré-histórico, quase todas têm um histórico de guerras letais, algumas delas praticamente ininterruptas, e os indivíduos que se destacam como matadores são mais bem-sucedidos em termos evolutivos. Bem deprimente.

Inúmeros antropólogos contestam com vigor cada aspecto desse cenário:[62]

- De novo a escolha seletiva. Na análise de Pinker sobre a violência entre os grupos de caçadores-horticultores e outras tribos, todos os exemplos — exceto um — vêm da Amazônia ou das áreas montanhosas da Nova Guiné. Estatísticas globais revelam taxas muito menores de guerra e violência.

- Pinker antecipou essa crítica ao usar a carta da pacificação-do-passado de Keeley, questionando aqueles índices globais mais baixos. Ele direcionou sua acusação sobretudo aos antropólogos (que ele define, de modo bem pejorativo, como "pacíficos antropólogos", de certa forma parecidos com "os que acreditam no Coelhinho da Páscoa") que escreveram sobre o incrivelmente pacífico povo semai, da Malásia. Isso levou a uma carta colérica desse grupo à revista *Science*, na qual, além de esclarecer que eles eram "antropólogos da paz", e não "pacíficos antropólogos",* reiteravam sua condição de cientistas com senso de objetividade, que estudaram o povo semai sem noções preconcebidas, em vez de serem um bando de hippies (eles inclusive se sentiram no dever de informar que a maioria não era pacifista). A resposta de Pinker foi: "É encorajador saber que os 'pacíficos antropólogos' agora enxergam sua disciplina como empírica, e não ideológica, uma mudança bem-vinda tendo em vista aqueles tempos em que assinavam manifestos dizendo que sua posição sobre a violência era a 'correta', ao mesmo tempo que censuravam, bloqueavam ou espalhavam rumores difamatórios com relação aos colegas que discordavam deles". Puf, acusar seus adversários acadêmicos de assinar manifestos é como enfiar uma faca afiada no estômago.[63]

- Outros antropólogos estudaram os ianomâmis e nenhum deles documentou a violência apontada por Chagnon.[64] Além disso, seu relato sobre o aumento do sucesso reprodutivo entre os ianomâmis mais sanguinários foi

---

* Distinção que, de algum modo, me faz lembrar Atum Charlie — estrela das propagandas de televisão da minha infância —, ao receber a informação de que a StarKist quer um atum com gosto bom, e não um atum com bom gosto.

demolido pelo antropólogo Douglas Fry, da Universidade do Alabama em Birmingham, ao mostrar que a conclusão de Chagnon era produto de uma falha na análise de dados: Chagnon havia comparado o número de descendentes de homens mais velhos que mataram inimigos em batalhas com o dos que não haviam matado, encontrando uma quantia significativamente maior de filhos entre os primeiros. Contudo: a) Chagnon não levou em conta as diferenças de idade: acontece que os matadores eram, em média, mais de uma década mais velhos do que os não matadores, o que significa dez anos adicionais para acumular descendentes; b) mais importante, essa era a análise errada para responder à pergunta colocada. A questão não é o sucesso reprodutivo de idosos que foram matadores na juventude. É preciso levar em consideração o sucesso reprodutivo de *todos* os matadores, inclusive aqueles que foram eles mesmos mortos enquanto ainda eram jovens guerreiros, uma limitação drástica ao seu sucesso reprodutivo. Não fazer isso é como concluir que a guerra não é letal baseando-se apenas no estudo de veteranos sobreviventes.

- Além disso, a conclusão de Chagnon não pode ser generalizada — pelo menos três estudos de outras culturas falharam em encontrar uma relação entre violência e sucesso reprodutivo. Por exemplo, um estudo de Luke Glowacki e Richard Wrangham, de Harvard, examinou uma tribo de pastoralistas nômades, os nyangatom, do Sul da Etiópia. Como os demais pastoralistas daquela região, eles se atacavam regularmente para roubar gado uns dos outros.[65] Os autores descobriram que a participação frequente em ataques de larga escala e campo aberto não prenunciava um sucesso reprodutivo vitalício. Em vez disso, tal sucesso estava ligado à participação frequente em "ataques silenciosos", nos quais um grupo pequeno roubava vacas do inimigo de forma furtiva, à noite. Em outras palavras, nessa cultura, ser um guerreiro bombado em esteroides não garante uma ampla transferência de seus genes; o que conta é ser um ladrão de gado desprezível, sorrateiro e patife.

- Esses grupos indígenas *não são* representações de nosso passado pré-histórico. Em primeiro lugar, porque muitos deles têm acesso a armas mais letais do que as dos indígenas pré-históricos (uma crítica condenatória a Chagnon é que, muitas vezes, ele oferecia aos ianomâmis machados, facões e escopetas em troca da cooperação em seus estudos). Além disso, esses grupos em geral vivem em ambientes degradados que estimulam a competição por recursos, até mesmo porque estão cada vez mais acuados pelo mundo exterior. E o contato com o exterior pode ser catastrófico.

Pinker cita uma pesquisa que mostra altas taxas de violência entre as tribos amazônicas aché e hiwi. Contudo, examinando os relatórios originais, Fry descobriu que *todas* as mortes entre os aché e os hiwi foram homicídios perpetrados por fazendeiros da fronteira que tentavam expulsá-los de suas terras.[66] Isso não nos diz nada sobre nosso passado pré-histórico.

Ambos os lados nessas discussões têm muito a perder. Quase no fim de seu livro, Keeley expressa uma preocupação bastante estranha: "As doutrinas de pacificação do passado sugerem de modo peremptório que a única resposta para o 'poderoso flagelo da guerra' é o retorno às condições tribais e a destruição de toda a civilização". Em outras palavras, a menos que alguém acabe com essa baboseira de arqueólogos pacificando o passado, as pessoas irão jogar fora seus antibióticos e micro-ondas, executar uns rituais de escarificação e aderir a tapa-sexos — e para onde isso iria nos levar?

Os críticos do outro lado dessas discussões têm preocupações mais profundas. Primeiro porque a falsa descrição de certas tribos — digamos, as amazônicas — como sendo incessantemente violentas tem sido utilizada para justificar o roubo de suas terras. De acordo com Stephen Corry, da Survival International, uma organização de direitos humanos que defende populações indígenas, "Pinker está promovendo a imagem fictícia e colonialista de um 'Selvagem Brutal' retrógrado, imagem essa que atrasa o debate em um século e ainda hoje é usada para dizimar tribos".[67]

Em meio a essas turbulentas discussões, vamos manter o foco naquilo que nos fez chegar até aqui. Um comportamento ocorreu, seja ele bom, mau ou ambíguo. Como os fatores culturais que remontam às origens dos seres humanos contribuíram para isso? São irrelevantes para esse assunto as práticas de roubar gado em uma noite sem lua; de deixar de lado os cuidados com a horta de mandioca para atacar seus vizinhos amazônicos; de construir fortificações; ou de dizimar todos os homens, mulheres e crianças de um vilarejo. É que todos esses sujeitos de estudo são pastoralistas, agricultores ou horticultores, estilos de vida que surgiram apenas nos últimos 10 mil a 14 mil anos, ou seja, depois da domesticação das plantas e dos animais. No contexto da história dos Hominini, que remonta a centenas de milhares de anos, ser um pastor de camelos ou um fazendeiro é quase tão moderno quanto ser um lobista defendendo os direitos legais dos robôs. Durante a maior parte da história, os seres humanos foram caçadores-coletores, ou seja, farinha de outro saco.

A guerra e os caçadores-coletores, passado e presente

Cerca de 95% a 99% da história dos Hominini foi passada em grupos pequenos e nômades que coletavam plantas comestíveis e caçavam de forma cooperativa. O que se sabe sobre a violência entre os caçadores-coletores (para o bem de nossa sanidade, daqui para a frente chamados de cc)?

Já que os pré-históricos cc não tinham uma grande quantidade de possessões materiais capazes de durar dezenas de milhares de anos, eles praticamente não deixaram registro arqueológico. A compreensão da mente e do estilo de vida deles vem de pinturas rupestres de até 40 mil anos atrás. Ainda que as pinturas de todos os cantos do mundo retratem seres humanos caçando, quase nenhuma mostra de forma clara a violência entre eles.

O registro paleontológico é ainda mais esparso. Até hoje, foi descoberto apenas um sítio de massacre entre cc, no norte do Quênia, datado de 10 mil anos atrás; isso será discutido mais adiante.

O que fazer diante desse vácuo de informação? Uma das abordagens é comparativa, ou seja, inferir sobre a natureza de nossos ancestrais distantes comparando-os com primatas não humanos ainda existentes. As primeiras tentativas dessa abordagem foram os escritos de Konrad Lorenz, assim como os de Robert Ardrey, que argumentou, em seu best-seller *The Territorial Imperative* [O imperativo territorial], de 1966, que as origens humanas têm raízes na violência territorial.[68] A mais influente manifestação moderna vem de Richard Wrangham, sobretudo em seu livro escrito em coautoria com Dale Peterson, *O macho demoníaco: As origens da agressividade humana*, de 1997. Para Wrangham, os chimpanzés constituem os mais nítidos guias para o comportamento dos primeiros seres humanos, e o cenário é sangrento. Ele basicamente passa batido pelos cc: "Então retornamos aos ianomâmis. Será que eles nos sugerem que a violência dos chimpanzés está ligada às guerras humanas? É claro que sim". Wrangham resume seu ponto de vista:

> A misteriosa história anterior à história, a tábula rasa do conhecimento de nós mesmos antes de Jericó, deu licença à nossa imaginação coletiva e autorizou a criação de édens primitivos para alguns e de matriarcados esquecidos para outros. É bom sonhar, mas uma racionalidade sóbria e alerta sugere que, se partíssemos de ancestrais como os chimpanzés e terminássemos com humanos modernos construindo muros e plataformas de batalha, a trilha de 5 milhões de anos que leva até as nossas personalidades atuais esteve alinhada, em todo o seu percurso, a uma agressividade masculina que estruturou a vida social, a tecnologia e a mente de nossos ancestrais.

Isso é Hobbes do começo ao fim, somado a um desprezo ao estilo de Keeley pelos sonhadores da pacificação-do-passado.

Essa visão foi vigorosamente criticada: a) não somos nem chimpanzés nem seus descendentes; eles têm evoluído quase no mesmo ritmo que os humanos desde nossa separação ancestral; b) Wrangham escolhe a dedo os exemplos de suas ligações interespécies: por exemplo, ele afirma que o legado evolutivo humano da violência tem origem não só em nossa estreita relação de parentesco com os chimpanzés, mas também em nossa relação não-tão-estreita-assim com os gorilas, que praticam o infanticídio competitivo; o problema é que, no geral, os gorilas manifestam uma agressividade mínima, algo que Wrangham ignora ao relacionar a violência humana a eles; c) no exemplo mais significativo dessa conveniente seleção de espécies, Wrangham basicamente ignora os bonobos, com seus níveis muito mais baixos de violência quando comparados aos chimpanzés, de dominância social das fêmeas e ausência de territorialidade hostil. De forma crucial, os seres humanos compartilham o mesmo percentual de genes com bonobos e com chimpanzés, algo que não se sabia quando *O macho demoníaco* foi publicado (desde então, de forma notável, Wrangham amenizou sua posição sobre o tema).

Com relação a esse campo, a maior parte dos insights sobre o comportamento de nossos ancestrais cc tem origem no estudo de cc contemporâneos.

Houve um dia em que o mundo dos humanos consistiu em nada além de cc; hoje, os resquícios desse universo se encontram nos últimos bolsões remanescentes de povos que vivem vidas puras de cc. Isso inclui os hadza, do Norte da Tasmânia; os "pigmeus" mbuti, do Congo; os batwa, de Ruanda; os gunwinggu, do deserto australiano; os andamaneses, da Índia; os batak, das Filipinas; os semang, da Malásia; e várias culturas inuítes no Norte do Canadá.

Para começar, antes se acreditava que, entre os cc, as mulheres cuidam da coleta enquanto os homens proveem a maior parte das calorias com sua caça. Na verdade, a maior porção das calorias vem da coleta; os homens passam tempo demais falando sobre como foram incríveis na última caçada e como serão ainda mais incríveis na seguinte — entre alguns hadza, as avós maternas proveem uma porção maior das calorias da família do que os Intrépidos Machos Caçadores.[69]

O arco da história humana corresponde facilmente ao arco do progresso, e a chave para este último é a visão de que a agricultura foi a maior invenção da humanidade; irei vociferar contra isso mais adiante. A pedra angular do lobby da agricultura é a ideia de que os cc primordiais estavam quase morrendo de fome. Na verdade, os cc em geral trabalhavam uma quantidade menor de horas para conseguir o pão de cada dia, em comparação aos fazendeiros tradicionais, e também tinham uma vida mais longa e saudável. Nas palavras do antropólogo Marshall Sahlins, os cc eram a sociedade afluente original.

Em sentido horário, a partir do topo: hadza, mbuti, andamaneses, semang.

Há alguns temas demográficos compartilhados entre os cc contemporâneos.[70] No passado, acreditava-se que os bandos de cc tinham um sistema de grupos bastante estanque, o que produzia afinidades consideráveis entre os seus membros. Pesquisas mais recentes sugerem menos afinidade do que se imaginava, um reflexo dos agrupamentos fluidos de fissão-fusão em cc nômades. Os hadza ilustram uma das consequências de tal fluidez, a saber, o fato de que caçadores especialmente cooperativos se encontram para trabalhar juntos. Mais sobre isso no próximo capítulo.

E sobre os nossos melhores e piores comportamentos nos cc contemporâneos? Até os anos 1970, a resposta óbvia era de que os cc são pacíficos, cooperativos e igualitários. A fluidez intergrupal serve como uma válvula de escape para prevenir a violência individual (ou seja, quando duas pessoas estão prestes a se esganar, uma delas se muda para outro bando), ao passo que o nomadismo como válvula de escape previne a violência intergrupos (ou seja, em vez de entrar em guerra com o bando vizinho, basta ir caçar em algum outro vale).

Os maiores representantes do caráter descolado dos cc são os !kung, do Kalahari.*[71] O título de uma das monografias pioneiras sobre essa tribo diz tudo: *The Harmless People* [O povo inofensivo], de 1959, de autoria de Elizabeth Marshall Thomas.** Os !kung estão para os ianomâmis assim como Joan Baez está para Sid Vicious e os Sex Pistols.

Claro, essa imagem dos !kung em particular e dos cc em geral era um alvo pronto para o revisionismo. Isso ocorreu quando os estudos de campo se estenderam por tempo suficiente para documentar cc matando uns aos outros, conforme foi descrito em um influente artigo escrito por Carol Ember, de Yale, em 1978.[72] Basicamente, se você estiver estudando um grupo de trinta pessoas, vai levar um tempão para perceber que, em termos per capita, eles têm taxas de homicídio próximas às de Detroit (a comparação-padrão sempre feita nesses casos). Admitir que os cc eram violentos foi visto como uma purgação do romantismo antropológico dos anos 1960, um revigorante tapa na cara dos antropólogos que abandonaram a objetividade para dançar com os lobos.

Na época da síntese de Pinker, a violência entre os cc já estava estabelecida, e a porcentagem das mortes atribuídas a batalhas girava em torno de 15%, muito maior do que nas sociedades modernas ocidentais. A violência contemporânea dos cc constitui um grande voto a favor da visão hobbesiana de que a guerra e a violência permeiam toda a história humana.

---

* Os !kung falam uma linguagem de cliques, sendo o ponto de exclamação antes do nome a notação para o som do clique. Conhecidos informalmente como "boxímanes", eles fazem parte do grupo cultural dos khoisan, encontrados em Botsuana, Namíbia, Angola e África do Sul. A título de orientação, o filme *Os deuses devem estar loucos* retrata os !kung. Uma observação: ainda que !kung seja o termo mais familiar e mais usado por esse povo, tanto eles quanto a maioria dos antropólogos contemporâneos utilizam em vez disso o termo "Ju/'hoansi".

** Fui criado em um departamento de antropologia que era um importante reduto de admiradores dos !kung e que generalizava esse sentimento para uma enorme afeição por todas as coisas relacionadas aos cc africanos (talvez, e em parte, porque sejam todos baixinhos). Uma minúscula tribo remanescente de cc chamada alternativamente de ndorobo ou okiek vive nas florestas ao norte do Serengeti, no Quênia. Eles têm uma relação estranhamente simbiótica com os vizinhos massais, aparecendo de vez em quando do meio da floresta para trocar objetos ou exercer um papel xamanístico em alguma cerimônia massai. São baixinhos e calados, vestem-se com peles de animais, e me diverti muito ao ver como conseguem irritar os massais, que são muito mais altos e brandem suas lanças. Meus amigos massais faziam chacota de mim por estar tão obcecado pelos ndorobo.

313

Caçadores-coletores !kung, do Kalahari.

Agora é hora das críticas:[73]

- Designação errônea: alguns cc citados por Pinker, Keeley e Bowles são, na verdade, caçadores-horticultores.
- Em um exame mais detido, muitas ocorrências de supostas batalhas entre cc se revelaram como sendo homicídios simples.
- Certas culturas violentas de cc das Grandes Planícies não eram tradicionais, pois contavam com algo crucial que não existia no Pleistoceno: cavalos domesticados para o uso em batalhas.
- Assim como os agricultores e os pastoralistas não ocidentais, os cc contemporâneos não são equivalentes aos nossos ancestrais. As armas inventadas nos últimos 10 mil anos foram introduzidas por meio do comércio; a maioria das culturas de cc passou milênios sendo expulsa por agricultores e pastoralistas, empurrada para ecossistemas ainda mais rudes e sem recursos.
- Mais uma vez, a questão da escolha seletiva, ou seja, o fato de não se conseguir citar casos de cc pacíficos.
- E o mais importante: há mais de um tipo de cc. Os nômades são os originais, remontando a centenas de milhares de anos.[74] Mas, além dos cc 2.0, com acesso à equitação, há os "cc complexos", que são diferentes: violentos, não particularmente igualitários e sedentários, em geral porque vivem junto a uma fonte rica de alimentos que eles protegem dos invasores. Em outras palavras, uma forma de transição a partir dos cc puros. Acontece que muitas das culturas citadas por Ember, Keeley e Pinker são de cc complexos. Essa diferença é importante no caso de Nataruk, aquele sítio ao norte do Quênia que foi palco de um massacre 10 mil anos atrás — esqueletos de 27 pessoas não enterradas e mortas a pauladas, facadas ou projéteis de pedra. As vítimas eram cc sedentários que viviam junto a uma baía rasa no lago Turkana, um terreno de primeira categoria, de frente para o mar, com uma vasta oferta de pescaria e de animais incautos se aproximando da água para beber. Exatamente o tipo de propriedade da qual terceiros fariam de tudo para se apoderar.

As análises mais cuidadosas e reveladoras sobre a violência entre os cc vêm de Fry e de Christopher Boehm, da Universidade do Sul da Califórnia. Elas traçam um retrato complexo.

Fry forneceu o que considero a mais clara estimativa do estado de guerra em tais culturas. Em um artigo célebre para a revista *Science*, em 2013, ele e o antropólogo finlandês Patrik Söderberg revisaram todos os casos de violência letal da literatura etnográfica em cc nômades "puros" (ou seja, estudados o suficiente antes do

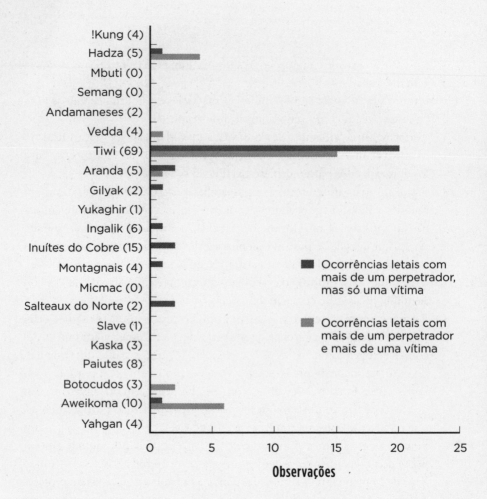

Douglas P. Fry e Patrik Söderberg, "Lethal Aggression in Mobile Forager Bands and Implications for the Origins of War". Sci, v. 341, n. 6143, p. 270, 2013.

contato prolongado com indivíduos de fora, e vivendo em um ecossistema estável). A amostra consistia em 21 desses grupos, de todas as partes do mundo. Fry e Söderberg observaram o que pode ser chamado de estado de guerra (definido pelo critério bastante amplo de conflito que produz múltiplas vítimas) em apenas uma pequena parte dessas culturas. Não era algo predominante. Isso é talvez a melhor estimativa que teremos sobre a guerra entre nossos ancestrais cc. Ainda assim, esses cc puros não eram exatamente hippies pacifistas; 86% das culturas registravam algum tipo de violência letal. Mas quais eram as causas?

Em seu livro *Moral Origins: The Evolution of Virtue, Altruism, and Shame* [Origens morais: A evolução da virtude, do altruísmo e da vergonha], de 2012, Boehm também faz uma revisão da literatura, usando critérios um pouco menos rígidos do que os de Fry, e produz uma lista de cerca de cinquenta culturas nômades de CC relativamente "puras" (bastante desequilibrada pelo domínio de grupos inuítes, do Ártico).[75] Como esperado, a violência é sobretudo cometida por homens. A ocorrência mais comum é o homicídio relacionado a mulheres: dois homens competindo por uma moça em particular ou tentativas de roubar a mulher de um grupo vizinho. Claro, há homens matando as próprias esposas, em geral motivados por acusações de adultério. Existem ainda o infanticídio feminino e o homicídio causado por acusações de bruxaria. Há assassinatos ocasionais que se dão por causa do roubo corriqueiro de alimentos ou pela recusa em dividir comida. E ocorrem inúmeros homicídios de vingança cometidos por familiares de alguém que foi morto.

Tanto Fry quanto Boehm registram assassinatos similares à pena capital por graves violações à norma. Que normas os CC nômades mais valorizam? A equidade, a reciprocidade indireta e a rejeição ao despotismo.

Equidade. Conforme já observado, os CC foram os primeiros seres humanos a promover a caça cooperativa e o compartilhamento com indivíduos que não pertencem à mesma família.[76] Isso é mais impressionante quando se trata de carne. Os caçadores bem-sucedidos costumam dividi-la com os fracassados (e suas famílias); os indivíduos com papéis dominantes nas caçadas não recebem necessariamente mais carne do que os demais; de modo crucial, é raro o caçador mais bem-sucedido decidir como a carne será dividida — em geral, isso é realizado por terceiros. Existem fascinantes indícios da antiguidade desse costume. Há registros de caçadas de grandes animais pelos Hominini datados de 400 mil anos atrás; os ossos dos animais destroçados exibem marcas caóticas, sobrepostas em ângulos diferentes, o que sugere um "salve-se-quem-puder". Contudo, por volta de 200 mil anos atrás, o padrão dos CC contemporâneos já se faz presente: as marcas de incisão são paralelas e espaçadas igualmente, sugerindo que um único indivíduo cortou e distribuiu a carne.

Isso não significa, contudo, que o compartilhamento é fácil para os CC puros. Boehm observa que os !kung, por exemplo, se queixam o tempo todo de ser passados para trás na hora da distribuição da carne. É uma espécie de ruído de fundo da regulação social.

Reciprocidade indireta. O próximo capítulo examinará o altruísmo recíproco entre pares de indivíduos. Boehm ressalta, ao contrário, o quanto os CC nômades se especializam na reciprocidade indireta. A pessoa A é altruísta para B; a obrigação social de B não é necessariamente ser altruísta para A, mas sobretudo retribuir o altruísmo para C. Este, por sua vez, retribui para D e assim por diante. Essa cooperação estabilizadora é ideal para caçadores de grandes animais, entre os quais duas regras se aplicam: a) suas caçadas costumam ser infrutíferas; e b) quando são bem-sucedidas, você em geral termina com um volume de carne muito maior do que a sua família é capaz de consumir, então poderia muito bem compartilhá-la. Como já foi dito, o melhor investimento que um cc pode fazer para não passar fome no futuro é botar carne no estômago dos outros hoje mesmo.

Rejeição ao despotismo. Como também será abordado no próximo capítulo, existe uma considerável pressão evolutiva para detectar traições (quando alguém não consegue cumprir sua parte em um relacionamento recíproco). Porém, para os cc nômades, monitorar traições veladas é uma preocupação secundária em comparação com a de identificar evidências claras de intimidação e demonstração de poder. Os cc estão o tempo todo alertas para valentões tentando mandar e desmandar nos outros.

As sociedades de cc empreendem um enorme esforço *coletivo* para reforçar a equidade, a reciprocidade indireta e a rejeição ao despotismo. Isso é obtido com o uso daquele excelente mecanismo de reforço de normas: a fofoca. Os cc fofocam sem parar, e, como foi descrito por Polly Wiessner, da Universidade de Utah, sobretudo a respeito dos assuntos de sempre: violações à norma cometidas por indivíduos de alta posição hierárquica.[77] Uma espécie de revista *Caras* em torno da fogueira.* A fofoca serve para inúmeros propósitos. Contribui para os testes de realidade ("É impressão minha ou ele está sendo um completo idiota?"), o repasse de notícias ("Adivinha só quem teve uma cãibra no pé hoje, e bem na hora mais difícil da caçada?") e a construção do consenso ("Alguém precisa dar um jeito nesse cara"). A fofoca é uma arma para o reforço das normas.

As culturas de cc empreendem ações semelhantes, submetendo coletivamente os delinquentes a críticas, humilhação e chacota, condenando-os ao ostracismo e à exclusão, recusando-se a dividir comida com eles, aplicando-lhes castigos físicos não letais, expulsando-os do grupo ou, como último recurso, matando-os (o que pode ser feito pelo grupo inteiro ou por um executor escolhido).

Boehm registra esses assassinatos judiciais em quase metade das culturas puras de cc. Que tipo de transgressões merece tal castigo? Homicídio, tentativas de

---

* Boehm diz que os antropólogos nunca sabiam bem o que de fato estava acontecendo com seus sujeitos de pesquisa até que tivessem acesso às fofocas. Durante a minha pesquisa com babuínos, passei várias temporadas dividindo acampamento com um grupo de massais que eu conhecia relativamente bem, e ficava sempre a par dos principais acontecimentos da comunidade. Mais tarde, minha futura esposa passou a me acompanhar no trabalho de campo, e foi só então que começamos a saber das notícias mais quentes, já que ela ficou amiga de algumas mulheres — o básico de quem dormiu ou não dormiu com quem.

tomar o poder, uso de feitiçaria maligna, roubo, recusa a dividir, traição ao grupo em favor de forasteiros e, é claro, quebra de tabus sexuais. É comum que tais transgressões sejam punidas dessa forma depois de outras intervenções terem falhado várias vezes.

Então: Hobbes ou Rousseau? Bem, uma mistura dos dois, eu responderia de forma um tanto inútil. Esta longa seção deixa claro que é preciso fazer algumas cuidadosas distinções: a) entre os cc e outras formas tradicionais de ganhar a vida; b) entre os cc nômades e os cc sedentários; c) entre os conjuntos de dados que esquadrinham toda a literatura e os que se concentram em exemplos extremos; d) entre membros de sociedades tradicionais matando uns aos outros e membros sendo mortos por forasteiros armados que vieram roubar seu território; e) entre chimpanzés tidos como nossos primos e chimpanzés erroneamente vistos como nossos ancestrais; f) entre serem apenas os chimpanzés nossos ancestrais mais próximos e serem os chimpanzés e os bonobos nossos ancestrais mais próximos; g) entre a guerra e o homicídio, já que uma grande quantidade da primeira pode ser capaz de reduzir as taxas do segundo, em nome de mais cooperação dentro do grupo; h) entre cc contemporâneos vivendo em ambientes estáveis e abundantes em recursos, sem muita interação com o mundo externo, e cc contemporâneos empurrados para ambientes marginais e instados a interagir com não cc. Depois que isso é feito, acho que surge uma resposta bem clara. Os cc que povoaram o planeta por centenas de milhares de anos ao que tudo indica não eram anjos, e sim perfeitamente capazes de matar. Contudo, a "guerra" — tanto no sentido que aterroriza nosso mundo moderno quanto no sentido mais amplo que aterrorizava nossos ancestrais — parece ter sido rara até que a maioria dos seres humanos abandonou o estilo de vida cc nômade. Nossa história enquanto espécie não foi inundada por conflitos cada vez piores. E é isso que Keeley, de forma irônica, tacitamente conclui: ele estima que 90% a 95% das sociedades se engajaram em guerras. E quem ele considera uma exceção? Os cc nômades.

O que nos leva à agricultura. Não economizarei nos ataques: acho que a invenção da agricultura foi um dos maiores erros da história humana, junto com, digamos, o fiasco da New Coke e do Ford Edsel. A agricultura torna as pessoas dependentes de umas poucas espécies cultivadas e animais domesticados em vez de centenas de fontes selvagens de alimento, gerando vulnerabilidade a secas, pragas e zoonoses. A agricultura contribui para uma vida sedentária, levando os humanos a fazer algo que nenhum primata preocupado com a higiene e a saúde pública jamais faria, a saber: viver em estreita proximidade com as próprias fezes. A agricultura colabora para o excesso e gera diferenças de status socioeconômico que ofuscam qualquer coisa que os outros primatas foram capazes de inventar com suas hierarquias. E daí para a frente basta um salto para chegarmos ao sr. Severino perseguindo Pedro Coelho* e às pessoas cantando "Oklahoma" sem parar.

Talvez isso seja um tanto exagerado. Ainda assim, acho que ficou razoavelmente claro que só foi possível soltar os cães da guerra depois que a humanidade deu início a uma enorme transformação de vida que decorreu da domesticação de teosintos e tubérculos selvagens, auroques e tríticos, e, é claro, dos lobos.**

ALGUMAS CONCLUSÕES

A primeira metade do capítulo explorou onde estamos; a segunda, como provavelmente chegamos até aqui.

A resposta para "onde estamos" está saturada de variações culturais. A partir de nossa perspectiva biológica, a questão mais fascinante é de que forma o cérebro molda a cultura, que molda o cérebro, que molda... É por isso que se chama coevolução. Vimos algumas evidências de coevolução no sentido técnico — há, por exemplo, diferenças significativas entre as culturas na distribuição de variantes de genes relacionados ao comportamento. Mas essas influências são bem pequenas. Pelo contrário, o mais importante é a infância, período no qual as culturas se inculcam nos indivíduos e os encorajam a propagar ainda mais seus valores. Nesse aspecto, talvez o fato mais importante relativo à genética e à cultura seja a maturação atrasada do córtex frontal — a programação genética que faz com que o jovem córtex frontal tenha mais facilidade de se libertar dos genes do que outras regiões do cérebro, a fim de poder, em lugar disso, ser moldado pelo ambiente e conseguir absorver as normas culturais. Para remeter a um tópico das primeiras páginas deste livro, não é preciso ter um cérebro muito sofisticado para aprender, no nível motor, como se dá um soco. Mas é preciso ter um córtex frontal sofisticado e ambientalmente maleável para compreender as regras culturais específicas sobre quando é apropriado dar socos.

Em outro tópico da primeira metade do capítulo, vimos que as diferenças culturais podem se manifestar de formas monumentalmente importantes e esperadas — por exemplo, saber quem se pode matar (um soldado inimigo, uma esposa adúl-

---

* Referência ao livro infantil *As aventuras de Pedro Coelho*, de Beatrix Potter. (N. T.)
** A domesticação dessas espécies selvagens citadas por Sapolsky deu origem ao que hoje conhecemos respectivamente como: milho, batata, boi, trigo e cachorros. (N. T.)

tera, um recém-nascido do sexo "errado", um parente idoso velho demais para caçar, uma filha adolescente que está absorvendo a cultura ao seu redor em vez de seguir a cultura que os pais deixaram). Mas essas manifestações também podem ocorrer em situações improváveis, como para onde seus olhos se encaminham milissegundos depois de ver uma imagem, ou se a ideia de um coelho o faz pensar em outros animais ou naquilo que os coelhos comem.

Outro tema essencial é a influência paradoxal da ecologia. Os ecossistemas moldam a cultura de forma dramática — mas então essa cultura pode ser exportada e persistir em locais radicalmente diferentes por milênios. Para ser mais direto, a maioria dos seres humanos do planeta herdou suas crenças a respeito da natureza do nascimento e da morte, e de tudo aquilo que se encontra entre ambos e mesmo depois da morte, dos pastoralistas iletrados do Oriente Médio.

A segunda metade do capítulo, recém-concluída, aborda a questão essencial de como chegamos até aqui: foram centenas de milhares de anos de Hobbes ou de Rousseau? Sua resposta para essa pergunta determina, em grande medida, qual é sua opinião sobre algo que iremos considerar no último capítulo, ou seja, a hipótese de que, ao longo dos últimos quinhentos anos, as pessoas possivelmente se tornaram bem menos cruéis umas com as outras.

10. A evolução do comportamento

Por fim chegamos às fundações. Tanto os genes quanto os promotores evoluem, bem como os fatores de transcrição, as transposases e as enzimas de *splicing*. E o mesmo vale para todas as características que sofrem alguma influência da genética (ou seja, todas). Nas palavras do geneticista Theodosius Dobzhansky: "Nada na biologia faz sentido exceto à luz da evolução". Inclusive este livro.[1]

INTRODUÇÃO À EVOLUÇÃO

A evolução depende de três passos: a) determinadas características biológicas são transmitidas hereditariamente por meio dos genes; b) as mutações e a recombinação genética produzem variações nessas características; c) algumas dessas variantes conferem maior "aptidão" que as outras. Dadas essas condições, com o tempo, a incidência de variantes genéticas mais "aptas" aumenta na população.

Começaremos descartando alguns dos equívocos mais comuns.

Primeiro, o de que a evolução favoreceria a *sobrevivência* dos mais aptos. Em vez disso, o ponto crucial é a reprodução, passar à frente os genes. Um organismo que vivesse centenas de anos sem se reproduzir seria, do ponto de vista evolutivo, invisível.* A diferença entre sobrevivência e reprodução se mostra na "pleiotropia antagonista", termo usado para se referir às características que aumentam a aptidão reprodutiva no início da vida, porém reduzem a longevidade. Por exemplo, a próstata dos primatas tem taxas metabólicas elevadas, aumentando a motilidade dos espermatozoides. Lado positivo: maior fertilidade; lado negativo: maior risco de câncer de próstata. A pleiotropia antagonista aparece de maneira dramática nos salmões, que fazem uma viagem épica de volta aos locais em que foram gerados,

---

* Logo veremos uma exceção a isso, que envolve um indivíduo não reprodutor ajudando outros indivíduos aparentados a se reproduzirem.

para então se reproduzirem e depois morrerem. Se a evolução fosse uma questão de sobrevivência, e não de transmissão de cópias de genes, não haveria pleiotropia antagonista.[2]

Outro equívoco é o de que a evolução poderia selecionar em prol de pré-adaptações — características neutras que se provariam úteis no futuro. Isso não ocorre; a seleção se dirige a características relevantes para o presente. Relacionado a isso existe ainda o erro de acreditar que as espécies sobreviventes seriam mais bem adaptadas que as extintas. Na verdade, estas últimas eram igualmente bem adaptadas, até que as condições ambientais se transformaram o bastante para fazê-las desaparecerem; o mesmo destino nos aguarda. Por fim, existe o equívoco de que a evolução estaria direcionada para uma crescente complexidade. Certo, se antes existiam apenas organismos unicelulares e agora existem também os multicelulares, houve um aumento na complexidade média. No entanto, não há necessariamente uma seleção para maior complexidade — basta considerar como as bactérias poderiam dizimar os seres humanos em alguma epidemia.

O equívoco final é o de que a evolução seria "apenas uma teoria". Vou me arriscar a pressupor que os leitores que chegaram até este ponto acreditam na evolução. Os opositores inevitavelmente citam aquele irritante embuste de que a evolução não teria sido provada, por ser — seguindo uma convenção inútil na área científica — uma "teoria" (assim como, digamos, a teoria microbiana). As evidências a favor da realidade da evolução incluem:

- Vários casos nos quais uma mudança na pressão seletiva alterou, dentro de algumas gerações, a frequência dos genes na população (por exemplo, bactérias desenvolvendo resistência a antibióticos). Além disso, há também exemplos (sobretudo de insetos, devido ao seu curto tempo de geração) de espécies em processo de se repartirem em duas.
- Enorme quantidade de evidências fósseis de formas intermediárias em diversas linhagens taxonômicas.
- Evidências moleculares. Compartilhamos em torno de 98% dos nossos genes com outros grandes primatas, 96% com os macacos, 75% com os cães, 20% com as moscas-das-frutas. Isso indica que nosso último ancestral em comum com outros grandes primatas viveu mais recentemente que nosso último ancestral em comum com os macacos, e assim por diante.
- Evidências geográficas. Aproveito a sugestão de Richard Dawkins de como lidar com um fundamentalista que insiste que todas as espécies surgiram nas atuais formas direto da Arca de Noé: como seria possível que todas as 37 espécies de lêmures que desembarcaram no monte Ararat, nas terras

altas da Armênia, conseguissem se deslocar até Madagascar sem que nenhum deles morresse e deixasse fósseis no trajeto?

- Design nada inteligente: peculiaridades que só podem ser explicadas pela evolução. Por que baleias e golfinhos possuem ossos vestigiais de patas? Porque são descendentes de um mamífero terrestre com quatro membros. Por que teríamos músculos eretores de pelos na pele, que produzem arrepios completamente desnecessários? Devido à nossa recente especiação, que nos separou de outros grandes primatas nos quais aqueles músculos se conectavam à pelagem, que se eriça durante a excitação emocional.

Chega. Prefiro nem falar mais nisso.

A evolução esculpe os traços de um organismo de duas maneiras mais gerais. A "seleção sexual" seleciona para características que atraem os membros do sexo oposto; a "seleção natural", para características que facilitam a passagem de cópias dos genes por meio de qualquer outra via — por exemplo, boa saúde, habilidade para obtenção de comida, evasão de predadores.

Os dois processos podem trabalhar em sentidos opostos.[3] Por exemplo, entre ovelhas selvagens, um gene influencia o tamanho dos chifres nos machos. Uma variante produz chifres grandes, o que aumenta a dominância social, um ponto positivo para a seleção sexual. Outra variante produz chifres pequenos, que são mais econômicos em termos metabólicos, permitindo aos machos viver e acasalar (ainda que com menor frequência) durante mais tempo. O que conta mais: um sucesso transitório, porém mais expressivo, ou persistente, porém mais limitado? Na verdade, uma combinação intermediária.* Ou considere o caso dos pavões machos,

---

* Quer dizer, uma condição heterozigótica. Tomei a difícil decisão de deixar a homozigosidade e a heterozigosidade de fora do texto principal, para o bem dos iniciantes, relegando o assunto, em vez disso, às notas de rodapé. Uma breve consideração: um ponto que foi levianamente ignorado no capítulo sobre genética é que a maioria das espécies, entre elas os seres humanos, são "diploides", o que significa que existem na verdade dois conjuntos de cromossomos em cada célula, com a mesma distribuição de genes. Os óvulos e os espermatozoides são células especializadas, sendo haploides (isto é, contêm apenas uma única cópia de cada cromossomo). Junte-os, e o óvulo que está destinado a virar você será fertilizado (isto é, se tornará diploide). Assim, você na verdade possui duas cópias de cada gene, um de cada genitor. (Nota à nota: a exceção é um conjunto especializado de genes na mitocôndria, que vem quase integralmente da mãe.) Se ambas as cópias do gene possuem sequências que codificam para cópias idênticas de uma proteína, o gene é "homozigótico". Se existem duas versões diferentes, ele é "heterozigótico". Que tipo de característica é determinada por uma combinação

que pagam um preço, em termos de seleção natural, pela plumagem exuberante: ela custa uma fortuna metabólica para ser gerada, limita a mobilidade e atrai a atenção de predadores. Mas sem dúvida eleva a aptidão pela via da seleção sexual.

É importante notar que nenhum dos dois tipos de seleção se dirige necessariamente para "a" versão mais adaptada de uma característica, que substitua todas as outras. Pode existir uma seleção dependente da frequência, em que a versão mais rara de duas características é preferível, ou uma seleção balanceada, na qual múltiplas versões de uma característica são mantidas em equilíbrio.

O COMPORTAMENTO PODE SER MOLDADO PELA EVOLUÇÃO

Os organismos são incrivelmente bem adaptados. Um roedor do deserto possui rins excepcionais para a retenção de água; o enorme coração de uma girafa é capaz de bombear sangue até o cérebro do animal; os ossos das patas de um elefante são fortes o bastante para suportar seu peso. Bem, é claro, *tem* que ser assim: roedores do deserto cujos rins não eram tão eficientes não transmitiram cópias de seus genes. Portanto, há uma lógica na evolução, a partir da qual a seleção natural molda as características em adaptabilidade.

De maneira importante, a seleção natural opera não apenas na anatomia e na fisiologia, mas também no comportamento. Em outras palavras, o comportamento evolui, podendo ser otimizado pela seleção para ter um caráter adaptativo.

Diversos ramos da biologia se concentram na evolução do comportamento. Talvez o mais conhecido deles seja a sociobiologia, que parte da premissa de que o comportamento social é esculpido pela evolução para ser otimizado, do mesmo modo que a otimização biomecânica molda o coração da girafa.[4] A sociobiologia emergiu nos anos 1970 e acabou produzindo uma ramificação na forma da psicologia evolutiva, o estudo da otimização evolutiva dos traços psicológicos. Como veremos, ambas têm sido bastante controversas. Para fins de simplificação, irei me referir às pessoas que estudam a evolução do comportamento social como sendo "sociobiólogos".

---

heterozigótica? Algumas vezes, o resultado é um traço intermediário entre as duas possíveis formas homozigóticas. De maneira mais comum, a forma heterozigótica produz uma característica que é idêntica a uma das formas homozigóticas. Em outras palavras, uma das versões "vence" a outra, sendo chamada de versão "dominante" do gene. Em contrapartida, as versões que definem um traço apenas na forma homozigótica são "recessivas". Mesmo que isso tenha sido bastante confuso, garanto que você não terá problemas para ler o restante do livro.

A DERROCADA DA SELEÇÃO DE GRUPO

Começamos enfrentando uma concepção errônea e arraigada a respeito da evolução do comportamento. Isso porque os americanos aprenderam sobre o assunto nos anos 1960 com Marlin Perkins, no programa de TV *Mutual of Omaha's Wild Kingdom* [O Reino Selvagem — Oferecido pela Companhia de Seguros de Omaha].

Era uma série incrível, apresentada por Perkins. Jim, seu ajudante, fazia coisas perigosas com cobras. E havia sempre aquela imperceptível transição diretamente do programa para os comerciais da Companhia de Seguros de Omaha — "Assim como os leões acasalam por horas, você vai querer um seguro de incêndio para o seu lar".

Infelizmente, Perkins tinha uma noção muitíssimo equivocada de evolução. Era assim que ela aparecia no programa: o sol nasce na savana; às margens do rio, há uma manada de gnus. A grama é mais verde do outro lado, e todos querem alcançá-la, mas o rio está repleto de crocodilos predadores. Os gnus andam para a frente e para trás, agitados, quando de repente um dos mais velhos toma a dianteira, dizendo: "Eu me sacrifico por vocês, minhas crianças", e salta na água. E enquanto os crocodilos se ocupam com o ancião, os outros gnus cruzam o rio.

Por que o velho gnu faria isso? Marlin Perkins responderia com autoridade aristocrática: porque os animais agem Pelo Bem da Espécie.

Certo, quer dizer que o comportamento evoluiria através da "seleção de grupo" pelo bem da espécie. Essa ideia foi defendida de forma ardorosa nos anos 1960 por V. C. Wynne-Edwards, e esse erro fez com que se tornasse o Lamarck da biologia evolutiva moderna.*[5]

Os animais não agem pelo bem da espécie. Mas e aquele gnu? Observe de perto e você verá o que realmente acontece. Por que ele acabou salvando o dia? Porque estava velho e fraco. "Bem da espécie" uma ova. Eles empurraram o velhinho.

A seleção de grupo foi derrubada por estudos teóricos e empíricos que demonstraram padrões de comportamento incompatíveis com essa ideia. Algumas das principais pesquisas foram realizadas por dois deuses da biologia evolutiva, George Williams, da Universidade do Estado de Nova York em Stony Brook, e Bill

---

* O pobre Wynne-Edwards foi na verdade uma figura importante nos campos da evolução e do comportamento, mas, graças a pessoas baixas e superficiais, ele é lembrado apenas por ter sido malsucedido na questão da seleção de grupo. Eu, por exemplo, não faço ideia das outras coisas que o sujeito fez. Seu nome completo era Vero Copner Wynne-Edwards, o que provavelmente explica o porquê de sempre ter sido chamado de "V. C. Wynne-Edwards", até mesmo, sem dúvida, quando ainda era criança.

("W. D.") Hamilton, de Oxford.[6] Considere, por exemplo, os "insetos eussociais", cuja maioria é formada por operários sem capacidade reprodutiva. Por que deixar de lado a reprodução a fim de servir à rainha? Seleção de grupo, óbvio. Mas Hamilton mostrou que o singular sistema genético dos insetos eussociais faz de uma colônia de formigas, abelhas ou cupins um único superorganismo; perguntar por que uma formiga operária se priva da reprodução é como perguntar por que as células do seu nariz também o fazem. Em outras palavras, os insetos eussociais constituem um tipo singular de "grupo". Williams então desenvolveu as ideias sobre como o sistema genético padrão, que ocorre nas espécies de insetos não eussociais, assim como nos seres humanos, era incompatível com a seleção de grupo. Os animais não agem pelo bem da espécie. Eles se comportam de modo a maximizar a quantidade de cópias de seus genes que são transmitidas à próxima geração.*

Essa é a pedra angular da sociobiologia, resumida pela expressão marcante de Dawkins de que a evolução decorre de "genes egoístas". Hora de conhecer as suas peças fundamentais.

SELEÇÃO INDIVIDUAL

A transmissão de um número maior de cópias de genes é alcançada de maneira mais direta ampliando-se ao máximo a reprodução. Isso pode ser resumido no seguinte aforismo: "A galinha é o modo pelo qual um ovo produz outro ovo" — ou seja, o comportamento é apenas um epifenômeno, uma forma de fazer com que as cópias genéticas cheguem à próxima geração.

A seleção individual é mais bem-sucedida que a seleção de grupo em explicar comportamentos básicos. Uma hiena se aproxima de algumas zebras. O que deveria fazer aquela que estivesse mais próxima do predador, caso apoiasse a seleção de grupo? Ficar parada, sacrificando-se pelo time. Em contrapartida, se fosse adepta da seleção individual, ela sairia correndo a todo vapor. E de fato as zebras correm como loucas. Ou considere o caso em que as hienas acabaram de matar uma presa. A postura própria da seleção de grupo: cada uma esperando calmamente a sua vez de comer. E segundo a seleção individual: cada uma por si, um salve-se-quem-puder desvairado. Que é o que acontece.

---

* A característica distintiva do sistema genético dos insetos eussociais é que um operário estéril transmite mais cópias dos seus genes quando ajuda a rainha a se reproduzir. Nos últimos tempos, o mundo dos insetos sociais foi abalado pelo fato de que algumas espécies (por exemplo, cupins) apresentam um sistema genético mais convencional. As pessoas ainda estão tentando entender como isso se encaixa no quadro geral.

Mas espere, diz o defensor da seleção de grupo, não seria benéfico para a espécie das zebras se fossem os animais mais rápidos que sobrevivessem e transmitissem à geração seguinte os genes da celeridade? A mesma coisa se aplicaria aos benefícios gerados ao grupo quando a hiena mais feroz obtém a maior quantidade de comida.

À medida que aspectos mais sutis do comportamento vão sendo incorporados, aferrar-se à seleção de grupo requer argumentos cada vez mais tortuosos. Mas uma única observação basta para devastar essa teoria.

Em 1977, a primatóloga Sarah Blaffer Hrdy, de Harvard, registrou algo notável: macacos langur da região do monte Abu, na Índia, matam uns aos outros.[7] As pessoas já sabiam que alguns primatas machos são capazes de matar em disputas pela dominância — certo, faz sentido, uns briguentos típicos. Mas não foi isso que Hrdy relatou. Os machos adultos estavam matando filhotes.

Assim que as pessoas aceitaram os meticulosos registros de Hrdy, uma resposta simplista se apresentou: como os filhotes são fofos e inibem a agressividade, algo patológico deveria estar acontecendo.[8] Talvez a densidade populacional de macacos em Abu estivesse muito alta e todos estivessem passando fome, ou talvez a agressividade dos machos estivesse transbordando, ou os machos infanticidas fossem zumbis. Algo com certeza anormal.

Hrdy excluiu essas hipóteses explicativas e demonstrou que havia um padrão significativo nos infanticídios. As fêmeas de macacos langur vivem em grupos com um único macho reprodutor residente. Além disso, existem grupos só de machos, que de maneira intermitente conseguem destituir o reprodutor; depois de disputas internas, um dos machos consegue então expulsar os demais. Eis aqui o seu novo domínio, composto por fêmeas e filhotes do macho residente anterior. E, de forma crucial, o tempo médio de mandato de um reprodutor (por volta de 27 meses) é menor que o intervalo médio entre gestações. Nenhuma das fêmeas está ovulando, porque todas estão amamentando filhotes; assim, esse novo garanhão será ele mesmo destronado antes que qualquer das fêmeas possa desmamar os bebês e retomar a ovulação. Todo esse trabalho por nada, nenhum de seus genes será passado adiante.

O que, logicamente, ele deveria fazer? Matar os filhotes. Isso diminui o sucesso reprodutivo do macho anterior e, como as fêmeas deixarão de amamentar, reinicia-se assim a ovulação.*

---

* Nota: ninguém está dizendo que um macaco langur está planejando tudo isso, assim como não existe planejamento em uma artêmia que desenvolveu algum tipo de estratégia comportamental reprodutiva ótima. Um animal tem o "objetivo" de "querer" transmitir cópias dos seus genes e, portanto, "decide" fazer X. Isso é apenas uma maneira abreviada de dizer algo como: "Ao longo de vários milênios, os indivíduos que fizeram X transmitiram seus genes com maior frequência e isso se tornou

Essa é a perspectiva do macho. E quanto às fêmeas? Elas também querem aumentar ao máximo o número de cópias que passam adiante. E lutam contra o novo macho, protegendo os filhotes. Também desenvolveram a estratégia de entrar em "pseudoestro" — aparentar, de maneira enganosa, estarem no cio. Elas acasalam com o reprodutor residente e, uma vez que os machos não entendem bulhufas da biologia de uma fêmea de langur, eles caem no engodo — "Ei, eu acasalei com ela hoje de manhã e agora ela está com um filhote. Sou um baita garanhão". Eles em geral deixam de lado os ataques infanticidas.

Apesar do ceticismo inicial, o infanticídio competitivo foi observado em circunstâncias similares em 119 espécies, entre as quais leões, hipopótamos e chimpanzés.[9]

Uma variante ocorre entre os hamsters: uma vez que os machos são nômades, qualquer filhote que um deles encontre tem poucas chances de ser da sua linhagem e, portanto, o adulto tenta matá-lo (lembra-se da regra de nunca colocar um hamster de estimação macho em uma gaiola com filhotinhos?). Outra versão aparece entre os cavalos selvagens e os babuínos-gelada: um novo macho persegue as fêmeas e faz com que elas abortem. Ou suponha que você é uma fêmea de camundongo prenhe e um novo macho infanticida aparece. Assim que você tiver parido, os filhotes serão mortos, desperdiçando toda a energia da gravidez. Qual é a resposta lógica? Reduza o prejuízo com o "efeito Bruce", que diz que as fêmeas abortam caso sintam o cheiro de um novo macho.[10]

Assim, o infanticídio competitivo ocorre em diversas espécies (inclusive em fêmeas de chimpanzés, que às vezes matam os filhotes de outras fêmeas não aparentadas).[11] Nada disso faz sentido fora do contexto da seleção individual baseada nos genes.

A seleção individual é ilustrada com uma clareza dolorosa pelos gorilas-das-montanhas, meus primatas favoritos.[12] Eles estão altamente ameaçados, sobrevivendo em bolsões de floresta fluvial de altitudes elevadas nos limites entre Uganda, Ruanda e República Democrática do Congo. Restam apenas cerca de mil desses gorilas, por causa da degradação do seu habitat, de doenças transmitidas por pessoas das regiões próximas, da caça ilegal e de surtos de conflitos armados nas fronteiras daqueles países. E também porque os gorilas-das-montanhas praticam infanticídio competitivo. Um comportamento lógico para um indivíduo motivado a maximizar a quantidade de cópias dos seus genes na geração seguinte, mas que, ao mesmo tempo, acaba empurrando esses maravilhosos animais rumo à extinção, nada tendo a ver com o bem da espécie.

---

uma característica comportamental comum da espécie". Animais não sabem nada de biologia evolutiva, assim como protótipos de asas de avião em um túnel de vento não sabem nada de aerodinâmica.

SELEÇÃO DE PARENTESCO

Para compreender o próximo conceito fundamental, pense no que significa ter um parentesco com outra pessoa e em como isso afeta o sentido de transmitir cópias dos "próprios" genes.

Suponha que você tenha um gêmeo idêntico, com o mesmo genoma que o seu. Um espantoso e irrefutável fato é: em termos de genes sendo transmitidos à próxima geração, não haverá diferença entre se reproduzir ou se sacrificar para que seu irmão gêmeo possa se reproduzir.

E o que dizer de um irmão biológico que não é um gêmeo idêntico? Relembre, do capítulo 8, que vocês compartilham 50% dos genes.* Portanto, reproduzir-se uma vez ou morrer de tal modo que um irmão biológico possa se reproduzir duas vezes são alternativas evolutivamente idênticas. Para um meio-irmão, com 25% dos genes em comum, basta fazer as contas, nos mesmos moldes...

Dizem que o geneticista J. B. S. Haldane, quando lhe perguntaram se sacrificaria sua vida por um irmão, teria respondido, de maneira espirituosa: "Eu daria minha vida com prazer por dois irmãos ou oito primos". Você pode legar cópias dos seus genes à geração seguinte por meio da reprodução, mas também ajudando parentes a se reproduzirem, em especial os mais próximos. Hamilton formalizou isso com uma equação que incorpora os custos e os benefícios de ajudar outras pessoas, ponderados pelo grau de parentesco que se tem com elas. Essa é a essência da seleção de parentesco.** Isso explica o fato crucial de que, em incontáveis espécies, a definição de com quem você vai cooperar, competir ou se acasalar depende das relações de parentesco.

Os mamíferos se defrontam pela primeira vez com a seleção de parentesco logo depois do nascimento, o que se reflete em algo tremendamente óbvio: é raro as fêmeas amamentarem a prole alheia. Em seguida, entre vários primatas, a mãe de um recém-nascido e uma fêmea adolescente dão início a um relacionamento repleto de vantagens e desvantagens — a mãe, em algumas ocasiões, deixa a prole aos cuidados da adolescente. Para a mãe, o fator positivo é ter mais tempo para procurar comida sem o filhote a tiracolo; o lado negativo é que a babá pode ser in-

---

* Ou, de forma mais precisa, para cada gene há uma chance de 50% de que vocês compartilhem a mesma variante.

** Também conhecida como "adaptação inclusiva", porque um foco baseado nos genes *inclui* não apenas o sucesso reprodutivo direto (adaptação darwiniana), mas também os resultados oriundos do sucesso de outros indivíduos aparentados, ponderados pelo grau de parentesco.

competente. Para a adolescente, o lado positivo é a experiência como mãe; o negativo, o esforço empregado em cuidar de uma criança. Lynn Fairbanks, da UCLA, conseguiu quantificar os prós e contras dessa "substituição materna"* (entre os quais o fato de que as adolescentes que praticaram a maternidade como substitutas apresentam uma maior taxa de sobrevivência para os próprios filhos). E quem é com frequência a "mãe substituta"? A irmã mais nova.[13]

Uma versão estendida da substituição materna é a criação cooperativa de macacos do Novo Mundo, como os micos. Nos grupos sociais desses primatas, uma fêmea procria, enquanto as demais, em geral parentes mais jovens, ajudam nos cuidados com os filhotes.[14]

O grau de dedicação de um primata macho à criação da prole é um reflexo de sua certeza na paternidade.[15] Entre os micos, que formam casais estáveis, os machos realizam a maior parte dos cuidados com os filhotes. Em contrapartida, entre os babuínos, cujas fêmeas se relacionam com múltiplos parceiros durante o cio, são apenas os possíveis pais (isto é, os machos com quem elas se acasalaram no dia mais fértil, quando era mais pronunciado o inchaço provocado pelo estro) que investem no bem-estar do filhote, indo em seu auxílio em uma disputa.**

Em muitos primatas, a frequência com que se faz a catação em outros indivíduos depende de quão próxima é a relação de parentesco. Entre os babuínos, as fêmeas passam a vida toda no bando em que nasceram (enquanto os machos migram para outro grupo durante a puberdade); como consequência, quando adultas, elas possuem relações complexas de cooperação por parentesco e herdam das mães a posição na hierarquia de dominância. Entre os chimpanzés ocorre o oposto: as fêmeas migram na adolescência e a cooperação baseada em parentesco existe apenas entre os machos adultos (por exemplo, quando indivíduos aparentados se juntam para atacar machos solitários de grupos vizinhos). E entre os langur, quando uma fêmea protege o filhote de um novo macho residente, ela recebe a ajuda, na maioria das vezes, das parentes mais velhas.

Além disso, os primatas têm compreensão das relações de parentesco. Dorothy Cheney e Robert Seyfarth, da Universidade da Pensilvânia, pesquisando macacos-vervet selvagens, mostraram que, se um animal A é mesquinho com um animal B, então, mais tarde, existe uma maior chance de B ser mesquinho com os *parentes* de A. E se A é malvado com B, então há maior probabilidade de que os *parentes* de

---

* No original, *"allomothering"*. (N. T.)

** Perceba o verbo utilizado — "investir" —, que reflete o viés quase econômico de algumas das análises nessa área.

B sejam mesquinhos com A. E ainda mais, se A é malvado com B, são maiores as chances de que os parentes de B sejam mesquinhos com os *parentes* de A.[16]

Em admiráveis experimentos de "playback" [gravação e reprodução], Cheney e Seyfarth primeiro gravaram as expressões vocais de cada macaco-vervet do grupo. Depois, posicionaram uma caixa de som entre alguns arbustos; quando todos os macacos estavam sentados juntos, os pesquisadores reproduziam a gravação do chamado de emergência de um dos filhotes. Todas as fêmeas olhavam então para a mãe desse filhote: "Ei, é o filho da Madge. O que será que ela vai fazer?". (Note que isso também mostra que os macacos são capazes de reconhecer vozes.)

Em uma pesquisa com babuínos selvagens, Cheney e Seyfarth esperavam até que duas fêmeas não aparentadas se sentassem perto do arbusto com a caixa de som e então reproduziam uma dentre três possíveis gravações: a) sons de parentes das duas fêmeas lutando uns com os outros; b) de um parente de uma delas em combate com um terceiro grupo; c) de duas outras fêmeas aleatórias brigando.[17] Quando um parente de uma delas estava envolvido na contenda, essa fêmea ficava olhando por mais tempo em direção à caixa de som, em comparação com o caso em que não havia nenhum parente na história. E se fossem parentes das duas brigando entre si, então aquela de nível hierárquico mais elevado lembrava a subordinada da sua condição inferior, tomando-lhe o lugar em que se sentara.

Outra pesquisa de playback criou um tipo de realidade virtual babuína.[18] Considere a situação em que o indivíduo A domina outro, B. Graças ao corte e à emenda de registros de vocalizações, o babuíno A podia ser ouvido fazendo uma vocalização de dominância, e B, uma de subordinação. Quando isso acontecia, nenhum indivíduo olhava em direção aos arbustos — sabe-se que A > B, é o status quo, nenhuma novidade. Mas se o babuíno A era ouvido fazendo uma vocalização de *subordinação* logo depois de B ter feito uma de *dominância* — uma inversão de autoridade —, todos se voltavam para os arbustos ("Você ouviu o mesmo que eu acabei de ouvir?"). E havia ainda um terceiro cenário: uma inversão de autoridade entre dois membros da mesma família. E ninguém ligava, porque não era interessante. ("As famílias, elas são malucas. Você devia ver a minha. Temos essas inversões de autoridade horríveis e uma hora depois estamos lá nos abraçando.") Os babuínos "classificam os outros simultaneamente tanto segundo a posição hierárquica individual quanto o parentesco".

Portanto, outros primatas fazem considerações de parentesco com notável sofisticação, e essas relações determinam os padrões de cooperação e competição.

Outros animais além dos primatas também recorrem à seleção de parentesco. Considere, por exemplo, o fato de que os espermatozoides podem se agregar no trato vaginal de uma fêmea, permitindo que nadem mais rápido. Nas espécies de ratos-veadeiros nas quais as fêmeas acasalam com vários machos, os espermatozoides se agregam apenas quando provêm do mesmo indivíduo ou de parentes próximos.[19]

Em exemplos ligados ao comportamento, os esquilos e os cães-da-pradaria emitem vocalizações de alerta quando vislumbram um predador. É arriscado chamar a atenção para si, e tal altruísmo acontece com mais frequência quando o roedor se encontra na proximidade de parentes. Grupos sociais estabelecidos em torno de fêmeas aparentadas ocorrem em diversas espécies (por exemplo, em alcateias de leões, nas quais as fêmeas amamentam os filhotes umas das outras). Além disso, embora as alcateias em geral tenham um único macho reprodutor, nos casos em que há mais de um o mais provável é que sejam irmãos. Existe nisso uma notável similaridade com os humanos. Historicamente, a maioria das culturas permitiu a poligamia, sendo a monogamia algo mais raro. Ainda mais incomum foi a poliandria — vários homens casados com a mesma mulher. Isso ocorre no Norte da Índia, no Tibete e no Nepal, onde a poliandria é "adélfica" (ou "fraternal"): uma mulher se casa com todos os irmãos de uma mesma família, desde os homens mais maduros até os garotos mais jovens.*[20]

Uma desafiadora implicação surge da seleção de parentesco.

Aqueles primos tão atraentes. Uma vez que se obtêm benefícios adaptativos ao ajudar um parente a transmitir cópias dos seus genes, por que não fazê-lo de maneira direta pelo acasalamento? Eca, cruzamentos consanguíneos produzem uma diminuição da fertilidade e também aquelas consequências genéticas desagradáveis das famílias reais europeias.**[21] Portanto, os riscos da consanguinidade se contrapõem às vantagens da seleção de parentesco. Modelos teóricos sugerem que um ponto de equilíbrio ótimo existe em relacionamentos com primos de terceiro grau. E, de fato, várias espécies preferem acasalar com primos entre o primeiro e o terceiro grau.[22]

---

* Tais poliandrias fraternais ocorrem em regiões pobres em recursos, funcionando basicamente como uma forma de reduzir o crescimento populacional e evitar que as terras da família acabem ficando abaixo do nível mínimo de subsistência, caso fossem repartidas e transmitidas por herança aos vários filhos. Em vez disso, os irmãos se casam com a mesma mulher, que tem acesso sexual a todos eles. Os irmãos "creem" que, em termos biológicos, todos, até o caçula, são igualmente responsáveis pelas crianças nascidas por meio da poliandria.

** Existem boas evidências de que relações consanguíneas foram responsáveis pela derrocada do ramo espanhol da dinastia Habsburgo. Gonzalo Alvarez et al., "The Role of Inbreeding in the Extinction of a European Royal Dynasty". *PLoS ONE*, v. 4, n. 4, p. e5174, 2009.

Isso ocorre em insetos, lagartos e peixes, entre os quais, além de tudo, os pares formados por primos investem mais na criação da prole do que aqueles compostos por pais não aparentados. Uma preferência por cruzamentos com primos aparece também em codornizes, fragatas e mandarins, enquanto no caso de duas espécies formadoras de casais, as andorinhas-da-chaminé e um tipo de parídeos do Himalaia,* as fêmeas costumam sair escondidas dos parceiros para poderem acasalar com os primos. Preferências semelhantes ocorrem em alguns roedores (entre os quais os ratos-saltadores-gigantes, uma espécie que já soa bastante perturbadora mesmo sem primos se pegando).[23]

E quanto aos humanos? Algo similar acontece. As mulheres preferem o cheiro de homens com quem têm uma relação de parentesco moderada, em comparação com aqueles com quem não têm nenhum vínculo. E numa pesquisa com dados coletados ao longo de 160 anos, envolvendo todos os casais da Islândia (que é a meca dos geneticistas que estudam seres humanos, dada a homogeneidade genética e socioeconômica da ilha), o mais alto nível de sucesso reprodutivo ocorreu em casamentos de primos entre o terceiro e o quarto grau.[24]

Reconhecendo parentes?

As descobertas ligadas a esse tipo de seleção exigem que os animais sejam capazes de reconhecer graus de parentesco. Como eles conseguem fazer isso?

Algumas espécies têm uma capacidade inata de reconhecimento. Por exemplo, coloque um camundongo em uma arena; em uma das extremidades, há uma fêmea não aparentada, e, na outra, uma irmã biológica de outra linhagem, que ele nunca viu antes. O roedor passa mais tempo com a irmã, sugerindo que há um reconhecimento de parentesco de base genética.

Como isso funciona? Os roedores produzem odores feromônicos com uma assinatura individual, derivada de genes chamados de complexo principal de histocompatibilidade (CPH). Trata-se de um grupo de genes bastante variável que produz proteínas características responsáveis por criar a marca de um indivíduo. Isso foi de início objeto de estudo dos imunologistas. O que o sistema imunológico faz? Ele distingue você dos invasores — "eu" e "não eu" — e ataca estes últimos. Todas as suas células carregam uma proteína característica derivada do CPH, e a vigilância do sistema imunológico ataca qualquer célula estranha que não tenha essa proteína identificadora. E as proteínas derivadas do CPH também aparecem nos feromônios, produzindo uma assinatura olfatória distintiva.

---

* O nome científico é *Pseudopodoces humilis*. (N. T.)

Esse sistema é capaz de indicar que um camundongo específico é um certo John Smith. Mas como ele consegue dizer que esse é o irmão que você nunca encontrou antes? Quanto maior a proximidade com um parente, mais similares são os grupos de genes do CPH e mais parecidas as assinaturas olfatórias. Os neurônios olfatórios de um camundongo contêm receptores que respondem com mais intensidade à sua própria proteína CPH. Portanto, se o receptor atinge estimulação máxima, o camundongo deve estar cheirando as próprias axilas. Se a estimulação é quase máxima, presume-se que elas sejam de um parente próximo. Se moderada, de um parente distante. Se não há estimulação nenhuma (embora a proteína CPH esteja sendo detectada por outros receptores olfatórios), então devem ser os sovacos de um hipopótamo.*

O reconhecimento olfatório de parentesco dá conta de explicar um fenômeno muito interessante. Lembre-se do capítulo 5, no qual explicamos como o cérebro adulto cria neurônios. Em ratos, a gestação dispara a neurogênese no sistema olfatório. Por que justo aí? Para que o reconhecimento olfatório esteja em sua melhor forma quando chegar o momento de identificar o recém-nascido; se a neurogênese não acontece, o comportamento materno fica prejudicado.[25]

Existe também o reconhecimento de parentesco baseado em sinais sensoriais que são estampados. Como descubro qual recém-nascido devo amamentar? Aquele que tem um odor semelhante ao do meu fluido vaginal. Perto de qual filhote eu deveria brincar? Daquele que tem um cheiro parecido com o do leite da mamãe. Muitos ungulados usam tais estratagemas. Assim como as aves. Como sei qual pássaro é minha mãe? Aquele que tem uma canção característica que aprendi mesmo antes de sair do ovo.

E há espécies que descobrem o grau de parentesco raciocinando. Meu palpite é que os babuínos machos fazem inferências estatísticas para identificar sua possível prole: "Quanto tempo passei com essa mãe durante seu período de inchaço máximo do cio? O tempo todo. Certo, então é meu filho; aja de acordo com isso". O que nos leva à espécie mais estratégica em termos cognitivos, a saber, nós. Como faze-

---

* Nota: nem todo reconhecimento olfatório de parentesco se baseia nas proteínas do CPH. Existem várias outras fontes para a assinatura de um indivíduo. Repare também em como isso pode explicar o fenômeno de seleção de parentesco mencionado anteriormente, segundo o qual os espermatozoides formam agregados cooperativos de natação apenas com as células sexuais do próprio indivíduo ou de parentes próximos. Como isso é possível? Empregue as proteínas do CPH na superfície da célula, como um velcro: se dois espermatozoides têm proteínas idênticas (isto é, vêm da mesma pessoa), eles se agregam com firmeza; se são de parentes próximos, nem tão firmemente, mas com razoável fixação; se são de parentes mais distantes, com menos firmeza ainda, e assim por diante.

mos para reconhecer nossos parentes? De maneiras que estão bem longe de serem precisas, o que traz consequências interessantes.

Começamos com um tipo de pseudorreconhecimento que foi proposto há bastante tempo. E se você agisse conforme a regra de que deve cooperar (isto é, relacionar-se como parente) com indivíduos que compartilham traços evidentes com você? Isso facilita a transmissão de cópias à próxima geração caso você possua um gene (ou genes) com três características: a) que produz um sinal evidente; b) que se reconhece em outros indivíduos; c) e que faz com que você coopere com aqueles que apresentam esse sinal. É um tipo de seleção de parentesco básico, reduzido ao mínimo.

Hamilton especulou a respeito da existência desse "efeito barba verde": se um organismo possui um gene que codifica tanto para a produção de uma barba verde quanto para a cooperação entre indivíduos com barbas verdes, então estes florescerão quando misturados a barbudos de outras tonalidades.[26] Portanto, "o requisito crucial para o altruísmo é uma afinidade genética no locus do altruísmo [isto é, meramente um gene de barba verde multifacetado] e não uma ligação genealógica em todo o genoma".[27]

Genes desse tipo existem. Nas leveduras, as células formam agregados cooperativos mesmo não sendo geneticamente idênticas nem possuindo uma proximidade de parentesco. Em vez disso, qualquer levedura serve, desde que expresse um gene que codifica para uma proteína de adesão na superfície da célula, que então se liga a cópias da mesma molécula em outras células.[28]

Os seres humanos também apresentam efeitos do tipo "barba verde". De forma crucial, nós divergimos em relação ao que conta como uma característica-chave. Defina-a de maneira restrita e temos o chamado paroquialismo. Adicione a animosidade em relação àqueles que não têm o traço da barba verde e temos a xenofobia. Mas defina essa característica como sendo o fato de pertencermos à mesma espécie, e teremos a descrição de um profundo senso de humanidade.

ALTRUÍSMO RECÍPROCO

Às vezes a galinha é o modo pelo qual um ovo produz outro ovo — os genes podem ser egoístas; outras vezes, daríamos com prazer nossa vida por dois irmãos ou oito primos. Será que tudo precisa ser uma questão de competição, de indivíduos ou grupos de indivíduos aparentados buscando passar à próxima geração *mais* cópias de seus genes que os demais, ou serem *mais* adaptados, ou terem *mais* sucesso reprodutivo?* Será que a força motriz da evolução comportamental é sempre que alguém seja derrotado?

De forma alguma. Existe uma exceção elegante, ainda que especializada. Lembra-se do pedra/papel/tesoura? Papel embrulha pedra; pedra quebra tesoura; tesoura corta papel. Iriam as pedras querer esmagar todas as tesouras até o extermínio total? Claro que não. Porque aí os papéis iriam embrulhar todas as pedras até a extinção. Cada um dos participantes dessa disputa tem um incentivo para o comedimento, o que cria um equilíbrio.

De maneira notável, tais situações de equilíbrio aparecem em sistemas vivos, como demonstrado em uma pesquisa com a bactéria *Escherichia coli*.[29] Os autores do estudo geraram três colônias de *E. coli*, cada uma delas com pontos fortes e fracos. Para simplificar, temos o seguinte: a linhagem 1 secreta uma toxina. Ponto forte: capaz de matar as células competidoras. Ponto fraco: custo de energia para fazer o veneno. A linhagem 2 é vulnerável à toxina, uma vez que possui transportadores de membrana que absorvem nutrientes, e as moléculas danosas podem se infiltrar por eles. Ponto forte: boa em obter comida. Ponto fraco: vulnerabilidade à toxina. A linhagem 3 não possui o transportador, portanto não é vulnerável, e também não produz a toxina. Ponto forte: não incorre no custo de produção do veneno, além de ser insensível a ele. Ponto fraco: não absorve tantos nutrientes. Portanto, se a linhagem 1 destruísse a 2, isso causaria a sua própria eliminação, graças à 3. A pesquisa mostrou que as colônias podiam coexistir em equilíbrio, cada uma delas limitando o seu crescimento.

Legal. Mas isso não casa bem com as nossas intuições a respeito do que seja uma atitude cooperativa. O pedra/papel/tesoura está para a cooperação assim co-

---

* O comportamento antissocial em nome da seleção de parentesco alcança o apogeu no reino animal, até onde sei, com um fenômeno relatado em um artigo de 2008 do *Wall Street Journal*. Qual restaurante/rede tem a maior incidência de brigas entre clientes, nos Estados Unidos como um todo? Você deve ter adivinhado: a rede Chuck E. Cheese's, onde as disputas envolvem pais com nervos à flor da pele, apreensivos quanto a qualquer coisa que possa diminuir o brilho da festa de aniversário dos filhos. Um cenário bem comum parece ser aquele em que um dos pais se incomoda com o fato de outra criança estar monopolizando um dos jogos eletrônicos, e intervém à força para permitir que o próprio filho possa jogar, o que leva a um bate-boca entre os adultos — os macacos de Cheney e Seyfarth não teriam nenhuma dificuldade em entender essa cena. Como relatado em outra matéria jornalística, tais incidentes podem também envolver ataques ao mascote da rede, incluindo certo episódio em que um pai acusou Chuck de ter esmagado seu filho contra a parede, ao que o rato respondeu que estava apenas tentando se esgueirar entre uma multidão de crianças alvoroçadas: "O homem arrancou a cabeça do rato e começou a gritar com ele na frente das ditas crianças arruaceiras, que provavelmente ficaram para sempre traumatizadas ao verem a cabeça de um garoto assustado de dezenove anos despontando do pescoço de um rato gigante".

mo a paz devido à certeza da aniquilação mútua por armas nucleares está para o Jardim do Éden.

O que traz à baila outra peça fundamental, que se soma à seleção individual e à seleção de parentesco: o altruísmo recíproco. "Eu coço as suas costas se você coçar as minhas. Na verdade, eu preferiria não coçar as suas, se conseguisse me safar dessa. E estou de olho em você, caso pense em fazer o mesmo."

Apesar do que se poderia esperar a partir da seleção de parentesco, animais não aparentados com frequência cooperam entre si. Peixes nadam em cardumes, pássaros voam em bandos. Suricatos se arriscam dando gritos de alerta que servem ao grupo todo e morcegos vampiros que mantêm colônias comunais alimentam os filhotes uns dos outros.*[30] Dependendo da espécie, primatas não aparentados fazem catação nos companheiros, juntam-se para combater predadores e dividem a caça.

Por que indivíduos sem relação de parentesco cooperariam? Porque muitas mãos aliviam a carga. Se você participa de um cardume com outros peixes, há menos chance de que seja comido (a disputa pelo lugar mais seguro — o centro — produz o que Hamilton chamou de "a geometria da manada egoísta"). Pássaros voando em forma de V economizam energia pegando a corrente de ar do indivíduo que vai à frente (o que levanta a questão sobre quem será aquele a assumir essa posição).[31] Se os chimpanzés fazem catação uns nos outros, há menos parasitas em geral.

Em um importante artigo de 1971, o biólogo Robert Trivers estabeleceu a lógica e os parâmetros evolutivos pelos quais organismos sem relação de parentesco se engajam em "altruísmo recíproco" — incorrendo assim em um custo adaptativo para aumentar o desempenho de um indivíduo não aparentado, com a esperança de reciprocidade.[32]

Não é necessário ter consciência para desenvolver uma relação de altruísmo recíproco; basta recordar a metáfora da asa do avião no túnel de vento. Mas há alguns requisitos básicos para a sua ocorrência. Obviamente, as espécies precisam ser sociais. Além disso, as interações sociais devem acontecer com frequência suficiente para que o altruísta e o endividado tenham boas chances de se encontrarem de novo. E é fundamental que os indivíduos sejam capazes de reconhecer um ao outro.

Nas situações de altruísmo recíproco que aparecem em diversas espécies, os indivíduos muitas vezes tentam trapacear (isto é, não dar a contrapartida) e vigiam as tentativas dos outros de fazerem o mesmo. Isso traz à questão o universo da

---

* Esse exemplo é um pouco controverso, dado que as colônias de morcegos muitas vezes são compostas por fêmeas até certo ponto aparentadas, abrindo espaço para uma hipótese de seleção de parentesco.

realpolitik, com suas traições e contraestratégias, os dois lados coevoluindo em uma corrida armamentista. Esse é o chamado cenário da "rainha vermelha", em referência à Rainha Vermelha de *Alice através do espelho*, que precisava correr cada vez mais rápido para continuar no mesmo lugar.[33]

O que levanta duas questões cruciais, que estão inter-relacionadas:

- Em meio ao frio cálculo da aptidão evolutiva, quando a solução ótima é cooperar e quando é trapacear?
- Em um mundo de indivíduos não cooperativos, é desvantajoso ser o primeiro altruísta. Então como os sistemas de cooperação começam?*

Questão crucial 1: Qual é a estratégia de cooperação ótima?

Enquanto os biólogos estavam formulando essas questões, outros cientistas já começavam a respondê-las. Na década de 1940, a "teoria dos jogos" foi fundada pelo polímata John von Neumann, um dos pais da ciência da computação. A teoria dos jogos é o estudo da tomada de decisões estratégicas. Para explicar de modo um tanto diferente, é o estudo matemático de quando cooperar e quando trapacear. Esse tema já estava sendo explorado com respeito à economia, à diplomacia e aos conflitos militares. Só era preciso que os teóricos dos jogos e os biólogos começassem a dialogar. Isso aconteceu por volta de 1980, com relação ao Dilema do Prisioneiro (DP), que foi apresentado no capítulo 3. Hora de entender em mais detalhes os parâmetros desse problema.

Dois membros de uma gangue, A e B, são presos. Os promotores não têm provas suficientes para condená-los por um crime mais grave, mas podem fazê-lo por uma acusação mais leve, pela qual os acusados terão que cumprir um ano de

---

* Para conter o tamanho deste capítulo, tive de me forçar a relegar a esta nota de rodapé a descrição de um sistema de altruísmo recíproco encontrado em uma ameba unicelular chamada *Dictyostelium discoideum* (também conhecida como bolor limoso). A fim de se reproduzir, as células individuais se unem em uma colônia estruturada na qual 80% delas participam da reprodução e o restante desempenha tarefas auxiliares. Quando a colônia consiste em duas linhagens genéticas distintas, existe cooperação, na medida em que cada uma contribui com cerca de 20% das suas células para a enfadonha tarefa de suporte. Contudo, algumas linhagens evoluem para trapacear, buscando posicionar todas as suas células no grupo reprodutivo, e outras linhagens evoluem para detectar as trapaceiras e se recusam a interagir com elas. Por exemplo, as amebas expressam uma proteína da superfície celular, uma "molécula de adesão", que permite às células aderir umas às outras, formando a colônia; o mecanismo antitrapaça é expressar uma molécula de adesão que não reconhece (isto é, não adere) as proteínas da superfície da linhagem trapaceira.

prisão. A e B não podem se comunicar. Os promotores oferecem um acordo: entregue o seu comparsa e sua pena será reduzida. Existem quatro resultados possíveis:

- Tanto A quanto B se recusam a delatar um ao outro: cada um deles cumpre um ano.
- Tanto A quanto B delatam um ao outro: cada um cumpre dois anos.
- A delata B, que permanece em silêncio: A é liberado e B pega três anos.
- B delata A, que permanece em silêncio: B é liberado e A pega três anos.

Portanto, o dilema de cada prisioneiro é ser ou não fiel ao parceiro ("cooperar") ou abandoná-lo ("trair"). O raciocínio pode correr assim: "Melhor cooperar. É o meu parceiro, ele também vai cooperar, e ambos pegaremos um ano. Mas e se eu cooperar e ele me apunhalar pelas costas? Ele sai livre e tenho que cumprir três anos. Melhor trair. Mas se nós dois traímos, aí são dois anos. Então talvez traia, caso ele coopere..."

Um círculo sem fim.*

Quando se joga o DP uma única vez, existe uma solução racional. Se você, prisioneiro A, decide trair, a pena será em média de um ano (zero caso B coopere, dois caso ele traia); se você coopera, a média será dois anos (um caso B coopere, três caso traia). Portanto, você deve trair. Em versões do DP com apenas uma rodada, trair é sempre uma solução ótima. Nada muito animador para a situação mundial.

Suponha que sejam duas rodadas do DP. A estratégia ótima para a segunda rodada é idêntica à da versão de rodada única: sempre trair. Tendo isso em conta, a primeira rodada acaba se tornando equivalente também à rodada única e, portanto, trair continua sendo a melhor estratégia.

E quanto ao jogo com três rodadas? Traia na terceira rodada, o que significa que as coisas se reduzem à versão anterior. Sendo assim, você deve trair na segunda, e também na primeira rodada.

É sempre uma solução ótima escolher a traição na rodada Z, a última. E, portanto, sempre será uma opção ótima trair na rodada $Z - 1$, logo também na $Z - 2$...

---

* Alguns anos atrás, um programa de TV chamado *Golden Balls* [Bolas Douradas] foi exibido na Grã-Bretanha. Como a etapa final de uma série de competições, dois participantes ficavam cara a cara e jogavam uma versão modificada do DP. Havia um prêmio acumulado em dinheiro (possivelmente dezenas de milhares de libras), e cada jogador precisava escolher de maneira independente se preferia "Repartir" ou "Roubar". Se ambos escolhiam Repartir, eles dividiam o prêmio. Se um escolhia Repartir, e o outro, Roubar, o trouxa ganhava zero e o traidor levava tudo. Se ambos escolhiam Roubar, ninguém levava nada. O YouTube está cheio de trechos de vários episódios, e eles são embaraçosamente viciantes.

Em outras palavras, quando dois indivíduos disputam uma quantidade *conhecida* de rodadas, a estratégia ótima exclui a cooperação.

Mas e se a quantidade de rodadas for desconhecida (um DP "iterado")? Aí as coisas começam a ficar interessantes — foi quando teóricos dos jogos e biólogos se encontraram.

O responsável por catalisar esse processo foi o cientista político Robert Axelrod, da Universidade de Michigan. Ele explicou o funcionamento do DP a outros acadêmicos e perguntou a eles quais estratégias utilizariam em um jogo com uma quantidade desconhecida de rodadas. As estratégias propostas variaram bastante, sendo algumas delas assustadoramente complicadas. Axelrod então programou as diversas estratégias e fez com que se enfrentassem em uma intensa competição simulada de todos contra todos. Qual estratégia venceu, qual foi a ótima?

A proposta vencedora veio de um matemático da Universidade de Toronto, Anatol Rapoport. Como costuma ocorrer em toda mítica jornada do herói, ela era a estratégia mais simples. Coopere na primeira rodada; daí por diante, escolha a mesma ação que o outro jogador utilizou na rodada anterior. Chamava-se olho por olho. Explicando com mais detalhes:

Você (jogador 1) coopera (C) na primeira rodada e, caso o outro jogador sempre coopere (C), ambos continuarão cooperando alegremente em direção ao pôr do sol:

Exemplo 1
Jogador 1: C C C C C C C C C C...
Jogador 2: C C C C C C C C C C...

Suponha que o outro jogador comece cooperando, mas, depois, tentado por Satanás, traia (T) na rodada 10. Você acaba cooperando, e por isso sofre um baque:

Exemplo 2
Jogador 1: C C C C C C C C C C
Jogador 2: C C C C C C C C C T

Logo, você começa a cobrar olho por olho, punindo o adversário na rodada seguinte:

Exemplo 3
Jogador 1: C C C C C C C C C C T
Jogador 2: C C C C C C C C C T ?

Se nesse ponto o outro jogador voltar a cooperar, você faz o mesmo. A paz retorna:

Exemplo 4
Jogador 1: C C C C C C C C C C T C C C...
Jogador 2: C C C C C C C C C T C C C C...

Se ele continuar traindo, você faz o mesmo:

Exemplo 5
Jogador 1: C C C C C C C C C C T T T T T...
Jogador 2: C C C C C C C C C T T T T T T...

Suponha que você jogue contra alguém que sempre traia. As coisas ficam assim:

Exemplo 6
Jogador 1: C T T T T T T T T T...
Jogador 2: T T T T T T T T T T...

Essa, portanto, é a chamada estratégia olho por olho. Note que ela nunca é capaz de vencer no um contra um. No melhor dos casos é possível um empate, quando a outra pessoa também segue a mesma estratégia ou contra alguém que adota "cooperar sempre". Do contrário, ela perde por uma pequena margem. Qualquer outra estratégia sempre bate a olho por olho por uma pequena diferença. No entanto, as demais estratégias, quando disputam entre si, podem produzir derrotas catastróficas. E quando se somam todos os resultados, a olho por olho vence no geral. Ela perdeu praticamente todas as batalhas, mas venceu a guerra. Ou melhor, conquistou a paz. Em outras palavras, a estratégia olho por olho leva todas as demais à extinção.

A olho por olho tem quatro elementos a seu favor. Ela possui uma inclinação para cooperar (isto é, essa é sua condição de partida). Mas não é trouxa e pune os traidores. É clemente — se o traidor volta a cooperar, ela também o faz. E é uma estratégia simples.

O campeonato feito por Axelrod abriu caminho para um zilhão de artigos sobre a estratégia olho por olho no DP e em outros jogos relacionados (mais sobre isso adiante). Então, algo crucial aconteceu: Axelrod e Hamilton se uniram. Os biólogos que estudavam a evolução do comportamento almejavam ser tão quantitativos quanto aqueles que pesquisavam a evolução dos rins dos ratos do deserto. E ali estava um mundo de cientistas sociais estudando exatamente esse assunto, mesmo que não tivessem consciência disso. O DP oferecia uma estrutura básica para se refletir acerca da evolução estratégica da cooperação e da competição, como Axelrod e Hamilton fizeram em um artigo de 1981 (famoso o bastante para ter se tornado uma frase feita — por exemplo: "Como foi sua aula hoje?", "Foi terrível, fiquei bem atrasado no cronograma. Não consegui nem chegar em Axelrod e Hamilton").[34]

À medida que os biólogos evolucionistas começaram a passar mais tempo com os cientistas políticos, eles inseriram possibilidades do mundo real nos cenários dos jogos. Uma delas veio chamar a atenção para uma falha da estratégia olho por olho.

Vamos introduzir agora a noção de erros de sinalização: uma mensagem não é bem compreendida, alguém se esquece de dizer alguma coisa a alguém ou ocorre um pulso de ruído no sistema. Como acontece no mundo real.

Considere que houve um erro de sinalização na rodada 5, em um jogo com dois indivíduos que empregam a estratégia olho por olho. Isto é o que os dois pretendiam dizer:

Exemplo 7
Jogador 1: C C C C C
Jogador 2: C C C C C

Mas devido ao erro de sinalização, isso é o que você (jogador 1) acredita que aconteceu:

Exemplo 8
Jogador 1: C C C C C
Jogador 2: C C C C T

Você pensa: "Que cara esquisito, me traindo desse jeito". Então você escolhe trair na rodada seguinte. Portanto, com base no que você acredita que aconteceu, este é o resultado:

Exemplo 9
Jogador 1: C C C C C T
Jogador 2: C C C C T C

Mas o que o outro jogador acredita que está acontecendo, uma vez que ele não tem conhecimento do erro de sinalização, é o seguinte:

Exemplo 10
Jogador 1: C C C C C T
Jogador 2: C C C C C C

Ele pensa: "Que cara esquisito, me traindo dessa forma". Assim, ele decide trair você na rodada seguinte. "Ah, então você quer mais? Toma essa então", você pensa, e trai de novo. "Ah, então você quer mais? Toma essa então", a outra pessoa pensa:

Exemplo 11
Jogador 1: C C C C C T C T C T C T C T C T...
Jogador 2: C C C C T C T C T C T C T C T C...

Quando erros de sinalização são possíveis, dois jogadores com a estratégia olho por olho ficam vulneráveis a se verem presos para sempre nesse vaivém de traições.*

A descoberta dessa vulnerabilidade levou os biólogos evolucionistas Martin Nowak, de Harvard, Karl Sigmund, da Universidade de Viena, e Robert Boyd, da UCLA, a propor duas soluções.[35] A "olho por olho contrita" revida apenas quando o outro lado traiu duas vezes seguidas. A "olho por olho clemente" perdoa automaticamente um terço das traições. Ambas são capazes de evitar situações de agressão generalizada por erro de sinalização, mas estão sujeitas a que sua benevolência seja explorada pelos adversários.**

---

* O thriller geopolítico *Limite de segurança*, de 1962, escrito por Eugene Burdick e Harvey Wheeler, tem como premissa uma solução olho por olho para um erro de sinalização. No livro, uma falha eletrônica faz com que um esquadrão de bombardeiros da Força Aérea, munido de armas nucleares, acredite que os Estados Unidos estão sob ataque da União Soviética e que, portanto, deve atacar Moscou. Os americanos e os soviéticos percebem o que está acontecendo, e as Forças Armadas americanas tentam, sem sucesso, fazer com que os aviões retornem. Os soviéticos então imaginam que o "Opa, foi sem querer" dos americanos é um truque e se preparam para um contra-ataque total. O presidente americano (baseado em John F. Kennedy) tenta demonstrar sua sinceridade e impedir o ataque, enviando caças para ajudar os jatos soviéticos a derrubar o esquadrão bombardeiro. Alguns são abatidos, mas outros escapam, e a maioria das altas patentes soviéticas continua convencida de que se trata de um ardil. Por fim, como única forma de evitar uma agressão nuclear total entre as duas potências, o presidente toma uma decisão olho por olho, ordenando que um avião solte uma bomba equivalente sobre Nova York. Maldito erro de sinalização! Esse livro me deixou apavorado quando eu era criança. Muitas vezes eu examinava o céu da minha cidade natal, Nova York, esperando encontrar o inevitável bombardeiro.

** Algo como: "Ops, desculpe, foi mal por ter dizimado São Petersburgo. Achávamos que tínhamos resolvido aquele bug depois do estrago em Moscou".

Uma maneira de contornar isso é ajustar a frequência dos perdões de acordo com a probabilidade do erro de sinalização ("Desculpe, me atrasei de novo, mudaram o horário do trem" sendo avaliado como mais plausível e perdoável do que "Desculpe, me atrasei de novo, um meteorito atingiu a entrada da minha garagem *outra vez*").

Outra solução para a vulnerabilidade da atitude olho por olho aos erros fortuitos é utilizar uma estratégia que se modifica com o tempo. No começo, em um oceano de estratégias heterogêneas, muitas delas inclinadas à traição, assuma a olho por olho básica. Uma vez que aquelas estratégias tenham sido extintas, mude para a olho por olho clemente, que tem melhor desempenho quando há erros de sinalização. O que significa essa transição de uma atitude durona e punitiva para outra que incorpora a possibilidade de perdão? Estabelecer uma relação de confiança.

Outros refinamentos do modelo simulam sistemas vivos. O cientista da computação John Holland, da Universidade de Michigan, introduziu os "algoritmos genéticos", estratégias que sofrem mutações com o tempo.

Outro aperfeiçoamento baseado no mundo real foi considerar o "custo" de certas estratégias — por exemplo, em relação à olho por olho, os custos de monitorar e depois punir eventuais trapaças: sistemas de alarmes dispendiosos, salários da polícia e construção de presídios. Esses gastos são desnecessários em um mundo sem erros de sinalização e sem nada além de seguidores da atitude olho por olho, de modo que essa estratégia pode ser substituída pela mais econômica "cooperar sempre".

Portanto, quando se consideram os erros de sinalização, os custos distintos entre estratégias e as mutações, um ciclo se estabelece: uma população heterogênea de estratégias, incluindo as mais aproveitadoras e não cooperativas, é substituída pela olho por olho, que por sua vez é substituída pela versão clemente, e então pela cooperação total — até que uma mutação reintroduza estratégias aproveitadoras que se espalham com rapidez, um lobo entre os cordeiros do "cooperar sempre", o que dá início novamente ao ciclo...[*36] Mais e mais modificações foram apro-

---

* Uma estratégia aproveitadora particularmente inteligente é a chamada *pavlov*. Quando você está jogando o DP, os resultados mais vantajosos para você são, em ordem decrescente: a) trair quando a outra pessoa é um trouxa que coopera; b) ambos cooperarem; c) ambos traírem; d) você ser o trouxa que coopera enquanto o outro o trai. O temperamento básico da *pavlov* é cooperar, porém, de vez em quando, de modo aleatório, escolhe-se trair, e a regra é: se, independente daquele ato ocasional de traição aleatória, a jogada terminou com um dos dois melhores resultados possíveis, então você repete a mesma ação na próxima vez; se o resultado foi um dos dois piores possíveis, então você altera o seu comportamento na oportunidade seguinte. O que isso significa é que, se você está jogando contra uma estratégia de cooperar sempre ou uma versão bastante clemente da olho por olho, as suas traições ocasionais jamais ou quase nunca são punidas, permitindo que você se aproveite por muito tempo do outro jogador.

ximando os modelos do mundo real. Logo as estratégias de jogos computadorizadas estavam fazendo sexo umas com as outras, o que deve ter sido a coisa mais excitante de todos os tempos para os matemáticos envolvidos.

Os biólogos evolucionistas ficaram encantados em poder criar modelos cada vez mais sofisticados junto aos teóricos da economia, da diplomacia e dos conflitos militares. Mas a verdadeira questão era se o comportamento animal de fato correspondia a esses modelos.

Um sistema animal bizarro sugere que a estratégia olho por olho pode ser utilizada para garantir a cooperação entre os peixes da espécie *Hypoplectrus nigricans*, que formam casais estáveis.[37] Até aí, nada de estranho. Mas ocorre que esses animais são capazes de mudar de sexo (algo que acontece em algumas espécies). Como de costume, a reprodução é mais metabolicamente dispendiosa para a fêmea do que para o macho. Portanto, os peixes de um casal se revezam na função de fêmea. Digamos que os indivíduos A e B estejam fazendo seu tango de mudança de sexos, e que mais recentemente A tenha ocupado a custosa posição de fêmea, enquanto B esteve na condição mais econômica de macho. Suponha que B trapaceie, permanecendo macho, deixando ao peixe A a obrigação de continuar sendo fêmea: o peixe A então muda para macho e permanece assim até que B recobre sua consciência social e se torne fêmea.

Outra pesquisa bastante citada sugere que a atitude olho por olho é adotada pelos peixes esgana-gatas.[38] Considere o seguinte cenário. Um dos indivíduos dessa espécie está em um tanque; do outro lado de uma divisória de vidro, há algo amedrontador: um peixe maior, da família Cichlidae. O esgana-gatas, de forma hesitante, move-se com rapidez para a frente e para trás, investigando. Agora coloque um espelho dentro do tanque, perpendicular ao eixo que liga os dois peixes. Em outras palavras, graças ao espelho, parece haver um *segundo* ciclídeo ao lado do primeiro. Algo aterrorizante, exceto que do nada aparece também esse segundo esgana-gatas, que examina o segundo ciclídeo toda vez que nosso herói se aproxima do primeiro: "Não faço ideia de quem seja esse cara, mas formamos uma equipe incrível, totalmente coordenada".

Depois disso, convença o esgana-gatas de que o parceiro está trapaceando. Altere o ângulo do espelho de tal maneira que o reflexo seja deslocado para trás. Agora, quando o peixe avança, a cópia refletida também o faz, mas — aquele *babaca!* — ela parece estar se mantendo a uma distância segura (mesmo uma diferença de meio corpo ajuda a diminuir as chances de um peixe ser atacado por um predador). Quando o protagonista acredita estar sendo traído pelo parceiro, ele abandona os movimentos rápidos de avanço.

Uma complexidade ainda maior no desempenho da estratégia olho por olho pode ser sugerida pelo fato de que alguns animais possuem múltiplas funções em seus grupos sociais.[39] Consideremos de novo a técnica de playback, desta vez aplicada a leões, em um estudo no qual o rugido de um macho estranho era emitido a partir de uma caixa de som em meio aos arbustos (ou a partir de um modelo em tamanho real). Os leões se aproximavam de forma hesitante para investigar, encarando isso como um negócio arriscado. De maneira consistente, alguns indivíduos se mantinham um pouco mais atrás. A tolerância em relação a esses contumazes gatinhos assustados parecia violar a demanda de reciprocidade, até que se percebeu que esses animais assumiam a liderança em outras áreas (por exemplo, na caça). Uma conclusão semelhante surge em relação aos ratos-toupeiras-de-damaraland. Os grupos sociais desses roedores, bem como de seus parentes, os ratos-toupeiras-pelados, assemelham-se aos dos insetos sociais, com muitos operários não reprodutores e uma única rainha procriadora.* Os pesquisadores observaram alguns trabalhadores que nunca trabalhavam, e que eram bem mais gordos que os demais. Acontece que esses indivíduos têm duas tarefas especializadas: durante o período de chuvas, eles cavam através dos túneis inundados e desmoronados das tocas e, quando necessário, emigram na arriscada missão de fundar uma nova colônia.

Não estou de todo convencido de que a reciprocidade olho por olho foi demonstrada de forma clara em outras espécies. Mas seria difícil também para os zoologistas marcianos documentar as evidências de um uso estrito dessa estratégia entre os seres humanos — afinal de contas, existem com frequência relações em que uma das pessoas faz todo o trabalho, enquanto a outra não faz nada além de lhe dar alguns pedaços de papel colorido de vez em quando. O fato é que os animais possuem sistemas de reciprocidade sensíveis à trapaça.

Questão crucial 2: Como tem início a cooperação?

Portanto, um punhado de seguidores da atitude olho por olho é capaz de superar uma combinação das outras estratégias, entre as quais aquelas altamente aproveitadoras e pouco cooperativas, perdendo as batalhas, mas vencendo a guer-

---

* Isso nem mesmo começa a arranhar a superfície da estranheza do rato-toupeira-pelado. Eles vivem no subterrâneo, possuem incisivos gigantes e não têm nenhum pelo no corpo, de modo que se parecem com salsichas dentes-de-sabre; além disso, precisam de pouquíssimo oxigênio para viver, não têm quase nenhum receptor para dor na pele, vivem cerca de dez vezes mais que outros roedores (até em torno de trinta anos) e são muito, mas muito resistentes ao câncer. Por esse motivo, o prestigiado periódico acadêmico *Nature* elegeu o rato-toupeira-pelado como o Vertebrado do Ano alguns anos atrás, o que é muito mais legal e impressionante do que figurar na lista da revista *People* das cinquenta pessoas mais bonitas do planeta.

ra. Mas e se existe apenas um defensor da olho por olho entre 99 traidores convictos? Ele não tem a mínima chance. Os traidores, quando disputam entre si, sempre obtêm o segundo pior resultado possível. Mas o defensor da olho por olho, quando joga contra um dos traidores, consegue ter um desempenho ainda pior, ficando com a recompensa dos trouxas logo na primeira rodada, antes que se torne, para todos os efeitos, um traidor contumaz. Isso levanta o segundo grande desafio para o altruísmo recíproco: esqueça agora qual é a melhor estratégia para incentivar a cooperação — como é possível dar início a *qualquer uma* das estratégias? Em meio a um mar de traidores, o primeiro peixe *Hypoplectrus*, ou rato-toupeira, ou ameba *Dictyostelium* que toma o primeiro passo altruísta, depois de ter lido Gandhi, Mandela ou Axelrod e Hamilton, irá se estrepar, ficando para trás de todos os outros competidores. Pode-se praticamente ouvir as amebas traidoras convictas se matando de rir na zombaria.

Vamos facilitar um pouco para que o partidário da olho por olho consiga estabelecer um ponto de apoio. Considere dois indivíduos dessa inclinação entre 98 traidores. Ambos serão esmagados e fulminados... a não ser que encontrem um ao outro e formem um núcleo cooperativo estável, em que os traidores ou precisam mudar para uma estratégia cooperativa ou são extintos. A partir daí, uma semente de cooperação se cristaliza no restante da população.

É aqui que os efeitos barba verde ajudam: as características evidentes dos indivíduos cooperativos os auxiliam a identificar uns aos outros. Outro mecanismo pode ser espacial, segundo o qual a própria característica cooperativa facilita que os indivíduos se encontrem.

Outro caminho foi sugerido para dar a largada no altruísmo recíproco. De vez em quando, ocorre um evento geográfico (digamos, uma ponte terrestre desaparece), isolando um subconjunto de uma população durante várias gerações. O que acontece em tais "populações fundadoras"? Cruzamentos consanguíneos, os quais estimulam a cooperação por meio da seleção de parentesco. Eventualmente a ponte terrestre reaparece, a população fundadora cooperativa endocruzada se une de novo ao grupo principal e a cooperatividade se propaga a partir daí.*

Retornaremos no último capítulo à questão de como dar início à cooperação.

---

* A importância das populações fundadoras foi algo defendido por um dos gigantes da biologia evolutiva, Ernst Mayr, de Harvard. No seu modo de ver, pequenas populações fundadoras eram a força motriz para o surgimento de novas espécies. Vem de um desdobramento das suas ideias a noção de populações fundadoras transientes como um meio de se estabelecer a cooperação em grupos mais amplos. De modo notável, Mayr publicou quatro livros, bem recebidos pela crítica, depois de ter completado já seus noventa anos; o último deles (*Biologia, ciência única*) saiu em 2004, quando tinha cem anos de idade, pouco antes de falecer. Um cara inspirador, por várias razões.

SUSTENTANDO-SE SOBRE TRÊS PERNAS

Agora já tivemos contato com os três pilares fundamentais para pensar a evolução do comportamento: a seleção individual, a seleção de parentesco e o altruísmo recíproco. Além disso, vimos como esses três conceitos são capazes de explicar comportamentos que de outro modo seriam enigmáticos. Alguns desses comportamentos dizem respeito à seleção individual, sendo o infanticídio competitivo o exemplo canônico. Outros são mais explicáveis pela seleção de parentesco — por que há agressão entre os machos de diferentes grupos apenas em algumas espécies de primatas; por que muitas espécies têm sistemas hereditários de hierarquia; por que primos se acasalam com mais frequência do que se esperaria. E alguns são diretamente ligados ao altruísmo recíproco. Por qual outro motivo um morcego vampiro, ciente da ultrapassada influência da seleção de grupo, regurgitaria sangue para o filhote de outro indivíduo?

Vejamos mais alguns exemplos.

Espécies que formam casais versus espécies que formam torneios

Suponha que você tenha descoberto duas novas espécies de primatas. Apesar de tê-las observado durante anos, eis tudo o que você sabe: na espécie A, machos e fêmeas têm tamanho corporal, coloração e massa muscular equivalentes; na espécie B, os machos são maiores e mais musculosos, e possuem vistosas e distintivas colorações faciais (jargão: a espécie B tem grande "dimorfismo sexual"). Veremos agora como esses dois fatos permitem prever com precisão uma tonelada de coisas a respeito dos dois tipos de primatas.

Para começar, qual das espécies apresenta conflitos dramáticos e violentos pela dominância hierárquica entre os machos? É a espécie B, na qual os machos foram selecionados evolutivamente para habilidades de luta e ostentação. Os da espécie A, em contrapartida, são minimamente agressivos — é por isso que não houve seleção para maior massa muscular.

E quanto à variabilidade no sucesso reprodutivo? Em uma das espécies, 5% dos machos dão conta de quase todo o acasalamento; na outra, todos se reproduzem algumas vezes. A primeira opção descreve a espécie B — é para isso que serve a competição por melhor posição hierárquica; a segunda, a espécie A.

Depois, em uma das espécies, se um macho se acasala com uma fêmea e ela dá à luz, ele terá um monte de obrigações na criação da prole. Em contrapartida, nada desse "investimento parental" é observado na outra espécie. É óbvio: a primeira

Pares macho-fêmea de saguis (acima) e mandris (abaixo).

opção descreve a espécie A; os poucos machos da espécie B que geram a maioria dos filhotes decerto não vão se envolver na criação.

Uma das espécies tem uma tendência a formar casais, a outra não. Fácil: o pareamento acontece na espécie A, colocando assim o dobro de cuidados parentais à disposição.

Quão exigentes são os machos no que diz respeito à escolha das fêmeas com que se acasalam? Na espécie B, eles mantêm relações com qualquer uma, em qualquer lugar, em qualquer momento — o custo é apenas um pouco de esperma. Em contrapartida, os machos da espécie A, com a sua regra de "se emprenhou, tem que ajudar a cuidar", são mais seletivos. Portanto, qual das espécies forma casais estáveis? Espécie A, é claro.

Depois que se corrige para o tamanho corporal, os machos de qual das espécies têm os maiores testículos e a maior contagem de espermatozoides? Aqueles da espécie B, sempre dispostos para o acasalamento, caso a ocasião se apresente.

O que as fêmeas buscam em um potencial parceiro? As da espécie B não recebem nada dos machos além dos genes, e estes, portanto, precisam ser da melhor qualidade. Isso ajuda a explicar as características sexuais secundárias ostentosas dos machos: "Se eu posso me dar ao luxo de desperdiçar toda essa energia em músculos, e mais essa galhada ridícula de neon, deve ser porque estou em ótima forma, com os tipos de genes que você desejaria para os seus filhotes". Em contrapartida, as fêmeas da espécie A estão interessadas em um comportamento estável e associativo e em uma boa habilidade na criação da prole. Isso pode ser observado em espécies de pássaros que apresentam esse padrão, nas quais os machos exibem sua perícia parental durante os rituais de acasalamento: eles alimentam simbolicamente as fêmeas com minhocas, como prova de que são capturadores competentes. Com isso em mente, considerando as versões correspondentes às espécies A e B entre os pássaros, em qual delas existe mais chance de a fêmea abandonar a própria ninhada, para transmitir mais cópias de seus genes cruzando com outro macho? Na espécie A, em que se observa o "adultério feminino" — uma vez que o marido irá continuar ali, cuidando da prole.

Ainda ligado a isso, na espécie A, as fêmeas competem de maneira agressiva para formar um vínculo com um macho particularmente desejável (isto é, paternal). Por outro lado, as da espécie B não precisam competir, uma vez que tudo que recebem é o esperma, e os machos desejáveis provêm o bastante para todas.

De maneira notável, o que descrevemos aqui constitui uma dicotomia ampla e confiável entre dois sistemas sociais, segundo a qual A corresponde às espécies "formadoras de casais" e B àquelas "formadoras de torneios".*

---

* Cabem aqui duas notas técnicas. A monogamia social das espécies formadoras de casais nem sempre se traduz em monogamia sexual. "Torneio" é uma palavra utilizada por alguns para descrever exclusivamente as espécies nas quais a disputa macho-macho assume literalmente a forma de um encontro geral entre todos eles visando à exibição competitiva (como nos tetrazes-cauda-de-faisão ou em algumas espécies de ungulados), mas também é utilizada por muitos, como aqui, para descrever de maneira mais geral os sistemas de acasalamento promíscuo envolvendo uma multiplicidade de machos e fêmeas.

	Formadoras de casais	Formadoras de torneios
Comportamento parental dos machos	Abrangente	Mínimo
Seletividade dos machos no acasalamento	Alta	Baixa
Variabilidade no sucesso reprodutivo	Baixa	Alta
Tamanho dos testículos, contagem de espermatozoides	Pequeno/baixa	Grande/alta
Nível de agressividade entre os machos	Baixo	Alto
Grau de dimorfismo sexual no tamanho corporal, na fisiologia, na coloração e na longevidade	Baixo	Alto
As fêmeas procuram	Habilidade na criação da prole	Bons genes
Incidência de adultério entre as fêmeas	Alta	Baixa

Entre os primatas que formam casais estão diversos macacos da América do Sul como micos, saguis e macacos-da-noite, e, entre os grandes primatas, os gibões (os exemplos não primatas englobam cisnes, chacais, castores e, claro, os arganazes-do-campo mencionados no capítulo 4). Os exemplos clássicos de espécies que formam torneios incluem os babuínos, os mandris, os macacos reso, os macacos-vervet e os chimpanzés (outros casos de não primatas abarcam as gazelas, os leões, as ovelhas, os pavões e os elefantes-marinhos). Nem todas as espécies se enquadram com precisão em um desses extremos (não mude de canal). No entanto, o ponto fundamental é a lógica interna segundo a qual as características de cada uma dessas categorias se agrupam, e que tem por base princípios evolutivos.

O conflito genitores-prole

Há um outro aspecto do comportamento que vira a seleção de parentesco de cabeça para baixo. Até aqui, foi dada ênfase ao fato de os parentes compartilharem muitos genes e metas evolutivas. No entanto, à exceção dos gêmeos idênticos, também é pertinente destacar que esses indivíduos não compartilham *todos* os genes e objetivos. O que pode causar certo atrito.

Vide o chamado *conflito genitores-prole*. Um exemplo clássico é a questão de se a fêmea deve ou não prover um dos filhotes com uma alimentação reforçada, garantindo a sua sobrevivência, às custas da nutrição dos demais rebentos (sejam eles presentes ou futuros) — o conflito do desmame.[40]

Isso causa intermináveis rusgas nos primatas.[41] Determinada fêmea de babuíno parece irritada e mal-humorada. Três passos atrás vem o seu filhote, fazendo os mais compungidos sons de lamúria e choramingo imagináveis. De poucos em poucos minutos, ele tenta mamar na mãe; ela, irritada, o afasta, até mesmo com tapas. Sucede-se mais berreiro. É um conflito genitor-prole de desmame: enquanto a mãe amamenta, dificilmente voltará a ovular, o que limita o seu potencial reprodutivo futuro. As fêmeas de babuínos evoluíram para desmamar os filhotes na idade em que são capazes de se alimentar por conta própria, e os filhotes evoluíram para tentar postergar esse dia. De maneira interessante, à medida que as fêmeas envelhecem, e diminui a chance de terem outro filhote no futuro, elas se tornam menos incisivas em forçar o desmame.*

Também existe o conflito mãe-feto. Considere que você é um feto, com um conjunto de metas evolutivas. O que você deseja? Máxima nutrição da mãe — e quem se importa se isso impacta o futuro sucesso reprodutivo dela? Já a mãe deseja equilibrar as perspectivas de sucesso do presente e do futuro. De maneira notável, o feto e a mãe entram em uma disputa metabólica envolvendo a insulina, o hormônio pancreático secretado quando os níveis de glicose aumentam, e que dispara o fluxo de carboidratos para dentro de determinadas células. O feto libera um hormônio que faz com que as células da mãe se tornem insensíveis (isto é, "resistentes à insulina"), bem como uma enzima que degrada a insulina da mãe. Assim, ela absorve menos glicose da sua corrente sanguínea, deixando uma maior quantidade para o rebento.**

Conflito genético intersexual

Em algumas espécies, o feto possui um aliado no conflito com a mãe: o pai.

---

* Goodall, em seu trabalho de campo com os chimpanzés, relatou o caso de Flint, o filhote mais novo da já muito idosa Flo. Ela jamais o desmamou por completo, e Flint permaneceu bastante dependente da mãe, até mesmo na adolescência. Quando Flo morreu de velhice, ele sofreu o que só se pode descrever como uma depressão reativa, tornando-se incapaz de procurar comida ou interagir socialmente. Ele morreu um mês depois.

** Como os médicos chamam a versão extrema dessa resistência à insulina? Diabetes gestacional. Em outras palavras, voltamos aos rótulos disciplinares: se você é um ginecologista obstetra, estamos falando de uma doença; mas se você é um biólogo evolucionista, trata-se de uma disputa particularmente tumultuosa entre mãe e feto.

Imagine uma espécie na qual os machos são migratórios, acasalando-se com as fêmeas e depois seguindo adiante, para nunca mais serem vistos. Qual é a posição do macho a respeito do conflito maternal/fetal? Garantir que o feto, isto é, seu descendente, consiga capturar a maior quantidade possível de nutrientes, mesmo que isso reduza o potencial reprodutivo futuro da mãe — quem se importa, não será um filhote seu o próximo da fila. O macho está mais do que torcendo para o feto atual.

Isso ajuda a explicar um aspecto misterioso e peculiar da genética. Em geral, um gene funciona da mesma maneira, não importando se provém do pai ou da mãe. Mas determinados genes incomuns são "impressos", operando de modo diferente conforme tenham sido herdados do pai ou da mãe, ou sendo ativados apenas segundo uma origem ou outra. O propósito desses genes foi descoberto em uma síntese criativa do biólogo evolucionista David Haig, de Harvard. Os genes de origem paterna causam uma propensão para um maior crescimento fetal, enquanto os maternos têm efeito oposto. Por exemplo, alguns genes paternos codificam para versões mais potentes dos fatores de crescimento, enquanto os maternos determinam variantes relativamente inertes. Um gene oriundo do pai, expresso no cérebro, cria recém-nascidos mais ávidos por serem amamentados; os que têm origem na mãe buscam se contrapor a isso. Tem-se uma corrida armamentista, em que o pai incentiva geneticamente a prole em direção a um maior crescimento, às custas dos planos de reprodução futura da fêmea, e a mãe se contrapõe geneticamente com uma estratégia reprodutiva mais equilibrada.*

Espécies que formam torneios, nas quais os machos têm um investimento mínimo no sucesso reprodutivo das fêmeas, possuem vários genes impressos, ao contrário das que formam casais.[42] E quanto aos seres humanos? Não troque de canal.

SELEÇÃO MULTINÍVEL

Temos, portanto, a seleção individual, a seleção de parentesco e o altruísmo

---

* Essa corrida armamentista se revela em duas classes de doenças. O desenvolvimento normal representa um equilíbrio entre genes pró-crescimento, oriundos do pai, e aqueles que produzem o efeito oposto, oriundos da mãe. O que ocorre quando há uma mutação em um gene impresso de origem paterna, tirando-o de cena? Os genes maternos, não encontrando oposição, inibem bastante o crescimento fetal, de modo que o feto não se implanta. E quando acontece o contrário e há uma mutação incapacitante do gene materno, permitindo que os genes paternos operem sem oposição? Tem-se um crescimento descontrolado da placenta, o que resulta em um câncer agressivo, o coriocarcinoma.

recíproco. E o que foi que ocorreu nos últimos anos? A seleção de grupo reapareceu, entrando de modo furtivo pela porta dos fundos.

A "nova seleção de grupo" apareceu de surpresa em uma discussão bem antiga a respeito da "unidade de seleção".

Genótipo versus fenótipo, e o nível de seleção mais relevante

Para entender isso melhor, vamos fazer um contraste entre *genótipo* e *fenótipo*. Genótipo = configuração genética de uma pessoa. Fenótipo = as características observáveis pelo mundo externo produzidas por aquele genótipo.*

Suponha que exista um gene que influencia o fato de as sobrancelhas se formarem em duas partes isoladas ou como uma unicelha contínua. Além disso, considere que você observou que a incidência de unicelhas está diminuindo na população. Qual é o nível mais importante para entender o porquê desse fenômeno: a variante genética ou o fenótipo da sobrancelha? Sabemos, a partir do capítulo 8, que genótipo e fenótipo não são sinônimos, por causa das interações gene/ambiente. Talvez algum efeito ambiental pré-natal silencie uma versão do gene, mas não a outra. Talvez um subconjunto da população pertença a uma religião segundo a qual se deve cobrir as sobrancelhas na presença de alguém do sexo oposto, e por isso o fenótipo para unicelha esteja fora do alcance da seleção sexual.

Considere que você é um pós-graduando que está fazendo uma pesquisa sobre o declínio da unicelha, e que você deve escolher entre examinar o problema no nível genotípico ou no fenotípico. No genotípico: sequenciar as variantes genéticas da sobrancelha; tentar entender a sua regulação. No fenotípico: analisar, digamos, o aspecto das sobrancelhas e a escolha de parceiros sexuais, ou verificar se as unicelhas absorvem mais calor a partir da radiação solar, danificando, desse modo, o córtex frontal, produzindo um comportamento social inapropriado e um sucesso reprodutivo reduzido.

Essa era a discussão: a evolução pode ser mais bem compreendida quando nos concentramos no genótipo ou no fenótipo?

Há muitos anos, o mais notável proponente da visão centrada nos genes tem

---

* Os neurocientistas com frequência utilizam o termo "endofenótipo", que significa basicamente "uma característica que não éramos capazes de detectar no nível fenotípico, mas que hoje conseguimos detectar graças a alguma invenção, de modo que iremos considerá-la um *endo*fenótipo, quer dizer, uma característica recentemente observável que está meio que dentro de você". O seu tipo sanguíneo é um endofenótipo, detectável com um exame de sangue; o tamanho da sua amígdala é um endofenótipo, detectável por neuroimagem.

sido Dawkins, com seu icônico meme do "gene egoísta" — é o gene que é transmitido para a próxima geração, e suas variantes é que se espalham ou declinam ao longo do tempo. Além disso, um gene é uma sequência clara e bem determinada de letras, redutível e irrefutável, enquanto as características fenotípicas são muito mais borradas e menos distintas.

Esse é o núcleo do conceito de que "a galinha é apenas o modo pelo qual um ovo produz outro ovo" — o organismo é apenas um veículo para que o genoma seja replicado na geração seguinte, e o comportamento não passa de um insignificante epifenômeno que facilita a replicação.

A visão centrada nos genes pode ser dividida em duas. Segundo a primeira, o genoma (isto é, o conjunto de todos os genes, elementos regulatórios e assim por diante) é o melhor nível para pensar as coisas. Para a visão mais radical, defendida por Dawkins, o nível mais apropriado é aquele dos genes individuais — isto é, de genes egoístas, em vez de genomas egoístas.

Em meio a algumas evidências a favor da seleção de genes isolados (um fenômeno obscuro chamado conflito intragenômico, no qual não iremos adentrar), a maioria das pessoas que dão maior importância ao(s) gene(s) que ao fenótipo enxerga esse egoísmo mais específico como um elemento secundário, e defende o nível do genoma como sendo o mais relevante.

Do outro lado, existe a visão de que o fenótipo está acima do genótipo, uma ideia que foi propagada por Ernst Mayr e Stephen Jay Gould, entre outros. O núcleo desse argumento é que são os fenótipos, e não os genótipos, que são selecionados. Como escreveu Gould: "Não importa quanto poder Dawkins queira atribuir aos genes, tem uma coisa que ele não pode lhes dar — visibilidade direta à seleção natural". Segundo essa perspectiva, os genes e a incidência de suas variantes são meramente o registro daquilo que aconteceu na seleção fenotípica.[43]

Dawkins criou uma excelente metáfora: a receita de um bolo é o genótipo; seu gosto, o fenótipo.* Os entusiastas do genótipo dão ênfase ao fato de que a receita é

---

* A essa altura já deve estar claro como muitas vezes as metáforas e analogias ajudam a pensar sobre

aquilo que se transmite, a sequência de palavras que constitui um replicador está-vel. Mas as pessoas selecionam pelo gosto, não pela receita, dizem os fenotipistas, e o gosto é mais do que meramente a receita — afinal de contas, existem interações receita/ambiente, pois os confeiteiros diferem no nível de habilidade, os bolos assam de maneira diferente em diversas altitudes etc. O problema da receita versus gosto pode ser formulado de modo prático: imagine que sua empresa de bolos não está vendendo o bastante; você muda a receita ou o confeiteiro?

Será que não podemos chegar a um acordo? Existe uma resposta óbvia, do tipo que pretende agradar a todos, a saber, que existe espaço para uma ampla gama de visões e mecanismos em nossa tenda arco-íris da diversidade evolutiva. Diferentes circunstâncias trazem diferentes níveis de seleção ao primeiro plano. Algumas vezes o nível mais informativo é o do gene isolado; em outras, o do genoma; e em outras ainda, o de uma característica fenotípica específica ou do conjunto de todo o fenótipo de um organismo.[44] Assim chegamos à sensata ideia de seleção multinível.

A ressurreição da seleção de grupo

Viva, progresso! Em alguns momentos faz mais sentido se concentrar na receita, em outros, no processo de assar o bolo; a receita é o que se replica, o gosto é o que se prefere.

Mas existe um outro nível. Por vezes, as vendas podem ser melhoradas de forma mais direta com a alteração de elementos que vão além da receita e do sabor: anúncios, embalagens ou a percepção de que se trata de um item ordinário ou de luxo. Às vezes as vendas podem ser melhoradas associando-se o produto a um público específico — pense nos itens que chamam a atenção por adotarem práticas de comércio justo, na Your Black Muslim Bakery [Sua padaria negra islâmica] da Nação do Islã ou na ideologia fundamentalista cristã dos restaurantes da rede Chick--fil-A. Nesses casos, tanto a receita quanto o gosto têm menos força do que a ideologia nas decisões de compra.

É aí que se enquadra a nova seleção de grupo dentro da seleção multinível: a ideia de que algumas características hereditárias podem ser prejudiciais à adaptação do indivíduo, mas favoráveis à do grupo. Isso tem tudo a ver com cooperação e pró-socialidade, algo que vem diretamente da análise dos seguidores da estratégia

---

a evolução. Isso inspirou uma meta-analogia, que todos atribuem ao biólogo Steve Jones, da University College de Londres: "A evolução está para a analogia assim como as estátuas para o cocô de passarinho".

olho por olho encontrando uns aos outros em meio a um mar de traidores reitera-dos. Dito de modo mais formal, é o que ocorre quando A domina B, mas um *grupo* de Bs domina um grupo de As.

Eis um ótimo exemplo do pensamento da nova seleção de grupo. Como cria-dor de aves, você deseja que os grupos de galinhas ponham o maior número possí-vel de ovos. Proposta: selecione a poedeira mais prolífica de cada grupo e monte um time com as maiores estrelas galináceas, que terá, em tese, uma enorme produtivi-dade. Porém, em vez disso, a produção de ovos é minúscula.[45]

Por que cada uma dessas estrelas era uma rainha poedeira em seu grupo origi-nal? Porque elas bicavam agressivamente as subordinadas, estressando-as a ponto de reduzir a fertilidade das companheiras. Ponha todas essas galinhas malvadas jun-tas e elas perderão em produtividade para as antigas subalternas.

Isso está a um mundo de distância da ideia de que "animais agem pelo bem da espécie". Em vez disso, trata-se de uma situação em que uma característica influen-ciada geneticamente, embora adaptativa no nível individual, apresenta-se como mal-adaptativa quando compartilhada por um grupo e quando há competição entre os grupos (por um nicho ecológico, por exemplo).

Existe uma considerável resistência a essas ideias. Parte dela é visceral, apare-cendo muitas vezes entre os adeptos da velha guarda: "Ótimo, bem quando afinal conseguimos confiscar todas as fitas do *Wild Kingdom*, voltamos a essa luta infindá-vel contra o sentimentalismo da seleção de grupo". Mas a parte mais essencial da resistência vem de pessoas que sabem distinguir a velha e inadequada seleção de grupo da nova formulação, e que aceitam esta última, mas acreditam que ela seja bem pouco frequente.

Talvez ela seja mesmo, quando se considera o reino animal como um todo. Mas a nova seleção de grupo aparece com grande frequência e importância entre os seres humanos. Os grupos competem por domínios de caça, pastagens e fontes de água. As diferentes culturas amplificam a intensidade da seleção intergrupal e ate-nuam a seleção intragrupal por meio do etnocentrismo, da intolerância religiosa, das políticas de base racial e assim por diante. O economista Samuel Bowles, do Instituto Santa Fé, ressalta quanto os conflitos intergrupais como a guerra funcio-nam como forças motrizes para a cooperação intragrupal ("altruísmo paroquial"); ele se refere à disputa intergrupal como a "parteira do altruísmo".[46]

Hoje, a maioria dos pesquisadores da área aceita a seleção multinível e ao mes-mo tempo reconhece que há espaço para ocorrências da nova seleção de grupo, sobretudo entre os seres humanos. Grande parte desse ressurgimento se deve ao trabalho de dois cientistas. O primeiro deles é David Sloan Wilson, da Universidade do Estado de Nova York em Binghamton, que passou décadas buscando reconhecimento para a nova seleção de grupo (embora ele não a veja exatamente como "nova", mas como a velha versão enfim trabalhada com algum rigor científico), sendo em geral ignorado. Ele apoiou seus argumentos com pesquisas próprias, estudos que vão da socialidade dos peixes à evolução da religião. Pouco a pouco, ele foi convencendo algumas pessoas, sendo a mais importante delas o segundo cientista ao qual nos referimos, Edward O. Wilson, de Harvard (não há parentesco entre eles). Pode-se dizer que E. O. Wilson é o mais importante naturalista da segunda metade do século xx, um arquiteto da síntese da sociobiologia, além de influente em vários outros campos de pesquisa, um deus da biologia. E. O. Wilson havia descartado fazia muito tempo as ideias de David Sloan Wilson. E então, alguns anos atrás, o octogenário E. O. Wilson fez algo extraordinário: ele concluiu que estava errado. Em seguida, publicou um artigo essencial em parceria com o outro Wilson — "Rethinking the Theoretical Foundation of Sociobiology" [Reavaliando os fundamentos teóricos da sociobiologia]. Minha admiração por esses dois, como pessoas e como cientistas, é enorme.[47]

Portanto, ocorreu uma espécie de détente entre os defensores da importância dos diferentes níveis de seleção. Nossa cadeira de três pernas — a seleção individual, a seleção de parentesco e o altruísmo recíproco — parece ser mais estável com um quarto ponto de apoio.

E NÓS

Onde os seres humanos se encaixam nisso tudo? Nosso comportamento parece acompanhar de modo fiel as previsões desses modelos evolutivos... Até que observamos mais de perto.[48]

Vamos começar esclarecendo algumas noções equivocadas. Primeiro, não descendemos dos chimpanzés. Ou de nenhum outro animal vivo hoje. Nós e os chimpanzés compartilhamos um ancestral em comum de cerca de 5 milhões de anos atrás (e a genômica mostra que, desde então, os chimpanzés têm estado tão ocupados evoluindo quanto nós).[49]

E existem as ideias equivocadas a respeito de qual dos grandes primatas seria nosso "parente mais próximo". De acordo com a minha experiência, se a pessoa demonstra interesse por caça aos patos e música country, ela normalmente vota a favor dos chimpanzés, mas se é alguém que prefere comida orgânica e entende de ocitocina, então a escolha é pelos bonobos. A verdade é que somos igualmente aparentados com ambas as espécies, compartilhando em torno de 98% a 99% do nosso DNA com cada uma delas. O pesquisador Svante Pääbo, dos Institutos Max Planck, da Alemanha, demonstrou que 1,6% do genoma humano está mais relacionado aos bonobos; 1,7% está mais ligado aos chimpanzés.*[50] Apesar da conjunção de alguns dos nossos mais fervorosos desejos e desculpas, não somos nem bonobos nem chimpanzés.

Passemos agora ao modo como as peças conceituais fundamentais da evolução comportamental se aplicam aos seres humanos.

Torneios promíscuos ou casais monogâmicos?

Não posso deixar de começar por uma questão irresistível: pois então, nós somos uma espécie formadora de casais ou de torneios?[51]

A civilização ocidental não nos oferece uma resposta clara. Valorizamos as relações estáveis com parceiros fiéis, e ainda assim ficamos atraídos e nos deixamos seduzir pelas alternativas, e com frequência sucumbimos. Quando os divórcios são legalizados, uma grande porcentagem dos casamentos tem esse fim, embora a porcentagem de pessoas casadas que se divorcia seja mais baixa — isto é, a alta taxa de divórcios decorre de indivíduos reincidentes.

E quanto ao dimorfismo sexual humano? Os homens são cerca de 10% mais altos e 20% mais pesados que as mulheres, consomem 20% mais calorias e vivem 6% menos — um dimorfismo mais pronunciado que o das espécies monogâmicas, mas inferior ao das poligâmicas. O mesmo vale para as características sexuais secundárias menos evidentes, como o comprimento dos caninos, que na média são pouca coisa mais longos entre os homens. Além disso, quando comparados, digamos, aos monogâmicos gibões, os machos humanos possuem testículos proporcionalmente maiores e uma contagem de espermatozoides mais elevada... porém insignificantes perto dos resultados dos poligâmicos chimpanzés. E voltemos à questão dos genes impressos, que refletem a competição genética intersexual, aparecendo em grande número nas espécies que formam torneios e sendo praticamente inexistentes nas que formam casais. O que vale para os humanos? Temos alguns genes desse tipo, mas não muitos.

Medida após medida, a conclusão é sempre a mesma. Não somos tipicamente monogâmicos nem poligâmicos. Como qualquer um pode confirmar, desde os poetas até os advogados especialistas em divórcio, somos por natureza bastante confusos — com uma leve inclinação à poliginia, pairando em algum ponto entre os extremos.**

---

* Pääbo, um cientista de eficiência extraordinária, foi pioneiro no sequenciamento de DNA antigo, sendo o primeiro fazê-lo com os genomas de mamutes e de neandertais.

** Uma ótima análise a esse respeito pode ser encontrada em *O mito da monogamia*, escrito pelo psicólogo David Barash, da Universidade de Washington, e pela psiquiatra Judith Lipton.

Seleção individual

À primeira vista, parecemos ser um ótimo exemplo de espécie em que a força motriz do comportamento está em elevar ao máximo o sucesso reprodutivo, na qual uma pessoa pode ser o modo como um óvulo produz outro óvulo, enfim, em que os genes egoístas triunfam. Basta pensar na tradicional prerrogativa dos homens poderosos: serem polígamos. O faraó Ramsés II, hoje absurdamente associado a uma marca de camisinhas, teve 160 filhos e é provável que não fosse capaz de dizer qual dentre eles era Moisés. Ibn Saud, o fundador da dinastia Saudi, teve, no período de meio século que precedeu a sua morte, em 1953, mais de 3 mil descendentes. Estudos genéticos sugerem que por volta de 16 milhões de pessoas vivas descendem de Gengis Khan. E em décadas mais recentes, tanto o rei Sobhuza II, da Suazilândia, quanto o rei Saud (filho de Ibn Saud) e o ditador Jean-Bédel Bokassa, da República Centro-Africana, tiveram mais de uma centena de filhos cada. Isso para não falar de vários líderes mórmons fundamentalistas.[52]

O impulso dos homens de buscar o máximo sucesso reprodutivo se evidencia em um dado importante: a causa mais frequente da violência individual entre seres humanos é a disputa macho-macho por acesso reprodutivo direto ou indireto às fêmeas. Depois disso, há ainda outra fonte de agressão cuja frequência é desconcertante: a violência masculina contra mulheres para coerção sexual ou como resposta à rejeição.

Portanto, muitos dos comportamentos humanos fariam sentido para um babuíno ou um elefante-marinho. Mas essa é apenas metade da história. Apesar dos Ramsés, Ibn Saud e Bokassa da vida, diversas pessoas deixam de se reproduzir, muitas vezes devido à teologia ou à ideologia. E uma seita inteira — a Sociedade Unida dos Crentes na Segunda Aparição de Cristo, mais conhecidos como Shakers — logo se verá extinta por causa do celibato de seus seguidores. E, por fim, o suposto egoísmo dos genes humanos, que leva adiante a seleção individual, precisa ser capaz também de explicar a existência de indivíduos que se sacrificam por desconhecidos.

Apontei anteriormente, neste mesmo capítulo, o infanticídio competitivo como uma forte evidência da importância da seleção individual. Será que algo semelhante ocorre entre os seres humanos? Os psicólogos Martin Daly e Margo Wilson (já falecida), da Universidade McMaster, no Canadá, examinaram os padrões de maus-tratos na infância e chegaram a uma conclusão impressionante: existe uma chance bem maior de que uma criança seja molestada ou morta pelos pais ou mães adotivos do que pelos biológicos. Isso pode ser imediatamente concebido como um paralelo do infanticídio competitivo.[53]

Essa descoberta, chamada de "efeito Cinderela", embora tenha sido bem recebida pelos sociobiólogos que estudam os seres humanos, foi também criticada de forma robusta. Alguns alegam que variáveis como a condição socioeconômica não passaram por um controle adequado (os lares com um pai ou mãe adotivo, em vez de dois genitores biológicos, têm, em geral, renda menor e um maior estresse econômico, causas conhecidas da agressividade deslocada). Outros acreditam que há um vício de detecção: o mesmo grau de maus-tratos tem mais chances de ser identificado pelas autoridades quando cometido por um pai ou mãe adotivos. E a descoberta foi replicada de modo independente em alguns estudos, mas não em todos. Acredito que o júri ainda está se decidindo sobre essa questão.

Seleção de parentesco

Como ficam os seres humanos com relação à seleção de parentesco? Já vimos exemplos que se encaixam bem — por exemplo, a poliandria fraternal no Tibete, o bizarro fato de as mulheres apreciarem o cheiro dos primos homens e a universalidade do nepotismo.

Além disso, os seres humanos são obcecados por relações de parentesco em grande parte das culturas, possuindo sistemas sofisticados de nomenclatura social (basta entrar em uma papelaria e observar como os cartões comemorativos são organizados em categorias de vínculos familiares — para a irmã, o irmão, o tio e assim por diante). E ao contrário de outros primatas que mudam de bando durante a adolescência, as pessoas das sociedades tradicionais, quando se casam com alguém de fora e vão viver em outro grupo, continuam mantendo contato com a família de origem.[54]

E mais ainda, desde os habitantes das terras altas da Nova Guiné até as famílias dos Hatfield e dos McCoy, feudos e vendetas ocorrem entre clãs formados por linhagens de parentesco. Em geral, legamos nosso dinheiro e nossas terras aos nossos descendentes, e não a desconhecidos. Desde o Antigo Egito até a Coreia do Norte, passando também pelos Kennedy e os Bush, vemos exemplos de governos dinásticos. E o que dizer disto enquanto amostra de seleção de parentesco em humanos? Apresentou-se a alguns voluntários um cenário no qual um ônibus avançava com rapidez em direção a uma pessoa e um cachorro não especificado, sendo possível salvar apenas um dos dois; quem eles escolhiam? O resultado dependia do grau de parentesco imaginário entre o voluntário e a vítima humana, à medida que se progredia de um irmão (1% das pessoas escolhia o cachorro) para um avô ou avó (2%), para um primo distante (16%), até um estranho (26%).[55]

Outro indicador da importância do parentesco nas interações entre seres humanos é que as pessoas não podem ser obrigadas a testemunhar em juízo contra um parente de primeiro grau em muitos países e em diversos estados americanos. E quando ocorrem danos ao (emocional) CPFvm, os indivíduos se tornam tão desapaixonadamente utilitaristas que seriam capazes de escolher uma opção que prejudicasse os próprios familiares a fim de salvar pessoas desconhecidas.[56]

Existe um exemplo histórico fascinante de como nos parece errado o fato de alguém pôr desconhecidos acima da própria família. Trata-se da história de Pavlik Morozov, um garoto que viveu na União Soviética de Stálin.[57] De acordo com os relatos oficiais, o jovem Pavlik era um cidadão exemplar, um ardoroso e ufanista patriota. Em 1932, ele pôs o Estado acima da família ao entregar o pai (porque este teria se beneficiado com negócios no mercado clandestino), o qual foi logo preso e executado. Pouco depois o garoto foi morto, segundo consta, por parentes que davam um valor maior à seleção de parentesco.

Os propagandistas do regime se apropriaram da história. Estátuas do jovem mártir da revolução foram erguidas. Poemas e canções foram escritos; escolas foram batizadas em sua homenagem. Uma ópera foi composta, um filme hagiográfico foi produzido.

À medida que a história foi se tornando conhecida, informaram a Stálin sobre o garoto. E qual foi a resposta do homem que mais se beneficiou de tamanha lealdade ao Estado? Teria sido talvez: "Ah, se ao menos todos fossem tão zelosos; esse jovem me dá esperanças quanto ao nosso futuro"? Não. De acordo com o historiador Vejas Liulevicius, da Universidade do Tennessee, quando soube a respeito de Pavlik, Stálin fez uma expressão de desprezo e disse: "Que pequeno imundo, fazer uma coisa dessas com a própria família". Em seguida, botou os propagandistas para trabalhar.

Portanto, até Stálin era da mesma opinião que a maioria dos mamíferos: havia alguma coisa errada com aquele garoto. As interações sociais entre seres humanos são profundamente estruturadas em torno da seleção de parentesco. Com raras exceções, como a de Pavlik Morozov, o sangue é mais espesso que a água.

Obviamente, só até que se examine mais de perto.

Para começar, sim, é verdade que em muitas das nossas culturas somos obcecados por nomenclaturas de parentesco, mas os termos utilizados muitas vezes não correspondem com precisão aos vínculos biológicos reais.

Sem dúvida temos vendetas entre clãs, mas também temos guerras nas quais combatentes em lados opostos têm um maior grau de parentesco que os que estão do mesmo lado. Irmãos lutaram uns contra os outros na Batalha de Gettysburg.[58]

Membros aparentados da nobreza e seus exércitos batalham pela sucessão real; os primos George v da Inglaterra, Nicolau ii da Rússia e Guilherme ii da Alemanha conduziram e patrocinaram alegremente a Primeira Guerra Mundial. E existe a violência entre indivíduos dentro do ambiente familiar (embora com uma frequência bastante baixa quando se corrige para o tempo que passam juntos). Há o patricídio, muitas vezes um ato de vingança por um longo histórico de maus-tratos, e o fratricídio. Raramente motivado por questões de importância econômica ou reprodutiva — heranças de proporções bíblicas usurpadas, alguém que dorme com a esposa de um irmão —, o fratricídio no mais das vezes ocorre por incômodos e desavenças de longo prazo, que de repente chegam a um ponto de ebulição fatal (no começo de maio de 2016, por exemplo, um cidadão da Flórida foi acusado de homicídio doloso não premeditado em virtude da morte do irmão — em uma disputa por um cheeseburger). E além disso, existe, como vimos, a vulgaridade atroz dos assassinatos por honra em certas partes do mundo.[59]

Os casos mais incompreensíveis de violência intrafamiliar, em termos de seleção de parentesco, são os de pais que matam os próprios filhos, comportamento que ocorre com maior frequência como resultado de um homicídio seguido de suicídio, de uma doença mental severa ou de maus-tratos que acabam se provando fatais.*[60] E existem também os casos em que uma mãe mata um filho não desejado, visto como um empecilho — um conflito genitor/prole salpicado pela espuma da loucura.[61]

Embora leguemos dinheiro aos nossos descendentes, também o doamos por caridade a estranhos do outro lado do planeta (obrigado, Bill e Melinda Gates) e adotamos órfãos de outros continentes. (É claro que, como veremos em um capítulo futuro, ser generoso é algo que tem tons de interesse próprio, e que a maioria das pessoas que adota crianças o faz porque não pode gerar filhos biológicos — mas a mera ocorrência de qualquer uma dessas ações já viola a seleção de parentesco em sentido estrito.) E no sistema de primogenitura aplicado na herança de terras, a ordem de nascimento vale mais do que o grau de parentesco.

Portanto, representamos exemplos perfeitos de seleção de parentesco, mas também exceções gritantes.

Por que os seres humanos apresentam desvios tão marcantes com relação à

---

* Li há pouco tempo no *Kenya Daily Nation* a respeito de um caso chocante, não apenas por desafiar a seleção de parentesco, mas por testar nossas convicções a respeito de quais limites de desumanidade jamais serão ultrapassados. Em algumas partes da Tanzânia, existe uma crença difundida de que os órgãos de pessoas albinas têm propriedades mágicas curativas, e um número chocante desses indivíduos é assassinado por isso. A notícia se referia a uma garota albina de cinco anos, habitante do vizinho Quênia, e ao plano de levá-la de forma clandestina para a Tanzânia a fim de vendê-la a um xamã, para ser sacrificada por seus órgãos. Os arquitetos do crime? O padrasto e o pai da menina.

seleção de parentesco? Acredito que isso muitas vezes reflete a maneira como se identificam, na prática, os parentes. Não o fazemos de modo certo, por um reconhecimento inato dos feromônios derivados do CPH, como os roedores (apesar de sermos capazes de distinguir graus de parentesco, até certo ponto, por meio do olfato). E também não o fazemos por uma estampagem a partir de sinais sensoriais, com uma decisão do tipo: "Esta pessoa é a minha mãe porque me lembro que a sua voz era a mais alta quando eu era um feto".

Em vez disso, reconhecemos as pessoas do mesmo sangue de forma cognitiva, por meio do pensamento. Mas, de modo crucial, nem sempre o fazemos racionalmente — como regra geral, tratamos outros indivíduos como parentes quando nos passam a *sensação* de serem parentes.

Um exemplo fascinante é o efeito Westermarck, demonstrado por padrões de casamento entre pessoas criadas no sistema de kibutz israelense.[62] A criação comunitária das crianças ocupa uma posição central no conjunto de valores da abordagem agrícola e socialista tradicional dos kibutzim. As crianças sabem quem são seus pais e interagem com eles durante algumas horas por dia. Mas, exceto por isso, elas vivem, estudam, brincam, alimentam-se e dormem com o grupo da mesma faixa etária, em alojamentos comunitários supervisionados por enfermeiros e professores.

Nos anos 1970, o antropólogo Joseph Shepher analisou os registros de todos os casamentos realizados entre pessoas do mesmo kibutz. E no conjunto de cerca de 3 mil casos, não havia nenhuma ocorrência da união de dois indivíduos que tivessem feito parte do mesmo grupo durante os primeiros seis anos de vida. Ah, certamente, as pessoas do mesmo grupo em geral mantinham relações afetuosas, íntimas e duradouras. Mas sem atração sexual: "Eu o(a) amo com todas as forças, mas se fico atraído(a)? Eca, sinto como se ele(a) fosse um irmão". Quem passa a sensação de ser parente (e, logo, não é um parceiro em potencial)? Alguém com quem você tomou muitos banhos quando ambos eram crianças.

Que tal isso como forma de irracionalidade? Voltamos aos voluntários que precisavam escolher se salvariam a pessoa ou o cachorro. A decisão dependia não apenas de quem era a pessoa (irmão, primo ou estranho), mas também de qual era o cachorro: um desconhecido ou o seu animal de estimação. De maneira notável, *46%* das mulheres salvariam o próprio cãozinho em vez de um turista estrangeiro. Qual seria a conclusão racional de qualquer babuíno, lebre-assobiadora ou leão? Que essas mulheres acreditavam possuir uma relação de parentesco mais próxima com um lobo neotenizado do que com qualquer outro ser humano. Por que outra razão ela agiria assim? "Eu daria minha vida com prazer por oito primos ou por minha labradoodle maravilhosa, Sadie."

★ ★ ★

A irracionalidade humana na hora de distinguir entre quem pertence ou não à família nos leva à essência de nossos melhores e piores comportamentos. Isso por causa de uma questão crucial: podemos ser *manipulados* a nos sentirmos mais ou menos ligados a alguém do que de fato o somos. No primeiro caso, coisas incríveis acontecem: adotamos, doamos, defendemos e sentimos empatia. Olhamos para alguém bastante diferente de nós e enxergamos similaridades. É o que se chama de pseudoparentesco. E o contrário? Uma das ferramentas dos propagandistas e ideólogos que fabricam o ódio contra os que estão de fora — negros, judeus, muçulmanos, tutsis, armênios, ciganos — é apresentá-los como se fossem animais, vermes, baratas, patógenos. Tão diferentes que dificilmente contariam como seres humanos. É o que se chama de pseudoespeciação, e, como se verá no capítulo 15, é o que dá suporte a muitos de nossos piores momentos.

Altruísmo recíproco e nova seleção de grupo

Não há muito o que dizer aqui além de que isso é a coisa mais interessante do capítulo. Quando Axelrod tinha tudo preparado para começar seu campeonato de todos contra todos, ele não convocou, digamos, peixes para oferecerem estratégias para o Dilema do Prisioneiro. Ele convocou seres humanos.

Somos esta espécie de cooperatividade sem precedentes entre indivíduos não aparentados, até mesmo entre completos desconhecidos; as colônias de *Dictyostelium* ficam verdes de inveja por causa da capacidade humana de fazer uma ola em um estádio de futebol. Trabalhamos de maneira coletiva como caçadores-coletores ou como executivos de TI. O mesmo vale para quando guerreamos ou ajudamos as vítimas de um desastre do outro lado do mundo. Trabalhamos em equipe quando sequestramos aviões e os atiramos contra edifícios, ou quando escolhemos o ganhador do Nobel da Paz.

Regras, leis, tratados, punições, consciência social, voz interior, moralidade, ética, castigo divino, canções do jardim de infância sobre compartilhar — tudo isso tem origem na terceira perna da evolução do comportamento, a saber, o fato de que é vantajoso, em termos evolutivos, que indivíduos não aparentados cooperem. Em certos casos.

Uma das manifestações dessa forte tendência humana foi examinada recentemente por antropólogos. A perspectiva convencional a respeito dos caçadores-coletores era de que a sua natureza cooperativa e igualitária refletiria níveis elevados de consanguinidade no interior dos grupos — isto é, seleção de parentesco. A versão "macho-caçador" dos caçadores-coletores entendia que isso era devido à patriloca-lidade (isto é, quando a mulher, depois de se casar, passa a viver com o grupo do marido), enquanto a versão "caçador-maneiro" associava isso à matrilocalidade (ou seja, a situação oposta). Contudo, uma pesquisa com mais de 5 mil pessoas de 32 sociedades de caçadores-coletores do mundo todo* mostrou que somente cerca de 40% das pessoas no mesmo bando têm relações de sangue.[63] Em outras palavras, a cooperatividade desses povos, o bloco de construção fundamental de 99% da histó-ria dos Hominini, depende ao menos em igual proporção do altruísmo recíproco entre indivíduos não aparentados e da seleção de parentesco (com a ressalva feita no capítulo 9 de que isso pressupõe que caçadores-coletores de hoje servem de substitutos para seus ancestrais).

Assim, os seres humanos sobressaem na cooperação entre indivíduos sem re-lação de sangue. Já avaliamos algumas circunstâncias que favorecem o altruísmo recíproco; isso será retomado no último capítulo. Além disso, não foi apenas o time das galinhas legais superando o das malvadas que reanimou a seleção de grupo. Ela está no cerne da cooperação e da competição entre grupos e culturas humanos.

Portanto, os seres humanos se afastam das previsões mais estritas da evolução do comportamento. E isso é pertinente quando se consideram três das principais críticas à sociobiologia.

O DE SEMPRE: ONDE ESTÃO OS GENES?

Já apontei mais cedo neste livro um dos requisitos essenciais da nova seleção de grupo, a saber, que os genes estejam ligados a uma característica que varia mais entre os grupos que no interior deles. Isso vale para tudo neste capítulo. A primeira condição para que uma característica possa evoluir é ser hereditável. Mas isso é algo que muitas vezes se esquece ao longo do caminho, uma vez que os modelos evolu-tivos assumem de modo tácito a existência de influências genéticas. O capítulo 8 mostrou quão tênue é a ideia de que há "um gene", ou mesmo vários genes, "para" a agressividade, a inteligência, a empatia e assim por diante. Levando isso em con-sideração, ainda mais tênue seria a ideia de um gene (ou genes) responsável por elevar ao máximo o sucesso reprodutivo por meio de, digamos, "acasalar-se indis-criminadamente com qualquer fêmea disponível", ou então "abandonar os filhotes e encontrar um novo parceiro, porque o pai irá cuidar deles".

---

* Por exemplo, boxímanes !kung, do deserto de Kalahari, em Botsuana; grupos aborígenes australia-nos; pigmeus mbuti, do Congo; inuítes do Norte do Canadá; e populações amazônicas.

Assim, os críticos muitas vezes demandam: "Mostre-me o gene que você pressupõe que esteja ali". E os sociobiólogos respondem: "Mostre-me uma explicação mais parcimoniosa que esse pressuposto".

UM NOVO DESAFIO: AS MUDANÇAS EVOLUTIVAS SÃO CONTÍNUAS OU GRADUAIS?

O termo "evolução" traz consigo uma bagagem dependente do contexto. Se você mora no Cinturão Bíblico, a evolução é uma tentativa da esquerda de conspurcar Deus, a moralidade e a excepcionalidade humana. Mas para os indivíduos da extrema esquerda, "evolução" é uma noção reacionária, a mudança lenta que impede a transformação real: "Toda reforma enfraquece a revolução". O novo desafio é tentar entender se a evolução na verdade é mais uma questão de revolução rápida que de reforma lenta.

Uma premissa básica da sociobiologia é que a mudança evolutiva é gradual, incremental. À medida que, pouco a pouco, uma pressão de seleção se modifica, certa variante genética útil se torna mais frequente no conjunto de genes da população. Quando uma quantidade suficiente de mudanças se acumula, a população pode até formar uma nova espécie ("gradualismo filético"). Ao longo de milhões de anos, e de forma bem gradual, dinossauros se transformam em galinhas, outros organismos que se qualificam como mamíferos surgem à medida que as secreções glandulares evoluem devagar para compor o leite e os polegares vão se opondo de modo crescente nos protoprimatas. A evolução é gradativa, contínua.

Em 1972, Stephen Jay Gould e o paleontólogo Niles Eldredge, do Museu Americano de História Natural, propuseram uma ideia que foi esquentando pouco a pouco e depois pegou fogo nos anos 1980. Eles defendiam que o processo evolutivo não é gradual; em vez disso, na maior parte do tempo nada acontece, e a evolução ocorre em rápidas e dramáticas arrancadas intermitentes.[64]

Equilíbrio pontuado

A ideia deles, que recebeu o nome de equilíbrio pontuado, estava ancorada na paleontologia. Os registros fósseis, todos nós sabemos, demonstram gradualismo: os ancestrais humanos apresentam crânios progressivamente maiores, posturas mais eretas e assim por diante. E se dois fósseis de uma progressão cronológica diferem bastante, se há um salto na sequência, então deve existir uma forma intermediária que compõe o "elo perdido" no período entre os dois registros. Com uma quantidade suficiente de fósseis em uma linhagem, as coisas assumirão uma aparência gradualista.

Eldredge e Gould se concentraram no fato de que existiam diversos registros fósseis que não eram completos em termos cronológicos (por exemplo, os de trilobitas e os de caracóis, as especialidades de Eldredge e Gould, respectivamente) e não demonstravam gradualismo. Em vez disso, havia longos períodos de estagnação, de fósseis sem modificações, e então, em um piscar de olhos paleontológico, ocorria uma rápida transição para uma forma bastante diferente. Talvez a evolução operasse em grande parte desse modo, eles propuseram. O que dispara os eventos pontuados de mudança súbita? Um fator de seleção abrupto e maciço que elimina a maior parte de uma espécie, deixando como sobreviventes apenas aqueles indivíduos com características genéticas obscuras, mas que acabam se mostrando cruciais — um "gargalo evolutivo".

Por que o equilíbrio pontuado desafia o pensamento da sociobiologia? O gradualismo sociobiológico sugere que qualquer mínima diferença de adaptação é relevante e toda pequena vantagem de um indivíduo sobre outro no número de cópias de genes transmitidas à próxima geração se traduz em mudança evolutiva. Em qualquer momento, a otimização da competição, da cooperação, da agressividade, do investimento parental, de tudo, tem consequências evolutivas. E se em vez disso existe, na maior parte do tempo, estagnação evolutiva, muito deste capítulo se torna em grande parte irrelevante.*

Os sociobiólogos não gostaram nada da ideia. Eles apelidaram os defensores do equilíbrio pontuado de "limitados" (sendo por sua vez chamados de "rasteiros" — sacou? EP = evolução em momentos limitados; sociobiologia = evolução como um processo gradual, que se arrasta).** Os gradualistas reagiram com fortes argumentos contrários, que assumiram diferentes formas:

---

* Ligada a isso existe a noção de que a maior parte da evolução do comportamento não se devia à necessidade de encarar as complexidades sociais dos demais membros da espécie, mas sim de enfrentar as pressões abióticas (isto é, não biológicas). Em outras palavras, o comportamento teria evoluído em grande parte para lidar com o ambiente, e não para competir com outros indivíduos. Mais uma vez, a principal consequência, em vista dos nossos propósitos, é que essa seria outra maneira como a relevância gradualista da competição interindividual estaria aquém do que os sociobiólogos haviam imaginado. Essa ênfase na importância das pressões seletivas abióticas era comum entre os biólogos evolutivos soviéticos, o que provavelmente refletia não apenas a ideologia marxista, mas também os invernos terríveis.

** No original, trocadilhos com as palavras *"jerk"* (que quer dizer "arrancada", mas também "babaca") e *"creep"* (que quer dizer "arrastar-se", mas também uma pessoa desagradável, estranha). (N. T.)

São apenas conchas de caracóis. Primeiro, existem algumas linhagens fósseis muito completas que são graduais. E não se esqueçam, disseram os gradualistas, esses caras do equilíbrio pontuado estão falando de fósseis de trilobitas e caracóis. O registro fóssil que mais nos interessa — dos primatas ou dos Hominini — é muito irregular para podermos dizer se é gradualista ou pontuado.

Quão rápido é o piscar de olhos deles? Além disso, continuaram os gradualistas, lembrem-se, esses fãs do equilíbrio pontuado são paleontólogos. Eles enxergam longos períodos de estagnação e depois mudanças extremamente rápidas, de um piscar de olhos, no registro fóssil. Mas quando se trata de fósseis, uma piscadela, um período imperceptivelmente curto, pode ser algo como 50 mil ou 100 mil anos. Isso é bastante tempo para que a evolução, em seu aspecto mais brutal e intenso, aconteça. Essa é apenas uma refutação parcial, uma vez que, se um piscar de olhos paleontológico é tão longo, um período de estagnação paleontológico é muitíssimo longo.

Eles deixam de fora as coisas importantes. Um argumento fundamental é lembrar a todos que os paleontólogos estudam coisas fossilizadas: ossos, conchas, insetos no âmbar. Mas não órgãos: cérebros, glândulas pituitárias, ovários. Nem células: neurônios, células endócrinas, óvulos, espermatozoides. Nem moléculas: neurotransmissores, hormônios, enzimas. Em outras palavras, nenhuma das coisas interessantes. Então aqueles fissurados do equilíbrio pontuado desperdiçam suas carreiras medindo zilhões de conchas de caracóis e, com base nisso, vêm dizer que estamos errados sobre a evolução do comportamento?

Isso abre espaço para um certo acordo entre as partes. Talvez a pelve dos Hominini tenha de fato evoluído de maneira pontuada, com longos períodos de estagnação e rompantes de transformações rápidas. E talvez a evolução da hipófise tenha sido também intermitente, mas com avanços pontuados em momentos diferentes. E pode ser que os receptores dos hormônios esteroides, a configuração dos neurônios frontocorticais e o aparecimento da ocitocina e da vasopressina também tenham evoluído dessa maneira, mas cada um desses elementos passou por mudanças em períodos distintos. Faça a sobreposição e tire a média desses padrões pontuados e você terá um processo gradual. Contudo, isso só ajuda até certo ponto, uma vez que é preciso admitir que existiram vários gargalos evolutivos.

Onde está a biologia molecular? Uma das réplicas gradualistas mais fortes foi a de nível molecular. As micromutações, que consistem em mutações pontuais, de inserção e de deleção que alteram de maneira sutil a função de proteínas preexistentes, têm tudo a ver com gradualismo. Mas quais mecanismos de evolução molecular explicam as mudanças rápidas e dramáticas e os longos períodos de estagnação?

Como vimos no capítulo 8, as últimas décadas ofereceram muitos mecanismos moleculares possíveis para transformações rápidas. Esse é o campo das macromutações: a) mutações pontuais, de inserção e de deleção convencionais em genes cujas proteínas têm efeitos de rede amplificadores (fatores de transcrição, enzimas de *splicing*, transpósons) sobre um éxon expresso em várias proteínas, em genes para enzimas envolvidas na epigenética; b) mutações convencionais nos promotores, modificando o quando/onde/quanto da expressão gênica (lembre-se daquela alteração de um promotor que faz com que os arganazes-do-campo polígamos se tornem monogâmicos); c) mutações não convencionais como a duplicação ou a exclusão de genes inteiros. Todos esses são meios para mudanças rápidas de grande porte.

Mas e quanto aos mecanismos moleculares para as fases de estagnação? Enfie uma mutação aleatória em um gene para um fator de transcrição, criando assim um novo grupo de genes que jamais foi expresso simultaneamente. Quais são as chances de que isso não será um desastre? Ou provoque de modo aleatório uma mutação em um gene para uma enzima que faz a mediação das mudanças epigenéticas, produzindo, dessa forma, padrões aleatoriamente diferentes de silenciamento gênico. Com certeza, isso promete excelentes resultados... Ou deixe cair de paraquedas um elemento genético transponível no meio de um gene qualquer, ou altere uma enzima de *splicing* de modo que ela embaralhe e combine éxons diferentes em várias proteínas. Ambos significam encrenca certa. Implícita em tudo isso está a estagnação, um conservadorismo acerca da mudança evolutiva: são necessárias macromudanças muito especiais, em períodos muito específicos, para haver sucesso.

Mostre-nos alguma mudança rápida de fato. Uma última réplica dos gradualistas consistia em exigir evidências em tempo real para modificações evolutivas rápidas nas espécies. E existem muitas. Um exemplo foi uma pesquisa fantástica do geneticista russo Dmitry Belyaev, que domesticou raposas prateadas da Sibéria nos anos 1950.[65] Ele cruzou os animais em cativeiro, selecionando-os com base na disposição para permanecerem na proximidade de seres humanos; em menos de 35 gerações, havia criado raposas tão domesticadas que se podia pegá-las no colo. Uma evolução bastante pontuada, eu diria. O problema aqui é que se trata de uma seleção artificial e não natural.

De maneira interessante, o oposto ocorreu em Moscou, onde há uma população de 30 mil cães ferais, que vem desde o século xix (e onde alguns indivíduos contemporâneos se celebrizaram pela capacidade de utilizar o sistema metroviário da cidade).[66] A maioria dos cães de Moscou hoje descende de várias gerações de animais ferais; ao longo do tempo, eles evoluíram de modo a possuir uma estrutura particular de matilha, a evitar os seres humanos e a não balançar mais o rabo. Em

outras palavras, eles estão evoluindo para algo mais próximo dos lobos. O mais provável é que as primeiras gerações desses indivíduos ferais foram submetidas a uma intensa seleção para essas características, e os seus descendentes são aqueles que constituem a população atual.*[67]

Uma transformação rápida aconteceu também no conjunto de genes dos seres humanos com a difusão da persistência da lactase, isto é, uma alteração no gene para essa enzima, que digere a lactose, de tal modo que ela perdura além da infância, permitindo aos adultos consumir derivados do leite.[68] A nova variante é comum em populações que dependem desses produtos para a subsistência — pastoralistas

---

* Uma observação fascinante a respeito das raposas da Sibéria e dos cães de Moscou: ambos foram selecionados primária ou exclusivamente por características comportamentais. Mas junto vieram mudanças na aparência. As raposas são *bonitinhas*: têm focinho mais curto, orelhas e fronte mais arredondadas, cauda mais curvilínea e coloração mais variada que a das raposas comuns. E os cães são exatamente o oposto. Se você deseja domesticar uma espécie, vai reproduzir os animais de modo que ocorra um atraso no desenvolvimento — um cachorro é basicamente um lobo bebê, que interage com os seres humanos como se todos eles fossem a mamãe, e com os traços fofinhos de um neném. O mesmo vale para as raposas; e o oposto para os cães ferais de Moscou. Existem indícios de que a domesticação opera em grande parte sobre genes que estão relacionados de forma desproporcional com o desenvolvimento do cérebro.

como os nômades da Mongólia ou os massais da África Oriental — e praticamente não existe em grupos que não consomem mais leite depois de passado o período de amamentação — como os chineses e os povos do Sudeste Asiático. A persistência da lactase evoluiu e se disseminou em uma fração de um piscar de olhos geológico, nos últimos 10 mil anos ou algo assim, desenvolvendo-se em paralelo com a domesticação dos animais de ordenha.

Outros genes se difundiram entre os seres humanos com uma velocidade ainda maior. Por exemplo, uma variante de um gene chamado ASPM, ligado à divisão celular durante o desenvolvimento cerebral, surgiu e se espalhou por mais ou menos 20% dos indivíduos nos últimos 5,8 mil anos.[69] E genes que conferem resistência à malária (ao custo de outras enfermidades, como a anemia falciforme e as talassemias) são ainda mais jovens.

Cães ferais de Moscou.

Ainda assim, períodos de milhares de anos contam como algo rápido apenas para os apaixonados por conchas de caracóis. No entanto, a evolução já foi observada em tempo real. Um exemplo clássico é o trabalho de um casal de biólogos evolucionistas de Harvard, Peter e Rosemary Grant, os quais, ao longo de décadas de pesquisa nas ilhas Galápagos, demonstraram modificações substanciais nos tentilhões de Darwin. Mudanças evolutivas em seres humanos ocorreram em genes relacionados ao metabolismo, no caso de povos que substituíram sua dieta tradicional pela ocidental (por exemplo, habitantes da ilha de Nauru, no Pacífico, e índios da tribo pima, do Arizona). As primeiras gerações que seguem a nova dieta desenvolvem índices catastroficamente altos de obesidade, hipertensão, diabetes tipo 2 e morte precoce, graças a genótipos "frugais", que são ótimos em armazenar nutrientes, tendo sido aprimorados durante milênios de alimentação mais restrita. Porém, dentro de algumas gerações, a incidência de diabetes começa a cair, à medida que prevalecem na população genótipos para metabolismos mais "relaxados".[70]

Portanto, existem exemplos de mudanças rápidas, em tempo real, nas frequências gênicas. Há exemplos de gradualismo? Isso é algo difícil de demonstrar, porque as alterações lentas são, hum, lentas. Um ótimo exemplo, contudo, vem de uma pesquisa de décadas, conduzida por Richard Lenski, da Universidade do Estado de Michigan. Ele cultivou colônias da bactéria *E. coli* em condições constantes por 58 mil gerações, o que equivaleria mais ou menos a 1 milhão de anos de evolução humana. Ao longo desse período, colônias diferentes evoluíram *gradualmente* segundo caminhos distintos, tornando-se mais adaptadas.[71]

Assim, tanto o gradualismo quanto a mudança pontuada ocorrem na evolução, dependendo provavelmente dos genes envolvidos — por exemplo, houve uma evolução mais rápida nos genes expressos em algumas partes do cérebro do que em outras. E não importa quão velozes sejam as transformações, sempre existe gradualismo em alguma medida — nenhuma fêmea jamais deu à luz um membro de outra espécie.[72]

UM ÚLTIMO DESAFIO, COM DOSES DE POLÍTICA: TUDO É ADAPTATIVO?

Como vimos, as variantes genéticas que tornam os organismos mais adaptados aos seus ambientes aumentam de frequência ao longo do tempo. Mas e quanto ao contrário: se uma característica é predominante em uma população, isso significa que ela evoluiu no passado *porque* era adaptativa?[73]

O "adaptacionismo" pressupõe que isso em geral é verdade. Uma abordagem adaptacionista consiste em determinar se uma característica é de fato adaptativa e, caso seja, investigar quais são as forças seletivas que a levaram a se realizar. Muito do pensamento sociobiológico tem esse viés.

Isso foi objeto de uma severa crítica por parte de autoridades como Stephen Jay Gould e o geneticista Richard Lewontin, de Harvard, que zombaram dessa abordagem por oferecer histórias de "foi assim", à imagem das fantasias absurdistas de Rudyard Kipling sobre o modo como certas características surgiram nos animais: como o elefante conquistou sua tromba (por causa de um cabo de guerra com um crocodilo), como a zebra conseguiu suas listras, como a girafa acabou com um pescoço comprido. E por que não cogitar, diriam os sociobiólogos na visão dos críticos, como o babuíno macho obteve seus testículos grandes, enquanto o gorila ficou com os pequenos? Observe um comportamento, elabore uma história de "foi assim" que pressupõe a adaptação, e a pessoa com a melhor ideia vence. Como o biólogo evolucionista conquistou seu cargo de professor titular. Para os críticos, os padrões da sociobiologia são pouco rigorosos. Como um deles, Andrew Brown, afirmou: "O problema era que a sociobiologia explicava demais e predizia de menos".[74]

Segundo Gould, as características com frequência evoluem por uma razão e, mais tarde, são aproveitadas para outro fim (nome chique: "exaptação"). Por exemplo: as penas antecedem o surgimento do voo entre os pássaros, tendo evoluído originalmente como isolantes térmicos.[75] Só mais tarde é que suas funções aerodinâmicas se tornaram relevantes. De modo semelhante, a duplicação de um gene para um receptor de hormônios esteroides (como mencionado muitos capítulos atrás) permitiu que uma das cópias se deslocasse de modo aleatório pela sequência de DNA, produzindo um receptor "órfão" sem nenhuma utilidade — até que um novo hormônio esteroide fosse sintetizado e se ligasse a ele. Essa condição acidental e improvisada evoca o aforismo: "A evolução é improvisadora, e não inventora". Ela trabalha com qualquer coisa que esteja à mão, à medida que as pressões seletivas se alteram, produzindo um resultado que pode até não ser o mais adaptativo, mas é bom o bastante, dado o material disponível. As lulas não são grandes nadadoras quando comparadas aos peixes-vela (velocidade máxima: cem quilômetros por hora). Mas nadam bem demais para alguém cujos trisavós eram moluscos.

Além disso, segundo as críticas, algumas características existem não porque são adaptativas, ou porque se desenvolveram para algum outro fim e depois foram reaproveitadas, mas porque são uma bagagem que veio junto com outros traços para os quais houve seleção. Foi nesse ponto que Gould e Lewontin introduziram a famosa ideia dos "tímpanos", no artigo "The Spandrels of San Marco and the Panglossian Paradigm: A Critique of the Adaptationist Programme" [Os tímpanos de São Marcos e o paradigma panglossiano: Uma crítica ao programa adaptacionista], de 1979. Tímpano é um termo arquitetônico para o vão entre dois arcos, e Gould e Lewontin ponderaram a respeito das gravuras dos tímpanos da basílica de São Marcos, em Veneza.*

---

* Ao que tudo indica, houve uma polêmica em torno do fato de que os arcos da basílica de São Marcos não se enquadram na definição técnica arquitetônica de tímpano. Mas pouco importa.

Para Gould e Lewontin, um adaptacionista estereotípico olharia para esses tímpanos e concluiria que eles foram construídos para oferecer uma superfície para ilustrações. Em outras palavras, ele acreditaria que os tímpanos evoluíram devido ao seu valor adaptativo de prover um espaço para a arte. Na realidade, eles não surgiram com um propósito; se você pretende erigir uma série de arcos (e estes sem dúvida existem com a finalidade adaptativa de sustentar um domo), o vão entre dois deles é uma consequência secundária inevitável. Mas nada de adaptação. E na medida em que esses espaços vieram junto como uma bagagem evolutiva, em consequência da seleção para os arcos adaptativos, melhor se faz em decorá-los. Nessa perspectiva, os mamilos masculinos são como tímpanos: eles têm uma função adaptativa nas mulheres e seguiram como uma carga secundária nos homens porque não houve nenhuma seleção específica *contra* a sua presença.* Gould e Lewontin argumentaram que diversas características que inspiraram histórias de "foi assim" dos adaptacionistas não passam de tímpanos.

Os sociobiólogos responderam a essa crítica observando que o rigor empregado em julgar que algo seja um tímpano não é intrinsecamente maior que o de considerá-lo como um traço adaptativo.[76] Em outras palavras, os opositores estariam oferecendo histórias de *"não* foi assim". O psicólogo David Barash e a psiquiatra Judith Lipton compararam os adeptos da ideia dos tímpanos à personagem Topsy de *A cabana do Pai Tomás*, que, ao ser questionada sobre quem a teria criado, responde: "Já cresci assim". Do mesmo modo, quando confrontados com evidências de adaptação, os críticos concluiriam que as características em discussão seriam mera bagagem, sem função adaptativa, oferecendo explicações que não explicariam nada — ou seja, "histórias de cresci assim".

Além disso, argumentaram os sociobiólogos, as abordagens adaptacionistas seriam mais rigorosas que a caricatura criada por Gould; em vez de explicar tudo e não predizer nada, elas previam bastante. Seria, digamos, o infanticídio competitivo uma história de "foi assim"? Não se você for capaz de prever com certa precisão se ele estará presente em determinada espécie, com base na estrutura social dela. E o mesmo vale para a comparação entre formação de casais e de torneios, se você for capaz de antecipar uma vasta quantidade de informações a respeito do comportamento, da fisiologia e da genética de espécies espalhadas por todo o reino animal, apenas conhecendo o seu grau de dimorfismo sexual. E mais ainda, a evolução deixa para trás um vestígio de seleção adaptativa quando há evidências de um "pro-

---

* Houve consideráveis debates e especulações quanto à questão de se o orgasmo feminino seria um tímpano, trazido como bagagem pela seleção que o fez surgir nos homens. Não digo mais nada; os tolos se precipitam...

jeto especial": funções benéficas complexas nas quais uma série de características converge na mesma direção.

Tudo isso seria o nosso tradicional e divertido entrevero acadêmico, se não fosse o fato de que por baixo das críticas ao adaptacionismo, ao gradualismo e à sociobiologia existe uma questão política. Isso está inserido no título do artigo sobre os tímpanos: o "paradigma panglossiano". Trata-se de uma referência ao doutor Pangloss, de Voltaire, e à sua absurda crença de que, apesar das misérias da vida, este é "o melhor dos mundos possíveis". Na perspectiva dos críticos, o adaptacionismo cheira a falácia naturalista, à noção de que, se a natureza criou uma coisa, então deve ser uma coisa boa. E mais, que o "bem", no sentido de, digamos, resolver o problema seletivo da retenção de água em desertos, é de algum modo indefinido também como moralmente "bom". De que se uma espécie de formigas faz escravos, se os orangotangos machos com frequência violam as fêmeas e se por centenas de milhares de anos os Hominini machos vêm bebendo leite direto da embalagem, é porque de alguma maneira "tinha" que ser assim.

Quando formulada de maneira crítica nesse contexto, a falácia naturalista provocava desconforto. Nos seus primeiros anos, a sociobiologia humana era tremendamente controversa, com protestos em frente às conferências, interrupções de palestras, zoologistas tendo que ser escoltados por policiais durante as preleções e todo tipo de bizarrices. Em uma ocasião antológica, E. O. Wilson foi agredido fisicamente enquanto dava uma palestra.* Departamentos de antropologia se cindiram, relações entre colegas foram destruídas. Isso se acentuou sobretudo em Harvard, onde muitos dos principais nomes podiam ser encontrados: Wilson, Gould, Lewontin, Trivers, Hrdy, o primatólogo Irven DeVore, o geneticista Jonathan Beckwith.

As coisas estavam febris desse jeito porque a sociobiologia era acusada de usar a biologia para justificar o status quo: seria um darwinismo social conservador, do qual decorreria que, se as sociedades estão carregadas de casos de violência, distribuição desigual de recursos, estratificação capitalista, dominância masculina, xenofobia e assim por diante, então essas coisas devem fazer parte da nossa natureza e provavelmente evoluíram por boas razões. Os críticos empregaram a comparação "ser versus dever ser", dizendo: "Os sociobiólogos dão a entender que quando um aspecto injusto da vida é dessa forma, então é porque isso *deve ser* assim". E os sociobiólogos responderam com uma inversão do ser/dever: "Concordamos que a vida

---

* Bem, talvez não tenha sido algo tão dramático — alguém despejou um jarro de água na cabeça dele. Mas ainda assim...

deve ser justa, no entanto, essa é a realidade. Dizer que defendemos alguma coisa só porque falamos sobre ela é como dizer que oncologistas defendem o câncer".

A disputa tinha um lado pessoal. Isso porque, por um grande acaso (ou não, dependendo do ponto de vista), a primeira geração de sociobiólogos americanos era toda de pessoas brancas do Sul: Wilson, Trivers,* DeVore, Hrdy; em contrapartida, a primeira geração dos seus maiores críticos era toda de judeus de esquerda, de origem urbana, da região Nordeste do país: Gould, Lewontin, Beckwith e Ruth Hubbard, de Harvard; Leon Kamin, de Princeton; e Noam Chomsky, do MIT. Dá para entender como a acusação de "tem algum propósito oculto por trás disso" apareceu de ambos os lados.**

É fácil perceber como o equilíbrio pontuado gerou batalhas ideológicas semelhantes, considerando o seu pressuposto de que a evolução corresponde em grande parte a longos períodos de estagnação entremeados por transformações revolucionárias. Em sua publicação original, Gould e Eldredge afirmaram que a lei da natureza "vigora de tal forma que uma nova qualidade surge de um salto, no momento em que a lenta acumulação de mudanças quantitativas, por muito tempo refreadas por um sistema estável, por fim impõe a rápida passagem de um estado a outro". Essa foi uma alegação ousada de que a heurística do materialismo dialético não apenas se estende para além do universo da economia, em direção ao campo do naturalismo, mas está ontologicamente fundada na equivalência essencial entre as

---

* Essa classificação simplista encontrava um obstáculo no fato de Trivers ser amigo e colaborador de um dos fundadores do Partido dos Panteras Negras, Huey Newton.

** Por uma grande sorte, entrei em Harvard, como calouro da graduação com ênfase em bio/antropologia, no semestre em que Wilson publicou o livro *Sociobiology* e se instalou o pandemônio. E ainda que, para mim, tenha sido uma diversão fantástica poder ver os fogos estourando, a natureza pessoal dos ataques foi claramente devastadora para alguns dos principais envolvidos — por exemplo: manifestantes protestavam durante as palestras de Wilson gritando, com frequência e de maneira absurda, que ele era um racista genocida. Aqueles anos me deram a chance de observar de perto alguns dos protagonistas, e até de conhecer um pouco alguns deles, e ambos os lados tinham proporções equivalentes de figuras exemplares incríveis e admiráveis e de egocêntricos arrogantes e insuportáveis. A história a seguir é a minha favorita desse período. Muitos sociobiólogos gostavam de passar uma imagem de machões, de caras durões. Um dia, entrei correndo na sala de um deles, o Professor X, segurando um artigo que tinha acabado de ler. Esse cara era famoso por ter desenvolvido um modelo sociobiológico sobre um tipo de comportamento, e esse artigo, escrito por um adversário, o Professor Z, acabava com o tal modelo, usando páginas e mais páginas de análises estatísticas. "Nossa, você viu isso? O que achou?", perguntei, de maneira tola. O Professor X folheou o artigo *de trás para a frente*, olhando para uma equação aqui e ali. Por fim, largou os papéis em cima da escrivaninha, com ar indiferente, e proferiu a censura sociobiológica suprema: "O Professor Z tem uma regra de cálculo no lugar do pênis".

dinâmicas de solução de contradições irresolúveis em ambos os domínios.* Isso é Marx e Engels nos papéis do trilobita e do caramujo.**

Em algum momento, os paroxismos em torno das disputas de adaptacionismo versus tímpanos e de gradualismo versus mudança pontuada, bem como da própria noção de uma ciência da sociobiologia humana, diminuíram de intensidade. O antagonismo político perdeu força, os contrastes demográficos entre os dois campos se abrandaram, a qualidade geral das pesquisas melhorou de forma considerável e todos ganharam alguns cabelos grisalhos e um pouco mais de calma.

Isso preparou o caminho para uma visão sensata, equilibrada e madura desse campo de estudo. Existem evidências empíricas claras tanto do gradualismo quanto da mudança pontuada, assim como dos mecanismos moleculares que servem de base para os dois lados. Há menos adaptação do que os adaptacionistas mais extremados propõem, mas menos tímpanos do que os entusiastas dessa ideia proclamam. Embora a sociobiologia possa explicar demais e fazer previsões de menos, ela é, sim, capaz de prever aspectos gerais do comportamento e dos sistemas sociais de espécies bastante distintas. Além disso, ainda que a noção de uma seleção que acontece no nível dos grupos tenha ressuscitado da tumba dos gnus anciãos abnegados, trata-se provavelmente de algo raro; contudo, existem mais chances de que ela ocorra na espécie que ocupa o foco deste livro. Por fim, tudo isso está ancorado na evolução como um fato, embora de natureza extremamente complexa.

De maneira impressionante, conseguimos chegar ao fim desta parte do livro. Um comportamento foi observado: o que aconteceu com todos os elementos desde um segundo até 1 milhão de anos antes, que ajuda a explicar o ocorrido? Alguns temas apareceram repetidas vezes:

- O contexto e o significado de um comportamento são em geral mais interessantes e complexos que os seus mecanismos.
- Para compreender as coisas, é preciso integrar os neurônios *e* os hormônios *e* o desenvolvimento nas fases iniciais *e* os genes etc. etc.
- Essas não são categorias isoladas — existem poucos agentes causais bem

---

* Não tenho ideia do que foi isso que acabei de escrever...
** Idem.

definidos, então não espere que exista *a* região cerebral, *o* neurotransmissor, *o* gene, *a* influência cultural ou *a* coisa individual que explica um comportamento.

- Em vez de causas, a biologia muitas vezes envolve propensões, potenciais, vulnerabilidades, predisposições, inclinações, interações, modulações, contingências, condições se/então, relações contextuais e amplificações ou diminuições de tendências preexistentes. Círculos e laços e espirais e fitas de Möbius.
- Ninguém disse que era fácil. Mas o assunto é importante.

E assim passamos à segunda parte, combinando todo esse material a fim de investigar os domínios do comportamento em que isso faz a maior diferença.

11. Nós versus eles

Quando criança, assisti à versão original de *Planeta dos macacos*, de 1968. Como futuro primatólogo, fiquei fascinado, revi o filme várias vezes e amei as fantasias toscas de macaco.

Anos depois, descobri uma ótima anedota a respeito da gravação do filme, contada por Charlton Heston e Kim Hunter, os protagonistas: na hora do almoço, os atores que faziam o papel de chimpanzés e os que faziam o papel de gorilas comiam em grupos separados.[1]

E já foi dito (a frase é em geral atribuída a Robert Benchley) que "há dois tipos de pessoas no mundo: aquelas que dividem o mundo em dois tipos de pessoas e aquelas que não fazem isso". Há mais das primeiras. E é muitíssimo relevante quando as pessoas são divididas entre Nós e Eles, entre membros do grupo e forasteiros, entre "os cidadãos" (ou seja, o nosso tipo) e os Outros.

Este capítulo explora nossa tendência a formar dicotomias entre Nós e Eles e a favorecer os primeiros. Seria uma mentalidade universal? Quão maleáveis são as categorias Nós e Eles? Existe alguma esperança de superarmos o bairrismo e a xenofobia entre os seres humanos para que os figurantes de Hollywood — chimpanzés ou gorilas — possam almoçar juntos?

A FORÇA DA DEMARCAÇÃO NÓS/ELES

Nosso cérebro forma dicotomias do tipo "Nós versus Eles" (daqui para a frente, por questões de brevidade, falarei em "demarcação Nós/Eles") com uma velocidade estonteante.[2] Como discutido no capítulo 3, basta uma exposição de cinquenta milissegundos ao rosto de alguém de outra raça para ativar a amígdala, ao passo que a área fusiforme de faces não se ativa com tanta intensidade quanto o faria para rostos da mesma raça — tudo isso em questão de umas poucas centenas de milissegundos. De modo similar, o cérebro agrupa rostos por gênero ou status social em uma velocidade equivalente.

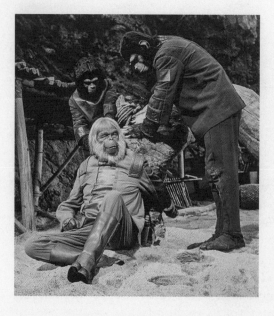

Vieses rápidos e automáticos contra Eles podem ser comprovados com o diabolicamente engenhoso Teste de Associação Implícita (TAI).[3]

Suponha que você tem um preconceito inconsciente contra trolls. Para simplificar o TAI de forma grosseira, pensemos numa tela de computador que exibe fotos de humanos e trolls, ou palavras com conotações positivas (por exemplo, "honesto") e negativas ("mentiroso"). Às vezes a regra é: "Se aparecer um humano ou um termo positivo, aperte o botão vermelho; se for um troll ou um termo negativo, aperte o botão azul". E às vezes é: "Humano ou termo negativo, aperte vermelho; troll ou termo positivo, aperte azul". Por causa de nosso viés antitroll, agrupar um troll com um termo positivo, ou um humano com um negativo, é algo discrepante e levemente perturbador. Então você hesita por alguns milissegundos antes de apertar o botão.

É automático: você não está lendo sobre as práticas excludentes de negócios dos trolls ou sobre a brutalidade deles na Batalha de Alhures em 1523. Está processando palavras e imagens quando inconscientemente hesita, detido pela dissonância que relaciona troll a "amável", ou humano a "malcheiroso". Depois de uma quantidade suficiente de rodadas, esse padrão de atraso fica evidente, manifestando seu viés.

As fissuras do cérebro que dividem Nós e Eles são esmiuçadas na discussão do capítulo 4 sobre a ocitocina. Lembre-se de que esse hormônio estimula a confiança, a generosidade e a cooperação com relação a Nós, mas um comportamento muito mais mesquinho com relação a Eles — maior agressividade antecipatória em jogos econômicos e maior disposição em sacrificar o outro grupo (e não o nosso) pelo bem comum. A ocitocina exagera a demarcação Nós/Eles.

Isso é bastante interessante. Se você gosta de brócolis, mas odeia couve-flor, não há nenhum hormônio que amplifique ambas as preferências. A mesma coisa vale para gostar de xadrez e odiar gamão. Os efeitos opositores da ocitocina em Nós e Eles demonstram a saliência dessa dicotomia em específico.

A extensão de nossa demarcação Nós/Eles é ainda mais reforçada por algo notável: outras espécies também o fazem. De início, isso não parece ser muito profundo. Afinal de contas, os chimpanzés matam os machos de outros grupos, os bandos de babuínos se encrespam ao encontrar uns aos outros e animais de todos os tipos ficam tensos ao topar com estranhos.

Isso apenas reflete o hábito de não ser agradável com alguém novo, um Deles. Mas algumas outras espécies têm um conceito mais amplo de Nós e Eles.[4] Por exemplo, grupos de chimpanzés que se expandiram em número podem se dividir; e logo animosidades assassinas surgem entre aqueles que já foram membros do mesmo grupo. De modo notável, é possível comprovar a demarcação automática Nós/Eles em outros primatas por meio de um equivalente símio do TAI. Em um estudo, os animais eram expostos a imagens de membros do próprio grupo ou de outro grupo, intercaladas com coisas positivas (por exemplo, frutas) ou negativas (aranhas). Os macacos passavam mais tempo olhando para os pareamentos discordantes (por exemplo, membros do próprio grupo com aranhas). Esses animais não apenas brigavam com os vizinhos pela posse de recursos. Eles nutriam associações negativas com relação a eles: "Esses caras são como aranhas asquerosas, mas nós, *nós* somos como suculentas frutas tropicais".*

Inúmeros experimentos confirmam que o cérebro processa imagens de forma distinta em questão de milissegundos, baseando-se em pistas mínimas de raça ou gênero.[5] De modo similar, considere os paradigmas de "grupo mínimo", desenvolvidos nos anos 1970 por Henri Tajfel, da Universidade de Bristol. Ele mostrou que, mesmo quando os agrupamentos se sustentam em diferenças leves (por exemplo, se alguém subestima ou superestima o número de pontos em uma imagem), os vieses de grupo, tais como níveis maiores de cooperação, logo se desenvolvem. Essa pró-socialidade diz respeito à identificação de grupo — as pessoas preferem alocar recursos a indivíduos anônimos do próprio grupo.

O simples ato de agrupar indivíduos é capaz de ativar vieses paroquiais, não importa quão tênues sejam as bases do agrupamento. Em geral, os paradigmas de grupo mínimo ampliam a estima que temos em relação a Nós, em vez de reduzir a que dirigimos a Eles. Acho que isso pode ser visto como uma débil boa notícia: pelo menos nos recusamos a pensar que as pessoas que tiraram cara ao lançar a moeda (em contraste com a nossa admirável coroa) comem seus parentes mortos.

---

* Dois pontos importantes: o efeito de viés intergrupal foi registrado em machos, mas não em fêmeas, e era mais pronunciado quando os machos olhavam para imagens de outros machos. Além disso, pouco depois de ser publicado, o artigo sofreu uma retratação; pelo visto, um erro na codificação dos dados levantava dúvidas sobre uma das conclusões; no entanto, as descobertas descritas aqui não se alteraram com esse erro, e creio que são perfeitamente válidas. Por um excesso admirável de zelo, os autores, todos pesquisadores de ponta, voltaram atrás no artigo.

O poder dos agrupamentos mínimos e arbitrários em gerar a demarcação Nós/Eles lembra um pouco os "efeitos barba verde", descritos no capítulo 10. Lembre-se de como eles pairam entre a pró-socialidade provocada por seleção de parentesco e aquela causada por altruísmo recíproco; eles exigem uma característica arbitrária, conspícua e genética (por exemplo, uma barba verde) que indique uma tendência de agir de maneira altruística com relação a outros barbas-verdes — nessas condições, os barbas-verdes prosperam.

A demarcação Nós/Eles baseada em mínimas características compartilhadas é como um efeito barba verde psicológico, em vez de genético. Estabelecemos associações positivas com pessoas que compartilham conosco as características mais insignificantes.

Em um excelente exemplo, voluntários de um estudo conversavam com um pesquisador que, sem eles saberem, imitava ou não seus movimentos (por exemplo, cruzando as pernas).[6] Não só a imitação era agradável, ativando a dopamina mesolímbica, como também tornou os voluntários mais propensos a ajudar o pesquisador, apanhando a caneta que ele deixava cair. Um sentimento inconsciente de pertencer a Nós nasceu de alguém afundando na cadeira da mesma forma que você.

Portanto, uma estratégia invisível é acoplada a um marcador arbitrário de barba verde. O que ajuda a definir uma cultura específica? Valores, crenças, atribuições, ideologias. Todos eles são invisíveis, até serem agregados a marcadores arbitrários tais como a vestimenta, os ornamentos ou o sotaque regional. Considere duas abordagens carregadas de valor sobre o que fazer com uma vaca: A) comê-la; B) adorá-la. Dois indivíduos do tipo A ou dois do tipo B agiriam de forma muito mais harmoniosa ao considerar suas opções bovídeas do que um A e um B. O que poderia demarcar de forma segura alguém que usa a abordagem A? Talvez um chapéu de vaqueiro e botas de caubói. E uma pessoa B? Talvez um sári ou um paletó Nehru. Esses marcadores eram de início arbitrários — não há nada no objeto chamado sári que aponte intrinsecamente para a crença de que as vacas são sagradas porque um deus as conduzia. E não há relação inevitável entre ser carnívoro e o formato do chapéu de vaqueiro — ele protege os olhos e o pescoço da luz do sol, o que é útil tanto se você vigia vacas por amar comer bife quanto porque o Senhor Krishna as vigiava. Estudos de grupos mínimos revelam nossa propensão a gerar vieses Nós/Eles a partir de diferenças arbitrárias. O que fazemos em seguida é relacionar marcadores arbitrários a diferenças significativas de valores e crenças.

E então alguma coisa acontece com esses marcadores arbitrários. Nós (primatas, ratos, cães de Pavlov) podemos ser condicionados a associar um elemento aleatório, como o som de um sino, a uma recompensa.[7] Conforme a associação se solidifica, o toque do sino continua sendo "apenas" um marcador que simboliza o prazer iminente ou também se torna prazeroso em si? Uma pesquisa elegante relacionada ao sistema dopaminérgico mesolímbico revela que, em um subgrupo substancial de ratos, o sinal arbitrário se tornava recompensador em si. De modo similar, o símbolo arbitrário de um valor essencial relacionado a Nós aos poucos vai ganhando vida e poder próprios, tornando-se significado em vez de significante. É assim que, por exemplo, a distribuição de cores e padrões em um tecido que constitui a bandeira de um país se torna algo pelo qual as pessoas são capazes de matar e morrer.*

A força da demarcação Nós/Eles se revela por seu surgimento já na infância. Com a idade de três a quatro anos, as crianças já agrupam as pessoas por raça e gênero, têm visões mais negativas Deles e percebem os rostos de outras raças como mais zangados do que os de mesma raça.[8]

E mesmo antes disso. Bebês memorizam melhor os rostos de sua própria raça do que os de outra. (Como é possível saber? Mostre repetidamente para um bebê a foto de alguém; ele passa cada vez menos tempo prestando atenção. Agora mostre um rosto diferente. Se ele não consegue diferenciar os dois rostos, então mal olha para a foto. Mas, se reconhece o segundo como algo novo, há empolgação e um olhar mais demorado.)[9]

Quatro reflexões importantes sobre a formação de dicotomias nas crianças:

- Elas estariam aprendendo esses preconceitos dos pais? Não necessariamente. As crianças crescem em ambientes cujos estímulos não randômicos pavimentam o caminho para a dicotomização. Se um bebê só vê rostos de uma mesma cor, a característica mais saliente a respeito do primeiro rosto de cor diferente que ela encontrar será justamente sua cor.
- Dicotomias raciais são formadas durante um período crucial de desenvolvimento. Como evidência disso, as crianças adotadas antes dos oito anos de

---

* Um convincente exemplo disso pode ser visto na primeira guerra de independência da Índia, também conhecida como Revolta dos Sipais, em 1857. Os soldados indianos — sipais — que serviam no Exército da Companhia Britânica das Índias Orientais se rebelaram quando ficaram sabendo que as balas de seus fuzis eram impermeabilizadas com sebo (de boi) ou banha (de porco), graves ofensas para os soldados hindus e muçulmanos, respectivamente. Veja bem: não era um caso em que os senhores coloniais britânicos estivessem fazendo algo ofensivo à essência dos valores culturais de qualquer um dos grupos — por exemplo, declarar que Alá era um falso profeta ou banir a adoração politeísta. Praticamente todas as culturas do planeta têm proibições alimentares, muitas vezes bastante arbitrárias, feitas apenas para assinalar valores fundamentais (as leis kosher dos judeus ortodoxos, por exemplo, envolvem hermetismos zoológicos sobre quais espécies têm ou não os cascos fendidos), mas isso acabou adquirindo um poder enorme. No final, a Revolta dos Sipais matou mais de 100 mil indianos.

idade por alguém de raça diferente desenvolvem a habilidade de reconhecimento facial da raça dos pais adotivos.[10]

- Crianças aprendem dicotomias na ausência de quaisquer más intenções. Quando um professor de jardim de infância diz: "Bom dia, meninos e meninas", elas aprendem que dividir o mundo dessa forma é mais significativo do que: "Bom dia, aqueles que perderam um dente e aqueles que ainda não perderam nenhum". Isso está em toda parte, começando pelo fato de que "ela" e "ele" têm significados diferentes em idiomas tão impregnados por dicotomias de gênero que até objetos inanimados ganham gônadas honorárias.*[11]

- Pode ser que a demarcação Nós/Eles racial esteja tão indelevelmente arraigada nas crianças porque os pais mais empenhados em evitá-la são, em geral, péssimos nisso. Como foi mostrado em alguns estudos, as pessoas liberais costumam ficar constrangidas ao discutir questões raciais com os filhos. Em vez disso, reagem à tentação da dicotomização com o uso de abstrações que não fazem o menor sentido para uma criança: "É maravilhoso que todos possam ser amigos" ou "O Barney é roxo, e nós adoramos o Barney".

Portanto, a força da demarcação Nós/Eles é evidenciada pelos seguintes fatores: a) a velocidade e os estímulos sensoriais mínimos exigidos pelo cérebro para processar diferenças grupais; b) o automatismo inconsciente de tais processos; c) sua presença em outros primatas e humanos muito jovens; e d) a tendência a agrupar de acordo com diferenças arbitrárias, e então imbuir de poder esses marcadores.

NÓS

A demarcação Nós/Eles envolve inflar nossos méritos relativos a valores essenciais: somos mais corretos, sábios, morais e dignos quando o assunto é saber qual é a vontade dos deuses, ou administrar a economia, ou criar filhos, ou lutar esta guerra. O sentimento de Nós também nos leva a exagerar os méritos de nossos marcadores arbitrários, e isso pode dar algum trabalho — racionalizar por que nossa comida é mais saborosa, nossa música, mais tocante e nosso idioma, mais lógico ou poético.

---

* E os animados também, de maneiras que sem dúvida têm um sentido histórico, mas ainda assim... Por exemplo: no idioma francês [assim como no português], rim é masculino, mas bexiga é feminina; traqueia é feminina e esôfago, masculino.

Talvez os sentimentos sobre Nós não se concentrem tanto na superioridade, mas em obrigações compartilhadas, na disposição e na expectativa de mutualidade.[12] A essência do espírito "Nós" é que agrupamentos não aleatórios produzam frequências de interações positivas maiores do que as esperadas. Como vimos no capítulo 10, a estratégia mais lógica no Dilema do Prisioneiro com apenas uma rodada é trair. A cooperação prospera quando os jogos têm um número incerto de rodadas e há a possibilidade de nossa reputação nos preceder. Grupos, por definição, têm jogos de múltiplas rodadas e os meios para espalhar a notícia de que alguém foi um imbecil.

Em jogos econômicos, esse senso de obrigação e reciprocidade no interior do grupo é revelado quando os participantes exibem mais confiança e são mais generosos e cooperativos com relação aos membros do próprio grupo do que com pessoas de fora (até em paradigmas de grupo mínimo, quando todos sabem que os agrupamentos são arbitrários).[13] Os chimpanzés inclusive manifestam esse elemento de confiança quando precisam escolher entre: a) a garantia de receber um alimento pouco estimulante; e b) receber um alimento incrível se outro chimpanzé vier dividi-lo com eles. Os chimpanzés escolhem a segunda opção, que requer confiança, quando o outro é um parceiro de catação.

Além disso, induzir os voluntários a pensar numa vítima de violência como sendo um de Nós, em vez de um Deles, aumenta as chances de que intervenham na situação. E lembre-se de como, no capítulo 3, os torcedores em um jogo de futebol tinham mais propensão a ajudar um espectador ferido se ele estivesse usando a insígnia do time da casa.[14]

O aumento da pró-socialidade para os membros do próprio grupo não requer nem mesmo interações cara a cara. Em um estudo, moradores de uma vizinhança etnicamente polarizada encontravam um questionário aberto e selado na calçada, próximo a uma caixa de correio. As chances de postar o questionário eram maiores quando ele sugeria o apoio a um valor do grupo étnico da pessoa que o encontrou.[15]

A obrigação para com os membros do grupo é evidenciada quando as pessoas sentem mais necessidade de reparar danos por transgressões contra um de Nós do que contra um Deles. No primeiro caso, elas em geral compensam o indivíduo prejudicado e agem de maneira mais pró-social com relação ao grupo inteiro. Porém, muitos costumam reparar danos sendo mais antissociais com o outro grupo. Além disso, em tais cenários, quanto mais culpada a pessoa se sentir a respeito de sua violação dentro do grupo, pior ela irá agir com relação a Eles.[16]

Portanto, às vezes você favorece Nós ajudando o grupo diretamente, e às vezes faz isso machucando Eles. Isso levanta uma questão mais ampla sobre o paroquialismo dentro do grupo: o objetivo é que o seu grupo vá bem, ou só que se saia melhor do que Eles? Se for o primeiro caso, a meta é maximizar os níveis absolutos de bem-estar dentro do grupo, sendo que os níveis de recompensas para Eles é irrelevante; se for o último caso, o objetivo é maximizar o abismo entre Nós e Eles.

Ambos acontecem. Fazer melhor em vez de fazer bem faz sentido nos jogos de soma zero nos quais, digamos, só um time pode ganhar, e em que vencer por um placar de 1 × 0, 10 × 0 e 10 × 9 é a mesma coisa. Além disso, para os torcedores de esportes sectários, há uma similar ativação dopaminérgica mesolímbica quando o seu time ganha e quando o arqui-inimigo perde para terceiros.*[17] Isso é *Schadenfreude*, regozijo com a desgraça alheia, quando a dor deles é a sua vitória.

Isso é problemático quando os jogos comuns são tratados como se fossem de soma zero (o vencedor leva tudo).[18] Não é uma mentalidade admirável achar que você ganhou a Terceira Guerra Mundial se, no final, Nós temos duas cabanas de barro e três gravetos para fazer fogo, enquanto Eles só têm um de cada.** Uma variação terrível desse pensamento ocorreu na fase final da Primeira Guerra, quando os Aliados sabiam que tinham mais recursos (ou seja, soldados) do que a Alemanha. Sendo assim, o comandante britânico Douglas Haig declarou uma estratégia de "atrito incessante", na qual os britânicos prosseguiam com a ofensiva sem se importar com quantos soldados seus morreriam — contanto que os alemães perdessem pelo menos o mesmo número.

Portanto, muitas vezes o paroquialismo de grupo se concentra mais em Nós derrotando Eles do que em Nós se dando bem. É nisso que consiste o ato de permitir a desigualdade em nome da lealdade. Nesse sentido, pré-ativar a lealdade reforça o favoritismo e a identificação no interior do grupo, enquanto pré-ativar a igualdade faz o oposto.[19]

Mesclada à lealdade e ao favoritismo de grupo está uma capacidade reforçada para a empatia. Por exemplo, a amígdala se ativa ao enxergar rostos assustados, mas

---

* O estudo — com torcedores fanáticos dos Yankees e dos Red Sox — também mostrou que esse padrão de neuroimagem era mais forte em indivíduos que autodeclararam uma maior inclinação a sentir agressividade diante de um torcedor do outro time (depois de levar em conta o nível geral de agressividade da pessoa).

** Anos atrás, ouvi uma piada brutalmente cínica construída em torno dessa noção de soma zero de que *qualquer coisa* que seja ruim para Eles é automaticamente boa para Nós: Deus aparece para todos os líderes do planeta e anuncia que vai destruir o mundo por causa da iniquidade dos seres humanos. O presidente americano reúne seu gabinete e diz: "Tenho boas e más notícias. Deus existe, mas ele vai destruir o planeta". O premiê da União Soviética (isso foi nos tempos ateístas da URSS) agrupa seus conselheiros e afirma: "Tenho más e péssimas notícias. Deus existe e ele vai destruir o planeta". E o primeiro-ministro de Israel diz a seu gabinete: "Tenho boas e ótimas notícias. Deus existe e ele vai destruir os palestinos por nós".

só de membros do próprio grupo; quando se trata de um forasteiro, o fato de Eles estarem demonstrando medo pode até ser uma boa notícia — se alguma coisa é capaz de assustá-los, manda ver. Além disso, lembre-se do capítulo 3, no qual menciono o reflexo "sensório-motor isomórfico" de tensionar a própria mão ao ver outra pessoa ser espetada por uma agulha; o reflexo é mais forte se essa outra mão for de alguém da mesma raça.[20]

Como vimos, as pessoas são mais propensas a reparar transgressões cometidas contra Nós do que contra Eles. E qual seria a resposta dada por elas aos membros do próprio grupo que violam as normas?

O mais comum é perdoar os do nosso grupo com mais rapidez do que os do outro. Como veremos, isso é em geral racionalizado: Nós cometemos deslizes devido a circunstâncias especiais; já Eles cometem deslizes porque é assim que Eles são.

Algo interessante pode ocorrer quando a transgressão de alguém consiste em lavar a roupa suja do grupo em público, reforçando um estereótipo negativo. A vergonha resultante no interior do grupo é capaz de gerar níveis elevados de punição como um sinal para os de fora.[21]

Os Estados Unidos, com suas racionalizações e ambivalências étnicas, fornecem muitos desses exemplos. Considere Rudy Giuliani, que cresceu em um enclave ítalo-americano no Brooklyn dominado pelo crime organizado (o pai de Giuliani cumpriu um tempo na prisão por roubo e depois foi trabalhar para o cunhado, um agiota da Máfia). Giuliani alcançou proeminência nacional em 1985 como o promotor público que acusou as "Cinco Famílias" no Julgamento da Comissão da Máfia, desmantelando a organização. Ele estava fortemente motivado a refutar o estereótipo de "ítalo-americano" como sinônimo de crime organizado. Ao mencionar sua conquista, ele afirmou: "E se isso não for o suficiente para acabar com o estereótipo de mafiosos, então provavelmente não há mais nada que se possa fazer". Se você precisa de alguém capaz de perseguir os mafiosos com intensidade incansável, arrume um ítalo-americano orgulhoso e indignado com os estereótipos produzidos pela Máfia.[22]

Motivações similares foram atribuídas a Chris Darden, o advogado afro-americano que foi um dos promotores do julgamento de O. J. Simpson. A mesma coisa teria ocorrido no julgamento de Julius e Ethel Rosenberg e Morton Sobell, todos judeus, acusados de serem espiões soviéticos. A promotoria pública era formada por dois judeus, Roy Cohn e Irving Saypol, e o tribunal foi presidido por um juiz judeu, Irving Kaufman, todos ávidos para refutar o estereótipo dos judeus como "internacionalistas" desleais. Depois que as sentenças de morte foram distribuídas, Kaufman foi homenageado pelo Comitê Judaico-Americano, pela Liga Antidifamação e pelos

Veteranos de Guerra Judeus.*[23] Giuliani, Darden, Cohn, Saypol e Kaufman mostram que pertencer a um grupo significa que o comportamento de outra pessoa pode pegar mal para você.**[24]

Isso traz à tona um assunto mais amplo, a saber, nosso senso de obrigação e lealdade ao grupo como um todo. Em um extremo, ele pode ser contratual — literalmente, como acontece com os atletas profissionais de esportes coletivos. Espera-se que, ao assinar um contrato, os jogadores atuem da melhor forma possível, colocando os interesses do time acima do exibicionismo particular. Mas as obrigações são limitadas — ninguém espera que eles sacrifiquem suas vidas pelo time. E, quando os atletas são trocados, nunca servem de quintas-colunas, perdendo partidas com o novo uniforme só para beneficiar o time antigo. A essência de tal relacionamento contratual é a fungibilidade tanto do empregador quanto do empregado.

Em outro extremo, é claro, estão as identidades de grupo que não são fungíveis e transcendem as negociações. Xiitas não podem se tornar sunitas, assim como curdos iraquianos não podem virar pastores lapões da Finlândia. É improvável que um curdo queira se tornar lapão, e, nesse caso, seus ancestrais provavelmente se revirariam no túmulo quando ele botasse as rédeas em sua primeira rena. Em geral, os convertidos estão sujeitos a retaliações ferozes daqueles que deixaram para trás — lembre-se de Meriam Ibrahim, sentenciado à morte no Sudão, em 2014, por se converter ao cristianismo — e também levantam suspeitas naqueles a quem se juntaram. Com esse senso de perpetuação do pertencimento a um grupo, surgem elementos distintivos do sentimento de fazer parte de Nós. Ninguém assina um contrato de beisebol com base na fé e em vagas promessas de salário. Contudo, um sentimento de fazer parte de Nós que se apoia em valores sagrados, com um todo maior do que as somas das partes, em que as obrigações não coercitivas se estendem por gerações, milênios e inclusive após a morte, e no qual Nós é que contamos, certos ou errados, é a essência dos relacionamentos baseados na fé.

---

* Esses cenários de membros de grupos étnicos, religiosos ou raciais ávidos por punir em público um vergonhoso membro do próprio grupo são facas de dois gumes: que tipo de comportamento constitui uma atitude vergonhosa? Durante o julgamento dos Sete de Chicago, em 1969, que foi presidido por um juiz judeu — Julius Hoffman —, o principal provocador entre os réus, o judeu Abbie Hoffman (sem relação de parentesco), insultou e ridicularizou o juiz ao gritar: "Você é um *shanda fur die goyim* ["desgraça perante os gentios", em iídiche]. Você teria servido melhor a Hitler".

** Isso se manifesta hoje em dia pelo ressentimento profundo de muitos membros da comunidade muçulmana nos Estados Unidos, que se sentem especialmente obrigados a condenar o terrorismo fundamentalista islâmico, pois serão vistos em meio a uma nuvem de desconfiança se não o fizerem. "Eu me recuso a condenar, não porque eu não condene, mas... porque fazer isso significaria que eu concordo com o fato de que mereço ser questionado", declara o escritor árabe-americano Amer Zahr.

É claro que as coisas são mais complicadas que isso. Às vezes um atleta que escolhe trocar de time é visto como traidor de uma lealdade sagrada. Considere a percebida traição de LeBron James, quando escolheu deixar os Cavaliers de sua terra natal, Cleveland, e a subsequente percepção de sua decisão de retornar ao time como se fosse a Segunda Vinda de Cristo. No outro extremo do pertencimento a um grupo, as pessoas se convertem, emigram, assimilam e, sobretudo nos Estados Unidos, colaboram para formar um Nós bastante atípico — considere o ex-governador da Louisiana Bobby Jindal, com seu forte sotaque sulista e religiosidade cristã, nascido em Piyush Jindal de pais imigrantes hindus. E considere as complexidades daquilo que, para usar uma expressão terrível, pode ser chamado de unidirecionalidade da fungibilidade — por exemplo, a atitude dos fundamentalistas muçulmanos que executaram Meriam Ibrahim enquanto defendiam conversões forçadas, na base da espada, *para* o islamismo.

A natureza do pertencimento a um grupo pode ser muitíssimo contenciosa quando diz respeito ao relacionamento dos indivíduos com o Estado. Isso seria contratual? As pessoas pagam impostos, obedecem às leis, servem o Exército; o governo fornece serviços sociais, constrói estradas e fornece auxílio quando ocorrem furacões. Ou seria um desses valores sagrados? O povo oferece obediência absoluta e o Estado providencia os mitos da Pátria-Mãe. Poucos desses cidadãos conseguem conceber que, se a cegonha os tivesse depositado arbitrariamente em outro lugar, eles sentiriam com fervor a retidão inata de um tipo diferente de excepcionalidade, marchando ao som de uma música militar distinta.

AQUELES "ELES"

Assim como enxergamos o nosso grupo (Nós) de forma sistemática, também há padrões para a maneira com que enxergamos os outros (Eles). Um padrão consistente é vê-los como ameaçadores, furiosos e indignos de confiança. Tome como um exemplo interessante os alienígenas do cinema. Em uma análise de quase cem filmes relevantes, começando pelo pioneiro *Viagem à Lua*, de George Méliès, de 1902, quase 80% dessas obras retratam os alienígenas como malévolos, e os restantes, como benevolentes ou neutros.* Em jogos econômicos, os indivíduos tratam

---

* Exemplos de filmes com "aliens bons" incluem *O dia em que a Terra parou* (1951), *Contatos imediatos do terceiro grau* (1977), *Cocoon* (1985), *Avatar* (2009) e, é claro, *E. T., o extraterrestre* (1982). Por outro lado, os numerosos filmes de "aliens maus" incluem *A bolha assassina* (1958), *Liquid Sky* (1982), *A garota diabólica de Marte* (1954) e, é claro, *Alien: O oitavo passageiro* (1979). A proporção de aliens bons e maus

de modo implícito os membros de outras raças como sendo menos confiáveis ou capazes de retribuição. Juízes brancos interpretam rostos afro-americanos como mais zangados do que os brancos, e rostos racialmente ambíguos com expressões bravas têm mais tendência a ser categorizados como de outra raça. São maiores as chances de que indivíduos brancos defendam o julgamento de criminosos adolescentes como se fossem adultos, caso sejam induzidos a pensar em criminosos negros (em vez de brancos). E a percepção inconsciente de que Eles são ameaçadores pode ser marcadamente abstrata: torcedores de beisebol tendem a subestimar a distância até o estádio do time adversário, assim como americanos hostis aos imigrantes mexicanos subestimam a distância até a Cidade do México.

Mas Eles não evocam apenas um senso de ameaça; às vezes é de aversão. Voltamos ao córtex insular, que na maioria dos animais diz respeito à aversão gustativa — dar uma mordida em um alimento podre —, mas cujo encargo nos seres humanos inclui a aversão moral e estética. Imagens de dependentes de drogas ou de pessoas em situação de rua em geral ativam a ínsula, e não a amígdala.[25]

Sentir repulsa pelas crenças abstratas de outro grupo não é, naturalmente, o trabalho da ínsula, que evoluiu para se preocupar com gostos e cheiros aversivos. Os marcadores Nós/Eles proporcionam um ponto de apoio. Sentir aversão por Eles porque comem coisas repulsivas, sagradas ou adoráveis, porque se banham com perfumes pútridos e se vestem de formas escandalosas — essas são coisas nas quais a ínsula é capaz de cravar os dentes. Nas palavras do psicólogo Paul Rozin, da Universidade da Pensilvânia, "a aversão serve como um marcador étnico ou exterior ao grupo". Estabelecer que Eles comem coisas repugnantes fornece o ímpeto necessário para decidir que Eles também têm ideias repugnantes sobre, digamos, ética deontológica.[26]

O papel da aversão na demarcação Nós/Eles explica certas diferenças individuais em sua magnitude. De modo mais específico, indivíduos com posturas mais fortes contra imigrantes, estrangeiros e grupos socialmente divergentes tendem a apresentar um baixo limiar de aversão interpessoal (por exemplo, resistem a usar roupas de desconhecidos ou sentar-se em um assento quente recém-desocupado).[27] Retornaremos a essa descoberta no capítulo 15.

é consistente ao longo das décadas (em outras palavras, não é que a década de 1950 tenha sido tomada de forma desproporcional por filmes com aliens assustadores a fim de que os diretores não fossem chamados pelo Comitê de Atividades Antiamericanas, ou que os anos 1960 tenham sido marcados pelos esforços em utilizar aliens bonzinhos de diretores chapados que acabaram de voltar de Katmandu). Agradeço a Katrina Hui, uma aluna assistente de pesquisa, que fez essa análise.

Alguns dentre Eles são risíveis, ou seja, estão sujeitos ao ridículo e à chacota, ao humor como forma de hostilidade.[28] A zombaria dos outsiders para com os que estão dentro de um grupo é uma arma dos mais fracos, uma forma de atingir os poderosos e amenizar o golpe da subordinação. Por outro lado, quando um membro do grupo debocha de alguém de fora, é para solidificar estereótipos negativos e materializar a hierarquia. Nessa mesma linha, indivíduos com uma forte "orientação de dominância social" (aceitação da hierarquia e da desigualdade entre os grupos) têm mais inclinação a achar graça de piadas sobre quem está de fora.

Frequentemente, Eles também são vistos como mais rasos e homogêneos do que Nós, com emoções mais simples e menos sensibilidade à dor. David Berreby, em seu excelente livro *Us and Them: The Science of Identity* [Nós e Eles: A ciência da identidade], fornece um impressionante exemplo disso: a saber, que tanto na Roma Antiga quanto na Inglaterra medieval, na China imperial e no Sul anterior à Guerra Civil, a elite adotou o estereótipo — legitimador do sistema — de que os escravos eram simplórios, infantis e incapazes de independência.[29]

O essencialismo tem tudo a ver com enxergar Eles como homogêneos e intercambiáveis; é a ideia de que, enquanto nós somos indivíduos, Eles têm uma essência monolítica, imutável e pegajosa. Um longo histórico de más experiências no contato com Eles estimula o pensamento essencialista: "Eles sempre foram e sempre serão assim". A mesma coisa ocorre quando são registradas poucas interações pessoais com Eles — afinal de contas, quanto maior a quantidade de interações, mais exceções se acumulam para contrapor os estereótipos essencialistas. Contudo, a carência de interações não é obrigatória, como já foi comprovado pelo pensamento essencialista sobre o sexo oposto.[30]

Dessa forma, Eles vêm em sabores diferentes: ameaçadores e zangados, aversivos e repugnantes, primitivos e indiferenciados.

Pensamentos versus sentimentos sobre Eles

Em que medida nossas ideias sobre Eles são racionalizações *post hoc* de nossos sentimentos? De volta às interações entre cognição e afeto.

A demarcação Nós/Eles é construída cognitivamente com facilidade. John Jost, da NYU, explorou um desses domínios, a saber, as piruetas efetuadas pelos que estão no topo para justificar o status quo desigual do sistema em voga. Essa ginástica cognitiva também ocorre quando nossa visão negativa e homogênea sobre quem são Eles se vê forçada a acomodar alguém pertencente a "Eles" que é famoso e atraente, ou que é nosso vizinho, ou ainda um que salvou a nossa pele: "Ah, *este* é diferente" (seguido, sem dúvida, de um senso de autocongratulação pela mentalidade aberta).[31]

A sutileza cognitiva é muitas vezes necessária para enxergar Eles como ameaças.[32] Afligir-se com a possibilidade de que Eles que estão vindo em sua direção irão roubá-lo é algo repleto de sentimentos e particularismo. Mas se preocupar com a perspectiva de que esses mesmos Eles irão tomar nossos empregos, manipular os bancos, diluir nossa linhagem, tornar nossos filhos gays e assim por diante requer uma cognição voltada para o futuro com relação a economia, sociologia, ciência política e pseudociência.

Portanto, a demarcação Nós/Eles pode se desenvolver a partir de habilidades cognitivas para generalizar, imaginar o futuro, inferir motivações ocultas e usar a linguagem para alinhar essas cognições com outros de Nós. Como vimos, outros primatas não só matam indivíduos por serem Eles como também nutrem associações negativas a seu respeito. Ainda assim, nenhum outro primata é capaz de matar por ideologia, teologia ou estética.

Apesar da importância do pensamento nesse processo, a essência da demarcação Nós/Eles é emocional e automática.[33] Nas palavras de Berreby em seu livro, "estereotipar não é um caso de cognição preguiçosa que decidiu pegar um atalho. Não se trata de cognição consciente". Tal automatismo produz afirmações como: "Não consigo explicar por quê, mas é apenas errado que Eles tenham esse costume". Uma pesquisa de Jonathan Haidt, da NYU, mostra que, em tais circunstâncias, as cognições são justificativas *post hoc* para sentimentos e intuições, uma forma de convencer a si mesmo de que você de fato consegue explicar racionalmente por quê.

O automatismo da demarcação Nós/Eles é evidenciado pela velocidade com que a amígdala e a ínsula estabelecem tais dicotomias — a intervenção afetiva do cérebro precede a percepção consciente, assim como ocorre nos estímulos subliminares. Outra medida do fundamento afetivo dessa demarcação é quando ninguém faz mais ideia da origem de um preconceito. Considere os agotes (em francês, Cagot), uma minoria na França cuja perseguição começou no século XI e prosseguiu até o último século.[34] Os agotes eram obrigados a viver fora dos povoados, a vestir-se de forma distinta, a sentar-se em separado na igreja e a desempenhar funções subalternas. Ainda assim, eles não diferiam em termos de aparência, religião, sotaque ou nome, e ninguém sabia por que eram párias. Talvez fossem descendentes de soldados mouros da invasão islâmica da Espanha e, portanto, tivessem sofrido discriminação dos cristãos. Ou talvez fossem os primeiros cristãos e, nesse caso, o preconceito teria partido dos *não cristãos*. Ninguém sabia dizer quais tinham sido os pecados dos agotes ancestrais ou como reconhecê-los sem se basear no conhecimento da comunidade. Durante a Revolução Francesa, os agotes promoveram a queima de certidões de nascimento nos gabinetes governamentais para destruir as provas de seu status.

O automatismo pode ser visto de outro modo. Considere um indivíduo que tem um ódio fervoroso contra uma série de grupos de fora.[35] Há duas formas de explicar isso. Opção 1: ele concluiu cuidadosamente que as políticas de comércio do grupo A prejudicam a economia, e também que os ancestrais do grupo B eram blasfemos, *e também* que os membros do grupo C não expressam remorso suficiente por uma guerra iniciada por seus avós, *e também* que os membros do grupo D são agressivos, *e também* que o grupo E enfraquece os valores familiares. Trata-se de um bocado de coincidências cognitivas. Opção 2: o temperamento autoritário do sujeito é perturbado pela novidade e pela ambiguidade hierárquica; não se trata de um conjunto de cognições coerentes. Como vimos no capítulo 7, Theodor Adorno, ao tentar entender as raízes do fascismo, formalizou esse temperamento autoritário. Os indivíduos que nutriam preconceito contra um tipo de grupo de fora tendiam a ter preconceito também contra outros, e por razões afetivas.*[36] Mais sobre isso no próximo capítulo.

A evidência mais forte de que uma abrasiva demarcação Nós/Eles tem origem em emoções e em processos automáticos é que as cognições em tese racionais sobre Eles podem ser manipuladas de forma inconsciente. Em um exemplo já mencionado, indivíduos induzidos de modo inconsciente a pensar em "lealdade" sentaram-se mais perto de membros ligados a Nós e mais longe de membros ligados a Eles, enquanto os que foram pré-ativados a pensar sobre "igualdade" fizeram o oposto.** Em outro estudo, voluntários assistiam a uma apresentação de slides com informações básicas e pouco estimulantes sobre um país que desconheciam ("Existe um país chamado Moldávia?"). Para a metade dos indivíduos, rostos com expressões positivas foram exibidos em velocidades subliminares entre os slides; para a outra metade, as expressões desses rostos eram negativas. Os primeiros desenvolveram visões mais positivas daquele país do que os últimos.[37]

Julgamentos conscientes sobre Eles são manipulados inconscientemente no mundo real. Em um importante experimento discutido no capítulo 3, passageiros matutinos de estações de trem localizadas em subúrbios com predominância de

---

* De modo interessante, algumas pesquisas registram um padrão similar entre os teóricos da conspiração. Pessoas que acham que os aliens aterrissaram no Novo México muito tempo atrás também têm mais probabilidade do que se esperaria pelo acaso de acreditar que a princesa Diana foi assassinada a mando de membros da família real. E só para mostrar o quão irracional é tudo isso: contanto que você não lhes pergunte sobre ambos os cenários em um período muito curto, os indivíduos que acreditam que Diana foi assassinada tendem a acreditar também que ela forjou a própria morte e vive com um nome falso, digamos, em Wisconsin.

** Como é feita essa pré-ativação? O indivíduo recebe uma série de frases fora de ordem e tem de ordená-las. Em um dos grupos, a maioria das frases diz respeito ao conceito de lealdade ("colegas ajudam Jane seus"), enquanto as frases do outro grupo dizem respeito a igualdade ("equidade luta Chris por").

brancos preencheram questionários sobre suas posições políticas. Nas duas semanas seguintes, em metade dessas estações, um par de jovens mexicanos com trajes comuns apareceu todas as manhãs, conversando discretamente em espanhol antes de embarcar no trem. Então os passageiros preencheram outro questionário.

De modo notável, a presença do par tornou as pessoas mais favoráveis a restringir a imigração *legal* de mexicanos e a tornar o inglês o idioma oficial, e mais contrárias à concessão de anistia para imigrantes ilegais. A manipulação foi seletiva e não modificou as atitudes perante ásio-americanos, afro-americanos ou indivíduos do Oriente Médio.

E vejam só este exemplo fascinante de influência na demarcação Nós/Eles, muito abaixo do nível consciente: no capítulo 4, observei que, quando as mulheres estão ovulando, suas áreas fusiformes de face se tornam mais responsivas a rostos, com o (emocional) CPFVM respondendo melhor aos masculinos em particular. Carlos Navarrete, da Universidade do Estado do Michigan, mostrou que as mulheres brancas, ao ovular, têm atitudes mais negativas com relação a homens afro-americanos.*[38] Portanto, a intensidade da demarcação Nós/Eles é ajustada pelos hormônios. Nossos sentimentos sobre Eles podem ser moldados por forças subterrâneas sobre as quais não temos a menor ideia.

As características automáticas da demarcação Nós/Eles por vezes se estendem ao contágio mágico, a crença de que o essencialismo das pessoas é capaz de ser transferido aos objetos ou a outros organismos.[39] Isso pode ser positivo ou negativo; um estudo mostrou que lavar um suéter usado por John F. Kennedy tem o poder de reduzir seu valor em leilões, enquanto esterilizar uma roupa usada por Bernie Madoff aumentaria seu valor. Isso é pura irracionalidade — não é como se um suéter não lavado de Kennedy ainda contivesse sua essência mágica de sovaco, enquanto uma blusa suja de Madoff estivesse infestada de piolhos moralmente corrompidos. E o contágio mágico ocorreu por toda parte: os nazistas mataram, junto com seus donos, os "cachorros judeus", tidos como contaminados.**[40]

---

* Em um estudo subsequente, no qual eu mesmo, de forma incongruente, estive envolvido, foram analisadas questões similares relativas a um indivíduo específico — Barack Obama — durante as eleições de 2008. Os voluntários eram confrontados com diferentes tons de marrom e indagados sobre qual deles correspondia mais precisamente à cor de pele de Obama. As mulheres que o enxergavam com uma pele mais branca eram mais propensas a votar nele na época da ovulação; as que o enxergavam com uma pele mais negra mostravam uma tendência oposta. Note que esses são efeitos pequenos. A elegibilidade está nos olhos, e na situação hormonal, de quem vê.

** Como excentricidade histórica, a Alemanha nazista tinha as leis mais rígidas do mundo em termos de tratamento humanizado e eutanásia de animais. Os cães sofreram muito menos do que seus donos na hora de morrer.

A essência da cognição tentando alcançar o afeto é, claro, a racionalização. Um belo exemplo disso ocorreu em 2000, quando o país inteiro aprendeu o termo "rebarbas penduradas"* depois que Al Gore foi eleito e a Suprema Corte escolheu George W. Bush.** Para aqueles que perderam essa diversão, uma rebarba é o pedacinho de papel que cai quando uma cédula de votação é perfurada, e uma rebarba pendurada é aquela que não se desprendeu por completo; isso justifica desqualificar o voto, mesmo que esteja bastante claro em quem a pessoa votou? E, é óbvio, se, um milissegundo antes de as rebarbas erguerem suas cabeças pendentes, você perguntasse a especialistas qual seria o posicionamento adotado a respeito dessa polêmica pelo partido de Reagan (os republicanos), com sua economia do gotejamento, e pelo partido de Roosevelt (os democratas), com sua Grande Sociedade, eles não teriam a menor ideia. E ainda assim lá estávamos nós, um milissegundo depois do surgimento das rebarbas, com cada um dos partidos explicando da forma mais apaixonada por que a postura dos adversários (Eles) representava uma ameaça à mamãe, à torta de maçã e ao legado da Batalha de Alamo.

Os "vieses de confirmação" utilizados para racionalizar e justificar a demarcação automática de Nós/Eles são inúmeros: recordar com mais facilidade as evidências favoráveis do que as contrárias; efetuar experiências com métodos que possam confirmar, mas não negar, sua hipótese; pôr à prova de forma mais cética os resultados que não lhe agradam, em comparação aos que você aprova.

Além disso, a manipulação de uma implícita demarcação Nós/Eles é capaz de alterar processos justificatórios. Em uma pesquisa, estudantes escoceses receberam os resultados de um jogo no qual seus compatriotas trataram ou não de forma justa os adversários estrangeiros. Os alunos que leram sobre escoceses sendo preconceituosos se tornaram mais positivos em seus estereótipos sobre os escoceses e mais negativos sobre os britânicos — justificando o viés dos jogadores escoceses.[41]

Nossas cognições correm para tentar alcançar nossas personalidades afetivas, buscando fatos pitorescos ou fabricações plausíveis que expliquem nosso ódio por Eles.[42]

Interações individuais intergrupais versus interações coletivas intergrupais

Portanto, temos uma tendência a pensar nos membros do nosso grupo como indivíduos nobres, leais e distintos, cujos defeitos se devem a razões circunstanciais.

---

* No original, *"hanging chads"*, em referência ao sistema de votação americano da época, que se dava em cartões perfurados. (N. T.)

** Apenas uma indireta sutil sobre o que achei daquele desastre.

Já Eles nos parecem repugnantes, ridículos, simples, homogêneos, indiferenciados e intercambiáveis. O que é com frequência respaldado por racionalizações de nossas intuições.

Isso se aplica a um indivíduo lidando com a demarcação Nós/Eles em sua mente. As interações entre *grupos* tendem a ser mais competitivas e agressivas do que as interações entre indivíduos, sejam Nós ou Eles. Nas palavras de Reinhold Niebuhr, escrevendo durante a Segunda Guerra Mundial, "o grupo é mais arrogante, hipócrita, autocentrado e implacável na busca de seus objetivos, em comparação com o indivíduo".[43]

Há, muitas vezes, uma relação inversa entre os níveis de agressividade intragrupal e intergrupal. Em outras palavras, grupos que têm interações altamente hostis com os vizinhos tendem a exibir conflitos internos mínimos. Ou, para explicar de outra forma, grupos com altos níveis de conflitos internos estão distraídos demais para direcionar sua hostilidade aos Outros.[44]

Uma pergunta crucial: será que essa relação inversa é causal? Uma sociedade precisa ser internamente pacífica e reunir um nível tão elevado de cooperação para poder executar hostilidades intergrupais significativas? É necessário suprimir o homicídio para consumar um genocídio? Ou, invertendo a causalidade, será que as ameaças causadas por Eles tornam as sociedades mais cooperativas internamente? Essa é uma ideia desenvolvida pelo economista Samuel Bowles, do Instituto Santa Fé, que enquadrou o assunto desta forma: "conflito: a parteira do altruísmo".[45] Não mude de canal.

DOMÍNIOS HUMANOS SINGULARES DE DEMARCAÇÃO NÓS/ELES

Ainda que outros primatas possam manifestar abstrações rudimentares de demarcação Nós/Eles, os seres humanos se encontram em uma estratosfera de singularidade. Nesta seção, discutirei como:

- todos pertencemos a múltiplas categorias de Nós, e sua importância relativa pode mudar rapidamente;
- os tipos de Eles não são todos iguais. Temos taxonomias complexas sobre os diferentes tipos de Eles e as respostas que evocam;
- podemos nos sentir mal exercendo a demarcação Nós/Eles e tentar ocultá-la;
- mecanismos culturais podem aguçar ou amenizar as arestas de nossa dicotomização.

Múltiplos Nós

Sou um vertebrado, mamífero, primata, hominoide, humano, macho, cientista, de esquerda, costumo espirrar diante do sol, sou obcecado por *Breaking Bad* e torcedor do Green Bay Packers.* Todos esses territórios são passíveis de demarcações Nós/Eles. De modo crucial, a importância de cada um desses Nós vive mudando — se de repente um polvo virasse meu vizinho, eu sentiria uma hostil superioridade com relação a ele porque tenho coluna vertebral, mas tal animosidade poderia se dissipar e se transformar em um senso de afinidade assim que eu descobrisse que o polvo, da mesma forma que eu, adorava jogar Twister na infância.

Todos pertencemos a múltiplas dicotomias Nós/Eles. Às vezes uma é capaz de substituir a outra — por exemplo, a dicotomia de pessoas que são ou não conhecedoras de caviar é uma boa substituta para uma dicotomia de status socioeconômico.

Como foi observado, a coisa mais importante sobre nosso pertencimento a múltiplos grupos é a facilidade com que as prioridades se transformam. Um famoso exemplo, discutido no capítulo 3, diz respeito à performance matemática em mulheres ásio-americanas, construída em torno de dois estereótipos: de que os asiáti-

---

* Esta última característica me deixa muitíssimo intrigado. Quando eu era pequeno, decidi que os valentões seriam mais legais comigo se eu tivesse um conhecimento vastíssimo sobre futebol americano. Isso foi nos dias de glória dos Packers, na era Vince Lombardi; portanto, decidi que iria torcer para eles. Decorei e passei a recitar de maneira irritante cada naco inútil de trivialidade que encontrava sobre eles, e assisti pela televisão a meu primeiro (e basicamente único) jogo de futebol, que terminou com o Packers derrotando de forma lendária os Cowboys pelo título do campeonato de 1967, com um *touchdown* na quarta descida a partir da linha de uma jarda, faltando dezesseis segundos para acabar, numa partida jogada a 26 graus abaixo de zero. E foi isso. Minha obsessão futebolística foi esvanecendo quando concluí que saber trivialidades sobre beisebol seria mais vantajoso (isso foi fortuito, pois eu morava no Brooklyn — pouco depois veio a miraculosa temporada daqueles infelizes dos Mets no campeonato de 1969). Nunca fui a um jogo profissional de futebol, não sei dizer absolutamente nada dos Packers de lá para cá (nem sei se Bart Starr ainda é o *quarterback* deles, mas não ficaria nem um pouco surpreso se a essa altura ele já estivesse aposentado), e basicamente ignoro o futebol americano. Ainda assim, quase cinquenta anos depois, se escuto de vez em quando que os Packers estão tendo uma boa ou má temporada, meu humor é brevemente afetado pela notícia; se vejo fotos de times de futebol americano e os Packers estão incluídos, é certo que vou olhar primeiro para eles, e não para os outros times, e por alguns momentos me sinto feliz por serem eles; fiquei entusiasmado na única vez que encontrei alguém de Green Bay e, depois de trinta segundos papeando inutilmente sobre os Packers dos anos 1960, senti uma conexão quase espiritual com eles. É apenas muito esquisito. E sem dúvida demonstra o poder incomum que o "pertencimento" pode ter.

cos são bons em matemáticà e as mulheres, não. Metade das voluntárias foi induzida a pensar em sua origem asiática antes de um teste de matemática; suas notas melhoraram. Metade foi pré-ativada a respeito de seu gênero; as notas caíram. Além disso, simultaneamente, os níveis de atividade nas regiões corticais relacionadas a habilidades matemáticas se alteraram.*[46]

Também reconhecemos que outros indivíduos pertencem a múltiplas categorias e vivem alterando a relevância de cada uma delas. De forma pouco surpreendente, boa parte da literatura especializada diz respeito a questões raciais, sendo a principal delas a hipótese de que raça é uma demarcação que supera todas as outras.

A primazia da raça tem um bocado de apelo à intuição popular. Para começar, a raça é um atributo biológico, uma identidade claramente fixada que estimula o pensamento essencialista.[47] Isso também alimenta nossas intuições sobre a evolução: os humanos evoluíram sob condições em que a diferença da cor da pele era o sinal mais claro de que alguém fazia parte de um distante Eles. E a proeminência da raça é registrada em várias culturas: historicamente, uma parcela impressionante

---

* Uma vez me convenceram a participar de uma empreitada tola e divertida. Nas proximidades de Stanford há uma cafeteria chamada Buck's, um conhecido ponto de encontro de investidores em capital de risco que costumam fechar negócios em cafés da manhã; ao que tudo indica, várias empresas lendárias do Vale do Silício nasceram naquelas mesas. Um jornalista local me convenceu a ir até lá como primatólogo, acompanhado de um repórter, para fazer observações etológicas sobre as interações de dominância entre os investidores em seu habitat natural, o Buck's. Monitoramos uma mesa com dois pares opostos de empresários que negociavam alguma coisa. Cada lado tinha seu macho alfa bronzeado e em forma, provavelmente o chefe; cada lado tinha um subalterno bajulador, sobrecarregado de pastas e planilhas. Os bajuladores interagiam com frequência, passando papéis uns para os outros, brandindo o dedo no ar, fazendo caretas. Os dois chefes pairavam acima disso tudo, com suas cadeiras posicionadas de modo que ambos pudessem se ignorar mutuamente de maneira ostensiva, os telefones tocando como que por milagre sempre que um tentava falar com o outro — que, então, fazia um aceno autoritário e desdenhoso para o oponente e atendia a ligação. De vez em quando, o bajulador fazia uma pergunta em voz baixa para o chefe e este, em uma demonstração de minimalismo mandarim, assentia de leve com a cabeça e mudava o curso da história. As negociações foram enfim concluídas, pelo visto de forma satisfatória para todos, seguiram-se apertos de mãos, o café da manhã foi deixado ritualisticamente intocado e todos foram embora. O repórter e eu corremos para a janela a fim de observá-los no estacionamento. Terminadas as interações antagônicas, a demarcação Nós/Eles mudou: os subalternos retornaram com rapidez a seus pequenos e sensatos Toyota Prius, enquanto os dois Mestres do Universo continuaram conversando; cada um pegou uma raquete de tênis de seu utilitário suv e ambos ficaram comparando-as de um jeito amigável, ensaiando uma ou duas rebatidas no ar com a raquete um do outro. Naquele momento, os rostos de seus respectivos bajuladores fiéis provavelmente nem ativariam a área fusiforme de faces nos chefes; em vez disso, o Nós mais importante agora era a presença agradável de alguém capaz de se compadecer com as brigas sobre a pensão da terceira ex-mulher.

de culturas tem feito distinções de status baseadas na cor da pele, incluindo culturas tradicionais antes do contato com o Ocidente, nas quais, com poucas exceções (por exemplo: a minoria étnica e de status inferior dos ainus, do Japão), um tom mais claro de pele conferia um status mais elevado tanto no interior do grupo quanto entre os grupos.

Mas essas intuições são frágeis. Primeiro porque, mesmo que existam contribuições biológicas óbvias para as diferenças raciais, o termo "raça" é um continuum biológico, mais do que uma categoria discreta — por exemplo, a menos que você selecione cuidadosamente os dados que lhe interessam, a variação genética no interior de uma raça é em geral tão grande quanto a variação entre as raças. E isso não é nenhuma surpresa quando examinamos com uma orientação racial a escala de variações — basta comparar sicilianos com suecos ou um fazendeiro senegalês com um pastor etíope.*

O argumento evolutivo também não se sustenta. As diferenças raciais, que surgiram num período relativamente recente, têm pouca relevância na demarcação Nós/Eles. Para os caçadores-coletores que compõem nossa história entre os Hominini, a pessoa mais diferente que se poderia encontrar na vida havia nascido a algumas dezenas de quilômetros de distância, enquanto o indivíduo mais próximo de uma raça distinta em geral vivia a milhares de quilômetros de distância — ou seja, não há nenhum legado evolutivo de seres humanos encontrando pessoas com uma cor de pele notadamente diferente.

Além disso, a noção de raça como um sistema de classificação fixo e com bases biológicas tampouco se aplica. Em inúmeros períodos da história do censo americano, "mexicanos" e "armênios" eram categorizados sob raças diferentes; italianos do Sul pertenciam a uma raça distinta dos europeus do Norte; alguém que tivesse um bisavô negro e sete bisavós brancos era considerado branco no Oregon, mas não na Flórida. Isso é o que chamamos de raça como construção cultural, e não biológica.[48]

À luz de fatos como esses, não é surpresa que as dicotomias raciais Nós/Eles sejam com frequência suplantadas por outras classificações. A mais comum é a de gênero. Lembre-se da descoberta de que é mais difícil "extinguir" um medo condi-

---

* Tal heterogeneidade é difícil de entender nos Estados Unidos, onde a maioria dos afro-americanos descende de umas poucas tribos da África Oriental que constituem só 1% ou 2% de toda a variabilidade tribal africana. Uma das consequências disso — o fato de que hoje existem remédios para tratar a hipertensão entre afro-americanos — apenas serve para tornar mais concreto o conceito biológico de raça, pois, na verdade, diz mais sobre a biologia dos descendentes de um pequeno subgrupo de leste-africanos do que sobre a raça como um todo.

cionado que esteja associado a um rosto de raça diferente do que a um rosto da mesma raça. Navarrete mostrou que isso ocorre apenas quando os rostos condicionados são masculinos; nesse caso, o gênero suplanta a raça no campo da classificação automática.* A classificação por idade também tem o poder de predominar de imediato sobre a raça. Até a profissão é capaz de se enquadrar nessa categoria — por exemplo, em um estudo, voluntários brancos mostraram uma preferência automática por políticos brancos em vez de por atletas negros, quando induzidos a pensar sobre raça, mas o oposto ocorreu quando foram induzidos a pensar em termos de ocupações.[49]

A raça como uma importante categoria Nós/Eles pode ser afastada por meio de uma reclassificação sutil. Em um estudo, voluntários recebiam fotos de indivíduos, brancos ou negros, associados a uma determinada frase dita por eles, e mais tarde tinham de lembrar qual rosto combinava com qual afirmação.[50] Houve uma categorização racial automática: quando os indivíduos atribuíam uma frase à pessoa errada, eram grandes as chances de que o rosto escolhido e o rosto realmente associado à afirmação fossem da mesma raça. Em um segundo momento, metade dos negros e brancos retratados usava a mesma camiseta distintiva amarela; a outra metade usava uma roupa cinza. Dessa vez, os voluntários confundiram com frequência as pessoas que usavam a mesma cor de camiseta.

Uma pesquisa maravilhosa conduzida por Mary Wheeler e Susan Fiske, de Princeton, com base em análises do fenômeno de ativação da amígdala por meio de fotos de rostos de outras raças, revelou como a categorização é alterada.[51] Em um grupo, os indivíduos tinham de detectar se havia um ponto escuro em algum lugar das figuras. Rostos de outra raça não ativaram a amígdala; é que os rostos não estavam sendo processados. Em um segundo grupo, os voluntários tinham de julgar se cada rosto parecia mais velho do que determinada idade. As respostas amigdaloides para os rostos de outras raças aumentaram: pensar categoricamente sobre a idade reforçava o pensamento categórico de raça. Em um terceiro grupo, um legume foi exibido ao lado de cada rosto; os voluntários tinham de adivinhar se a pessoa gostava daquele legume. Nesse caso, a amígdala também não reagiu a rostos de outras raças.

Pelo menos duas interpretações vêm à mente para explicar esse último resultado:

---

* Contudo, não é sempre o caso. Muitas análises foram elaboradas em torno da absolvição de O. J. Simpson por um júri que incluía oito mulheres afro-americanas. No caso delas, qual seria a identificação de pertencimento que prevaleceria: a de gênero (sensível ao histórico de Simpson no âmbito da violência doméstica) ou a de raça (outro homem afro-americano possivelmente servindo de bode expiatório para o sistema criminal)? O resto, como dizem, é história.

a. Distração. Os voluntários estavam ocupados demais pensando sobre, digamos, cenouras para fazer uma categorização racial automática. Isso seria similar ao efeito de procurar o ponto escuro.
b. Recategorização. Você olha para um rosto da categoria Eles e tenta imaginar qual é o alimento preferido daquela pessoa. Você a imagina no supermercado, pedindo uma refeição em um restaurante, sentando-se para jantar em casa e apreciando um alimento específico... Em outras palavras, você pensa nessa pessoa como indivíduo. Essa é a interpretação mais prontamente aceita.

Mas a recategorização pode ocorrer no mundo real sob as circunstâncias mais brutais e improváveis. Aqui vão exemplos que julgo serem extremamente pungentes:

Na Batalha de Gettysburg, o general confederado Lewis Armistead foi mortalmente ferido enquanto liderava uma ofensiva. Estirado no campo de batalha, fez um sinal maçônico secreto, na esperança de ser reconhecido por algum colega maçom. E foi: por um oficial da União, Hiram Bingham, que o protegeu, levou-o a um hospital de campo da União e guardou seus pertences. Em um instante, a demarcação Nós/Eles representada pela dicotomia União/Confederados tornou-se menos importante do que a dicotomia maçom/não maçom.*[52]

Um segundo exemplo de alternância Nós/Eles também ocorreu durante a Guerra Civil Americana. Ambos os Exércitos estavam repletos de soldados imigrantes irlandeses; eles em geral escolhiam um lado de forma arbitrária, aderindo ao que pensavam que seria um breve conflito para ganhar algum treinamento militar — útil para quando retornassem ao país natal a fim de lutar pela independência irlandesa. Antes das batalhas, os soldados irlandeses botavam ramos verdes de identificação no chapéu, a fim de que, se caíssem mortos ou estivessem prestes a morrer, fossem capazes de se livrar da arbitrária demarcação Nós/Eles dessa guerra americana e voltar ao Nós que importava: ser reconhecido e amparado por seus compatriotas irlandeses.[53] Um ramo verde servindo de "barba verde".

Outro exemplo de rápida alternância de dicotomias Nós/Eles foi registrado durante a Segunda Guerra Mundial, quando um comando britânico sequestrou o general

---

* Essa história tem uma camada dupla de pungência. Antes da guerra, um dos melhores amigos de Armistead era Winfield Scott Hancock, que mais tarde liderou uma brigada nessa mesma batalha, só que do lado da União. Prestes a morrer, Armistead perguntou sobre a saúde de Hancock e pediu que Bingham enviasse seus calorosos cumprimentos ao velho amigo.

alemão Heinrich Kreipe em Creta e o levou para uma perigosa marcha de dezoito dias rumo à costa, até encontrar um navio britânico. Certo dia, o grupo viu que havia neve no pico mais alto de Creta. Kreipe murmurou consigo mesmo o primeiro verso (em latim) de uma ode de Horácio sobre uma montanha coberta de neve. Foi quando o comandante britânico, Patrick Leigh Fermor, passou a recitar o resto do poema. Ambos constataram que haviam, nas palavras de Leigh Fermor, "bebido das mesmas fontes". Uma recategorização. Leigh Fermor assegurou que os ferimentos de Kreipe fossem tratados e garantiu ele próprio sua segurança pelo resto da marcha. Ambos mantiveram contato depois que a guerra acabou e se reencontraram décadas depois por iniciativa de uma emissora de TV grega. "Não guardei nenhum rancor", disse Kreipe, elogiando a "audaciosa operação" de Leigh Fermor.[54]

E, por fim, houve a Trégua de Natal da Primeira Guerra Mundial, que examinarei com mais vagar no último capítulo. Trata-se do famoso episódio no qual soldados de ambos os lados passaram o dia cantando, rezando, confraternizando, jogando futebol e trocando presentes, e que contou com a participação de homens de vários pontos da linha de combate, esforçando-se para expandir a trégua. Bastou um único dia para que a dicotomia britânicos-contra-alemães se curvasse a outra mais importante: *todos* nós que estamos nas trincheiras contra os oficiais na retaguarda que querem que voltemos a nos trucidar.

Portanto, as dicotomias Nós/Eles podem desvanecer até se tornar matéria de curiosidade histórica, assim como ocorreu com os agotes, e podem ter suas fronteiras deslocadas por capricho de um censo. O mais importante é que temos múltiplas dicotomias em nossa mente, e aquelas que parecem inevitáveis e cruciais podem, diante de circunstâncias específicas, ter sua importância evaporada em um instante.

Frio e/ou incompetente

O fato de que tanto um balbuciante morador de rua quanto um executivo bem-sucedido oriundo de um grupo étnico vulnerável podem pertencer à categoria Eles revela algo crucial: diferentes tipos de Eles evocam em nós sentimentos diversos, fundamentados em distinções na neurologia do medo e da aversão.[55] Para citar um exemplo, rostos assustadores nos levam a vigiar com cuidado os arredores e ativam o córtex visual; rostos aversivos fazem o oposto.

Carregamos inúmeras taxonomias na mente, assim como em nossos relacionamentos com diferentes tipos de Outros. Pensar sobre alguns desses Eles é simples. Considere alguém capaz de acender todos os nossos alertas de julgamento —

digamos, um morador de rua que é dependente químico, foi expulso de casa pela mulher por ser violento e que hoje assalta pessoas idosas. Empurre-o diante de um bonde — as pessoas têm mais probabilidade de concordar em sacrificar alguém para salvar cinco pessoas quando essas cinco são membros do próprio grupo e o sacrificado é um exemplo extremo de outsider.*[56]

Mas e quanto a Eles que evocam sentimentos mais complexos? Uma pesquisa de enorme influência foi realizada por Fiske, com seu "modelo do conteúdo dos estereótipos".[57] Esta seção inteira remete a esse trabalho.

Tendemos a categorizar Eles em torno de dois eixos: "afabilidade" (o indivíduo ou o grupo é amigo ou inimigo? Bondoso ou cruel?) e "competência" (com que grau de eficácia ele é capaz de levar a cabo suas intenções?).

Tais eixos são independentes. Peça a alguém que classifique um indivíduo sobre o qual possui apenas informações mínimas. A pré-ativação com pistas sobre o status social dessa pessoa altera as avaliações de competência, mas não de afabilidade. A pré-ativação sobre a competitividade do sujeito faz o oposto. Esses dois eixos produzem uma matriz com quatro cantos. Há grupos que avaliamos com nota máxima de afabilidade e competência: Nós, é claro. Os americanos em geral incluem nessa esfera os bons cristãos, os executivos afro-americanos e a classe média.

E existe também o outro extremo, o fundo do poço em afabilidade e competência: aquele ladrão dependente químico que mora na rua. Voluntários costumam dar avaliações baixas de afabilidade e competência para a população em situação de rua, pessoas que dependem de assistência social e pobres de todas as raças.

E existem pessoas que são identificadas como possuidoras de alta afabilidade e baixa competência: os deficientes mentais, os deficientes físicos e os idosos.** Há também a classificação de baixa afabilidade e alta competência; é assim que os habitantes dos países em desenvolvimento tendem a enxergar a cultura europeia que costumava dominá-los,*** e como muitos representantes de minorias nos Estados

---

* A questão aqui é que, aos nossos olhos, esses indivíduos nem sequer são registrados como pessoas — como veremos, exames de neuroimagem comprovam isso. Um estudo recente evidenciou o contrário em relação à noção legal americana de "pessoa jurídica" — quando os indivíduos contemplam a moralidade de certas ações corporativas, ativam as redes relacionadas à Teoria da Mente, exatamente como ocorre quando analisam a moralidade das ações de seus colegas humanos.

** Lembrando que, nesse caso, o conceito de "competência" e "incompetência" não é usado no sentido corriqueiro e, portanto, pejorativo, mas somente como uma medida de atividade.

*** Aqui, o conceito de "competência" não diz respeito à habilidade de lançar foguetes, mas ao grau de sucesso que essas pessoas tiveram quando meteram na cabeça a ideia de, digamos, roubar nossas terras ancestrais.

Unidos enxergam os brancos. São os estereótipos hostis carregados pelos ásio-americanos entre os americanos brancos, pelos judeus na Europa, pelos indo-paquistaneses na África Oriental, pelos libaneses na África Ocidental e pelos chineses étnicos na Indonésia (e, em menor grau, pelas pessoas ricas entre as pobres em todo o mundo). E a depreciação é a mesma: eles são frios, gananciosos, claramente diabólicos, bairristas, não se misturam,* têm outros focos de lealdade — mas, diabos, eles de fato sabem ganhar dinheiro, e é provável que você tenha de se consultar com um deles, que é médico, caso um dia tenha alguma coisa séria.

As pessoas tendem para os sentimentos consistentes evocados por cada um desses extremos. No caso em que há alta afabilidade e alta competência (ou seja, Nós), existe o orgulho. Afabilidade baixa e competência alta: inveja. Afabilidade alta e competência baixa: piedade. Afabilidade baixa e competência baixa: aversão. Coloque alguém em um aparelho de tomografia e mostre fotos de pessoas de baixa afabilidade e baixa competência; ocorre uma ativação da amígdala e da ínsula, mas não da área fusiforme de faces ou do (emocional) CPFvm. Trata-se do mesmo perfil evocado pelo vislumbre de objetos aversivos (embora, mais uma vez, esse padrão possa ser alterado se você induzir os voluntários a individualizar as pessoas: por exemplo, pedindo que pensem a respeito de que comidas determinada pessoa em situação de rua gosta, em vez de "qualquer coisa que houver na lata de lixo").** Em contraste, a combinação de afabilidade baixa e alta competência, assim como de afabilidade alta e baixa competência, foi capaz de ativar o CPFvm.

Tudo o que está situado entre os dois extremos evoca suas próprias respostas características. Indivíduos que suscitam uma reação entre piedade e orgulho também evocam o desejo de ajudá-los. Pairando entre a piedade e a aversão está um

---

* Em minha experiência de pesquisa na África Oriental, havia a acusação, por parte de homens africanos, de que as mulheres "hindus" (ou seja, indo-paquistanesas, cujas famílias moravam no local havia muitas gerações) não eram "verdadeiras africanas". Tratava-se, em geral, de uma forma de disfarçar a seguinte constatação: "Elas não querem dormir com a gente".

** Aqui vai um exemplo de como as coisas são naturalmente mais complexas do que nessa matriz simples. Quando enxergamos pessoas de baixa afabilidade e baixa competência como coisas desumanizadas, nós as objetificamos. Mas o termo "objetificação" em geral se refere à sexualização das mulheres. Em um estudo, homens com altos índices de sexismo hostil exibiram uma ativação menor do CPF medial (junto com outras regiões do cérebro associadas à Teoria da Mente e à tomada de perspectiva) ao examinar fotos de mulheres. Mas só se as fotos fossem de fato sexualizadas. E houve um mundo de diferenças entre a forma como um homem agressivamente sexista via a foto sensual de uma mulher e como ele reagia à foto de uma pessoa em situação de rua. Nas palavras dos autores, o estudo mostrou que "a redução da atribuição de estados mentais aos outros não é exclusiva dos alvos que as pessoas preferem evitar".

desejo de excluir e depreciar. Entre o orgulho e a inveja se encontra uma vontade de associação, de obter benefícios. E entre a inveja e a aversão estão nossos impulsos mais hostis de atacar.

O mais fascinante, a meu ver, se dá quando a categorização de alguém é modificada. Os casos mais evidentes dizem respeito à alteração nas condições de alta afabilidade e de alta competência, respectivamente (chamaremos esse estado máximo de AA):

De AA para AB: Presenciar o declínio mental de nossos pais, uma situação que evoca instintos de proteção extremos e pungentes.

De AA para BA: Descobrir que nosso sócio desvia dinheiro da firma há décadas. Traição.

E há a rara transição de AA para BB, que ocorre quando um colega conseguiu virar sócio no escritório de advocacia onde você trabalha, mas então "alguma coisa inesperada aconteceu" e hoje ele vive em situação de rua. Aversão misturada com perplexidade: o que deu errado?

Igualmente interessantes são as alterações a partir de outras categorizações. Existe o caso de quando você muda a sua percepção a respeito de alguém de AB para BB, ao descobrir, por exemplo, que o porteiro que você cumprimenta de forma condescendente todos os dias acha que você é um babaca. Ingrato.

E existe a mudança de BB para BA. Quando eu era pequeno, nos anos 1960, a visão paroquialista americana sobre o Japão era BB: a sombra da Segunda Guerra Mundial ainda gerava aversão e desprezo, e "Made in Japan" se referia a quinquilharias baratas de plástico. E então, de repente, "Made in Japan" passou a significar superioridade sobre a indústria americana de automóveis e aço. Opa. Um senso de alarme, de ter sido flagrado cochilando em seu posto.

Há ainda a alteração de BB para AB. Ela ocorre quando uma pessoa em situação de rua encontra uma carteira perdida e faz de tudo para devolvê-la — e você percebe que ele é mais decente do que metade dos seus amigos.

A transição mais interessante, a meu ver, é a que vai de BA para BB, pois provoca regozijo, deleite e *Schadenfreude*. Um ótimo exemplo disso ocorreu nos anos 1970, quando a Nigéria nacionalizou sua indústria de petróleo e sobreveio a crença (infundada, no fim das contas) de que isso levaria o país à riqueza e à estabilidade. Lembro-me de um analista nigeriano alardeando que, na década seguinte, a Nigéria é que mandaria ajuda internacional para sua antiga soberana colonial, a Grã-Bretanha (ou seja, os britânicos é que cairiam de BA para BB).

O deleite representa um dos atributos essenciais da perseguição aos grupos de fora que se encontram em estado BA, a saber: degradá-los e humilhá-los até se tornarem BB. Durante a Revolução Cultural chinesa, as elites ressentidas eram primeiro exibidas em praça pública vestindo chapéus de burro, e só depois eram enviadas para campos de trabalho forçado. Os nazistas eliminaram os doentes mentais, que já eram BB, assassinando-os sem a menor cerimônia; por outro lado, o tratamento pré-morte concedido aos judeus BA envolvia forçá-los a usar humilhantes braçadeiras amarelas, a cortar a barba uns dos outros e a esfregar as calçadas com escovas de dente diante de multidões que os insultavam. Quando Idi Amin expulsou dezenas de milhares de cidadãos indo-paquistaneses (BA) de Uganda, ele primeiro convidou seu Exército a roubá-los, surrá-los e estuprá-los. A vontade de transformar os "Eles BA" em "Eles BB" explica algumas das piores selvagerias da humanidade.

Essas variações são sem dúvida mais complexas do que chimpanzés associando seus rivais a aranhas.

Um estranho domínio humano é o fenômeno de desenvolver um respeito relutante, até mesmo um senso de camaradagem, pelo inimigo. É a esfera do respeito mútuo, provavelmente apócrifo, entre ases da aviação em lados opostos da Primeira Guerra Mundial: "Ah, monsieur, se os tempos fossem outros, eu adoraria discutir aeronáutica com você tomando um bom vinho". "Barão, é uma honra que seja justamente você a me explodir do céu."

Esse exemplo é fácil de entender: temos aqui dois cavaleiros duelando até encontrar uma morte heroica, e o sentimento de pertencimento vinha da aptidão compartilhada para a nova arte do combate aéreo, que pairava acima das pessoinhas minúsculas lá embaixo.

Porém, de modo surpreendente, o mesmo sentimento de grupo era exibido por combatentes que, em vez de pairarem sobre a ralé, não passavam de buchas de canhão, engrenagens sem rosto na máquina de guerra de seus países. Nas palavras de um soldado da infantaria britânica que participou da sangrenta batalha de trincheiras na Primeira Guerra: "Em casa, nós insultamos os inimigos e desenhamos caricaturas ofensivas deles. Como estou cansado de kaisers grotescos! Aqui fora, é possível respeitar um inimigo corajoso, qualificado e capaz. Eles também têm pessoas queridas à sua espera em casa e precisam suportar a lama, a chuva e o aço". Lampejos de identificação grupal com indivíduos que estão tentando matá-lo.[58]

E há também o fenômeno ainda mais esquisito de distinguir entre os sentimentos devotados aos diferentes tipos de inimigos: por exemplo, ao inimigo econômico versus o inimigo cultural, ao inimigo relativamente novo versus o inimigo antigo, ou ao inimigo estrangeiro longínquo versus o inimigo vizinho cujas minúsculas diferenças foram infladas. É o reino das submissões distintas impostas pelo Império Britânico aos vizinhos irlandeses e aos aborígenes australianos. Ou de Ho Chi Minh ao rejeitar a oferta de tropas chinesas para atuar na Guerra do Vietnã, com uma declaração deste teor: "Os americanos irão embora daqui a um ano ou uma década, mas, se deixarmos os chineses entrarem, eles permanecerão aqui por uns mil anos". E o que é mais relevante para a geopolítica bizantina do Irã: a antipatia milenar dos persas pelos vizinhos mesopotâmicos, os conflitos seculares entre xiitas e sunitas ou o ódio dos islâmicos, que já dura décadas, pelo Grande Satã, o Ocidente?*

Nenhuma discussão sobre as peculiaridades da demarcação humana Nós/Eles estaria completa sem mencionar o fenômeno dos _____ (escolha um tipo de outsider) que odeiam a si próprios, que ocorre quando os próprios excluídos acreditam nos estereótipos negativos e desenvolvem um favoritismo pelo grupo ao qual não pertencem.[59] Isso foi mostrado pelos psicólogos Kenneth e Mamie Clark em seus famosos "estudos de bonecas", iniciados nos anos 1940. Eles provaram, com uma clareza chocante, que as crianças afro-americanas, assim como as brancas, prefeririam brincar com bonecas brancas em vez de negras, atribuindo-lhes atributos mais positivos (por exemplo, "legal" e "bonita"). O fato de esse efeito ser então mais preponderante em crianças negras de escolas segregadas foi um argumento citado no caso Brown versus Conselho de Educação.** Em testes de associação implícita, cerca de 40% a 50% das mulheres, dos afro-americanos e dos homossexuais registram vieses automáticos em favor de homens, brancos e heterossexuais, respectivamente.

Alguns dos meus melhores amigos

O fenômeno do "honorável inimigo" traz à tona outro domínio da peculiaridade humana. Mesmo que isso fosse possível, nenhum chimpanzé seria capaz de negar o fato de que os chimpanzés vizinhos o fazem se lembrar de aranhas. Nenhum chimpanzé se sentiria mal por isso, nem incitaria os outros a superar essa predisposição ou ensinaria os filhos a nunca chamar os vizinhos de "aranhas". Nenhum deles proclamaria ser incapaz de distinguir entre os chimpanzés do nosso lado e os do outro. Tudo isso, porém, é comum nas culturas progressistas do Ocidente.

---

* No momento em que escrevo, a dicotomia xiita/sunita é predominante, gerando a profunda incongruência de dois Exércitos (americano e iraniano) lutarem contra os guerreiros do Estado Islâmico no Iraque. O inimigo do meu inimigo é meu amigo.

** Para constatar que pouca coisa mudou, assista ao curta-metragem documental *A Girl Like Me* [Uma garota como eu], de 2005, feito pela cineasta Kiri Davis, de dezessete anos. Disponível em: <youtu.be/z0BxFRu_SOw>. Acesso em: 27 abr. 2021.

Jovens humanos são como chimpanzés: crianças de seis anos não só preferem estar com crianças iguais a elas (sob quaisquer critérios) como também admitem isso sem pestanejar. Só por volta dos dez anos é que elas aprendem que certos sentimentos e pensamentos sobre Eles são apenas ditos em casa, e que a comunicação sobre Nós/Eles se torna carregada e contextual.[60]

Portanto, pode haver discrepâncias consideráveis nas relações Nós/Eles entre aquilo em que as pessoas dizem acreditar e como elas de fato agem — considere a diferença entre os resultados das pesquisas eleitorais e das próprias eleições. Isso também é comprovado por meios experimentais: em um estudo deprimente, voluntários alegaram que muito provavelmente confrontariam de forma enérgica alguém que expressasse ideias racistas, mas, ao serem submetidos sem saber a essa situação, as taxas reais de ação foram bem menores. (O que não quer dizer que tal atitude era um reflexo de sentimentos racistas: mais provável é que as inibições das normas sociais tenham sido mais fortes do que os princípios dos voluntários.)[61]

Por toda parte, as tentativas de controlar e reprimir antipatias Nós/Eles têm a assinatura do córtex frontal. Como vimos, uma exposição subliminar de cinquenta milissegundos ao rosto de outra pessoa é capaz de ativar a amígdala. Contudo, se essa exposição for longa o suficiente para que haja uma detecção consciente (quinhentos milissegundos ou mais), a estimulação inicial da amígdala é seguida de uma ativação do CPF e do amortecimento da amígdala; quanto maior a ativação do CPF, sobretudo do "cognitivo" CPFdl, maior é o silenciamento da amígdala. É assim que o CPF regula as emoções embaraçosas.[62]

Evidências comportamentais também apontam para o córtex frontal. Por exemplo, para o mesmo grau de preconceito racial implícito (conforme mostrado pelo TAI), o viés é mais propenso a se expressar de forma comportamental em indivíduos com um controle executivo frontal fraco (conforme mostrado através de uma tarefa cognitiva abstrata).[63]

O capítulo 2 introduziu o conceito de "carga cognitiva", segundo o qual uma tarefa executiva frontal exigente é passível de diminuir o desempenho em uma tarefa frontal subsequente. Isso ocorre com a demarcação Nós/Eles. Indivíduos brancos se saem melhor em certos testes comportamentais quando o examinador é branco, e não negro; indivíduos cuja performance diminui de forma mais drástica no último caso exibem a maior ativação do CPFdl ao vislumbrar rostos de outras raças.[64]

A carga cognitiva gerada pelo controle executivo frontal em contatos inter-raciais pode ser modulada. Se, antes de se submeter ao teste com um examinador negro, os voluntários recebem a informação de que "a maioria das pessoas é mais preconceituosa do que pensa", a performance despenca mais do que se eles ouvem que "a maioria das pessoas apresenta um desempenho pior [em um teste cognitivo frontocortical] do que imagina". Além disso, se indivíduos brancos são pré-ativados com um contundente comando de regulação frontal ("evite o preconceito" durante uma interação inter-racial), o desempenho cai mais do que quando são orientados a "ter um intercâmbio cultural positivo".[65]

Um tipo diferente de controle executivo pode ocorrer entre Eles minoritários ao lidar com indivíduos da cultura dominante; isso ocorre quando você faz questão de interagir com eles de maneira positiva, a fim de equilibrar um suposto preconceito contra você. Em um estudo alarmante, voluntários afro-americanos foram induzidos a pensar em preconceito racial ou etário; logo depois, houve uma interação com alguém branco.[66] Quando a pré-ativação foi racial, os indivíduos se tornavam mais falantes, pediam mais a opinião do outro, sorriam com mais frequência e se inclinavam para a frente; o mesmo não ocorreu quando os voluntários interagiram com outros afro-americanos. Lembre-se do estudante afro-americano mencionado no capítulo 3 que assobiava Vivaldi intencionalmente todas as noites, ao voltar para casa.

Cabe fazer duas observações sobre tais estudos a respeito do controle executivo e das interações com Eles:

A ativação cortical frontal durante um contato inter-racial pode ser reflexo de: a) ter preconceito e tentar escondê-lo; b) ter preconceito e sentir-se mal a respeito; c) não ter preconceito e esforçar-se para transmitir isso; d) sabe-se lá o que mais. A ativação em si apenas indica que a natureza inter-racial do contato tem certo peso para o indivíduo (implicitamente ou de outra forma) e é capaz de instigar o controle executivo.

Como de costume, os voluntários desses estudos eram, em sua maioria, universitários preenchendo algum tipo de requisito para a disciplina Fundamentos da Psicologia. Em outras palavras, eram indivíduos com uma idade associada à abertura a novidades, vivendo num lugar privilegiado onde as disparidades do tipo Nós/Eles culturais e econômicas eram menores do que no resto da sociedade, e onde não só existia uma celebração institucional da diversidade como também uma diversidade real. (Em outras palavras, uma diversidade que vai além daquela do site da universidade, com suas fotos obrigatórias de estudantes convencionalmente bem-apessoados de todas as raças e etnias usando microscópios e, de quebra, a imagem de uma moça com jeito de líder de torcida adulando um cara nerd em cadeira de rodas.) O fato de que até essas pessoas demonstram graus de antipatia implícita por Eles maiores do que gostariam de admitir é bastante deprimente.

MANIPULANDO A EXTENSÃO DA DEMARCAÇÃO NÓS/ELES

Quais situações são capazes de reduzir ou de exacerbar a demarcação Nós/Eles? (Nesse caso, "reduzir" diz respeito a diminuir a antipatia com relação a Eles e/ou minimizar a percepção do tamanho ou da importância dos contrastes entre Nós e Eles.) Aqui vão alguns resumos breves, um aquecimento para os dois capítulos finais.

As forças subterrâneas da pré-ativação e do fornecimento de pistas

Mostre de modo subliminar a imagem de um rosto hostil e/ou agressivo e, em seguida, as pessoas revelam uma propensão maior a perceber alguém do grupo Eles desse modo (efeito que não ocorre no interior do mesmo grupo).[67] Pré-ative voluntários com estereótipos negativos sobre Eles e a demarcação Nós/Eles é exacerbada. Conforme observado no capítulo 3, a ativação da amígdala* em indivíduos brancos ao observar rostos negros é acentuada se, ao fundo, estiver tocando um rap, e reduzida se a música for de um gênero associado a estereótipos brancos negativos, como o heavy metal. Além disso, o viés racial implícito se reduz com a exposição subliminar a contraestereótipos, como rostos de celebridades populares daquela raça.

Tal pré-ativação pode fazer efeito em questão de segundos a minutos e é capaz de persistir; por exemplo, o efeito de contraestereótipo durou pelo menos 24 horas.[68] A pré-ativação também pode ser extraordinariamente abstrata e sutil. Um exemplo abordou as diferenças nas respostas de eletroencefalograma (EEG) do cérebro quando são observados rostos de mesma raça ou de outra. No estudo, a reação a uma raça diferente diminuía se os indivíduos inconscientemente sentiam que estavam trazendo a pessoa para junto deles — se, naquele momento, manejavam um controle de modo a movê-los em sua direção (e não para longe).

Por fim, a pré-ativação não é eficaz em alterar todos os domínios de demarcação Nós/Eles da mesma forma; é mais fácil manipular de maneira subliminar as taxas de afabilidade do que as de competência.

Os efeitos podem ser poderosos. E, para sermos mais do que apenas semânticos, a maleabilidade das respostas automáticas (por exemplo, da amígdala) mostra que "automático" não é a mesma coisa que "inevitável".

---

* Pressupondo, como eu, que a ativação da amígdala pode ser usada como um marcador apropriado para a categorização negativa de indivíduos como Eles.

O nível consciente e cognitivo

Inúmeras estratégias explícitas se mostraram capazes de reduzir os vieses implícitos. Uma das mais comuns é a tomada de perspectiva, que aumenta a identificação com Eles. Por exemplo: em uma pesquisa sobre o viés etário, fazer com que os indivíduos assumissem a perspectiva de pessoas idosas foi capaz de reduzir esse viés de forma eficaz, muito mais do que apenas instruí-los a inibir pensamentos estereotipados. Outra estratégia é se concentrar de forma consciente em contraestereótipos. Em um desses estudos, vieses automáticos de gênero foram amenizados quando os homens foram instruídos a imaginar uma mulher forte com atributos positivos, em vez de tentar suprimir os estereótipos. Outra estratégia é tornar explícitos os vieses implícitos: mostrar às pessoas evidências de seus vieses automáticos. Ainda irei abordar essas estratégias de forma mais detida.[69]

Alterando a hierarquia de categorias do tipo Nós/Eles

Isso se refere às múltiplas dicotomias Nós/Eles que trazemos conosco e à facilidade com que alteramos suas prioridades — ao passar da categorização automática de raça para a classificação por cor de camisa, ou ao manipular a performance matemática enfatizando o gênero ou a etnia. Mudar a categoria que está no topo não é necessariamente uma coisa boa e pode consistir apenas em trocar seis por meia dúzia: por exemplo, entre homens americanos de origem europeia, a foto de uma mulher asiática aplicando maquiagem torna o automatismo de gênero mais forte do que o étnico, enquanto uma imagem da mesma mulher comendo com pauzinhos faz o oposto. Mais eficaz do que levar as pessoas a substituírem uma categoria por outra, claro, é fazer com que percebam Eles como Nós — enfatizando os atributos em comum.[70] O que nos leva ao...

Contato

Nos anos 1950, o psicólogo Gordon Allport propôs a "teoria do contato".[71] Versão imprecisa: se você juntar Nós e Eles em um mesmo lugar (digamos, convidar adolescentes de dois países hostis para um acampamento de verão), as animosidades desaparecem, as similaridades ficam mais importantes do que as diferenças e todos se tornam parte de um mesmo Nós. Versão mais precisa: em circunstâncias muito estritas, juntar Nós e Eles pode levar a um resultado de alguma forma parecido com esse, mas a outra possibilidade é estragar tudo e piorar as coisas.

Algumas dessas circunstâncias estritas eficazes: haver mais ou menos o mesmo número de membros de cada lado; todos serem tratados de forma igual e inequívoca; o contato ser duradouro e ocorrer em território neutro e benéfico; haver objetivos "superiores" em que todos trabalham juntos para executar uma tarefa de interesse mútuo (por exemplo, quando os participantes do acampamento se unem para transformar um matagal em campo de futebol).[72]

Essencialismo versus individualização

Isso nos faz evocar dois pontos importantes já mencionados. Primeiro, que Eles tendem a ser vistos como homogêneos, simplórios e possuidores de uma essência imutável (e negativa). Segundo, que ser forçado a encarar Eles como indivíduos pode torná-los mais parecidos com um de Nós. Atenuar o pensamento essencialista através da individualização é uma ferramenta poderosa.

Um elegante estudo comprova isso. Indivíduos brancos preenchiam um questionário que avaliava seu grau de aceitação das desigualdades raciais, pouco depois de receberem uma pré-ativação escolhida entre duas opções.[73] A primeira fortalecia o pensamento racial essencialista como algo invariável e homogêneo: "Cientistas identificam os fundamentos genéticos da raça". A segunda era antiessencialista: "Cientistas revelam que o conceito de raça não tem base genética". Ser pré-ativado em direção ao essencialismo tornou os indivíduos mais tolerantes às desigualdades raciais.

Hierarquia

De modo previsível, tornar as hierarquias mais pronunciadas, importantes ou aparentes é capaz de piorar a demarcação Nós/Eles. A necessidade de legitimação faz com que os que estão no topo despejem sobre a cabeça dos que estão lutando lá embaixo os estereótipos de, no melhor dos casos, alta afabilidade e baixa competência, ou, no pior, de baixa afabilidade e baixa competência; aqueles que estão na base respondem com a bomba-relógio prestes a explodir que é a sua percepção da classe dominante como possuidora de baixa afabilidade e alta competência.[74] Fiske explorou como a percepção dos que estão no topo quanto à alta afabilidade e à baixa competência dos desvalidos é capaz de estabilizar o status quo; os poderosos se congratulam por sua suposta benevolência, enquanto os subordinados são aplacados por pequenas amostras de respeito. Em consonância a isso, em um total de 37 países, níveis elevados de desigualdade de renda correspondem a uma maior difusão da condescendência das percepções AB para os níveis subordinados. Jost explorou isso de um modo relacional, examinando de que forma os mitos do tipo "ninguém pode ter tudo" são capazes de reforçar o status quo. Por exemplo: uma bela forma de impedir que as coisas mudem é acreditar no clichê cultural "pobre, porém feliz" — os pobres teriam menos preocupações e mais contato com as coisas simples da vida, as quais, aliás, estariam mais aptos a desfrutar — e no mito dos ricos como infelizes, estressados e sobrecarregados com responsabilidades (pense no desagradável e avarento Scrooge em comparação aos carinhosos e amáveis Cratchits).* O clichê do "pobre, porém honesto", que lança umas migalhas de prestígio a Eles, é outra ótima forma de racionalizar o sistema.**

Diferenças individuais em termos de como as pessoas se sentem com relação à hierarquia ajudam a explicar variações na extensão da demarcação Nós/Eles. Isso é mostrado em estudos que examinam a orientação à dominância social (ODS, ou seja, o quanto alguém dá valor ao prestígio e ao poder) e o autoritarismo de direita (AD, o quanto alguém dá valor à autoridade centralizada, ao domínio da lei e às convenções).[75] Indivíduos com alta ODS exibem um aumento mais acentuado de preconceitos automáticos ao se sentirem ameaçados, além de uma maior aceitação do viés contrário a indivíduos fora do grupo de baixo status; se forem homens, exibem também mais tolerância ao sexismo. E, como já foi discutido, indivíduos com alta ODS (com ou sem AD) ficam menos incomodados com o humor hostil direcionado aos que estão fora do grupo.

Nosso pertencimento simultâneo a múltiplas hierarquias tem a ver com a nossa inserção em múltiplas dicotomias Nós/Eles.[76] Não é surpresa que as pessoas busquem enfatizar a relevância da hierarquia na qual detêm uma posição mais alta: ser capitão do time de *softball* da firma nos fins de semana adquire um significado maior do que o trabalho detestável e desprezível que se realiza das nove da manhã às cinco horas da tarde durante os dias úteis. De interesse especial são as hierarquias que tendem a estabelecer equivalências com as categorias do tipo Nós/Eles — por exemplo, quando a raça e a etnia coincidem fortemente com o status socioeconômico. Nesses casos, aqueles que estão no topo tendem a enfatizar a convergência de hierarquias e a importância de assimilar os valores da hierarquia central ("Por que todos eles não podem simplesmente se autointitular 'americanos', em vez de 'americanos étnicos'?"). De modo interessante, trata-se de um fenômeno local: brancos

---

* Referência a *Um conto de Natal*, de Charles Dickens. (N. T.)
** Uma extensa literatura de psicologia da saúde mostra que, na maioria das vezes, a expressão "pobre, porém feliz" não tem nenhuma validade: a pobreza provoca taxas mais elevadas de depressão clínica, transtornos de ansiedade, suicídio e doenças relacionadas ao estresse. Como veremos em um capítulo mais à frente, "pobre, porém honesto" é um pouco mais verdadeiro.

tendem a favorecer o assimilacionismo e a aderência unitária aos valores nacionais, ao passo que afro-americanos favorecem mais o pluralismo; contudo, o oposto acontece na vida cotidiana e nas políticas entre estudantes brancos e afro-americanos em universidades tradicionalmente negras. Somos capazes de manter duas coisas contraditórias na cabeça ao mesmo tempo, se isso funcionar em nosso benefício.

Portanto, a fim de amenizar os efeitos colaterais da demarcação Nós/Eles, uma lista obrigatória deveria incluir os seguintes tópicos: enfatizar a individualização e os atributos compartilhados, exercer a tomada de perspectiva, estabelecer dicotomias mais benignas, enfraquecer as diferenças hierárquicas e congregar os indivíduos em termos de igualdade com objetivos compartilhados. Tudo isso será revisto mais adiante.

CONCLUSÕES

Uma analogia relativa à saúde: o estresse pode ser péssimo para você. Hoje em dia, ninguém mais morre de varíola ou de peste bubônica, e sim de problemas relacionados ao estresse e atrelados ao estilo de vida, como doença cardíaca ou diabetes, nos quais o dano se acumula pouco a pouco ao longo do tempo. Já sabemos de que formas o estresse pode provocar ou piorar doenças, ou tornar a pessoa mais vulnerável a outros fatores de risco. Muito disso é inclusive compreendido no nível molecular. O estresse pode até levar o sistema imunológico a agir de maneira anormal sobre os folículos capilares, fazendo o cabelo ficar grisalho.

Tudo isso é verdade. Ainda assim, os pesquisadores do estresse não têm a intenção de eliminar esse mecanismo ou de nos "curar" dele. Isso não pode ser feito e, mesmo que fosse possível, não seria de nosso interesse: nós amamos o estresse quando ele é do tipo certo; chamamos a isso de "estimulação".

A analogia é óbvia. A esta altura, a demarcação Nós/Eles já produziu oceanos de sofrimento que vão de barbaridades generalizadas e impactantes a incontáveis alfinetadas de microagressão. Ainda assim, o propósito não é nos "curar" da dicotomização Nós/Eles. Isso não pode ser feito, a menos que sua amígdala seja destruída, e nesse caso todos se pareceriam com um de Nós. Mas, mesmo que houvesse tal possibilidade, não seria de nosso interesse eliminar a demarcação Nós/Eles.

Sou uma pessoa bastante solitária — afinal, passei uma parcela significativa da vida estudando uma espécie diferente da minha, morando sozinho em uma barraca na África. Ainda assim, alguns dos meus momentos mais felizes tiveram origem no sentimento de pertencimento, de ser aceito, de não estar sozinho, de estar seguro, de ser compreendido, de me sentir parte de algo envolvente e maior do que eu, de ter a sensação de estar do lado certo e de fazer, ao mesmo tempo, alguma coisa boa e muito bem. Há inclusive algumas demarcações Nós/Eles pelas quais até eu — um intelectualoide dócil e vagamente pacifista — estaria disposto a matar ou morrer.[77]

Se aceitarmos o fato de que lados sempre vão existir, um item não trivial da lista obrigatória é sempre estar do lado dos anjos. Desconfiar do essencialismo. Ter em mente que aquilo que parece racionalidade é, muitas vezes, apenas racionalização, um jogo de pega-pega com forças subterrâneas das quais nunca suspeitamos. Concentre-se em objetivos maiores e compartilhados. Pratique a tomada de perspectiva. Individualize, individualize, individualize. Lembre-se das lições históricas que nos mostram que os Eles de fato malignos costumam ficar ocultos e fazer de terceiros o bode expiatório.

E, enquanto isso, dê a preferência aos motoristas de automóveis com o adesivo "Gente má é uma merda" e espalhe a notícia de que estamos todos no mesmo barco contra Lord Voldemort e a Casa Sonserina.

12. Hierarquia, obediência e resistência

À primeira vista, este capítulo apenas complementa o anterior. A demarcação Nós/Eles diz respeito às relações entre os grupos e à tendência automática de favorecer os membros do nosso grupo em detrimento dos de fora. De modo similar, as hierarquias tratam de um tipo de relação no interior do grupo, ou seja, da nossa propensão automática a favorecer pessoas hierarquicamente próximas a nós em detrimento das que estão mais distantes. Outros temas também se repetem: o surgimento dessas tendências na infância e em outras espécies, bem como o entrelaçamento de suas bases cognitivas e afetivas.

Além disso, a categorização Nós/Eles e a posição hierárquica podem interagir. Em um estudo, voluntários precisavam dar designações raciais a fotos de indivíduos racialmente ambíguos; os que estavam vestidos com roupas humildes tinham mais tendência a ser categorizados como negros, enquanto os que vestiam roupas chiques eram considerados brancos.[1] Portanto, para esses voluntários americanos, há uma sobreposição entre a dicotomização racial Nós/Eles e a hierarquia de status socioeconômico.

Contudo, como veremos, a hierarquia conduz a caminhos distintos da demarcação Nós/Eles, e de maneiras bem peculiar aos humanos: assim como em outras espécies hierárquicas, temos indivíduos alfa; porém, à diferença da maioria delas, às vezes podemos escolhê-los. Além disso, em geral tais indivíduos não apenas detêm a posição mais alta na hierarquia como também fazem questão de "liderar", tentando maximizar essa coisa chamada bem comum. E mais: os indivíduos competem pela liderança usando diferentes visões de como alcançar esse bem comum — as ideologias políticas. E, por fim, exercemos obediência tanto a autoridades quanto à própria ideia de Autoridade.

A NATUREZA E AS VARIEDADES DA HIERARQUIA

Para começar, hierarquia é um sistema de classificação que formaliza o acesso desigual a recursos limitados, que vão desde um pedaço de carne até essa ideia tão nebulosa chamada "prestígio". Começaremos examinando os sistemas hierárquicos em outras espécies (com a ressalva de que nem todas as espécies sociais se estruturam desse modo).

Nos anos 1960, a representação clássica das hierarquias em outras espécies era bem direta. Um grupo estabelece um ordenamento estável e linear no qual o indivíduo alfa exerce domínio sobre todos os outros, o beta domina todos menos o alfa, o gama domina todos menos o alfa e o beta, e assim por diante.

As hierarquias instauram um status quo ao ritualizar as desigualdades. Dois babuínos encontram alguma coisa boa — digamos, um lugar à sombra. Se não houvesse relações estáveis de dominância, teríamos uma briga potencialmente danosa. A mesma coisa se aplica aos figos encontrados horas depois em uma árvore frutífera, à chance de receber cuidados de catação logo em seguida e assim por diante. Em vez disso, brigas raramente ocorrem e, se um subordinado esquecer seu status, um "bocejo ameaçador" — exibição ritualística dos dentes caninos — do macho dominante costuma ser suficiente.*, **[2]

Por que temos sistemas de classificação? Lá pelos anos 1960, a resposta era dada pela seleção de grupo de Marlin Perkins, segundo a qual as espécies se beneficiariam de um sistema social estável em que todos sabem o seu lugar. Essa visão foi encorajada pela crença dos primatólogos de que, em uma hierarquia, o indivíduo alfa (ou seja, aquele que tem precedência sobre todas as coisas boas) era de certa forma um "líder" que fazia algo útil para o grupo. Isso foi enfatizado por Irven DeVore, primatólogo de Harvard, ao registrar que, entre os babuínos das savanas, o macho alfa conduzia o bando na coleta de alimentos conforme a direção de cada dia, liderava caçadas comunitárias, defendia o bando contra os leões, disciplinava as crianças, trocava as lâmpadas etc. Isso se revelou uma bobagem. Machos alfa não sabem para qual direção ir (já que são transferidos para o bando quando adolescentes). E, de qualquer forma, ninguém costuma segui-los; pelo contrário, todos vão atrás das fêmeas mais velhas, que conhecem o caminho. As caçadas são um desorganizado salve-se-quem-puder. E um macho alfa pode até confrontar um leão para proteger um filhote — se tiver razões para acreditar que o filhote é dele. Do contrário, ele corre logo para o lugar mais seguro.

---

* Peço desculpas pelo babuínocentrismo dos exemplos das próximas páginas; é um reflexo dos mais de trinta anos que passei entre esses animais.

** Uma bela evidência de que nem sempre somos exatamente como os outros animais: aqueles budistas anti-hierárquicos têm um texto, o *Vinaya Pitaka*, que instrui os monges a defecar não em ordem de antiguidade, mas em ordem de chegada ao banheiro. Há esperança neste planeta.

Quando a hierarquia é vista sem os óculos coloridos de Perkins, seus benefícios são individualísticos. Interações que asseguram o status quo ajudam, é claro, a elite. Por outro lado, para os subordinados, é melhor perder o lugar à sombra do que perdê-lo depois de tomar uma mordida. Isso faz sentido em um sistema de classificação estático e hereditário. Em sistemas nos quais as posições podem mudar, essa cautela deve ser equilibrada com ocasionais atos desafiadores — pois o macho alfa já pode ter passado de seu auge e estar mantendo o poder só na base da conversinha.

Babuíno macho dando um (espera-se) intimidante bocejo de ameaça.

Trata-se de uma clássica "ordem de bicadas" (um termo derivado do sistema hierárquico das galinhas). Começam então as variações. A primeira preocupação é ver se realmente existe uma hierarquia, no sentido de gradações de níveis. Em lugar disso, em certas espécies (por exemplo, entre os micos da América do Sul), existe o alfa e depois todo o resto, com relações razoavelmente igualitárias.

Nas espécies com gradações, há a questão do que de fato significa uma "posição". Se a sua posição for a sexta em uma hierarquia, isso quer dizer que, a seu ver, os cinco primeiros lugares seriam uns sujeitos intercambiáveis aos quais é melhor se prostrar, enquanto do sétimo lugar em diante seriam peões indiferenciados? Em caso de resposta positiva, então não faria diferença para você se os números dois e três — ou nove e dez — estivessem passando por um momento de desavença; as gradações de nível estariam nos olhos do primatólogo, não do primata em questão.

Na verdade, tais primatas levam em conta as gradações de posição. Por exemplo, um babuíno costuma interagir de modo distinto com o sujeito que está um degrau acima dele e com o que está cinco degraus acima. Além disso, os primatas prestam atenção em gradações que não lhes dizem respeito de modo direto. Lembre-se do capítulo 10, onde é descrito como alguns pesquisadores gravaram vocalizações de indivíduos em um bando e as misturaram a fim de criar situações sociais. Reproduza uma gravação em que o décimo lugar na hierarquia emite uma chamada de dominância e o número um responde com uma chamada de subordinação, e logo todos prestam atenção: uau, Bill Gates acaba de se humilhar diante de um cara em situação de rua.

A abstração pode ir mais além, conforme mostrado em corvos, essas aves de inteligência espantosa. Assim como ocorre em babuínos, as vocalizações que envolvem inversões na ordem de comando chamam mais a atenção do que as que mantêm o status quo. De modo notável, isso também se aplica a inversões ocorridas com as aves de um *bando vizinho*. Os corvos conseguem distinguir relações de dominância só pelos sons e se interessam na fofoca hierárquica de outros grupos.

Depois temos a questão da variação interna e interespécies em termos de como a vida *se apresenta* a partir de uma determinada posição hierárquica. Estar no topo da hierarquia significa apenas que os outros vigiam de perto o seu humor ou que, no outro extremo, ninguém mais recebe calorias o suficiente para ovular, amamentar ou sobreviver? Com que frequência os subordinados desafiam os dominantes? Com que presteza os dominantes descontam suas frustrações nos subordinados? Em que medida esses subordinados têm mecanismos de escape para a superação — por exemplo, um parceiro de catação?

Também há a questão de como essa posição privilegiada é obtida. Em muitos casos (por exemplo, entre as fêmeas de babuínos, conforme observado), ela é herdada. Trata-se de um sistema que tem todas as marcas de uma seleção de parentesco. Por outro lado, em outras espécies e gêneros (machos de babuínos, por exemplo), as posições mudam ao longo do tempo graças a brigas, enfrentamentos e uma boa dose de melodrama shakespeariano. Nesse sistema, subir de nível tem a ver com força bruta, caninos afiados e vencer a briga certa.*

Um viva para quem abre caminho com suas garras até o topo e para o capitalismo suado e muscular de soma zero. Mas e quanto ao tema, muito mais interessante, de como manter essa posição privilegiada depois de obtê-la? Como veremos, a resposta tem menos a ver com músculos do que com habilidades sociais.

Isso nos leva a um ponto essencial: a competência social é extenuante, e isso se reflete no cérebro. O antropólogo britânico Robin Dunbar mostrou que, em várias unidades taxonômicas (por exemplo, "aves", "ungulados" ou "primatas"), quanto

---

* Implícito nisso está o fato de que esses machos e fêmeas possuem sistemas hierárquicos separados. Em geral, as fêmeas oriundas de famílias no topo da hierarquia podem tiranizar os machos que estão no quartil inferior, embora, em todos os outros casos, os machos dominem as fêmeas.

maior o tamanho médio do grupo social naquela espécie: a) maior o cérebro em relação ao tamanho total do corpo, e b) maior o neocórtex em relação ao tamanho total do cérebro. A influente "hipótese do cérebro social" de Dunbar postula que existe uma relação entre o aumento na complexidade social e a expansão evolutiva do neocórtex. Essa correlação também ocorre no interior de uma mesma espécie. Em certos primatas, o tamanho do grupo pode variar em até dez vezes (dependendo da abundância do ecossistema). Isso foi replicado em um fascinante estudo de neuroimagem no qual indivíduos do gênero *Macaca*, em cativeiro, foram alocados em grupos de diferentes tamanhos; quanto maior o grupo, maior o espessamento do córtex pré-frontal e do giro temporal superior, uma região cortical envolvida na Teoria da Mente, e mais rígido o pareamento da atividade entre os dois.[*3]

Portanto, a complexidade social dos primatas e os cérebros avantajados caminham lado a lado. Isso é demonstrado de modo mais detido ao se examinar as espécies com dinâmica de fissão-fusão, nas quais o tamanho do grupo social muda com frequência e de forma drástica. Os babuínos, por exemplo, começam e terminam o dia em um bando amplo e coerente, ao passo que a coleta de alimentos no decorrer da jornada ocorre em grupos menores. Outro exemplo: as hienas caçam em grupos, mas procuram por carniça de forma individual, e os lobos em geral fazem o oposto.

A socialidade é mais complexa em espécies com fissão-fusão. É preciso lembrar se a posição de certo indivíduo difere no subgrupo, em comparação àquela que ele possui no grupo inteiro. Passar o dia todo longe de alguém aumenta a tentação de checar se as relações de dominância mudaram desde o café da manhã.

Um estudo comparou primatas que se organizam em fissão-fusão (chimpanzés, bonobos, orangotangos, macacos-aranha) com os que não adotam essa estrutura (gorilas, macacos-prego, macacos-cinomolgo).[4] Entre animais em cativeiro, as espécies com fissão-fusão eram mais hábeis em tarefas frontocorticais e possuíam neocórtex maior em relação ao tamanho total do cérebro. Estudos com corvídeos (gralhas-pretas, corvos, pegas, galhas-de-nuca-cinzenta) chegaram aos mesmos resultados.

Portanto, os conceitos de "posição" e "hierarquia" em outros animais não são

---

* Nota: em primatas, a correlação entre o tamanho do neocórtex e o tamanho do grupo é talvez um reflexo da influência mútua entre eles, ou seja, da coevolução dos dois atributos. O estudo de neuroimagem mostra que um grupo social maior pode *provocar* a expansão de partes interessantes do cérebro (de modos que têm muito mais a ver com a plasticidade neuronal do capítulo 5 do que com genes e evolução).

nada objetivos, com variações consideráveis a depender da espécie, do gênero e do grupo social.

POSIÇÃO E HIERARQUIA EM SERES HUMANOS

As hierarquias humanas são similares às de outras espécies em vários sentidos. Por exemplo, há a distinção entre hierarquias estáveis e não estáveis: de um lado, séculos de domínio czarista e, de outro, o período inicial da Revolução Russa. Como veremos mais adiante, essas situações evocam padrões diferentes de ativação cerebral.

O tamanho do grupo também importa: espécies de primatas que se organizam em grupos sociais grandes têm córtex maior em relação ao resto do cérebro (os seres humanos lideram em ambas as medidas).[5] Se representarmos graficamente o tamanho do neocórtex em função do tamanho médio do grupo social entre espécies de primatas, obtemos o "número de Dunbar", uma previsão quanto ao tamanho médio dos grupos em culturas humanas tradicionais. Ele é de 150 pessoas, e há inúmeras evidências sustentando esse prognóstico.

Isso também se aplica ao mundo ocidental, onde, quanto maior a rede social de uma pessoa (em geral calculada pelo número de interações por e-mail e mensagens de texto), maiores o CPFvm, o CPF orbital e a amígdala, e maiores as suas habilidades relativas à Teoria da Mente.[6]

Mas as áreas do cérebro se expandem quando alguém estabelece uma rede social mais ampla, ou o fato de já ter essas áreas avantajadas predispõe o indivíduo a formar redes maiores? Naturalmente, um pouco de cada.

Assim como acontece em outras espécies, a qualidade de vida dos seres humanos também varia de acordo com o efeito das desigualdades hierárquicas — há uma grande diferença entre um poderoso que fura a fila no restaurante, passando na sua frente, e um poderoso com permissão para decapitar você quando bem entender. Lembre-se do estudo realizado em 37 países que mostrou que, quanto maior a desigualdade de renda, maior o *bullying* escolar entre pré-adolescentes. Em outras palavras, países com hierarquias socioeconômicas mais brutais produzem crianças que reforçam suas próprias hierarquias de forma igualmente brutal.[7]

Em meio a todas essas semelhanças entre espécies, existem certas particularidades exibidas pelos seres humanos. Algumas delas serão listadas a seguir.

Pertencimento a múltiplas hierarquias

Pertencemos a múltiplas hierarquias e podemos ocupar posições diferentes em cada uma delas.* É óbvio que isso estimula a racionalização e a legitimação do sistema — decidir que as hierarquias nas quais não nos destacamos são insignificantes e que aquela hierarquia na qual exercemos dominância é justamente a que importa.

Implícito ao pertencimento a múltiplas hierarquias está o seu potencial de sobreposição. Considere a noção de nível socioeconômico, que abrange tanto hierarquias locais quanto globais. Estou indo muito bem no campo socioeconômico — meu carro é mais chique do que o seu. Estou indo mal — não sou tão rico quanto Bill Gates.

A especialização de alguns sistemas hierárquicos

Em geral, um chimpanzé de alto nível hierárquico também se sai bem em várias outras tarefas relacionadas. Mas os seres humanos podem criar hierarquias incrivelmente especializadas. Por exemplo: existe um sujeito chamado Joey Chestnut que é uma espécie de deus em uma determinada subcultura: ele é o mais bem-sucedido comedor profissional de cachorro-quente da história. Contudo, não sabemos se o talento de Chestnut se estende a outros domínios.

Padrões internos

Trata-se da circunstância de haver padrões internos independentes do mundo lá fora. Por exemplo, ganhar ou perder em um esporte coletivo em geral aumenta ou diminui, respectivamente, os níveis de testosterona em homens. Mas as coisas são mais sutis do que isso: a testosterona acompanha mais de perto as vitórias decorrentes da habilidade (e não da sorte) e do desempenho individual (e não do coletivo).[8]

Portanto, como sempre, somos iguais aos outros animais, mas completamente diferentes. Consideremos agora a biologia das posições individuais.

---

* Um exemplo disso que achei de fato desagradável: tempos atrás, eu frequentava os jogos recreativos de futebol em Stanford. Eu era péssimo, o que era reconhecido por todos de forma ampla e tolerante. Um dos jogadores mais hábeis e respeitados era um guatemalteco que, por coincidência, era zelador do meu edifício na universidade. No futebol ele me chamava de Robert (nas raras ocasiões em que protagonizei um lance relevante no jogo). Mas, quando vinha retirar o lixo do meu escritório e do laboratório, por mais que eu tentasse dissuadi-lo da deferência, ele me chamava de "dr. Sapolsky".

A VISTA DO TOPO E A VISTA DE BAIXO

Detectando a posição

Assim como ocorre com a nossa habilidade de identificar quem são Eles, temos grande interesse e somos exímios em reconhecer diferenças de posição hierárquica. Por exemplo, quarenta milissegundos é tudo que precisamos para distinguir de forma bastante confiável entre um rosto dominante (com o olhar direto) e um subordinado (com o olhar desviado e as sobrancelhas abaixadas). O status também pode ser sugerido pelo corpo, ainda que com menor precisão: a dominância se mostra em um torso exposto e os braços bem abertos, e a subordinação, em braços protegendo um torso curvado, com a intenção de invisibilidade. Mais uma vez, reconhecemos essas pistas em velocidades automáticas.[9]

Bebês humanos também reconhecem diferenças de status, conforme demonstrado em um estudo bastante engenhoso. Mostre a uma criança pequena uma tela de computador com um quadrado grande e outro pequeno, ambos com olhos e boca.[10] Eles começam em cantos diferentes da tela e se movimentam repetidas vezes para o lado oposto, passando um pelo outro no processo. Em seguida, mostre uma versão na qual ambos colidem — conflito. Os quadrados dão várias trombadas até que um deles "cede" e se deita de lado, deixando o outro passar. Os bebês passam mais tempo olhando a cena quando é o quadrado grande que cede, em vez do pequeno. A situação é mais interessante porque viola as expectativas: "Ei, eu pensei que os quadradões dominavam os quadradinhos". Exatamente como os macacos e os corvídeos.

Mas espere: isso poderia refletir apenas um conhecimento básico em física, e não uma consonância com a hierarquia — coisas grandes derrubam as pequenas, e não o contrário. Esse fator de confusão foi eliminado. Primeiro, porque os quadrados adversários não estavam se tocando quando um deles cedeu a passagem. E segundo, porque o subordinado tombou na direção oposta àquela prevista pela física no caso de um empurrão: em vez de ser derrubado para trás, ele se prostrava diante do quadrado alfa.

Junto com essa experiência surge um imenso interesse na hierarquia — conforme enfatizado no capítulo 9, a fofoca diz respeito, sobretudo, ao status do status: Algum poderoso caiu? Os mansos herdaram alguma coisa nos últimos dias? Não importa qual quadrado acabe vencendo, os bebês passam mais tempo observando a situação de conflito do que a situação dos quadrados passando pacificamente um pelo outro.

Isso se dá por um interesse pessoal lógico. Conhecer bem o território hierárquico nos ajuda a explorá-lo da melhor forma. Mas não se trata apenas de mero interesse pessoal. Macacos e corvídeos não prestam atenção somente quando há inversões hierárquicas dentro do próprio grupo; eles espiam a conversa dos vizinhos. Isso também ocorre conosco.[11]

O que acontece no cérebro quando contemplamos posições hierárquicas?[12] Naturalmente, o córtex pré-frontal tem um papel essencial. Danos frontais prejudicam a habilidade de reconhecer relações de dominância social (bem como de identificar pistas de parentesco, dissimulação ou intimidade em rostos). O CPFvl e o CPFdl são ativados e se conectam quando identificamos relações de dominância ou expressões em um rosto dominante, o que reflete a combinação entre os componentes afetivos e cognitivos no processo. Essas respostas são mais pronunciadas quando consideramos alguém do sexo oposto (o que pode estar mais relacionado a metas de acasalamento do que a um interesse acadêmico pela hierarquia).

Ver um rosto dominante também ativa o giro temporal superior (GTS, com seu papel na Teoria da Mente) e aumenta a conectividade dessa área com o CPF — ficamos mais interessados naquilo que os indivíduos dominantes estão pensando.[13] Além disso, neurônios individuais de "status social" estão presentes em macacos. E, como observado no capítulo 2, contemplar uma hierarquia instável aciona todas as opções acima e também ativa a amígdala, refletindo os efeitos perturbadores da instabilidade. Todavia, é claro, que nada disso nos diz *o que exatamente* estamos contemplando nessas horas.

Seu cérebro e seu próprio status

A posição hierárquica que ocupamos tem impactos de ordem lógica no nosso cérebro. Em indivíduos do gênero *Macaca*, um aumento de posição no ranking corresponde a uma elevação de sinalização dopaminérgica mesolímbica. Voltamos, então, àquele estudo com macacos reso que mostrou que estar em um grupo social maior leva à expansão e à conectividade funcional do GTS e do CPF. O estudo também revelou que quanto maior a posição hierárquica alcançada dentro do grupo, maior a expansão e a conectividade. Em consonância a isso, um estudo com camundongos demonstrou que animais de elevada posição hierárquica exibem sinais de entrada excitatórios mais fortes em uma certa área que, para os camundongos, equivale ao (cognitivo) CPFdl.[14]

Adoro essas descobertas. Como já mencionei, em muitas espécies sociais, alcançar uma posição alta na hierarquia é questão de ter presas afiadas e boas habilidades de luta. Só que *manter* essa posição diz respeito à inteligência social e ao controle de impulsos: saber que provocações devem ser ignoradas e quais coalizões formar, além de compreender as ações de outros indivíduos.

O macaco faz a história ou a história faz o macaco? Uma vez que os grupos são formados, será que os indivíduos que se tornam dominantes respondem com uma expansão maior dessas regiões do cérebro? Ou será que, antes mesmo da formação do grupo, esses indivíduos destinados à dominância já tinham essas regiões maiores?

Infelizmente, nessa pesquisa, os animais não foram examinados antes e depois da formação dos grupos. Contudo, estudos subsequentes mostraram que quanto maior o tamanho do grupo, maior a associação entre a dominância e essas mudanças no cérebro, sugerindo que alcançar posições mais altas levaria à expansão da área.* Por outro lado, o estudo com camundongos revelou que, quando a excitabilidade sináptica aumentava ou diminuía no CPFdl, a posição na hierarquia subia ou descia (respectivamente), sugerindo que a expansão dessa área levaria à conquista da alta posição. O cérebro pode moldar o comportamento, que molda o cérebro, que pode moldar...[15]

Seu corpo e seu próprio status

E quanto às diferenças biológicas externas ao cérebro em função da posição hierárquica? Por exemplo, será que machos em posições superiores e inferiores diferem quanto ao perfil de testosterona? E, se houver diferenças, seriam elas causas, consequências ou meras correlações das diferenças de posição?

A endocrinologia popular sempre sustentou que uma posição superior (em qualquer espécie) e um nível elevado de testosterona caminhavam juntos, com este impulsionando aquela. Mas, como já foi abordado em detalhes no capítulo 4, não é o caso entre os primatas. Vamos relembrar:

- Em hierarquias estáveis, os machos em posições mais altas não costumam deter as maiores concentrações de testosterona. Pelo contrário: em geral, isso acontece com os machos adolescentes de baixo nível hierárquico, que começam brigas que não são capazes de terminar. Quando há uma relação entre alta posição e alta testosterona, ela costuma refletir a frequência sexual maior dos indivíduos dominantes, que conduz à secreção desse hormônio.

---

* Visto que é bastante improvável que esses indivíduos futuramente dominantes e possuidores dos maiores CPF/GTS tenham sido alocados, por acaso, em grupos mais numerosos.

- Uma exceção a essa lógica ocorre durante períodos de instabilidade. Por exemplo, em várias espécies de primatas, machos de alta posição hierárquica detêm os níveis mais elevados de testosterona durante os primeiros meses, mas não anos depois de o grupo ter sido formado. Em tempos de instabilidade, a relação entre alta testosterona e alta posição hierárquica é mais uma consequência da multiplicação de brigas no interior da classe dominante do que da posição em si.[16]
- Reiterando a "hipótese do desafio", a elevação dos níveis de testosterona provocada por brigas não tem tanto a ver com agressividade, mas com desafio. Se o status é defendido de forma agressiva, então a testosterona estimula a agressividade; mas se fosse mantido por meio da escrita de belos e delicados haikais, a testosterona estimularia isso.

Agora iremos considerar a relação entre posição hierárquica e estresse. Será que posições diferentes estão associadas a níveis distintos de hormônios do estresse, a outros jeitos de lidar com a pressão, e à incidência de doenças relacionadas ao estresse? É mais estressante ser dominante ou ser subordinado?

Uma extensa literatura especializada afirma que o senso de controle e o senso de previsibilidade podem reduzir o estresse. Ainda assim, pesquisas com macacos conduzidas por Joseph Brady em 1958 produziram uma visão diferente. Metade dos animais tinha a opção de pressionar uma alavanca para atrasar os choques (eram os macacos "executivos"); a outra metade, passiva, levava choques sempre que os executivos os recebiam. E os macacos executivos, com seu controle e previsibilidade, eram mais propensos a ter úlceras. Isso deu origem à "síndrome do estresse executivo", segundo a qual aqueles que estão no topo ficariam sobrecarregados com as pressões do controle, da liderança e da responsabilidade.[17]

A síndrome do estresse executivo tornou-se um meme. Mas o grande problema era que os macacos não haviam sido eleitos aleatoriamente para a função de "executivos" e "não executivos". Em vez disso, os primeiros a pressionar a alavanca em estudos-piloto foram designados executivos.* Depois ficou claro que tais macacos eram mais reativos emocionalmente, de modo que Brady, sem querer, acabou abarrotando o lado executivo com indivíduos neuróticos e propensos a ter úlceras.

Foi o fim da teoria dos executivos com úlceras; estudos contemporâneos revelam que, em geral, os mais graves problemas de saúde relacionados ao estresse ocorrem entre os gerentes de nível intermediário, com sua combinação mortal de altas demandas de trabalho e pouca autonomia — responsabilidade sem controle.

* Talvez para acelerar as coisas, utilizando animais que aprenderiam mais rápido a relação entre o choque e a pressão na alavanca.

Nos anos 1970, havia o dogma de que os organismos subordinados eram os mais estressados e doentes. Isso foi comprovado pela primeira vez em roedores de laboratório, quando se constatou que os subordinados costumavam exibir, quando *em repouso*, níveis elevados de glicocorticoides. Em outras palavras, mesmo na ausência de estresse, eles demonstravam sinais de ativação crônica da resposta ao estresse. O mesmo ocorre com os primatas, de macacos reso a lêmures. E também com hamsters, porquinhos-da-índia, lobos, coelhos e porcos. Até com peixes. E com petauros-do-açúcar, seja lá o que forem esses animais. Em um par de estudos não planejados com macacos em cativeiro (nos quais os indivíduos subordinados foram aparentemente subjugados até a morte), constatou-se que esses animais possuíam lesões generalizadas no hipocampo, uma região do cérebro muito sensível aos efeitos prejudiciais do excesso de glicocorticoides.[18]

Meu próprio trabalho com babuínos na África confirmou essa teoria (tendo sido o primeiro de tais estudos realizado com primatas selvagens). Em geral, babuínos machos de baixa posição hierárquica tinham níveis basais elevados de glicocorticoides. Quando algo realmente estressante ocorria, sua resposta glicocorticoide ao estresse era mais ou menos letárgica. Quando esse fator de tensão chegava ao fim, seus níveis retornavam mais devagar àquele padrão inicial elevado. Ou seja, há um excesso dessa substância na corrente sanguínea quando você não precisa dela, e uma escassez quando precisa. De modo notável, nos setores fundamentais do cérebro — hipófise e adrenais —, os níveis basais elevados de glicocorticoides de um subordinado surgiram pelas mesmas razões que se dão em seres humanos com depressão maior. Para um babuíno, a subordinação social se assemelha ao desamparo aprendido da depressão.

O excesso de glicocorticoides pode ser prejudicial em vários aspectos, o que ajuda a explicar por que o estresse crônico nos deixa doentes. Assim como os humanos, os babuínos subordinados também pagavam o preço em outras esferas. Eles exibiam: a) pressão sanguínea elevada e uma resposta cardiovascular letárgica diante de um estressor; b) níveis baixos de colesterol "bom" (HDL); c) deficiências imunitárias sutis, maior frequência em contrair doenças e lenta cicatrização de feridas; d) um sistema testicular mais facilmente afetado pelo estresse do que o dos machos dominantes; e e) níveis mais baixos em circulação de um importante fator de crescimento. Portanto, convém evitar ser um babuíno subordinado.

Os ovos e a galinha tornam a aparecer: será que um certo atributo psicológico contribui para a posição hierárquica, ou o contrário? É impossível determinar tal relação em animais selvagens, mas, em populações de primatas em cativeiro, as características fisiológicas distintivas de uma posição hierárquica em geral sucedem, e não precedem, ao estabelecimento dessa posição.[19]

Nesse ponto, eu teria a maior satisfação em proclamar que tais achados refletem a natureza da Hierarquia, com H maiúsculo, e o caráter estressante da subordinação social. E eu estaria completamente equivocado.

Um primeiro indício contraditório foi fornecido por Jeanne Altmann, de Princeton, e Susan Alberts, de Duke, que estudaram babuínos selvagens com hierarquias estáveis. Elas se depararam com o cenário de sempre, a saber, o da subordinação associada a níveis basais elevados de glicocorticoides. Porém, de modo inesperado, os macacos alfa demonstravam um aumento de glicocorticoides tão significativo quanto o dos machos em posições mais baixas. Por que a vida era mais estressante para os machos alfa do que para os machos beta? Ambos se expunham a índices equivalentes de desafios provocados por machos em posições mais baixas (um fator de estresse) e de catação das fêmeas (um fator de superação). Contudo, os machos alfa brigavam com mais frequência e passavam mais tempo em convívio sexual com as fêmeas (o que é extremamente estressante, já que o macho precisa defender sua parceira do assédio de outros machos). A ironia aqui é que uma das principais vantagens de ser alfa — o convívio sexual — pode ser um enorme fator de estresse. Tome cuidado com o que deseja.[20]

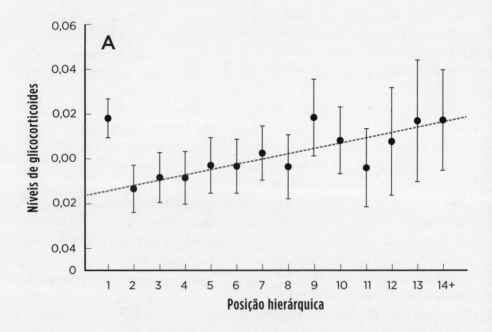

Adaptado de Robert Sapolsky, "Sympathy for the CEO" (Sci, v. 333, n. 6040, p. 293, 2011).

Certo: então, exceto pela maldição de ser alfa, a subordinação social é em geral estressante, certo? Bem, isso também está errado. Não é só a posição hierárquica que importa, mas o que ela *significa*.

Considere uma espécie de primata na qual há uma correlação entre a posição hierárquica e os níveis de glicocorticoides. Nessa espécie, os níveis basais de glicocorticoides são relativamente elevados nos animais subordinados se: a) os indivíduos dominantes, quando de mau humor, costumam descontar a agressividade nos subordinados; b) os subordinados carecem de mecanismos de escape para a superação (tais como um parceiro de catação); e/ou c) a estrutura social se organiza de forma que os subordinados não têm familiares presentes. E quando o perfil era o oposto, eram os animais dominantes os que apresentavam níveis mais elevados de glicocorticoides.[21]

O "significado" da posição hierárquica e seus correlatos fisiológicos também varia em diferentes grupos da mesma espécie. Por exemplo, enquanto a saúde dos babuínos subordinados se deteriorava em um bando no qual os machos dominantes tinham altas taxas de agressividade deslocada, a saúde dos machos dominantes de outro bando piorava em períodos de instabilidade no topo da hierarquia.

E, sobreposta a tudo isso, a personalidade individual pode moldar a percepção de uma realidade hierárquica. Houve um tempo em que usar a palavra "personalidade" para se referir a outras espécies podia lhe custar sua cátedra, mas hoje esse é um tópico relevante na primatologia. Os indivíduos de outras espécies possuem diferenças estáveis de temperamento em fatores como a probabilidade de descontar a agressividade em momentos de frustração; o quão socialmente afiliativos eles são; se ficam incomodados com novidades; e assim por diante. Os primatas diferem quanto a enxergar uma poça d'água meio cheia ou meio vazia; no contexto da hierarquia, certos indivíduos em segundo lugar do ranking só se importam com o fato de não serem os primeiros, enquanto outros, por exemplo, que estão na nona posição encontram alento no fato de não estarem em décimo lugar.

Não é surpresa, portanto, que a personalidade tenha influência nessa relação entre saúde e posição hierárquica. Em referência à mesma posição elevada no ranking, é provável que um indivíduo seja menos saudável se ele: a) for particularmente reativo a novidades; b) enxergar ameaças em circunstâncias benignas (por exemplo, quando o rival aparece na área só para cochilar); c) não tirar vantagem do controle social (por exemplo, deixar que o rival determine o início de um confronto óbvio); d) não souber diferenciar boas e más notícias (por exemplo, em uma luta, não conseguir distinguir as pistas comportamentais da vitória e da derrota); e/ou e) não possuir mecanismos sociais de escape em momentos de frustração. Com base nesses fatores, seria possível ganhar a vida dando seminários sobre "como ser bem-sucedido nos negócios" aos babuínos.[22]

Por outro lado, para a mesma posição baixa no ranking, um indivíduo tende a ser mais saudável se: a) puder contar com um monte de parceiros de catação; e/ou b) houver alguém ainda inferior a ele na hierarquia que sirva de alvo para a agressividade deslocada.

Portanto, em outras espécies, de que forma a posição hierárquica afeta o corpo? Isso dependerá de como, naquela espécie e grupo social específicos, a vida se apresenta sob a ótica de uma determinada posição hierárquica, e quais são as características de personalidade que filtram a percepção dessas variáveis. E quanto aos seres humanos?

E nós

Há uma quantidade ínfima de pesquisas em neurobiologia que analisam as diferenças individuais de sentimentos com relação à hierarquia. É hora de retomar um conceito do último capítulo, a orientação à dominância social (ODS), isto é, a importância que um indivíduo dá ao poder e ao prestígio. Em um estudo, voluntários se deparavam com alguém em sofrimento emocional. Conforme abordado no capítulo 2, isso é capaz de ativar o córtex cingulado anterior e o córtex insular — empatia com a vítima e aversão diante da circunstância que evocou o sofrimento. Quanto maior a pontuação em ODS do indivíduo, menor era a ativação dessas duas regiões. Aqueles que mais se interessavam por prestígio e poder pareciam menos propensos a sentir a dor dos menos afortunados.[23]

E quanto aos correlatos biológicos dos seres humanos em uma posição hierárquica específica? Sob alguns aspectos, somos mais sutis do que os outros primatas; em outros aspectos, muito menos.

Dois estudos examinaram indivíduos de alto escalão do governo ou do Exército (no caso, oficiais até a patente de coronel). Em comparação ao grupo de controle, esses indivíduos exibiam níveis basais reduzidos de glicocorticoides, menor ansiedade autodeclarada e um apurado senso de controle (isso não nos diz nada, contudo, quanto ao que veio primeiro: a patente ou o perfil mais tranquilo).[24]

São os babuínos de volta outra vez. Mas tinha alguma coisa mais sutil ocorrendo. Os autores desconstruíram o alto escalão do indivíduo a partir de três perguntas: a) Quantas pessoas ocupavam posições mais baixas que ele dentro da organização?; b) Que grau de autonomia ele tinha (por exemplo, para contratar e demitir)?; c) Quantas pessoas estavam sob sua supervisão direta? Uma posição elevada na hierarquia se traduzia em um baixo nível de glicocorticoides e de ansiedade apenas quando englobava as primeiras duas variáveis: inúmeros subordinados e muita autoridade. Em contraste, a necessidade de supervisionar diretamente um grande número de subordinados não foi um fator preditivo para esses resultados benéficos.

Isso confere certa credibilidade às lamúrias dos executivos quando dizem não estar supervisionando um trilhão de pessoas, mas, sim, obedecendo a 1 trilhão de chefes. Para obter a totalidade dos benefícios fisiológicos de uma posição elevada na hierarquia, não supervisione ninguém; em vez disso, deslize pelo seu local de trabalho como se fosse o rei do universo enquanto vassalos com quem você nunca interage lhe sorriem de modo obsequioso. Não se trata apenas da posição, mas daquilo que ela significa e engloba.

Em que sentido a relação entre status e saúde nos seres humanos é mais sutil do que em outros primatas?[25] Justamente naquele que reflete a forma mais profunda de status já inventada pelos primatas, a saber, o nível socioeconômico (NSE). Inúmeros estudos examinam o gradiente "NSE/saúde", ou seja, o fato de que, entre os pobres, não só a expectativa de vida é menor como também são mais altas a incidência e a taxa de mortalidade de várias doenças.

Para resumir esse tema abrangente que foi abordado no capítulo 9:

- O que vem primeiro: a pobreza ou a saúde precária? Quase sempre é a pobreza. Lembre-se de que ter sido gestado em um útero de baixo NSE aumenta as probabilidades de ter uma saúde precária na idade adulta.
- Não é que os pobres têm uma saúde precária e todos os outros extratos são saudáveis no mesmo nível. Para cada degrau abaixo na escala de NSE, começando de cima, a saúde média tende a piorar.
- O problema não é que os pobres carecem de acesso à assistência médica. O gradiente também ocorre em países com sistema de saúde gratuito e universal, e engloba doenças cuja incidência não depende do acesso a serviços médicos.
- Apenas cerca de um terço dessa variabilidade é explicada pela exposição dos pobres a mais fatores de risco (por exemplo, poluição) e menos fatores de proteção (por exemplo, frequentar uma academia).
- O gradiente parece ter relação com o fardo psicológico do NSE. a) O NSE subjetivo é um fator preditivo de saúde tão preciso quanto o NSE objetivo, o que significa que a questão não é ser pobre. Trata-se de *se sentir* pobre. b) A despeito dos níveis absolutos de renda, quanto maior a desigualdade em uma comunidade — ou seja, quanto mais os pobres têm seu baixo status esfregado na própria cara —, mais acentuado é o gradiente. c) Um alto índice de desigualdade em uma comunidade contribui para um baixo capital social (confiança e senso de eficácia), e essa é a causa mais direta da saúde

precária. No conjunto, esses estudos mostram que o estresse psicológico do baixo NSE é o que prejudica a saúde. Da mesma forma, são as doenças mais sensíveis ao estresse (distúrbios cardiovasculares, gastrointestinais e psiquiátricos) que revelam os gradientes mais acentuados entre NSE e saúde.

O gradiente entre NSE e saúde está por toda parte. Ele não depende de gênero, idade ou raça. Nem da ausência ou presença de um sistema de saúde universal. Pode ser encontrado em sociedades etnicamente homogêneas e naquelas acometidas por tensões étnicas. Naquelas em que a mitologia central é o credo capitalista "Viver bem é a melhor vingança", e também naquelas em que é a máxima socialista "De cada qual, segundo sua capacidade; a cada qual, segundo suas necessidades". Quando os seres humanos inventaram a desigualdade material, eles também criaram uma forma de subjugar os indivíduos inferiores na hierarquia que não se assemelha a nada já visto no universo dos primatas.

Uma coisa realmente esquisita que fazemos de vez em quando

Entre as características distintivas das hierarquias humanas, uma das mais notáveis e recentes é esse lance de ter líderes e poder escolhê-los.

Como já discutimos, a primatologia mais antiquada confundia os conceitos de alta posição hierárquica e "liderança" de maneiras bem tolas. Entre os babuínos, o macho alfa não é um líder; é só aquele que ganha a melhor parte. E, mesmo que todos sigam uma fêmea idosa e inteligente quando ela escolhe uma rota de coleta para aquela manhã, há todos os indícios de que ela está "indo", e não "liderando".

Mas os seres humanos possuem líderes fundamentados pela noção singular de bem comum. O que conta como bem comum, e qual é o papel do líder em fomentá-lo, é evidentemente algo variável, que vai desde comandar a multidão no cerco a um castelo até liderar um passeio de observação de pássaros.

Ainda mais moderno é o fato de os seres humanos escolherem os próprios líderes, seja elegendo o chefe do clã por aclamação em torno da fogueira ou depois de uma campanha presidencial de três anos de duração, coroada por bizarrices do Colégio Eleitoral. Como escolhemos os nossos líderes?

Um elemento consciente muito comum na tomada de decisão é votar levando em conta a experiência ou a competência, em vez de focar em posições específicas sobre determinado assunto. Isso é tão normal que, em um estudo, os rostos considerados mais competentes venceram as eleições em 68% das vezes.[26] As pessoas também fazem escolhas conscientes de voto baseadas em questões isoladas e possivelmente irrelevantes (por exemplo, escolher um candidato a síndico com base em sua opinião sobre os ataques com drones no Paquistão). E há uma faceta da tomada de decisão entre os americanos que deixa desconcertados os cidadãos de outras democracias, a saber, votar com base na "simpatia". Considere as eleições entre Bush e Kerry, em 2004, quando alguns republicanos entendidos sugeriram à população que a escolha para a vaga mais poderosa do planeta devia refletir com qual dos candidatos você tomaria uma cerveja.

Tão interessantes quanto são os elementos automáticos e inconscientes da tomada de decisão. Naquele que talvez seja o fator mais forte disso, entre dois candidatos com posturas políticas idênticas, as pessoas tendem a votar no mais atraente. Dada a preponderância de homens entre os candidatos e os detentores de cargos públicos, isso se traduz principalmente em eleger características masculinas: alto, de aparência saudável, feições simétricas, testa alta, arcada superciliar saliente, maxilar protuberante.[27]

Como foi mencionado pela primeira vez no capítulo 3, isso se encaixa num fenômeno mais amplo: em geral, tendemos a acreditar que as pessoas atraentes têm uma melhor personalidade e padrões morais mais elevados, e que são mais bondosas, honestas, simpáticas e confiáveis. Elas também são mais bem tratadas: com um currículo idêntico ao das outras, a pessoa atraente tem maior probabilidade de ser contratada; no mesmo cargo, costuma ganhar um salário mais alto; pelo mesmo crime, tem menos chances de condenação. É o estereótipo do belo-é-bom, resumido em uma citação de 1882 de Friedrich Schiller: "A beleza física é um sinal de beleza interior, espiritual e moral".[28] Esse é o outro lado da crença de que a deformação, a doença e o ferimento são um retorno cármico pelos pecados. E como vimos no capítulo 3, utilizamos os mesmos circuitos do CPF orbitofrontal para avaliar a bondade moral de um ato e a beleza de um rosto.

Outros fatores implícitos entram em jogo. Uma pesquisa examinou os discursos de campanha de todos os candidatos a primeiro-ministro da história da Austrália.[29] Em 80% das eleições, o vencedor foi aquele que usou mais pronomes coletivos ("nós" e "nos"), sugerindo uma predileção por candidatos que falam em nome de todos.

Há também preferências automáticas contingenciais. Por exemplo, em situações de guerra, tanto ocidentais quanto leste-asiáticos preferem candidatos com rostos mais velhos e másculos; em tempos de paz, os prediletos são os rostos mais jovens e femininos. Além disso, em situações que exigem cooperação entre grupos, rostos de aspecto inteligente são os favoritos; nas demais circunstâncias, os rostos mais inteligentes são considerados menos masculinos ou desejáveis.[30]

Esses vieses automáticos se estabelecem desde cedo. Em um estudo com crianças de cinco a treze anos, os pesquisadores exibiram pares de rostos de candidatos que haviam disputado eleições obscuras, e então perguntaram quem as crianças escolheriam como capitão de uma hipotética viagem de barco. E elas escolheram o candidato vencedor 71% das vezes.[31]

Os cientistas desses estudos costumam especular sobre o motivo de tais preferências terem evoluído; para ser honesto, boa parte dessa discussão parece ser apenas um monte de histórias de "foi assim". Por exemplo, ao analisar a preferência por líderes com rostos mais másculos em tempos de guerra, os autores observaram que níveis altos de testosterona produzem, a um só tempo, feições mais masculinas (o que costuma ser verdadeiro) e um comportamento mais agressivo (o que não é verdade, vide o capítulo 4), e que a agressividade é o que procuramos em um líder em tempos de guerra (eu pessoalmente não tenho tanta certeza disso). Portanto, dar preferência a candidatos com rostos mais masculinos aumenta as chances de obter o líder agressivo de que necessitamos para vencer a guerra. E então todos transmitem mais cópias de seus genes. *Voilà*.

Independente das razões, a questão central aqui é o poder de tais forças — uma taxa de acerto de 71% em crianças de cinco anos comprova que são vieses bastante generalizados e profundamente arraigados. E então nossas cognições conscientes brincam de pega-pega para fazer com que a nossa decisão pareça meticulosa e sábia.

E POR QUE NÃO ENCARAR ESSA? A POLÍTICA E AS ORIENTAÇÕES POLÍTICAS

Então os seres humanos continuam se tornando cada vez mais estranhos: possuem hierarquias múltiplas *e* têm líderes *e* ocasionalmente podem escolhê-los *e* fazem isso sob critérios tolos e implícitos. Agora vamos mergulhar na política.

Frans de Waal introduziu o termo "política" na primatologia com seu clássico livro *Chimpanzee Politics* [Política dos chimpanzés], usando-o no sentido de "inteligência maquiavélica": primatas não humanos lutando de formas socialmente complexas pelo controle do acesso aos recursos. O livro documenta o talento dos chimpanzés para essas maquinações.

Isso também é "política" no sentido humano tradicional. Mas adotarei um sentido mais restrito e idealista, que é o de política como luta entre indivíduos poderosos com diferentes visões do bem comum. Esqueça a ideia de liberais acusando conservadores de travar uma guerra contra os pobres. A mesma coisa para conservadores acusando aqueles liberais depravados de destruir os valores da família. Passando ao largo dessa postura, partiremos do princípio de que todos desejam igualmente que as pessoas vivam da melhor forma possível, mas diferem quanto à melhor forma de alcançar isso. Nesta seção iremos focar em três pontos:

a. As orientações políticas tendem a ser internamente consistentes? (Por exemplo: as opiniões de uma pessoa quanto à política de sua cidade com relação ao lixo e quanto às ações militares em Qualquerlugaristão formam um pacote ideológico?) Resposta rápida: em geral, sim.
b. Tais orientações consistentes emergem de fatores profundos e implícitos que têm pouquíssimo a ver com questões políticas específicas? Sim.
c. Pode-se começar a detectar os fragmentos de biologia subjacentes a esses fatores? É claro.

A consistência interna da orientação política

O capítulo anterior examinou a extraordinária consistência das orientações do tipo Nós/Eles: as pessoas que odeiam determinado grupo de fora por razões econômicas têm mais propensão (do que a que se esperaria pelo acaso) de detestar um outro grupo por motivos históricos, e ainda outro por motivos culturais, e assim por diante.[32] Boa parte disso se aplica aqui: orientações políticas sociais, econômicas, ambientais e internacionais costumam vir em um mesmo pacote. Essa consistência explica a graça de um cartum da *New Yorker* (indicado pelo psicólogo político John Jost) que mostra uma mulher posando para o marido e perguntando: "Esse vestido me faz parecer republicana?". Outro exemplo envolve o bioeticista Leon Kass, que não apenas tem exercido uma influente posição conservadora a respeito da clonagem humana, considerando essa possibilidade "repugnante", como também acha repugnante pessoas exibindo uma "conduta de gato" ao lamber sorvete em público. Adiante, falarei mais sobre esses assuntos — inclusive sobre lamber sorvete. O que essa consistência interna sugere é que a ideologia política é só uma das manifestações de uma ideologia mais ampla e subjacente — como veremos, isso ajuda a explicar por que os conservadores desbancam os liberais na probabilidade de ter produtos de limpeza no quarto de dormir.

Naturalmente, uma consistência estrita no campo da ideologia política nem sempre é a regra. Os libertários professam uma mistura de liberalismo social e conservadorismo econômico; de modo oposto, as igrejas batistas negras são tradicionalmente liberais no sentido econômico, mas conservadoras em questões sociais (condenando, por exemplo, tanto os direitos dos homossexuais como a ideia de que os direitos dos homossexuais são uma forma de direitos civis). Além disso, nenhum dos extremos da ideologia política é monolítico (e, ignorando esse detalhe, simplificarei a questão ao adotar os termos "liberal" e "de esquerda" de forma intercambiável, assim como "conservador" e "de direita").

Mesmo assim, os pilares da orientação política tendem a ser estáveis e internamente consistentes. De modo geral, é possível se vestir como um republicano ou lamber sorvetes como um democrata.

Fatores implícitos subjacentes à orientação política

Se a ideologia política é só uma das tantas manifestações de forças internas maiores e pertinentes a tudo, desde a presença de produtos de limpeza no quarto até a apreciação de um sorvete, então será que existem maneiras psicológicas, afetivas, cognitivas e viscerais por meio das quais indivíduos de esquerda e de direita tendem a se diferenciar? Essa pergunta produziu achados fascinantes; tentarei agrupá-los em certas categorias.

Inteligência

E quer saber? Dane-se. Vamos começar com algo incendiário. A partir de Theodor Adorno, nos anos 1950, muitos cientistas têm sugerido que a baixa inteligência é um fator preditivo da adesão a uma ideologia conservadora.[33] De lá para cá, alguns estudos — mas não todos — confirmaram essa conclusão. Mais consistente é a relação entre baixa inteligência e um subtipo de conservadorismo, a saber, o autoritarismo de direita (AD, uma afeição pela hierarquia). Um exemplo cabal disso envolveu mais de 15 mil indivíduos no Reino Unido e nos Estados Unidos; é importante observar que a correlação entre baixo QI, índice de AD e preconceito entre grupos continuava presente mesmo depois de aplicado o controle para duas variáveis, educação e nível socioeconômico. A explicação comum e convincente para essa correlação é que o AD fornece respostas simples, sendo ideal para pessoas com baixa capacidade de raciocínio abstrato.

Estilo intelectual

A literatura especializada aborda dois grandes tópicos. Primeiro: os conservadores se sentem um tanto desconfortáveis intelectualmente com a ambiguidade;

isso será abordado mais adiante. Segundo: os liberais, bem, eles pensam *com mais energia* e têm maior capacidade para aquilo que o cientista político Philip Tetlock, da Universidade da Pensilvânia, chama de "complexidade integrativa".

Em um estudo, ao serem questionados sobre as causas da pobreza, tanto conservadores quanto liberais tendiam a fazer atribuições pessoais ("Eles são pobres porque são preguiçosos"). Mas só o faziam se precisavam emitir um julgamento às pressas. Quando os voluntários tinham mais tempo, então os liberais pendiam para explicações situacionais ("Espere, há muitas coisas operando contra os pobres"). Em outras palavras, os conservadores partem das próprias entranhas e continuam com elas; os liberais deixam as entranhas de lado e migram para a cabeça.[34]

Essa diferença no estilo de atribuição se estende para muito além da política. Basta contar a liberais e conservadores a história de um sujeito que pisa no pé de alguém ao aprender uma nova dança; peça uma avaliação rápida e todos eles recorrem a atribuições pessoais — o sujeito é desajeitado. Só com o tempo é que os liberais se tornam situacionais — talvez aquela dança seja mesmo difícil.

É óbvio que essa dicotomia não é perfeita. Os conservadores fizeram atribuições pessoais no caso Monica Lewinsky (Bill Clinton não presta), enquanto os liberais recorreram a atribuições situacionais (é tudo uma conspiração da direita), mas isso se inverteu com Nixon e o Watergate. Ainda assim, essas dicotomias são bastante confiáveis.

Por que essa diferença? Tanto liberais como conservadores são capazes de refletir para além das viscerais atribuições pessoais, rumo a explicações situacionais mais sutis — quando lhes é solicitado, ambos são habilidosos em apresentar com objetividade os argumentos do lado oposto. A diferença é que os liberais têm mais motivação para forçar o caminho rumo a explicações situacionais.

Por quê? Muitos insinuaram que isso tem a ver com um maior respeito pelo pensamento, o que de pronto se torna uma tautologia inútil. Linda Skitka, da Universidade de Illinois, ressalta o quanto as atribuições pessoais em julgamentos rápidos logo soam discrepantes para os liberais, em desacordo com os seus princípios; sendo assim, eles são motivados a encontrar um caminho próprio rumo a uma visão mais congruente. Em contraste, mesmo quando há mais tempo, os conservadores não se tornam mais situacionais porque não há dissonância.

Embora isso seja lógico, a afirmação só nos leva a perguntar de onde vem essa ideologia liberal que causa a dissonância. Como veremos, ela tem origem em fatores que pouco têm a ver com o estilo cognitivo.

Tais achados sugerem ser mais fácil fazer um liberal pensar como um conservador do que o contrário.[35] Ou, colocando de uma forma mais familiar: aumentar a

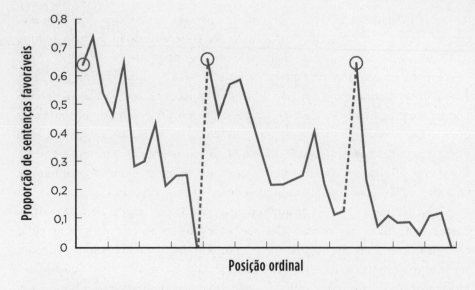

Proporção de sentenças favoráveis aos prisioneiros em posição ordinal. Os pontos circulados indicam a primeira sentença em cada uma das três sessões; as marcações no eixo X denotam cada terceiro caso; as linhas pontilhadas indicam uma pausa para refeição. Já que a duração desigual das sessões resultou em um número menor de casos para algumas das últimas posições, o gráfico é baseado nos primeiros 95% de dados de cada sessão.

carga cognitiva* torna as pessoas mais conservadoras. É precisamente esse o caso. A pressa de ter de fazer julgamentos rápidos é uma versão do aumento da carga cognitiva. Da mesma forma, as pessoas se tornam mais conservadoras quando estão cansadas, com dor ou distraídas com uma tarefa cognitiva, ou quando os níveis de álcool no sangue aumentam.

Lembre-se do capítulo 3, quando foi dito que a força de vontade consome poder metabólico, graças às demandas de glicose do córtex frontal. Um dos achados científicos nesse sentido foi que, quando estão com fome, as pessoas se tornam menos generosas em jogos econômicos. Eis um exemplo perturbador desse fenômeno no mundo real (ver o gráfico acima): em uma análise de mais de 1,1 mil sentenças judiciais, os réus ganharam liberdade condicional em uma proporção de 60% quando os juízes tinham acabado de comer, e de 0% pouco antes da pausa para a refeição (observe também o declínio generalizado das sentenças favoráveis

---

* Isso também se aplica em épocas mais globais de aperto; acontece que, apesar de termos uma impressão de crescente polarização nesses períodos, é rara a pessoa de esquerda que se torna mais implicitamente de esquerda nessas horas (não mude de canal).

no decorrer de um dia exaustivo). A justiça pode até ser cega, mas é certamente sensível a seu estômago roncando.[36]

Cognição moral

Outro campo minado. Que surpresa: indivíduos em ambos os extremos do espectro político acusam o outro lado de pensamento moral empobrecido.[37] Uma direção disso é, ao que parece, reforçada pelos estágios de desenvolvimento moral de Kohlberg, descritos no capítulo 7. Os liberais, mergulhados em desobediência civil, geralmente se encontram em um estágio de Kohlberg mais "alto" do que os conservadores, com sua afeição pela lei e pela ordem. Seriam os conservadores intelectualmente *menos capazes* de raciocinar em um estágio de Kohlberg mais avançado ou *menos motivados* a fazê-lo? Ao que tudo indica, a última opção é a correta — indivíduos de direita e de esquerda são igualmente capazes de apresentar a perspectiva do outro.

Jonathan Haidt, da NYU, fornece uma visão muito diferente.[38] Ele identifica seis fundamentos da moralidade: cuidado versus dano; equidade versus trapaça; liberdade versus opressão; lealdade versus traição; autoridade versus subversão; santidade versus degradação. Tanto os resultados experimentais quanto os do mundo real mostram que os liberais valorizam sobretudo os primeiros três objetivos, a saber: cuidado, equidade e liberdade. (E, revelando uma sobreposição com as formulações de Kohlberg, o menosprezo pela lealdade, pela autoridade e pela santidade é, de várias formas, sinônimo de raciocínio pós-convencional.) Em contraste, os conservadores valorizam sobremaneira a lealdade, a autoridade e a santidade. É claro que a diferença é grande. Seria aceitável criticar seu próprio grupo para gente de fora? Conservadores: não, isso é desleal. Liberais: sim, se houver motivo. Você pode algum dia desobedecer a uma lei? Conservadores: não, isso enfraquece a autoridade. Liberais: é claro que sim, se for uma lei injusta. Seria defensável atear fogo à bandeira? Conservadores: jamais, ela é sagrada. Liberais: tenha dó! É um pedaço de pano.

Essas ênfases distintas explicam muita coisa — por exemplo, a clássica visão liberal é de que todos têm direitos iguais à felicidade; em vez disso, os conservadores desconsideram a equidade em favor de uma autoridade eficiente, produzindo a clássica visão de direita de que certa desigualdade socioeconômica é um preço tolerável a se pagar para ter as coisas funcionando bem.

E o que significa o fato de, na visão de Haidt, conservadores contarem com até seis (fundamentos morais) e liberais, só com três? É aqui que começa o tiroteio mutuamente mortífero. Os conservadores abraçam a caracterização de Haidt dos liberais como sendo seres moralmente empobrecidos, com metade de seus fundamentos morais atrofiados.* A interpretação oposta, defendida por John Jost e também por Joshua Greene, de Harvard, é que os liberais têm fundações morais mais refinadas, tendo descartado as menos importantes e historicamente mais danosas, as quais os conservadores continuam a defender — na verdade, os liberais contam ter de um a três, enquanto os conservadores na verdade têm de quatro a seis.

Mas por que os conservadores estão mais preocupados com "fundamentos de coesão" como lealdade, autoridade e santidade, que muitas vezes servem como trampolins para o autoritarismo de direita e a orientação à dominância social? Isso nos leva à próxima seção.

Diferenças psicológicas e afetivas

Inúmeras pesquisas mostram, de forma consistente, que os indivíduos de esquerda e os de direita diferem em categorias sobrepostas de constituição psicológica. Resumindo: em média, os conservadores ficam mais ansiosos diante da ambiguidade e têm uma necessidade maior de conclusão, não gostam de novidades, sentem-se mais confortados por um senso de estrutura e hierarquia, reconhecem mais prontamente circunstâncias ameaçadoras e são mais paroquialistas em sua empatia.

A aversão dos conservadores à ambiguidade foi demonstrada em inúmeros contextos apolíticos (por exemplo, em reações a ilusões de ótica e nas preferências de entretenimento) e está intimamente ligada à diferença de percepção da novidade, que, por definição, evoca ambiguidade e incerteza.[39] A disparidade de visões sobre a novidade decerto explica a visão liberal de que, com as reformas certas, dias melhores ainda estão por vir em um futuro desconhecido, enquanto os conservadores enxergam nossos melhores dias no passado, em certas circunstâncias familiares às quais devemos regressar a fim de tornar as coisas ótimas de novo. Mais uma vez, tais diferenças de constituição psicológica também ocorrem em âmbitos apolíticos: os liberais são mais propensos a ter livros de viagem do que os conservadores.

Entre esses últimos, a necessidade de previsibilidade e estrutura sem dúvida abastece a ênfase em lealdade, obediência, lei e ordem.[40] Também fornece pistas para entender uma característica intrigante do cenário político: como é que, nos últimos cinquenta anos, os republicanos conseguiram persuadir os norte-americanos pobres e brancos a votar tantas vezes contra seus próprios interesses econômicos? Será que eles acreditam mesmo que ganharão na loteria e então vão poder

---

* De modo curioso, Haidt não se define como conservador, embora entrevistas recentes indiquem que isso está mudando.

desfrutar o lado privilegiado da desigualdade americana? Não. O que essa questão psicológica de precisar de uma familiaridade estruturada mostra é que, para os brancos pobres, votar nos republicanos constitui um ato implícito de legitimação do sistema e de aversão ao risco. É melhor resistir à mudança e lidar com o diabo que você conhece. Voltando ao capítulo anterior, gays conservadores exibem mais vieses implícitos *contra* a homossexualidade do que gays liberais. É melhor odiar quem se é, se isso servir para fortalecer um sistema cuja estabilidade e previsibilidade constituem fontes de conforto.

Entrelaçada a essas variáveis está a diferença entre esquerda e direita quanto à tendência de enxergar as coisas como ameaçadoras, principalmente quando o conservadorismo está fundamentado no autoritarismo. A vida é repleta de ambiguidades, sobretudo quando se trata de um futuro desconhecido, e, se isso o deixa ansioso, muitas coisas parecerão ameaçadoras. Agora, uma "ameaça" pode ser abstrata, como as que afetam a sua autoestima; há poucas diferenças políticas na percepção de tais perigos. As diferenças dizem respeito a modalidades de ameaça nas quais seu traseiro está na reta.

Isso ajuda a explicar posturas políticas — "Eu tenho aqui uma lista de duzentos espiões comunistas que trabalham no Departamento de Estado" é um bom exemplo de ameaça imaginária.* A diferença na percepção de ameaças também pode ser apolítica. Em um estudo, voluntários tinham de executar com rapidez uma tarefa sempre que uma palavra surgisse na tela. Conservadores autoritários, mas não os liberais, respondiam mais prontamente a palavras ameaçadoras como "câncer", "cobra" ou "assaltante" do que a palavras neutras (como "telescópio", "árvore" e "cantil"). Além disso, em comparação com os liberais, tais conservadores tinham maior tendência a associar a palavra "bala" com "projétil" (em vez de com "chiclete")** e maior propensão a interpretar expressões ambíguas como ameaçadoras, além de serem mais facilmente condicionados a associar estímulos negativos (mas não os positivos) com estímulos neutros. Os republicanos relatam uma quantidade três vezes maior de pesadelos do que os democratas, sobretudo envolvendo a perda de poder pessoal. Como diz o ditado, um conservador é um liberal que foi assaltado.

Associada a isso está a "teoria de gestão do terror", que sugere que o conservadorismo está psicologicamente enraizado em um pronunciado medo da morte;

---

* Ainda que seja difícil saber se o senador McCarthy se sentia mesmo ameaçado (ou até que ele acreditava minimamente nas próprias palavras), ele sem dúvida sabia como se aproveitar dessa tendência nos outros.

** No original, a associação é entre *"arms"* ("braços", mas também "armas") com *"weapons"* (armas) ou com *"legs"* (pernas). (N. T.)

uma evidência disso é o achado científico de que pré-ativar as pessoas a pensar na própria mortalidade as torna mais conservadoras.[41]

Essas diferenças na percepção da ameaça ajudam a explicar a disparidade de visões quanto ao papel do governo: prover para o povo (é a visão da esquerda que envolve serviços sociais, educação etc.) ou proteger o povo (é a visão da direita que envolve lei e ordem, militares etc.).*

Medo, ansiedade, temor da mortalidade — ser de direita deve ser uma barra. Mas, a despeito disso, em um estudo com voluntários de várias nacionalidades, os conservadores se mostravam mais felizes do que os liberais.[42] Por quê? Talvez por causa das respostas mais simples, livres do fardo da retificação motivada. Ou talvez, como preferem os autores, porque a justificação do sistema permite que os conservadores racionalizem a desigualdade e se sintam menos constrangidos com ela. Conforme a desigualdade econômica aumenta, cresce também a disparidade dos índices de felicidade entre a direita e a esquerda.

Como já foi destacado, a ideologia política é só uma das manifestações do estilo intelectual e emocional. Em um ótimo exemplo, a receptividade de uma criança de quatro anos a um brinquedo novo é um fator preditivo de quão receptiva ela será na idade adulta a eventos como, digamos, os Estados Unidos estabelecendo relações com o Irã ou Cuba.[43]

E, é claro, um pouco de biologia subjacente

Dessa forma, vimos como a orientação política é em geral estável e internamente consistente em uma variedade de assuntos disparatados, e que ela é só uma das manifestações dentro de um pacote de estilos cognitivos e afetivos. Indo mais fundo nesse tema: quais são os correlatos biológicos para as diferenças de orientação política?

De volta ao córtex insular com seu papel na mediação da aversão gustativa e olfatória em mamíferos e na aversão moral em seres humanos. Lembre-se do que foi dito no último capítulo: como é fácil avivar o ódio em relação a Eles retratando-os como seres visceralmente aversivos. Se a ínsula das pessoas se ativa ao pensar sobre Eles, você já pode riscar um item da sua lista de tarefas para o genocídio.

---

* É importante notar que, ainda que os conservadores possam ser mais suscetíveis a se sentirem ameaçados, eles não exibem necessariamente uma empatia maior a ameaças que acometem outras pessoas — por exemplo, tendem a ser mais céticos quanto à veracidade da dor física do outro, além de mais propensos a enquadrá-la como fingimento e manipulação dependente.

Isso evoca um achado impressionante: coloque voluntários em uma sala junto com um saco de lixo malcheiroso e eles se tornam mais socialmente conservadores.[44] Se a sua ínsula estiver nauseada com o cheiro de peixe morto, são maiores as chances de você concluir que uma prática social diferente executada por um Outro é, na verdade, absolutamente errada.

Isso nos leva a uma descoberta fascinante: conservadores sociais tendem a exibir limiares menores de aversão do que os liberais. Em um estudo, voluntários foram expostos a imagens carregadas de emoções positivas ou negativas,* e foi aferida a resistência galvânica da pele (RGP, uma medida indireta de excitação do sistema nervoso simpático). As maiores respostas autonômicas a imagens emocionais negativas (mas não positivas) foram registradas em conservadores contrários ao casamento homossexual ou ao sexo antes do casamento (ao passo que a resposta RGP não teve relação com questões não sociais como o livre-comércio ou o controle de armas de fogo). Preocupações quanto à higiene e à pureza sem dúvida são indicadoras de valorização da santidade.[45]

A esse respeito, quando confrontados com algo visceralmente perturbador, os conservadores têm menos propensão a usar estratégias de reavaliação (por exemplo, diante de uma cena sangrenta, pensar: "Isso não é real; é encenado"). Além disso, quando os conservadores, mas não os liberais, são instruídos a usar técnicas de reavaliação ("Tente enxergar as imagens de forma desapegada e neutra"), eles expressam menos sentimentos políticos conservadores. Em contraste, uma estratégia de supressão ("Não deixe seus sentimentos transparecerem quando estiver olhando para a imagem") não funciona. Como vimos, basta fazer um liberal ficar cansado, faminto, apressado, distraído ou enojado e ele se tornará mais conservador. Faça um conservador se desapegar de algo visceralmente perturbador e ele se tornará mais liberal.[46]

Portanto, a orientação política sobre questões sociais reflete tanto a sensibilidade à aversão visceral quanto as estratégias para lidar com tal aversão. Além disso, os conservadores são mais propensos a pensar que a aversão é um bom critério para decidir se algo é moral. Isso nos faz lembrar de Leon Kass, o bioeticista que tem problemas com gente lambendo sorvetes. Ele comandou o conselho de bioética de George W. Bush — aquele que, graças à ideologia antiaborto de Kass, restringiu muito a pesquisa com células-tronco embrionárias. Kass defendeu o que ele chama de "sabedoria da repugnância", que prega que a aversão a alguma coisa como a clonagem humana pode ser "a expressão emocional de uma sabedoria profunda, [que

---

* As imagens negativas incluíam uma pessoa comendo vermes, fezes boiando em uma privada, um machucado sangrando e uma ferida aberta infestada de larvas. Bem divertido.

vai] muito além do poder da sabedoria de articulá-la por completo". O nível visceral, com ou sem racionalização *post hoc*, basta para saber o que é certo. Se o faz vomitar, então você deve censurar.[47]

A falha monumental aqui é óbvia. Coisas diferentes causam aversão a pessoas diferentes; nesse caso, qual ânsia de vômito tem prioridade? Além disso, coisas que antes eram consideradas aversivas hoje são vistas de outra forma (por exemplo, por volta de 1800, a ideia de negros escravizados e brancos tendo os mesmos direitos teria soado para a maioria dos americanos como algo não só economicamente impraticável como também aversivo). É nojento ver as coisas das quais as pessoas não tinham nojo no passado. A aversão é um alvo móvel.

Portanto, questões fundamentadas na ínsula ajudam a explicar diferenças de orientação política; retornarei a esse ponto no capítulo 17.[48] Diferenças adicionais na neurobiologia foram demonstradas. O liberalismo tem sido associado a quantidades maiores de substância cinzenta no córtex cingulado (com sua participação na empatia), ao passo que o conservadorismo tem sido associado a uma amígdala maior (com seu papel crucial, é claro, na percepção de ameaças). Além disso, há uma ativação maior da amígdala em conservadores ao ver uma imagem aversiva ou ao executar uma tarefa arriscada.

Mas nem todos os achados se encaixam de modo perfeito. Por exemplo, ao observar imagens aversivas, os conservadores também exibem uma ativação relativamente maior de uma barafunda de outras regiões cerebrais: núcleos da base, tálamo, substância cinzenta periaquedutal, (cognitivo) CPFdl, giro temporal médio/ superior, área motora pré-suplementar, giro fusiforme e giro inferior frontal. Ainda não está claro como tudo isso se encaixa.

Naturalmente, é preciso perguntar: os geneticistas do comportamento relataram influências genéticas na orientação política? Estudos com gêmeos registram uma herdabilidade de cerca de 50% para a orientação política. Abordagens de associação genômica ampla identificaram genes cujas variantes polimórficas estavam associadas à orientação política. Quase todos esses genes não tinham funções conhecidas, ou haviam sido anteriormente considerados irrelevantes para o cérebro; aqueles cujas funções relacionadas ao cérebro eram conhecidas (por exemplo, um deles codificava para um receptor do neurotransmissor glutamato) não nos dizem nada sobre a orientação política. Como exemplo interessante de interação entre gene e ambiente, a versão "afeita a correr riscos" do gene para o receptor de dopamina D4 está associada aos liberais — mas só em indivíduos com muitos amigos. Além disso, alguns estudos mostram uma associação genética com a predisposição das pessoas a votar, independente de orientação política.[49]

Interessante. Contudo, essa abordagem vem com todas as ressalvas do capítulo 8: a maioria dos achados não foi replicada, os efeitos reportados eram pequenos e os artigos saíram em periódicos de ciência política, e não de genética. Por fim, na medida em que os genes têm a ver com a orientação política, essa relação provavelmente se dá por meio de fatores intervenientes, como a tendência para a ansiedade.

OBEDIÊNCIA E CONFORMIDADE, DESOBEDIÊNCIA E INCONFORMIDADE

Então os seres humanos têm hierarquias múltiplas e simultâneas, construídas em torno de abstrações, e às vezes escolhem líderes que trabalham pelo bem comum.[50] Acrescente-se agora a obediência a esses líderes. Isso é bem diferente de um babuíno tapado e muito obediente que cede seu lugar à sombra para o macho alfa que estiver à espreita. Em vez disso, os seres humanos manifestam uma obediência que transcende qualquer ocupante atual do trono (o rei está morto; vida longa ao rei) e remete à própria noção de autoridade. Seus elementos básicos vão desde lealdade, admiração e emulação até puxa-saquismo, servilismo e egoísmo instrumental, e as ações, da mera aquiescência (ou seja, a conformidade pública de ir atrás, sem na verdade concordar) à decisão de saltar do penhasco (isto é, de identificar-se com a autoridade, internalizando e expandindo suas crenças).

A obediência está interligada de modo cabal à conformidade, um conceito essencial abordado no capítulo anterior e que agora será levado em conta. Ambas consistem em concordar; a primeira se refere ao grupo e a segunda, à autoridade. E, para nós, os pontos de concordância são o que importa. Além disso, seus antônimos — a desobediência e a inconformidade — também estão interligados e vão da independência de marchar conforme outra música até a intencionalidade e o determinismo espelhado do inconformismo.

É importante observar que esses termos são destituídos de valor. A conformidade pode ser ótima: é bastante útil quando, em uma cultura, todos concordam que menear a cabeça verticalmente quer dizer "sim" ou "não". Conformar-se é necessário para o benefício da sabedoria das massas. E pode ser muitíssimo reconfortante. Mas é claro que a conformidade também pode ser horrenda: aderir ao bullying, à opressão, ao escracho, à expulsão e ao homicídio, só porque todo mundo entrou nessa.

A obediência também pode ser excelente; ela abrange tanto a decisão coletiva de parar no sinal vermelho quanto, para a decepção de minha própria adolescência pseudoanarquista, a anuência de meus filhos quando eu e minha esposa anunciamos que é hora de dormir. E a obediência maligna obviamente está por trás da frase: "Estou apenas seguindo ordens" — de soldados marchando com passos de ganso aos infelizes de Jonestown obedecendo ao comando de matar seus filhos.

Raízes

A conformidade e a obediência têm raízes profundas, como fica claro por sua presença em outras espécies e em seres humanos muito jovens.

A conformidade animal é um tipo de aprendizado social: um primata subordinado não precisa ser espancado por um brutamontes para expressar subordinação a ele; se todo mundo está fazendo isso, então é suficiente.*[51] A conformidade possui um familiar matiz humano. Um chimpanzé tem mais chances de copiar uma ação se ele vir três outros indivíduos executando a tarefa, em vez de um único indivíduo executando a tarefa três vezes.** Além disso, o aprendizado pode incluir a "transmissão cultural" — em chimpanzés, isso envolve aprender vários estilos de construção de ferramentas. A conformidade tem relação com o contágio social e emocional que leva, por exemplo, um primata a dirigir sua agressividade a um determinado indivíduo só porque alguém já está fazendo isso. Tal contágio funciona até entre grupos distintos. Por exemplo, entre micos, a agressão em um bando tem mais chances de ocorrer se vocalizações hostis estiverem sendo emitidas pelo bando vizinho. Outros primatas estão inclusive sujeitos ao contágio social do bocejo.***[52]

Meu exemplo favorito de conformidade não humana é tão familiar que poderia ter vindo direto dos tempos de escola. Um tetraz macho corteja uma fêmea que — ai! — não sente nenhuma magia no ar e acaba por rejeitá-lo. Os pesquisadores então o fazem parecer o garanhão mais gostoso da pradaria, cercando-o de algumas extasiadas fêmeas de pelúcia. Logo a donzela relutante se joga em cima dele, empurrando para longe suas estáticas rivais.[53]

---

* Foi provado inclusive que isso envolve uma lógica formal transitiva. O animal A perde uma interação de dominância para o animal B. Depois ele observa o animal B perdendo para o animal C. Logo, o animal A, na primeira vez que encontrar o animal C, já envia um sinal de subordinação. Isso foi registrado em várias espécies de primatas, ratos, aves e até peixes.

** O estudo também mostrou, com uma bela lógica etológica, que a mesma conformação não ocorre em orangotangos, que são primatas solitários.

*** Em chimpanzés, o bocejo é evocado com mais presteza quando o animal observa outro chimpanzé conhecido bocejando; depois, na ordem, ao observar um ser humano conhecido bocejando, e, por fim, um humano desconhecido bocejando. Contudo, o bocejo contagiante não é evocado por um chimpanzé desconhecido ou por um indivíduo desconhecido de outra espécie de primata (um babuíno).

Uma demonstração ainda mais clara de conformidade animal foi exibida em um belo estudo com chimpanzés realizado por Frans de Waal. Em dois grupos distintos, a fêmea alfa era separada dos demais e treinada para conseguir abrir uma caixa intrincada contendo comida. De modo crucial, as duas aprendiam formas distintas e igualmente difíceis de fazê-lo. Assim que elas dominavam suas técnicas, os chimpanzés de cada grupo eram levados a assistir à fêmea alfa exibindo seus dotes com a caixa intrincada. Por fim, todos ganhavam acesso à caixa e logo copiavam a técnica de sua alfa.[54]

Trata-se de um exemplo bem bacana da propagação de informações culturais. Porém, algo ainda mais interessante ocorreu. Às vezes, um chimpanzé do bando se deparava sem querer com o método alternativo — e logo o abandonava, retornando à forma "normal" de abrir a caixa. Só porque todo mundo estava fazendo do outro jeito.* O mesmo fenômeno foi registrado depois em macacos-prego e pássaros selvagens.

Dessa forma, os animais executam uma determinada versão de um comportamento não por ser a melhor, mas porque todo mundo está fazendo desse jeito. De modo ainda mais impressionante, a conformidade animal pode ser nociva. Em um estudo de 2013, Andrew Whiten, da Universidade de St. Andrews, mostrou a macacos-vervet selvagens duas latas de milho pintadas de rosa ou azul.[55] O milho que havia em uma delas era bom; o da outra ganhou um aditivo amargo. Os macacos aprenderam a evitar esta última de tal forma que, meses mais tarde, continuavam comendo somente da lata de milho com a cor "segura" — mesmo depois que o aditivo foi retirado.

À medida que novos filhotes nasciam ou que adultos criados em outro lugar migravam para o bando, eles se adaptavam a essa escolha alimentar e aprendiam a comer somente da lata da qual os outros se serviam. Em outras palavras, renunciavam a metade do alimento em potencial só pela necessidade de se encaixar — enfim, macacos se juntando ao bando, agindo que nem ovelhas e pulando de penhascos feito lemingues. Um exemplo registra algo parecido em humanos: em casos de emergência de vida ou morte (por exemplo, um incêndio em um restaurante), as pessoas com frequência tentam escapar seguindo a multidão numa direção que elas mesmas sabem estar errada.

A natureza profundamente arraigada da conformidade e da obediência em seres humanos é evidenciada pela precocidade com que ambos os comportamentos

---

* Eu adoraria saber o que se passava na cabeça dos chimpanzés quando eles abandonavam o método alternativo. Estariam ativando a amígdala e iniciando uma resposta ao estresse? O que seria o equivalente, em chimpanzés, à preocupação de ser visto como um idiota?

se apresentam. Como abordei no capítulo 7, já foram escritos zilhões de páginas sobre a conformidade e a pressão dos pares em crianças. Um estudo demonstra de modo bem hábil a continuidade da conformidade entre nós e outras espécies. Trata-se daquele em que um chimpanzé tinha mais propensão a seguir o comportamento de três indivíduos fazendo alguma coisa uma vez do que de um indivíduo fazendo a mesma coisa três vezes. A pesquisa demonstrou o mesmo resultado em crianças de dois anos.

As profundezas da conformidade e da obediência humanas também são demonstradas pela velocidade com que ocorrem: o cérebro leva menos de duzentos milissegundos para registrar que o resto do grupo escolheu uma resposta diferente da sua, e menos de 380 milissegundos para traçar um perfil de ativação que prevê a mudança de opinião. Nosso cérebro está inclinado a se adequar aos outros por meio da concordância em menos de um segundo.[56]

Bases neurais

Esse último estudo levanta a questão acerca do que acontece no cérebro em tais circunstâncias. Nosso velho e conhecido elenco de regiões do cérebro de repente emerge de maneiras instrutivas.

A influente "teoria da identidade social" propõe que o nosso conceito de quem somos é fortemente moldado pelo contexto social — pelos grupos com os quais nos identificamos ou não.*[57] Sob essa ótica, a conformidade e a obediência, apesar de serem formas de evitar punições, lidam da mesma forma com o lado positivo de se adequar. Quando imitamos as ações de alguém, nosso sistema dopaminérgico mesolímbico se ativa.** Quando fazemos uma escolha errada em uma tarefa, o declínio dopaminérgico é maior se tomamos essa decisão individualmente do que seria se a tomássemos como parte de um grupo. Pertencimento é segurança.

Em vários estudos, um indivíduo em um grupo responde a uma pergunta, depois descobre que — ai, não! — todos os outros discordam dele, e pode então mudar a resposta.[58] De modo nada surpreendente, a descoberta de que você está fora de sintonia ativa a amígdala e o córtex insular; quanto maior a ativação, maiores as

---

* A teoria da identidade social está mais associada ao psicólogo polaco-franco-britânico Henri Tajfel. Como veremos, Tajfel, que refletiu sobre as razões pelas quais pessoas normais se juntam a uma turba e cometem atos terríveis, foi um dos tantos cientistas dessa área cuja vida foi pessoalmente devastada pelo Holocausto.

** Se tal imitação tem ou não a ver com os "neurônios-espelho" é uma discussão que deixaremos para o capítulo 14, que irá examinar se os neurônios-espelho têm algo a ver com a empatia.

chances de você mudar de ideia e mais persistente é a mudança (em contraste com a mudança transitória que surge da complacente conformidade pública). Trata-se de um fenômeno profundamente social — as pessoas são mais propensas a mudar de resposta se você mostrar a elas uma foto daqueles de quem está discordando.

Quando você recebe a notícia de que todos os outros divergiram de você, ocorre também a ativação do (emocional) cpfvm, do córtex cingulado anterior e do núcleo *accumbens*. Essa é uma rede mobilizada durante o aprendizado de reforço, no qual você aprende a modificar seu comportamento quando existe uma discrepância entre o que você esperava que ia ocorrer e o que de fato ocorreu. Basta descobrir que todos discordam de você e essa rede se ativa. O que ela está tentando lhe dizer? Não apenas que você é *diferente* de todos os outros. Mas que está *errado*. Ser diferente é a mesma coisa que estar errado. Quanto maior a ativação desse circuito, maiores as chances de se mudar a resposta para se adequar.[59]

Como costuma ocorrer na maior parte da literatura especializada de neuroimagem, tais estudos são apenas correlacionais. Portanto, tem particular importância um estudo de 2011 que usa técnicas de estimulação magnética transcraniana para desativar temporariamente o cpfvm: isso feito, os indivíduos se tornam menos propensos a mudar suas respostas para se adequar.[60]

Vamos retornar ao contraste entre a conformação que assume a forma de: "Quer saber? Se todo mundo diz que viu B, acho que eu também vi; tanto faz", e a conformidade que assume a forma de: "Pensando bem, eu não cheguei realmente a ver A; acho que vi B; na verdade, tenho certeza absoluta disso". Esta última versão está associada com a ativação do hipocampo, a região do cérebro crucial para o aprendizado e a memória — o revisionismo consiste em literalmente revisar sua própria memória. De modo notável, em outro estudo, o processo de conformação também estava associado à ativação do córtex occipital, região do cérebro que faz o processamento primário da visão — você quase consegue ouvir as partes frontal e límbica do cérebro tentando convencer o córtex occipital de que ele enxergou algo diferente do que de fato viu. Como já foi dito, são os vitoriosos (nesse caso, no tribunal da opinião pública) que escrevem os livros de história, e recomenda-se que todos os outros revisem seus livros para ficar de acordo. Guerra é paz. Liberdade é escravidão. Aquele ponto que você viu era na verdade azul, e não vermelho.[61]

Portanto, a neurobiologia subjacente à conformação consiste em uma primeira onda de ansiedade, quando equiparamos diferença e erro, seguida pelo esforço cognitivo necessário para mudar de opinião. Esses achados, claro, vêm de um mundo artificial de experimentos psíquicos. Dessa forma, eles são apenas uma leve sombra do que ocorre quando você se coloca contra o resto do júri, quando é pressionado a se juntar à turba linchadora ou quando tem de escolher entre conformar-se ou ficar profundamente solitário.

Qual é a neurobiologia por trás da obediência à autoridade quando você recebe ordens para fazer alguma coisa errada? Trata-se de uma mistura parecida à da conformidade: com o CPFvm e o CPFdl lutando na lama, e índices de ansiedade e hormônios do estresse glicocorticoides tentando forçá-lo rumo à subordinação. O que nos leva a analisar alguns clássicos estudos de "eu estava só cumprindo ordens".

Asch, Milgram e Zimbardo

A neurobiologia da conformidade e da obediência não nos revelará muita coisa sobre a principal pergunta nessa área: se as circunstâncias forem adequadas, todas as pessoas serão capazes de cometer uma ação horrenda apenas porque receberam ordens e porque todos estão fazendo a mesma coisa?

É praticamente obrigatório mencionar três dos estudos mais influentes, ousados, perturbadores e polêmicos da história da psicologia, a saber, as pesquisas de conformidade de Solomon Asch, os estudos de choque e obediência de Stanley Milgram e o Experimento da Prisão de Stanford, de Philip Zimbardo.

O avô desse trio foi Asch, que trabalhou nos anos 1950 no Swarthmore College.[62] O formato de suas pesquisas era simples. Um voluntário, pensando se tratar de um estudo de percepção, recebia duas cartas. Uma delas continha uma linha desenhada, e a outra, três linhas de extensões diferentes, uma delas do tamanho exato da linha solitária. Qual das linhas do trio tinha a mesma extensão da linha solitária? Fácil; os voluntários que estavam sozinhos em uma sala exibiram uma taxa de erro de mais ou menos 1% em uma série de tentativas.

Enquanto isso, os voluntários do grupo experimental fizeram o teste em uma sala com mais sete outros indivíduos, e cada um deles tinha de anunciar sua escolha em voz alta. Sem que o voluntário soubesse, os outros sete trabalhavam para o projeto. Por "coincidência", o voluntário ficava por último, e os sete primeiros escolhiam de modo unânime uma resposta excepcionalmente errada. De modo surpreendente, os voluntários agora passavam a concordar com essa resposta incorreta cerca de um terço das vezes, um achado que foi replicado com frequência no nicho de pesquisas inspiradas por Asch. Seja porque a pessoa de fato mudou de ideia ou porque apenas decidiu ir atrás da maioria, essa foi uma demonstração impressionante de conformidade.

Seguimos para o experimento de obediência de Milgram, cujas primeiras versões apareceram no início dos anos 1960, em Yale.[63] Dois voluntários se ofereciam para um "estudo de memória" psicológico; de modo arbitrário, um deles era designado como "professor" e o outro como "aluno". Aluno e professor eram colocados em salas separadas, onde podiam ouvir — mas não ver — um ao outro. Na sala do professor ficava um cientista de jaleco branco supervisionando o estudo.

O professor recitava pares de palavras (de uma lista dada pelo cientista); o aluno tinha de memorizá-los. Depois de uma série de pares, o professor então testaria a memória do aluno. Cada vez que um erro fosse cometido, o professor era orientado a dar um choque no aluno; a cada erro, a intensidade do choque aumentava, até chegar ao limite potencialmente fatal de 450 volts, quando a sessão terminava.

Os professores pensavam que os choques eram reais — no começo eles recebiam um choque de verdade, em tese da mesma intensidade do primeiro choque que o aluno receberia como punição. E doía. Na verdade, nenhum choque punitivo era aplicado, pois o tal do "aluno" trabalhava para o projeto. Conforme aumentava a intensidade dos supostos choques, o professor ouvia o aluno reagindo com dor, gritando e implorando que o professor parasse.* (Em uma variante desse estudo, o "voluntário" escolhido como aluno mencionava de passagem que sofria de um problema cardíaco. Conforme a intensidade do choque aumentava, ele gritava sobre dores no peito e então ficava quieto, aparentemente desfalecendo.)

Em meio aos gritos de dor, os professores em geral hesitavam, e nesse momento eram pressionados pelo cientista com ordens de aumentar a intensidade: "Por favor, continue". "O experimento precisa que você continue." "É absolutamente essencial que você continue." "Você não tem outra saída, precisa ir adiante." Além disso, o cientista assegurava que eles não eram responsáveis pelo que acontecesse; o aluno havia sido informado dos riscos.

E o notório resultado é que a maioria dos voluntários obedeceu, aplicando sucessivos choques no aluno. Eles em geral tentavam parar, discutiam com o cientista e às vezes até choravam de angústia — mas obedeciam. No estudo original, a conclusão foi pavorosa: 65% dos voluntários administraram o choque máximo de 450 volts.

E então temos o Experimento da Prisão de Stanford (EPS), executado por Zimbardo em 1971.[64] Vinte e quatro jovens voluntários do sexo masculino, em sua maioria estudantes universitários, foram divididos de modo aleatório em grupos de

---

* Como parte ardilosa do planejamento, não era o ator da sala ao lado que expressava essas emoções teatrais. Em vez disso, pressionar o botão de choque ativava uma gravação prévia de sons proporcionais àquela intensidade específica. Isso servia para padronizar a suposta agonia do aluno de um indivíduo para o outro.

doze "prisioneiros" e doze "guardas". Os prisioneiros teriam de passar de sete a catorze dias encarcerados em uma prisão improvisada no porão do departamento de psicologia de Stanford. Os guardas deveriam manter a ordem.

Fez-se um tremendo esforço para tornar o EPS realista. Os futuros prisioneiros achavam que seriam orientados a comparecer ao edifício num determinado horário para o início do estudo. Em vez disso, no dia marcado, a polícia de Palo Alto ajudou Zimbardo aparecendo bem cedo na casa de cada um deles, efetuando as prisões e os levando até a delegacia para serem fichados — impressões digitais, foto criminal, o pacote completo. Os voluntários foram então transferidos para a "prisão", despidos e revistados, receberam um uniforme de presidiário (e uma touca de meia de náilon para simular a raspagem dos cabelos) e foram depositados em trios nas celas.

Quem mandava eram os guardas, vestidos com camisa e calça cáqui militares, e equipados com cassetete e óculos de sol espelhados. Eles foram informados de que, embora a violência física fosse proibida, podiam fazer os prisioneiros se sentir entediados, amedrontados, indefesos, humilhados e desprovidos de qualquer senso de privacidade ou individualidade.

E o resultado foi tão assustador quanto o do experimento de Milgram. Os guardas submeteram os prisioneiros a rituais de obediência humilhantes e sem sentido, comandaram exercícios dolorosos, privaram-nos de sono e comida, obrigaram-nos a fazer suas necessidades em baldes não esvaziados que ficavam no interior das celas (em vez de acompanhá-los até o banheiro), mandaram alguns deles para a solitária, jogaram prisioneiros uns contra os outros e passaram a chamá-los pelo número, não pelo nome. Enquanto isso, os detentos exibiram respostas variadas. Os integrantes de uma das celas se revoltaram no segundo dia, recusando-se a obedecer aos guardas e fazendo uma barricada para bloquear a entrada; os guardas os subjugaram com extintores de incêndio. Outros prisioneiros resistiram de forma mais individualista; por fim, a maioria mergulhava em passividade e desespero.

O experimento se tornou célebre. Depois de seis dias, conforme a brutalidade e a degradação se acentuavam, Zimbardo foi convencido a interromper o estudo por uma estudante de pós-graduação, Christina Maslach. Eles acabariam se casando.

Forças situacionais e o que está oculto em todos nós

Esses estudos ficaram famosos, inspiraram filmes e romances e entraram para a cultura *mainstream* (como esperado, com deturpações horrendas).*[65] Eles trouxe-

---

* Por exemplo, "Então os cientistas descobriram que 65% dos voluntários estavam dispostos a aplicar choques no aluno até a morte, e depois comer seu coração. E no estudo da prisão, vejam só, 65% dos

ram renome e notoriedade a Asch, Milgram e Zimbardo.* E tiveram forte influência nos círculos científicos: de acordo com o Google Scholar, o trabalho de Asch é citado mais de 4 mil vezes na literatura especializada; o de Milgram, mais de 27 mil vezes; e o EPS, mais de 58 mil.**[66] O número de vezes que um artigo científico comum é citado pode ser contado nos dedos de uma só mão, sendo a maioria dessas citações feita pela mãe do pesquisador. Hoje, o trio representa um dos pilares fundamentais da psicologia social. Nas palavras de Mahzarin Banaji, psicóloga de Harvard, "a principal lição que podemos tirar do EPS [e, por extensão, dos estudos de Asch e Milgram] é que *as situações importam*" (grifos dela).

O que esses estudos revelam? Graças a Asch, que uma pessoa normal é capaz de concordar com asserções incorretas e mesmo absurdas em nome da conformidade. E graças aos outros dois estudos, que uma pessoa normal é capaz de fazer coisas incrivelmente ruins em nome da obediência e da conformidade.

As implicações mais gerais disso são enormes. Tanto Asch quanto Milgram (o primeiro era um imigrante judeu do Leste Europeu, e o segundo, filho de imigrantes judeus do Leste Europeu) atuaram num período em que o maior desafio intelectual era entender a lógica daqueles alemães que "apenas cumpriram ordens". O estudo de Milgram foi instigado por um evento que teve início poucos meses antes: o julgamento dos crimes de guerra de Adolf Eichmann, o homem que, de maneira notória, representou o epítome da "banalidade do mal" por sua aparente normalidade. O trabalho de Zimbardo floresceu durante a Guerra do Vietnã, que contou com episódios como o Massacre de Mỹ Lai, e o EPS tornou-se muitíssimo relevante trinta anos mais tarde, com os maus-tratos e a tortura de iraquianos no presídio de Abu Ghraib, perpetrados por soldados americanos perfeitamente normais.***[67]

Zimbardo assumiu uma posição particularmente extrema quanto ao significado desses achados, a saber, sua teoria do "barril podre": a questão não é que umas poucas maçãs podres podem estragar um barril inteiro, mas que um barril podre

---

guardas também se tornaram canibais. É, tipo, muito doido que eles tenham chegado ao mesmo número".

* Uma coincidência bacana da vida real que não é bem uma coincidência: Milgram e Zimbardo foram colegas de classe no ensino médio no Bronx.

** Um dos estudos inspirados no de Milgram foi o experimento do hospital de Hofling, no qual enfermeiros, sem saber que estavam participando de um experimento, recebiam ordens de um médico desconhecido para aplicar doses perigosamente altas de um remédio a um paciente. Apesar de estarem cientes do risco, 21 dos 22 enfermeiros se mostraram dispostos a obedecer.

*** Para o Departamento de Irônicos Começos: o EPS foi patrocinado pelo Exército norte-americano, que estava interessado em aprimorar o funcionamento das prisões militares.

pode estragar todas as maçãs. Outra metáfora acertada: em vez de se concentrar em uma pessoa má por vez, naquilo que Zimbardo chama de abordagem "médica", é preciso compreender como certos ambientes geram epidemias de maldade, numa abordagem de "saúde pública". Como ele declara: "Qualquer ato, bom ou mau, que qualquer ser humano já cometeu na história eu e você também podemos cometer — dadas as mesmas forças situacionais". Qualquer um tem a crueldade em potencial de um dos "professores" de Milgram, de um dos "guardas" de Zimbardo ou de um nazista marchando com passos de ganso. Em um espírito similar, Milgram declarou: "Se um sistema de campos de concentração como o da Alemanha nazista fosse instalado nos Estados Unidos, seria possível encontrar funcionários suficientes para administrar esses campos em qualquer cidade americana de porte médio". E, conforme observado por Aleksandr Soljenítsin em *Arquipélago Gulag*, em uma citação muitas vezes replicada na literatura do ramo: "A linha que separa o bem e o mal atravessa o coração de cada um de nós. E quem pode destruir um pedaço do próprio coração?".[68]

Alguns enfoques diferentes

Grande surpresa: os estudos e suas conclusões, sobretudo nos casos de Milgram e Zimbardo, foram controversos. Ambos atraíram tempestades de polêmicas pela natureza antiética da pesquisa; alguns dos professores e guardas saíram psicologicamente destroçados ao constatar o que eram capazes de fazer;* o estudo mudou o curso de muitas daquelas vidas.** Nenhum comitê de ética para pesquisas com seres humanos aprovaria a proposta de Milgram hoje em dia; em versões contemporâneas, os voluntários recebem ordens de, por exemplo, dizer coisas cada vez mais ofensivas ao aluno ou de administrar choques virtuais em avatares, evocando dor virtual (não mude de canal).[69]

As controvérsias sobre a ciência em si nos estudos de Milgram e Zimbardo são

---

* Lembre-se de que se tratava, sobretudo, de estudantes universitários sadios em termos psicológicos. No EPS, quase todos haviam indicado, no começo, que preferiam ser prisioneiros em vez de guardas, e muitos deles disseram ter se oferecido para o estudo por quererem saber como seria a prisão — esperavam ser detidos em algum momento por conta de seu ativismo pacifista ou pró-direitos civis. E, como não se costuma enfatizar o suficiente em relatos sobre o EPS, muitos dos prisioneiros, assim como os guardas, saíram do estudo extremamente afetados ao ver quão rápido se entregaram à passividade.

** Um dos "professores" do estudo de Milgram, por exemplo, tornou-se um objetor de consciência [quem se nega a servir as forças armadas por questões de princípios] durante a Guerra do Vietnã, instado pelo horror que sentiu por seu comportamento no estudo.

mais pertinentes. A estrutura conceitual de Milgram foi questionada em três pontos, de modo mais contundente pela psicóloga Gina Perry:

- Milgram parece ter distorcido parte de seu estudo. Perry analisou os artigos não publicados dele e as gravações de suas sessões e descobriu que os professores se recusaram a aplicar os choques com uma frequência bem maior do que a relatada. Contudo, apesar dos números aparentemente inflados, o resultado com taxas de aquiescência de cerca de 60% foi replicado.[70]
- Poucos dos estudos de replicação consistiram em pesquisas acadêmicas tradicionais publicadas em periódicos com revisão por pares. Pelo contrário, muitos foram reconstruções para filmes e programas de televisão.
- Talvez o mais importante, segundo a análise de Perry, é que um número bem maior de professores do que o indicado por Milgram percebeu que o aluno era um ator e que os choques não eram reais. Esse problema ao que tudo indica também se estende às replicações.

Mas foi o EPS que produziu mais controvérsia.

- O grande ponto fraco do experimento foi o papel do próprio Zimbardo. Em vez de ser um observador neutro, ele agiu como um "superintendente" do presídio. Foi ele que estipulou as regras básicas (por exemplo, que os guardas podiam fazer os prisioneiros se sentirem amedrontados e impotentes) e se encontrou com regularidade com os carcereiros do começo ao fim. Estava visivelmente empolgado para ver o que acontecia no estudo. Zimbardo é uma irrefreável força da natureza, alguém que você gostaria muito de poder agradar. Dessa forma, os guardas estavam sujeitos à pressão não só de se conformar a seus colegas, mas também de obedecer e agradar ao próprio pesquisador; é quase certo que sua ação, de forma consciente ou não, induziu os guardas a um comportamento ainda mais extremo. Zimbardo, um homem bondoso e decente que é também um amigo e colega, escreveu bastante sobre essa influência de distorção que ele próprio exerceu no estudo.
- No início do experimento, os voluntários foram designados como guardas ou prisioneiros de maneira aleatória, e os dois grupos resultantes não diferiam em inúmeras medidas de personalidade. Ainda que isso seja bom, não se levou em conta a possibilidade de que os voluntários como um todo ti-

vessem traços característicos. Isso foi posto à prova em um estudo de 2007, quando os indivíduos foram recrutados a partir de duas versões diferentes de anúncios de jornal. A primeira descrevia "um estudo psicológico da vida na prisão" — as mesmas palavras utilizadas no anúncio para o EPS —, enquanto, na segunda, a palavra "prisão" era omitida. Ambos os grupos então passaram por um teste de personalidade. De modo crucial, viu-se que os voluntários para o estudo da "prisão" obtiveram pontuação mais alta que os outros em medidas de agressividade, autoritarismo e dominância social, e mais baixa em empatia e altruísmo. Ainda que tanto os guardas quanto os prisioneiros do EPS pudessem ter essas características, não fica claro por que isso teria levado a um resultado tão notoriamente brutal.[71]

- Por fim, existe o padrão-ouro da ciência: a replicação independente. Se você recriasse o EPS, copiando inclusive a mesma marca de meias dos guardas, chegaria aos mesmos resultados? Qualquer estudo grande, idiossincrático e caro como aquele seria difícil de emular com perfeição no estudo de replicação. Além disso, Zimbardo chegou a divulgar pouquíssimos dados sobre o experimento em periódicos científicos; em vez disso, ele basicamente escreveu para o público leigo (difícil de resistir, dada a atenção obtida pelo estudo). Assim, houve de fato apenas uma tentativa de replicação.

O "Estudo da Prisão da BBC", de 2001, foi concebido por dois respeitados psicólogos britânicos, Stephen Reicher, da Universidade de St. Andrews, e Alex Haslam, da Universidade de Exeter.[72] Como o nome sugere, foi promovido (e, entre outras coisas, financiado) pela BBC, que o filmou para um documentário. Sua estrutura replicava as características mais gerais do EPS.

Como costuma ser o caso muitas vezes, o resultado foi completamente diferente. Resumindo vários eventos complexos que caberiam num livro:

- Os prisioneiros se organizaram para resistir a quaisquer maus-tratos por parte dos guardas.
- A confiança dos prisioneiros se elevou, enquanto os guardas se sentiram desmoralizados e divididos.
- Isso levou ao colapso do diferencial de poder entre guardas e prisioneiros, inaugurando uma comuna cooperativa de poder compartilhado.
- O que, por sua vez, durou pouco, ou até três ex-prisioneiros e um ex-guarda derrubarem do poder os utópicos e instituírem um regime draconiano; um dado fascinante: esses quatro indivíduos tiveram as maiores pontuações nas escalas de autoritarismo medidas antes do início do estudo. Quan-

do o novo regime se transformou em um poder repressivo, o estudo foi interrompido.

Portanto, em vez de uma replicação do EPS, o estudo acabou sendo mais uma replicação do ERF e do ERR (ou seja, o Experimento da Revolução Francesa e o Experimento da Revolução Russa): um regime hierárquico é derrubado por idealistas catarrentos que sabem de cor todas as canções do *Les Mis*, e que são então devorados por bolcheviques ou jacobinos do Terror. E, mais importante: o fato de a junta dominante do final já ter entrado no experimento com uma predisposição mais forte para o autoritarismo sem dúvida aponta para a hipótese das maçãs podres, e não para a dos barris podres.

Uma surpresa ainda maior (parem as máquinas!): Zimbardo criticou o estudo, alegando que sua estrutura o invalidava como uma chance de replicar o EPS; que as designações de guardas e prisioneiros podiam não ter sido de fato aleatórias; que filmar o experimento o transformava em espetáculo de TV, e não em ciência; e, por fim, questionou: como isso poderia ser um modelo de qualquer coisa se os prisioneiros tomaram o controle da prisão?[73]

Naturalmente, Reicher e Haslam discordaram da discordância, ressaltando que, na vida real, prisioneiros tomaram o controle de algumas prisões, como a de Maze, na Irlanda do Norte, que os britânicos encheram de presos políticos do Exército Republicano Irlandês (IRA), e a da ilha Robben, na qual Nelson Mandela passou infindáveis anos.

Zimbardo chamou Reicher e Haslam de "cientificamente irresponsáveis" e "fraudulentos". Eles, por sua vez, meteram o pé na porta e citaram Foucault: "Onde há poder [coercitivo], há resistência".

Vamos manter a calma. Em meio a tantas controvérsias a respeito de Milgram e do EPS, dois pontos bastante cruciais são incontestáveis:

- Diante da pressão de adequar-se e obedecer, uma porcentagem muito maior do que se espera de pessoas normais é capaz de sucumbir e fazer coisas terríveis. Estudos contemporâneos usando uma variante do paradigma de Milgram comprovam a lógica do "estou só seguindo ordens" em ação, na qual o padrão de ativação neurobiológica difere quando o mesmo ato é executado de maneira voluntária versus de forma obediente.[74]
- Ainda assim, há sempre aqueles que resistem.

Essa segunda conclusão não é nenhuma surpresa, considerando os hutus que morreram protegendo os vizinhos tutsis da ação de esquadrões da morte hutus; os alemães que tinham toda a oportunidade de desviar o olhar, mas arriscaram tudo para salvar pessoas dos nazistas; o informante que revelou as atrocidades de Abu Ghraib. Certas maçãs, mesmo nos piores barris, não apodrecem.*

Portanto, torna-se vital compreender as circunstâncias que nos empurram em direção a ações que pensamos que jamais cometeríamos por serem tão vis, ou que, pelo contrário, revelam forças que nunca suspeitávamos ter.

Moduladores das pressões para conformar-se e obedecer

O fim do capítulo anterior examinou alguns fatores capazes de reduzir a dicotomização Nós/Eles. Eles incluem: tomar consciência dos vieses implícitos e automáticos; tomar consciência de nossa sensibilidade à aversão, ao ressentimento e à inveja; reconhecer a multiplicidade de dicotomias Nós/Eles que possuímos e enfatizar aquelas em que Eles passam a fazer parte de Nós; entrar em contato com Eles sob circunstâncias adequadas; resistir ao essencialismo; exercer a tomada de perspectiva; e, sobretudo, olhar para Eles não como um grupo, mas como indivíduos.

Fatores similares podem diminuir a probabilidade de que as pessoas façam coisas terríveis em nome da conformidade ou da obediência. Eles incluem:

A natureza da autoridade ou do grupo que exige conformidade

Essa autoridade evoca veneração, identificação ou pavor o bastante para nos fazer mijar nas calças? Ela está muito próxima? Estudos complementares ao de Milgram mostraram que, quando a autoridade (ou seja, o cientista) estava em outra sala, a aquiescência diminuía. Essa autoridade vem revestida de prestígio? Quando o experimento foi conduzido em um galpão comum em New Haven, e não no campus de Yale, a aquiescência foi menor. E, conforme enfatizado por Tajfel em seus escritos: a autoridade é vista como legítima e estável? É mais provável que eu siga os conselhos de vida oferecidos, digamos, pelo Dalai Lama do que pelo líder do Boko Haram.

Questões similares de prestígio, proximidade, legitimidade e estabilidade podem influenciar a decisão das pessoas de se conformar ou não a um grupo. É claro que grupos do tipo Nós evocam mais conformidade do que grupos de Eles. Considere esta invocação de um Nós feita por Konrad Lorenz ao tentar justificar sua

---

* Em relação a isso, uma pesquisa mais recente de Zimbardo examina a resistência a autoridades injustas.

adesão ao nazismo: "Praticamente todos os meus amigos e professores o fizeram, até meu próprio pai, que era sem dúvida um homem gentil e bondoso".[75]

Com relação a grupos, questões numéricas entram em jogo: quantas outras vozes estão insistindo para que você se junte à turma dos garotos descolados? Lembre-se de que, entre chimpanzés ou crianças de dois anos, ver um indivíduo fazendo alguma coisa três vezes não evoca o mesmo grau de conformidade de quando se vê três indivíduos fazendo a mesma coisa uma vez cada. Ecoando esses achados, estudos complementares conduzidos por Asch mostraram que a conformidade começa a despontar quando existem ao menos três pessoas contradizendo em uníssono a opinião do sujeito, sendo a máxima conformidade evocada por cerca de meia dúzia de opositores. Mas isso serve para o mundo artificial de voluntários em um laboratório examinando o comprimento de uma linha — no mundo real, o poder de conformação de um grupo linchador de seis pessoas não chega nem perto do poder de uma turba de milhares de indivíduos.[76]

O que está sendo exigido e em que contexto

Dois pontos chamam a atenção. O primeiro é o poder persuasivo do aspecto incremental. "Então você acha que tudo bem dar um choque de 225 volts nele, mas não de 226? Isso não tem lógica." "Vamos lá, todo mundo está boicotando as lojas deles. Por que não fechá-las? Ninguém está frequentando esses lugares mesmo. Vamos lá, nós já fechamos as lojas, é hora de saqueá-las; elas não estão rendendo nada de qualquer forma." É raro termos uma explicação racional para o senso intuitivo de que uma linha foi ultrapassada dentro de um continuum. O que a incrementalidade faz é colocar o possível opositor na defensiva, tornando a selvageria uma questão de racionalidade, e não de moralidade. Isso representa uma irônica inversão de nossa tendência a pensar em categorias, a inflar de modo irracional a importância de uma fronteira arbitrária. O mergulho na selvageria pode ser tão incremental a ponto de se concretizar inteiramente por fronteiras arbitrárias, e nosso mergulho se torna algo como o proverbial sapo que é cozido vivo sem perceber. Quando a nossa consciência enfim se rebela e traça uma linha na areia, sabemos que ela é provavelmente arbitrária, estimulada por forças subterrâneas implícitas: apesar de todo o seu esforço particular no ramo da pseudoespeciação, o rosto da vítima faz com que você se lembre de uma pessoa querida; um cheiro que acaba de passar por você o leva de volta à infância, fazendo-o relembrar como tudo era inocente naquela época; seus neurônios do córtex cingulado anterior acabaram de tomar o café da manhã. Nessas horas, contar com uma linha enfim traçada pode ser mais importante do que o caráter arbitrário dessa linha.

O segundo ponto tem a ver com responsabilidade. Ao serem entrevistados depois do experimento, os professores de Milgram que haviam aquiescido com os choques crescentes em geral diziam achar muito persuasiva a informação de que o aluno havia sido advertido dos riscos e consentido com aquilo. "Não se preocupe, você não será responsabilizado." O fenômeno Milgram também comprovou o poder coercitivo de redirecionar falsamente a responsabilidade, que ocorria quando os pesquisadores buscavam a aquiescência do voluntário enfatizando que o compromisso dele era com o projeto, não com o aluno — "Pensei que você tivesse dito que estava aqui para ajudar"; "Você precisa jogar pelo time"; "Você está estragando tudo"; "Você assinou um documento". Já é difícil o suficiente responder com: "Esse não foi o trabalho que eu concordei em fazer". É mais difícil ainda quando as linhas miúdas do contrato revelam que foi exatamente esse o trabalho com o qual você concordou.

A aquiescência aumenta quando a culpa é difusa — mesmo se não fosse por mim, isso ainda teria ocorrido.[77] Uma culpa estatística. Daí que, historicamente, as pessoas não sejam executadas com cinco tiros da mesma arma. Em vez disso, cinco armas disparam ao mesmo tempo — um pelotão de fuzilamento. Nesse caso, a difusão da responsabilidade é levada um passo além, pois um membro do pelotão escolhido de maneira aleatória recebe uma bala de festim, em vez de uma bala de verdade. Dessa forma, um atirador pode sair de uma irracionalidade reconfortante ("só fui responsável por 25% da morte dele") para outra, ainda melhor: "posso inclusive nem ter atirado nele". Esse costume encontra tradução na tecnologia moderna das execuções. As máquinas de injeção letal utilizadas nas execuções de prisioneiros têm um sistema de controle dual: duas seringas, cada uma contendo uma dose letal, dois sistemas de aplicação separados, dois botões pressionados ao mesmo tempo por pessoas diferentes — nesse ponto, um gerador binário aleatório é que determina secretamente qual das seringas será esvaziada em um balde e qual delas irá para o prisioneiro. E então o registro é apagado, permitindo que cada um dos executores pense: "Ei, pode ser que eu nem tenha dado nenhuma droga a ele".

Por fim, a responsabilidade pode se tornar mais difusa devido ao anonimato.[78] Na prática, isso ocorre se o grupo é grande o suficiente, e grupos grandes também favorecem os esforços individuais pelo anonimato — durante as revoltas de Chicago de 1968, muitos policiais cobriram a identificação na farda antes de investir contra os manifestantes desarmados que protestavam contra a guerra. Os grupos também favorecem a conformidade ao institucionalizar o anonimato: os exemplos vão da Ku Klux Klan aos guardas imperiais (*stormtroopers*) da saga Star Wars, passando pelo achado de que, nas sociedades humanas tradicionais, os guerreiros que transformavam e padronizavam a aparência antes da batalha eram mais propensos a

torturar e mutilar seus inimigos do que os guerreiros de culturas que não se transformavam. Todos recorrem a meios de se desindividualizar, e o objetivo não é tanto garantir que Eles, ao serem vitimados, não consigam reconhecê-lo depois, mas sobretudo facilitar o distanciamento moral para que *você* não seja capaz de reconhecer a si mesmo depois da agressão.

A natureza da vítima

Nenhuma surpresa aqui: a aquiescência se torna mais fácil quando a vítima é uma abstração — digamos, as futuras gerações que herdarão este planeta. Nos estudos complementares ao conduzido por Milgram, a aquiescência caía quando o aluno estava na mesma sala em que o professor, e despencava se os dois tivessem apertado as mãos. A mesma coisa ocorria quando a distância psicológica era encurtada por uma tomada de perspectiva — como você se sentiria se estivesse no lugar dele?

De modo previsível, a aquiescência também caía quando a vítima era percebida como um indivíduo.[79] Contudo, não deixe a autoridade individualizar as vítimas por você. Em um clássico estudo ao estilo do de Milgram, cientistas permitiam "por acaso" que o professor ouvisse a opinião deles sobre o aluno: "Parece um cara legal" ou "Esse cara deve ser um animal". Adivinhe quem ganhou mais choques.

Autoridades raramente nos pedem para dar choques naqueles a quem elas rotulam de caras legais. É sempre nos animais. Implícito a esse índice maior de aquiescência está o fato de havermos renunciado ao nosso poder de criar a narrativa, em favor das autoridades ou do grupo. Uma das mais profícuas fontes de resistência é tomar de volta a narrativa para si. De "crianças excepcionais" às Paraolimpíadas, das marchas do orgulho gay ao lema judeu "Nunca Mais", do Mês da Herança Hispânica a James Brown cantando: "Say It Out Loud, I'm Black and I'm Proud" [Diga em voz alta: sou negro e tenho orgulho]; um dos passos mais significativos que as vítimas podem dar em direção à resistência é ganhar o poder de se definir.

Contribuições trazidas pela pessoa que está sendo pressionada

Certos traços de personalidade prenunciam uma resistência à pressão de obedecer: não valorizar ser consciencioso ou agradável; pontuação baixa em neuroticismo; pontuação baixa em autoritarismo de direita (qualquer autoridade em particular tem mais chances de ser questionada se você já questiona o próprio conceito de autoridade); e inteligência social, que pode ser mediada por uma capacidade aprimorada de compreender artifícios como bodes expiatórios ou interesses velados. A origem dessas diferenças individuais é o produto final da maioria dos capítulos anteriores.[80]

E quanto ao gênero? Estudos similares aos de Milgram mostraram que, em comparação aos homens, as mulheres têm uma tendência maior de expressar oposição a ordens... e, apesar disso, maior tendência de acabar obedecendo. Outros estudos demonstram que as mulheres têm índices mais elevados de conformidade pública e menores de conformidade privada. No geral, porém, o gênero não serve de fator preditivo. É interessante notar que as taxas de conformidade em estudos semelhantes ao de Asch aumentam em grupos mistos. Na presença do sexo oposto, talvez exista menos desejo de ser visto como um individualista bruto do que receio de parecer um tolo.[81]

Por fim, somos, é claro, produtos da nossa cultura. Em amplos estudos interculturais, Milgram e outros registraram maior aquiescência em indivíduos de culturas coletivistas do que naqueles oriundos de culturas individualistas.[82]

Estresse

Exatamente como ocorre na demarcação Nós/Eles, as pessoas têm maior tendência a se conformar e a obedecer em períodos de estresse — seja por causa de pressões de tempo, de ameaças externas reais ou imaginárias, ou de contextos de novidade. Em situações estressantes, as regras ganham poder.

Alternativas

Por fim, existe a questão essencial de perceber ou não alternativas às ações exigidas de você. Pode ser uma tarefa solitária o ato de reenquadrar e reavaliar uma situação, de explicitar o que está implícito, de exercer a tomada de perspectiva, de questionar. Ou mesmo imaginar que a resistência *não é* inútil.

Ajuda muito ter evidências de que você não está sozinho. De Asch e Milgram em diante, já ficou claro que a presença de qualquer outra pessoa resistindo à pressão pode ser estimulante. Dez contra dois em uma sala de júri é uma situação infinitamente diferente de onze contra um. Uma única voz solitária gritando num deserto configura um excêntrico. Duas vozes juntas formam um foco de resistência, oferecem o início de uma identidade social dissidente.

Sem dúvida é de grande valia saber que você não está sozinho, que existem mais pessoas dispostas a resistir e que outras o fizeram no passado. Porém, muitas vezes, alguma coisa ainda nos faz hesitar. A aparente normalidade de Eichmann nos deu, graças a Hannah Arendt, a noção de banalidade do mal. Já Zimbardo, em seu artigo recente, enfatiza a "banalidade do heroísmo". Conforme já foi discutido em vários capítulos, pessoas que heroicamente se recusam a desviar o olhar, que fazem a coisa certa mesmo quando isso acarreta um custo altíssimo, tendem a ser surpreendentemente normais. As estrelas não se alinharam em seu nascimento; pombas da paz não as cercaram enquanto elas marchavam adiante. Elas também vestem as calças uma perna de cada vez. Isso deveria ser uma enorme fonte de força para nós.

SUMÁRIO E CONCLUSÕES

- Somos como inúmeras outras espécies sociais no sentido de que temos marcadas diferenças de status entre indivíduos, além de hierarquias que surgem dessas diferenças. Como muitas outras espécies, estamos sintonizados de modo fantástico com as distinções de status; somos tão fascinados por elas que as monitoramos em indivíduos irrelevantes para nós; e somos capazes de percebê-las num piscar de olhos. Além disso, ficamos bastante perturbados, e com a amígdala liderando na primeira fila, quando as relações de status são ambíguas e instáveis.

- Como em tantas outras espécies, nosso cérebro, particularmente o neocórtex (sobretudo o córtex frontal), coevoluiu junto com a complexidade social das diferenças de status. É preciso muita capacidade mental para decifrar as sutilezas das relações de dominância. Isso não é nenhuma surpresa, pois "saber o seu lugar" pode depender muito do contexto. Navegar pelas diferenças de status é mais desafiador quando se trata de obter e manter uma alta posição hierárquica; isso requer um domínio cognitivo de Teoria da Mente e tomada de perspectiva; de manipulação, intimidação e engano; e de controle dos impulsos e regulação emocional. Como ocorre com outros primatas, a biografia de nossos membros hierarquicamente mais bem-sucedidos é construída em torno de quais provocações são ignoradas nos momentos em que o córtex frontal manteve a calma.

- Nosso corpo e nossa mente, assim como os de outras espécies sociais, carregam a marca do status social; portanto, ter a posição hierárquica "errada" pode ser corrosivamente patogênico. Além disso, a fisiologia não tem tanto a ver com a posição em si, mas com o seu significado social em uma determinada espécie e grupo, com as vantagens e desvantagens comportamentais e com o fardo psicológico daquela posição em particular.

- Por outro lado, somos diferentes de todas as outras espécies do planeta por pertencermos a múltiplas hierarquias, sermos psicologicamente exímios em supervalorizar aquelas nas quais somos dominantes e mantermos padrões internos capazes de superar, em impacto, a posição hierárquica objetiva.

- Os seres humanos se comprometeram com uma trajetória única ao inventar o nível socioeconômico. Em termos de efeitos corrosivos e danosos exercidos em corpos e mentes, nada na história dos animais sendo sórdidos uns com os outros por causa de diferenças de status chega remotamente próximo à invenção humana da pobreza.

- Somos de fato incomuns enquanto espécie: às vezes, nossos indivíduos de alto escalão não apenas saqueiam como também lideram a fim de promover o bem comum. Nós inclusive desenvolvemos mecanismos de baixo para cima que servem para escolher tais líderes de forma coletiva, de tempos em tempos. Uma conquista magnífica. Que nós então fazemos questão de estragar, deixando nossa escolha ser moldada por fatores implícitos e automáticos mais adequados a crianças de cinco anos decidindo quem deve ser o capitão do bote em uma viagem com os Teletubbies para o universo dos doces.

- Reduzidas a sua essência idealística, nossas diferenças políticas envolvem visões distintas sobre a melhor forma de promover o bem comum. Temos a tendência a nos apresentar como pacotes internamente consistentes de posições políticas que vão desde as pequenas e locais às gigantescas e globais. E, com notável frequência, essas posições refletem nossa constituição implícita e afetiva, com a cognição tendo mais tarde que brincar de pega-pega. Se você de fato quiser entender o posicionamento político de alguém, entenda sua carga cognitiva, qual é sua propensão a fazer julgamentos apressados, seus métodos de reavaliar e resolver a dissonância cognitiva. Mais importante ainda, entenda como essa pessoa *se sente* em relação a novidades, ambiguidades, empatia, higiene, doença e desconforto; e descubra se ela crê que as coisas eram melhores no passado, ou que o futuro é um lugar assustador.

- Como tantos outros animais, temos uma necessidade muitas vezes desesperada de nos adequar, de pertencer e obedecer. Tal conformidade pode ser marcadamente prejudicial, pois negligenciamos soluções melhores em nome da tolice da multidão. Quando nos damos conta de que estamos fora de sintonia com o resto do grupo, nossa amígdala se contrai de ansiedade, as memórias são revisadas e as regiões de processamento sensorial são inclusive pressionadas a experienciar o que não é verdadeiro. Tudo para nos encaixarmos.

- Por fim, a força de atração da conformidade e da obediência pode nos levar a alguns de nossos locais mais sombrios e pavorosos; a quantidade de pessoas que se deixa levar é muito maior do que gostaríamos de admitir. Mas, apesar disso, mesmo os piores barris não conseguem apodrecer todas as maçãs, e termos como "Resistência" e "Heroísmo" costumam ser mais acessíveis e menos sutis e merecedores de maiúsculas do que pensamos. Raramente estamos sozinhos quando pensamos que algo é muito errado. E em geral não somos menos especiais ou singulares do que aqueles que, antes de nós, resolveram ir contra a corrente e resistir.

13. Moralidade e fazer a coisa certa, uma vez que você descobriu qual é

Os dois capítulos anteriores examinaram os contextos profundamente únicos de certos comportamentos humanos que estão em um continuum com os comportamentos de outras espécies. À maneira de algumas outras espécies, fazemos dicotomias automáticas Nós/Eles e favorecemos as primeiras — embora apenas os seres humanos racionalizem essa tendência por meio da ideologia. Também como muitas outras espécies, somos implicitamente hierárquicos — embora apenas os seres humanos sejam capazes de interpretar o abismo entre ricos e pobres como um plano divino.

Este capítulo analisa outro domínio repleto de singularidade humana, a saber, a moralidade. Para nós, não se trata apenas de acreditar em normas apropriadas de comportamento: a moralidade envolve também a crença de que elas devem ser compartilhadas e transmitidas por meio da cultura.

As pesquisas na área são dominadas por uma questão bem familiar: quando tomamos uma decisão relativa à moralidade, ela é resultado sobretudo de uma racionalização moral ou de uma intuição moral? Na hora de decidir o que é certo nós tratamos mais de pensar ou de sentir?

Isso nos leva a outra pergunta: a moralidade humana é tão nova quanto as instituições culturais que cultivamos nos últimos milênios ou seus rudimentos são um legado primata muito mais antigo?

O que, por sua vez, levanta ainda outra questão. O que é mais impressionante: a consistência e a universalidade do comportamento moral humano ou a variabilidade e sua correlação com fatores culturais e ecológicos?

Por fim, haverá questões desavergonhadamente prescritivas. Na hora de tomar uma decisão moral, quando é "melhor" recorrer à intuição ou ao raciocínio? E quando resistimos às tentações, isso se dá sobretudo por um ato de vontade ou de virtude?

As pessoas têm confrontado tais assuntos desde que os alunos usavam toga nas aulas de introdução à filosofia. Naturalmente, as respostas são buscadas na ciência.

A PRIMAZIA DO RACIOCÍNIO NA TOMADA DE DECISÕES MORAIS

Um único fato ilustra muito bem a tomada de decisões morais com base na cognição e no raciocínio. Você já viu um manual de direito? Eles são enormes.

Todas as sociedades possuem regras sobre o comportamento moral e ético que são bem fundamentadas e apelam para operações lógicas. A aplicação dessas regras envolve reconstruir situações, entender causas proximais e distais de eventos, e avaliar as magnitudes e probabilidades das consequências de cada ação. Examinar o comportamento individual exige tomada de perspectiva, Teoria da Mente e distinção entre resultado e intenção. Além disso, em muitas culturas, a implementação de regras costuma ser confiada a pessoas (como advogados e clérigos) que passaram por um longo treinamento.

Relembrando o capítulo 7, a primazia do raciocínio na tomada de decisões morais se estabelece no período de desenvolvimento da criança. A emergência kohlbergiana de estágios cada vez mais complexos de desenvolvimento moral se fundamentou na emergência piagetiana de operações lógicas cada vez mais complexas. Eles são similares no âmbito neurobiológico. Os raciocínios lógico e moral sobre a correção de uma decisão econômica ou ética — respectivamente — ativam o (cognitivo) CPFdl. Indivíduos com transtorno obsessivo-compulsivo se veem empacados tanto na tomada de decisões cotidianas quanto de decisões morais, e, nos dois casos, seus CPFdl se ativam loucamente.[1]

De modo similar, ocorre uma ativação da junção temporoparietal (JTP) em tarefas de Teoria da Mente, sejam elas perceptivas (como visualizar uma cena complexa sob a perspectiva de outra pessoa), amorais (distinguir exatamente quem está apaixonado por quem em *Sonho de uma noite de verão*) ou morais/sociais (inferir a motivação ética por trás da ação de alguém). Além disso, quanto maior a ativação da JTP, mais as pessoas levam em conta a intenção ao fazer julgamentos de cunho moral, sobretudo quando houve propósito de machucar, mas nenhum dano real. Mais importante ainda, basta inibir a JTP por meio de estimulação magnética transcraniana e os voluntários ficam menos preocupados com a intenção.[2]

Os processos cognitivos que trazemos ao raciocínio moral não são perfeitos, pois existem diferenças de vulnerabilidade, desequilíbrios e assimetrias.[3] Por exemplo, fazer o mal é pior do que permiti-lo — em geral, para resultados equivalentes, julgamos a ação de maneira mais dura que a omissão e precisamos ativar mais o CPFdl a fim de considerá-los da mesma forma. Isso tem lógica: quando fazemos algo, há inúmeras outras coisas que deixamos de fazer; não é de estranhar, portanto, que a ação tenha maior peso psicológico. Em outra distorção cognitiva, conforme discutido no capítulo 10, somos mais hábeis em detectar violações de contratos sociais que têm consequências prejudiciais, em vez de benéficas (por exemplo, dar menos que o prometido em comparação a dar mais que o esperado). Também buscamos causalidades com mais afinco (e produzimos mais atribuições falsas) em eventos prejudiciais que em benéficos.

Isso foi demonstrado em um estudo. Primeiro cenário: um funcionário propõe um plano para o chefe, dizendo: "Se fizermos tal coisa, teremos grandes lucros, mas vamos prejudicar o meio ambiente no processo". O chefe responde: "Eu não ligo para o meio ambiente. Pode fazer". Segundo cenário: o mesmo plano, mas dessa vez os resultados serão grandes lucros e *benefícios* ao meio ambiente. O chefe: "Eu não ligo para o meio ambiente. Pode fazer". No primeiro cenário, 85% dos voluntários declararam que o chefe prejudicou o meio ambiente *com o propósito de* aumentar os lucros; contudo, no segundo cenário, só 23% disseram que o chefe ajudou o meio ambiente *com o propósito de* aumentar os lucros.[4]

Certo, não somos máquinas de raciocínio perfeitas. Mas esse é o nosso objetivo. Inúmeros filósofos morais enfatizam a superioridade do raciocínio, ao passo que a emoção e a intuição, quando aparecem, servem apenas para sujar o tapete. Tais filósofos vão de Kant, com sua busca por uma matemática da moral, ao filósofo Peter Singer, de Princeton, quando resmunga que, se coisas como sexo e funções corporais forem pertinentes à filosofia, é hora de pendurar as chuteiras: "Seria melhor esquecer tudo sobre os nossos julgamentos morais particulares". A moralidade se fundamenta na razão.[5]

CLARO QUE SIM, COM CERTEZA: O INTUICIONISMO SOCIAL

Só que existe um problema nessa conclusão: as pessoas muitas vezes não sabem *por que* fizeram determinado julgamento, ainda que acreditem fervorosamente que ele está certo.

Isso vem direto do capítulo 11, com suas avaliações rápidas e implícitas do tipo Nós versus Eles, e nossas justificativas *post hoc* para o preconceito visceral. Cada vez mais, os cientistas da filosofia moral enfatizam que a tomada de decisões morais se dá de forma implícita, intuitiva e fundamentada na emoção.

O rei dessa escola "intuicionista social" é Jonathan Haidt, que conhecemos em capítulos anteriores.[6] Ele enxerga as decisões morais como primariamente baseadas na intuição e acredita que o raciocínio é aquilo que depois utilizamos para convencer a todos, inclusive a nós mesmos, de que estamos certos. Segundo uma frase acertada de Haidt, "o pensamento moral serve para agir socialmente"; a socialidade sempre tem um componente emocional.

As evidências para a escola intuicionista social são abundantes:

Quando contemplamos decisões morais, não ativamos apenas o intelectualoide CPFdl,[7] mas também nosso velho e conhecido elenco emotivo: a amígdala, o CPFvm com seu relacionado córtex orbitofrontal, o córtex insular, o córtex cingulado anterior. Diferentes tipos de transgressões morais ativam preferencialmente diferentes subgrupos dessas regiões. Por exemplo: dilemas morais que evocam pena costumam ativar em especial a ínsula; os que evocam indignação ativam o córtex orbitofrontal. Dilemas que provocam conflitos intensos estimulam sobretudo o córtex cingulado anterior. Por fim, para atos rotulados como igualmente errados, os que envolvem transgressões não sexuais (roubar do irmão) ativam a amígdala, enquanto os que incluem transgressões sexuais (fazer sexo com o irmão) também agem sobre a ínsula.*

Além disso, quando tal ativação é forte o suficiente, também acionamos o sistema nervoso simpático e sentimos excitação — e nós todos sabemos como esses efeitos periféricos retroalimentam e influenciam o comportamento. Quando nos deparamos com uma escolha moral, o CPFdl não fica deliberando em silêncio contemplativo. As águas lá embaixo estão revoltas.

O padrão de ativação nessas regiões é um fator preditivo de decisões morais mais eficiente que o perfil do CPFdl. E isso também se aplica ao comportamento — as pessoas costumam calcular a punição tendo como base o quanto elas se *sentem* bravas com alguém agindo de forma antiética.[8]

Os indivíduos tendem para reações morais instantâneas; além disso, quando deixam de julgar os elementos não morais de um ato e passam para os elementos morais, eles fazem avaliações mais rápidas, o que é a antítese da tomada de decisões morais como resultado da cognição opressora. Ainda mais impressionante é que, ao encarar um dilema moral, a ativação da amígdala, do CPFvm e da ínsula em geral *precede* a do CPFdl.[9]

Lesões nessas regiões intuicionistas do cérebro tornam os julgamentos morais mais pragmáticos e até insensíveis. Lembre-se de como, no capítulo 10, indivíduos com lesões no (emocional) CPFvm concordam de imediato em sacrificar um membro da

---

* Os autores do estudo também incluíram uma categoria de atos repulsivos que, apesar de tudo, não eram transgressões morais, igualmente adaptados para envolver irmãos: beber a urina do seu irmão, comer uma casca de ferida dele.

família para salvar cinco desconhecidos, algo que os voluntários do grupo de controle nunca fazem.

O mais notável se dá quando temos opiniões morais fortes, mas não sabemos dizer por quê, algo que Haidt chama de "mudez moral" — que é seguida por uma desajeitada racionalização *post hoc*.[10] Além disso, tais decisões morais podem diferir de maneira marcante em circunstâncias afetivas ou viscerais distintas, gerando racionalizações muito díspares. Lembre-se de como, no capítulo anterior, os indivíduos se tornavam mais conservadores em seus julgamentos sociais quando sentiam um cheiro ruim ou estavam diante de uma mesa suja. E também houve aquele tremendo achado: conhecer as opiniões de um juiz sobre Platão, Nietzsche, Rawls e qualquer outro filósofo cujo nome pronunciei aqui é um fator menos preditivo de suas decisões judiciais do que saber se ele está com fome.

As raízes intuicionistas sociais da moralidade também são reforçadas pelas evidências de julgamento moral em duas classes de indivíduos com capacidades limitadas de raciocínio moral.

DE NOVO COM BEBÊS E ANIMAIS

Assim como exibem rudimentos do pensamento hierárquico e da demarcação Nós/Eles, os bebês também possuem fundamentos de raciocínio moral. Para começar, eles exibem o viés relativo a ação versus omissão. Em um estudo engenhoso, bebês de seis meses assistiam a uma cena retratando dois objetos iguais, um azul e outro vermelho; repetidas vezes, a cena mostrava uma pessoa pegando o objeto azul. Então, de repente, ela pega o vermelho. O bebê fica interessado, observa mais e respira mais rápido, deixando claro que isso lhe parece discrepante. Em um segundo momento, a cena mostra dois objetos iguais, um azul e outro de cor diferente. Em cada uma das repetições, a pessoa pega aquele que não é azul (a cor muda a cada repetição). De repente, ela pega o azul. O bebê não fica particularmente interessado. "Ela sempre pega o azul" é mais fácil de compreender do que: "Ela nunca pega o azul". A ação tem peso maior.[11]

Bebês e crianças pequenas também têm indícios de senso de justiça, conforme demonstrado por Kiley Hamlin, da Universidade da Colúmbia Britânica, e Paul Bloom e Karen Wynn, de Yale. Bebês de seis a doze meses assistem ao desenho de um círculo tentando subir uma ladeira. Um bondoso triângulo ajuda a empurrá-lo. Um malvado quadrado o bloqueia. Depois disso, os bebês podem pegar um triângulo ou um quadrado. Eles escolhem o triângulo.* As crianças pequenas preferem as criaturas bondosas ou rechaçam as malvadas? Ambas as opções. Elas preferiam os triângulos bondosos às formas neutras, que, por sua vez, tinham precedência sobre os quadrados malvados.

Tais bebês defendem a punição de atos malvados. Uma criança pequena assiste a um teatro de dois fantoches, um bom e outro mau (aquele que divide e aquele que guarda tudo para si). Ela então é apresentada aos fantoches, cada um sentado em uma pilha de doces. Quem deve perder um doce? O fantoche malvado. E quem deve ganhar um doce? O bom.

De modo notável, os bebês inclusive levam em conta punições secundárias. Os fantoches bons e maus então interagem com dois fantoches adicionais, que podem ser bons ou maus. Desses fantoches do segundo grupo, quais as crianças preferem? Aqueles que foram bonzinhos com os fantoches bons e aqueles que puniram os malvados.

Outros primatas também exibem rudimentos de julgamento moral. Tudo começou com um artigo excelente de Frans de Waal e Sarah Brosnan, de 2003.[12] Macacos-prego foram treinados em uma tarefa: o pesquisador lhes oferece um pequeno objeto moderadamente interessante, como uma pedra. Depois estende a mão com a palma para cima, que é um gesto de súplica dos macacos-prego. Se o macaco coloca a pedra na mão do pesquisador, há uma recompensa em forma de comida. Em outras palavras, os animais aprenderam a comprar alimentos.

Agora há dois macacos-prego lado a lado. Cada um ganha uma pedra. Ambos a entregam para o ser humano. Cada um ganha uma uva, o que é muito gratificante.

Então faça uma modificação. Ambos os macacos oferecem suas pedras. O macaco 1 ganha uma uva. Mas o macaco 2 ganha um pepino, que é uma decepção perto da uva — macacos-prego preferem uvas a pepinos em 90% das vezes. O macaco 2 foi passado para trás.

Na sequência, o macaco 2 em geral arremessa o pepino no pesquisador ou sai pisando duro pela jaula, frustrado. De modo mais sistemático, ele se recusa a dar a pedra da próxima vez. Como resumiu o título do artigo na revista *Nature*, "Macacos rejeitam disparidade de salários".

Desde então, essa reação foi comprovada em indivíduos de várias espécies do gênero *Macaca*, em galhas-pretas, corvos e cães (no caso dos cães, o "trabalho" era dar a patinha).**[13]

---

* E para demonstrar o quanto esse experimento apela ao cérebro social das crianças, ele só funciona se os objetos forem personificados com olhos.

** Os cães se diferenciaram dos primatas de duas formas interessantes que fazem sentido, tanto no

Estudos subsequentes de Brosnan, de Waal e outros desenvolveram ainda mais esse fenômeno:[14]

- Uma crítica ao estudo original era que talvez os macacos-prego estivessem se recusando a trabalhar em troca de pepinos porque as uvas estariam à vista, não importando se o colega as estava recebendo. Mas não — o fenômeno exigia uma desigualdade de pagamento.
- Ambos os animais estão recebendo uvas, então um deles passa a receber um pepino. Qual é o problema: que o outro cara continua ganhando uvas ou que eu parei de ganhar? É a primeira opção: ao executar o experimento com um único macaco, mudar de uvas para pepinos não gerava a recusa. Isso também não ocorria quando ambos os macacos ganhavam pepinos.
- Em várias espécies, os machos eram mais propensos a recusar "baixos pagamentos" do que as fêmeas; os animais dominantes eram mais propensos a fazê-lo do que os subordinados.
- Isso diz respeito a trabalho: se você oferecer uma uva gratuita a um macaco e um pepino gratuito a outro, este último não fica irritado.
- Quanto maior a proximidade física entre os animais, maiores são as chances de o macaco que ganhou o pepino entrar em greve.
- Por fim, a recusa em receber um pagamento desigual não é observada em espécies solitárias (como os orangotangos) ou que têm cooperação social mínima (macacos-da-noite).

Certo, parece impressionante: outras espécies sociais têm indícios de senso de justiça, reagindo de forma negativa a recompensas desiguais. Mas isso está a anos-luz de distância de jurados decidindo em favor de querelantes prejudicados pelo empregador. Em vez disso, trata-se de interesse próprio: "Isso não é justo, estou sendo enganado".

E quanto a evidências de um senso de equidade no tratamento dos outros? Dois estudos examinaram a questão por meio de uma versão do Jogo do Ultimato

---

âmbito dos cães quanto no dos primatas. Estes últimos ficavam irritados e paravam de trabalhar quando havia uma diferença na *qualidade* da recompensa (uva versus pepino); em contraste, os cães não distinguiam a qualidade (pão versus salsicha), só se um deles ganhava recompensa e o outro não. Em segundo lugar, enquanto muitos macacos se recusavam a aceitar uma recompensa futura e nunca mais cooperavam, os cães acabavam cedendo, depois de um número suficiente de súplicas para que dessem a patinha.

para chimpanzés. Lembre-se da versão humana: em rodadas repetidas, o jogador 1 de uma dupla decide como o dinheiro será dividido entre ambos. O jogador 2 não tem poder nenhum nessa tomada de decisão, mas, se estiver descontente com a divisão, pode recusá-la, de modo que ninguém ganha nada. Em outras palavras, o jogador 2 pode abdicar de uma recompensa imediata para punir o egoísta jogador 1. Como vimos no capítulo 10, os jogadores 2 tendem a aceitar divisões do tipo 60:40.

Na versão símia, o chimpanzé 1, o proponente, tem duas fichas. Uma delas indica que cada chimpanzé ganha duas uvas. A outra indica que o proponente ganha três uvas e o parceiro, só uma. O proponente escolhe uma ficha e a transfere para o chimpanzé 2, que então decide se passará a ficha adiante para o fornecedor humano de uvas. Em outras palavras, se o chimpanzé 2 julgar que o chimpanzé 1 está sendo injusto, ninguém ganha uvas.

Em um desses estudos, Michael Tomasello (um crítico habitual de Frans de Waal — não mude de canal), dos Institutos Max Planck, na Alemanha, não encontrou evidências de equidade em chimpanzés: o proponente sempre escolhia — e o parceiro sempre aceitava — divisões injustas.[15] De Waal e Brosnan executaram o estudo em condições mais etologicamente válidas e registraram algo diferente: os chimpanzés proponentes tendiam a divisões equitativas, mas, se pudessem dar a ficha direto para o ser humano (privando o chimpanzé 2 do poder de veto), dariam preferência a divisões injustas. Então os chimpanzés optam por divisões mais justas — mas só quando há desvantagens em ser injusto.

Às vezes outros primatas são justos quando não lhes custa nada. De volta aos macacos-prego. O macaco 1 deve escolher se ele e o outro cara irão ganhar marshmallows, ou se o prêmio será um marshmallow para ele e um aipo nojento para o parceiro. Os macacos tendem a escolher marshmallows para o outro participante.* Uma "preferência em consideração ao outro" bem parecida foi registrada em micos, num experimento no qual o primeiro indivíduo não ganhava nada e apenas escolhia se o outro receberia um grilo para comer. (Nota: inúmeros estudos não conseguiram identificar, em chimpanzés, esse tipo de consideração na escolha.)[16]

Uma evidência realmente interessante de um senso de justiça não humano se encontra em um pequeno estudo paralelo de um artigo de Brosnan e De Waal. De volta aos dois macacos recebendo pepinos em troca de trabalho. De repente, um

---

* Mas e se o macaco tivesse escolhido a opção com dois marshmallows em vez da opção marshmallow/aipo porque, bem, ter qualquer tipo de situação com dois marshmallows em jogo é muito mais empolgante? Os autores elaboraram uma boa forma de controle: quando não houvesse nenhum macaco na jaula adjacente, a escolha seria aleatória quanto ao tipo de alimento depositado na segunda jaula.

deles passa a ganhar uvas. Como vimos, aquele que continua ganhando pepinos se recusa a trabalhar. O incrível é que, em geral, o magnata das uvas se recusa também.

O que é isso? Solidariedade? "Não sou um babaca fura-greve"? Ou será que é interesse próprio, mas com uma visão atípica de longo prazo quanto a uma possível consequência do ressentimento da vítima do pepino? Ou será o caso de: "Arranhe um macaco-prego altruísta e veja um hipócrita sangrar"? Em outras palavras, exatamente as mesmas questões suscitadas pelo altruísmo humano.

Dadas as capacidades de raciocínio mais ou menos limitadas dos macacos, esses achados respaldam a importância do intuicionismo social. De Waal concebe implicações ainda mais profundas: as raízes da moralidade humana são mais antigas que nossas instituições culturais, leis e sermões. Em vez de considerar a moralidade humana como espiritualmente transcendente (entram as deidades, pelo lado direito do palco), ela transcende as fronteiras de nossa espécie.[17]

SR. SPOCK E IÓSSIF STÁLIN

Muitos filósofos morais não só acreditam que o julgamento moral se fundamenta no raciocínio, mas também que é assim que *deveria ser*. Isso é óbvio para fãs do sr. Spock, já que o componente emocional do intuicionismo moral apenas introduz sentimentalismo, interesse próprio e vieses paroquiais. Mas um notável achado contradiz essa teoria.

Parentes são especiais. O capítulo 10 confirma isso. Qualquer organismo social poderia corroborar essa afirmação. Até Ióssif Stálin concordava, sobretudo com relação a Pavlik Morozov delatando o próprio pai. O mesmo vale para os tribunais americanos, nos quais há uma resistência de facto ou de jure a fazer alguém testemunhar contra os próprios pais ou os filhos. Parentes são especiais. Mas não para pessoas que carecem de intuicionismo social. Como já foi observado, indivíduos com lesões no CPFvm são capazes de tomar decisões morais extraordinariamente práticas e desapegadas. E, no processo, fazem algo que todos, de clones de leveduras ao tio Joseph, passando pelas Leis do Texas para Evidências Criminais, consideram suspeito em termos morais: defendem com igual presteza a necessidade de machucar parentes e desconhecidos em uma situação de "É aceitável sacrificar uma pessoa para salvar outras cinco?".[18]

A emoção e a intuição social não são apenas um lodo primordial que serve para arruinar essa especialidade humana que é o raciocínio moral. Em lugar disso, elas fundamentam alguns dos poucos julgamentos morais com os quais a maioria dos seres humanos está de acordo.

CONTEXTO

Então as intuições sociais podem ter papéis significativos e úteis na tomada de decisões morais. Quer dizer que agora devemos debater se o mais importante é o raciocínio ou a intuição? Isso é tolice, sobretudo porque existe uma sobreposição considerável entre ambos. Considere, por exemplo, manifestantes paralisando uma capital para denunciar a desigualdade de renda. Isso pode ser enquadrado no raciocínio kohlbergiano de pessoas em um estágio pós-convencional. Mas também pode ser enquadrado segundo o ponto de vista de Haidt em uma forma intuicionista social: são indivíduos que se identificam mais com intuições morais de equidade do que com o respeito à autoridade.

Mais interessante que ficar discutindo a importância relativa do raciocínio e da intuição é analisar duas questões relacionadas: Quais são as circunstâncias que levam a enfatizar uma delas em detrimento da outra? Podem as diferentes ênfases produzir diferentes decisões?

Como vimos, o então aluno de pós-graduação Josh Greene e seus colegas ajudaram a impulsionar o campo da "neuroética" ao explorar essas questões, usando o epítome do dilema filosófico "Os fins justificam os meios?", ou seja, o dilema do bonde desgovernado. Os freios do bonde falharam, ele está avançando em alta velocidade e vai atingir e matar cinco pessoas. É aceitável fazer alguma coisa para salvar as cinco se, no processo, outra pessoa for morta?

As pessoas têm discutido o assunto desde que Aristóteles fez seu primeiro passeio de bonde;* Greene e seus colegas acrescentaram a neurociência. Voluntários foram submetidos a exames de neuroimagem enquanto ponderavam sobre a ética do bonde. De modo crucial, eles consideraram duas situações: a) Lá vem o bonde; cinco pessoas estão condenadas. Você acionaria uma alavanca a fim de desviar o veículo para um trilho secundário, no qual ele atingiria e mataria uma pessoa? (Essa é a situação original); b) O mesmo cenário; você *empurraria* essa pessoa nos trilhos para deter o avanço do bonde?[19]

A essa altura, aposto que os leitores são capazes de adivinhar quais regiões do cérebro se ativam em cada circunstância. Ao considerar a decisão de acionar a alavanca, a atividade do CPFdl predomina — ele é o retrato desapegado e cerebral do raciocínio moral. Ao considerar o ato de condenar a pessoa à morte com um empurrão, é o CPFvl (e a amígdala) que manda, ou seja, o retrato visceral da intuição moral.

E você, acionaria a alavanca? De modo consistente, uma parcela de 60% a 70% das pessoas, com seus CPFdl borbulhando, concordam com essa solução utilitária —

---

* Na verdade, o dilema do bonde foi inventado pela filósofa britânica Philippa Foot em 1967.

matar um indivíduo para salvar cinco. Você o empurraria com as próprias mãos? Apenas 30% das pessoas se mostram dispostas a isso; quanto maior a ativação do CPFVM e/ou da amígdala, maiores são as chances de recusa.* Isso é muitíssimo importante: uma variável relativamente menor é o que determina se, em questões morais, as pessoas darão ênfase ao raciocínio ou à intuição. Além disso, elas empregam diferentes circuitos cerebrais nesse processo, produzindo decisões bem diferentes. Greene explorou isso em mais detalhes.

Será que, na situação de empurrar, os indivíduos resistem à permuta utilitarista de matar alguém para salvar cinco vidas devido à realidade visceral de precisar encostar na pessoa que eles estão condenando à morte? O trabalho de Greene sugere que não — se, em vez de empurrá-la com as mãos, os indivíduos puderem empurrá-la com uma vara, ainda assim eles continuam relutantes. Há algo ligado à força pessoal envolvida que alimenta essa resistência.

Será que, na situação da alavanca, os indivíduos concordam em sacrificar a vítima porque ela está a certa distância, em vez de bem na frente deles? Parece que não — os voluntários continuam dispostos a desviar o bonde se a alavanca estiver bem ao lado da pessoa que acabará morrendo.

Greene sugere que o segredo está nas intuições sobre a intencionalidade. Na situação da alavanca, as cinco pessoas são salvas porque o bonde foi desviado para outro trilho; a morte de um indivíduo é um efeito colateral, e os cinco ainda seriam salvos se ele não estivesse no trilho. Por outro lado, na situação de empurrar, os cinco são salvos *porque* aquela pessoa é morta, e a intencionalidade evoca uma sensação intuitivamente errada. Como prova disso, Greene ofereceu aos voluntários uma terceira situação: lá vem o bonde, e você corre para acionar um interruptor que deterá o veículo. É aceitável fazer isso se você souber que, no processo de alcançar o interruptor, acabará empurrando uma pessoa a fim de tirá-la do caminho, e então ela irá cair e morrer? Cerca de 80% dos voluntários dizem que sim. O mesmo empurrão, a mesma proximidade, mas feita sem intenção, como efeito colateral. A pessoa não foi morta como um *meio* para salvar as cinco. E isso parece muito mais aceitável.

Agora, uma complicação. Na hipotética variação do "circuito", você aciona uma alavanca que desvia o bonde para outro trilho. Mas — ah, não! — ele faz parte

---

* Como já foi mencionado, indivíduos com lesões no CPFVM se mostram bastante (e igualmente) dispostos a acionar a alavanca e empurrar a pessoa. O resultado é o mesmo se você der às pessoas um benzodiazepínico (um tranquilizante como o diazepam). O CPFVM e a amígdala são acalmados (tanto pela ação direta do fármaco quanto pelas ações secundárias de amortecer o sistema nervoso simpático), e as pessoas se mostram mais dispostas a empurrar.

de um circuito que converge de volta ao trilho original. O bonde continuará matando as cinco pessoas — a não ser pelo fato de que, no trilho secundário, existe um indivíduo que será atingido, detendo assim o bonde. Trata-se de uma situação tão intencional quanto empurrar alguém com as próprias mãos: desviar o bonde para um outro trilho não é suficiente, ele tem de ser morto. Pela lógica, apenas uns 30% deveriam concordar com isso, mas, em vez disso, o resultado está na faixa de 60% a 70%.

Greene conclui (a partir dessa e de outras situações similares à do circuito) que o universo intuicionista é muito local. Matar alguém de maneira intencional como forma de salvar cinco vidas traz uma sensação intuitivamente errada, mas essa intuição é mais forte quando a morte acontece aqui e agora; fazê-lo em sequências de intencionalidade mais complexas não parece tão ruim. E não por causa de um limite cognitivo — não é que os indivíduos não percebam a necessidade de matar a pessoa na situação do circuito. É só que a *sensação* não é a mesma. Em outras palavras, as intuições costumam perder força conforme o tempo e o espaço. É exatamente o tipo de miopia de causa e efeito que se espera de um cérebro que opera de forma rápida e automática. O mesmo tipo de miopia que torna os pecados de ação piores do que os de omissão.

Em resumo, esses estudos sugerem que, quando o ato de sacrificar alguém requer ações diretas, intencionais e locais, um circuito mais intuitivo do cérebro é empregado; nesses casos, os fins não justificam os meios. Em circunstâncias nas quais o dano é involuntário ou em que a intencionalidade se materializa a uma distância psicológica, predominam circuitos neurais diferentes, produzindo uma conclusão oposta quanto à moralidade de fins e meios.

Esses estudos sobre o dilema do bonde levantam uma questão ainda mais ampla: a tomada de decisões morais pode depender bastante do contexto.[20] Muitas vezes, o principal efeito da mudança de contexto é alterar a localidade da moral intuicionista de alguém, conforme foi sintetizado por Dan Ariely, da Universidade Duke, em seu maravilhoso livro *Previsivelmente irracional*. Deixe algum dinheiro em uma área comum de trabalho e ninguém irá pegá-lo; não é aceitável roubar dinheiro. Deixe algumas latas de Coca-Cola e todas elas serão surrupiadas; a distância de um passo em relação ao significado do dinheiro é capaz de amenizar a intuição de que roubar é errado, facilitando o início da racionalização (por exemplo: alguém deve ter deixado as latas para as pessoas pegarem).

Os efeitos da proximidade no intuicionismo moral são revelados em um experimento mental desenvolvido por Peter Singer.[21] Você está caminhando à beira do rio em sua cidade natal. Então vê uma criança cair. A maioria das pessoas se sente moralmente obrigada a pular e salvar a criança, mesmo que a água estrague seu terno de quinhentos dólares. Por outro lado, um amigo na Somália telefona e diz que uma criança pobre vai morrer se não conseguir o equivalente a quinhentos dólares em cuidados médicos. Será que você pode mandar o dinheiro? Em geral, não. A localidade e o desconto moral na distância são óbvios: a criança em perigo na sua cidade tem muito mais de Nós do que a criança moribunda lá longe. E isso tem relação com um cerne intuitivo, não cognitivo — se você estivesse caminhando na Somália e visse uma criança cair no rio, é mais provável que pulasse e sacrificasse o terno em vez de mandar quinhentos dólares para o amigo que fez o telefonema. Alguém que está ali na sua frente, de carne e osso, é um indicador implícito e muito forte de que ele é um de Nós.

A dependência moral do contexto também pode girar em torno da linguagem, como já foi observado no capítulo 3.[22] Lembre-se, por exemplo, de como as pessoas aplicam regras diferentes sobre a moralidade da cooperação se você chamar o mesmo jogo econômico de "Jogo de Wall Street" ou "Jogo Comunitário". Enquadrar um medicamento experimental como tendo "taxa de mortalidade de 5%" ou "taxa de sobrevivência de 95%" produz avaliações diferentes quanto à ética de seu uso.

O enquadramento também explora o tema dos indivíduos que possuem múltiplas identidades e pertencem a inúmeros grupos de Nós e hierarquias. Isso foi demonstrado em um artigo interessantíssimo publicado na *Nature* em 2014 por Alain Cohn e seus colegas da Universidade de Zurique.[23] Os voluntários, que trabalhavam para um banco internacional não identificado, participavam de um jogo de cara ou coroa com recompensas financeiras para quem adivinhasse corretamente os resultados. O crucial na estrutura do jogo era que ela tornava possível aos participantes trapacearem em vários momentos (assim como permitia que os investigadores detectassem a manobra).

Em uma das versões, os voluntários primeiro preenchiam um questionário repleto de perguntas sobre sua rotina cotidiana (por exemplo, "Quantas horas por semana você vê televisão?"). Isso gerou um nível baixo de trapaça que serviu como base de comparação.

Por outro lado, na versão experimental, o questionário versava sobre o trabalho do indivíduo no banco. Esse tipo de pergunta predispunha implicitamente os voluntários a pensar mais sobre assuntos bancários (por exemplo, em uma tarefa de palavras, eles eram mais propensos a completar "corre__or" como "corretor" do que como "corredor").*

Em suma, os voluntários estavam pensando em sua identidade como bancários. E quando o faziam, as taxas de trapaça subiam 20%. Predispor os indivíduos de

---

* No original, "__*oker*" como "*broker*" e não "*smoker*". Respectivamente, "corretor de ações" e "fumante". (N. T.)

outras profissões (como operários de indústria) a pensar sobre seu trabalho, ou mesmo sobre o universo bancário, não aumentou as trapaças. Esses bancários carregavam na mente dois subconjuntos distintos de regras éticas quanto à trapaça (o bancário e o não bancário), e um fornecimento subliminar de pistas fez realçar um deles.* Conhece-te a ti mesmo. Sobretudo em diferentes contextos.

"Mas essa circunstância é diferente"

A dependência do contexto para a moralidade também é essencial em outro âmbito.

É o caso daquele indivíduo temerário ao extremo que, dotado de uma sociopatia implacável, acredita que é aceitável roubar, matar, estuprar e saquear. Mas uma parcela muito maior dos piores comportamentos da humanidade se deve a um tipo diferente de indivíduo, a saber, a maioria de nós. Dessa forma: eu até concordo que é errado fazer X... mas aqui vão os motivos por que essas circunstâncias especiais me tornam uma exceção neste momento etc.

Utilizamos diferentes circuitos do cérebro para contemplar nossas próprias falhas morais (grande ativação do CPFvm) em comparação às dos outros (ativação maior da ínsula e do CPFdl).[24] E consistentemente fazemos julgamentos distintos, sendo mais propensos a eximir a nós mesmos do que aos outros de condenações morais. Por quê? Parte disso é pura autoindulgência; às vezes um hipócrita sangra porque você arranhou um hipócrita. A diferença também pode refletir as diferentes emoções envolvidas quando analisamos nossas próprias ações em comparação às dos outros. Considerar as falhas morais dos demais pode evocar raiva e indignação, enquanto os triunfos morais alheios despertam emulação e inspiração. Por outro lado, considerar nossas próprias falhas traz à tona vergonha e culpa, enquanto nossos triunfos produzem orgulho.

Os aspectos afetivos de pegar leve consigo mesmo são confirmados em ocasiões nas quais o estresse nos torna mais inclinados a esse tipo de atitude.[25] Quando pressionados em um experimento, os indivíduos fazem julgamentos mais egoístas e racionalizantes com relação a dilemas morais de fundo emocional, e também ficam menos propensos a julgar de modo utilitarista — mas só quando isso envolve uma questão moral pessoal. Além disso, quanto maior a resposta glicocorticoide ao estressor, mais é o caso.

---

* Eu meio que gostaria que os autores tivessem revelado o nome do banco, só para a hipótese de um dia eu precisar depositar um dinheiro em um banco suíço e querer descartar de imediato um nome da minha lista de possibilidades.

Pegar leve consigo mesmo também reflete um fato cognitivo essencial: julgamos a nós mesmos a partir de nossos motivos interiores, ao passo que, no caso dos outros, só levamos em conta suas ações externas.[26] E, portanto, ao considerar nossas próprias ofensas, temos mais acesso a informações mitigantes e situacionais. Isso nos remete diretamente à demarcação Nós/Eles: quando Eles fazem algo errado, é porque não prestam mesmo; quando um de Nós faz a mesma coisa, é devido a uma circunstância atenuante — e "Eu" se trata do Nós mais focal que existe, pois vem junto com uma compreensão máxima de seu estado interior. Portanto, nesse nível de cognição, não há inconsistência ou hipocrisia, mesmo porque somos capazes de prontamente atribuir um caso de infração cometido por qualquer pessoa a fatores atenuantes internos. É apenas mais fácil saber esses motivos quando nós somos os perpetradores.

As consequências adversas são amplas e profundas. Além disso, a tentação de julgar a si mesmo de forma menos rígida que aos outros resiste facilmente à racionalidade da dissuasão. Como Ariely escreve em seu livro: "Em geral, a trapaça não é limitada pelo risco; é limitada por nossa capacidade de racionalizar a trapaça para nós mesmos".

Contexto cultural

Assim, as pessoas fazem diferentes julgamentos morais acerca da mesma circunstância dependendo de certos fatores: se o assunto diz respeito a elas ou aos outros; qual de suas identidades foi pré-ativada; qual foi o vocabulário utilizado e quantos passos a separam da intencionalidade — isso tudo sem esquecer os níveis de hormônios do estresse, a barriga vazia ou o mau cheiro do ambiente. Depois que passamos pelo capítulo 9, não é mais surpresa que a tomada de decisões morais também varie drasticamente de cultura para cultura. A vaca sagrada de uns é a refeição de outros, e a discrepância pode ser angustiante.

Ao refletir sobre as diferenças interculturais em termos de moralidade, é importante examinar quais são os princípios universais de julgamento moral, e se eles ou as diferenças são mais interessantes e importantes.

O capítulo 9 apontou algumas posturas morais que são praticamente universais, seja de facto ou de jure. Elas incluem a condenação de pelo menos alguns tipos de assassinato e de roubo. Ah, e alguns tipos de práticas sexuais.

Em linhas mais gerais, existe o princípio quase universal da Regra de Ouro (com as culturas diferindo quanto ao enunciado: "Faça apenas o que gostaria que fizessem com você" ou "Não faça o que não gostaria que fizessem com você"). A despeito de seu poder de síntese, a Regra de Ouro não incorpora as discordâncias individuais quanto ao que as pessoas gostariam ou não que fizessem com elas; adentramos em um terreno complicado no qual é possível dar sentido ao diálogo entre o masoquista que pede: "Me bata" e o sádico que responde sadicamente: "Não".

Essa crítica pode ser superada com a adoção de um ciclo de reciprocidade mais generalizado e comum, segundo o qual somos instruídos a dar ouvidos e conferir legitimidade às necessidades e desejos de pessoas em circunstâncias nas quais gostaríamos de receber o mesmo tratamento.

Os princípios universais e interculturais da moralidade emergem de categorias compartilhadas de regras de comportamento moral. O antropólogo Richard Shweder sugeriu que todas as culturas reconhecem regras de moralidade pertinentes à autonomia, à comunidade e à divindade. Como vimos no último capítulo, Jonathan Haidt desmembrou esse conjunto com seus fundamentos de moralidade sobre os quais os seres humanos têm fortes intuições. São questões relacionadas a dano, a equidade e reciprocidade (Shweder define esses últimos como "autonomia"), a lealdade no interior do grupo e respeito pela autoridade (que ele chama de comunidade) e questões de pureza e santidade (para Shweder, o âmbito da divindade).*[27]

A existência de princípios universais de moralidade nos leva à questão de saber se isso significa que eles devem se sobrepor a regras mais locais e provinciais. A meio caminho entre os absolutistas morais e os relativistas, pesquisadores como o historiador da ciência Michael Shermer argumentam de forma bem sensata em favor de uma moralidade provisória: se uma postura moral é comum em várias culturas, comece por dar o benefício da dúvida a sua possível importância, mas tome cuidado com a carteira.[28]

É sem dúvida interessante, por exemplo, o fato de todas as culturas terem coisas consideradas sagradas; porém, é ainda mais curioso notar a variabilidade do que é considerado sagrado, o quão exaltadas as pessoas ficam quando tal santidade é violada** e o que é feito para impedir a recorrência dessas violações. Tocarei nesse amplíssimo assunto a partir de três tópicos: diferenças interculturais relativas à moralidade da cooperação e da competição; afrontas à honra; e sistemas baseados na vergonha ou na culpa.

---

* Lembre-se de como, no último capítulo, Haidt mostrou que os liberais dão mais ênfase a questões como dano e equidade, ao passo que os conservadores valorizam desproporcionalmente a lealdade, o respeito e a pureza. Haidt faz uma galhofeira alusão a esses estudos como se fossem pesquisas "interculturais", evocando imagens de si mesmo com um chapéu de explorador e uma rede de espantar mosquitos ao caminhar por localidades como Berkeley, na Califórnia, e Provo, em Utah.

** Só para dar um exemplo de improviso: se eu estivesse no meio de um serviço religioso e de repente fosse acometido por uma crise de flatulência ruidosa e fedorenta, eu decerto preferiria estar com quacres em vez de, digamos, um bando de caras do Talibã em uma prece coletiva de sexta-feira.

Cooperação e competição

Uma das mais drásticas variabilidades interculturais no âmbito do julgamento moral tem a ver com cooperação e competição. Isso foi demonstrado de forma extraordinária em um artigo publicado em 2008 na revista *Science* por um time de economistas britânicos e suíços.

Os voluntários participavam de um jogo econômico de "bens públicos" no qual começavam com uma certa quantidade de fichas e então decidiam, em cada uma das rodadas, com que valor contribuiriam para um fundo comum; o fundo era então multiplicado e repartido por igual entre os participantes. A alternativa a fazer uma contribuição era guardar as fichas consigo. Assim, o pior resultado para um jogador individual seria se ele tivesse contribuído com todas as fichas para o fundo e nenhum outro jogador tivesse cooperado; o melhor seria se ele não contribuísse com nada e todos os demais contribuíssem com todas as fichas. Uma das características do jogo era que os participantes tinham a oportunidade de "pagar" para punir os outros jogadores pela magnitude de sua contribuição. Os voluntários vinham de várias partes do mundo.

Primeiro achado: em todas as culturas, as pessoas eram mais pró-sociais do que a mera racionalidade econômica foi capaz de prever. Se todos jogassem da maneira mais brutalmente associal e com base na *realpolitik*, ninguém contribuiria para o fundo. Em vez disso, voluntários de todas as culturas contribuíram de forma sistemática. Uma possível explicação para isso é que indivíduos de todas as culturas puniram os jogadores que fizeram contribuições baixas, e em medidas mais ou menos similares.

A espantosa diferença teve início com um comportamento que eu nunca tinha visto em toda a literatura da economia comportamental, e que se chama "punição antissocial". A punição de aproveitadores ocorre quando você penaliza outro jogador por contribuir menos que você (ou seja, por ser egoísta). Na punição antissocial, você castiga outro jogador por contribuir *mais* que você (ou seja, por ser generoso).

Mas o que isso significa? Interpretação: essa hostilidade ante a generosidade excessiva de alguém se explica porque essa pessoa elevou o padrão, e logo será esperado que todos (ou seja, eu) sejam mais generosos. Vamos acabar com eles, pois estão estragando as coisas para todos. É um fenômeno por meio do qual você castiga alguém por ser legal, porque, afinal de contas, e se esse tipo de desvio absurdo se tornar a norma e você se sentir pressionado a ser legal de volta?

Em um dos extremos estavam voluntários de países (Estados Unidos e Austrália) onde essa esquisita punição antissocial praticamente não existia. E no alucinante extremo oposto estavam indivíduos da Grécia e de Omã, que se mostravam dispostos a pagar *mais* para punir a generosidade do que o egoísmo. E não foi o caso de se comparar, digamos, teólogos de Boston com piratas omanenses. Os voluntários eram todos estudantes universitários.

Então, o que há de diferente nesses locais? Os autores encontraram uma correlação crucial: quanto menor o capital social de um país, maiores as taxas de punição antissocial. Em outras palavras, o sistema moral dos indivíduos passa a incorporar a ideia de que ser generoso merece um castigo quando eles vivem em uma sociedade na qual as pessoas não confiam umas nas outras e não possuem nenhum senso de eficácia.

Um trabalho fascinante também foi realizado especificamente com indivíduos de culturas não ocidentais, conforme registrado em alguns artigos de Joseph Henrich, da Universidade da Colúmbia Britânica, e colegas.[29] Os voluntários se contavam aos milhares e vinham de 25 diferentes culturas "de pequena escala" de todo o mundo: eram pastoralistas nômades, caçadores-coletores, coletores sedentários ou horticultores, e agricultores de subsistência ou assalariados. Foram estabelecidos dois grupos de controle, formados por habitantes de cidades no Missouri e em Acra, Gana. Uma característica particularmente meticulosa do estudo é que os voluntários participavam de três jogos econômicos: a) o Jogo do Ditador, no qual o participante apenas decide como o dinheiro será dividido entre ele e o outro jogador; b) o Jogo do Ultimato, em que é possível pagar para punir alguém que está sendo injusto com você (ou seja, uma punição direta de interesse próprio); c) uma situação de punição por terceiros, na qual é possível pagar para punir alguém que está sendo injusto com outra pessoa (ou seja, punição altruísta).

Os autores identificaram três variáveis fascinantes capazes de prever os padrões de jogo:

Integração de mercado. Com que frequência as pessoas de uma cultura interagem economicamente, através da permuta de itens de comércio? Os autores operacionalizaram esse item através da porcentagem de calorias de cada indivíduo que vinha de aquisições em interações de mercado, variando de 0% entre os caçadores-coletores do povo hadza, da Tanzânia, a quase 90% em certas culturas sedentárias de pescadores. Em todas as culturas, um nível maior de integração de mercado funcionava como um importante fator preditivo de indivíduos fazendo ofertas mais justas em todos os três jogos, e também de indivíduos mais dispostos a pagar pela punição de jogadores detestáveis tanto na categoria direta de interesse próprio quanto na punição altruísta por terceiros. Por exemplo, os hadza, em um dos extremos, guardavam em média 73% dos despojos para si mesmos no Jogo do Ditador, ao passo que os pescadores sedentários sanquianga, da Colômbia, assim como os indivíduos dos Estados Unidos e de Acra, aproximaram-se de uma divisão 50:50. A

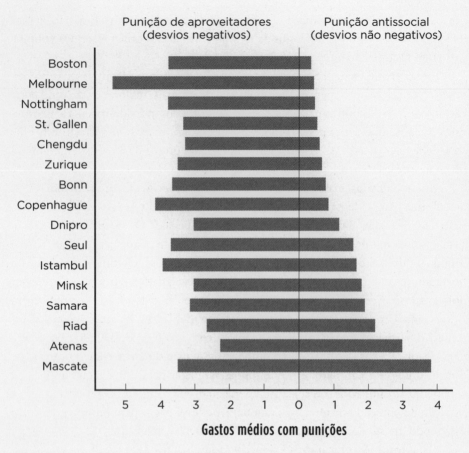

Benedikt Herrmann et al., "Antisocial Punishment Across Societies". Sci, v. 319, n. 5868, p. 1362, 2008.

integração de mercado prenuncia uma disposição maior para punir o egoísmo e, de modo nada surpreendente, prediz menos egoísmo.

Tamanho da comunidade. Quanto maior a comunidade, maior a incidência de punições diretas e por terceiros a jogadores tacanhos. Os hadza, por exemplo, com seus minúsculos bandos de cinquenta pessoas ou menos, aceitavam basicamente qualquer oferta acima de zero no Jogo do Ultimato — não havia punição. No outro extremo, em comunidades de 5 mil pessoas ou mais (agricultores sedentários e aquicultores, além de habitantes de centros urbanos em Gana e nos Estados Unidos), as ofertas que não se encontrassem na faixa dos 50:50 em geral eram recusadas e/ou punidas.

Religião. Que parcela dessa população pertencia a uma religião de escala mundial (como o cristianismo ou o islamismo)? Isso variou de ninguém entre os hadza a uma taxa de 60% a 100% para todos os outros grupos. Quanto maior a incidência de pertencimento a uma religião ocidental, maior a punição por terceiros (ou seja, a disposição de pagar para punir a pessoa A por ser injusta com a pessoa B).

O que podemos concluir a partir desses achados?

Primeiro, o ângulo religioso. Não se trata de uma descoberta sobre a religiosidade em geral, mas sobre a religiosidade no âmbito de escala religião mundial. Tampouco se trata de generosidade ou equidade, mas de punição altruísta por terceiros. O que existe nas religiões mundiais? Como vimos no capítulo 9, só quando os grupos ficam grandes o suficiente, levando as pessoas a interagir de maneira regular com desconhecidos, é que as culturas inventam deuses moralizantes. Não são deuses que se sentam à mesa do banquete para rir de modo desinteressado das fraquezas dos seres humanos lá embaixo, ou deuses que punem os humanos por sacrifícios mixurucas. São deuses que punem as pessoas por serem ruins com outras pessoas — em outras palavras, as grandes religiões inventam deuses que praticam punições por terceiros. Não é surpresa que os fiéis dessas religiões sejam eles mesmos adeptos desse tipo de punição.

Na sequência, temos os achados análogos de que níveis mais elevados de integração de mercado e um maior tamanho da comunidade foram associados a ofertas mais justas (no primeiro caso) e a uma maior propensão a punir jogadores injustos (em ambos os casos). Considero esses dois achados particularmente instigantes, sobretudo se eles forem enquadrados da forma cuidadosa como fizeram os autores.

Eles se perguntaram de onde vinha o senso de equidade singularmente radical dos seres humanos, sobretudo no contexto de sociedades em larga escala em que desconhecidos interagem com frequência. E ofereceram dois tipos tradicionais de explicações intimamente relacionadas às nossas dicotomias de intuição versus raciocínio, e de raízes animais versus invenções culturais:

- Em sociedades de larga escala, a fundamentação moral na equidade é, ao mesmo tempo, um resíduo e uma extensão de nosso passado como caçadores-coletores e primatas não humanos. Ela remete à vida em pequenos bandos, nos quais a equidade era movida sobretudo pela seleção de parentesco e por situações fáceis de altruísmo recíproco. Já que o tamanho da comunidade aumentou e hoje temos sobretudo interações isoladas com desconhecidos sem qualquer parentesco conosco, nossa pró-socialidade apenas representa uma expansão daquela antiga mentalidade de grupo pequeno, conforme elaboramos inúmeros apertos de mão secretos para a demarcação de barbas-verdes, em substituição às relações de parentesco. Eu daria minha vida com prazer por dois irmãos, oito primos ou por um cara que também torce para o Packers.

- As bases morais de um senso de equidade estão nas instituições culturais e mentalidades que inventamos conforme nossos grupos se tornam maiores e mais sofisticados (como representado pela emergência de mercados, economia monetária e coisas do tipo).

Depois de tantas páginas, é óbvio que eu considero a primeira hipótese bastante poderosa — vejam, é possível identificar as raízes de um senso de equidade e justiça na natureza igualitária dos caçadores-coletores nômades, em outros primatas, em bebês e no proeminente envolvimento límbico (não no cortical). Porém, de modo bastante inconveniente para esse ponto de vista, isso vai de encontro ao que se descobriu nesses estudos: de todas as 25 culturas, foram os caçadores-coletores — os que mais se parecem com nossos ancestrais — vivendo nos menores grupos, com os mais altos graus de parentesco e mínima dependência das interações de mercado que mostram a menor inclinação a fazer ofertas mais justas e a punir a injustiça, seja contra eles mesmos ou contra os outros. Nada daquela pró-socialidade está presente, um retrato oposto ao que vimos no capítulo 9.

Acho que uma das explicações é que esses jogos econômicos exploram um tipo muito específico e artificial de pró-socialidade. Tendemos a pensar nas interações de mercado como o epítome da complexidade — encontrar uma moeda comum e literal para uma variedade de necessidades e desejos humanos sob a forma de uma abstração chamada dinheiro. Mas, em essência, as interações de mercado representam um empobrecimento da reciprocidade humana. Em sua forma natural, a reciprocidade humana é o triunfo de uma matemática confortável e intuitiva, de longo prazo, feita com maçãs e laranjas: esse cara ali é um caçador incomparável; aquele outro não chega a seus pés, mas é capaz de proteger você se houver um leão nas redondezas; enquanto isso, aquela ali é ótima em encontrar as melhores nozes de mongongo, a outra mais velha sabe tudo sobre ervas medicinais e o cara esquisitão se lembra das melhores histórias. Sabemos onde todos moram, as colunas de débito se equilibram ao longo do tempo e, se alguém estiver de fato se aproveitando do sistema, encontraremos uma forma de lidar com essa pessoa de forma coletiva.

Em contraste, uma interação de mercado em uma economia monetária resume tudo isso a uma questão de "Eu te dou isto agora e você me dá aquilo agora" — interações míopes e no tempo presente cujas obrigações de reciprocidade devem ser equilibradas de imediato. Indivíduos em sociedades de pequena escala são mais ou menos novatos nesse tipo de operação. Isso não quer dizer que as culturas de pequena escala que estão crescendo e se tornando economias de mercado só agora estão sendo educadas em termos de equidade. Pelo contrário, elas estão aprendendo sobre como ser justas nessas questões quando aplicadas nas circunstâncias artificiais estabelecidas, por exemplo, pelo Jogo do Ultimato.

Honra e vingança

Outro domínio de diferenças interculturais em sistemas morais diz respeito ao que constitui uma resposta apropriada a afrontas pessoais. Isso remete às culturas de honra abordadas no capítulo 9, em uma diversidade que vai de indivíduos de tribos massais a sulistas tradicionais norte-americanos. Como vimos, tais culturas têm ligações históricas com o monoteísmo, com grupos etários de guerreiros e com o pastoralismo.

Recapitulando, essas culturas costumam considerar um desafio à honra não respondido como o começo de um desastroso declínio ladeira abaixo, ancorado na vulnerabilidade intrínseca do pastoralismo — afinal, ainda que ninguém possa atacar agricultores e roubar todas as suas colheitas, alguém pode se apoderar de um rebanho durante a noite —, pensando: se esse desgraçado sair ileso tendo insultado a minha família, ele virá atrás do meu gado da próxima vez. São culturas que dão uma grande ênfase moral à vingança, e a que essa vingança seja executada pelo menos na mesma moeda — afinal, olho por olho foi provavelmente uma invenção de pastoralistas judaicos. O resultado é um mundo repleto de Hatfield e McCoy, com suas vendetas cada vez mais intensas. Isso ajuda a explicar por que as elevadas taxas de homicídio no Sul dos Estados Unidos não se devem à violência urbana ou a crimes como roubos, mas a afrontas à honra entre pessoas que se conhecem; por que promotores e jurados sulistas são em geral mais indulgentes com tais crimes de honra; e, por fim, por que muitas matriarcas sulistas teriam dado aos filhos que estavam indo engrossar a luta dos Confederados a suposta ordem: volte para casa como vitorioso ou é melhor voltar em um caixão. A vergonha da rendição não é uma opção.

Coletivistas envergonhados e individualistas culpados

De volta ao nosso contraste entre culturas coletivistas e individualistas (nas pesquisas, vale lembrar, "coletivista" se refere sobretudo a sociedades do Leste Asiático, ao passo que "individualista" é sinônimo de europeus ocidentais e norte-americanos). Implícitas à própria natureza do contraste estão abordagens bastante distintas quanto à moralidade dos fins e dos meios. Por definição, as culturas coletivistas aceitam melhor a ideia de usar pessoas como meios para um fim utilitário. Além disso, os imperativos morais nas culturas coletivistas tendem a abranger papéis sociais e obrigações para com o grupo, enquanto nas culturas individualistas eles se referem a direitos individuais.

Culturas coletivistas e individualistas também diferem na forma de impor o comportamento moral. Como foi primeiro destacado pela antropóloga Ruth Benedict em 1946, culturas coletivistas impõem a moralidade por meio da vergonha, enquanto as individualistas usam a culpa. Isso é um tremendo contraste, como foi explorado em dois livros excelentes: *Guilt: The Bite of Conscience* [Culpa: A mordida da consciência], de Herant Katchadourian, psiquiatra de Stanford, e *Is Shame Necessary?* [A vergonha é necessária?], de Jennifer Jacquet, cientista ambiental da NYU.[30]

No sentido empregado pela maioria dos cientistas da área, entre os quais esses dois últimos autores, a vergonha é o julgamento externo do grupo, enquanto a culpa é o julgamento interno de você mesmo. A vergonha requer uma audiência e diz respeito à honra. A culpa é para culturas que apreciam a privacidade e diz respeito à consciência. A vergonha é uma avaliação negativa do indivíduo como um todo, enquanto a culpa se refere a uma ação, o que torna possível odiar o pecado, mas amar o pecador. Uma humilhação eficaz exige uma população conformista e homogênea; uma culpa eficaz exige o respeito pela lei. Ter vergonha diz respeito a querer se esconder; sentir culpa tem a ver com o anseio por reparações. Vergonha é quando todos dizem: "Você não pode mais viver conosco"; culpa é quando você diz: "Como é que eu vou viver comigo mesmo?".*

Desde a época em que Benedict articulou pela primeira vez esse contraste, existe no Ocidente uma visão autocongratulatória de que a vergonha é de certa forma mais primitiva que a culpa, na medida em que deixamos para trás o chapéu de burro, o açoitamento público e a letra escarlate. Vergonha é a turba; culpa é a internalização de regras, leis, editos, decretos e estatutos. Ainda assim, Jacquet argumenta de forma convincente em favor da persistente utilidade, no Ocidente, de evocar a vergonha, defendendo a sua volta em um formato pós-moderno. Para ela, a vergonha é particularmente útil quando os poderosos não dão indícios de se sentir culpados e escapam de punições. Não são poucos os exemplos dessa evasão no sistema jurídico americano, no qual é possível se beneficiar da melhor defesa que o dinheiro ou o poder podem comprar; a vergonha muitas vezes é capaz de preencher esse vácuo. Considere um escândalo que ocorreu na UCLA em 1999, quando se descobriu que mais de uma dúzia de jogadores de futebol americano saudáveis e fortes usaram seus contatos, simularam deficiências e falsificaram a assinatura de médicos para obter licenças especiais de estacionamento. Suas posições privilegiadas resultaram em uma sentença que foi publicamente interpretada como apenas

---

* Apenas para introduzir mais um termo nesse conjunto, a maioria dos cientistas da área parece classificar o constrangimento como uma versão passageira e inferior da vergonha. Seu poder regulatório é demonstrado pelo povo semai, da península da Malásia, que diz: "Não há nenhuma autoridade aqui além do constrangimento".

um tapinha na mão aplicado pelo Judiciário e pela UCLA. Contudo, o elemento da vergonha pública pode ter servido de compensação: quando deixaram o tribunal, diante da imprensa, tiveram de abrir caminho em meio a um batalhão de deficientes em cadeiras de rodas que zombavam deles.[31]

Ao estudar todo mundo desde caçadores-coletores até habitantes das cidades, os antropólogos descobriram que cerca de dois terços das conversas cotidianas não passam de fofocas, a vasta maioria delas negativa. Como já foi dito, a fofoca (com o objetivo de causar vergonha) é uma arma dos fracos contra os poderosos. Sempre foi rápida e barata, sobretudo hoje em dia, na época da Internet Escarlate.

A vergonha também é efetiva quando se trata de lidar com atrocidades de empresas.[32] De modo bizarro, o sistema jurídico norte-americano considera, em vários aspectos, que uma empresa equivale a um indivíduo, só que um indivíduo psicopata, por não ter consciência e estar interessado apenas no lucro. As pessoas que gerenciam uma empresa às vezes são responsabilizadas criminalmente quando esta faz algo ilegal; contudo, não quando a empresa faz algo legal, mas imoral — isso está fora do domínio da culpa. Jacquet enfatiza o poder em potencial de campanhas de desmoralização, como aquelas que obrigaram a Nike a mudar suas políticas relativas às terríveis condições de trabalho nas fábricas estrangeiras, ou que forçaram a gigante da área do papel Kimberly-Clark a confrontar a questão do corte de florestas primárias.

A despeito do potencial lado bom que pode vir de tal desmoralização, Jacquet também enfatiza os perigos da desmoralização contemporânea, que é a selvageria com que as pessoas podem ser atacadas na internet e a distância que esse veneno pode transpor — em um mundo no qual a oportunidade de odiar o pecador de modo anônimo parece ser mais importante do que qualquer aspecto do pecado em si.

OS TOLOS SE PRECIPITAM: PONDO EM PRÁTICA OS ACHADOS DA CIÊNCIA DA MORALIDADE

De que forma os conhecimentos que já temos à mão podem ser usados para incentivar nossos melhores comportamentos e reduzir os piores?

Qual dos homens brancos mortos estava certo?

Vamos começar com uma pergunta que manteve o pessoal ocupado por milênios, a saber: qual é a melhor dentre todas as filosofias morais?

Os indivíduos que ponderaram essa questão agruparam as diferentes abordagens em três categorias mais amplas. Digamos que há dinheiro no chão e ele não é seu, mas ninguém está olhando. Por que não pegá-lo?

A ética da virtude, com sua ênfase no agente, responderia: porque você é melhor do que isso, porque depois terá de viver consigo mesmo etc.

A deontologia, com sua ênfase na ação: porque não é aceitável roubar.

O consequencialismo, com sua ênfase no resultado: e se todo mundo começasse a agir dessa forma? Pense no impacto sobre a pessoa que era dona do dinheiro que você roubou etc.

Em linhas gerais, a ética da virtude em tempos recentes assumiu uma importância secundária com relação às outras duas, tendo adquirido o curioso verniz de uma preocupação antiquada quanto ao modo como um ato impróprio pode macular a alma. Como veremos mais adiante, acho que a ética da virtude retorna pela porta dos fundos com uma importância considerável.

Ao focar nas outras duas (deontologia versus consequencialismo), retornamos ao conhecido terreno que questiona se os fins justificam os meios. Para os deontologistas, a resposta é: "Não, os indivíduos jamais podem ser peões". Para os consequencialistas, a resposta é: "Sim, se for pelo resultado certo". O consequencialismo se apresenta em inúmeras variedades e é levado a sério em diferentes medidas, dependendo de suas características — por exemplo: sim, os fins justificam os meios se o fim é maximizar o meu prazer (hedonismo), aumentar os níveis globais de riqueza* ou reforçar os poderes estabelecidos (consequencialismo de Estado). Para a maioria das pessoas, contudo, o consequencialismo diz respeito ao utilitarismo clássico: é aceitável usar pessoas como meios para fins de maximização dos níveis gerais de felicidade.

Quando a deontologia e o consequencialismo contemplam o dilema do bonde, a primeira se liga às intuições morais enraizadas no CPFvm, na amígdala e na ínsula, enquanto o último é dominado pelo CPFdl e pelo raciocínio moral. Por que nossos julgamentos morais automáticos e intuitivos tendem a ser não utilitários?

---

* Riqueza essa que, para enfatizar algo que todos nós sabemos, mas temos dificuldade em lembrar, não é sinônimo de felicidade. Pesquisas amplas e sistemáticas sobre a felicidade, que vão desde estudos longitudinais dos mesmos indivíduos ao longo do tempo até gigantescos estudos interculturais com dezenas de milhares de pessoas em dezenas de países, chegam à mesma conclusão: quando as pessoas conseguem sair da pobreza mais abjeta, elas sem dúvida tendem a ficar mais felizes. Mas acima desse nível de luta pela subsistência, há uma relação extraordinariamente pequena entre renda e felicidade.

Porque, como Greene declara em seu livro, "nosso cérebro moral evoluiu para nos ajudar a espalhar os genes, não para maximizar a felicidade coletiva".

Os estudos sobre o dilema do bonde mostram a heterogeneidade moral das pessoas. Nessas pesquisas, cerca de 30% dos voluntários eram consistentemente deontologistas, recusando-se a acionar a alavanca ou empurrar alguém, mesmo ao custo daquelas cinco vidas. Outros 30% eram sempre utilitaristas, dispostos a acionar a alavanca ou empurrar a pessoa. E, para todos os demais, a filosofia moral dependia do contexto. O fato de que uma pluralidade de indivíduos se enquadra nessa categoria conduz ao modelo de "processo dual" de Greene, segundo o qual somos geralmente uma mistura de valorações de meios e fins. Qual é a sua filosofia moral? Se o dano ao indivíduo que é usado como meio não for intencional ou se essa intencionalidade for de fato convoluta e indireta, sou um consequencialista utilitário; se a intencionalidade estiver bem diante do meu nariz, sou um deontologista.

As diferentes situações do dilema do bonde revelam que circunstâncias nos empurram em direção à deontologia intuitiva e que circunstâncias nos levam ao raciocínio utilitário. Qual é o melhor resultado?

Para o tipo de pessoa que está lendo este livro (ou seja, alguém que lê e pensa, coisas das quais há sérios motivos para se gabar), quando se considera esse assunto a partir de uma distância tranquila, o utilitarismo parece um bom começo: maximizar a felicidade coletiva. Há uma ênfase na equidade — não em um tratamento igual, mas na tentativa de levar em consideração o bem-estar de todos. E existe uma ênfase suprema na imparcialidade: se o indivíduo acha que a situação proposta é moralmente equitativa, ele deve estar disposto a lançar uma moeda para determinar que papel irá desempenhar.

O utilitarismo pode ser criticado sobre bases mais práticas: é difícil encontrar um denominador comum entre as versões díspares de felicidade dos indivíduos; dar ênfase aos fins em detrimento dos meios demanda a habilidade de prever quais serão os fins de fato; e a verdadeira imparcialidade é dificílima de alcançar com nossa mentalidade Nós/Eles. Mas pelo menos em teoria há um apelo sólido e lógico ao utilitarismo.

Só que tem um problema: a menos que alguém não tenha CPFvm, há um momento em que o apelo do utilitarismo inevitavelmente chega a um brusco impasse. Para a maioria das pessoas, é na hora de empurrar o sujeito diante do bonde. Ou de estrangular um bebê que está chorando para salvar um grupo de pessoas que se esconde dos nazistas. Ou de matar uma pessoa saudável para coletar seus órgãos e salvar cinco vidas. Como Greene faz questão de enfatizar, quase todo mundo compreende de imediato a lógica e o apelo do utilitarismo, ainda que, a certa altura, chega-se a um ponto em que fica claro: não se trata de um bom guia para a tomada de decisões morais cotidianas.

Greene e, de forma independente, o neurocientista John Allman, da Caltech, e o historiador da ciência James Woodward, da Universidade de Pittsburgh, exploraram os fundamentos neurobiológicos de um ponto-chave: o utilitarismo que consideramos até aqui é unidimensional e artificial; ele é destituído da sofisticação tanto de nossas intuições morais quanto de nosso raciocínio moral. É possível fazer uma defesa bastante convincente do consequencialismo utilitário. Contanto que você considere todas as consequências: as imediatas, as a longo prazo, e as a longuíssimo prazo. E então volte atrás e as considere de novo várias vezes.

Quando as pessoas chegam a um beco sem saída com o utilitarismo, é porque aquilo que, no papel, se apresenta como uma compensação palatável a curto prazo ("Matar de propósito uma pessoa para salvar outras cinco: é óbvio que isso contribui para aumentar a felicidade coletiva") não parece tão bom assim a longo prazo. "Claro, a doação involuntária de órgãos dessa pessoa saudável acaba de salvar cinco vidas, mas quem mais será dissecado dessa forma? E se eles vierem atrás de mim? Eu meio que gosto do meu fígado. O que mais eles podem começar a fazer?" Ladeira escorregadia, dessensibilização, consequências inesperadas, consequências esperadas. Quando o utilitarismo imediatista (o que Woodward e Allman definem como consequencialismo "paramétrico") é substituído por uma versão de maior alcance (o que eles chamam de consequencialismo "estratégico" e Greene, de "utilitarismo pragmático"), os resultados são melhores.

Nosso panorama de intuição moral versus raciocínio moral gerou uma dicotomia, um tanto similar à incapacidade dos homens de ter muito sangue circulando nas partes íntimas e no cérebro ao mesmo tempo; eles têm de escolher. De modo parecido, você precisa escolher se sua tomada de decisões morais vai recorrer à amígdala ou ao CPFdl. Mas essa é uma falsa dicotomia, porque alcançamos nossas melhores decisões estratégicas, consequencialistas e de longo prazo quando empregamos tanto o raciocínio quanto a intuição.

> Claro, estar disposto a fazer X a fim de obter Y parece uma boa permuta a curto prazo. Mas, a longo prazo, se repetirmos isso com frequência, fazer Z também começará a parecer aceitável, e eu acharia horrível se fizessem Z comigo, além do que também haverá grandes chances de que W aconteça, o que produzirá sentimentos realmente ruins nas pessoas, o que irá resultar em...

E nesse processo, a parte de "sentir" não assume a forma preferencial do sr. Spock, de constatar lógica e friamente que os seres humanos são criaturas irracionais e caprichosas, incorporando esse fator a seu pensamento racional sobre o tema. Em vez disso, trata-se de sentir qual seria a sensação desses sentimentos. Isso remete ao capítulo 2, quando abordamos a hipótese dos marcadores somáticos de Damasio: quando tomamos uma decisão, não estamos apenas executando experimentos mentais, mas também experimentos somáticos de emoções (como será a *sensação* disso quando enfim acontecer?), e essa combinação é o objetivo na tomada de decisões morais.

Portanto, dizer: "Sem chances, não vou empurrar alguém nos trilhos do bonde; é simplesmente errado" diz respeito à amígdala, à ínsula e ao CPFvm; "Sacrificar uma vida para salvar outras cinco, claro!" é sobre o CPFdl. Mas quando você aplica um consequencialismo estratégico de longo prazo, todas essas regiões são empregadas. E isso produz algo mais poderoso do que a arrogância de um intuicionismo automático que diz: "Não sei explicar, mas isso é simplesmente errado". Se você empregou todos esses sistemas do cérebro, executou os experimentos racionais e emocionais sobre como as coisas podem se desenrolar a longo prazo, e priorizou os estímulos — reações viscerais devem ser levadas em conta, mas não ganham poder de veto —, você sabe exatamente por que algo parece certo ou errado.

As vantagens sinérgicas de combinar raciocínio com intuição levantam um ponto importante. Se você é fã de intuições morais, você as enquadra como fundacionais e primordiais. Se não gosta delas, então as considera simplistas, reflexas e primitivas. Mas, conforme destacado por Woodward e Allman, nossas intuições morais não são nem primordiais nem reflexamente primitivas. São os produtos finais do aprendizado, conclusões cognitivas às quais nos expusemos com tanta frequência que se tornaram automáticas, tão implícitas quanto andar de bicicleta ou recitar os dias da semana na ordem certa. No Ocidente, quase todos têm uma forte intuição de que coisas como escravidão, trabalho infantil e crueldade animal são erradas. Mas é claro que não foi sempre assim. O caráter perverso dessas ações se tornou uma intuição moral implícita, um instinto visceral relativo à verdade moral, só por conta do feroz raciocínio moral (e do ativismo) daqueles que vieram antes de nós, em uma época em que as intuições morais das pessoas eram irreconhecivelmente diferentes. Nossas vísceras aprendem suas intuições.

Devagar e rápido: os problemas distintos de "Eu versus Nós" e de "Nós versus Eles"

O contraste entre o intuicionismo moral rápido e automático e o raciocínio consciente e deliberativo se dá em outro âmbito crucial, que é assunto do excelente livro *Moral Tribes: Emotion, Reason, and the Gap Between Us and Them* [Tribos morais: Emoção, razão e o abismo entre Nós e Eles], de Joshua Greene, publicado em 2014.[33]

Greene começa com a clássica tragédia dos bens comuns. Pastores levam seus rebanhos para uma área de pastagem coletiva. São tantas as ovelhas que existe o risco de devastação do pasto comum, a menos que os indivíduos reduzam o tamanho de seus rebanhos. E a tragédia é que, se a propriedade for mesmo comum, não há qualquer incentivo para cooperar — você pode variar entre ser um tolo, caso ninguém mais esteja cooperando, e um interesseiro bem-sucedido, se todo mundo estiver.

Essa questão de como pôr em marcha e manter a cooperação em um mar de não cooperadores perpassou todo o capítulo 10, e, conforme demonstrado pela existência generalizada de espécies sociais que cooperam, é solucionável (não perca as cenas do último capítulo). Em um enquadramento moral, prevenir a tragédia dos bens comuns exige fazer com que as pessoas em grupos não sejam egoístas; é uma questão do tipo Eu / Nós.

Mas Greene esboça um segundo tipo de tragédia. Agora há dois *grupos* diferentes de pastores, e o desafio é que cada um tem uma abordagem distinta com relação ao pasto. Um deles, por exemplo, considera a pastagem como um clássico bem comum, enquanto o outro acredita que ela deve ser dividida em porções de terra pertencentes a pastores individuais, com cercas altas e resistentes para separá-las. Em outras palavras, visões mutuamente contraditórias quanto à utilização do pasto.

O que alimenta o perigo e a tragédia nessa situação é que cada grupo tem em mente uma estrutura bem fundamentada de motivos pelos quais seu método é o correto — tanto que ela é capaz de adquirir um peso moral, sendo vista como um "direito". Greene disseca essa palavra de maneira brilhante. Para qualquer um dos lados, achar-se no "direito" de fazer as coisas do seu jeito basicamente significa que eles despejaram uma quantidade suficiente de racionalizações haidtianas e *post hoc* em uma intuição moral amorfa, egoísta e paroquial; que eles convocaram um número suficiente de seus reis-filósofos pastoralistas de barba grisalha para proclamar a força moral de sua postura; que sentiram da forma mais sincera e dolorosa que o que estava em jogo era a própria essência do que valorizam e quem eles são, e de que a correção moral do universo está vacilando; tudo isso de maneira tão poderosa que são incapazes de reconhecer o "direito" pelo que ele é, ou seja: "Não sei dizer por quê, mas é assim que as coisas devem ser feitas". Para usar uma citação atribuída a Oscar Wilde: "A moralidade é apenas a atitude que adotamos com as pessoas de quem pessoalmente não gostamos".

É o velho Nós / Eles em um enquadramento moral, sendo a importância do que Greene chama de "a Tragédia da Moralidade do Senso Comum" evidenciada pelo fato de que muitos dos conflitos intergrupais em nosso planeta são, no fundo, discordâncias culturais sobre qual "direito" é o mais direito.

Essa é uma forma intelectualizada e anêmica de enquadrar o problema. Eis outra.

Digamos que eu conclua que seria uma boa ideia inserir aqui umas imagens para exemplificar o relativismo cultural, mostrando um ato que pertence ao senso comum em uma determinada cultura, mas é profundamente perturbador em outra. "Já sei", penso, "vou procurar fotos de um mercado de carne de cachorro do Sudeste Asiático." Ótimo plano. Lá vou eu para o Google Imagens. Resultado: passei horas hipnotizado, incapaz de parar, torturando-me com sucessivas fotos de cães sendo transportados para o mercado e então abatidos, cozidos e vendidos, junto com fotos de seres humanos tocando seus dias de trabalho no local, indiferentes a um engradado cheio até o topo de cães em sofrimento.

Fico imaginando o medo que esses cachorros experimentaram, como devem ter sentido calor, sede e dor. Penso: "E se esses cães chegaram a confiar em humanos?". Penso em seu medo e confusão. Penso: "E se um dos cachorros que eu amava tivesse de passar por isso? E se isso acontecesse com um cachorro que meus filhos amavam?". E com o coração acelerado percebo que odeio essa gente, *odeio* cada um deles e desprezo sua cultura.

E é preciso empreender um esforço do tamanho de uma locomotiva para admitir que: a) não tenho como justificar esse ódio e esse desprezo; b) trata-se apenas de uma intuição moral; c) certas coisas que faço devem evocar a mesma resposta em alguém distante cuja humanidade e moralidade sem dúvida não são menores do que a minha e; d) se não fosse pela aleatoriedade de onde nasci, eu poderia ter essas outras perspectivas.

O que torna a tragédia da moralidade do senso comum tão trágica é a intensidade com que você simplesmente sabe que Eles estão profundamente errados.

Em geral, nossas instituições culturais moralmente carregadas — religião, nacionalismo, orgulho étnico, espírito de equipe — nos conduzem aos melhores comportamentos quando somos pastores individuais diante de uma potencial tragédia dos bens comuns. Elas nos tornam menos egoístas em situações do tipo Eu versus Nós. Por outro lado, elas nos arremessam com toda a força a nossos piores comportamentos quando confrontamos Eles e suas moralidades diferentes.

A natureza dual do processo de tomada de decisão fornece algum vislumbre sobre como prevenir esses dois tipos muito diferentes de tragédias.

No contexto de Eu versus Nós, as intuições morais são compartilhadas, portanto enfatizá-las está em sintonia com a pró-socialidade de nossa condição de Nós. Isso foi mostrado em um estudo realizado por Greene, David Rand, de Yale, e outros colegas, no qual os voluntários participavam de uma rodada única de um jogo de bens públicos que simulava a tragédia dos comuns.[34] Os indivíduos tinham diferentes períodos de tempo para decidir com quanto dinheiro iriam contribuir para um fundo compartilhado (ou se ficariam com o dinheiro, em detrimento do resto do grupo). Quanto mais curto era o tempo para responder, mais cooperativas as pessoas se mostravam. O mesmo ocorria se você pré-ativasse os indivíduos a valorizar a intuição (fazendo-os relatar uma ocasião em que a intuição os levou a tomar uma boa decisão, ou uma circunstância em que um raciocínio cuidadoso fez o oposto): o resultado era mais cooperação. De modo oposto, basta instruir os voluntários a "considerar com cuidado" suas decisões, ou induzi-los a priorizar a reflexão diante da intuição, e eles se mostram mais egoístas. Mais tempo para pensar quer dizer mais tempo para desenvolver uma versão de: "Claro, todos concordamos que a cooperação é uma boa coisa... mas aqui estão os motivos pelos quais eu deveria me eximir desta vez". É o que os autores chamaram de "ganância calculada".

O que aconteceria se os voluntários participassem do jogo com alguém nitidamente diferente, o ser humano mais diferente que pudessem encontrar, de acordo com os padrões de conforto e familiaridade daqueles indivíduos? Ainda que esse estudo não tenha sido feito (o que, é óbvio, seria difícil), é possível prever que decisões rápidas e intuitivas seriam tomadas esmagadoramente na direção de um egoísmo fácil e decidido, com o acionamento de alarmes xenofóbicos ("Eles! Eles!") e a ativação instantânea de crenças automáticas ("Eles não merecem confiança!").

Ao se deparar com dilemas morais do tipo Eu versus Nós nos quais é preciso resistir ao egoísmo, nossas intuições rápidas são boas, aperfeiçoadas pela seleção evolutiva da cooperação em um mar de marcadores para barbas-verdes.[35] Em tais circunstâncias, regular e formalizar a pró-socialidade (ou seja, transferi-la do reino da intuição para o reino da cogitação) pode até ser contraproducente, um ponto enfatizado por Samuel Bowles.*

---

* Bowles menciona um ótimo exemplo disso, mostrando como as sanções podem reduzir a pró-socialidade no interior do grupo: alguns pais e mães sempre se atrasam ao buscar os filhos na pré-escola. "Por favor, não faça isso", a escola avisa os pais por e-mail. "Isso impede que nossos maravilhosos funcionários possam ir embora." Esse tipo de pedido pode ajudar, mas ainda assim há certos pais que continuam a se atrasar. Então a escola institui um programa de sanções: cada vez que você se atrasar,

Por outro lado, ao tomar decisões morais em situações do Nós versus Eles, convém deixar as intuições de lado. Em vez disso, pense, raciocine e questione; seja muitíssimo pragmático e estrategicamente utilitário; assuma a perspectiva dos outros, tente pensar o que eles pensam e sentir o que eles sentem. Respire fundo e então faça tudo de novo.*

Veracidade e falsidade

> *A pergunta ecoou, clara e insistente, uma pergunta que não podia ser ignorada ou evitada. Chris engoliu em seco e, experimentando um tom de voz calmo e firme, respondeu: "Não, é claro que não". Era uma mentira deslavada.*

Isso seria uma atitude boa ou má? Bem, depende do teor da pergunta, que pode ser: a) "Quando o CEO lhe entregou o relatório, você sabia que os números haviam sido manipulados para ocultar as perdas do terceiro trimestre?", perguntou o promotor; b) "Você já tem esse brinquedo?", perguntou a avó, hesitante; c) "O que o médico disse? É fatal?"; d) "Essa roupa me deixa _____?"; e) "Você comeu os brownies que eram para hoje à noite?"; f) "Harrison, você está dando abrigo para o escravo fugido chamado Jack?"; g) "Tem alguma coisa estranha aqui. Você está mentindo sobre ter ficado até mais tarde no trabalho ontem?"; h) "Caramba, você peidou?".

Nada ilustra melhor o quanto o significado de nossos comportamentos depende do contexto. A mesma mentira, o mesmo esforço de controlar sua expressão facial, a mesma tentativa de fazer a medida certa de contato visual. E, dependendo da circunstância, isso pode refletir nosso melhor ou pior. No outro lado da depen-

---

cobraremos um valor adicional na sua mensalidade no fim do mês. E então o índice de atrasos *aumenta ainda mais*. Por quê? Porque a transgressão saiu do reino da intuição social de grupo ("Ei, eu não devia ser egoísta com os membros da *nossa* comunidade escolar") e foi para um âmbito mais calculado ("Certo, estou disposto a incorrer em um custo adicional, se for para a minha conveniência"). Isso também pode ser uma forma de entender por que, naquele estudo intercultural de sociedades de pequena escala que discutimos antes, os indivíduos com uma maior integração de mercado tinham a estratégia de jogo mais pró-social: o que o mercado e as economias monetárias fazem é transportar o universo de altruísmo recíproco do reino da intuição social para o do cálculo social.

* Esses temas guardam uma forte semelhança com os assuntos abordados por Daniel Kahneman, ganhador do Nobel de Economia, em seu best-seller *Rápido e devagar: duas formas de pensar*. Em vez de analisar as coisas sob o ponto de vista da esfera moral, Kahneman recorre à economia para examinar as diferentes virtudes e fraquezas do pensamento rápido e intuitivo e do pensamento lento e analítico.

dência do contexto, às vezes ser honesto é o mais difícil — contar uma verdade desagradável sobre outra pessoa ativa o CPF medial (e também a ínsula).*[36]

Dadas essas complexidades, não surpreende que a biologia por trás da honestidade e da duplicidade seja tão turva.

Como vimos no capítulo 10, a própria natureza dos jogos competitivos evolutivos faz uma seleção tanto para a dissimulação quanto para a vigilância contra ela. Inclusive examinamos protoversões de ambas em leveduras sociais. Os cães tentam enganar uns aos outros com pouquíssimo sucesso — quando um cachorro está apavorado, feromônios de medo emanam de suas glândulas odoríferas anais, e não é legal se o sujeito que você está enfrentando souber que você está com medo. Um cão não consegue optar conscientemente pela dissimulação deixando de sintetizar e secretar esses feromônios. Mas é capaz de abafar a disseminação deles ao botar uma tampa nessas glândulas, ou seja, enfiando o rabo entre as pernas: "Não estou com medo, não senhor", guinchou Sparky.

Não é nenhuma surpresa que a duplicidade dos primatas não humanos leva as coisas a outro nível.[37] Se há um bom pedaço de comida e um animal de alto escalão nas redondezas, os macacos-prego emitem chamados de alarme para a presença de predadores a fim de distrair o outro indivíduo; se for um animal de hierarquia mais baixa, não há necessidade: apenas pegue a comida. De modo similar, se um macaco-prego de posição mais baixa sabe onde tem comida escondida e existe um animal dominante por perto, ele se afasta do esconderijo; se for um animal subordinado, sem problemas. O mesmo foi registrado em macacos-aranha e indivíduos do gênero *Macaca*. E outros primatas não executam apenas uma "dissimulação tática" de comida. Quando um babuíno-gelada se acasala com uma fêmea, ele em geral emite um "chamado de copulação" — a menos que ele esteja com uma fêmea que escapuliu de seu macho consorte mais próximo. Nesse caso, ele não faz som nenhum. E, é claro, todos esses exemplos empalidecem diante do que os políticos chimpanzés são capazes de fazer. Em várias espécies de primatas, demonstrando que a dissimulação é uma tarefa que requer muita competência social, um neocórtex maior prenuncia taxas mais altas de dissimulação, independente do tamanho do grupo.**

---

* Ainda que o neurocientista Sam Harris, em seu livro *Lying* [Mentira], argumente que todo tipo de mentira é errado — mesmo as mentiras mais leves, que servem para poupar os sentimentos de alguém, e as mentiras que acompanham o proverbial heroísmo de, digamos, esconder uma pessoa escravizada que fugiu.

** Apenas reiterando: a começar por aquelas leveduras sociais, a dissimulação não se limita aos primatas. Atos de dissimulação parecidos com os observados em macacos-prego foram registrados naqueles brilhantes corvídeos; além disso, comportamentos como os dos borrelhos fingindo estar feridos para afastar um predador de seu ninho foram interpretados como dissimulações táticas ("Não coma os fi-

Isso é impressionante. Mas é muitíssimo improvável que seja uma estratégia consciente desses primatas. Ou mesmo que eles se sintam mal ou moralmente conspurcados depois de praticarem o embuste. Ou que eles de fato acreditem em suas mentiras. Para isso, é preciso ser humano.

A capacidade dos seres humanos para a dissimulação é enorme. Temos a mais complexa inervação de músculos faciais e usamos uma quantidade gigantesca de neurônios motores para controlá-los — nenhuma outra espécie é capaz de fazer cara de impassível. E temos a linguagem, esse meio extraordinário de manipular a distância entre uma mensagem e seu significado.

Os humanos também são exímios em mentir porque nossas habilidades cognitivas nos permitem fazer algo que está fora do alcance de qualquer pérfido babuíno-gelada: somos capazes de manipular a verdade.

Um estudo bem legal demonstra nossa propensão para isso. Simplificando: o indivíduo A lançava um dado, com resultados diferentes produzindo distintas recompensas monetárias. Os dados eram lançados em segredo e o voluntário apenas anunciava o resultado — havia a oportunidade de trapacear.

Caso levássemos em conta apenas o acaso e uma quantidade suficiente de lances, se todos fossem honestos, cada número seria anunciado cerca de um sexto das vezes. Se todos mentissem para um ganho máximo, todos os lances, em tese, produziriam o número mais rentável.

A mentira foi grande. Os voluntários eram mais de 2,5 mil estudantes universitários de 23 países; índices mais altos de corrupção, evasão fiscal e fraude política no país do indivíduo eram fatores preditivos de taxas maiores de trapaça. Isso não é surpresa depois da demonstração do capítulo 9 de que altos índices de violações a regras reduzem o capital social de uma comunidade, o que, por sua vez, alimenta o comportamento antissocial individual.

O mais interessante é que, em todas as culturas, a mentira obedeceu a um padrão específico. No experimento, os voluntários lançavam dois dados, e só o primeiro lance contava (eles eram informados de que o segundo servia para testar se o dado estava "funcionando direito"). A mentira seguia um padrão que, com base em estudos preliminares, só podia ser explicado de uma forma: as pessoas raramente inventavam um número favorável. Em vez disso, elas simplesmente anunciavam o lance mais alto entre os dois.

Dá até para imaginar a racionalização. "Droga, meu primeiro lance foi um número 1 [péssimo resultado], e meu segundo foi um 4 [bem melhor]. Ei, os lances

---

lhotes. Olhe, venha atrás de mim! Eu tenho mais carne e não posso escapar porque estou machucado"). Dissimulações parecidas também foram registradas em outras aves, alguns mamíferos ungulados e sibas.

são aleatórios; eu podia muito bem ter tirado 4 no lugar do 1, então... vamos dizer que eu tirei um 4. Isso não é o mesmo que roubar."

Em outras palavras, mentir quase sempre inclui uma racionalização para fazer o ato parecer menos desonesto: não entrar com tudo para ganhar aquele lucro imundo, de modo que as suas ações pareçam ser apenas uma desonestidade ligeiramente fedorenta.

Quando estamos mentindo, naturalmente, regiões relacionadas à Teoria da Mente são acionadas, sobretudo em circunstâncias de dissimulação social estratégica. Além disso, o CPFdl e outras regiões frontais relacionadas são essenciais para um circuito neural de dissimulação. E então nossa descrição chega a um impasse.[38]

Voltemos ao tema, introduzido no capítulo 2, de que o córtex frontal (e o CPFdl em particular) o leva a fazer a coisa mais difícil quando é a coisa certa a fazer. De acordo com a nossa definição de "certo" — destituída de qualquer valor —, espera-se que o CPFdl se ative quando você está lutando para fazer: a) a coisa certa do ponto de vista moral, que é evitar a tentação de mentir, mas também b) a coisa certa em termos estratégicos, ou seja, uma vez que você decidiu mentir, fazê-lo de forma eficaz. Pode ser *difícil* mentir de forma eficaz, ter que pensar estrategicamente, lembrar que mentira você está de fato contando e criar falsos sentimentos ("Vossa Majestade, trago notícias tristes, notícias terríveis sobre seu filho, o herdeiro do trono [sim, nós o emboscamos — viva!]").* Portanto, a ativação do CPFdl tanto pode refletir a luta para resistir à tentação quanto o esforço executivo de efetivamente chafurdar na tentação, uma vez que você perdeu essa luta. "Não faça isso" e "Se você for fazê-lo, então faça direito".

Essa confusão emerge em estudos de neuroimagem com mentirosos compulsivos.**[39] O que podemos esperar? São pessoas que com frequência não conseguem resistir à tentação de mentir; eu diria que elas têm atrofia de alguma área frontocortical. São pessoas que têm o hábito de mentir e são boas nisso (e em geral têm alto QI verbal); aposto que têm alguma área frontocortical aumentada. E os estudos sustentam ambas as previsões: mentirosos compulsivos têm quantidades aumentadas de substância branca (ou seja, dos cabos axonais que conectam os neurônios) no

---

* O que faz lembrar duas ótimas citações, a primeira em geral atribuída ao político Sam Rayburn: "Filho, fale sempre a verdade. Assim, você nunca terá de lembrar o que disse da última vez". E outra, de Johann Lavater, filósofo suíço do século XVIII: "Aquele que é passional e impetuoso em geral é honesto; é contra o hipócrita frio e dissimulado que você deve se precaver".

** De acordo com a pontuação em uma parte de um questionário sobre psicopatia ou um histórico bem-sucedido de golpes aplicados. É importante observar que o estudo incluiu não só um grupo de controle composto por indivíduos normais como também um grupo de controle formado por psicopatas que por acaso não eram mentirosos compulsivos.

córtex frontal, mas menores quantidades de substância cinzenta (o corpo celular dos neurônios). Não dá para saber se existe uma relação causal nessa correlação entre neuroimagem e comportamento. Só o que podemos concluir é que as regiões frontocorticais como o CPFdl exibem versões múltiplas e variadas do que é "fazer a coisa mais difícil".

É possível dissociar a tarefa frontal de resistir à tentação da tarefa frontal de mentir com eficácia se tirarmos a moralidade dessa equação.[40] Isso é feito em estudos em que os indivíduos são *orientados* a mentir. (Por exemplo, os voluntários recebem uma série de fotos; mais tarde, eles observam um conjunto de imagens, algumas das quais idênticas às que eles têm em mãos, e devem responder se aquela é uma dessas imagens ou não. Um sinal do computador indica se o indivíduo deve responder honestamente ou mentir.) Nesse tipo de situação, a mentira é associada de modo mais consistente à ativação do CPFdl (junto com o vizinho e relacionado CPF ventrolateral). Trata-se de um retrato do CPFdl empreendendo a difícil tarefa de mentir com eficácia, sem a preocupação adicional com o destino de sua alma neuronal.

Os estudos tendem a mostrar também a ativação do córtex cingulado anterior (CCA). Como foi mencionado no capítulo 2, o CCA responde a circunstâncias de escolhas conflitantes. Isso ocorre tanto em conflitos emocionais como cognitivos (por exemplo, ter de escolher entre duas respostas quando ambas parecem servir). Nos estudos sobre a mentira, a ativação do CCA ocorre não por causa do conflito moral de mentir ou não, já que os voluntários foram orientados a fazê-lo. Em vez disso, trata-se de monitorar o conflito entre a realidade e o que você foi instruído a responder, e isso emperra vagamente o processo; os indivíduos registram tempos de resposta sistematicamente maiores nas rodadas de mentira do que nas honestas.

Esse atraso é útil nos testes de polígrafo (detectores de mentira). Em seu formato clássico, o exame detecta a excitação do sistema nervoso simpático, indicando que o indivíduo está mentindo ou ansioso quanto a ser desmascarado. O problema é que você exibe a mesma ansiedade quando está sendo sincero e sabe que a sua vida será arruinada caso essa máquina falível afirme o contrário. Além disso, sociopatas são indetectáveis, já que não ficam ansiosos ao mentir. E é possível tomar contramedidas para manipular o sistema nervoso simpático. Como resultado, o uso de polígrafos não é mais aceitável nos tribunais. As técnicas poligráficas contemporâneas, por outro lado, se concentram naquele leve atraso, ou seja, nos indicadores fisiológicos de um conflito do CCA — não o conflito moral, já que um malfeitor pode não ter inquietações morais, mas o cognitivo: "Sim, eu assaltei a loja, mas, não, espere! Preciso dizer que não assaltei". A menos que você acredite piamente na mentira, é provável que haja esse leve atraso, refletindo o conflito do CCA entre a realidade e a sua alegação.

Portanto, a ativação do CCA, do CPFdl e de regiões frontais vizinhas está associada à mentira orientada.[41] Nesse ponto, temos aquela boa e velha questão da causalidade: é a ativação do CPFdl a causa, a consequência ou uma mera correlação da mentira? A fim de responder a essa questão, cientistas utilizaram a estimulação transcraniana de corrente contínua para desativar o CPFdl em indivíduos durante tarefas de mentira orientada. O resultado? Os voluntários ficavam mais lentos e menos bem-sucedidos ao mentir, o que pressupõe um papel causal do CPFdl. E para nos fazer lembrar de como esse assunto é complicado, indivíduos com lesões no CPFdl têm menos propensão a levar a honestidade em conta quando ela e o interesse próprio são colocados um contra o outro em um jogo econômico. Então essa parte mais cognitiva e intelectualoide do CPF é essencial tanto para resistir à mentira quanto para, depois que se decidiu mentir, fazê-lo de forma eficaz.

O foco deste livro não é examinar como um indivíduo pode mentir bem. É analisar se mentimos ou se decidimos fazer a coisa mais difícil, resistindo à tentação de enganar. Para entender isso melhor, recorreremos a dois estudos incríveis de neuroimagem nos quais os voluntários mentiam não só porque eram orientados a fazê-lo, mas também porque eram trapaceiros sujos e podres.

O primeiro estudo foi realizado pelos cientistas suíços Thomas Baumgartner e Ernest Fehr (o trabalho deste último já foi citado), junto com outros colegas.[42] Os voluntários participavam de um jogo econômico de confiança em que, a cada rodada, você poderia ser cooperativo ou egoísta. O voluntário anunciava com antecedência ao outro jogador qual seria sua estratégia (cooperar sempre, às vezes ou nunca). Em outras palavras, eles faziam uma promessa.

Alguns dos indivíduos que prometeram cooperar o tempo todo quebraram a promessa ao menos uma vez. Nessas horas houve ativação do CPFdl, do CCA e, é claro, da amígdala.*[43]

Um padrão de ativação do cérebro antes da decisão de cada rodada *prenunciou* a quebra de uma promessa. O fascinante é que, junto com a previsível ativação do CCA, houve ativação da ínsula. Será que o patife pensava: "Tenho nojo de mim, mas vou quebrar a minha promessa"? Ou seria: "Eu não gosto desse cara por causa de X; de fato, ele é meio nojento; eu não devo nada a ele; vou quebrar minha promessa"? Ainda que seja impossível dizer, dada a nossa tendência de racionalizar as próprias transgressões, aposto que a resposta é a última opção.

---

* O envolvimento da amígdala é provavelmente relevante em um estudo de caso de neurologistas franceses com um homem que tinha convulsões sempre que mentia em negociações profissionais. Descobriu-se que havia um tumor pressionando sua amígdala; uma vez retirado o tumor, as convulsões desapareceram (não há menção sobre o sujeito continuar mentindo no trabalho). Os autores chamaram isso de "síndrome de Pinóquio".

O segundo estudo foi feito por Joshua Greene e seu colega Joseph Paxton.[44] Voluntários em uma máquina de tomografia tentavam adivinhar o resultado de lances de moeda e ganhavam dinheiro por apostas corretas. A estrutura do estudo continha uma camada extra de tolice como forma de distração. Os indivíduos receberam a informação de que se tratava de um estudo sobre habilidades mentais paranormais e que, em certos lances de moeda, dado esse motivo inventado, eles não deveriam anunciar sua previsão de antemão, mas apenas pensar qual seria e depois dizer se tinham acertado. Em outras palavras, em meio a um incentivo financeiro de adivinhar corretamente, havia também oportunidades intermitentes de trapacear. De modo crucial, isso era detectável — nos períodos de honestidade forçada, os indivíduos alcançaram uma taxa média de sucesso de 50%. Portanto, se a taxa de acerto aumentasse de forma exagerada nas ocasiões propícias à trapaça, os indivíduos estavam provavelmente roubando.

Os resultados foram bastante deprimentes. A julgar por essa forma de detecção estatística, cerca de um terço dos voluntários se mostraram prováveis trapaceiros em larga escala, com mais um sexto deles à beira do limiar estatístico. Quando os trapaceiros roubavam, havia ativação do CPFdl, como esperado. Estariam eles lutando com uma combinação de conflitos morais e cognitivos? Não particularmente: não houve ativação do CCA, e nem um mínimo de demora na resposta. Os trapaceiros em geral não roubavam em todas as oportunidades; e quando resistiam, o que se passava? Era aqui que a luta ocorria, com uma ativação ainda maior do CPFdl (junto com o CPFvl), o CCA irrompendo na ação e um atraso significativo no tempo de resposta. Em outras palavras, para os indivíduos capazes de roubar, a resistência ocasional parece ser o resultado de uma enorme tempestade neurobiológica de ímpetos.

E agora seguimos para o que talvez seja a descoberta mais importante deste capítulo: e quanto aos indivíduos que nunca trapaceavam? Há dois cenários diferentes, conforme a definição de Greene e Paxton. Resistir à tentação a cada rodada é uma consequência da "vontade", ou seja, de ter um enérgico CPFdl derrubando Satã com uma chave de braço rumo à submissão? Ou seria um ato de "virtude", no qual não há luta porque a resposta é simples: você nunca trapaceia?

Foi um ato de virtude. Naqueles indivíduos que eram sempre honestos, o CPFdl, o CPFvl e o CCA se encontravam em um legítimo estado de coma quando surgiu a chance de trapacear. Não havia conflito nem a necessidade de se esforçar para fazer a coisa certa. Ele simplesmente não trapaceavam.

Resistir à tentação é algo tão implícito quanto subir escadas ou pensar em "quarta-feira" depois de ouvir "segunda-feira, terça-feira", ou mesmo aquela primeira etapa de regulação que dominamos lá no passado: aprender a usar a privada. Como vimos no capítulo 7, não é uma função do estágio kohlbergiano no qual você se encontra; é sobre quais imperativos morais foram inculcados em você com tamanha gravidade e consistência que fazer a coisa certa se tornou praticamente um reflexo espinhal.

Não estou sugerindo que a honestidade, mesmo a honestidade impecável que resiste a todas as tentações, só pode ser a consequência de uma automaticidade implícita.[45] Podemos refletir, lutar e empregar um controle cognitivo para produzir registros imaculados similares, como se comprovou em alguns estudos subsequentes. Mas em circunstâncias como as do estudo de Greene e Paxton, com repetidas oportunidades de trapacear em rápida sucessão, não será o caso de vencer na queda de braço com o diabo uma e outra vez. Nessas ocasiões, a automaticidade é necessária.

Vemos algo similar em um ato de bravura executado pelo indivíduo que, em meio a uma multidão paralisada, corre para dentro do edifício em chamas para salvar a criança. "No que você estava pensando quando decidiu entrar no prédio?" (Você estava pensando na evolução da cooperação, no altruísmo recíproco, na teoria dos jogos e na reputação?) E a resposta é sempre: "Eu não estava pensando. Quando vi, já estava lá dentro". Entrevistas com beneficiários da Medalha Carnegie* a respeito de seus momentos de heroísmo revelam precisamente isto: um primeiro pensamento intuitivo sobre a necessidade de ajudar, que resulta em arriscar a própria vida sem pensar duas vezes. "O heroísmo sente, nunca raciocina", para citar Ralph Waldo Emerson.[46]

A mesma coisa se aplica aqui: "Por que você nunca trapaceia? É por causa de sua habilidade de enxergar as consequências a longo prazo da normalização da trapaça, ou é por respeito à Regra de Ouro, ou...?". A resposta é: "Eu não sei [dando de ombros]. Eu só não trapaceio". Esse não é um momento deontológico ou consequencialista. É a ética da virtude entrando de fininho pela porta dos fundos: "Eu não trapaceio; não é assim que eu sou". Fazer a coisa certa *é* a coisa mais fácil.

---

* O autor se refere a uma honraria concedida pelo Carnegie Hero Fund a cidadãos comuns que executaram atos extraordinários de heroísmo nos Estados Unidos e no Canadá. (N. T.)

14. Sentir, entender e aliviar a dor do outro

Uma pessoa está com dor, assustada ou devastada por uma tristeza maligna. E é provável que outro ser humano, sabendo disso, experimente algo notável: um estado aversivo que pode ser definido de maneira aproximada pela palavra "empatia". Como veremos neste capítulo, esse estado está em um continuum com o que ocorre em um bebê ou em outras espécies. Ele pode assumir formas variadas, com muitas biologias subjacentes envolvidas, que refletem seus componentes sensório-motores, emocionais e cognitivos. Inúmeras influências lógicas são capazes de aguçar ou embotar esse estado. Todas elas levam às duas principais questões deste capítulo: Quando a empatia nos leva a fazer algo realmente prestativo? Quando agimos, é para o benefício de quem?

"SENTIR POR" VERSUS "SENTIR COMO SE" E OUTRAS DISTINÇÕES

Empatia, simpatia, compaixão, mimetismo, contágio emocional, contágio sensório-motor, tomada de perspectiva, preocupação, piedade. Que tenham início as disputas de terminologia quanto às maneiras como entramos em ressonância com a adversidade do outro (além da questão de saber se o oposto dessa ressonância é a indiferença ou o deleite com a desgraça alheia).

Começaremos com versões primitivas daquilo que, por falta de um termo melhor, chamaremos de entrar em ressonância com a dor do outro. Há o contágio sensório-motor: quando você vê a mão de outra pessoa sendo espetada por uma agulha, é ativada a região do córtex sensorial conectada à sua mão, e isso o torna sensível para a sensação imaginada. Talvez o seu córtex motor também se ative, levando você a comprimir a mão. Outro exemplo: você observa um equilibrista caminhar por uma corda bamba e involuntariamente abre os braços para se equilibrar. Ou alguém tem uma crise de tosse e sua garganta se fecha.

Ainda mais explicitamente motor é o ato de emular movimentos por meio de um simples mimetismo. Ou há o contágio emocional, que é a transferência automática de estados emocionais fortes — tais como um bebê chorar porque o outro também está chorando, ou alguém ser acometido pela febre de uma turba e mergulhar em um tumulto.

Sua forma de reverberar os problemas dos outros pode conter um diferencial de poder implícito. Você pode sentir pena de alguém com dor — nesse caso, relembrando as categorias de Fiske para Eles, mencionadas no capítulo 11, essa piedade depreciativa significa que você considera esse indivíduo como alguém de alta afabilidade e baixa competência e agência. E todos sabemos o significado corriqueiro de "simpatia" ("Veja bem, eu simpatizo com a sua situação, mas…"): você tem o poder de aliviar esse sofrimento, mas escolhe não fazer nada.

E também existem termos para refletir o quanto a sua ressonância tem a ver com uma luta entre emoção e cognição. Nesse sentido, "simpatia" significa que você se *sente* compadecido pela dor alheia, sem compreendê-la. Por outro lado, "empatia" contém o componente cognitivo de entender o motivo da dor de alguém, assumindo a perspectiva dessa pessoa e se colocando em seu lugar.

E há as distinções introduzidas no capítulo 6 que descrevem o quanto você ou seus sentimentos podem afetar essa ressonância da dor do outro: o sentido emocionalmente distante de simpatizar ou de sentir *por* alguém; o estado mais bruto e indireto de sentir a dor do outro *como se* estivesse acontecendo com você; e o estado ainda mais cognitivamente distanciado da tomada de perspectiva, de imaginar como deve ser para *ele*, e não para você. Como veremos, um estado "como se" pode trazer o perigo de fazer você experimentar aquela dor de forma tão intensa que sua preocupação principal se torna aliviar o próprio sofrimento.

O que então nos faz evocar uma palavra distinta: "compaixão", segundo a qual a ressonância da dor do outro nos leva a de fato ajudar.[1]

Talvez o mais importante é que essas palavras em geral dizem respeito a estados internamente motivados — você não pode forçar alguém a sentir verdadeira empatia, não pode induzir esse sentimento por meio da culpa ou de um senso de obrigação. É possível produzir versões baratas de empatia dessa forma, mas nunca a empatia genuína. Em consonância a isso, pesquisas recentes mostram que, quando você ajuda alguém por empatia, há um perfil de ativação do cérebro muito diferente de quando você o faz por um obrigatório senso de reciprocidade.[2]

Como sempre, é possível entender melhor a natureza e a biologia desses estados ao analisar seus rudimentos em outras espécies, seu desenvolvimento em crianças e suas manifestações patológicas.

ANIMAIS EMOCIONALMENTE CONTAGIOSOS E COMPASSIVOS

Muitos animais exibem os componentes fundamentais de estados empáticos (usarei "estado empático" ao longo do capítulo para me referir à coletividade formada por simpatia, empatia, compaixão etc.). Assim, há o mimetismo, um dos pilares do aprendizado social em muitas espécies — pense nos jovens chimpanzés observando a mãe para aprender a usar ferramentas. Ironicamente, a poderosa inclinação dos seres humanos para a imitação pode ter um lado negativo. Em um estudo, chimpanzés e crianças observaram um humano adulto acessando repetidas vezes uma guloseima dentro de uma caixa intrincada; de modo crucial, o indivíduo acrescentou inúmeros movimentos irrelevantes ao processo. Mais tarde, ao explorarem a caixa sozinhos, os chimpanzés imitaram apenas os passos necessários para abri-la, enquanto as crianças "superimitaram", copiando também os gestos supérfluos.*[3]

Animais sociais também se defrontam o tempo todo com o contágio emocional — estados compartilhados de excitação em uma matilha de cães ou em chimpanzés machos saindo para patrulhar uma fronteira. Não são estados terrivelmente precisos, e eles muitas vezes transbordam para outros comportamentos. Por exemplo: imagine que alguns babuínos se deparam com algo bom para comer — digamos, uma jovem gazela. Ela está correndo feito doida com os babuínos em seu encalço. E então o macho na dianteira parece pensar alguma coisa como: "Bem, aqui estou eu correndo muito rápido e — o QUÊ?! Estou vendo o meu odiado rival correndo bem atrás de mim! Por que esse idiota está me seguindo?". Ele dá meia-volta para entrar em colisão direta e lutar com o babuíno atrás dele, esquecendo-se por completo da gazela.

O mimetismo e o contágio social são os primeiros passos. Será que outros animais sentem a dor alheia? Em parte, sim. Camundongos são capazes de aprender de forma indireta uma certa associação de medo só de observar outro camundongo passando pelo condicionamento. Além disso, trata-se de um processo social — o aprendizado é intensificado se os camundongos têm ligação de parentesco ou se já acasalaram entre si.[4]

Em outro estudo, um camundongo foi exposto a um agressivo intruso colocado em sua gaiola.[5] Como já demonstrado, isso produz consequências adversas duradouras: um mês depois, esses camundongos ainda exibiam elevados níveis de glicocorticoides, e estavam mais ansiosos e mais vulneráveis a um modelo de de-

---

* Ou, para colocar de outra forma, os chimpanzés foram menos suscetíveis a comportamentos supersticiosos do que os seres humanos.

pressão em roedores.* É importante notar que os mesmos efeitos persistentes foram reproduzidos em um camundongo que só observou outro camundongo passando por esse paradigma estressante do intruso.

Uma demonstração ainda mais impressionante de "a sua dor é a minha dor" em outras espécies de animais veio em um artigo publicado em 2006 na *Science* por Jeff Mogil, da Universidade McGill.[6] Em lados opostos de uma parede transparente, um camundongo observou outro camundongo sentindo dor, e, como resultado, sua própria sensibilidade à dor aumentou.** Em outra etapa do estudo, uma substância irritante era injetada na pata do camundongo; a essa altura, ele em geral lambia a pata, com a quantidade de lambidas indicando a magnitude do desconforto. Logo, uma dose X de substância irritante produzia uma quantia Z de lambidas. Contudo, se esse camundongo estivesse ao mesmo tempo observando outro camundongo que fora exposto a uma dose de substância irritante maior do que X, e que, portanto, estava lambendo mais do que Z, o camundongo que era o sujeito do estudo passava a se lamber mais do que o normal. Se, ao contrário, o sujeito do estudo observava um camundongo lambendo menos a pata (por ter sido exposto a uma dose de substância irritante menor do que X), ele também passava a lambê-la menos. Assim, a magnitude da dor que um camundongo sentia era modulada pelo tamanho da dor de um vizinho. É importante notar que se trata de um fenômeno social: a dor compartilhada ocorreu apenas entre camundongos que eram colegas de jaula.***

Obviamente não temos como saber o estado interior desses animais. Será que estavam se sentindo mal pelo outro camundongo em sofrimento — "sentindo por" ou "como se" — ou estavam assumindo a perspectiva dele? Isso é muito improvável, o que torna controverso o uso da palavra "empatia" nessa literatura.[7]

Contudo, podemos observar o comportamento ostensivo. Outras espécies costumam reduzir de modo ativo o sofrimento alheio? Sim.

Como veremos no último capítulo, inúmeras espécies exibem comportamentos "reconciliatórios", que ocorrem quando dois indivíduos, logo após uma interação negativa, manifestam níveis maiores do que o normal de comportamentos afiliativos um com o outro (catação, sentar lado a lado), e isso diminui as chances de

---

* Eles desistiam mais rápido de tarefas difíceis e experimentavam menos prazer, demonstrando um interesse menor pela água adoçada com sacarose.

** Isso pode ser determinado por meio do "teste da chapa quente". Um camundongo é depositado sobre uma chapa em temperatura ambiente; essa temperatura é gradualmente elevada. É possível identificar o momento em que o calor começa a ficar incômodo: o camundongo levanta uma pata (e então é retirado dali). A temperatura da chapa naquele instante representa o limiar de dor do camundongo.

*** Ler sobre o sofrimento desses animais sem dúvida induz a um estado empático.

haver subsequentes tensões entre eles. Como demonstrado por Frans de Waal e colegas, chimpanzés também manifestam um comportamento de "consolação" por terceiros. Não é o caso de um chimpanzé de coração mole que, depois de uma briga entre dois indivíduos, decide agradar a ambos de forma indiscriminada. Em vez disso, o consolador é preferencialmente afiliativo com a vítima, e não com quem começou a briga. Isso reflete tanto um componente cognitivo de monitorar quem começou a tensão quanto um desejo afetivo de confortar. Uma consolação similar, focada nas vítimas de brigas, também ocorre em lobos, cães, elefantes e corvídeos (que alisam as penas das vítimas). A mesma coisa se dá entre os bonobos — inclusive com algum sexo bonobístico sendo oferecido às vítimas, junto com toda aquela catação platônica. Em macacos, porém, essa consolação não ocorre.[8]

A prática da consolação também pode ser observada no universo daqueles animais reconfortantes e formadores de casais que são os arganazes-do-campo, conforme demonstrado em um artigo publicado em 2016 na *Nature* por Larry Young, da Universidade Emory, um dos pioneiros da conexão entre arganazes, monogamia e vasopressina, junto com Frans de Waal.[9] Os membros de um casal de arganazes-do-campo eram colocados em salas diferentes. Um deles era submetido a um estressor (um choque leve) ou era deixado em paz; os casais então se reuniam. Em comparação aos indivíduos que ficaram em paz, os estressados recebiam mais lambidas e catações do parceiro. Os parceiros também equiparavam seus comportamentos ansiosos e níveis de glicocorticoides com os da cara-metade. Isso não ocorria com um desconhecido estressado, nem entre os poligâmicos roedores-da-campina.* Como veremos, a neurobiologia por trás desse fenômeno diz respeito à ocitocina e ao córtex cingulado anterior.

Outros animais intervêm de forma ainda mais proativa. Em um estudo, ratos trabalharam de modo mais árduo (pressionando uma alavanca) para baixar um rato angustiado, pendurado no ar por uma corda, do que para descer um bloco suspenso. Em outro estudo, ratos trabalharam com afinco para libertar o colega de uma armadilha estressante. Os indivíduos se mostraram tão motivados a fazer isso quanto a ganhar chocolate (o nirvana dos ratos). Além disso, quando um rato conseguia libertar o colega e ganhar chocolate, ele dividia o quitute mais da metade das vezes.[10]

Essa pró-socialidade possui um componente de demarcação Nós/Eles. Mais tarde, os autores mostraram que os ratos também eram capazes de se esforçar para libertar um rato desconhecido — contanto que ele fosse da mesma linhagem e, portanto, quase que geneticamente idêntico.[11] Estaria essa demarcação automática Nós/Eles incluída na genética de assinaturas compartilhadas de feromônios, vol-

---

* No original, *"meadowvoles"* (*Microtus pennsylvanicus*). (N. T.)

tando ao capítulo 10? Não: quando um rato é colocado na jaula com um colega de outra linhagem, ele passa a ajudar indivíduos dessa outra linhagem. E quando um rato é afastado da mãe no nascimento e criado por uma fêmea de outra linhagem, ele ajuda os membros de sua linhagem adotiva, mas não da biológica. O conceito de Nós é maleável e influenciado pela experiência, mesmo entre roedores.

Por que todos esses animais fazem tanto esforço para consolar outros indivíduos em sofrimento, ou mesmo para ajudá-los? Tudo indica que não se trata de uma aplicação consciente da Regra de Ouro, e isso também não ocorre necessariamente pelos benefícios sociais — os ratos eram igualmente propensos a libertar colegas de armadilhas mesmo quando não podiam interagir depois disso. Talvez seja algo parecido com a compaixão. Por outro lado, talvez seja apenas questão de interesse próprio: "Os gritos de socorro desse rato pendurado estão me irritando. Vou tentar tirá-lo dali para que ele cale a boca". Arranhe um rato altruísta e veja um hipócrita sangrar.

CRIANÇAS EMOCIONALMENTE CONTAGIOSAS E COMPASSIVAS

Segue-se uma recapitulação do material abordado nos capítulos 6 e 7.

Como vimos, um marco no desenvolvimento humano é alcançar a Teoria da Mente, que é necessária — mas não suficiente — para ter empatia, e que prepara o terreno para aumentar a abstração. A capacidade para o simples contágio sensório-motor amadurece rumo a estados empáticos para a dor física do outro e, mais tarde, para a dor emocional do outro. Ocorre uma progressão que vai de se sentir mal por um indivíduo (por exemplo, uma pessoa em situação de rua) para se sentir mal por uma categoria (a das pessoas em situação de rua). Há uma sofisticação cognitiva crescente, conforme as crianças começam a perceber a diferença entre danificar um objeto e machucar uma pessoa. O mesmo se aplica à distinção entre dano intencional e não intencional, junto com uma capacidade para a indignação moral, que é mais prontamente evocada no primeiro caso. Ao mesmo tempo, também se dá uma capacidade de expressar empatia e um senso de responsabilidade de agir a partir disso, sendo ativamente compassivo. A tomada de perspectiva também passa por aperfeiçoamentos, conforme a criança evolui: de ser capaz de sentir "por" para também sentir "como se".

Como vimos, a neurobiologia desse arco de desenvolvimento faz sentido. Na idade em que um estado empático é evocado apenas pela dor física de alguém, a ativação do cérebro se concentra na substância cinzenta periaquedutal (CPA), uma estação de passagem razoavelmente subalterna no circuito de dor do cérebro. Uma vez que a dor emocional passa a evocar um estado empático, esse perfil lida mais com a ativação integrada do (emocional) CPFvm e das estruturas límbicas. Conforme a capacidade para indignação moral se desenvolve, surge a integração entre o CPFvm, a ínsula e a amígdala. E quando a tomada de perspectiva entra em campo, o CPFvm é progressivamente integrado a regiões associadas à Teoria da Mente (como a junção temporoparietal).

Esse foi o retrato que fizemos dos estados empáticos infantis sendo construídos nas fundações cognitivas da Teoria da Mente e da tomada de perspectiva. Mas, como vimos também, existem estados empáticos bem antes disso: bebês exibem contágio emocional e uma criança pequena tenta confortar um adulto que chora oferecendo seu bichinho de pelúcia, tudo isso bem antes do surgimento da clássica Teoria da Mente. E, da mesma forma que fizemos com os estados empáticos em outros animais, é preciso indagar se a compaixão em crianças diz respeito sobretudo a mitigar o sofrimento da vítima ou o seu próprio.

AFETO E/OU COGNIÇÃO?

De novo essa ladainha. Podemos adivinhar quais serão as principais conclusões, graças aos três capítulos anteriores: tanto os componentes cognitivos quanto os afetivos contribuem para estados empáticos saudáveis; é tolo debater qual deles é mais importante; o que importa é examinar quando um deles predomina sobre o outro. Ainda mais interessante é examinar a neurobiologia subjacente a como esses componentes interagem.

O lado afetivo das coisas

Quando o assunto é empatia, todas as estradas neurobiológicas passam pelo córtex cingulado anterior (CCA). Conforme foi mencionado no capítulo 2, essa estrutura frontocortical assumiu o protagonismo na neurociência da empatia assim que as pessoas sentiram pela primeira vez a dor do outro enquanto eram examinadas em um aparelho de tomografia.[12]

Considerando os papéis mais tradicionais dessa estrutura em mamíferos, a conexão entre o CCA e a empatia é inesperada. De modo geral, esses papéis são:

- *Processar a informação interoceptiva.* Como mencionado no capítulo 3, o cérebro monitora informações sensoriais não só do mundo exterior, mas também do interior — informações interoceptivas sobre músculos doloridos, boca seca, intestinos em polvorosa. Se você percebe inconscientemente que seu coração está disparado e isso o faz experimentar certas emoções de modo mais intenso, agradeça ao CCA. O CCA canaliza sentimentos viscerais literais em intuições, e os sentimentos viscerais metafóricos influenciam a função frontal. A dor é um tipo essencial de informação interoceptiva que chama a atenção do CCA.[13]

- *Monitorar conflitos.* O CCA responde a "conflitos" no sentido de discrepâncias com aquilo que é esperado. Quando associamos um comportamento a um resultado específico e esse resultado não ocorre, o CCA presta atenção. Esse monitoramento da discrepância com relação à expectativa é assimétrico: se você executa uma tarefa que paga dois brownies e hoje, sem esperar, recebe três, o CCA fica animado e presta atenção; se você executa a tarefa e ganha um em vez de dois, o CCA se ativa feito doido. Nas palavras de Kevin Ochsner, da Universidade Columbia, e colegas, o CCA é um "alarme polivalente que sinaliza quando um comportamento em andamento chegou a um impasse".[14]

A dor inesperada se encontra na intersecção entre esses dois papéis do CCA, um sinal inequívoco de que alguma coisa não vai bem com o seu esquema de mundo. Mesmo tratando-se de dores antecipadas, você monitora se ela acabou exibindo a qualidade e a magnitude esperada. Como observado, o CCA não se ocupa de preocupações prosaicas sobre a dor (é o dedo da mão ou do pé que está doendo?); isso é competência de um circuito do cérebro menos refinado e mais ancestral. O CCA se importa mesmo é com o *significado* da dor. Boas ou más notícias, e de que natureza? Dessa forma, a percepção de dor do CCA pode ser manipulada. Espete um alfinete no dedo e o CCA se ativa, junto com aquelas regiões do cérebro que informam qual dedo é e quais são os parâmetros da dor. Faça alguém acreditar que o creme inerte que você espalhou em seu dedo é um poderoso analgésico e, quando você espetar o dedo dessa pessoa, o circuito que informa "É o dedo da mão, não o do pé" ainda se ativa. Mas o CCA se deixa enganar pelo efeito placebo e fica em silêncio.

É óbvio que o CCA recebe estímulos de entrada de postos interoceptivos e exteroceptivos. De forma igualmente lógica, ele envia inúmeras projeções para o córtex sensório-motor, tornando-o consciente da sensação e também concentrado na parte do corpo que está doendo.

Mas a sofisticação do CCA, o motivo pelo qual ele se localiza no córtex frontal, é aparente quando consideramos outro tipo de dor. De volta ao capítulo 6 e ao jogo da bola virtual, no qual indivíduos em aparelhos de tomografia brincam com uma bola em uma tela de computador, lançando-a de lá para cá, e de repente os dois outros participantes param de tocar a bola para você. Você está sendo excluído da brincadeira, e isso leva à ativação do CCA. Na medida em que o CCA se importa com o *significado* da dor, ele está igualmente preocupado com as abstrações da dor social e emocional — exclusão social, ansiedade, aversão, constrangimento — tanto quanto com a dor física. De modo intrigante, a depressão clínica está associada a várias anormalidades no CCA.* E o CCA também está envolvido na ressonância positiva — quando o prazer do outro é o seu prazer.[15]

Tudo isso faz o CCA parecer bastante focado e extremamente preocupado com nosso bem-estar. O que de início torna seu papel na empatia surpreendente. Ainda assim, inúmeros estudos mostram, de forma consistente, que se a dor alheia — um dedo espetado, um rosto triste, uma história de infortúnio — provoca um estado empático em você, o CCA está envolvido.[16] Além disso, quanto mais dolorosa parece ser a situação do outro, maior a ativação do CCA. Ele é também essencial na decisão de tomar uma atitude com o objetivo de aliviar o sofrimento alheio.

O neuropeptídeo/hormônio ocitocina entra nessa roda. Lembre-se de como, no capítulo 4, ele promove comportamentos de vínculo e afiliação, confiança e generosidade.** Pense naquele experimento em que arganazes-do-campo consolam o parceiro estressado. Como era de se esperar, esse fenômeno depende das ações da ocitocina. De modo notável, a ocitocina opera no CCA — basta bloquear seletivamente os efeitos da ocitocina no CCA e os arganazes param de se consolar.

Então, como compreender essa transição: do CCA como um posto de interesse próprio que monitora a sua dor e a eventualidade de estar conseguindo o que merece, para o CCA que permite que você sinta a dor dos desprezados desta terra? Acho que essa ligação é o principal assunto deste capítulo: quanto um estado empático na verdade diz respeito a você mesmo?[17] "Ai, isso dói" é uma boa maneira de aprender a não repetir o que quer que você tenha feito. Porém, muitas vezes, ainda melhor é monitorar o infortúnio de outra pessoa: "Isso parece tê-lo machucado; vou tentar não fazer de novo". De modo crucial, o CCA é essencial para aprender o medo e a evitação condicionada só por meio da observação. O movimento que vai de "Ele parece estar sofrendo muito" para "Portanto, devo evitar isso" requer uma etapa

---

* "Está associada a" — isso é bem pouco informativo. Para simplificar, ignorei que existem várias subpartes do CCA; a depressão está ligada ao aumento da ativação em algumas delas, e ao declínio em outras. Em linhas gerais, isso condiz com a ideia de que a disfunção do CCA está envolvida de maneira central na tristeza sufocante e difusa da depressão.

** Com aquela ressalva importante de que isso só se aplica em interações dentro do próprio grupo. Quando se trata de lidar com Eles, como já vimos, a ocitocina torna as pessoas mais hostis e xenofóbicas.

intermediária de representação compartilhada de si mesmo: "Como ele, eu não gostaria de me sentir dessa forma". *Sentir* a dor do outro pode ser mais eficaz para o aprendizado do que simplesmente *saber* que ele está sofrendo. Em sua essência, o cca lida com o interesse próprio, e *se importar* com aquela outra pessoa em sofrimento é um adicional.

Outras regiões do cérebro também são pertinentes. Como vimos, a maturação dos circuitos de empatia envolve trazer à roda não só o cca, mas também a ínsula.[18] Na idade adulta, a ínsula (e, em menor grau, a amígdala) está quase tão emaranhada com as experiências de empatia quanto o cca. Essas três regiões são altamente interconectadas, e uma boa porção das mensagens da amígdala para o córtex frontal é afunilada pelo cca. Inúmeras circunstâncias que evocam um senso de empatia, sobretudo a dor física, ativam a ínsula junto com o cca, e a magnitude da resposta se correlaciona com a inclinação básica do sujeito para a empatia, ou com o senso subjetivo de empatia que ele sente na ocasião.

Isso faz sentido, considerando o funcionamento da ínsula e da amígdala. Como vimos, a ação dessas estruturas nos estados empáticos emerge pela primeira vez no desenvolvimento quando as crianças situam a empatia no contexto e na causalidade: *por que* essa pessoa está sofrendo e de quem é a *culpa*? Isso é óbvio quando o sofrimento tem origem na injustiça; a aversão, a indignação e a raiva entram com tudo porque sabemos que essa dor podia ser evitada e que alguém está lucrando com ela. Mesmo quando não é tão claro que a causa daquela dor está na injustiça, procuramos estabelecer uma imputação — o entrelaçamento do cca com a ínsula e a amígdala é o nosso mundo de bodes expiatórios. E esse padrão é muito frequente, mesmo quando a dor é aleatória, despida de agência humana e vilania: placas tectônicas literais ou metafóricas se deslocam, a terra se abre e engole um inocente, e nós ralhamos contra as pessoas que negaram uma vida mais feliz àquela vítima antes da tragédia, contra o Deus que está por trás desse fenômeno da natureza, contra a indiferença mecanicista do universo. E, como veremos mais adiante, quanto mais a pureza da empatia for obscurecida pela raiva, pela aversão e pela indignação da culpa, mais difícil é de fato ajudar.

O lado cognitivo das coisas

Quando é que os componentes mais cognitivos de um estado empático — o cpf e o cpfdl em particular, junto com as redes da Teoria da Mente, como a junção temporoparietal (jtp) e o sulco temporal superior — assumem a dianteira? De modo pouco surpreendente, quando é desafiador inclusive descobrir o que está havendo: "Espere, quem ganhou o jogo?", ou "Eu quero que as minhas peças cerquem ou que sejam cercadas pelas peças do adversário?".

O mais interessante é quando o circuito cognitivo do cérebro é recrutado para resolver questões de causa e intencionalidade: "Espere, será que ele está com uma dor de cabeça terrível porque é um imigrante que trabalha na fazenda e foi exposto a pesticidas, ou porque bebeu todas com os amigos da faculdade?" ou: "Esse paciente soropositivo foi infectado por uma transfusão de sangue ou pelo uso de drogas?". (As pessoas mostram maior ativação do CCA no primeiro caso.) É o que os chimpanzés tinham em mente ao consolar a vítima inocente da agressão, mas não o provocador. Como vimos no capítulo 7, um maior perfil cognitivo de ativação surge quando as crianças começam a distinguir entre a dor infligida a si mesmas e aos outros. Nas palavras de Jean Decety, que se dedicou a tais pesquisas, isso demonstra que "a excitação empática [foi] moderada muito cedo no processamento de informações por atitudes a priori com relação a outras pessoas".[19] Em outras palavras, os processos cognitivos servem como porteiros, decidindo se um infortúnio em particular é digno de empatia.

É também uma tarefa cognitiva criar ressonância com uma dor menos visível — por exemplo, ocorre um maior engajamento do CPFdm ao observar uma pessoa em sofrimento emocional do que em sofrimento físico. A mesma coisa se aplica quando a dor se apresenta de forma mais abstrata — um sinal em uma tela indicando que a mão de alguém foi espetada por uma agulha, em vez de uma exibição do próprio ato. Reverberar a dor alheia é também uma tarefa cognitiva quando se trata de um tipo de dor que você nunca experimentou. "Bem, acho que posso entender o desapontamento desse líder miliciano quando ele foi preterido em sua chance de liderar a limpeza étnica — é que nem quando, no jardim de infância, eu perdi a eleição para presidente do clubinho de boas ações." Isso requer um esforço cognitivo. Em um estudo, voluntários observaram portadores de um distúrbio neurológico que provocava um tipo específico de sensibilidade à dor; sentir empatia por essa dor desconhecida envolvia uma ativação do córtex frontal maior do que para a dor comum.[20]

Como vimos, a "empatia" rudimentar dos roedores é contingencial e depende da condição do outro indivíduo, se é um colega de jaula ou um desconhecido.[21] Entre seres humanos, é preciso um enorme esforço cognitivo para superar isso e alcançar um estado empático por alguém que é diferente e repulsivo. Um capelão de hospital uma vez me contou que precisava certificar-se ativamente de não estar dando prioridade a visitar os pacientes que eram "JAVIS": jovens, atraentes, verbais, inteligentes ou sociais. Isso é pura dicotomização Nós/Eles: lembre-se dos estudos de Susan Fiske mostrando que indivíduos extremos e marginalizados, como os em situação de rua ou dependentes químicos, são processados de forma distinta no córtex frontal, em comparação a outros indivíduos. E também tem a ver com os estudos de Josh Greene sobre a tragédia dos bens comuns contra a tragédia da moralidade do senso comum, quando agir moralmente com relação a um de Nós é automático, ao passo que fazer o mesmo por Eles exige certo esforço.

A facilidade de ter empatia por pessoas como nós começa no nível dos componentes fundamentais autonômicos da empatia — em um estudo com faquires que caminhavam sobre brasas na Espanha, mudanças na frequência cardíaca deles eram sincronizadas com as de espectadores, mas só para aqueles que eram seus parentes. Em consonância com essa distinção, assumir a perspectiva de um ente querido em sofrimento ativa o CCA; fazer o mesmo por um desconhecido ativa a JTP, aquela região essencial para a Teoria da Mente.[22]

Isso se estende a versões mais amplas do esquema Nós versus Eles. Como mencionado no capítulo 3, temos uma resposta sensório-motora mais forte quando a mão que vemos ser espetada por uma agulha pertence a alguém da mesma raça que a nossa; quanto mais acentuado o nosso viés implícito de grupo, mais forte é esse efeito. Entretanto, outros estudos mostram que quanto maior for a discrepância dos padrões de ativação neural diante do sofrimento de um indivíduo do próprio grupo, em comparação a alguém de fora, menores serão as chances de ajudar este último.[23] Portanto, não surpreende que ter o mesmo grau de empatia ou alcançar o mesmo nível de tomada de perspectiva para Eles (e não só para Nós) exija uma maior ativação frontocortical. Esse é o domínio no qual você deve suprimir os impulsos automáticos e implícitos de ficar indiferente, quando não enojado, e fazer o esforço criativo e motivado de encontrar as similitudes afetivas.*[24]

Limites categóricos à extensão da empatia também se dão em termos socioeconômicos, mas de forma assimétrica. O que isso quer dizer? Que, quando se trata de empatia e compaixão, pessoas ricas tendem a ser péssimas. Isso foi explorado com mais detalhes em uma série de estudos de Dacher Keltner, da Universidade da Califórnia em Berkeley. Ao longo do espectro socioeconômico, em média, quanto mais ricas são as pessoas, menos empatia elas demonstram por indivíduos em sofrimento, e menos compassivamente elas agem. Além disso, pessoas mais ricas são menos hábeis em reconhecer as emoções dos outros e, em configurações experimentais, são mais gananciosas e propensas a trapacear ou roubar. Dois achados foram selecionados pela mídia como irresistíveis: a) pessoas mais ricas (de acordo

---

* Uma coisa que pode ser um teste político determinante, além de bastante informativo, é considerar qual dor você sente mais prontamente (a de um feto ou a de alguém em situação de rua, por exemplo). "O significado de ser liberal ou conservador solidificou-se ideologicamente em torno do problema da [empatia só por certos tipos de] dor", escreveu um cientista político.

com o valor do carro que estavam dirigindo) têm menos chances de parar na faixa para a travessia de pedestres, em comparação com pessoas mais pobres; b) imagine que há uma tigela de doces no laboratório; convide os voluntários do experimento a, depois de terminar uma tarefa, pegar um pouco das guloseimas na saída, dizendo-lhes que tudo o que sobrar será doado a crianças — os mais ricos pegam mais doces.[25]

Então quer dizer que pessoas mesquinhas, gananciosas e sem empatia se tornam ricas, ou que ser rico aumenta as chances de alguém ficar assim? Como uma bela estratégia de manipulação, Keltner pré-ativou os voluntários a se concentrar em seu sucesso socioeconômico (pedindo que se comparassem a pessoas menos abastadas) ou no oposto. Basta fazer as pessoas se sentirem ricas e elas roubam mais doces das crianças.

O que explica esse padrão? Inúmeros fatores inter-relacionados, construídos em torno da legitimação do sistema descrita no capítulo 12 — pessoas ricas são mais propensas a endossar a ganância como um atributo bom, a considerar o sistema de classes justo e meritocrático, e a enxergar seu sucesso como um ato de independência — são ótimas formas de concluir que o sofrimento alheio não é digno de nota ou de preocupação.

Trata-se de uma batalha particularmente árdua quando somos convidados a ter empatia pela dor de pessoas de quem não gostamos ou que reprovamos no âmbito moral — lembre-se de como o infortúnio delas não apenas falha em ativar o CCA, mas, pelo contrário, ativa as vias dopaminérgicas mesolímbicas. Ou seja, o processo de assumir a perspectiva dessas pessoas e de sentir sua dor (por motivos que não sejam os do deleite) é um drástico desafio cognitivo, em vez de algo remotamente automático.[26]

Os "custos" cognitivos de ter empatia por alguém distante são comprovados pelo aumento da carga cognitiva das pessoas (ou seja, fazer o córtex frontal trabalhar mais, forçando-o a se sobrepor a um comportamento habitual): elas se tornam menos solícitas com desconhecidos, mas não com familiares. A "fadiga da empatia" pode, portanto, ser vista como o estado em que a carga cognitiva da exposição repetida à dor sentida por Eles, cuja perspectiva é difícil de tomar, acabou por exaurir o córtex frontal. As definições de esforço e carga cognitiva também ajudam a explicar por que as pessoas são mais caridosas ao contemplar um indivíduo necessitado do que um grupo na mesma condição. Para citar Madre Teresa: "Se eu olhar para as massas, nunca vou agir. Se olhar só para uma pessoa, aí, sim, vou conseguir agir". Ou, para citar uma frase atribuída a alguém que nunca deve ter alcançado empatia o suficiente para ser vulnerável à fadiga de empatia, Ióssif Stálin: "A morte de um homem é uma tragédia; a morte de milhões é uma estatística".[27]

Provavelmente de forma mais confiável, essas vias de mentalização são ativadas quando desistimos de imaginar como seria se aquilo ocorresse conosco e, em lugar disso, nos concentramos em como deve ser para os outros. Portanto, quando indivíduos são *instruídos* a mudar de perspectiva da primeira para a terceira pessoa, não há apenas uma ativação da JTP, mas também uma ativação frontal com a ordem reguladora de cima para baixo: "Pare de pensar em si mesmo".[28]

Portanto, alguns temas são bastante parecidos com os dos últimos capítulos. Quando se trata de estados empáticos, "emoção" e "cognição" são dicotomias absolutamente falsas; ambas são necessárias, mas o equilíbrio entre elas se transforma sem parar, e a parte cognitiva tem de fazer o trabalho pesado quando as diferenças entre você e a pessoa em sofrimento excedem as semelhanças.

Chegou a hora de apresentar um dos espetáculos secundários da ciência da empatia.

UM MÍTICO SALTO PARA A FRENTE

No início dos anos 1990, cientistas da Universidade de Parma, na Itália, liderados por Giacomo Rizzolatti e Vittorio Gallese, registraram algo que, dependendo do gosto do freguês, pode ser realmente interessante ou até mesmo revolucionário. Eles estavam estudando uma área do cérebro chamada córtex pré-motor (CPM) em macacos reso, examinando que tipos de estímulo eram capazes de provocar a ativação de neurônios individuais daquela área. Voltemos ao capítulo 2. Os neurônios "executivos" do CPF decidem alguma coisa, transmitindo a notícia para o resto do córtex frontal logo atrás deles. Este, por sua vez, envia projeções para o CPM, localizado mais atrás ainda. Que então envia projeções para uma área mais recuada: o córtex motor, que envia comandos aos músculos. Portanto, o CPM age na fronteira entre pensar e executar um movimento.[29]

O grupo descobriu alguns poderosos e peculiares neurônios do CPM. Imagine que um macaco executou uma ação: apanhou um alimento e o levou à boca. Naturalmente, alguns neurônios no CPM foram ativados. Se o animal fizesse um movimento diferente — se tivesse apanhado um objeto e o colocado em uma caixa —, isso envolveria um arranjo diferente (e em parte sobreposto) de neurônios do CPM. O que o grupo descobriu é que alguns dos neurônios de levar-comida-à-boca também se ativavam quando o macaco *observava* outro indivíduo (macaco ou ser humano) fazendo o movimento. A mesma coisa ocorria com alguns dos neurônios de botar-objeto-na-caixa. E também para movimentos mais sutis, como expressões faciais. De modo consistente, cerca de 10% dos neurônios do CPM devotados a executar o movimento X também se ativavam ao observar outro indivíduo executando o movimento X — um comportamento estranho para neurônios a poucos passos de comandar movimentos aos músculos. Os neurônios estavam envolvidos com o espelhamento dos movimentos. E assim é que os "neurônios-espelho" foram anunciados ao mundo.

Naturalmente, todos passaram a procurar neurônios-espelho nos seres humanos, e sua presença em uma área mais ou menos equivalente do nosso cérebro[*][30] foi logo inferida em estudos de neuroimagem. ("Inferida" porque essa abordagem registra a atividade de muitos neurônios de uma vez, e não de neurônios individuais.) Mais tarde, neurônios individuais demonstraram capacidade de espelhamento em seres humanos (em pacientes passando por uma neurocirurgia para controlar um tipo raro de epilepsia).[31]

O espelhamento pode ser bastante abstrato. Pode, por exemplo, ser intermodal: observe alguém fazendo o movimento A e alguns neurônios-espelho se ativam; ouça o *som* de alguém fazendo o movimento A e o mesmo acontece. E os neurônios podem estruturar um cenário, disparando mesmo quando a única parte do movimento observado não está tão clara.[32]

O mais interessante é que os neurônios-espelho não monitoram apenas o movimento. Encontre um neurônio-espelho que responda à visão de alguém pegando uma xícara de chá para beber. A visão de alguém pegando a xícara para limpar a mesa não ativa esse neurônio. Em outras palavras, os neurônios-espelho são capazes de incorporar a *intencionalidade* em sua resposta.

Portanto, a atividade dos neurônios-espelho está correlacionada às circunstâncias da imitação, consciente ou não, incluindo a imitação da ideia de uma ação, bem como a intenção por trás dela. Ainda assim, ninguém chegou a provar uma relação causal, ou seja, de que o mimetismo automático ou consciente exigiria a ativação de neurônios-espelho. Além disso, a ligação entre neurônios-espelho e imitação é ainda mais complicada pelo fato de que essas células foram identificadas pela primeira vez em macacos reso — uma espécie que não exibe imitação de comportamentos.

Porém, partindo do princípio de que neurônios-espelho estão de fato envolvidos nesse processo, a questão é saber a que propósito serve o mimetismo. Inúmeras possibilidades foram suscitadas e debatidas.

---

* Para os que se importam, é o córtex pré-motor, junto com a área motora suplementar e o córtex somatossensorial primário.

* * *

Provavelmente a menos controversa e mais plausível é que os neurônios-espelho fazem a mediação do aprendizado motor pela observação.[33] Os pontos fracos dessa teoria, porém, são que: a) os neurônios-espelho atuam em espécies com um nível mínimo de aprendizado pela imitação; b) a magnitude da atividade dos neurônios-espelho não tem relação com a eficácia do aprendizado observacional dos movimentos; c) na medida em que os neurônios-espelho são mesmo necessários para alguns tipos de aprendizado observacional, trata-se de uma contribuição muito baixa entre os seres humanos; afinal de contas, ainda que sejamos capazes de aprender a executar certos atos motores a partir da observação, muito mais interessante é a nossa capacidade de aprender o contexto: *quando* executar aquele comportamento. (Por exemplo, o aprendizado observacional pode ensinar a um primata subordinado os aspectos motores do ato de prostrar-se, mas ainda mais complexo e importante é saber *diante de quem* se prostrar.)

Relacionada a isso há a ideia de que os neurônios-espelho auxiliam o aprendizado através da experiência de outra pessoa.[34] Se você vê que alguém mordeu um alimento e fez uma careta ao prová-lo, possuir neurônios-espelho na intersecção entre observar essa expressão e experimentá-la decerto tornará mais vívida a sua compreensão de que é melhor evitar esse alimento. Essa é uma hipótese defendida por Gregory Hickok, da Universidade da Califórnia em Irvine, que, como veremos, é um crítico ferrenho dos delírios de grandeza dos neurônios-espelho.

Isso nos leva de volta ao capítulo 2 e à influente hipótese de Antonio Damasio sobre os marcadores somáticos, a ideia de que, quando temos de escolher entre opções difíceis, o córtex frontal conduz experimentos do tipo "como se", esquadrinhando as reações de nosso corpo e de nossa mente diante de fazer X ou Y — um experimento mental combinado a um experimento emocional (visceral). Os neurônios-espelho, em tese bem afinados com a `forma como as coisas ocorrem entre os indivíduos observados, decerto teriam um papel importante nesse processo.

Assim, os neurônios-espelho podem ser úteis para aprender o significado de um movimento e de que forma executá-lo com mais eficácia, além de depreender quais foram as consequências para outra pessoa que o efetuou. Ainda assim, essa atividade neuronal não é nem necessária nem suficiente para o aprendizado observacional, sobretudo dos tipos humanos mais interessantes e abstratos.

E então existe um domínio mais controverso, a saber, a ideia de que os neurônios-espelho nos ajudam a entender o que alguém está pensando. Essa compreensão pode variar de coisas mais prosaicas, como entender que ação a pessoa está executando, por que está fazendo isso e quais são suas motivações mais amplas, até acessar o interior de sua alma com o uso dos neurônios-espelho. Dá para ver por que isso gerou muita polêmica.

Sob essa perspectiva, os neurônios-espelho auxiliam a Teoria da Mente, a leitura de pensamentos e a tomada de perspectiva, sugerindo que, em parte, compreendemos o mundo do outro ao simular suas ações (em nossa mente, no CPM, nos neurônios-espelho).[35] Isso confere ao tema dos neurônios-espelho uma orientação bastante diversa daquela da seção anterior, segundo a qual o espelhamento serviria para aprimorar a performance motora do indivíduo e a neuroanatomia mais pertinente dos neurônios-espelho no CPM seria o fato de que eles se comunicam com os neurônios motores que comandam os músculos. Em contraste com isso, neurônios-espelho dedicados a entender as ações alheias deveriam estar se comunicando com as regiões do cérebro relacionadas à Teoria da Mente, e existem evidências disso.

Há também a sugestão de que a tomada de perspectiva mediada pelos neurônios-espelho se ocupa em particular de interações sociais. Rizzolatti, por exemplo, mostrou que a atividade dos neurônios-espelho era maior quando o indivíduo observado estava mais próximo.[36] Porém, de modo importante, não se trata apenas de distância literal, mas de algo parecido com uma distância "social"; como prova disso, a atividade dos neurônios-espelho diminuía se houvesse uma barreira transparente entre o observador e o observado. Nas palavras de Gallese, "isso mostra a importância dos neurônios-espelho no mapeamento das potencialidades de competição ou cooperação entre o agente e o observador".

A ideia de que os neurônios-espelho nos ajudam a entender as ações alheias, levando-nos a compreender o indivíduo em si, foi bastante criticada com base em dois fundamentos, sobretudo por Hickok. Primeiro, temos a questão da causalidade: ainda que alguns estudos demonstrem que a atividade dos neurônios-espelho possui uma *correlação* com as tentativas de compreender a perspectiva alheia, são mínimas as evidências de que tal atividade *provoca* a compreensão. A segunda crítica fala de algo óbvio: é possível entender a intenção por trás das ações alheias mesmo se não formos remotamente capazes de executá-las. Isso se aplica a ações do indivíduo observado que vão de saltar uma altura de cinco metros com uma vara a explicar a teoria da relatividade restrita.

Os defensores dessa função dos neurônios-espelho admitem isso, mas argumentam que eles fornecem um nível extra de compreensão. Gallese escreve: "Afirmo que é apenas pela ativação dos Neurônios-Espelho que podemos captar o significado do comportamento alheio *a partir de dentro*"[37] (grifo meu). Essa não é minha área de pesquisa e não estou tentando ser implicante, mas parece que ele está dizendo que existe a compreensão e existe uma super-hipercompreensão, e que esta última exige neurônios-espelho.

$\star\;\star\;\star$

Essas especulações sobre os neurônios-espelho foram ampliadas para focar no autismo, um distúrbio no qual há deficiências profundas em compreender as ações e intenções alheias.[38] De acordo com a hipótese do "espelho quebrado" de Marco Iacoboni, da UCLA, pioneiro nos estudos de neurônios-espelho, uma disfunção nesses neurônios é subjacente a tais aspectos do autismo. Isso foi analisado por toneladas de pesquisadores, e as conclusões variam dependendo do paradigma; a maioria das meta-análises conclui que não há nada flagrantemente errado com as características formais do funcionamento dos neurônios-espelho em indivíduos autistas.

Portanto, ainda que a atividade dos neurônios-espelho esteja correlacionada a tentativas de compreender ações alheias, seu envolvimento não parece necessário nem suficiente, e é relevante apenas para aspectos concretos, de baixo nível, dessa compreensão. Quanto à possibilidade de os neurônios-espelho serem portais para acessar o interior da alma de alguém e alcançar uma super-hipercompreensão a partir de dentro, acho que as coisas se resumem de forma satisfatória com o título do bem recebido livro de Hickok, *The Myth of Mirror Neurons* [O mito dos neurônios-espelho], de 2014.[39]

O que nos leva à Terra Sem Lei da ciência dos neurônios-espelho, com especulações de que eles seriam essenciais à linguagem, à estética e à consciência.[40] Como se não bastasse, poucos segundos depois de escutar pela primeira vez sobre eles, muita gente passa a escrever artigos em que o último parágrafo diz coisas do tipo: "Uau, neurônios-espelho! Que sensacional! Isso abre todo tipo de caminhos interessantes. Talvez eles até possam explicar... a EMPATIA!".

Claro, por que não? Sentir a dor de alguém é como espelhar sua experiência, sentir como se você fosse essa pessoa. Algo feito sob medida, uma ideia irresistível. E nas décadas que se seguiram à descoberta dos neurônios-espelho, os artigos do tipo "talvez eles até possam explicar a empatia" continuaram a aparecer. Gallese, por exemplo, passados quase vinte anos do início da era dos neurônios-espelho, especula: "Sugeri que o espelhamento talvez fosse ser um princípio básico funcional de nosso cérebro e que a nossa capacidade de ter empatia pelos outros poderia ser mediada por mecanismos de estimulação corporificados [ou seja, o espelhamento]". Iacoboni, ao mesmo tempo, escreve: "Os neurônios-espelho são possíveis candidatos celulares para o núcleo da empatia". Surgiram alguns indícios em apoio a essa visão: por exemplo, indivíduos que se declararam mais empáticos exibiam respostas neuronais de espelhamento mais fortes para movimentos combinados. Mas, para os céticos, todo o resto é mera especulação.[41]

Isso é frustrante. Mas ainda pior é ver as pessoas pulando a parte do "talvez" e concluindo que já ficou *provado* que os neurônios-espelho fazem a mediação da empatia. Iacoboni, por exemplo, confunde correlação com causalidade: "Outros estudos, porém, mostram que a atividade [do CPM] tem correlação com a empatia mesmo quando os indivíduos observam ações de pegar coisas, sem conteúdo emocional evidente. Portanto, a atividade dos neurônios-espelho é um *pré-requisito* para experimentar a empatia" [grifo meu].[42]

Um exemplo óbvio é dado pelo neurocientista Vilayanur Ramachandran, da Universidade da Califórnia em San Diego, um dos indivíduos mais criativos da área, que faz pesquisas interessantíssimas com membros fantasmas, sinestesia e experiências extracorpóreas. Ele é brilhante, mas ficou um pouco eufórico demais com os neurônios-espelho. Um exemplo: "Sabemos que os neurônios-espelho podem literalmente sentir a sua dor". Ele os chamou de "a força motriz do grande salto para a frente" da modernidade do comportamento humano, ocorrida 60 mil anos atrás, e disse uma frase que se tornou famosa: "Os neurônios-espelho vão fazer pela psicologia o que o DNA fez pela biologia". Não quero implicar com Ramachandran, mas como é possível resistir quando alguém genial sai distribuindo frases de efeito como chamar os neurônios-espelho de "neurônios de Gandhi"? E isso não se deu apenas nos primeiros e inebriantes anos pós-descoberta, no início da década de 1990. Duas décadas depois, ele declarou: "Não acho que [a importância dos neurônios-espelho para a empatia] esteja sendo exagerada. Acho inclusive que ela está sendo subestimada".[43]

Ramachandran decerto não está sozinho. O filósofo britânico Anthony Grayling mergulhou de cabeça no elo com a empatia, escrevendo: "Temos um grande talento para a empatia. Trata-se de uma habilidade evoluída biologicamente, como foi mostrado pelo papel dos 'neurônios-espelho'". Em um artigo de 2007 no *New York Times* sobre as ações heroicas de um homem que pulou nos trilhos do metrô para salvar outro, essas células apareceram de novo: "As pessoas têm 'neurônios-espelho', que *as fazem* sentir o que outra pessoa está experimentando" (grifo meu). E não posso deixar de citar a amiga da minha filha de seis anos, que, quando a professora elogiou a classe inteira por se importar com o planeta e limpar tudo depois de uma festinha com *cupcakes* pelo Dia da Terra, gritou: "É porque os nossos neurônios têm espelhos".[44]

Gostaria de pensar que neste momento estou sendo um dissidente visionário, alguém à frente da multidão em termos de pensamento crítico, mas, nos últimos anos, a maioria dos pesquisadores da área acusou o exagero. O psicólogo Gary Marcus, da NYU, chama os neurônios-espelho de "a ideia mais superestimada da psicologia"; a filósofa e neurocientista Patricia Churchland, da Universidade da Califórnia em San Diego, os chama de "os queridinhos da turma do não-olhe-tão-de-perto"; e Stephen Pinker, de Harvard, conclui: "Na verdade, os neurônios-espelho não explicam a linguagem, a empatia, a sociedade e a paz mundial".[45] Eles simplesmente não mostraram ter muito a ver com as preocupações deste capítulo.

A QUESTÃO PRINCIPAL: CHEGAR A FAZER ALGUMA COISA

O capítulo anterior examinou o universo de diferenças entre um pretensioso raciocínio moral e se, de fato, em um momento crucial, alguém chega a fazer a coisa certa. Como vimos, há algo de consistente sobre esse último tipo de indivíduo: "No que você estava pensando quando pulou naquele rio para salvar a criança?". "Eu não estava pensando; quando dei por mim, já tinha pulado." Um ato de automatismo implícito, produto de uma infância na qual fazer a coisa certa foi inculcado como um imperativo automático e moral, a anos-luz do córtex frontal calculando custos e benefícios.

Enfrentamos uma situação parecida aqui, e que é a essência deste capítulo. Simpatia versus empatia, "sentir por" e "sentir como se", emoção versus cognição, o que nós fazemos e o que outras espécies fazem: será que algo disso chega a ser um fator preditivo de quem *de fato* faz algo compassivo para diminuir o sofrimento do outro? Da mesma forma, será que qualquer dessas coisas prevê se o indivíduo que age de maneira compassiva é *efetivo*, e o quanto disso é um ato de *interesse próprio*? Como veremos, existe um abismo entre nutrir um estado empático e de fato agir de forma abnegada.

Fazendo alguma coisa

A suposição de que um estado empático levaria necessariamente a um ato compassivo está longe de ser verdadeira. Um dos motivos disso é capturado de forma soberba pela ensaísta Leslie Jamison:

> [A empatia] também pode oferecer um perigoso senso de completude: de que algo foi feito porque sentiu-se alguma coisa. É tentador pensar que sentir o sofrimento do outro é por si só virtuoso. O perigo da empatia não é só que ela é capaz de nos fazer sentir mal, mas de nos fazer sentir bem, o que, por sua vez, pode nos levar a pensar nela como um fim em si, em vez de parte de ser um processo, um catalisador.[46]

Nesse caso, dizer: "Eu sinto a sua dor" se tornaria um equivalente New Age do burocrata inútil que diz: "Veja, eu simpatizo com a sua situação, mas...". A pessoa está tão desconectada da ação que nem seria necessário esse "mas" como uma ponte para o "não há nada que eu possa (ou vá) fazer". Ter a sua dor validada é bom; só que tê-la aliviada é melhor ainda.

E há uma razão ainda mais ampla para explicar por que um estado empático pode não produzir uma ação, que foi mencionada no capítulo 6 ao considerar essas estranhas criaturas, os adolescentes. Naquela ocasião, enfatizei uma característica maravilhosa de tantos adolescentes, a saber, a frenética capacidade de sentir o sofrimento do mundo, porém observei como essa intensidade muitas vezes não leva a nada além de um frenético ensimesmamento. Se, em vez de imaginar como outra pessoa está se sentindo (uma perspectiva orientada para o outro), você imagina como se sentiria caso isso estivesse acontecendo com você (uma perspectiva orientada para si mesmo), "você" acaba de se colocar em primeiro plano e o ponto principal é que sentir a dor do outro é doloroso.

Os substratos biológicos disso são claros. Observe alguém em sofrimento seguindo as instruções de assumir uma perspectiva orientada para si mesmo, e a amígdala, o CCA e o córtex insular se ativam, gerando relatos de aflição e ansiedade. Faça o mesmo a partir de uma perspectiva orientada para o outro e tudo isso se torna menos provável de acontecer. Quanto mais extremo for o primeiro cenário, mais provável será que o foco desse indivíduo seja reduzir a própria aflição e metaforicamente desviar o olhar.[47]

Isso pode ser prenunciado com uma facilidade incrível. Exponha indivíduos a evidências de que alguém está sentindo dor. Se a frequência cardíaca aumentar demais (um indicador periférico de ansiedade e excitação da amígdala), eles têm menos chances de agir pró-socialmente nessa situação. Os indivíduos pró-sociais são aqueles cuja frequência cardíaca diminui; eles são capazes de ouvir o som das necessidades do outro em vez das batidas aflitas de seu próprio coração.*[48]

Portanto, se sentir a sua dor me deixa péssimo, tenho mais chances de simplesmente olhar para o meu umbigo, em vez de ajudar você. A mesma coisa acontece quando você tem os seus próprios problemas para enfrentar. Vimos isso antes com a descoberta de que, ao aumentar a carga cognitiva dos indivíduos, eles se tornam menos pró-sociais com desconhecidos. De forma similar, quando as pessoas estão com fome, são menos caridosas: ei, pare de choramingar sobre os seus problemas, a minha barriga está roncando. Faça as pessoas se sentirem socialmente excluídas e

---

* De volta ao trabalho de Keltner: na comparação entre ricos e pobres, adivinhe de quem é o coração que mais dispara ao ser obrigado a prestar atenção ao sofrimento alheio?

elas se tornam menos generosas e empáticas. O estresse tem o mesmo efeito, agindo por meio dos glicocorticoides; o grupo de Jeff Mogil (com a minha participação) mostrou há pouco tempo que, quando se usa um fármaco para bloquear a secreção de glicocorticoides, tanto camundongos quanto seres humanos se tornam mais empáticos com desconhecidos. Portanto, se você está se sentindo muito aflito, por estar em ressonância tanto com problemas alheios como com os seus próprios, atender a seus interesses pessoais logo se torna uma prioridade.[49]

Em outras palavras, estados empáticos têm mais chances de produzir atos compassivos quando conseguimos manter uma distância desprendida. Isso me traz à memória a anedota de muitos capítulos atrás sobre o monge budista que diz que, sim, às vezes descruza as pernas e interrompe a meditação por causa dos joelhos, mas não porque sente dor: "É mais um ato de bondade para com os meus joelhos". E isso decerto está de acordo com a postura budista diante da compaixão, enxergando-a como um imperativo simples, desprendido e autoevidente, em vez de algo que exige uma cólera vicária. Você age de forma compassiva com um indivíduo por conta de um senso globalizado de desejar coisas boas para o mundo.*

Uma porção de estudos fascinantes foram feitos com monges budistas, tanto por Richard Davidson, da Universidade de Wisconsin, quanto por Tania Singer, dos Institutos Max Planck, na Alemanha. De modo notável, tendo em vista as guerras culturais entre ciência e religião, essas pesquisas receberam as... ahn, bênçãos e o apoio do Dalai Lama, que é notoriamente fascinado por neurociência e declarou que, se esse lance de ser "lama" não tivesse vingado, ele gostaria de ter sido cientista ou engenheiro. As pesquisas mais famosas envolvem os estudos de neuroimagem de Matthieu Ricard, um monge budista francês que é tradutor do Dalai Lama e que calhou de ter um ph.D. em biologia molecular do Instituto Pasteur — taí um cara interessante.[50]

Ao se deparar com exemplos de sofrimento humano e ser instruído a sentir de maneira empática a dor dessas pessoas, Ricard mostrou ativação da mesma rede de circuitos que se vê na maioria das pessoas. E a experiência foi muitíssimo aversiva: "O compartilhamento empático logo se tornou intolerável para mim, e me senti emocionalmente exausto", explicou. Quando, em vez disso, ele fez o lance budista e se concentrou em ideias de compaixão, emergiu uma imagem de ativação totalmente distinta: a amígdala ficou quieta e, em seu lugar, houve uma forte ativação

---

* Estou pisando em uma superfície de gelo muito fina ao escrever sobre o pensamento budista, por isso faremos uma súbita transição para a terra firme a fim de considerar o que os neurocientistas descobriram sobre os budistas.

do sistema dopaminérgico mesolímbico. Ele descreveu a experiência como "um estado caloroso e positivo, associado a uma forte motivação pró-social".

Em outros estudos, voluntários passaram por um treinamento em empatia (concentrar-se em sentir a dor de alguém em sofrimento) ou em compaixão (concentrar-se em sentir afeto e cuidado por essa pessoa em sofrimento).[51] Os primeiros produziram os típicos perfis de neuroimagem, incluindo uma pesada ativação da amígdala e um estado negativo de ansiedade. Isso não ocorreu com os voluntários que passaram pelo treinamento em compaixão: esses mostraram forte ativação no (cognitivo) CPFdl, uma conectividade de ativação entre o CPFdl e as regiões dopaminérgicas, mais emoções positivas e maior tendência à pró-socialidade.

Agora as ressalvas. Trata-se de uma literatura minúscula (ou seja, não muito maior do que o estudo de Ricard). Além disso, a tropa de elite dos monges budistas pelo visto medita oito horas por dia, um caminho nada simples de seguir. A questão aqui é meramente enfatizar esse cenário de desprendimento. O que nos leva ao próximo assunto, que é examinar se os atos compassivos fomentados pela empatia são necessariamente úteis.

Fazendo alguma coisa de forma efetiva

Em um artigo com o provocativo título "Against Empathy" [Contra a empatia], de 2014, Paul Bloom explorou as formas como a empatia pode levar a atos compassivos muito distantes do ideal.

Há um âmbito que foi definido como "altruísmo patológico", do tipo associado à codependência.[52] É a situação de uma pessoa tão absorvida pela dor vicária de um ente querido que ela acaba suportando e facilitando a disfunção dele, em vez de administrar um amor exigente. E existe o perigo de a dor empática ser tão intensa que você só consegue conceber soluções que funcionem para você, em vez daquelas que possam ajudar o indivíduo em sofrimento. Sem falar no problema da empatia que o impede de fazer o que é necessário — não é legal um pai ou mãe se tornar tão vicariamente angustiado pelo sofrimento do filho a ponto de desistir de vaciná--lo. Boa parte do treinamento dos profissionais de saúde consiste em ensiná-los a manter a empatia a uma certa distância.* Por exemplo, as inúmeras respostas comportamentais e neurobiológicas que surgem quando se vê alguém ser espetado por uma agulha não ocorrem em acupunturistas. Como Jamison descreve, ao consultar

---

* Com a esperança de que os pensamentos de distanciamento sejam do tipo "É assim que eu faço o bem", e não, digamos, "Acho que vou pedir um sanduíche de frango no almoço".

ansiosamente um médico sobre algo preocupante, "eu precisava olhar para ele e ver o oposto do meu medo, e não o seu eco".

Bloom também enfatiza o quanto a empatia excitada em alto grau nos leva a executar ações psicologicamente fáceis que geram uma carga cognitiva mínima. Nesses momentos, o sofrimento que é local, diz respeito a um indivíduo específico e atraente, e é de um tipo com o qual você tem mais familiaridade conta mais do que um sofrimento que está distante, envolve um grupo e assume uma forma de dor que lhe é estranha.* Uma empatia excitada produz uma compaixão excessivamente focada que pode estar fora de lugar. Como enfatiza o filósofo Jesse Prinz, a questão não é saber qual sofrimento dói mais em nós, mas quem precisa mais da nossa ajuda.

Existe algum maldito altruísta?

Parem as rotativas; a ciência provou que fazer o bem pode fazê-lo se sentir bem, com a vantagem adicional de ativar o sistema dopaminérgico mesolímbico. Isso não exige nem mesmo um aparelho de tomografia. Em um estudo de 2008 publicado na *Science*, voluntários ganhavam cinco ou vinte dólares; metade deles era instruída a gastar a quantia até o fim do dia consigo mesmos, e a outra metade com outra pessoa (que podia ser um amigo ou uma instituição de caridade). A comparação das autoavaliações de felicidade no início e no fim do dia mostrou que nem uma quantia maior de dinheiro nem a oportunidade de gastá-lo consigo mesmo aumentou a felicidade; apenas gastar com outra pessoa teve esse poder. Mais interessante ainda: outros voluntários, ao serem informados sobre a estrutura do estudo, previram o oposto: que a felicidade aumentaria quando o indivíduo gastava consigo mesmo, e que vinte dólares seriam capazes de comprar mais felicidade do que cinco.[53]

A questão, claro, é saber por que fazer o bem pode dar uma sensação boa, o que levanta a clássica pergunta: Será que existe uma ação altruísta que não tenha nenhum elemento de interesse próprio? Será que fazer o bem traz uma sensação boa porque existe alguma vantagem para você? É claro que não vou enfrentar essa questão de um ponto de vista filosófico. Para os biólogos, a resposta mais frequente se baseia na visão evolutiva sobre cooperação e altruísmo, discutida no capítulo 10, que sempre conta com algum elemento de interesse próprio.

---

*Um colega meu costumava falar, de modo sarcástico, sobre sua expectativa de que a esposa de algum senador aparecesse de repente com a doença neurológica que ele estudava — só então alguém poderoso teria enfim empatia com os que sofrem desse mal e direcionaria uma maior ajuda econômica para a pesquisa.

Isso é uma surpresa? A abnegação pura decerto será uma batalha difícil se justo a parte do cérebro essencial para um estado empático — o CCA — evoluiu para observar a dor dos outros e aprender com ela, para benefício próprio.[54] As recompensas egoístas de agir de maneira compassiva são infinitas. Existe a vantagem interpessoal — deixar o beneficiário em dívida com você, transformando altruísmo em altruísmo recíproco. Há os benefícios públicos da reputação e da aclamação — a celebridade que aparece de repente em um campo de refugiados para uma sessão de fotos com crianças famintas que ficam felizes por sua presença incandescente. Tem-se aquela versão peculiar de reputação que surge nas raras culturas a terem inventado um deus moralizante que monitora o comportamento humano e distribui recompensas e punições adequadas; como vimos no capítulo 9, só quando as culturas crescem o suficiente para haver interações anônimas entre desconhecidos elas tendem a criar deuses moralizantes. Um estudo recente demonstra que, em um conjunto global de religiões, quanto mais as pessoas julgam seu deus capaz de monitorar e punir, mais pró-sociais elas são em interações anônimas. Portanto, há o benefício egoísta de tombar a balança cósmica em seu favor. E talvez de modo mais inacessível, tem-se a recompensa puramente interna do altruísmo — o brilho caloroso de ter feito o bem, uma pontada menos pungente de culpa, uma percepção aumentada de conexão com os outros, um senso cada vez mais sólido de poder incluir a bondade em sua definição de si próprio.

A ciência foi capaz de registrar em flagrante o componente de interesse próprio da empatia.[55] Como já foi observado, parte desse interesse próprio diz respeito a definições de si mesmo — os perfis de personalidade mostram que, quanto mais caridosas são as pessoas, mais elas tendem a se definir por sua caridade. O que vem primeiro? É impossível dizer, mas pessoas muito caridosas têm mais chances de ter sido criadas por pais caridosos que enfatizavam atos dessa natureza como sendo imperativos morais (sobretudo em um contexto religioso).

E quanto à recompensa egoísta de obter a reputação de altruísta, de ter o prestígio de uma generosidade conspícua, em vez de um consumo conspícuo? Como foi enfatizado no capítulo 10, os indivíduos se tornam mais pró-sociais quando a reputação depende disso, e os perfis de personalidade também mostram que pessoas muito caridosas tendem a ser particularmente dependentes de aprovação externa. Dois dos supracitados estudos que registraram ativação dopaminérgica quando os indivíduos estavam sendo caridosos traziam um componente adicional. Os voluntários recebiam dinheiro e, dentro de um aparelho de tomografia, decidiam se iriam guardá-lo ou doá-lo. Ser caridoso ativava os sistemas dopaminérgicos de recompensa — quando havia um observador presente. Quando ninguém estava por perto, a dopamina fluía mais quando os indivíduos guardavam o dinheiro.

Como foi destacado pelo filósofo do século XII Moisés Maimônides, a forma mais pura de caridade, a mais destituída de interesse, ocorre quando tanto o doador quanto o beneficiário são anônimos.* E, como demonstrado naqueles estudos de neuroimagem, tudo indica que essa é também a forma mais rara.

De modo intuitivo, é possível dizer que se boas ações devem ser motivadas por interesse próprio, então o motivo ligado à reputação, ou seja, o desejo de ser o maior gastador em um leilão de caridade, parece o mais merecedor de ironias. Por outro lado, a motivação de pensar em si mesmo como uma boa pessoa parece bastante benigna. Afinal, cada um de nós está em busca de um sentido sobre quem somos, e é melhor ter esse senso específico do que assegurar-se de que você é durão, assustador, um cara com quem ninguém deve mexer.

Será que o elemento de interesse próprio já esteve de fato ausente? Um estudo publicado na revista *Science* em 2007 examinou a questão.[56] Voluntários (em aparelhos de tomografia, é claro) receberam de forma inesperada quantias variadas de dinheiro. Na sequência, em algumas ocasiões eles eram "taxados" (ou seja, recebiam a informação de que uma parte desse dinheiro teria de ser doada para um banco de alimentos), e em outras ganhavam a oportunidade de, se quisessem, doar essa quantia. Em outras palavras, a mesma quantidade de "bem" público era realizada em ambos os casos, mas a primeira situação constituía um dever cívico compulsório, enquanto a última era um ato puramente caridoso. Portanto, se o altruísmo de um indivíduo fosse apenas orientado para o bem do outro, sem uma única partícula de interesse próprio, em termos psicológicos ambas as circunstâncias seriam idênticas: os necessitados receberão a ajuda, e é isso que importa. E quanto

---

* Já fui o beneficiário de uma situação maimonidesca quando, em um Starbucks, descobri tarde demais que não havia papel higiênico na cabine. Logo outra pessoa entrou no banheiro; ao ouvi-la utilizar um dos urinóis, implorei, hesitante, por um ato de caridade: "Ãhm, ei, quando você terminar aí, pode dizer ao pessoal do balcão que não tem papel aqui?". "Claro", respondeu uma voz anônima, e logo a mão de um barista apareceu por baixo da portinhola da cabine oferecendo, ainda que não donativos para os pobres, papel higiênico para os aflitos. O truque agora é como fazer para recriar essa situação com voluntários em aparelhos de tomografia. Essa pode não ter sido, na verdade, uma interação perfeita entre anônimos. Ainda que eu e o Bom Samaritano que levou meu recado permanecêssemos anônimos um para o outro, não foi o que ocorreu com ele em relação aos baristas. E, até onde sei, eles na mesma hora o presentearam com um café de graça, fizeram uma ode musical em sua homenagem ou se ofereceram para acasalar com ele. Então agora precisamos saber se, ao concordar em me ajudar, o sujeito esperava que qualquer uma dessas coisas (ou todas) acontecesse. Mais pesquisas serão necessárias para tal.

mais distintas fossem as sensações transmitidas pelas duas situações, mais teríamos o interesse próprio entrando em jogo.

Os resultados foram complexos e interessantes:

a. Quanto maior a ativação do sistema dopaminérgico de recompensa quando o indivíduo recebia de maneira inesperada o dinheiro, menor era a ativação quando era taxado ou convidado a doar. Em outras palavras, quanto maior o amor pelo dinheiro, mais doloroso é se separar dele. Até aqui, nenhuma surpresa.

b. Quanto maior a ativação dopaminérgica ao ser taxado, mais o indivíduo era caridoso de forma voluntária. O ato de ser taxado não poderia mesmo ser bem recebido pelos mais egoístas: alguém estava tirando dinheiro deles. Mas para os indivíduos que, ao contrário, exibiram uma forte ativação dos sistemas dopaminérgicos nessa circunstância, qualquer interesse próprio de perder dinheiro era mais do que compensado ao saber que pessoas em necessidade seriam auxiliadas. Isso faz referência ao tópico do último capítulo sobre aversão à desigualdade, e é consistente com as descobertas de que, em certas circunstâncias, quando uma dupla de desconhecidos recebe às claras quantias díspares de recompensa, em geral há uma ativação dopaminérgica no indivíduo mais sortudo quando uma parte de sua recompensa é mais tarde transferida para tornar as coisas mais equilibradas. Portanto, não surpreende que, no presente estudo, os voluntários mais felizes com a redução da desigualdade, mesmo que às próprias custas, também eram os mais caridosos. Os autores interpretaram de maneira apropriada esse resultado como o reflexo de um ato compassivo com elementos independentes de interesse próprio.[57]

c. Houve maior ativação dopaminérgica (e mais declarações próprias de satisfação) quando as pessoas doaram voluntariamente, em comparação a quando eram taxadas. Em outras palavras, um componente da caridade era o interesse próprio: os doadores ficavam mais satisfeitos quando os necessitados eram ajudados por iniciativas voluntárias do que quando a doação era compulsória.

E o que isso mostra? Que podemos ser encorajados por inúmeros fatores em dimensões variadas — ganhar dinheiro, saber que necessitados estão sendo atendidos, sentir o brilho caloroso de fazer o bem; e que é difícil ter o segundo tipo de prazer sem depender do terceiro — parece ser de fato raro arranhar um altruísta e ver outro sangrar.

CONCLUSÕES

Considerando todos esses fatores, é bastante notável que, quando um indivíduo está sofrendo, nós (seres humanos, primatas, mamíferos) em geral somos induzidos a também assumir um estado de dor. Algumas reviravoltas bastante interessantes tiveram de ocorrer para que essa característica evoluísse.

Mas, ao fim e ao cabo, a questão crucial é se um estado empático de fato gera um ato compassivo, evitando assim a armadilha de considerar a empatia como um fim em si. O abismo entre o estado e o ato podem ser enormes, sobretudo quando o objetivo é que o ato não seja apenas efetivo, mas também imaculado em seus motivos.

Para quem está lendo este livro, um primeiro desafio para transpor esse abismo é que boa parte do sofrimento do mundo é sentida por massas distantes experimentando coisas das quais não temos a menor noção: doenças que não nos afetam; um nível de pobreza que torna impossível ter água limpa, um lugar para morar, a certeza da próxima refeição; opressão nas mãos de sistemas políticos dos quais fomos poupados; restrições devido a normas culturais repressivas que poderiam muito bem ser de outro planeta. E tudo a nosso respeito faz com que justo essas sejam as situações mais difíceis para evocar nossa ação: tudo sobre nosso passado de Hominini nos preparou para responder a um rosto por vez, um rosto que seja local e familiar, e a uma fonte de dor que nós mesmos já tenhamos sofrido. Sim, seria melhor que a nossa compaixão fosse acionada pelos mais necessitados, e não pela dor mais prontamente compartilhada. Ainda assim, não há razão para exigir de nós mesmos intuições particularmente boas ao tentar curar esse mundo disperso e heterogêneo. Ao que parece, devemos ser mais compreensivos conosco nesse aspecto.

Da mesma forma, talvez devêssemos relaxar um pouco na questão de "arranhar um altruísta". Sempre me pareceu um pouco mesquinho concluir que é um hipócrita que sangra. Arranhe um altruísta e, na maioria das vezes, o indivíduo com motivos impuros que sangra é apenas o produto do "altruísmo" e da "reciprocidade" sendo evolutivamente inseparáveis. É preferível que as nossas boas ações sejam realizadas em causa própria e com o objetivo de enaltecimento do que elas não ocorrerem em absoluto; é melhor que os mitos que construímos e propagamos sobre nós mesmos sejam os de que somos nobres e generosos, em vez de preferirmos ser mais temidos do que amados. É melhor que nossa melhor forma de vingança seja viver bem.

Por fim, há o desafio de um ato compassivo ser deixado de lado quando o estado empático é real, vívido e horrível o bastante. Não estou defendendo que as pessoas se tornem budistas para tornar este mundo um lugar melhor. (Nem estou defendendo que as pessoas *não* se tornem budistas; qual é o som de um ateísta tergiversando?) Em geral, a maioria de nós precisa de pungentes e coléricos momentos de dor compartilhada para sequer reparar nos necessitados à nossa volta. Nossas intuições resistem a fazer isso de outra forma — afinal, assim como uma das mais assustadoras versões de um ser humano em seu pior momento é o homicídio "a sangue-frio", uma das mais intrigantes e perturbadoras versões de um ser humano em seu melhor momento é a bondade "a sangue-frio". Ainda assim, como já vimos, uma quantia moderada de desprendimento é tudo o que é preciso para de fato agirmos. É melhor que seja assim do que nosso coração disparar em dolorosa sincronia com o coração de alguém em sofrimento e essa ativação cardiovascular nos fazer fugir quando tudo se tornar excessivo demais para suportar.

O que nos leva a um último ponto. Certo, você não age porque a dor de alguém é dolorosa demais — pelo contrário, essa é uma situação que está implorando para que você fuja. Mas o desprendimento a ser buscado não consiste em escolher uma abordagem "cognitiva" de fazer o bem, em lugar de uma abordagem "afetiva". O desprendimento não exige pensar com afinco em saídas para agir de modo compassivo como uma solução utilitarista ideal — o perigo aqui é a facilidade com que você pode, em vez disso, pensar em saídas para concluir, de modo conveniente, que o problema não é seu e que você não deve se preocupar com isso. A solução não está nem em um bom (e límbico) coração, nem em um córtex frontal que possa raciocinar até levá-lo ao ponto da ação. Em vez disso, é o caso de coisas que há muito tempo se tornaram implícitas e automáticas: aprender a usar o penico; andar de bicicleta; falar a verdade; ajudar alguém em necessidade.

15. Metáforas pelas quais matamos

EXEMPLO I

Ao menos desde o incidente com o bezerro de ouro no monte Sinai, diversos ramos das religiões abraâmicas têm tido certo problema com os ídolos. O que nos levou ao aniconismo, a proibição de ícones, e aos iconoclastas, aqueles que destroem símbolos ofensivos por motivos religiosos. O judaísmo ortodoxo adotou essa postura em alguns momentos; o mesmo fizeram os calvinistas, sobretudo quando se tratava daqueles tais católicos idólatras. Hoje em dia, são os ramos sunitas do islamismo os que empregam um controle bastante estrito do uso de imagens, considerando como ofensa máxima as representações de Alá e Maomé.

Em setembro de 2005, o jornal dinamarquês *Jyllands-Posten* publicou charges de Maomé em sua página editorial. Era um protesto contra a censura do Estado e a autocensura em torno dessa questão, e também contra o fato de o islamismo ser tratado como vaca sagrada em uma democracia ocidental na qual outras religiões são criticadas com presteza de forma satírica. Nenhuma das charges sugeria reverência ou respeito. Muitas ligavam Maomé diretamente ao terrorismo (por exemplo, usando uma bomba como turbante). Muitas eram irônicas em relação à proibição de imagens: Maomé como um boneco de palitinhos com turbante, Maomé (armado com uma espada) com um retângulo preto cobrindo os olhos, Maomé em uma fila de identificação de suspeitos ao lado de outros homens barbudos de turbante.

E como consequência dessas charges, embaixadas e consulados de países ocidentais foram atacados, e até incendiados, no Líbano, na Síria, no Iraque e na Líbia. Igrejas foram queimadas no Norte da Nigéria. Manifestantes foram mortos em diversas regiões: Afeganistão, Egito, Gaza, Irã, Iraque, Líbano, Líbia, Nigéria, Paquistão, Somália e Turquia (geralmente em decorrência de serem pisoteados pela turba ou agredidos por policiais que tentavam conter os revoltosos). E não muçulmanos foram mortos na Nigéria, na Itália, na Turquia e no Egito, como vingança pelas ilustrações satíricas.

Em julho de 2007, desenhos de um artista sueco mostrando a cabeça de Maomé no corpo de um cachorro provocaram resultados semelhantes. Além dos protestos com vítimas fatais, o Estado Islâmico do Iraque ofereceu 100 mil dólares pela morte do artista, a Al-Qaeda apontou-o como um alvo em potencial (assim como os funcionários do *Jyllands-Posten*), tentativas de assassinato foram interceptadas por autoridades ocidentais e uma delas terminou com a morte de dois transeuntes.

Em maio de 2015, dois atiradores invadiram um evento antianiconista no Texas, no qual se oferecia um prêmio de 10 mil dólares pela "melhor" representação de Maomé. Uma pessoa foi ferida antes que os agressores fossem mortos pela polícia.

E, é claro, em 7 de janeiro de 2015, dois irmãos, franceses filhos de imigrantes argelinos, perpetraram a chacina da equipe do jornal *Charlie Hebdo*, matando doze pessoas.

EXEMPLO 2

Na Batalha de Gettysburg [durante a Guerra Civil Americana], houve um embate feroz entre a 1ª Infantaria de Voluntários de Minnesota, da União, e o 28º Regimento de Infantaria de Voluntários da Virgínia, da Confederação.[1] A certa altura, o soldado confederado John Eakin, carregando a bandeira regimental do 28º da Virgínia, foi atingido por três tiros (sina comum para aqueles que carregavam os estandartes, considerados alvos preferenciais). Mortalmente ferido, Eakin passou a bandeira a um companheiro, que logo foi abatido. O estandarte foi então recuperado e erguido pelo coronel Robert Allen, morto em seguida, e depois pelo tenente Lee, que logo foi ferido. Um soldado da União, que tentava apanhar o lábaro, foi abatido pelos Confederados. Por fim, o soldado Marshall Sherman, da 1ª de Minnesota, capturou a bandeira, junto com Lee.

EXEMPLOS 3, 4 E 5

Em meados de 2015, Tavin Price, um jovem de dezenove anos com deficiência mental, foi morto por membros de uma gangue de Los Angeles por estar usando calçados vermelhos, a cor de uma facção rival. As últimas palavras de Tavin, proferidas em frente à mãe, foram: "Mamãe, por favor. Eu não quero morrer. Mamãe, por favor".[2]

Em outubro de 1980, partidários do republicanismo irlandês detidos na prisão de Maze, na Irlanda do Norte, deram início a uma greve de fome para protestar, entre outras coisas, contra o fato de terem negada sua condição de presos políticos, pois eram obrigados a usar uniformes de presidiários. O governo britânico concordou com as exigências depois que um primeiro detento entrou em coma, 53 dias mais tarde. Em um protesto semelhante no ano seguinte, dez prisioneiros políticos irlandeses morreram de inanição depois de passarem de 46 a 73 dias em greve de fome.

Em 2010, caraoquês de todas as regiões das Filipinas já haviam removido da playlist a música "My Way" ["Meu jeito"], interpretada por Frank Sinatra, por causa das reações violentas que a canção provocava sobre aqueles que a cantavam, entre as quais uma dúzia de incidentes fatais. Algumas das "mortes do My Way" foram decorrentes de apresentações medíocres (que, ao que parece, muitas vezes resultam em tentativas de assassinato), mas acreditava-se que a maioria das ocorrências estaria ligada ao teor machão da letra. "'Eu fiz do meu jeito' — isso é tão arrogante. A letra evoca sentimentos de orgulho e arrogância em quem canta, como se você fosse alguém, quando na verdade você não é ninguém. Ela encobre as suas falhas. É por isso que acaba dando em brigas", explicou o proprietário de uma escola de canto de Manila ao *New York Times*.

Em outras palavras, as pessoas estão dispostas a matar ou serem mortas por causa de uma charge, uma bandeira, uma peça de roupa ou uma canção. Temos algumas coisas a explicar.

Ao longo de todo o livro, obtivemos repetidas vezes uma compreensão melhor dos seres humanos ao examinarmos outras espécies. Em alguns momentos, as similaridades foram mais pertinentes: dopamina é dopamina, seja em um homem, seja em um rato. Em outros casos, o interessante era a forma única como utilizamos um substrato idêntico: a dopamina abre caminho para que um rato pressione uma alavanca em busca de comida e para que um homem reze na esperança de alcançar o paraíso.

Mas alguns comportamentos humanos aparecem de maneira isolada, sem precedentes em outra espécie. Um dos domínios mais importantes do caráter singular dos seres humanos se reduz a um simples fato, a saber, o de que a imagem a seguir não é um cavalo.

Seres humanos anatomicamente modernos surgiram por volta de 200 mil anos atrás. Mas a modernidade comportamental teve de esperar outros 150 mil anos, como se evidencia pela presença, no registro arqueológico, de ferramentas compostas, ornamentações, sepultamentos ritualizados e daquele ato assombroso de aplicar pigmentos à parede de uma caverna.*³ Isso não é um cavalo. É uma formidável *imagem* de um cavalo.

Quando René Magritte colocou as palavras *"Ceci n'est pas une pipe"* ("Isto não é um cachimbo") sob a imagem de um cachimbo, em seu quadro *A traição das imagens*, de 1928, ele estava acentuando a natureza instável dessas representações. O historiador da arte Robert Hughes escreveu que essa pintura é uma "armadilha visual" disparada pelo pensamento, e que

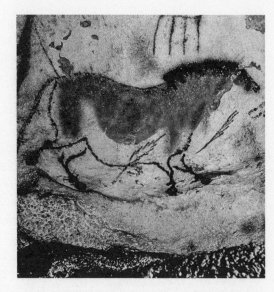

"essa percepção de descolamento entre imagem e objeto é uma das fontes da inquietação modernista".⁴

O objetivo de Magritte era ampliar e brincar com a distância entre um objeto e a sua representação; esses são mecanismos de enfrentamento da inquietação modernista. Mas para aquele indivíduo aplicando pigmentos às paredes das cavernas de Lascaux há mais de 17 mil anos, o objetivo era o oposto: diminuir a distância

entre as duas coisas, estar o mais próximo possível de possuir um cavalo real. Como costumamos dizer, *capturar* a semelhança. Para então obter o seu poder, imbuído em um símbolo.

O domínio mais claro dos seres humanos sobre o simbolismo veio com o nosso uso da linguagem. Suponha que você esteja sendo ameaçado por algo e grite a plenos pulmões. Alguém que es-

---

* Para que não nos deixemos levar por nossa própria superioridade, há boas evidências de que algumas das pinturas rupestres mais impressionantes foram realizadas por neandertais e não por humanos. Mas a essa altura, quem se importa com essas classificações tolas de espécies, agora que se provou que havia todo um cruzamento entre humanos e neandertais acontecendo?

teja ouvindo não saberá dizer se o horripilante "aiiiii!!" é uma resposta à aproximação de um cometa, de um homem-bomba ou de um dragão-de-komodo. Significa apenas que as coisas estão de certa forma fora do normal; a mensagem é o próprio significado. A maior parte da comunicação animal envolve tal emocionalidade de tempo presente.

A linguagem simbólica trouxe vantagens evolutivas enormes. Isso pode ser observado até em rudimentos de simbolismo em outras espécies. Quando macacos-vervet, por exemplo, avistam um predador, eles não gritam de maneira genérica. Eles utilizam vocalizações específicas, diferentes "protopalavras", entre as quais uma que significa "Predador no solo, corra para cima da árvore!" e outra que quer dizer "Predador no ar, corra para baixo da árvore!". A evolução da capacidade cognitiva para fazer essa distinção é tremendamente útil, na medida em que o leva a correr para longe, em vez de para perto, de algo que tem a intenção de devorá-lo.

A linguagem destrincha a mensagem para obter o significado, e à medida que nossos antepassados se tornaram mais aptos a realizar essa separação, os benefícios se acumularam.[5] Tornamo-nos capazes de representar emoções passadas e futuras, bem como mensagens sem vínculo emocional. Desenvolvemos uma grande proficiência em diferenciar a mensagem da realidade, o que, como vimos, exige a ação do córtex frontal para regular as nuances de rosto, corpo e voz: a mentira. Essa possibilidade dá origem a complexidades com as quais nenhuma outra criatura — desde o bolor limoso até os chimpanzés — precisa lidar nos Dilemas do Prisioneiro da vida.

O ponto alto dos aspectos simbólicos da linguagem é o nosso uso das metáforas. E isso não quer dizer apenas as mais ostensivas, como quando afirmamos que a vida é um mar de rosas. As metáforas estão por toda parte na linguagem — podemos estar literal e fisicamente "em" um aposento, mas estamos só metaforicamente dentro de algo quando estamos "em" um bom momento, "em" sintonia com alguém, "em" uma onda de sorte, "em" uma fossa, "em" uma fissura* ou "em" uma paixão. Estamos entendendo algo que só está por baixo de modo metafórico quando dizemos que está "subentendido".**[6] O renomado linguista cognitivo George Lakoff, da Universidade da Califórnia em Berkeley, explorou a onipresença da

---

* Sem falar na possibilidade de entrar tão profundamente na dita fissura a ponto de fissurar a si mesmo, isto é, ficar fissurado.

** Basta considerar o que é inerente no fato de que diversas línguas de todo o mundo têm gêneros gramaticais, com alguns substantivos assinalados como masculinos, outros como femininos. A cientista cognitiva Lera Boroditsky demonstrou o modo como o gênero gramatical pode influenciar o pensamento. Em uma pesquisa, ela mostrou que falantes do alemão tendem a associar a palavra "ponte" (que é feminina nessa língua) com atributos como "bela", "elegante" ou "esbelta", enquanto falantes do espanhol (para os quais "ponte" é masculino) inclinam-se para associações com "grande", "forte", "imponente" e "robusto".

metáfora na linguagem em livros como *Metáforas da vida cotidiana* (junto com o filósofo Mark Johnson) e *Moral Politics: How Liberals and Conservatives Think* [Política moral: Como liberais e conservadores pensam]. (Neste último, ele mostra que o poder político envolve controlar metáforas: você dá preferência à "escolha" ou à "vida"? Você é "duro" com o crime ou tem "coração mole"? Você é leal ao "Estado pátrio" ou à "terra mãe"? E foi capaz de capturar dos seus oponentes a bandeira dos "valores da família"?) Para Lakoff, a linguagem é sempre uma metáfora, transferindo informações de um indivíduo a outro ao colocar o pensamento *dentro* das palavras, como se elas fossem sacolas de mercado.[7]

Símbolos, metáforas, analogias, parábolas, sinédoques, figuras de linguagem. Nós entendemos que um capitão deseja mais do que mãos quando as convoca todas ao convés,* que *A metamorfose*, de Kafka, na verdade não é sobre uma barata, e que a primavera não está rebentando por toda parte.** Se possuímos certa afiliação teológica, vemos pão e vinho como indissociáveis de corpo e sangue. Aprendemos que os sons orquestrais que constituem a *Abertura 1812* representam Napoleão tomando uma surra durante a retirada de Moscou. E que "Napoleão tomando uma surra" significa milhares de soldados morrendo de frio e de fome, longe de casa.

Este capítulo investiga a neurobiologia por trás de alguns dos mais interessantes postos avançados do pensamento simbólico e metafórico. Ele procura estabelecer um ponto fundamental: que essas capacidades cognitivas evoluíram em tempos tão recentes que nosso cérebro está, se você me permite, improvisando e se aprimorando no próprio ato quando precisa lidar com metáforas. Como resultado, somos na verdade bastante ineptos em distinguir entre o metafórico e o literal, em lembrar que "é só uma figura de linguagem". E isso tem enormes consequências sobre os nossos melhores e piores comportamentos.

Começaremos com exemplos dos estranhos modos como nosso cérebro lida com metáforas e das manifestações comportamentais dessas peculiaridades, algumas das quais foram apresentadas mais cedo.

SENTINDO A DOR DE OUTRA PESSOA

Considere a situação em que você dá uma topada. Os receptores de dor enviam mensagens para a espinha e daí para cima até o cérebro, onde diversas regiões

---

* "All hands on deck" (todas as mãos ao convés), expressão ouriunda da Marinha americana e que significa um empenho coletivo numa situação de emergência. (N. T.)

** Referência a uma canção de Rogers e Hammerstein, "June is Bustin' Out All Over". (N. T.)

entram em ação. Algumas dessas áreas informam você a respeito da localização, intensidade e qualidade da dor. É um dedo do pé esquerdo ou é a orelha direita que está doendo? Foi uma topada ou um dedo esmagado por um caminhão? Esses vários medidores, o arroz com feijão do processamento da dor, podem ser encontrados em todos os mamíferos.

Como aprendemos de início no capítulo 2, a região cortical frontal denominada córtex cingulado anterior (CCA) também desempenha um papel nesse caso, avaliando o significado da dor.[8] Talvez seja uma má notícia: o dedo dolorido sugere o começo de uma doença improvável. Ou talvez uma boa notícia: você conseguirá o diploma de faquir, porque as brasas fizeram seus dedos apenas latejarem. Como vimos no último capítulo, o CCA está profundamente envolvido na "detecção de erros", percebendo as discrepâncias entre o que era previsto e o que de fato ocorre. E uma dor que vem do nada decerto representa uma divergência entre o estado indolor que se esperava e a realidade lancinante.

Mas o CCA faz mais do que apenas apontar o sentido de um dedo estropiado. Como vimos no capítulo 6, coloque um voluntário em um aparelho de tomografia cerebral, leve-o a acreditar que está trocando passes da bola virtual com outros dois jogadores e então faça com que se sinta excluído (os outros dois param de arremessar para ele). "Ei, como assim, eles não querem que eu jogue?" E o CCA se ativa.

Em outras palavras, a rejeição dói. "Bem, é claro", você pode dizer, "mas não é o mesmo que bater o dedinho do pé." Porém, no que diz respeito aos neurônios do CCA, a dor social e a literal valem o mesmo. E como prova de que a primeira está fundada na socialidade, não ocorre a ativação do CCA quando o voluntário acredita que a bola não está sendo arremessada para ele por causa de uma falha na conexão com os computadores dos outros jogadores.

E o CCA pode levar as coisas um passo além, como vimos no capítulo 14. Se você recebe um choque moderado, ele se ativa (bem como as regiões mais mundanas envolvidas na medição da dor). Agora, em vez disso, se você observa uma pessoa querida recebendo uma descarga semelhante, as regiões medidoras ficam silentes, mas o CCA se ativa. Para esses neurônios, sentir a dor de outra pessoa não é apenas uma figura de linguagem.

Além disso, o cérebro mistura a dor literal e a psíquica.[9] O neurotransmissor substância P desempenha um papel central em comunicar ao cérebro os sinais da dor vindos dos receptores localizados na pele, nos músculos e nas articulações. Ele tem tudo a ver com os medidores da dor. E, de maneira notável, os níveis desse neurotransmissor são elevados na depressão clínica, e os remédios que bloqueiam a ação da substância P têm propriedades antidepressivas evidentes. Dedo estropiado, psique estropiada. Além do mais, ocorre uma ativação das partes corticais dos circuitos da dor quando sentimos medo ao contemplar uma situação desagradável — uma antecipação do choque iminente.

Além disso, o cérebro se torna literal quando experimentamos o inverso da empatia.[10] É doloroso observar um concorrente que detestamos ser bem-sucedido, e nesses momentos o CCA é ativado. De modo recíproco, se o rival fracassa, ficamos exultantes, sentimos *Schadenfreude*, derivamos prazer da dor alheia e nossas vias de recompensa dopaminérgicas são ativadas. Esqueça o "sua dor é minha dor". Sua dor é minha alegria.

AVERSÃO E PUREZA

Esse é o nosso familiar domínio do córtex insular. Se você dá uma mordida em uma comida rançosa, a ínsula se ativa, assim como ocorreria com qualquer outro animal. Você franze o nariz, ergue o lábio superior e estreita os olhos, tudo isso para proteger a boca, os olhos e as cavidades nasais. Seu coração bate mais devagar. Você cospe a comida de modo reflexo, tem espasmos de regurgitação ou até vomita. Tudo para se proteger de toxinas e patógenos infecciosos.[11]

Como seres humanos, fazemos algumas coisas mais sofisticadas: basta pensarmos em uma comida rançosa e a ínsula se ativa. Se você olha para rostos que expressam repugnância, ou para faces que, em termos subjetivos, são pouco atraentes, ocorre o mesmo. E, o mais importante, se você pensa em um ato verdadeiramente repreensível, ocorre a mesma reação. A ínsula faz a mediação das respostas viscerais às violações das normas, e quanto maior sua ativação, maior a reprovação. Isso é algo visceral, e não apenas em sentido metafórico — por exemplo, quando eu soube do massacre da escola primária Sandy Hook, "ficar mal do estômago" não foi mera figura de linguagem. Quando me dei conta da realidade do assassinato de vinte crianças em idade escolar e de seis adultos que tentavam protegê-las, eu me *senti* enjoado. A ínsula não só induz o estômago a se livrar da comida intoxicada como força a expulsão da ideia de um evento tenebroso. A distância entre mensagem simbólica e significado desaparece.[12]

A ligação entre aversão visceral e moral é bidirecional. Como demonstrado em diversos estudos, contemplar um ato moralmente repugnante deixa mais do que um metafórico gosto ruim na boca — as pessoas comem menos na sequência, e uma bebida de sabor normal que seja consumida em seguida é avaliada como tendo uma qualidade negativa (por outro lado, escutar relatos de atos morais virtuosos fez com que a bebida tivesse um sabor melhor).[13]

Nos capítulos 12 e 13, vimos as implicações políticas do fato de nosso cérebro misturar aversão visceral e moral: em questões sociais, os conservadores têm um limiar mais baixo de aversão visceral que os progressistas; a escola da "sabedoria da repugnância" propõe que sentir repulsa visceral por uma coisa é um ótimo indicador de que se trata de algo moralmente errado; evocar de modo implícito uma sensação de aversão visceral (por exemplo, sentando muito próximo a um odor pútrido) nos torna mais conservadores.[14] Isso não ocorre só porque a repugnância visceral é um estado aversivo: induzir uma sensação de tristeza não produz o mesmo efeito. Além disso, a defesa de julgamentos morais sobre pureza, embora esteja ligada à propensão das pessoas a sentirem aversão, não está associada à inclinação para o medo ou a raiva.*

O cerne fisiológico da aversão gustativa é proteger a si mesmo contra patógenos. A base do amálgama entre aversão visceral e moral se encontra também em uma percepção de ameaça. Uma posição conservadora a respeito, digamos, do casamento entre homossexuais não propõe que isso seja simplesmente errado em um sentido abstrato, ou mesmo "repugnante", mas que isso representa uma ameaça — à santidade do casamento e aos valores da família. Esse elemento foi demonstrado por uma excelente pesquisa. Como preparação, os voluntários poderiam ter lido ou não um artigo sobre os riscos que as bactérias transportadas pelo ar oferecem à saúde.[15] Em seguida, todos tinham de ler um relato histórico que empregava alegorias dos Estados Unidos como um organismo vivo, com afirmações como: "Depois da Guerra Civil, a nação passou por um surto de crescimento". Aqueles que haviam lido sobre as assustadoras bactérias antes de pensarem no país como um organismo apresentaram então maior propensão a expressar visões negativas no que tange à imigração (sem mudar suas opiniões quanto a uma questão econômica). Meu palpite é que indivíduos com uma postura conservadora excludente estereotípica em matéria de imigração dificilmente teriam uma sensação de aversão pelo fato de pessoas de outras partes do mundo quererem ir para os Estados Unidos em busca de uma vida melhor. Em vez disso, o que existe é a ameaça das ralés, das massas imundas, à entidade nebulosa do estilo de vida americano.

Quão cerebral é o entrelaçamento entre aversão moral e visceral? Será que a ínsula se envolve na repugnância moral apenas se ela for de uma natureza particularmente visceral — sangue e entranhas, coprofagia, partes do corpo? Paul Bloom sugere que é esse o caso. Em contrapartida, Jonathan Haidt tem a impressão de que

---

* De modo interessante, e que remonta a capítulos anteriores discutindo a hierarquia e a posição social, os autores descobriram que pertencer a um nível socioeconômico mais baixo era um fator preditivo para uma maior intensidade nos julgamentos morais de pureza, mas não de justiça ou evitamento do dano.

mesmo as formas mais cognitivas de aversão moral ("Ele é um grande mestre de xadrez e quer se exibir derrotando uma criança de oito anos em apenas três movimentos, deixando-a às lágrimas — isso é repugnante") são bastante entrelaçadas.[16] Em apoio a essa perspectiva, algo tão pouco visceral quanto receber uma proposta ruim em um jogo econômico ativa a ínsula (quer dizer, uma proposta desprezível partindo de outro ser humano, não de um computador); quanto mais intensa a ativação, maior a chance de que a oferta seja rejeitada. Em meio a esse debate, fica evidente que, no mínimo, o entrelaçamento entre os dois tipos de aversão alcança o ponto máximo quando a aversão moral se aproveita da conexão visceral. Para repetir uma frase aprumada de Paul Rozin, mencionada pela primeira vez no capítulo 11: "A aversão serve como um marcador étnico ou exterior ao grupo". Primeiro você sente aversão a como Eles cheiram, e isso acaba sendo uma porta de entrada para então sentir aversão a como Eles pensam.

É claro, a partir do momento em que se aceita que ser metaforicamente sujo e desorganizado é sinônimo de ser "mau", ser metaforicamente limpo e organizado é igual a ser "bom".*[17] Basta considerar o uso da palavra "aprumada" no parágrafo anterior.** De modo similar, na língua suaíli a palavra *safi*, que significa "limpo" (oriunda de *kusafisha*, "limpar"), é utilizada no mesmo sentido metafórico coloquial de *neat* em inglês. Uma vez, quando estava no Quênia, peguei uma carona para Nairóbi partindo de um lugar qualquer no meio do mato e comecei a conversar com um adolescente local que estava curioso a meu respeito. "Para onde você está indo?", perguntou. Nairóbi. "Nairóbi *ni* [é] *safi*", disse ele com ar saudoso sobre a distante metrópole. Como mantê-los presos à fazenda uma vez que tenham conhecido a aprumação de Nairóbi?

A limpeza e a organização literais podem nos liberar do desconforto afetivo e cognitivo abstratos — basta considerar o modo como, nos momentos em que a vida parece estar saindo de controle, pode ter um efeito calmante organizar o guarda-roupa, arrumar a sala ou levar o carro para lavar.[18] E pense em como a necessidade de impor limpeza e organização, quando exercida de forma inadequada, domina e destroça a vida das pessoas que sofrem do transtorno de ansiedade arquetípico, o transtorno obsessivo-compulsivo. A capacidade da limpeza literal de produzir efeitos sobre a cognição foi demonstrada em um experimento. Os voluntários exami-

---

* O que nos remete ao fato de confundirmos bondade e beleza (dando assim sentenças de prisão mais curtas para pessoas com rostos simétricos etc.). Como mencionado inicialmente no capítulo 3, utilizamos circuitos cerebrais semelhantes, ativando o córtex orbitofrontal medial, quando ponderamos a moralidade de um ato e quando consideramos a beleza de um rosto.

** No original, o autor se refere à palavra *"neat"*, que tem o sentido literal de "limpo e organizado" e o sentido figurado de "ótimo" ou "maravilhoso". (N. T.)

naram um conjunto de CDs de música, escolheram dez que lhes agradavam e ordenaram-nos conforme o grau de preferência. Em seguida, foi oferecida a eles uma cópia grátis de um dos itens do meio da lista (o número cinco ou seis). Os voluntários foram então distraídos com alguma outra tarefa e depois se pediu a eles que classificassem de novo os dez CDs. E nisso eles manifestaram um fenômeno psicológico usual, que foi dar então maior valor ao CD que haviam recebido, colocando-o em uma posição mais elevada na lista — a não ser que tivessem acabado de lavar as mãos (supostamente a fim de testar uma nova marca de sabão), caso em que não ocorria rearranjo na ordem. Mãos limpas, passado limpo.

Mas desde muito antes do movimento de "higiene social" da virada do século xx, o fato de ser metaforicamente limpo, puro e higiênico podia ser também uma condição moral: o asseio não era apenas uma boa maneira de evitar a diarreia descontrolada, a desidratação e um grave desequilíbrio eletrolítico: isso também era ideal para a pessoa se colocar mais próxima de um deus.

Elaborou-se uma pesquisa para examinar o fenômeno de que a aversão visceral torna as pessoas mais severas em seus julgamentos morais. Os pesquisadores primeiro reproduziram esse efeito, mostrando que assistir a um vídeo curto sobre alguma coisa fisicamente aversiva tornava os voluntários mais críticos em termos morais — a não ser que tivessem lavado as mãos antes de assistir ao filme. Outro estudo sugere que lavar as mãos diminui a excitação emocional, uma vez que o ato provocou uma redução no diâmetro das pupilas dos voluntários.[19]

Misturamos pureza física e moral até quando se trata das nossas próprias ações. Em uma das minhas pesquisas psicológicas favoritas de todos os tempos, Chen-Bo Zhong, da Universidade de Toronto, e Katie Liljenquist, da Universidade Northwestern, demonstraram que o cérebro tem dificuldade em distinguir entre ser um bandido imundo e estar precisando de um banho. Pediu-se aos voluntários que descrevessem um ato moral ou imoral do seu passado. Depois disso, como sinal de agradecimento, os pesquisadores ofereceram a eles a possibilidade de escolher como presente um lápis ou uma caixa de lenços antissépticos. E os indivíduos que haviam chafurdado em suas falhas éticas tinham maior probabilidade de preferir os lenços. Outro estudo, ao reproduzir os mesmos efeitos com pessoas que haviam sido instruídas a mentir, mostrou que quanto mais adversas eram as consequências da mentira apresentada, mais os voluntários limpavam as mãos. Lady Macbeth e Pôncio Pilatos não foram os únicos que ao menos tentaram redimir seus pecados lavando as mãos, e esse fenômeno da cognição corporificada é conhecido como "efeito Macbeth".[20]

E ele é bem concreto. Em outra pesquisa, os voluntários foram instruídos a mentir a respeito de alguma coisa, usando a boca (isto é, contando uma mentira) ou as mãos (isto é, escrevendo-a).[21] Depois disso, foi impressionante constatar que os mentirosos tinham maior probabilidade de escolher produtos de higiene com características complementares, em comparação aos participantes do grupo de controle (que haviam comunicado algo verdadeiro): para os faladores imorais, era maior a probabilidade de escolherem uma amostra de enxaguante bucal; para os escribas indecorosos, sabonete para as mãos. Além disso, como revelado por meio de tomografia cerebral, quando o voluntário refletia sobre a escolha entre os dois itens, aqueles que haviam acabado de contar uma mentira acabavam ativando partes do córtex sensório-motor relacionadas à boca (isto é, os voluntários estavam mais atentos à própria boca naquele momento); aqueles que haviam escrito uma inverdade ativavam as regiões corticais correlacionadas com as mãos. Assim, a cognição corporificada pode se limitar a certas partes do corpo.

Outra pesquisa fascinante revelou a influência da cultura no efeito Macbeth. Os estudos que acabamos de citar foram realizados com voluntários europeus ou americanos. Quando se faz o mesmo com indivíduos do Leste Asiático, o impulso subsequente é lavar o rosto em vez das mãos. Se você pretende enfrentar a sociedade de cara limpa, ela precisa estar bem lavada.[22]

Por fim, e mais importante, esse amálgama entre higiene física e moral afeta o modo como de fato nos *comportamos*. Aquela pesquisa original em que os voluntários refletiam sobre suas fraquezas morais e depois desejavam lavar as mãos incluiu um segundo experimento. Como antes, os voluntários foram instruídos a relembrar um ato imoral que tivessem cometido. Depois disso, eles receberam ou não a oportunidade de lavar as mãos. Aqueles que puderam se limpar tiveram uma menor probabilidade de atender a um pedido subsequente de ajuda (encenado como parte do experimento). Em outra pesquisa, simplesmente observar uma pessoa lavando as mãos nessa situação (em oposição a vê-la digitando algo) também diminuía a disposição para prestar auxílio mais tarde (embora em menor grau do que no voluntário que se lavava).[23]

Muitos dos nossos momentos de pró-socialidade, de altruísmo e de bom samaritanismo são atos de reparação, tentativas de contrapor nossos momentos antissociais. O que essas pesquisas mostram é que se aquelas mãos metaforicamente sujas foram limpas (e não de modo metafórico) nesse ínterim, existe uma chance menor de que se esforcem para tentar equilibrar a balança.

SENSAÇÃO REAL VERSUS METAFÓRICA

Existem também maneiras pelas quais confundimos sensações literais e metafóricas.

Uma pesquisa brilhante conduzida por John Bargh, de Yale, tratou das sensações hápticas (tive de olhar no dicionário — "háptico": relativo ao sentido do tato). Os voluntários analisaram os currículos de supostos candidatos a um emprego; o crucial aqui era que os papéis estavam presos em pranchetas que podiam ter dois pesos diferentes. Quando os voluntários seguravam a prancheta mais pesada, apresentavam a tendência a julgar os candidatos como mais "sérios" (o peso não teve influência nas outras qualidades avaliadas). Da próxima vez que se candidatar a algum emprego, torça para que seu currículo esteja fixado em uma prancheta de chumbo. De que outro modo o avaliador poderá chegar à conclusão de que você consegue entender a gravidade de uma situação e lidar com tarefas pesadas, em vez de ser um peso mosca?[24]

Em uma pesquisa posterior, os voluntários montaram um quebra-cabeça com peças que podiam ser lisas ou ásperas como lixas, e em seguida assistiram a uma interação social ambivalente. Quem havia lidado com peças rugosas avaliava as relações como sendo menos coordenadas, harmoniosas ou bem-sucedidas (não ficou claro, contudo, se havia uma chance maior de que os voluntários, ao voltarem para casa naquela noite, usassem uma linguagem grosseira para descrever o dia árduo).

Em outro experimento, os voluntários se sentavam em cadeiras que podiam ser duras ou macias (para citar os autores da pesquisa, "pré-ativamos os indivíduos pela parte traseira de suas calças"). Para aqueles que ocupavam assentos mais firmes, havia maior probabilidade de que avaliassem outros indivíduos como estáveis e impassíveis, e de que fossem menos flexíveis em um jogo econômico. Isso é algo notável: as sensações hápticas no seu *traseiro* influenciam o fato de você julgar alguém um bunda-mole. Ou de crer que alguém tem um coração duro, e não de manteiga.

Ocorre um amálgama similar entre real e metafórico com as sensações de temperatura. Em outro estudo do grupo de Bargh, o pesquisador, com as mãos ocupadas com alguma coisa, pedia ao voluntário que segurasse por um instante um copo de café. Metade das pessoas tinha de segurar uma bebida quente; as demais, gelada. Os voluntários depois liam sobre um determinado indivíduo e respondiam a questões a seu respeito. Aqueles que haviam ajudado com o café quente avaliavam o sujeito como possuindo uma personalidade mais calorosa (sem modificar o julgamento com relação a outras características). Na parte seguinte da pesquisa, a temperatura de um objeto que era segurado pelos voluntários afetava a sua generosidade e os seus níveis de confiança: mãos frias, coração gelado. E ativava mais a ínsula, como foi demonstrado em um estudo complementar.[25]

Nosso cérebro também confunde informações interoceptivas metafóricas e literais. Lembre-se daquela pesquisa impressionante mostrando que, em um cenário real, um dos mais importantes fatores preditivos para determinar se um prisioneiro receberia a liberdade condicional era quão recentemente o juiz havia se alimentado. Estômago vazio, julgamento mais severo. Outro estudo revelou que, quando as pessoas estão com fome, elas se tornam menos generosas com o dinheiro e apresentam maior desconto do futuro (isto é, têm mais chances de preferir a recompensa X agora, em vez de esperar por outra de valor 2X). Ter fome de fama e fortuna é apenas uma metáfora — mas nosso cérebro ativa circuitos relacionados à fome real. Além disso, empregamos níveis mais abstratos de cognição quando pensamos em eventos distantes. Peça para alguém fazer uma lista dos itens que levaria para uma viagem a um acampamento, que pode acontecer amanhã ou dentro de um mês; no primeiro caso, o inventário terá subcategorias mais específicas. Em outra pesquisa, mostrou-se aos voluntários um gráfico com a quantidade média de papel utilizada em um escritório ao longo do tempo. Há um aumento progressivo até o período mais recente:[26]

Pediu-se então aos voluntários que fizessem uma previsão sobre o que aconteceria no período seguinte. Para metade deles foi dada ainda a informação de que o escritório ficava localizado nas proximidades. Resultado: esses voluntários efetuaram uma microanálise, dando maior atenção ao fato de o último X ter se deslocado para baixo, percebendo isso como um elemento significativo, o início de um padrão:

No final do corredor

Mas os indivíduos que receberam a informação de que o escritório estaria localizado do outro lado do planeta tinham uma tendência a visualizar os pontos em um nível macro de análise, prestando mais atenção ao padrão geral e percebendo aquela queda final como mera aberração:

Em um lugar distante

O que está acontecendo nessas pesquisas? Metáforas envolvendo peso, densidade, temperatura, sensações interoceptivas, tempo e distância são apenas figuras de linguagem. No entanto, o cérebro as processa de maneira confusa, utilizando os mesmos circuitos que lidam com as propriedades físicas dos objetos.

FITA ADESIVA

A essência de um símbolo é a sua capacidade de servir de substituto para a coisa real. E de modo notável, não somos a única espécie na qual um significante, independente do que significa, pode ser capaz de adquirir poder em si. Como discutido no capítulo 2, quando se condicionam ratos a fazer uma associação entre o som de um sino e uma recompensa, cerca de metade dos animais chega ao ponto de considerar o próprio som do sino como algo recompensador.

Desse modo, consideramos até aqui bebidas geladas e personalidades frias; mentir pela boca e depois ansiar por enxaguante bucal; e nosso coração sofrendo pela dor de outra pessoa. Nossos símbolos metafóricos podem adquirir um poder por conta própria. Mas na medida em que figuras de linguagem são o apogeu da nossa capacidade de pensamento simbólico, é muito estranho que nosso cérebro topo de linha não consiga ver as coisas de maneira clara e lembrar que uma metáfora não deve ser tomada ao pé da letra. Por que isso ocorre?

A resposta remete a uma ideia mencionada pela primeira vez no capítulo 10: a evolução é um fuçador, um improvisador. Assim, nos seres humanos estão em evolução as capacidades de criar abstrações como a moralidade e as suas violações mais profundas, de sentir empatia com uma intensidade sem precedentes, e de avaliar de maneira consciente a natureza afiliativa do temperamento de alguém — a aversão moral, o sentir a dor de outra pessoa, as personalidades quentes e frias. Dado o curto período desde a aparição de seres humanos com comportamento moderno, isso ocorreu em um piscar de olhos. Não houve tempo suficiente para que esses novos circuitos e regiões cerebrais evoluíssem por completo para lidar com essas inovações. Em vez disso, houve uma improvisação:

> Hum, sentimentos extremamente negativos provocados por violações às normas de comportamento compartilhadas. Vejamos… Quem tem alguma experiência pertinente? Já sei, a ínsula! Ela trabalha com estímulos sensoriais negativos — em essência, é tudo que ela faz —, então vamos expandir esse portfólio para incluir também o lance da aversão moral. Acho que vai dar certo. Me passe uma calçadeira e um pouco de fita adesiva.

A chave para entender a evolução como improvisadora em vez de inventora é o conceito de exaptação, discutido no capítulo 10: uma característica pode evoluir com um determinado propósito e acabar sendo cooptada ao se mostrar útil para outra coisa. E logo as penas estão auxiliando no voo, em complemento à função de regulação da temperatura corporal, e então a ínsula nos ajuda a entrar no paraíso, além de expurgar nossas vísceras de toxinas. Esse último caso é um exemplo do que se chamou de "reutilização neural".[27]

Isso não quer dizer que tenha sido um processo simples, que um dia, por um passe de mágica, os neurônios que nos ajudam a vomitar tenham de repente se engajado na condução do comitê presidencial de bioética. É muitíssimo interessante para mim que os neurônios mais singulares do nosso cérebro, aqueles de evolução recente e desenvolvimento lento chamados neurônios de Von Economo, estejam alojados sobretudo no cingulado anterior e na ínsula. E que a doença neurodegenerativa da demência frontotemporal, que culmina na destruição de todo o sofisticado neocórtex, atinja primeiro esses neurônios — há algo de ainda mais refinado (e, portanto, de mais dispendioso e vulnerável) nessas células. Os remendos e os improvisos foram inspirados.

O mais interessante de tudo é que encontramos em outras espécies os princípios desse "Já sei, vamos convencer o CCA e a ínsula a se oferecerem como voluntários para essas novas tarefas". Como vimos no capítulo 14, o contágio emocional e a protoempatia que um roedor é capaz de sentir em relação a outro que esteja sofrendo se concentra no cingulado anterior. E neurônios Von Economo completamente desenvolvidos são também encontrados nas mesmas regiões cerebrais em outros grandes primatas, em elefantes e em cetáceos — os membros da Mensa da evolução — e existem em formas rudimentares em macacos. Não fica claro se, digamos, uma baleia-azul sente vontade de lavar as nadadeiras depois de violar uma norma social, mas um punhado de outras espécies parece ter dado junto conosco os primeiros passos em direção a esse estranho novo território.

O METAFÓRICO LADO SOMBRIO

A confusão que o nosso cérebro faz entre o metafórico e o literal importa literalmente. Voltemos ao capítulo 10 e à ênfase evolutiva na seleção de parentesco. Vimos uma série de mecanismos utilizados por diversas espécies para o reconhecimento dos parentes e dos graus de parentesco: por exemplo, as assinaturas feromônicas moldadas geneticamente ou a estampagem da fêmea cujo canto se ouvia com frequência de dentro do ovo. E vimos que entre os demais primatas existem também componentes cognitivos (relembre como o grau de paternalismo dos babuínos estava ligado à probabilidade de que fossem os genitores da prole). No momento em que chegamos aos seres humanos, o processo é em grande parte cognitivo — podemos, por meio das nossas faculdades mentais, concluir quem é parente, quem faz parte de Nós. E assim, como vimos, podemos ser manipulados para acreditar que determinados indivíduos estão mais próximos de nós, e outros mais distantes, do que de fato estão: o pseudoparentesco e a pseudoespeciação. Existem diversos modos de levar uma pessoa a acreditar que um Outro é tão diferente que mal poderia ser considerado humano. Porém, como os propagandistas e ideólogos há muito tempo descobriram, se você quer que uma pessoa *sinta* que um Outro não conta como um ser humano, existe apenas um jeito: acionar a ínsula. E a maneira mais certa de conseguir isso é por meio de metáforas.

Em 1994, muitos ocidentais tomaram conhecimento pela primeira vez da existência de Ruanda. O país montanhoso da África Central é minúsculo, possuindo uma das mais elevadas densidades populacionais do planeta. Muito tempo atrás, a região foi ocupada por caçadores-coletores, os quais, como de costume, foram substituídos ao longo do último milênio por povos agrícolas e pastores, que viriam a formar as tribos hutu e tutsi, respectivamente. Ainda não está claro se eles teriam chegado por volta do mesmo século, e se seriam grupos distintos do ponto de vista étnico, mas hutus e tutsis se apegaram a uma relação Nós / Eles com todas as forças. A minoria tutsi tradicionalmente dominava os hutus, o que refletia a familiar dinâmica de poder pastor / agricultor da África. Colonizadores alemães e belgas, em uma clássica estratégia de dividir e conquistar, aproveitaram-se dessa polaridade e inflamaram ainda mais as animosidades tribais.

Com a independência, em 1962, ocorreu uma reviravolta, e os hutus dominaram o governo. A discriminação e a violência contra os tutsis levaram muitos desses últimos a deixar o país; ao longo dos anos seguintes, muitas populações de refugiados em nações vizinhas deram origem a grupos rebeldes, que buscavam invadir Ruanda e estabelecer locais seguros para essa minoria. De maneira previsível, isso aumentou a militância antitutsi entre os hutus e resultou em ainda mais discriminação e mais massacres. Uma das ironias do que estava por vir, refletindo a incerteza na concepção de que as duas tribos teriam sido historicamente povos distintos, foi que nem sempre era possível distinguir entre elas — era preciso ter cartões de identidade assinalando a proveniência étnica.

Em 1994, a pressão dos grupos tutsis sobre o presidente ruandês, o ditador Juvénal Habyarimana, um militar hutu que tomou o poder em 1973, havia se intensificado o bastante para que ele assinasse um acordo de paz repartindo poderes com os rebeldes. Para o crescente bloco extremista do "Poder Hutu", isso foi visto como uma traição. No dia 6 de abril de 1994, o avião de Habyarimana foi derrubado por um míssil quando se aproximava da capital, Kigali, matando todos a bordo. Ainda não ficou claro se o assassinato teria sido conduzido por rebeldes tutsis ou por partidários do Poder Hutu dentro do Exército, que teriam a intenção tanto de eliminar o então presidente quanto de colocar a culpa nos tutsis. De qualquer maneira, em menos de um dia os extremistas haviam matado praticamente todos os moderados do governo, tomado o poder e atribuído aos tutsis, em caráter oficial, a responsabilidade pelo assassinato, conclamando os hutus a se vingarem. E a maioria deles obedeceu. Assim teve início o que hoje se conhece como o genocídio de Ruanda.*

A matança se estendeu por mais ou menos cem dias (interrompida somente quando os rebeldes tutsis conquistaram o controle do país). Durante esse tempo, não houve apenas uma tentativa no estilo "solução final" de matar cada tutsi de Ruanda, mas também de eliminar os hutus que fossem casados com tutsis, ou que tentassem

---

* O avião de Habyarimana também transportava Cyprien Ntaryamira, o presidente hutu do vizinho Burundi, uma nação igualmente pequena e pobre com o mesmo histórico de conflito entre hutus e tutsis. Pouco tempo depois ela teve a sua própria guerra civil étnica.

protegê-los, ou que se recusassem a participar da carnificina. Ao fim desse período, em torno de 75% dos tutsis — entre 800 mil e 1 milhão de pessoas — e por volta de 100 mil hutus haviam sido mortos. Cerca de um em cada sete ruandeses. Isso corresponde a cinco vezes a taxa de mortes durante o Holocausto nazista. E o extermínio foi em grande parte ignorado pelo Ocidente.[28]

Pense nisto: uma taxa cinco vezes maior. Para aqueles de nós que foram educados nas atrocidades do mundo ocidental, faz-se necessária uma certa tradução. O genocídio de Ruanda não envolveu tanques, aviões despejando bombas ou bombardeio de civis. Não houve campos de concentração, nem trens de transportes ou Zyklon B. Não houve a burocrática banalidade do mal. Até armas de fogo foram pouco utilizadas. Em vez disso, hutus — desde lavradores do campo até profissionais urbanos — espancaram seus vizinhos, amigos, cônjuges, parceiros de negócios, pacientes, professores e alunos. Tutsis foram surrados até a morte com pedaços de pau, mortos com facões depois de haver sofrido estupros coletivos e terem os genitais mutilados, e encurralados em locais tidos como seguros e que então foram incendiados. Uma média de mais ou menos 10 mil pessoas por dia. Na talvez mais chocante atrocidade (se considerada de forma isolada), ocorrida na cidade de Nyange, o padre católico local, um hutu chamado Athanase Seromba, ofereceu abrigo a entre 1,5 mil e 2 mil tutsis, muitos deles paroquianos, e depois conduziu até a igreja a milícia hutu que viria a assassinar cada uma daquelas pessoas. Os rios ficaram vermelhos de sangue, e não apenas metaforicamente.*

Como isso pode ter acontecido? Existem muitos elementos que compõem a resposta. A população tinha uma longa tradição de obediência incondicional às autoridades, uma característica útil a se cultivar em uma nação brutalmente ditatorial. Meses antes dos ataques, os extremistas já vinham distribuindo facões entre os hutus. A estação de rádio estatal (o principal meio de comunicação nesse país pouco alfabetizado) anunciou que a intenção dos rebeldes era matar todos os hutus, e que qualquer vizinho tutsi era como uma quinta-coluna pronta para se integrar aos invasores. E houve ainda outro fator significativo. A propaganda antitutsi era ininterruptamente desumanizadora, empregando a infame pseudoespeciação de se referir a eles apenas como "baratas". *Esmaguem as baratas. As baratas estão planejando matar seus filhos. As baratas [as supostamente diabólicas e sedutoras mulheres tutsis] irão*

---

* E assim continuam. No período que se seguiu à vitória do predominantemente tutsi exército rebelde da Frente Patriótica Ruandesa, cerca de 2 milhões de hutus deixaram o país, por medo de represálias (que foram excepcionalmente poucas sob o governo do líder rebelde Paul Kagame). Os imensos campos de refugiados que se formaram na parte ocidental do Congo logo estavam sob o controle das milícias hutus derrotadas, e se tornaram um ponto de partida para ataques a Ruanda e para as duas guerras do Congo subsequentes, que mataram milhões.

O resultado.

roubar seus maridos. As baratas [os homens tutsis] irão violentar suas esposas e suas filhas. Esmaguem as baratas, salvem-se, matem as baratas. E com os córtices insulares em chamas, um facão em uma mão e um rádio transistor na outra, a maioria dos hutus obedeceu.*

* Tenho me interessado bastante pela história desse genocídio. Passei um tempo em Ruanda alguns anos antes do massacre, observando gorilas-das-montanhas na fronteira com o Congo. De forma previsível, patética, estúpida e pungente, voltei dessa experiência com a impressão de que as pessoas de lá eram gentis e generosas. Imagino que grande parte daqueles que conheci acabaram mortos ou se tornaram assassinos e/ou refugiados. Nos momentos em que me questiono por que alguém se daria ao trabalho de escrever um livro como este, instigo a mim mesmo pensando: "Puxa vida, se ao menos eu tivesse me aliado à Fada do Dente e ao Coelhinho da Páscoa para dar algumas lições em Ruanda sobre a biologia por trás da pseudoespeciação, tudo isso poderia ter sido evitado".

Desumanização e pseudoespeciação. Os instrumentos dos propagandistas do ódio. Pintar a Eles como seres aversivos. Eles como roedores, como um câncer, como espécies transicionais; Eles como os fétidos que vivem em um ajuntamento caótico que nenhum ser humano normal suportaria. Eles como bosta. Faça com que a ínsula dos seus seguidores confunda o literal e o metafórico e você já terá realizado 99% do trabalho.

UMA CENTELHA

Uma meta pode ser utilizar o lado bom de uma faca de dois gumes para extrair a luz no fim do túnel e guardá-la para os dias sombrios. Ou alguma metáfora do tipo. A arma do propagandista é explorar de maneira efetiva, a serviço do ódio, os símbolos de repulsa. Mas o peculiar processamento literal de metáforas em nosso cérebro pode também oferecer ao pacificador uma ferramenta bastante eficiente.

Em um importante e comovente artigo publicado em 2007 na *Science*, o antropólogo franco-americano Scott Atran, com Robert Axelrod (aquele do capítulo 10, alçado à fama pelo Dilema do Prisioneiro) e Richard Davis, um especialista em conflitos da Universidade do Estado do Arizona, examinaram o peso na resolução de conflitos do que chamaram de "valores sagrados".[29] Estes remetem diretamente ao universo proposto por Greene, com duas culturas diferentes de pastores brigando por causa de uma área coletiva, cada uma delas com uma perspectiva moral distinta a respeito do que é correto, cada uma concentrada de maneira fervorosa em "direitos" cujo significado e importância são incompreensíveis para o outro lado. Os valores sagrados são defendidos de maneira desproporcional à sua importância material ou instrumental ou à sua chance de sucesso, porque, para qualquer grupo, tais valores definem "quem nós somos". E, portanto, as tentativas de se chegar a um acordo em tais questões utilizando incentivos materiais não só têm pouca probabilidade de serem frutíferas, mas podem também ser insultuosamente contraproducentes. O seu dinheiro não irá nos convencer a desonrar aquilo que consideramos mais sagrado.

Atran e seus colegas estudaram o papel desempenhado pelos valores sagrados no contexto dos conflitos do Oriente Médio. Em um cenário de total racionalidade, no qual o cérebro não confundisse realidade e símbolos, estabelecer a paz entre Israel e a Palestina dependeria apenas de elementos concretos, práticos e específicos — o traçado das fronteiras, compensações pelas terras palestinas tomadas em 1948, direitos de acesso à água, o grau de militarização permitido à polícia palestina e assim por diante. Resolver essas questões práticas poderia ser uma maneira de *dar fim* à guerra, mas a paz não equivale à mera ausência de guerra, e *construir* uma paz verdadeira exige reconhecer e respeitar os valores que são sagrados para Eles. Atran e os demais pesquisadores descobriram que, desde as pessoas nas ruas até os altos escalões de poder, todos davam grande peso aos valores sagrados. Eles entrevistaram Ghazi Hamad, um dos líderes do Hamas, e lhe perguntaram quais seriam, para ele, os elementos necessários para uma paz verdadeira. Estes incluíam, é evidente, indenizações aos palestinos pelos lares e propriedades perdidos há quase setenta anos. Isso seria necessário, mas não suficiente. "Que Israel se desculpe pela nossa tragédia de 1948", acrescentou ele. E o atual primeiro-ministro israelense, Benjamin Netanyahu, ao conversar com os pesquisadores sobre o que seria preciso para a paz, citou não apenas questões práticas de segurança, mas também que os palestinos deveriam "mudar os livros escolares e as descrições antissemitas". Como os autores do trabalho afirmaram: "Em modelos de escolha racional na tomada de decisões, algo tão intangível quanto um pedido de desculpas [ou conseguir que coisas como *Os protocolos dos sábios de Sião* sejam retiradas dos livros escolares] não poderiam ser obstáculos no caminho da paz". E, no entanto, isso ocorre porque, ao reconhecer os símbolos sagrados do adversário, você está na prática reconhecendo

a humanidade deles, a possibilidade de que experimentem orgulho, unidade e ligação com o passado e, talvez mais que tudo, a capacidade de sentirem dor.*

"Concessões simbólicas sem nenhum benefício material evidente podem ser a chave para ajudar a resolver conflitos aparentemente insolúveis", escreveram os pesquisadores. Em 1994, o Reino da Jordânia se tornou o segundo país árabe a assinar um tratado de paz com Israel. Isso pôs fim à guerra, trazendo uma conclusão a décadas de hostilidades. E também criou um roteiro bem-sucedido para a coexistência das duas nações, construído em torno da discussão de questões materiais e instrumentais — direitos de acesso à água (por exemplo, Israel deveria destinar à Jordânia 50 milhões de metros cúbicos por ano), esforços conjuntos para o combate ao terrorismo e para a promoção do turismo entre os países. Mas foi preciso mais um ano para que surgissem evidências de que uma possível paz verdadeira estava se formando. Foi um gesto que se seguiu à criação de mais um mártir da paz, Yitzhak Rabin, um dos arquitetos do Acordo de Paz de Oslo, morto por um militante is-

---

* Como uma questão de valores sagrados que pode ou não parecer irônica, conforme a sua posição política, os autores citam como, em 1948, o recém-criado Estado de Israel, em uma situação econômica terrível, recusou-se, apesar disso, a aceitar o dinheiro das indenizações da Alemanha pelos bens de judeus assassinados pelos nazistas — até que houvesse uma expressão pública de arrependimento.

raelense de extrema direita. De forma extraordinária, o rei Hussein compareceu ao funeral de Rabin e proferiu uma eulogia, dirigindo-se à viúva, na primeira fileira: "Minha irmã, sra. Leah Rabin, meus amigos, nunca pensei que chegaria um momento como este em que eu lamentaria a perda de um irmão, de um colega e de um amigo".

A presença e as palavras de Hussein foram, é óbvio, irrelevantes para qualquer dos obstáculos racionais à paz. E ao mesmo tempo foram imensamente importantes.[30]

Um quadro semelhante pode ser observado na Irlanda do Norte, onde um cessar-fogo do IRA em 1994 abriu caminho para o término da violência e do período de conflitos, e onde o Acordo da Sexta-feira Santa em 1998 estabeleceu as bases para a coexistência de republicanos e unionistas, a fim de que antigos demagogos unionistas e antigos militantes da luta armada do IRA pudessem trabalhar juntos em um governo. Boa parte do acordo era material e instrumental, mas elementos ligados a valores sagrados foram abordados — por exemplo, o estabelecimento de uma Comissão de Passeatas para garantir que nenhum dos dois grupos organizasse manifestações inflamatórias e simbolicamente carregadas nas vizinhanças alheias em Belfast. Mas, em muitos sentidos, o sinal mais palpável de uma paz duradoura veio de uma situação inesperada. O governo de coalizão formado depois do acordo era liderado por Peter Robinson, como primeiro-ministro, e por Martin McGuinness, como vice-primeiro-ministro. Robinson havia sido agitador unionista; McGuinness, chefe da ala política do IRA. Ambos eram epítomes do ódio mútuo do período de conflitos. Eles mantinham uma relação de trabalho formal, mas não mais que isso, e era de amplo conhecimento que os dois haviam se recusado até a trocar um aperto de mãos (algo que mesmo Rabin e Yasser Arafat haviam feito). O que por fim quebrou o gelo? Em 2010, Robinson foi surpreendido por um grande escândalo envolvendo sua esposa, que também era uma política, que havia cometido graves impropriedades financeiras em nome de outro tipo de impropriedade: o desvio de recursos para seu amante de dezenove anos de idade. E fez-se história então quando McGuinness ofereceu, e Robinson aceitou, um compadecido aperto de mãos. Um instante permeado pelos valores sagrados da cumplicidade masculina.*[31]

---

* A consolidação da paz na Irlanda do Norte foi recheada de outras instâncias com valores sagrados e simbolismo. Por exemplo, próximo à data em que o reverendo Ian Paisley, um unionista que tinha as mãos tão manchadas de sangue quanto qualquer outro, tornou-se primeiro-ministro da Irlanda do Norte, o presidente católico da República da Irlanda, Bertie Ahern, enviou a Paisley e sua esposa, como presente pelo quinquagésimo aniversário de casamento deles, uma tigela de madeira. O objeto era repleto de significado, uma vez que havia sido criado a partir de uma árvore do local da Batalha de Boyne, onde em 1690 o protestante Guilherme III derrotou o católico Jaime II. Essa vitória foi crucial

Um acontecimento similar teve lugar na África do Sul, em grande parte por iniciativa de Nelson Mandela, um gênio da sensibilidade aos valores sagrados.[32] Quando estava na ilha Robben, Mandela aprendeu por conta própria a língua africânder e estudou a cultura dos africânderes, não apenas para compreender literalmente o que os guardas comentavam entre si na prisão, mas também para entender aquelas pessoas e o modo como viam o mundo. A certa altura, pouco antes do nascimento da África do Sul livre, Mandela entrou em negociações secretas com o líder africânder, o general Constand Viljoen. Ele era o chefe da Força de Defesa da África do Sul no período do apartheid e fundador da Frente Popular Africânder, um grupo que se opunha ao desmonte da política de segregação, e comandava uma milícia com cerca de 50 mil ou 60 mil homens. Viljoen ocupava, portanto, uma posição que lhe permitiria arruinar a iminente primeira eleição livre do país e talvez desencadear uma guerra civil que causaria milhares de mortes.

Eles se encontraram na casa de Mandela, e o general, ao que parecia, antecipava tensas negociações ao redor de uma mesa de reunião. Em vez disso, o sorridente e cordial Mandela conduziu Viljoen a uma sala de estar aconchegante, sentou-se ao seu lado em um confortável sofá projetado para amaciar o mais duro dos traseiros e falou ao homem em africânder, incluindo na conversa alguns comentários sobre o mundo dos esportes, levantando uma vez ou outra para buscar chá e aperitivos. Ainda que o general não tenha saído dali exatamente como uma alma gêmea de Mandela, e embora seja impossível avaliar a importância de cada coisa dita de maneira isolada, ele ficou bastante impressionado com o anfitrião por se expressar em africânder e pela calorosa e loquaz familiaridade com essa cultura. Uma atitude de verdadeiro respeito pelos valores sagrados. "Mandela conquista todos aqueles com quem se encontra", diria mais tarde o general. E ao longo da conversa, Mandela convenceu Viljoen a abandonar a ideia de uma insurreição armada e, em vez disso, a se candidatar na eleição que se aproximava como líder da oposição. Quando Mandela deixou a presidência em 1999, Viljoen proferiu um curto e titubeante discurso no Parlamento em sua homenagem... feito na língua nativa de Mandela, o xhosa.*

---

para os séculos subsequentes de dominação protestante na Irlanda, uma inesgotável fonte de desgosto para os católicos e de orgulho para os protestantes (que comemoravam essa vitória a cada 12 de julho fazendo passeatas provocativas pelos bairros católicos, que geralmente terminavam em violência). O fato de Ahern reconhecer a relevância histórica sagrada daquele local para os unionistas foi algo incrível. Paisley logo retribuiu o ato visitando a região junto com Ahern, dando a ele como presente um mosquete de 1685 e discutindo a importância do local para *todo* o povo irlandês.

* Como foi possível que Viljoen e Mandela chegassem a se encontrar secretamente naquele sofá? O evento foi catalisado por um teólogo e líder antiapartheid... o irmão gêmeo de Viljoen, Abraham. Os dois haviam se distanciado fazia muito tempo, embora o general tivesse intercedido em mais de uma

O bem-sucedido nascimento de uma nova África do Sul foi repleto de atos de respeito aos valores sagrados. Talvez o exemplo mais famoso seja o acolhimento público de Mandela ao rúgbi, um esporte de enorme simbolismo para a cultura africânder e historicamente desprezado por sul-africanos negros. E de modo notório, conforme já foi retratado nos livros e no cinema, conta-se entre as consequências da atitude de Mandela a cena tectonicamente simbólica do time de rúgbi nacional, em grande parte africânder, cantando "Nkosi Sikelel' iAfrika", o hino do partido Congresso Nacional Africano (ANC), de Mandela, acompanhado por um coro de pessoas negras entoando o hino africânder, "Die Stem van Suid-Afrika", uma canção áspera com referências às montanhas escarpadas do país.* Isso aconteceu pouco antes da vitória antológica do time da casa, tido como azarão, na final da Copa do Mundo de 1995, em Johannesburgo.

Eu poderia ficar assistindo o dia inteiro ao vídeo do YouTube com os hinos sendo cantados antes da partida, em especial depois de ter tido que escrever a seção sobre Ruanda. O que Hussein, McGuinness, Robinson, Viljoen e Mandela nos mostram? Que a confusão que fazemos entre o literal e o metafórico, a santidade letal que concedemos ao simbólico, pode ser aproveitada para suscitar o melhor dos nossos comportamentos. O que nos prepara para o capítulo final, que virá logo mais.

---

ocasião para impedir que seu irmão fosse assassinado por um esquadrão da morte de direita. O estudo de gêmeos foi uma das ferramentas fundamentais do capítulo 8 — mesmos genes, mas visões políticas e de mundo radicalmente opostas. Ou: mesmos genes e ambos líderes carismáticos que dedicaram e arriscaram a vida por aquilo que percebiam como sendo uma causa sagrada.

* Assista ao evento em: <www.youtube.com/watch?v=Ncwee9IAu8I>. Acesso em: 24 abr. 2021. Hoje o hino nacional da África do Sul é uma combinação das duas canções, com acréscimos de um pouco de zulu, sesoto e inglês para completar. Embora a existência do hino seja bastante comovente, deve ser uma dificuldade dos infernos cantá-lo direito, o que exige variar os tons o tempo todo.

16. Biologia, sistema de justiça criminal e (ora, por que não?) livre-arbítrio*

NÃO SE ESQUEÇA DE CHECAR SEUS DUTOS LACRIMAIS

Anos atrás, uma fundação enviou uma carta a diversas pessoas pedindo Grandes Ideias para uma iniciativa de financiamento. O texto dizia alguma coisa do tipo: "Mande-nos uma ideia provocadora, que você nunca iria propor para outra fundação porque eles o chamariam de louco".

Parecia divertido. Então mandei uma proposta intitulada: "Deveria o sistema de justiça criminal ser abolido?". Argumentei que a resposta era "sim", pois a neurociência mostra que ele não faz nenhum sentido, e que, portanto, a fundação devia financiar uma iniciativa para alcançar essa meta.

"Ha-ha", eles responderam. "Bem, nós é que pedimos por isso. E sem dúvida chamou a nossa atenção. É uma ótima ideia focar em interações entre neurociência e lei. Vamos fazer uma conferência."

Então fui a uma conferência com alguns neurocientistas e uns caras do mundo jurídico: professores de direito, juízes e criminologistas. Aprendemos a terminologia uns dos outros, percebendo, por exemplo, como neurocientistas e juristas usam as palavras "possível", "provável" e "certeza" de modo diferente. Descobrimos que a maioria dos neurocientistas, eu incluído, não sabia nada sobre o funcionamento do mundo legal, e que a maioria dos doutores da lei evitava a ciência desde que eles sofreram um trauma com as aulas de biologia da oitava série. Apesar do problema entre culturas, todo tipo de colaboração começou ali, e isso acabou se expandindo para uma rede de pessoas envolvidas no estudo do "neurodireito".

Um vigor híbrido divertido, estimulante e interdisciplinar. E frustrante para mim, pois eu meio que estava falando sério no título da proposta que enviara. O atual sistema de justiça criminal precisa ser abolido e substituído por outro que, embora mantenha algumas características gerais em comum com o sistema em

---

* Sou muito grato a Josh Greene e Owen Jones por conferirem minuciosamente este capítulo.

vigor,* teria bases completamente distintas. Vou tentar convencê-lo disso. E essa é só a primeira parte deste capítulo.

Não dá para ser mais óbvio ao afirmar que o sistema de justiça criminal precisa ser reformado e que isso deveria envolver mais ciência e menos pseudociência nos tribunais. Se não por outros motivos, por isto: de acordo com o Innocence Project, quase 350 pessoas (dentre as quais vinte, um número absurdo, estavam no corredor da morte), que passaram uma média de catorze anos encarceradas, foram inocentadas após exames de DNA.[1]

Apesar disso, vou basicamente ignorar a reforma da justiça criminal pela ciência. Eis alguns breves tópicos desse tema que vou ignorar por completo:

- O que fazer quanto ao poder e à onipresença dos vieses automáticos e implícitos (que levam os jurados, por exemplo, a impor punições mais duras quando se trata de réus afro-americanos com a pele mais escura). Será que deveríamos usar Testes de Associação Implícita na seleção do júri para eliminar indivíduos com vieses fortes e pertinentes?
- Se as informações de neuroimagem do cérebro de um réu devem ser consideradas válidas em um tribunal.[2] Isso tem se tornado menos polêmico conforme a neuroimagem deixou de ser uma abordagem revolucionária para tornar-se um elemento-padrão no kit de ferramentas científicas. Mas ainda persiste a questão de mostrar ou não as imagens aos jurados — a preocupação é que os leigos ficariam logo impressionados em excesso com aquelas excitantes e coloridas Fotos do Cérebro (isso está se provando um problema menor do que o esperado).
- Se dados de neuroimagem relativos à veracidade de alguém devem ter lugar em um tribunal (ou no ambiente de trabalho, no que diz respeito a permissões de segurança). Basicamente não conheço nenhum especialista que acha que a técnica é precisa o suficiente. Ainda assim, existem empreendedores vendendo a abordagem (entre eles, e não estou brincando, uma empresa chamada No Lie MRI).** A preocupação se estende a versões de baixa tecnologia, mas tão duvidosas quanto, de tentativas de responder

---

* Ou seja, um sistema baseado em manter indivíduos perigosos o mais longe possível de todos os demais — só para esclarecer isso logo de saída neste capítulo.

** "Ressonância Magnética Sem Mentiras", em tradução livre. (N. T.)

à pergunta cabal: "Será que este cérebro está mentindo?". Isso inclui eletroencefalogramas (EEG), que são válidos nos tribunais indianos.[3]

- Qual deveria ser o QI de corte para que alguém seja considerado inteligente o bastante para ser executado? O padrão é um QI de setenta ou mais, e a discussão é se deveria ser uma *média* da pontuação de setenta em vários testes de QI, ou se alcançar esse número mágico uma única vez já o qualifica para ser executado. Esse assunto é pertinente para cerca de 20% dos indivíduos no corredor da morte.[4]

- O que fazer com o fato de que descobertas científicas podem produzir novos tipos de vieses cognitivos nos jurados. Por exemplo: a crença de que a esquizofrenia é um distúrbio biológico torna os jurados menos propensos a condenar esquizofrênicos por seus atos, porém mais inclinados a enxergar esses indivíduos como incuravelmente perigosos.[5]

- O sistema jurídico traça uma distinção entre pensamentos e ações; o que fazer conforme a neurociência cada vez mais revela os pensamentos? Estaríamos nos aproximando de uma detecção pré-crime, tentando prever quem *cometerá* um crime? Nas palavras de um especialista, "teremos de tomar uma decisão acerca do crânio enquanto domínio privado".[6]

- E é claro que há o problema dos juízes julgando de forma mais dura quando a barriga está roncando.*[7]

Todas essas são questões importantes, e acho que reformas são necessárias no entrecruzamento de políticas progressistas, liberdades civis e padrões mais rígidos para novas ciências. Na maior parte do tempo sou um liberal de carteirinha; inclusive conheço a música-tema de vários programas da NPR. Ainda assim, este capítulo

---

* Vou passar bem longe dessa noção meio New Age que diz: "É claro que temos livre-arbítrio. Não se pode dizer que nossos comportamentos são determinados por um universo mecanicista, porque o universo é indeterminado, por causa da mecânica quântica". Argh. O que qualquer pessoa sensata que tenha pensado a respeito irá apontar é que: a) as consequências da indeterminação subatômica da mecânica quântica (sobre a qual tenho zero conhecimento) não reverberam o suficiente para influenciar o comportamento, e b) mesmo que assim fosse, o resultado não seria a liberdade de dispor de seu comportamento. Seria a completa randomização do comportamento. Nas palavras do filósofo e neurocientista Sam Harris, um detrator do livre-arbítrio, se a mecânica quântica chegasse a assumir um papel em alguma dessas instâncias, "todos os pensamentos e ações pareceriam dignos da declaração: 'Não sei o que deu em mim'". Exceto que você não seria capaz de fazer essa declaração, pois estaria apenas emitindo uns sons gorgolejantes porque os músculos da sua língua estariam fazendo todo tipo de coisas aleatórias.

não defenderá nada parecido com uma abordagem liberal para a reforma da justiça criminal. O motivo será resumido através do seguinte exemplo de abordagem liberal clássica para uma questão jurídica.

Estamos em meados dos anos 1500. Talvez porque os padrões sociais eram relaxados e os indivíduos, desprovidos e/ou depravados em termos morais, a Europa está infestada de bruxas. É um problema enorme: as pessoas têm medo de sair à noite; pesquisas mostram que passantes aleatórios consideram as "bruxas" uma ameaça maior do que "a praga" ou "os otomanos"; futuros déspotas ganham adeptos ao prometer ser duros com elas.

Felizmente, há três padrões legais para decidir se alguém é culpado de bruxaria:[8]

- O teste da flutuação. Já que as bruxas rejeitam o sacramento do batismo, a água rejeitará seus corpos. Basta pegar a pessoa acusada, amarrá-la e arremessá-la na água. Se ela flutuar, é bruxa. Se afundar, é inocente. Então resgate-a rápido.
- O teste da marca do diabo. O diabo entra no corpo de uma pessoa para infectá-la com a bruxaria, e esse ponto de entrada permanece insensível à dor. Então produza dor em cada ponto do corpo dela. Se algum local for muito menos sensível à dor em relação ao restante, você encontrou a marca do diabo e identificou uma bruxa.
- O teste das lágrimas. Conte à pessoa a história da crucificação de Nosso Senhor Jesus Cristo. Quem *não* se debulhar em lágrimas é uma bruxa.

Esses critérios bem estabelecidos permitem que as autoridades no combate a essa onda de bruxaria identifiquem e punam de modo adequado milhares de bruxas.

Em 1563, um médico holandês chamado Johann Weyer publicou um livro, *De Praestigiis Daemonum*, defendendo uma reforma no sistema de justiça da bruxaria. Ele, é claro, reconhecia a existência maligna das bruxas, a necessidade de puni-las com severidade e a pertinência geral das técnicas de combate a elas, como esses três testes.

Contudo, Weyer expôs publicamente uma ressalva importante com relação às bruxas mais velhas. Às vezes, ele notava, pessoas mais idosas, sobretudo mulheres, haviam sofrido atrofia das glândulas lacrimais, o que as impossibilitava de verter lágrimas. Ops — isso levantaria o espectro das falsas acusações de bruxaria. O preocupado e empático Weyer aconselhou: "Certifique-se de não atear fogo em alguma pobre pessoa idosa apenas porque seus dutos lacrimais não funcionam mais".

Vejam: *isso é* uma reforma liberal do sistema de justiça da bruxaria, que introduz um pensamento sólido em um cantinho minúsculo de um edifício de irracionalidade. Muito parecido com o que seria uma reforma cientificamente embasada de nosso atual sistema, e é por isso que algo mais extremo se faz necessário.*

TRÊS PERSPECTIVAS

Vamos aos casos. Existem três formas de enxergar o papel da biologia em dar sentido às nossas ações, criminais ou de outra natureza:

1. Temos completo livre-arbítrio em nossas ações.
2. Não temos nenhum livre-arbítrio.
3. Um meio-termo.

Se as pessoas forem forçadas a seguir cuidadosamente a extensão lógica de suas ideias, tudo indica que menos de 0,0001% apoiaria a primeira proposição. Imagine um indivíduo em uma grave crise epiléptica convulsiva, chacoalhando os braços, que de repente atinge alguém. Se você de fato acredita que controlamos livremente nosso comportamento, deveria condená-lo por agressão.

Quase todo mundo acha isso absurdo. Ainda assim, tal resultado jurídico teria ocorrido meio milênio atrás em boa parte da Europa.[9] Isso parece ridículo porque, nos últimos séculos, o Ocidente cruzou uma linha e a deixou tão para trás que todo um universo do outro lado se tornou inimaginável. Adotamos um conceito que define nosso progresso: "Não é culpa dele. É uma doença". Em outras palavras, às vezes a biologia pode suplantar qualquer coisa que se pareça com livre-arbítrio. Essa mulher não trombou com você de propósito; ela é cega. Esse soldado de pé, em formação, não desmaiou porque não é digno do posto; ele é diabético e precisa de insulina. Essa mulher não é cruel por deixar de ajudar aquele idoso que caiu; ela ficou paralítica por causa de uma lesão na medula espinhal. Mudanças parecidas na percepção da responsabilidade criminal ocorreram em outros âmbitos. Por exemplo, de dois a sete séculos atrás, era comum haver o julgamento de animais, objetos e cadáveres acusados de machucar alguém de forma intencional. Alguns desses julgamentos tinham um estranho toque moderno: em 1457, uma porca e seus porquinhos foram acusados de comer uma criança; a porca foi condenada e executada, enquanto os porquinhos foram considerados jovens demais para serem responsáveis por seus atos. Não se sabe se o juiz chegou a mencionar o estado de maturação do córtex frontal deles.

---

* E só para mostrar o quanto Weyer foi considerado um liberal de coração mole, seu livro foi banido *tanto* pela Igreja Católica *quanto* pelo clero dominante da Reforma.

Portanto, quase ninguém acredita que temos um completo controle consciente de nosso comportamento e que a biologia nunca nos restringe. Iremos ignorar essa posição daqui para a frente.

TRAÇANDO LINHAS NA AREIA

Quase todos acreditam na terceira proposição, de que estamos em algum lugar entre total e nenhum livre-arbítrio, e de que essa noção de livre-arbítrio é compatível com as leis deterministas do universo incorporadas na biologia. Apenas um subgrupo de variações dessa noção se encaixa na posição filosófica razoavelmente estreita do "compatibilismo". Por outro lado, a visão mais geral é de que temos algum tipo de espírito, alma, ou essência que incorpora nosso livre-arbítrio, do qual emana a intenção comportamental; e que esse espírito coexiste com a biologia, que pode às vezes restringi-lo. É um tipo de dualismo libertário ("libertário" no sentido filosófico, e não político) que Greene chama de "livre-arbítrio mitigado". Isso está condensado na ideia de que um espírito bem-intencionado, ainda que bastante determinado, pode ser tolhido por uma carne que é suficientemente fraca.

Vamos começar com o enquadramento jurídico definitivo do livre-arbítrio mitigado.

Em 1842, um escocês chamado Daniel M'Naghten tentou assassinar o primeiro-ministro britânico Robert Peel.[10] Mas ele confundiu o primeiro-ministro com seu secretário particular, Edward Drummond, e o alvejou à queima-roupa, matando-o. No tribunal, M'Naghten declarou:

> Os *tories* da minha cidade natal me forçaram a fazer isso. Eles me seguiram e acossaram por onde quer que eu fosse, destruindo por completo minha paz de espírito. Me seguiram até a França, a Escócia [...], por toda parte. Não me davam um minuto de descanso, de dia e de noite. Eu não conseguia dormir. [...] Acredito que me levaram à exaustão. Tenho certeza de que nunca mais serei o homem que era antes. [...] Eles querem me matar. Isso pode ser provado por evidências. [...] Fui levado ao desespero pela perseguição.

Na terminologia atual, M'Naghten tinha algum tipo de psicose paranoide. Pode não ter sido esquizofrenia — seus sintomas alucinatórios começaram bem depois da idade típica do início da doença. Seja qual for o diagnóstico, antes de cometer o crime, M'Naghten abandonou seus negócios e passou dois anos vagando pela

Europa, ouvindo vozes, convencido de que estava sendo espionado e que era perseguido por pessoas poderosas, sendo Peel seu algoz mais diabólico. Nas palavras de um médico que testemunhou sobre sua insanidade: "O delírio era tão grande que nada além de um obstáculo físico o teria impedido de cometer o ato [ou seja, o assassinato]". M'Naghten tinha uma deficiência tão clara que a promotoria retirou as acusações criminais, concordando com o argumento da defesa de que ele era louco. Os jurados assentiram e M'Naghten passou o resto da vida em manicômios, sendo razoavelmente bem tratado pelos padrões da época.

Houve um ruidoso protesto após a decisão do júri, tanto por parte de cidadãos anônimos quanto da rainha Vitória: M'Naghten havia escapado de uma condenação de assassinato. O juiz encarregado do caso foi pressionado pelo Parlamento e sustentou o veredito. O órgão equivalente à Suprema Corte foi encarregado pelo Parlamento de avaliar o caso e o apoiou. A partir dessa decisão, formalizou-se o que hoje é o critério comum para considerar alguém inocente por motivos de insanidade, a chamada "Regra de M'Naghten": quando, no momento do crime, a pessoa está "operando sob um tal defeito da razão provocado por uma doença mental" que não é capaz de distinguir o certo do errado.*

A regra de M'Naghten esteve no cerne da absolvição de John Hinckley Jr. por motivos de insanidade depois que tentou assassinar o presidente Ronald Reagan, em 1981, um crime pelo qual ele foi hospitalizado, e não preso. Depois disso, houve uma considerável revolta porque ele estaria "se safando de um crime"; inúmeros estados baniram o critério M'Naghten, e o Congresso basicamente o proibiu em casos federais com o Ato de Reforma da Defesa por Insanidade, de 1984.** Ainda assim, o raciocínio por trás da regra de M'Naghten de modo geral resistiu ao teste do tempo.

Essa é a essência de uma postura de livre-arbítrio mitigado: as pessoas precisam ser responsabilizadas por suas ações, mas estar em pleno transe de um delírio psicótico pode ser uma circunstância atenuante. É a ideia de que pode haver uma responsabilidade "diminuída" por nossas ações, de que algo pode ser semivoluntário.

É assim que eu sempre imaginei o livre-arbítrio mitigado:

Temos o cérebro — neurônios, sinapses, neurotransmissores, receptores, fatores de transcrição específicos ao cérebro, efeitos epigenéticos, transposições genéticas durante a neurogênese. Alguns aspectos do funcionamento cerebral podem ser influenciados pelo ambiente pré-natal do indivíduo, por seus genes e hormônios, se

---

* Agradeço a um excelente estudante de graduação, Tom McFadden (hoje um magnífico professor de biologia da escola dos meus filhos!), pela pesquisa sobre o caso M'Naghten.

** Adoro o uso da palavra "reforma" nesse contexto.

os seus pais eram autoritativos ou sua cultura era igualitária, se ele testemunhou violência na infância, ou quando tomou o café da manhã. É tudo ao mesmo tempo, ou seja, este livro inteiro.

E então, à parte de tudo isso, em um bunker de concreto enfiado bem no meio do cérebro, existe um homenzinho (ou mulher, ou um indivíduo sem gênero), um homúnculo no painel de controle. Ele é feito de uma mistura de nanochips, velhos tubos de aspirador de pó, enrugados pergaminhos antigos, estalactites com o tom de voz zangado da sua mãe, sulcos de enxofre, rebites feitos de bom senso. Em outras palavras, nada daquela gosma esponjosa biológica do cérebro.

E o homúnculo fica ali controlando o comportamento. Há certas coisas fora de seu alcance — convulsões queimam os fusíveis do homúnculo, exigindo que ele reinicie o sistema e faça uma varredura por arquivos danificados. A mesma coisa ocorre com o álcool, o Alzheimer, uma lesão na medula espinhal, um choque hipoglicêmico.

Há domínios sobre os quais o homúnculo e todo esse lance de biologia do cérebro firmaram uma trégua — por exemplo, em geral a biologia regula automaticamente sua respiração, a menos que você precise tomar fôlego antes de cantar uma ária, quando o homúnculo por um instante se sobrepõe ao piloto automático.

Mas, fora isso, o homúnculo é quem decide tudo. É claro que ele toma nota cuidadosamente de todos os sinais de entrada e informações do cérebro, checa seus níveis hormonais, consulta os registros neurobiológicos, leva tudo isso em consideração, e só então, depois de muito refletir e deliberar, decide o que fazer. Um homúnculo *no* seu cérebro, mas não *do* seu cérebro, operando a despeito das regras materiais do universo que constituem a ciência moderna.

É isso que significa livre-arbítrio mitigado. Vejo pessoas incrivelmente inteligentes hesitando e tentando argumentar contra o radicalismo desse cenário, em vez de aceitar sua validade básica:

> Você está criando um homúnculo de palha, sugerindo que eu pense que, para além das convulsões ou lesões cerebrais, tomamos todas as nossas decisões com total liberdade. Não, não, meu livre-arbítrio é muito mais sutil e está à espreita nas bordas da biologia, como ocorre quando eu livremente decido que meias usar.

Mas a frequência ou a importância com que o livre-arbítrio se manifesta não importam. Mesmo que 99,99% de nossas ações fossem biologicamente determinadas (no sentido mais amplo deste livro), e só uma vez a cada dez anos você alegasse ter escolhido, por seu próprio "livre-arbítrio", passar o fio dental da esquerda para a direita em vez de o contrário, você estaria tacitamente invocando a ideia de um homúnculo operando fora das leis da ciência.

É assim que a maioria das pessoas acomoda a suposta coexistência entre o livre-arbítrio e as influências biológicas sobre o comportamento.* Para elas, quase todas as discussões se limitam a calcular o que o nosso presumido homúnculo deveria ou não ser capaz de fazer. Para entender melhor, vamos dar uma olhada em alguns desses debates.

Idade, maturidade dos grupos e maturidade dos indivíduos

No caso Roper versus Simmons, de 2005, a Suprema Corte norte-americana decidiu que é proibido executar um indivíduo por um crime cometido antes dos dezoito anos. O pertinente raciocínio podia ter saído direto dos capítulos 6 e 7: o cérebro, sobretudo o córtex frontal, ainda não atingiu os níveis adultos de regulação emocional e controle de impulsos. Em outras palavras, os adolescentes, com seu cérebro de adolescente, não são tão imputáveis quanto os adultos. O raciocínio foi o mesmo quando se decidiu executar a porca, mas não seus porquinhos.

Desde então, houve algumas decisões relacionadas. Nos casos Graham versus Florida, de 2010, e Miller versus Alabama, de 2012, a Corte destacou que os criminosos juvenis têm maior potencial de reabilitação (por conta de seu cérebro ainda em desenvolvimento), e, portanto, baniu as sentenças de prisão perpétua sem a possibilidade de liberdade condicional.

Essas decisões suscitaram inúmeros debates:

- O fato de adolescentes serem, *em média*, menos maduros em termos neurobiológicos e comportamentais não exclui a possibilidade de que determinados indivíduos dessa faixa etária sejam mais maduros, portanto passíveis de se sujeitarem aos padrões de culpabilidade adulta. Em consonância a isso está a insinuação absurda de que algo neurobiologicamente mágico acontece na manhã do aniversário de dezoito anos da pessoa, conferindo-lhe níveis adultos de autocontrole. A resposta mais comum a essas ressalvas é que, claro, tudo isso é verdade, mas a lei muitas vezes se apoia em atributos grupais com fronteiras arbitrárias de idade (por exemplo, a idade a partir da qual é permitido votar, beber ou dirigir). Existe essa convenção porque não é possível testar todos os adolescentes a cada ano, mês e hora a fim de determinar se eles estão maduros o suficiente para, digamos, votar. Mas vale a pena fazê-lo quando se trata de um assassino adolescente.

---

* E quero dizer realmente pensar dessa forma, em vez de apenas apoiar isso porque a alternativa exigiria mudanças avassaladoras no funcionamento da sociedade.

- Em outra visão divergente, a questão não é se um indivíduo de dezessete anos é tão maduro quanto um adulto, mas se ele é maduro *o suficiente*. A juíza Sandra Day O'Connor, discordando da decisão no caso Roper versus Simmons, escreveu: "O fato de que os jovens são, em geral, *menos imputáveis* que os adultos por seus delitos não significa necessariamente que um assassino de dezessete anos não possa ser imputável *o suficiente* para merecer a pena de morte" (grifo dela). Outro opositor, o falecido juiz Antonin Scalia, escreveu que é "absurdo pensar que alguém precisa ser maduro o bastante para dirigir com cuidado, beber com responsabilidade ou votar de forma inteligente, para ter maturidade suficiente para entender que matar outro ser humano é profundamente errado".[11]

Apesar dessas opiniões divergentes, todos, incluindo O'Connor e Scalia, concordam que existem fronteiras relacionadas à idade para o exercício do livre-arbítrio — o homúnculo de todos nós já foi jovem demais para ter poderes de adulto.[12] Talvez ele não fosse ainda alto o suficiente para alcançar todos os botões do painel de controle; talvez estivesse distraído de sua função por estar preocupado com aquela espinha enorme na testa. E isso precisa ser levado em conta nos julgamentos. Assim como ocorre com porcas e porquinhos, é só uma questão de quando um homúnculo é velho o bastante.

A natureza e a magnitude da lesão cerebral

Basicamente todo mundo que trabalha com um modelo de livre-arbítrio mitigado aceita que, se houver uma lesão cerebral considerável, a responsabilidade por um ato criminal escapa pela janela. Mesmo Stephen Morse, da Universidade da Pensilvânia, um crítico estridente da neurociência nos tribunais (mais sobre isso adiante), admite:

> Suponhamos que seja possível provar que os principais centros deliberativos do cérebro estavam aparentemente desativados nesses casos. Se essas são pessoas que não conseguem controlar episódios de flagrante irracionalidade, então aprendemos algo que pode ser relevante para a atribuição legal de responsabilidade.[13]

Nessa visão, fatores biológicos atenuantes são relevantes se a capacidade para o raciocínio tiver sido bastante prejudicada.

Portanto, se alguém tivesse todo o córtex frontal destruído, você talvez *não* devesse responsabilizá-lo por suas ações, pois a racionalidade desse indivíduo estaria severamente incapacitada para decidir os rumos de sua própria ação.[14] Mas a questão agora é saber onde se pode traçar uma linha nesse continuum — e se 99% do córtex frontal estiver destruído? E o que dizer de 98%? Isso é de grande importância prática, já que uma grande parcela dos detentos no corredor da morte tem um histórico de lesões no córtex frontal, sobretudo do tipo mais incapacitante, ou seja, ocorrido logo no início da vida.

Em outras palavras, a despeito da disparidade de opiniões sobre onde essa linha deve ser traçada, aqueles que acreditam no livre-arbítrio mitigado concordam que extensões significativas de danos cerebrais são capazes de esmagar o homúnculo, ainda que se espere dele a capacidade de lidar com pelo menos um pouco de dano.

Responsabilidade no nível do cérebro e no nível social

O renomado neurocientista Michael Gazzaniga, um dos principais luminares e pioneiros da área, optou por um caminho extremamente esquisito ao escrever: "O livre-arbítrio é uma ilusão, mas você ainda é responsável por suas ações". Isso é examinado em detalhes em seu desafiador livro *Who's in Charge? Free Will and the Science of the Brain* [Quem está no comando? Livre-arbítrio e a ciência do cérebro]. Gazzaniga aceita por completo a natureza puramente material do cérebro, mas ainda assim vê espaço para a responsabilidade. "A responsabilidade existe em um nível diferente de organização: o nível social, não em nossos respectivos cérebros". Acho que ou ele está dizendo algo como: "O livre-arbítrio é uma ilusão, mas, por motivos práticos, ainda iremos responsabilizá-lo por suas ações", ou então talvez esteja idealizando algum tipo de homúnculo que existe só no nível social. Em resposta à última proposição, as páginas deste livro mostram como o nosso mundo social é, no fim das contas, um produto de nosso cérebro determinado e materialista tanto quanto nossos movimentos motores mais simples.*[15]

O decurso temporal da tomada de decisão

Outra linha de demarcação já bem-estabelecida na postura de livre-arbítrio mitigado é que a nossa capacidade para o livre-arbítrio toma a dianteira no caso de

---

* Fiquei confuso com a postura de Gazzaniga, e suspeito que suas conclusões reflitam uma tentativa de reconciliar a visão de mundo de um neurocientista com o fato de ele ser religioso, o que é discutido em suas memórias, *Tales from Both Sides of the Brain: A Life in Neuroscience* (Nova York: Ecco, 2016).

decisões lentas e deliberativas, enquanto fatores biológicos podem empurrar o livre-arbítrio para escanteio em situações de decisões imediatas. Em outras palavras, o homúnculo não está sempre sentado em seu bunker diante do leme; pelo contrário, ele às vezes dá uma escapada para fazer um lanche, e, se algo excitante surge de repente, os neurônios podem disparar comandos aos músculos e produzir um comportamento antes que o homúnculo possa voltar correndo e apertar aquele enorme botão vermelho no painel de controle.

Questões sobre chegar a tempo ao botão vermelho se entrecruzam com outras sobre o cérebro adolescente. Inúmeros críticos da decisão no caso Roper versus Simmons, começando por O'Connor em sua opinião divergente, notaram uma aparente contradição. A Associação Americana de Psicologia (APA) ingressou em juízo na condição de *amicus curiae* com um relatório destacando que adolescentes (ou seja, o *cérebro* deles) são tão *imaturos* que não podem se sujeitar a padrões criminais adultos na hora de receber a sentença. Acontece que, anos antes, em um caso diferente, a mesma APA ingressara com um relatório enfatizando que adolescentes eram *maduros* o bastante para decidir sobre fazer um aborto, mesmo sem o consentimento dos pais.

Bem, isso é um tanto esquisito, e decerto fez com que a APA e seus acólitos parecessem titubeantes em questões ideológicas, acusou O'Connor. Laurence Steinberg, cuja pesquisa a respeito do desenvolvimento do cérebro adolescente foi abordada de forma extensiva no capítulo 7 (seu trabalho também teve influência na decisão do caso Roper versus Simmons), oferece uma solução lógica.[16] Decidir fazer um aborto envolve um raciocínio lógico sobre questões morais, sociais e interpessoais que se estende por vários dias ou mesmo semanas. Por outro lado, decidir atirar em alguém pode envolver questões de controle do impulso que ocorrem no decurso de poucos segundos. A imaturidade frontal do cérebro adolescente é mais pertinente quando se trata de questões imediatas de controle de impulso do que de processos de raciocínio lento e deliberado. Ou: em um enquadramento de livre-arbítrio mitigado, comportamentos instantâneos e impulsivos podem ocorrer enquanto o homúnculo foi ao banheiro.

Causação e compulsão

Alguns defensores do livre-arbítrio mitigado fazem distinção entre os conceitos de "causação" e "compulsão".[17] De uma forma que parece um pouco nebulosa, o primeiro envolve todos os comportamentos causados por alguma coisa, é claro, enquanto o último reflete apenas um subgrupo de comportamentos que foram mesmo, *realmente*, causados por alguma coisa — algo que compromete os processos racionais e deliberativos. Nessa visão, certos comportamentos são mais deterministicamente biológicos do que outros.

Isso tem sido relevante tratando-se de delírios esquizofrênicos. Suponha que alguém que sofra de esquizofrenia tenha alucinações auditivas, que incluem uma voz que o manda cometer um crime; e ele o comete.

Alguns tribunais enxergam isso como uma circunstância não atenuante. Se seu amigo sugerir que você assalte alguém, a lei espera que você resista, ainda que seja um amigo imaginário em sua mente.

Mas outros veem distinções, dependendo da qualidade das alucinações auditivas. Nessa perspectiva, se um indivíduo esquizofrênico comete um crime porque uma voz em sua cabeça mandou, então, sim, seu ato foi *causado* por essa voz, mas isso não justifica o crime. Em contraste, considere um esquizofrênico que comete um crime porque, desde o momento em que ele acorda, recebe ordens de coros trovejantes de vozes insultuosas, ameaçadoras e manipuladoras em sua cabeça, junto com cães do inferno latindo e um concerto de trombones tocando bem alto canções atonais. Quando ele enfim sucumbe e obedece, isso é considerado mais justificável, pois aquelas vozes constituíram uma *compulsão* para agir.*

Portanto, nessa perspectiva, mesmo um homúnculo sensato pode perder o controle e concordar com praticamente qualquer coisa só para fazer os cães do inferno e os trombones pararem.

Começar um comportamento versus interromper um comportamento

É quase obrigatório, em qualquer discussão sobre volição e biologia, que se acabe mencionando o "experimento de Libet".[18] Nos anos 1980, o neurocientista Benjamin Libet, da Universidade da Califórnia em San Francisco, relatou um achado fascinante. Um voluntário foi conectado a uma máquina de EEG, que monitora os padrões de excitação elétrica no cérebro. Ele ficou sentado quieto, olhando para um relógio. Foi instruído a mover o pulso sempre que sentisse vontade e a tomar nota do horário exato, inclusive em segundos, em que decidia fazer isso.

Libet identificou nos dados do EEG um fenômeno chamado "potencial de

---

* Muitos capítulos atrás, fiz menção à sequência de assassinatos do "Filho de Sam", em 1976, e à prisão de David Berkowitz. Em sua defesa, Berkowitz alegou estar possuído pelo demônio e ter recebido ordens para matar — não de Satã, Hitler, Al Capone ou Gengis Khan, mas do cachorro do vizinho. Ele foi condenado e ganhou seis penas consecutivas de prisão perpétua.

prontidão" — um sinal do córtex motor e das áreas pré-motoras suplementares de que um movimento logo seria iniciado. E, de modo consistente, os potenciais de prontidão apareceram cerca de meio segundo antes do horário declarado da intenção consciente de fazer o movimento. Interpretação: seu cérebro "decidiu" executar o movimento antes mesmo que você tivesse consciência disso. Portanto, como você pode alegar ter escolhido quando iria se mexer — uma evidência de livre-arbítrio —, se a cascata da sinalização neuronal que culminaria no movimento começou antes de você conscientemente decidir? O livre-arbítrio é uma ilusão.

Esse achado, é claro, gerou especulações, controvérsias, replicações, elaborações, refutações e nuances que estão além do meu escopo. Uma das críticas se referia a uma inevitável limitação da abordagem. Nessa perspectiva, existe o livre-arbítrio: você decide livremente quando irá mover o pulso, e esse potencial de prontidão é uma consequência de sua decisão. Nesse caso, o que significa o atraso de quinhentos milissegundos? É o tempo que leva entre a decisão de mover o pulso e o momento em que: a) a atenção é então voltada para o relógio e b) a posição do ponteiro dos segundos é interpretada. Em outras palavras, o suposto atraso de meio segundo foi produzido pela própria estrutura do experimento; ele não é um atraso genuíno. Outras críticas se referem à ambiguidade do sentimento de que você pretende mover o pulso. Outros são mais enigmáticos do que eu sou capaz de compreender.

Uma interpretação muito diferente desse achado foi fornecida, de modo interessante, pelo próprio Libet. Sim, talvez o cérebro se prepare para iniciar um comportamento antes mesmo que haja uma percepção consciente da decisão, o que significa que a crença de que você conscientemente escolheu se mexer está errada. Mas nesse tempo de atraso está o potencial consciente de escolher *barrar* essa ação. Nas sucintas palavras de V. S. Ramachandran (das especulações sobre os neurônios-espelho, abordados no capítulo 14), podemos até não ter livre-arbítrio, mas temos "livre negação".*[19]

De modo previsível, essa intrigante contrainterpretação fomentou mais discussões, experimentos e contracontrainterpretações. Para nós, que estamos examinando diferentes disputas sobre o livre-arbítrio mitigado, todo esse debate diz respeito à natureza do painel de controle de um homúnculo. Quantos de seus botões, interruptores e mostradores, que tendem ao infinito, estão envolvidos em iniciar um comportamento? E quantos estão implicados em interrompê-lo?

---

* No original, *"free will"* e *"free won't"*. (N. T.)

$$\star \star \star$$

Portanto, uma perspectiva do livre-arbítrio mitigado abriria espaço tanto para a causação biológica do comportamento quanto para o livre-arbítrio, e todas as discussões envolveriam somente onde são traçadas as linhas na areia e quão definitivas elas são. Isso nos deixa prontos para examinar o que considero o debate mais importante sobre essas demarcações.

"Você deve ser muito inteligente" versus "Você deve ter se esforçado bastante"

A psicóloga de Stanford Carol Dweck fez um trabalho inovador na área de psicologia da motivação. No fim dos anos 1990, ela relatou uma descoberta importante. Crianças executam uma tarefa ou fazem uma prova, algo assim, na qual vão muito bem. Então você as elogia com uma destas frases: "Que ótima nota, você deve ser muito inteligente" ou "Que ótima nota, você deve ter se esforçado bastante". Quando as crianças são elogiadas por se esforçar, elas tendem a se esforçar ainda mais na próxima vez, mostram maior resiliência, apreciam mais o processo e se tornam mais propensas a valorizar a façanha por si só (em vez de valorizá-la pela nota). Se são elogiadas pela inteligência, ocorre o oposto. Quando tudo se resume a ser inteligente, o esforço começa a parecer suspeito e indigno — afinal, se você é tão inteligente, não deveria ter que se esforçar tanto; você deslizaria pelo mundo, e não ficaria suando e bufando.[20]

Foi um belo trabalho, que ganhou status de cult para muitos pais sensíveis de crianças superdotadas, que queriam entender quando a inteligência dos filhos não devia ser levada em conta.

Mas por que as frases "Você é muito inteligente" e "Você se esforçou bastante" têm efeitos tão diferentes? Porque elas caem em lados opostos de uma das linhas de demarcação mais profundas traçadas pelos que acreditam no livre-arbítrio mitigado. É a crença de que a aptidão e o impulso são atributos da biologia, ao passo que o esforço e o ato de resistir ao impulso são incumbências do livre-arbítrio.

É legal ver uma habilidade natural em ação. Por exemplo: um grande atleta polivalente que nunca praticou salto com vara vê, pela primeira vez, um saltador fazê-lo, então tenta por seu turno e alça voo feito um profissional. Ou aquele cantor que sempre teve um timbre de voz natural, capaz de evocar emoções que você nem sabia que existiam. Ou um colega de classe que entende, em não mais que dois segundos, o lance complicado que você apenas começara a explicar.

Isso tudo é impressionante. Mas também há o que é inspirador. Quando eu era pequeno, li várias vezes um livro sobre Wilma Rudolph. Ela foi a corredora feminina mais rápida do mundo em 1960, uma medalhista olímpica que se tornou pioneira na defesa dos direitos civis. Impressionante, sem sombra de dúvida. Mas considere que ela nasceu prematura, com peso abaixo do normal, uma das 22 crianças de uma família pobre do Tennessee, e além de tudo teve poliomielite aos quatro anos, o que resultou em um aparelho ortopédico nas pernas e um pé torto. Pólio, ela foi *mutilada* pela pólio. E desafiou todas as expectativas dos especialistas, se esforçou e se esforçou apesar da dor, tornando-se a mais rápida de todas. Isso é inspirador.

Em muitos domínios, podemos até captar os fundamentos materialistas da habilidade inata. Alguém tem uma proporção ótima de fibras musculares de contração lenta e rápida, e o resultado é um saltador natural na modalidade com vara. Ou possui cordas vocais com o grau perfeito de penugem aveludada de pêssego (estou improvisando aqui) para produzir uma voz extraordinária. Ou tem a combinação ideal de neurotransmissores, receptores, fatores de transcrição e assim por diante, resultando em um cérebro que intui abstrações com rapidez. Também somos capazes de perceber esses fundamentos em alguém que é apenas razoável, ou medíocre, em qualquer uma dessas funções.

Mas as façanhas do tipo de Rudolph parecem ser de outra ordem. Você está exausto, desmoralizado e sente uma dor gigantesca, mas segue em frente; gostaria de tirar uma noite de folga para assistir a um filme com um amigo, mas volta a estudar; existe aí uma tentação, ninguém está olhando, todo mundo faz isso, mas você sabe que é errado. Parece muito difícil e improvável pensar naqueles mesmos neurotransmissores, receptores e fatores de transcrição quando avaliamos proezas da força de vontade. Parece haver uma resposta muito mais simples: você está testemunhando a ética do trabalho calvinista de um homúnculo salpicado com o tipo certo de pó das fadas.

Aqui vai um ótimo exemplo desse dualismo. Lembre-se de Jerry Sandusky, o técnico de futebol americano da Universidade Estadual da Pensilvânia que se revelou um horrendo molestador de crianças em série. Após sua condenação, um artigo de opinião foi publicado no site da CNN com o provocador título: "Pedófilos merecem nossa solidariedade?". James Cantor, da Universidade de Toronto, fez uma revisão da neurobiologia envolvida na pedofilia. Por exemplo: ela é mais comum em algumas famílias, o que de certo modo sugere que os genes desempenham algum papel. Pedófilos apresentam índices atipicamente altos de lesões cerebrais na infância. Há evidências de anormalidades endócrinas durante a vida fetal. Então isso sugere a possibilidade de que um dado neurobiológico foi lançado, de que certas pessoas são destinadas a ser assim? Exatamente. Cantor conclui: "Não se pode escolher não ser pedófilo".[21]

Corajoso e correto. E então Cantor dá um estonteante salto de livre-arbítrio mitigado. Existe algum aspecto nessa biologia capaz de reduzir a condenação e a punição que Sandusky merece? Não. "Não se pode escolher não ser pedófilo, mas é possível escolher não ser molestador de crianças."

Isso estabelece uma dicotomia referente àquilo de que as coisas em tese são feitas:

Coisas biológicas	Determinação homuncular
Impulsos sexuais destrutivos	Resistir a agir por causa deles
Delírios de ouvir vozes	Resistir a seus comandos destrutivos
Propensão ao alcoolismo	Não beber
Crises epilépticas	Não dirigir se você não tomou seus remédios
Não ser nada inteligente	Seguir em frente quando tudo fica difícil
Não ser tão bonito	Resistir a botar aquele piercing enorme e horrendo no nariz

Eis algumas das coisas que vimos neste livro e que podem influenciar a coluna da direita: níveis de glicose no sangue; o nível socioeconômico da sua família de origem; uma concussão cerebral; a qualidade e a quantidade do sono; o ambiente pré-natal; estresse e níveis de glicocorticoides; se você está com dor; se você tem doença de Parkinson e quais remédios toma; hipóxia perinatal; qual é a sua variante do gene do receptor de dopamina D4; se você teve um derrame no córtex frontal; se sofreu maus-tratos na infância; qual foi o peso da carga cognitiva que você transportou nos últimos minutos; a sua variante do gene MAO-A; se você foi infectado por um determinado parasita; se tem o gene para a doença de Huntington; os níveis de chumbo presentes na água da torneira que bebeu quando era criança; se você vive em uma cultura individualista ou coletivista; se é um homem heterossexual e há uma mulher atraente por perto; se está sentindo o cheiro do suor de alguém assustado. E assim por diante. De todas as posturas de livre-arbítrio mitigado, aquela que atribui a aptidão à biologia e o esforço ao livre-arbítrio — ou o impulso à biologia e o ato de resistir ao livre-arbítrio — é a mais alastrada e destrutiva. "Você deve ter se esforçado bastante" é uma propriedade do universo físico e da biologia tanto quanto "Você deve ser muito inteligente". E, sim, ser molestador de crianças é um produto da biologia tanto quanto ser pedófilo. Pensar de outra forma não é nada mais do que psicologia popular.

MAS ALGO DE ÚTIL PODE REALMENTE SAIR DISSO?

Como já observei, o mais formidável cético acerca da importância da neurociência para o sistema jurídico é Stephen Morse, que escreveu de forma extensiva e efetiva sobre o assunto.[22] Ele é o defensor definitivo de que o livre-arbítrio é compatível com um mundo determinista. Ele não tem problemas com a regra de M'Naghten e reconhece que pode haver danos cerebrais suficientes para comprometer a noção de responsabilidade: "Várias causas podem produzir genuínas condições justificatórias, tais como a falta de capacidade racional ou de controle". Mas, para além dessas instâncias raras, diz ele, a neurociência oferece poucos subsídios para desafiar a noção de responsabilidade. Como ele brincou: "O cérebro não mata pessoas. Pessoas matam pessoas".

Morse dá um exemplo de seu ceticismo quanto a utilizar a neurociência nos tribunais. Para começar, ele se arrepia todo só de pensar nas modinhas do "neurodireito" e da "neurocriminologia". Escritor maravilhosamente sarcástico,* ele anunciou a descoberta de um distúrbio chamado "síndrome de superalegação do cérebro", cujos pacientes se entusiasmam demais com a importância da neurociência por terem sido "infectados e inflamados pelos avanços estonteantes em nosso conhecimento do cérebro", o que os levou a "fazer alegações morais e jurídicas que a nova neurociência não respalda e não é capaz de sustentar".

Uma de suas críticas mais legítimas é bem circunscrita e prática. Trata-se da preocupação, já mencionada, de que os jurados confiram um peso indevido a dados de neuroimagem só pelo caráter impressionante das imagens em si. A respeito disso, Morse chamou a neurociência de "determinismo do dia, que capturou a atenção antes dada ao determinismo psicológico ou genético. [...] A única coisa diferente sobre a neurociência é que temos imagens mais bonitas e ela parece mais científica".

---

* E também um cara bem legal. Junto com um colega de Stanford, o professor de direito e bioeticista Hank Greely, tive uma vez a oportunidade de debater contra Morse e um colega dele em uma faculdade de direito. Foi divertido, porque Morse é insanamente inteligente, e ao mesmo tempo aterrorizante, posto que insanamente inteligente.

Outra crítica válida se refere ao fato de as descobertas da neurociência serem apenas descritivas (por exemplo: "A região A do cérebro projeta para a região Q") ou correlativas ("Níveis elevados do neurotransmissor X e do comportamento Z tendem a caminhar juntos"). Informações como essas não refutam a existência do livre-arbítrio. Nas palavras da filósofa Hilary Bok, "a afirmação de que um indivíduo escolheu sua ação não entra em conflito com a afirmação de que algum processo ou estado neural a provocou; ela simplesmente a descreve de outra forma".[23]

Trata-se de um ponto que defendi ao longo de todo o livro, a saber: a descrição e a correlação são ótimas, mas os dados causais reais é que são o padrão-ouro (por exemplo, "Quando você aumenta os níveis do neurotransmissor X, o comportamento Z acontece com maior frequência"). É essa a fonte de algumas das comprovações mais poderosas das bases materiais de nossos comportamentos mais complexos — por exemplo, técnicas de estimulação magnética transcraniana que ativam ou desativam temporariamente uma parte do córtex são capazes de alterar a tomada de decisões morais de um indivíduo, suas decisões sobre punição, ou seus níveis de generosidade e empatia. Isso é causalidade.

É quando chegamos à questão da causalidade que Morse faz uma distinção entre causação e compulsão. Ele escreve: "A causação não é uma desculpa por si só nem o equivalente à compulsão, que é uma condição justificável". Morse descreve a si mesmo como um "completo materialista" e declara: "Vivemos em um universo causal, o que inclui a ação humana". Mas, por mais que eu tente, não consigo conceber nenhuma maneira de fazer essa distinção que não envolva tacitamente um homúnculo exterior ao universo causal, um homúnculo que possa ser subjugado pela "compulsão", mas que pode e deve lidar com a "causação". Nas palavras do filósofo Shaun Nichols, "parece que alguma coisa tem de ceder, seja o nosso comprometimento com o livre-arbítrio, seja o nosso comprometimento com a ideia de que todos os eventos são completamente provocados pelos eventos que os precederam".[24]

Apesar dessas críticas às suas críticas, minha postura tem uma falha grave, que leva Morse a concluir que as contribuições da neurociência para o sistema legal "são, no melhor dos casos, modestas, e a neurociência não impõe nenhum desafio genuíno e radical aos conceitos de pessoalidade, responsabilidade e competência".[25] O problema pode ser resumido em um diálogo hipotético:

Promotor: Então, professor, você nos falou sobre os extensos danos que o réu sofreu no córtex frontal quando era criança. Todas as pessoas que sofreram tais danos se tornaram assassinos múltiplos, como o réu?

Neurocientista testemunhando para a defesa: Não.

Promotor: Todas essas pessoas pelo menos se envolveram em algum tipo de comportamento criminoso grave?

Neurocientista: Não.

Promotor: A ciência do cérebro pode explicar por que a mesma extensão de dano produziu um comportamento assassino no réu?

Neurocientista: Não.

O problema é que, mesmo diante de todos esses insights biológicos que nos permitem ser maldosamente sarcásticos quanto a esses tolos homúnculos, ainda não somos capazes de prever muita coisa sobre o comportamento. Talvez em níveis estatísticos grupais, mas não quando se trata de indivíduos.

Explicando muito e prevendo pouco

Se uma pessoa fratura a perna, quão previsível é o fato de que ela terá problemas para andar? Acho que seria seguro apostar numa previsão de 100%. Se o indivíduo tem uma doença pulmonar inflamatória grave, quais são as chances de que sua respiração se torne custosa e ele fique cansado com mais facilidade? De novo, cerca de 100%. O mesmo vale para os efeitos de um bloqueio significativo do fluxo sanguíneo para as pernas ou para uma alastrada cirrose no fígado.

Vamos passar para o cérebro e as disfunções neurológicas. Se alguém sofreu uma lesão cerebral e os neurônios em volta da cicatriz resultante se reconectam de forma a estimular tanto a si mesmos quanto uns aos outros, que chances essa pessoa tem de sofrer uma convulsão? E se ela tiver uma fraqueza congênita nas paredes dos vasos sanguíneos do cérebro — qual a probabilidade de que venha a sofrer um aneurisma cerebral? E se ela tiver uma mutação no gene que provoca a doença de Huntington: qual a probabilidade de apresentar um distúrbio neuromuscular aos sessenta anos? As chances são altíssimas em todos os casos; provavelmente muito próximas de 100%.

Vamos incorporar o comportamento. Se um indivíduo tem um extenso dano frontocortical, quais são as chances de você perceber alguma coisa esquisita no comportamento dele depois de conversar com ele por cinco minutos? Algo como 75%.

Agora vamos considerar uma variedade mais ampla de comportamentos. Quais são as chances de um indivíduo com danos frontais incorrer em uma violência gravíssima em certo momento da vida? De uma vítima de repetidos maus-tratos na infância se tornar um adulto abusivo? De um soldado que lutou em uma batalha na qual seus companheiros morreram desenvolver TEPT? De uma pessoa com a versão poligâmica tipo "arganaz-da-montanha" do promotor do gene receptor da vasopressina acumular inúmeros casamentos fracassados? De uma pessoa com um conjunto específico de subtipos de receptores de glutamato no córtex e no hipo-campo ter um QI acima de 140? De alguém criado em condições de grande adversi-dade e perda na infância desenvolver um transtorno de depressão clínica? Tudo abaixo de 50%; muitas vezes, bem abaixo disso.

Então, qual é a diferença entre a inevitabilidade de uma perna fraturada preju-dicar a locomoção e as não inevitabilidades citadas no parágrafo anterior? Será que estas últimas de certa forma envolvem "menos" biologia? Será que a questão é que o cérebro contém um homúnculo não biológico, e os ossos da perna não?

Esperamos que, depois de tantas páginas, o início de uma resposta já esteja evidente. Não é que haja "menos" biologia nessas circunstâncias relativas a com-portamentos sociais. É que a biologia é qualitativamente distinta.

Quando um osso se quebra, há uma linha mais ou menos direta de etapas le-vando à inflamação e à dor que irão prejudicar a mobilidade do indivíduo (caso ele tente andar uma hora depois). Essa linha reta da biologia não é alterada por varia-ções convencionais em seu genoma, pela exposição pré-natal a hormônios, pela cultura na qual ele foi criado ou pelo horário em que almoçou. Porém, como já vimos, todas essas variáveis podem influenciar comportamentos sociais que mol-dam nossos melhores e piores momentos.

A biologia subjacente aos comportamentos que nos interessam é, em todos os casos, *multifatorial* — essa é a tese deste livro.

Vejamos o que significa "multifatorial" em um sentido prático. Considere al-guém com depressão frequente que está visitando hoje um amigo, desabafando sobre seus problemas. Em que medida você poderia ter previsto sua depressão geral e o comportamento de hoje, conhecendo a biologia dessa pessoa?

Suponha que "conhecer a biologia" consistisse apenas em saber que versão ela possui do gene transportador de serotonina. Quanto poder preditivo isso nos dá? Como vimos no capítulo 8, não muito — digamos, uns 10%. E se "conhecer a bio-logia" consistisse em saber o status desse gene e também se um dos pais dessa pes-soa morreu quando ela era criança? Mais, talvez uns 25%. E quanto a saber o status do gene transportador de serotonina + o status de adversidades na infância + se a pessoa está vivendo sozinha em condições de pobreza? Talvez até 40%. Acrescente--se o conhecimento do nível médio de glicocorticoides em sua corrente sanguínea hoje. Um pouco mais. E saber se ela vive em uma cultura individualista ou coletivista. Mais previsibilidade.* Saiba se ela está menstruando (o que costuma piorar os sintomas em mulheres com depressão grave, tornando-as mais propensas a se afastar socialmente em vez de procurar alguém). Ainda mais previsibilidade. Talvez até acima da marca dos 50%, a essa altura. Acrescente fatores suficientes, muitos dos quais, talvez a maioria, ainda não foram descobertos, e por fim seu conhecimento biológico multifatorial lhe dará o mesmo poder preditivo que no caso do osso fraturado. Não tem a ver com diferentes *quantidades* de causação biológica; mas sim com diferentes *tipos* de causação.

O pioneiro da inteligência artificial Marvin Minsky certa vez definiu o livre-arbítrio como um conjunto de "forças internas que não compreendo".[26] As pessoas acreditam de modo intuitivo no livre-arbítrio, não só porque temos essa terrível necessidade humana de agência, mas porque a maioria não sabe quase nada sobre essas forças internas. E mesmo o neurocientista no banco das testemunhas não é capaz de predizer com exatidão qual indivíduo com extenso dano frontal se tornará um assassino serial, pois a ciência como um todo só conhece uma pequena porção dessas forças internas. A sequência "osso quebrado → inflamação → movimentos reduzidos" é fácil. Já "neurotransmissores + hormônios + infância + _____ + _____", não.**[27]

Outro fator entra em campo. Ele se revela quando consulto a Web of Science, um mecanismo de pesquisa que vasculha bancos de dados de artigos publicados em periódicos de ciência e de medicina. Nos termos de busca, coloco "ocitocina" e "confiança" — apenas para tomar um exemplo entre as inúmeras relações entre biologia e comportamento social que abordamos aqui. E lá vem a notícia de que foram publicados 193 artigos sobre o tema. Considere o diagrama a seguir, mostrando que a maioria foi publicada em anos recentes.

O mesmo ocorre nos diagramas que vêm em seguida, sobre a busca por "ocitocina" e "comportamento social", e, na sequência, "estimulação magnética transcraniana" e "tomada de decisões", e ainda "cérebro" e "agressividade".

---

* Porque pesquisas interculturais em psiquiatria mostram que, em culturas individualistas, quando indivíduos deprimidos conversam com um amigo para se aliviar, eles tendem a falar sobre seus problemas, enquanto em culturas coletivistas eles são mais propensos a perguntar sobre os problemas dos outros.

** Só para se ter uma noção de quão poucos passinhos demos, o número máximo de variáveis colaboradoras já identificadas para predizer a depressão é: status do transportador de serotonina + status de adversidades na infância + status de suporte social adulto. E é só isso que temos; é só aonde a literatura conseguiu chegar. Para dano frontal e violência antissocial, é: status neurológico do córtex frontal + subtipo do receptor de dopamina D4 + status de TDAH.

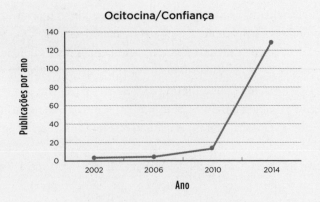
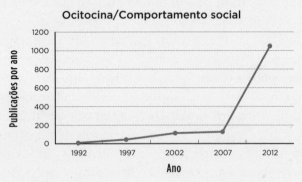
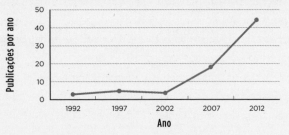

E só para dar uma noção de mais outros exemplos:

Termos de busca					
	Genes/comportamento	Testosterona/agressividade	Amígdala/agressividade	MAO/agressividade	Epigenética/comportamento
1920-1930	1	0	0	0	0
1930-1940	3	0	0	0	0
1940-1950	3	0	0	0	0
1950-1960	10	2	0	0	0
1960-1970	22	3	2	0	0
1970-1980	39	24	4	1	0
1980-1990	128	53	5	2	0
1990-2000	9288	401	97	40	9
2000-2010	27754	757	321	119	197
2010-2020	52487	1070	560	184	1012

(Nota: os dados de 2010-2020 foram calculados proporcionalmente a partir dos dados de 2010-2015.)

Nossos comportamentos são moldados o tempo todo por uma série de forças subterrâneas. O que esses números e a tabela mostram é que a maior parte dessas forças envolve uma biologia que, até bem pouco tempo atrás, nem sabíamos que existia.

Então, o que fazer com a definição de Minsky do livre-arbítrio, que precisa ser corrigida para "forças internas que não compreendo *ainda*"?

COMO ELES IRÃO NOS ENXERGAR

Se você ainda acha que existe livre-arbítrio mitigado, há três rotas possíveis que podem ser tomadas a essa altura.

A fim de analisar a primeira, vamos nos deter brevemente sobre a epilepsia. Os cientistas entendem muita coisa sobre as bases neurológicas das convulsões e como elas envolvem disparos de frequência e sincronia anormalmente altos. Mas há não muito tempo, digamos, um século atrás, a epilepsia era vista como um tipo de distúrbio mental. E, antes disso, era considerada por muitos uma doença infectocontagiosa. Em outras épocas e locais, pensou-se que era causada, por exemplo, pela menstruação, por excesso de sexo, ou de masturbação. Mas, em 1487, dois eruditos alemães descobriram uma causa da epilepsia que de fato pareceu acertar em cheio.

Os dois frades dominicanos, Heinrich Kramer e Jakob Sprenger, publicaram *Malleus Maleficarum* (em latim, "martelo das bruxas"), o tratado definitivo sobre os motivos pelos quais alguém se torna bruxa, como identificá-las e o que fazer com elas. E qual era uma das formas mais certeiras de reconhecê-las? Ver se elas estavam possuídas por Satã e se convulsionavam devido ao poder maligno do diabo dentro delas.

O principal parâmetro era o Evangelho segundo São Marcos, 9,14-29. Um homem leva o filho a Jesus, dizendo haver algo errado com ele e pedindo que Jesus o cure — é que um espírito vem e se apodera dele, deixando-o mudo, e então esse espírito o atira ao chão, onde ele fica espumando pela boca, range os dentes e se torna rígido. O homem apresenta a Jesus o filho, que é prontamente possuído pelo espírito e cai no chão, convulsionando e espumando. Jesus percebe que o garoto está infestado por um espírito impuro, e conjura esse espírito maligno a sair e nunca mais voltar. As convulsões cessam.

Portanto, elas eram um sinal de possessão demoníaca, um marcador infalível de presença de uma bruxa. O *Malleus Maleficarum* chegou a tempo de tirar vantagem da produção em massa proporcionada pela recém-inventada prensa tipográfica. Nas palavras do historiador Jeffrey Russell, "a rápida propagação da histeria das bruxas pela imprensa foi a primeira evidência de que Gutenberg não havia livrado o homem do pecado original". O livro foi amplamente lido e teve mais de trinta edições ao longo do século subsequente. Estima-se que de 100 mil a 1 milhão de pessoas foram perseguidas, torturadas ou mortas como bruxas depois que o livro foi publicado.*[28]

Não gasto muito tempo pensando em Kramer e Sprenger. Meu palpite é que eles eram monstros sádicos, mas isso pode refletir o fato de eu ter sido influenciado demais por coisas como *O nome da rosa* ou *O código Da Vinci*. Talvez fossem oportunistas que deduziram que o livro impulsionaria suas carreiras. Talvez estivessem sendo apenas sinceros.

Em vez disso, imagino o cenário de uma noite nos fins do século xv. Um inquisidor da Igreja volta para casa exausto e aflito depois de um dia de trabalho. A esposa o convence a falar:

---

* Agradeço a uma excelente aluna, Katrina Hui, por chamar minha atenção para o *Malleus Maleficarum*.

Foi um dia normal condenando bruxas, mas um dos casos me incomodou. Todos testemunharam sobre essa mulher que cai no chão, range os dentes e convulsiona — uma bruxa, sem dúvida. Não tenho pena dela — ninguém a mandou se abrir toda para Satã. Mas ela tinha duas crianças lindas — você devia tê-las visto, tão confusas sobre por que sua mãe estava sendo levada. Um marido consternado também. Então essa parte foi difícil, vê-los sofrer. Mas assim são as coisas — nós a queimamos, é claro.

Queimar e matar: ainda decorreriam séculos até que nós, no Ocidente, tivéssemos aprendido o suficiente para dizer: "Não é culpa dela; é uma doença".*

Até agora, demos apenas passos tímidos rumo à compreensão de qualquer uma dessas coisas, passos tão pequenos a ponto de deixar enormes lacunas sem explicação que pessoas perfeitamente inteligentes preenchem com um homúnculo. Ainda assim, mesmo os defensores mais ferrenhos do livre-arbítrio devem admitir que ele se encontra confinado a espaços cada vez mais restritos. Faz menos de dois séculos que a ciência nos ensinou pela primeira vez que o córtex frontal tem algo a ver com o comportamento apropriado. Menos de setenta anos desde a descoberta de que a esquizofrenia é um distúrbio bioquímico. Talvez cinquenta anos desde que entendemos que os problemas de leitura de um tipo hoje chamado de dislexia não se devem à preguiça, mas envolvem microscópicas más-formações corticais. Vinte e cinco desde que aprendemos que a epigenética altera o comportamento. O influente filósofo Daniel Dennett escreveu sobre o livre-arbítrio: "Vale a pena desejá-lo". Se é que existe livre-arbítrio, ele está sendo confinado a domínios mundanos demais para valer o esforço de desejá-lo: será que hoje quero usar cueca slip ou samba-canção?[29]

Lembre-se daqueles gráficos e da tabela mostrando o caráter recente dessas descobertas científicas. Se você acredita que, a começar por hoje, à meia-noite, por alguma razão, a ciência será interrompida, que não haverá mais novas publicações, achados ou conhecimentos relevantes para este livro, que no momento sabemos tudo que há para saber — então fica nítida qual deveria ser a sua postura: existem alguns raros domínios nos quais os casos extremos das disfunções biológicas provocam mudanças involuntárias no comportamento, e não somos bons em prever quem irá sofrer tais mudanças. Em outras palavras, o homúnculo está vivo e passa bem.

Mas se você acha que novos conhecimentos serão acumulados, então acaba de se comprometer com a visão de que qualquer evidência de livre-arbítrio acabará sendo eliminada; ou com a visão de que, no mínimo, o homúnculo será confinado

---

* Estou especificando "no Ocidente" porque não se trata de uma interpretação universal, mesmo hoje em dia.

a espaços ainda mais apertados. Em qualquer um desses casos, você também há de concordar que outra coisa é praticamente certa: no futuro, as pessoas nos verão da mesma forma que hoje enxergamos os entusiastas por sanguessugas, flebotomia e trepanação, ou como olhamos para os especialistas do século xv que passavam os dias condenando bruxas — essas pessoas do futuro irão olhar bem para nós e pensar: "Meu Deus, as coisas que eles não sabiam naquela época. O mal que fizeram".

Arqueólogos seguem uma lógica impressionante, que reflete sua humildade disciplinar. Quando escavam um sítio, reconhecem o fato de que os futuros arqueólogos ficarão horrorizados com suas técnicas primitivas e a destrutividade de sua escavação. Assim, costumam deixar a maior parte de um sítio intocada para aguardar seus descendentes mais habilidosos e disciplinados. Por exemplo, de forma espantosa, mais de quarenta anos após o início das escavações, menos de 1% do famoso exército de terracota da dinastia Qin, na China, foi revelado.

Aqueles julgamentos decisivos não podem se dar ao luxo de serem suspensos por um século até que possamos de fato compreender a biologia subjacente a dado comportamento. Mas, no mínimo, o sistema jurídico precisa da humildade da arqueologia, um senso de que, acima de tudo, não devemos agir de forma irrevogável.

Mas o que podemos fazer enquanto isso? Simples (o que para mim é fácil dizer, enquanto examino o mundo jurídico a partir da distância confortável do meu laboratório): provavelmente só três coisas. Uma delas é fácil, a outra é muito desafiadora de implementar e a terceira, quase impossível.

Primeiro, a mais fácil. Se você rejeita a ideia de livre-arbítrio e a discussão se volta para o sistema jurídico, a crítica enlouquecedora e vazia que sempre surge é que você não faria nada com os criminosos, deixando-os livres para andar pelas ruas e causar danos. Vamos rechaçar logo essa opção — nenhuma pessoa racional que rejeita o livre-arbítrio acredita de fato nisso e argumentaria que não devemos fazer nada, pois, afinal, o indivíduo tem dano frontal, ou porque, enfim, a evolução selecionou a característica prejudicial para ser tradicionalmente adaptativa, ou porque, no fim das contas... As pessoas devem ser protegidas de indivíduos perigosos. Eles devem ser tão impedidos de andar na rua quanto um automóvel cujos freios têm defeito. Reabilite-os se puder, ou mande-os para a Ilha dos Brinquedos Roubados para sempre, se não conseguir recuperá-los e estiverem destinados a permanecer perigosos. Josh Greene e Jonathan Cohen, de Princeton, escreveram um artigo bastante lúcido a esse respeito: "For the Law, Neuroscience Changes Nothing and Everything" [Para o direito, a neurociência não muda nada e muda tudo]. A neurociência e o resto da biologia não mudam em nada nossa necessidade permanente de proteger os ameaçados das ameaças.[30]

Agora vamos para a questão quase impossível, aquela que "muda tudo": a punição. Talvez, e só talvez, um criminoso deva sofrer uma punição em certas circunstâncias em um esquema behaviorista, como parte da reabilitação e também como forma de tornar o recidivismo improvável ao fomentar uma capacidade frontal expandida. Isso está implícito no próprio processo de negar a um indivíduo perigoso sua liberdade, retirando-o do convívio em sociedade. Mas excluir o livre-arbítrio exclui também a punição como um fim em si mesmo, ou seja, a punição como forma de "equilibrar" a balança da justiça.

É na mentalidade do castigador que tudo precisa mudar. A dificuldade disso é explorada no magnífico livro *The Punisher's Brain: The Evolution of Judge and Jury* [O cérebro do castigador: A evolução do juiz e do júri], publicado em 2014 por Morris Hoffman, um juiz em exercício e acadêmico de direito.[31] Ele repassa as razões para a punição: como já vimos em estudos de teoria dos jogos, é porque a punição incentiva a cooperação; porque está no tecido da evolução da socialidade; e, mais importante, porque punir pode fazer com que nos sintamos bem, como membros de uma turba virtuosa e moralmente superior em um enforcamento público, sabendo que a justiça está sendo feita.

Trata-se de um prazer profundo e atávico. Coloque pessoas em aparelhos de tomografia e forneça-lhes cenários de violações à norma. A tomada de decisões quanto à culpabilidade pela violação tem uma correlação com a atividade do cognitivo CPFdl. Mas a tomada de decisões quanto à punição apropriada ativa o emocional CPFvm, junto com a amígdala e a ínsula; quanto maior a ativação, maior a punição.[32] A decisão de punir, a motivação passional de fazê-lo, é um estado límbico colérico. Assim como são as consequências da punição: quando os indivíduos castigam alguém por fazer uma oferta miserável em um jogo econômico, ocorre uma ativação dos sistemas dopaminérgicos de recompensa. A punição que nos soa justa nos faz sentir bem.

Faz sentido que tenhamos evoluído a tal ponto que a cólera límbica se encontre no centro da punição, e que um aumento prazeroso de dopamina seja a recompensa ao fazê-lo. A punição requer esforço e é custosa, variando de renunciar a uma recompensa (rejeitando uma oferta baixa no Jogo do Ultimato) até despender nosso dinheiro em impostos para bancar o plano odontológico do guarda da prisão que opera a máquina de injeção letal. Essa descarga de prazer moralmente superior é o que nos compele a arcar com os custos. Isso foi comprovado em um estudo de neuroimagem de uma partida de jogo econômico. Os voluntários alternaram entre ser capazes de punir ofertas miseráveis sem nenhum custo e ter de gastar pontos ganhos a fim de aplicar punições. Quanto maior a ativação dopaminérgica durante a punição sem custo, mais um indivíduo pagaria para punir na outra situação.[33]

Portanto, a tarefa quase impossível é superar isso. É claro que, como eu disse, a punição ainda seria utilizada de maneira instrumental para moldar agudamente o comportamento. Mas simplesmente não há lugar para a ideia de que a punição é uma virtude. Nossas vias dopaminérgicas terão de encontrar sua estimulação em outro lugar. Não sei qual é a melhor forma de alcançar essa mentalidade. Mas, de modo crucial, sei que podemos fazer isso — porque já fizemos antes: no passado, indivíduos com epilepsia eram punidos de modo virtuoso por sua intimidade com Lúcifer. Hoje decretamos que, se as convulsões não estão sob controle, eles não podem dirigir. E o principal é que ninguém enxerga essa proibição de dirigir como uma punição virtuosa e prazerosa, acreditando que uma pessoa com convulsões resistentes a tratamento "merece" ser proibida de dirigir. Turbas de brutamontes papudos não se reúnem com empolgação para assistir à queima pública da carteira de motorista de um indivíduo acometido de epilepsia. Conseguimos banir a noção de punição nesse âmbito. Talvez ainda demore uns séculos, mas talvez possamos fazer o mesmo em todas as nossas esferas atuais de punição.

O que nos leva ao gigantesco desafio prático. O argumento tradicional por trás do encarceramento é proteger o público, reabilitar, punir e, por fim, utilizar a ameaça de punição para dissuadir os outros. Este último é o desafio prático, porque tais ameaças de punição de fato podem ser dissuasivas. Como isso poderia ser obtido? O tipo mais amplo de solução é incompatível com uma sociedade aberta: fazer o público *acreditar* que o encarceramento envolve punições horríveis quando, na verdade, não é nada disso. Talvez a perda de liberdade que ocorre quando uma pessoa perigosa é afastada da sociedade devesse ser dissuasiva o suficiente. Talvez alguma punição convencional ainda se faça necessária, se ela for dissuasiva o bastante. Mas o que precisa ser abolido é a ideia de que a punição pode ser merecida e que punir é uma ação virtuosa.

Nada disso será fácil. Ao contemplar esse desafio, é importante lembrar que algumas, muitas ou até mesmo a maioria das pessoas que perseguiam epilépticos no século xv não eram tão diferentes de nós — eram sinceras, cuidadosas e éticas, preocupadas com os graves problemas que ameaçavam a sociedade, e esperavam deixar para seus filhos um mundo mais seguro. Elas apenas operavam com uma mentalidade irreconhecivelmente distinta. A distância psicológica entre elas e nós é enorme, separada pelo abismo profundo que foi a descoberta de que "não é culpa dela, é uma doença". Depois de cruzar essa fronteira, a distância que agora temos de percorrer é muito menor — consiste apenas em ter esse mesmo insight e estar disposto a enxergar a sua extensão como válida em qualquer direção que a ciência nos leve.

A esperança é que, ao lidar com seres humanos cujos comportamentos estão entre os piores e mais nocivos, palavras como "mau" e "alma" sejam tão irrelevantes quanto são para um automóvel com o freio quebrado, e que elas sejam mencionadas tão pouco em um tribunal quanto o são em uma oficina mecânica. E, de modo crucial, a analogia se mantém em um aspecto fundamental, estendendo-se a indivíduos perigosos sem nada de obviamente errado com seu córtex frontal, genes e assim por diante. Quando um carro está funcionando de forma defeituosa e perigosa e o levamos a um mecânico, essa não é uma situação dualística em que: a) se o mecânico descobrir que alguma peça quebrada é a causa do problema, temos uma explicação mecanicista, mas b) se o mecânico não conseguir encontrar nada de errado, estamos lidando com um carro maligno. É claro que o mecânico pode especular sobre a origem do defeito — talvez seja o design a partir do qual o carro foi construído, talvez tenha sido o processo de montagem, talvez o meio ambiente contenha algum poluente desconhecido que de algum modo prejudica seu funcionamento, talvez um dia tenhamos técnicas sofisticadas o suficiente na oficina para distinguir uma molécula essencial no motor que está desregulada —, mas, enquanto isso, consideraremos esse carro maligno. O livre-arbítrio do carro é a mesma coisa que "forças internas que ainda não compreendemos".*[34]

Muitos dos que são visceralmente contrários a essa visão alegam que é desumano enquadrar seres humanos danificados como se fossem máquinas quebradas. Mas, como um ponto final e crucial, fazer isso é infinitamente mais humano do que demonizar tais indivíduos e passar-lhes sermão como se fossem pecadores.

PÓS-ESCRITO: E AGORA PARA A PARTE DIFÍCIL

Bem, já chega de sistema de justiça criminal. Agora vamos para a parte realmente difícil, que é o que fazer quando alguém elogia nossos arcos zigomáticos.

Se rejeitarmos o livre-arbítrio quando se trata de nossos piores comportamentos, o mesmo deverá se aplicar aos melhores: aos nossos talentos, demonstrações de foco e força de vontade, momentos de arrebatadora criatividade, decência e compaixão. Pela lógica, deveria parecer tão ridículo levar o crédito por essas caracterís-

---

* Os carros logo entrarão em discussões de tomadas de decisão moral: se a situação exigir uma escolha, será que um carro autônomo (sem motorista) deveria se espatifar contra um muro, matando o passageiro, a fim de salvar cinco pedestres? A maioria das pessoas acha que é assim que os automóveis deveriam ser programados, mas, de modo previsível, preferem que o carro delas escolha o oposto. Talvez os modelos mais caros venham a funcionar assim, enquanto o populacho teria veículos mais utilitários (no caso, utilitaristas). Ou talvez o automóvel é que irá decidir, baseando-se na frequência com que você o lava e faz a troca do óleo.

ticas quanto reagir a um elogio à beleza de suas maçãs do rosto agradecendo à pessoa por implicitamente elogiar seu livre-arbítrio, em vez de explicar como forças mecânicas agiram sobre os arcos zigomáticos de seu crânio.

Será muito difícil agir dessa forma. Estou disposto a admitir que tenho me comportado de maneira péssima nesse aspecto. Minha esposa e eu estávamos num brunch com um amigo, que serviu salada de frutas. "Uau, o abacaxi está uma delícia", exclamamos. "Eles estão fora de época", nosso anfitrião respondeu com orgulho, "mas tive sorte e encontrei um bem decente." Minha esposa e eu expressamos uma admiração estupefata: "Você sabe mesmo escolher frutas. É uma pessoa melhor do que nós". Estávamos enaltecendo o anfitrião por uma suposta manifestação de livre-arbítrio, por uma decisão feita nessa difícil encruzilhada da vida que é a escolha de abacaxis. Mas estávamos errados. Na verdade, os genes têm algo a ver com os receptores olfativos que nosso anfitrião possui e que ajudam a detectar o amadurecimento. Talvez nosso amigo venha de um povo cujos valores culturais profundos e ancestrais incluíam aprender como apalpar um abacaxi para saber se ele está bom. A mera sorte de sua trajetória socioeconômica forneceu os recursos necessários para que ele pudesse perambular por um caríssimo mercado de alimentos orgânicos que toca música de fundo tipicamente peruana. Ainda assim, elogiamos nosso anfitrião.

Na verdade, não consigo imaginar de que forma devemos levar a vida como se não houvesse livre-arbítrio. Talvez nunca seja possível nos vermos como a soma de nossa biologia. Talvez devamos nos contentar em garantir que os nossos mitos homunculares sejam benignos, e reservar o esforço pesado de realmente pensar de forma racional para aquilo que importa: quando julgamos os outros com severidade.

17. Guerra e paz

Vamos revisar alguns fatos. A amígdala em geral se ativa ao ver um rosto de outra raça. Se você é pobre, é provável que o desenvolvimento de seu córtex frontal já esteja atrasado quando você tem por volta de cinco anos. A ocitocina nos torna péssimos com estranhos. A empatia não se traduz necessariamente em atos compassivos, nem o desenvolvimento moral refinado se traduz em fazer a coisa mais difícil e certa. Há variantes de genes que, em determinadas circunstâncias, tornam você mais propenso a cometer atos antissociais. E os bonobos não são tão pacíficos assim — eles não seriam os mestres da reconciliação se não tivessem conflitos em razão dos quais se reconciliar.

Tudo isso pode nos tornar bastante pessimistas. Ainda assim, a lógica deste livro é: apesar de tudo, há motivos para o otimismo.

Portanto, os objetivos deste capítulo final são: a) mostrar que as coisas evoluíram, que muitos de nossos piores comportamentos estão recuando, enquanto os melhores avançam; b) examinar maneiras de progredir ainda mais nisso; c) obter suporte emocional para essa tarefa, percebendo que nossos melhores comportamentos podem ocorrer nas circunstâncias mais improváveis; d) e, por fim, ver se de fato consigo me safar intitulando este capítulo de "Guerra e paz".

ANJOS DE ALGUMA FORMA MELHORES

Quando se trata de nossos melhores e piores comportamentos, o mundo é espantosamente diferente do que já foi em um passado não tão distante. No alvorecer do século XIX, a escravidão ocorria em todo o mundo, inclusive nas colônias de uma Europa que desfrutava o Iluminismo. O trabalho infantil era universal e logo alcançaria sua era de ouro exploratória com a Revolução Industrial. E não havia um só país que punisse maus-tratos aos animais. Hoje em dia, todas as nações consideram a escravidão ilegal, e muitas procuram fazer cumprir essa regra; várias têm leis contra o trabalho infantil, que tem diminuído e consiste cada vez mais em crianças trabalhando em casa ao lado dos pais; a maioria dos países regula de alguma forma o tratamento dado aos animais.

O mundo também está mais seguro. A Europa do século xv tinha, em média, 41 homicídios a cada 100 mil habitantes, por ano. Hoje em dia, apenas El Salvador, Venezuela e Honduras — com 62, 64 e 85, respectivamente — estão em situação pior do que essa. A média mundial é de 6,9, a da Europa é de 1,4, e temos Islândia, Japão e Cingapura com 0,3.

Eis algumas coisas que se tornaram mais raras nos últimos séculos: casamentos forçados, noivas crianças, mutilação genital, violência doméstica, poligamia, incineração de bruxas. Perseguição a homossexuais, epilépticos e albinos. Violência infantil, maus-tratos a animais de carga. Controle de um território por um exército invasor, por um senhor colonial, por um ditador não eleito. Analfabetismo, mortalidade infantil, mortalidade no parto, mortalidade por doenças evitáveis. Pena de morte.

Eis algumas coisas inventadas no último século: a proibição do uso de certos tipos de armas. A Corte Internacional de Justiça e o conceito de crime contra a humanidade. As Nações Unidas e o envio de forças de paz multinacionais. Acordos internacionais para impedir o tráfico de diamantes de sangue, presas de elefante, chifres de rinoceronte, pele de leopardo, e seres humanos. Agências que coletam dinheiro para ajudar vítimas de desastres por todo o planeta, que facilitam a adoção intercontinental de órfãos, que lutam contra pandemias globais e enviam médicos para locais de conflito.

Sim, eu sei, seria ingênuo pensar que as leis são universalmente cumpridas. Por exemplo, em 1981, a Mauritânia se tornou o último país do mundo a proibir a escravidão; ainda assim, hoje em dia, 20% de sua população é composta de pessoas escravizadas, e o governo só processou judicialmente um único proprietário de escravos.[1] Admito que pouca coisa mudou em vários lugares; passei décadas na África vivendo ao redor de pessoas que acreditavam que os epilépticos eram possuídos pelo demônio e que os órgãos de albinos assassinados tinham poderes de cura, onde os maus-tratos a esposas, crianças e animais era a norma, onde crianças de cinco anos conduziam o gado e transportavam lenha, onde garotas pré-púberes sofriam clitorectomia e eram oferecidas a homens velhos como terceiras esposas. Ainda assim, no mundo como um todo, as coisas melhoraram.

O relato definitivo disso é o monumental *Os anjos bons da nossa natureza: Por que a violência diminuiu*, de Steven Pinker.[2] É uma obra acadêmica que se mostra eficaz ao extremo em documentar como as coisas já foram ruins. Pinker descreve de forma vívida a chocante desumanidade histórica dos seres humanos. Cerca de meio milhão de indivíduos morreram no Coliseu de Roma para fornecer a plateias de dezenas de milhares de pessoas o prazer de ver prisioneiros serem estuprados, desmembrados, torturados e devorados por animais. Ao longo da Idade Média, exércitos varreram a Eurásia, destruindo vilarejos, matando todos os homens e escravizando mulheres e crianças. A aristocracia foi responsável por uma parcela desproporcional de violência, atacando camponeses impunemente. Autoridades religiosas e governamentais — sejam elas europeias, persas, chinesas, hindus, polinésias, astecas, africanas, indígenas — inventaram ferramentas de tortura. Para um parisiense entediado do século XVI, o entretenimento podia consistir em queimar gatos, executar um animal "criminoso" ou praticar um esporte no qual se instigava cães a destroçarem um urso amarrado a um poste. É um mundo asquerosamente diferente; Pinker cita o escritor L. P. Hartley: "O passado é um país estrangeiro; eles fazem coisas diferentes por lá".

Os anjos bons da nossa natureza provocou três controvérsias:

Por que as pessoas eram tão horríveis naquela época?

Para Pinker, a resposta é clara. Porque as pessoas sempre foram horríveis. Esse é o debate do capítulo 9: quando a guerra foi inventada, a vida ancestral dos caçadores-coletores era mais Hobbes ou Rousseau? Como vimos, Pinker entra na discussão sustentando que a violência humana organizada é anterior à civilização, remontando ao nosso último ancestral em comum com os chimpanzés. E, como vimos, a maioria dos especialistas discorda disso de forma convincente, sugerindo que os dados de Pinker foram selecionados a dedo, que alguns caçadores-horticultores foram classificados de maneira errônea como caçadores-coletores, e que os recém-criados caçadores-coletores sedentários foram inadequadamente agrupados com os tradicionais caçadores-coletores nômades.

Por que as pessoas se tornaram menos horríveis?

A resposta de Pinker reflete dois fatores. Ele se baseia nas ideias do sociólogo Norbert Elias, cuja noção de "processo civilizador" centrou-se no fato de que a violência diminui quando o Estado monopoliza a força. Isso se alia à expansão do comércio e dos negócios, fomentando o autocontrole da *realpolitik* — quando reconhecemos que é melhor ter essa outra pessoa viva e fazendo negócios conosco. O bem-estar alheio começa a importar, estimulando aquilo que Pinker chama de uma "escada rolante da razão": uma capacidade maior para a empatia e um senso de Nós. Isso está na base da "revolução dos direitos" — direitos civis, das mulheres, das crianças, dos homossexuais, dos animais. Essa visão é um triunfo da cognição.

Pinker relaciona isso ao "efeito Flynn", o aumento bem documentado no QI médio da população ao longo do último século; ele evoca um efeito Flynn moral, já que o aumento da inteligência e o respeito pelo raciocínio estimulam uma melhora da Teoria da Mente e da tomada de perspectiva, além de aguçar a habilidade de apreciar as vantagens da paz a longo prazo. Nas palavras de um resenhista, Pinker "não tem medo de chamar sua própria cultura de civilizada".[3]

De modo previsível, isso atraiu ataques de todos os lados. A esquerda alega que essa eufórica supervalorização do Iluminismo de homens-brancos-mortos alimenta o neoimperialismo ocidental.[4] Meus instintos políticos pessoais vão na mesma direção. Ainda assim, é preciso admitir que os países com índices mínimos de violência, amplas redes de segurança social, poucas noivas crianças, muitas mulheres legisladoras e liberdades civis sacrossantas são em geral descendentes culturais diretos do Iluminismo.

Por outro lado, a direita alega que Pinker ignora a religião, fingindo que a decência foi inventada durante o Iluminismo.[5] Ele é eloquente em não pedir desculpas por isso — a seu ver, muito do que deu certo reflete o fato de que as pessoas "deixaram de valorizar almas para valorizar vidas". Para outros, a crítica é que a escada rolante da razão fetichiza a cognição em detrimento das emoções — afinal, sociopatas têm uma ótima Teoria da Mente, um cérebro deliberadamente lesionado para ser puramente racional e fazer julgamentos morais detestáveis, e o senso de justiça é estimulado pela amígdala e pela ínsula, não pelo CPFdl. Obviamente, depois de tantas páginas, acho que a interação entre raciocínio e sentimento é essencial.

As pessoas de fato se tornaram menos horríveis?

Isso é objeto de muita controvérsia. Pinker propõe esta máxima: "Podemos estar vivendo na era mais pacífica que nossa espécie já atravessou". O fato que mais contribui para esse otimismo é que, com exceção das Guerras dos Bálcãs, a Europa está em paz desde 1945, o período mais longo de sua história. Para Pinker, essa "Longa Paz" representa o Ocidente voltando a si depois da tragédia da Segunda Guerra, vendo que as vantagens de ser um mercado comum suplantam as de ser um continente em perpétuo conflito, além de ser também efeito, de modo complementar, de uma crescente empatia.

Os críticos caracterizam isso como eurocentrismo. Os países ocidentais até podem saudar uns aos outros com um namastê, mas eles sem dúvida travaram guerras em outros lugares — a França, na Indochina e na Argélia; a Grã-Bretanha, na Malásia e no Quênia; Portugal, em Angola e em Moçambique; a União Soviética, no Afeganistão; os Estados Unidos, no Vietnã, na Coreia e na América Latina. Além disso, certas partes do mundo em desenvolvimento passaram as últimas décadas em uma guerra contínua — veja, por exemplo, o leste do Congo. E mais importante, tais guerras se tornaram ainda mais sangrentas porque o Ocidente inventou a ideia de Estados clientes lutando uma guerra por procuração. Afinal, a última porção do século xx viu os Estados Unidos e a União Soviética fornecendo armamentos à Somália e à Etiópia, que estavam em guerra, apenas para, poucos anos depois, trocarem de posição e passarem a fornecer armas para o lado *oposto*. A Longa Paz tem valido, mas para os ocidentais.

A tese de que a violência diminuiu de forma consistente no último milênio também precisa acomodar todo um sangrento século xx. A Segunda Guerra matou 55 milhões de pessoas, mais do que qualquer outro conflito na história. Junte-se a isso a Primeira Guerra, Stálin, Mao e as guerras civis na Rússia e na China, e temos 130 milhões.

Pinker faz algo sensato que reflete sua condição de cientista. Ele aplica uma correção para o tamanho total da população. Assim, ainda que a Rebelião de An Lushan e a guerra civil da dinastia Tang, no século viii, na China, tenham vitimado "apenas" 36 milhões de pessoas, isso representava um sexto da população mundial — o equivalente a 429 milhões de pessoas na metade do século xx. Quando as mortes são expressas como porcentagens da população total, a Segunda Guerra Mundial é o único acontecimento do século xx a figurar na lista dos dez mais, atrás de An Lushan, das conquistas mongóis, do tráfico de escravos no Oriente Médio, da queda da dinastia Ming, da queda de Roma, das mortes causadas por Tamerlão, da aniquilação dos povos indígenas pelos europeus e do tráfico de escravos no Atlântico.

Os críticos questionaram esse método: "Ei, pare de usar artimanhas para fazer parecer que os 55 milhões de mortos na Segunda Guerra foram menos do que os 8 milhões da queda de Roma". Afinal, os assassinatos do Onze de Setembro não teriam evocado apenas metade do terror se os Estados Unidos tivessem 600 milhões de habitantes, em vez de 300 milhões. Mas a análise de Pinker é apropriada, e só examinando as *proporções* dos acontecimentos é que se descobre que Londres hoje em dia é muito mais segura do que na época de Dickens, ou que alguns grupos de caçadores-coletores têm taxas de homicídio equivalentes às de Detroit.

Mas Pinker não conseguiu levar as coisas a um passo lógico adiante — fazendo correções também para as diferentes durações dos eventos. Assim, ele compara a meia dúzia de anos da Segunda Guerra Mundial com, por exemplo, doze *séculos* de tráfico de escravos no Oriente Médio e quatro séculos de genocídio indígena. Quando corrigimos para a duração, bem como para a população mundial total, a lista dos dez mais agora inclui a Segunda Guerra Mundial (número um), a Primeira

Guerra Mundial (número três), a Guerra Civil Russa (número oito), Mao (número dez) e um evento que nem tinha entrado na lista original de Pinker, o genocídio em Ruanda (número sete), quando 700 mil pessoas foram mortas em cem dias.*

Isso aponta para notícias boas e más. Em comparação ao passado, somos extraordinariamente diferentes quanto às pessoas a quem concedemos direitos e por quem sentimos empatia, e quais problemas globais combatemos. A situação está melhor quando pensamos que há menos indivíduos agindo de forma violenta e mais sociedades dispostas a contê-los. A má notícia: o alcance desses poucos violentos é ainda maior. Eles não se enfurecem apenas com eventos em outros continentes — eles viajam até lá e fazem um estrago. Indivíduos carismáticos e violentos inspiram milhares de pessoas em salas de chat, em vez de uma turba em seu próprio vilarejo. Lobos solitários com ideias afins se encontram com mais prontidão e entram em metástase. E o caos antes desencadeado por uma clava ou um machete hoje é deflagrado por uma arma automática ou uma bomba, com consequências muito mais terríveis. As coisas até melhoraram. Mas isso não significa que elas estejam boas.

Portanto, iremos agora considerar alguns insights fornecidos por este livro que podem ajudar.

ALGUNS CAMINHOS TRADICIONAIS

Em primeiro lugar, existe uma estratégia para reduzir a violência que remonta a dezenas de milhares de anos: mudar-se. Se dois indivíduos em um bando de caçadores-coletores estão em conflito, em geral um deles se muda para um bando vizinho, por vontade própria ou não. De modo similar, tensões entre bandos são mitigadas quando um deles se transfere para um local distinto, uma das vantagens do nomadismo. Um estudo recente com os caçadores-coletores hadza, da Tanzânia, mostrou um benefício adicional dessa fluidez que parece ter vindo direto do capítulo 10. Sendo mais específico: ela facilita que indivíduos altamente cooperativos se associem uns aos outros.[6]

---

* A lista completa (em números aproximados de mortes por ano): 1) Segunda Guerra Mundial, 11 milhões; 2) Rebelião de An Lushan, 4,5 milhões; 3) Primeira Guerra Mundial, 3 milhões; 4) Rebelião Taiping e 5) Tamerlão — 2,8 milhões cada; 6) queda da dinastia Ming, 2,5 milhões; 7) conquistas mongóis e 8) genocídio em Ruanda — 2,4 milhões cada; 9) Guerra Civil Russa, 1,8 milhão; 10) o Tempo de Dificuldades dos séculos XVI e XVII, na Rússia, 1,5 milhão; 11) onda de fome provocada por Mao na China, 1,4 milhão.

E há os efeitos benéficos das trocas comerciais, já destacados por antropólogos e também por Pinker. Tanto em termos de fazer negócios em um mercado local quanto de assinar tratados internacionais, o dizer costuma ser verdadeiro: onde as mercadorias não cruzam fronteiras, exércitos o farão. Trata-se de uma versão da um tanto jocosa Teoria dos Arcos Dourados da Paz, de Thomas Friedman: os países que têm McDonald's não lutam uns contra os outros. Ainda que existam exceções (por exemplo, a invasão norte-americana do Panamá e a invasão israelense do Líbano), o argumento geral de Friedman se sustenta: países estáveis o suficiente para se integrarem a mercados globais com marcas como o McDonald's e prósperos o bastante, para que seus habitantes mantenham esses estabelecimentos funcionando provavelmente concluem que as vantagens da paz para os negócios suplantam os possíveis espólios da guerra.*, **[7]

Isso não é infalível — por exemplo, apesar de serem grandes parceiros comerciais, a Alemanha e o Reino Unido se enfrentaram na Primeira Guerra — e também não há escassez de pessoas dispostas a ir à guerra, mesmo às custas de negócios interrompidos e da carência de produtos básicos. Além disso, o "comércio" é uma faca de dois gumes. É sem dúvida bacana quando ocorre entre caçadores indígenas da floresta tropical; é sem dúvida vil se você estiver protestando contra a Organização Mundial do Comércio. Mas enquanto os países puderem travar guerras em nações distantes, o comércio de longa distância que os torna interdependentes é uma boa força dissuasora.

A difusão cultural em geral (o que inclui o comércio) também é capaz de favorecer a paz. Isso pode ter um verniz moderno: em 189 países, o acesso digital é um fator preditivo para mais liberdades civis e de imprensa. Além disso, quanto mais liberdades civis em um país vizinho, mais forte é esse efeito, já que as ideias fluem junto com as mercadorias.[8]

Religião

Bem, eu adoraria pular esta seção, mas não posso. É que a religião é, talvez, nossa invenção cultural mais definidora, um catalisador incrivelmente poderoso tanto para os comportamentos bons quanto para os maus.

---

* Essa sempre foi a interpretação clássica da ideia de Friedman. É bem possível, porém, que as pessoas não entrem em guerra nessas circunstâncias porque estão ocupadas demais indo ao médico para se tratar de um caso de diabetes tardia.

** Uma exceção é Lawrence Keeley, mencionado no capítulo 9, que alegou que o resultado líquido dos negócios, com suas discordâncias inevitáveis, é uma tensão intergrupal maior, e não menor.

Ao introduzir a hipófise, no capítulo 4, não me senti obrigado a revelar meus sentimentos a respeito dessa glândula. Mas isso parece apropriado agora. Tive uma criação judia extremamente praticante e ortodoxa, e me sentia bastante religioso. Mas então, por volta dos treze anos, toda essa estrutura desmoronou; desde então, tornei-me incapaz de manifestar qualquer religiosidade ou espiritualidade, e é muito mais fácil para mim me concentrar nos aspectos destrutivos da religião do que nos benéficos. Mas gosto de me cercar de pessoas religiosas e me sinto tocado por elas — ainda que perplexo com o fato de que elas conseguem acreditar nessas coisas. E gostaria muito de poder acreditar também. Fim.

Como destacado no capítulo 9, criamos uma variedade descomunal de religiões. Considerando apenas aquelas com alcance mundial, eis alguns importantes pontos em comum:

a. Todas envolvem facetas da religiosidade que são extremamente pessoais, solitárias e individualizadas, bem como facetas comunitárias; como veremos, são âmbitos diferentes quando se trata de fomentar nossos melhores e piores comportamentos.

b. Todas envolvem comportamentos ritualísticos pessoais e comuns que dão conforto em momentos de ansiedade; contudo, muitas dessas ansiedades são criadas pela própria religião.

Os efeitos da crença ligados à diminuição da ansiedade são lógicos, já que o estresse psicológico tem a ver com falta de controle, previsibilidade, escapes e apoio social. Dependendo da religião, a crença traz uma explicação para o porquê de as coisas acontecerem, além da convicção de que há um propósito na vida e do senso de um criador que está interessado em nós, que é benevolente, que responde às súplicas de seres humanos e, de preferência, que responde às súplicas de pessoas como você. Não surpreende que a religiosidade tenha efeitos sobre a saúde (para além do apoio comunitário que ela traz e da diminuição dos índices de abuso de substâncias).

Lembre-se do papel do córtex cingulado anterior (CCA) em soar um alarme quando há uma discrepância entre como você pensava que as coisas funcionavam e como elas de fato funcionam. Depois do controle para variáveis como personalidade e capacidade cognitiva, indivíduos mais religiosos mostram uma menor ativação do CCA ao se deparar com uma discrepância negativa. Outros estudos revelam os efeitos de rituais religiosos repetitivos na redução do estresse.[9]

c. Por fim, todas as religiões do mundo fazem distinção entre Nós e Eles, embora variem quanto ao que é necessário para ser um de Nós e se esses atributos relevantes são imutáveis.

Tanto já se sabe sobre a neurobiologia subjacente à religiosidade que existe inclusive um periódico chamado *Religion, Brain and Behavior* [Religião, cérebro e comportamento]. Recitar uma oração conhecida ativa sistemas dopaminérgicos mesolímbicos. Improvisar uma prece ativa as regiões associadas à Teoria da Mente, na medida em que você tenta compreender a perspectiva de uma deidade ("Deus quer que eu seja humilde e também grato; melhor não esquecer de mencionar isso"). Além disso, uma maior ativação dessa rede de Teoria da Mente está correlacionada a uma imagem mais personificada de deidade. Acreditar que alguém está sendo curado pela fé desativa o (cognitivo) CPFdl, suspendendo a descrença. E executar um ritual conhecido ativa regiões corticais associadas ao hábito e à avaliação reflexa.[10]

Então as pessoas religiosas são mais legais do que as não religiosas? Depende se elas estão interagindo com membros do próprio grupo ou com pessoas de fora. Então vamos lá: as pessoas religiosas são mais legais com os membros do próprio grupo? Inúmeros estudos dizem que sim — mais trabalhos voluntários (com ou sem contexto religioso), doações caridosas e pró-socialidade espontânea; mais generosidade, confiança, honestidade e perdão em jogos econômicos. Contudo, outros estudos não mostram nenhuma diferença.[11]

Por que a discrepância? Para começar, depende se essas informações são autodeclaradas — pessoas religiosas tendem a exagerar seus relatos de pró-socialidade mais do que as não religiosas. Outro fator é se a pró-socialidade é pública — demonstrações conspícuas são particularmente importantes para as pessoas religiosas que precisam de aprovação social. De forma mais dependente ainda do contexto, em um estudo, as pessoas religiosas eram mais caridosas do que as não religiosas — mas só durante o Shabat.[12]

Outro ponto importante: que tipo de religião? Como abordado no capítulo 9, Ara Norenzayan, Azim Shariff e Joseph Henrich, da Universidade da Colúmbia Britânica, identificaram ligações entre as características de várias religiões e alguns aspectos de pró-socialidade.[13] Como vimos, é raro que culturas de bandos pequenos (como caçadores-coletores) inventem deidades moralizantes. Apenas quando as culturas se tornam grandes o suficiente, a ponto de as pessoas passarem a interagir de forma regular e anônima com estranhos, é que se torna comum inventar um deus julgador — a deidade judeu-cristã ou muçulmana.

Em tais culturas, pistas visíveis e subliminares impulsionam a pró-socialidade. Em um estudo, voluntários religiosos decifravam frases com ou sem palavras religiosas (por exemplo: espírito, divino, sagrado); o conteúdo religioso estimulava atos posteriores de generosidade. Isso remonta ao achado mencionado no capítulo 3 de que simplesmente ver um par de olhos colado em uma parede torna as pessoas mais pró-sociais. E provando que a questão tem a ver com ser monitorado, decifrar frases com termos seculares como "jurados", "polícia" ou "contrato" teve o mesmo efeito.[14]

Portanto, os lembretes de deuses julgadores impulsionam a pró-socialidade. Também importa o que essa deidade faz diante das transgressões. No interior das culturas e entre elas, quanto mais punitivo for o deus, maior é a generosidade dirigida a um correligionário anônimo. Mas será que deuses punitivos produzem pessoas mais punitivas (pelo menos em um jogo econômico)? Um estudo diz que não — guarde seu dinheiro, Deus vai cuidar disso. Outro estudo diz que sim — um deus punitivo gostaria que eu também fosse punitivo. O grupo da Universidade da Colúmbia Britânica mostrou uma coisa irônica. Pré-ativar as pessoas a pensar em Deus como um ser punitivo diminui a trapaça; pensar em Deus como um ser misericordioso *aumenta* a trapaça. Os pesquisadores então estudaram voluntários de 67 países, considerando a prevalência da crença na existência de um céu ou de um inferno. Quanto maior a inclinação para acreditar no inferno, em vez de no céu, menor a taxa nacional de crimes. Pelo visto, quando se trata de eternidade, o chicote funciona melhor que a cenoura.

E quanto à religião facilitando os nossos piores comportamentos com relação a Eles? Bem, uma das evidências que comprovam isso é… hum, bem, a história da humanidade. Todas as grandes religiões têm sangue histórico nas mãos — monges budistas lideraram a perseguição aos muçulmanos rohingya na Birmânia, e um quacre na Casa Branca coordenou o pesado bombardeio do Vietnã do Norte durante o Natal.*[15] Isso se aplica às guerras religiosas, que são, para citar uma frase em geral atribuída a Napoleão, "pessoas se matando para ver quem tem o melhor amigo imaginário", e também às guerras seculares, nas quais mesmo assim um apoio onisciente é solicitado e declarado. A religião é um catalisador particularmente tenaz da violência. Católicos e protestantes têm se matado na Europa há quase quinhentos anos; xiitas e sunitas, nos últimos 1,3 mil anos. Discordâncias violentas quanto a modelos econômicos ou governamentais nunca duram tanto tempo — seria como haver pessoas se matando até hoje por causa da decisão do imperador bizantino Heráclio, em 610 d.C., de mudar o idioma oficial de latim para grego. Como foi comprovado em uma análise de seiscentos grupos terroristas ao longo de quarenta anos, o terrorismo de cunho religioso é o que persiste por mais tempo e também o menos provável de amainar em virtude de seus militantes aderirem ao processo político.

Pré-ativações religiosas fomentam a hostilidade a indivíduos de fora do grupo. Em um "estudo de campo" no qual as pessoas eram entrevistadas em diferentes locais de uma cidade cosmopolita europeia, só o fato de passar diante de uma igreja

---

* Para ser justo, Richard Nixon foi criado como quacre evangélico; eles não são pacifistas.

fazia cristãos expressarem atitudes mais conservadoras e negativas com relação a não cristãos. Outro estudo examinou os efeitos da pré-ativação com um deus violento. Os voluntários liam uma passagem da Bíblia na qual uma mulher é morta por uma turba de outra tribo. O marido dela consulta os homens da própria tribo e reúne um exército para se vingar atacando o povo inimigo (de forma bem bíblica: destruindo seus vilarejos e matando todos os seres humanos e animais). Para metade dos voluntários, a história terminava aí. Já na história contada para a outra metade, o exército, contemplando a vingança, pede o conselho de Deus, que o autoriza a castigar com severidade os adversários.[16]

Os voluntários então participavam de um jogo competitivo em que o perdedor de cada rodada era submetido a um som alto em um volume escolhido pelo outro jogador. Os que haviam lido a passagem na qual Deus sanciona seu desejo de violência aumentaram o volume ao qual os oponentes eram submetidos.

Nenhuma surpresa: o efeito foi maior em homens do que em mulheres. Grande surpresa: os voluntários eram mórmons devotos da Universidade Brigham Young, em Utah, ou alunos de religiões tipicamente liberais em uma universidade holandesa, e o efeito foi de intensidade igual em ambos os grupos. Surpresa maior ainda: mesmo entre os voluntários que não aceitavam a Bíblia (uma surpreendente alta fatia de 1% dos alunos da Brigham Young e 73% dos holandeses), a aprovação divina gerou um aumento da agressividade (ainda que em menor grau). Portanto, a sanção divina da violência é capaz de aumentar a agressividade mesmo em pessoas

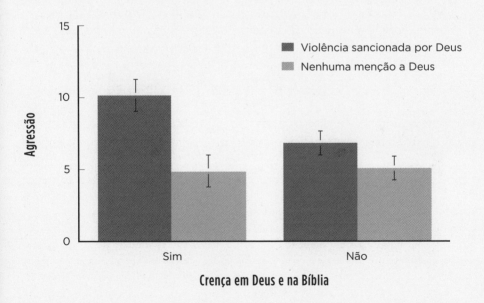

cuja religiosidade provavelmente não inclui um deus vingador, assim como em pessoas que nem mesmo acreditam na existência de qualquer divindade.

É claro que esse não é um efeito uniforme das religiões; Norenzayan faz distinção entre a religiosidade privada e a comunitária ao pesquisar a aprovação dos palestinos aos homens-bomba suicidas.[17] Em uma refutação à ideia imbecil de que "islamismo = terrorismo", a religiosidade pessoal dos indivíduos (medida pela frequência de suas orações) não era um fator preditivo de apoio ao terrorismo. Contudo, frequentar cerimônias religiosas em uma mesquita, sim. O pesquisador então perguntou a fiéis hindus, russos ortodoxos, judeus israelenses, muçulmanos da Indonésia, protestantes britânicos e católicos mexicanos se eles morreriam por sua religião e se as pessoas das outras religiões causavam os problemas do mundo. Em todos os casos, a presença assídua em cerimônias religiosas — mas não a frequência das preces — era um fator preditivo dessas perspectivas. Não é a religiosidade que incita a hostilidade intergrupal; é estar cercado de correligionários que afirmam sua identidade paroquial, seu comprometimento e suas paixões e ódios compartilhados. Isso é muitíssimo importante.

O que se pode concluir desses inúmeros resultados? Que a religiosidade veio para ficar.* Dito isso, parece que o ato de impulsionar a socialidade no interior do grupo é realizado de forma mais eficaz com um deus moralizante e punitivo. A crítica padrão e monótona ao ateísmo é que a falta de um deus produz uma amoralidade niilista; a resposta padrão é que não é nada impressionante o fato de você ser bondoso só porque tem medo da condenação. Impressionante ou não, isso parece ter sua utilidade. O grande desafio surge quando aspectos comunitários da religiosidade incitam a hostilidade a indivíduos de fora do grupo. É inútil pedir que as religiões ampliem sua extensão do conceito de Nós. Elas são muito peculiares quanto a determinar quem é um de Nós, algo que pode variar de "só aqueles que veem, agem, falam e rezam como as pessoas de nossa seita" a "toda forma de vida". Seria desanimadoramente difícil fazer as religiões passarem da primeira para a segunda opção.

* Embora seja notável o fato de, ao longo do último século, conforme os países escandinavos desenvolveram um extenso e esclarecido sistema de apoio estatal às necessidades sociais do povo, a religiosidade por lá ter declinado drasticamente; hoje em dia, só uma pequena minoria de escandinavos é composta de religiosos devotos. Portanto, a religiosidade pode não se mostrar tão sólida no futuro quanto se pode imaginar; como vimos no capítulo 9, à medida que as instituições seculares aprimoram seu cuidado com as necessidades do povo, a religiosidade diminui. Talvez o mais importante seja que se trata de uma boa demonstração de que a religião não é o único caminho para uma pró-socialidade altamente inclusiva no interior de um grupo.

Contato

Como mencionado no capítulo 11, muitos especulam se as tensões intergrupais são mitigadas pelo contato — quando as pessoas de fato se conhecem, todas se dão bem. Mas, a despeito dessa salutar possibilidade, o contato intergrupal eleva facilmente as hostilidades.[18]

Como vimos no capítulo 9, o contato intergrupal piora a situação quando os dois grupos são tratados de forma diferente ou são desiguais em número; quando o grupo menor está cercado; quando as fronteiras entre os grupos são ambíguas; quando os grupos competem para exibir os símbolos de seus valores sagrados (por exemplo, os protestantes da Irlanda do Norte andando pelos bairros católicos com bandeiras da Ordem de Orange). São cotovelos que se roçam até causar feridas.

Claro que o contrário é necessário para minimizar as ameaças e a ansiedade — grupos se encontrando em igualdade numérica e de tratamento, em um cenário neutro e livre de ideologias, e sob supervisão institucional. E mais importante: as interações funcionam melhor quando há um objetivo compartilhado, sobretudo se este for bem-sucedido. Isso é um resumo do capítulo 11: um objetivo compartilhado muda as prioridades das dicotomias Nós/Eles, trazendo para o primeiro plano uma nova e combinada categoria de Nós.

Sob tais condições, o contato prolongado entre grupos costuma reduzir preconceitos, muitas vezes de forma ampla, generalizada e persistente. Essa foi a conclusão de uma meta-análise, realizada em 2006, abrangendo quinhentos estudos com mais de 250 mil voluntários de 38 países; os efeitos benéficos foram basicamente iguais para diferenças de raça, religião, etnia ou orientação sexual entre os grupos. Como exemplo, um estudo de 1957 relativo à dessegregação da marinha mercante mostrou que quanto mais viagens marinheiros brancos faziam com afro-americanos, mais positivas eram suas posturas raciais. O mesmo ocorria com policiais brancos em função do tempo gasto com parceiros afro-americanos.[19]

Uma meta-análise mais recente fornece alguns insights adicionais: a) os efeitos benéficos em geral envolvem um maior conhecimento sobre Eles e mais empatia por Eles; b) o local de trabalho é um espaço particularmente propício para a magia salutar do contato; a diminuição do preconceito em relação a Eles no ambiente profissional não raro é generalizada para Eles como um todo, e às vezes até para diferentes tipos de Eles; c) o contato entre um grupo tradicionalmente dominante e uma minoria subordinada costuma resultar em uma diminuição maior de preconceito no primeiro grupo; os últimos têm limiares mais altos; d) novos caminhos para a interação — como relacionamentos prolongados por meio da internet — também podem funcionar em certa medida.[20]

Só boas notícias. A teoria do contato fomentou uma abordagem experimental na qual indivíduos de grupos em conflito, em geral adolescentes ou jovens adultos, se reúnem para atividades que podem variar de debates de uma hora a acampamentos de verão. Em geral, esses grupos envolvem palestinos e israelenses, norte-irlandeses católicos e protestantes, ou grupos em oposição nos Bálcãs, Ruanda ou Sri Lanka, com a ideia de que os participantes voltem para casa e alastrem as mudanças em sua atitude. Essa ideia de germinação inspirou o nome de um desses programas, Seeds of Peace [Sementes da Paz].

Fotos em grupo mostram muçulmanos e judeus, católicos e protestantes, hutus e tutsis, croatas e bósnios de braços dados; isso é melhor do que ver imagens de filhotinhos. Mas os programas funcionam? Depende do que se entende por "funcionar". De acordo com um especialista, Stephen Worchel, da Universidade do Havaí, os efeitos costumam ser benéficos — menos medo e mais visões positivas sobre Eles, uma percepção mais aguçada de que Eles são heterogêneos, maior reconhecimento das faltas do próprio grupo e uma maior percepção de si mesmo como um Nós atípico.

Esse foi o resultado imediato. Mas, de modo decepcionante, tais efeitos foram transitórios. Indivíduos de lados opostos raramente mantinham contato; em uma pesquisa com adolescentes palestinos e israelenses, 91% deles interromperam a comunicação. Reduções persistentes no preconceito em geral envolvem um excepcionalismo: "Sim, *a maioria* dentre Eles é péssima, mas conheci um que era legal". Quando há uma transformação significativa, o convertido perde a moral entre seus pares ao anunciar tal mudança. Por exemplo, nenhum líder pacifista proeminente surgiu dos milhares de participantes do Seeds of Peace do Oriente Médio.*

Eis uma forma de pensar sobre o contato: em vez de odiar o indivíduo pertencente a Eles por aquilo que os ancestrais dele fizeram, você espera o dia em que ficará irritado com ele por, digamos, comer o último marshmallow, ou por programar o ar-condicionado do escritório para uma temperatura baixa demais, ou por nunca recolocar no lugar certo no celeiro aquela lâmina de arado que antes era uma espada. Bem, já é um progresso. A essência desse pensamento é a demonstração de Susan Fiske de que as respostas automáticas da amígdala para rostos-de-outras-raças podem ser revertidas quando os voluntários consideram que aquele rosto pertence a uma *pessoa*, e não a Eles. A capacidade de individualizar mesmo os monstros mais monolíticos e desindividualizados pode ser notável.

---

* Outra limitação dessa abordagem é que existe, por definição, uma autosseleção de indivíduos dispostos a considerar a possibilidade de uma trégua com Eles. Além disso, os participantes em geral têm origens privilegiadas do ponto de vista socioeconômico, o que limita sua capacidade de sair por aí convertendo as massas.

Um exemplo comovente disso é relatado por Pumla Gobodo-Madikizela em seu livro *A Human Being Died That Night: A South African Story of Forgiveness* [Um ser humano morreu naquela noite: Uma história sul-africana de perdão], de 2003. Gobodo-Madikizela, criada em uma cidadezinha negra da África do Sul nos tempos do apartheid, conseguiu trilhar um caminho educacional até terminar um doutorado em psicologia clínica. Conforme surgia no horizonte uma África do Sul livre, ela trabalhou na Comissão de Verdade e Reconciliação, na qual recebeu uma tarefa que deixaria qualquer um paralisado por um instante. Envolvia Eugene de Kock, o homem com a maior quantidade literal de sangue do apartheid nas mãos. De Kock comandou a unidade de contrainsurgência da polícia de elite sul-africana e supervisionou de perto sequestros, torturas e assassinatos de ativistas negros. Ele foi julgado, condenado e recebeu uma sentença de prisão perpétua. Gobodo-Madikizela teve de entrevistá-lo sobre seu esquadrão da morte; como psicóloga clínica, no decorrer de mais de quarenta horas de conversa, seu foco principal se tornou entender aquele homem.

Ele era um ser humano previsivelmente multifacetado, contraditório e real, em vez de um arquétipo. Estava arrependido de algumas coisas, mas não de outras; mostrava-se indiferente a uma parte de sua chocante brutalidade e parecia orgulhoso de seu mal-ajambrado conjunto de princípios para determinar que tipo de pessoa ele nunca mataria; denunciou a participação de seus chefes (que, em sua maioria, escaparam da Justiça ao retratá-lo como um justiceiro vil, e não como o funcionário público do apartheid que ele era), ainda que enfatizasse seu poder de comando sobre os executores. Ele a deixou devastada ao perguntar, hesitante, se havia matado algum de seus entes queridos (não havia).

E Gobodo-Madikizela se viu profundamente perturbada com sua empatia crescente por De Kock.

Um momento emblemático surgiu num dia em que De Kock estava relatando algo que o deixava muito consternado. Gobodo-Madikizela automaticamente estendeu a mão e — em um gesto tabu — tocou os dedos dele entre as barras da cela. Na manhã seguinte, o braço dela parecia pesado, como se estivesse paralisado pelo toque. Ela lutava com a dúvida quanto a se conceder-lhe esse contato seria um sinal do poder dela ou dele (no caso, ele teria, de alguma forma, manipulado a psicóloga a fazer isso). Na visita seguinte, ele aplacou sua tempestade de sentimentos ao agradecer-lhe pelo gesto e confessou que foi a mão do gatilho que ela tocara. Não, esse não foi o início de uma improvável amizade, com som de violinos ao fundo. Mas o automatismo e a empatia implícita no ato de estender a mão mostram que, de forma extraordinária, os tênues elementos da condição de pertencimento a um Nós, que ela agora compartilhava com De Kock, assumiram o controle naquele momento.

Queimando e reconstruindo pontes

Um fenômeno que ocorre em muitos cenários de conflito é queimar pontes culturais como forma de forjar uma nova e poderosa categoria de Nós. Considere a Revolta dos Mau Mau no Quênia, nos anos 1950. O impacto do colonialismo britânico nessa região se concentrou em uma tribo, os quicuios, que tinham o azar de viver no rico território de cultivo que foi confiscado pelos colonos; o sofrimento dos quicuios acabou transbordando na insurreição dos Mau Mau.*

Os agrícolas quicuios não eram particularmente belicosos (à diferença dos massais, seus vizinhos pastoralistas, que os aterrorizavam desde sempre), e recrutar novos guerreiros Mau Mau exigiu um poderoso esforço simbólico. Os juramentos tinham grande importância cultural para os quicuios, e o juramento Mau Mau era notório por envolver violações horrendas das normas e tabus quicuios, atos que garantiriam a expulsão de casa. A mensagem era clara: "Você queimou uma ponte; seu único Nós agora somos nós".

Essa estratégia é muitas vezes utilizada em um âmbito pavoroso de violência moderna, a saber, o de grupos rebeldes que transformam crianças raptadas em soldados.[21] Às vezes isso exige que os novos recrutas tenham de queimar pontes culturais simbólicas. Mas também, talvez em reconhecimento à limitada cognição abstrata das crianças, algo mais concreto é empregado: a execução forçada de membros da própria família por tais crianças. *Nós* somos a sua família agora.

Quando as crianças-soldados são libertadas, suas chances de, ao crescer, tornar-se adultos saudáveis e funcionais aumentam de maneira exponencial caso consigam encontrar um parente disposto a aceitá-las. Ou seja: se uma ponte é reconstruída.[22]

No momento em que escrevo, surgem notícias do resgate de algumas das mais de duzentas meninas nigerianas raptadas em 2014 pelo grupo terrorista Boko Haram. O que essas garotas experimentaram é inimaginável: terror, dor, trabalhos forçados, estupros infindáveis, gravidez, aids. E conforme essas poucas meninas

---

* Os britânicos acabaram sufocando a rebelião ao custo de aproximadamente 150 vidas britânicas e de 10 mil a 20 mil vidas quicuias, e então entregaram o poder a certos quenianos selecionados e ultraocidentalizados, e não aos guerrilheiros Mau Mau. Apenas para ter uma noção de como essa anglicizada transferência de poder foi bem-sucedida, mais de cinquenta anos depois, juízes negros quenianos ainda usam perucas empoadas ao presidir julgamentos.

voltam para casa, muitas são rejeitadas — por terem aids, pela crença de que sofreram lavagem cerebral e se tornaram terroristas latentes, pelos filhos de estupros que elas trazem. Diante de fatos como esse, o prognóstico é que elas permaneçam para sempre esfaceladas.

O capítulo 11 destacou a pseudoespeciação, o ato de fazer com que Eles se pareçam diferentes a ponto de mal contarem como seres humanos. O capítulo 15 examinou a habilidade dos demagogos em alcançar isso, retratando os odiados Eles como insetos, roedores, bactérias, tumores e fezes. Isso nos fornece uma clara conclusão: desconfie de políticos que retratam os outros (Eles) como coisas, nas quais devemos pisar e borrifar toxinas ou que devemos mandar descarga abaixo. Simples.

Mas a propaganda de pseudoespeciação pode ser mais sutil. No outono de 1990, o Iraque invadiu o Kuwait, e, nos dias que antecederam a Guerra do Golfo, os americanos ficaram revoltados com um relato que surgiu na mídia. Em 10 de outubro de 1990, uma refugiada do Kuwait de quinze anos deu seu testemunho diante de um comitê de direitos humanos do Congresso americano.[23]

A garota — que forneceu apenas seu primeiro nome, Nayirah — era voluntária em um hospital na Cidade do Kuwait. Aos prantos, ela contou que os soldados iraquianos haviam roubado incubadoras e as despachado para casa como despojos de guerra, abandonando à morte mais de trezentos bebês prematuros.

A estupefação foi geral — "Essa gente deixa bebês para morrer no chão frio; eles não são humanos". O testemunho foi visto no noticiário por cerca de 45 milhões de americanos, citado por sete senadores ao justificar seu apoio à guerra (resolução que foi aprovada por *cinco* votos de diferença) e mencionado mais de dez vezes por George W. Bush ao defender o envolvimento do Exército americano no conflito. E nós fomos para a guerra com uma taxa de aprovação da decisão do presidente de 92%. Nas palavras do presidente do comitê, o congressista John Porter (Partido Republicano, Illinois), pouco depois do testemunho da garota, "nós nunca tínhamos escutado, esse tempo todo, em todas as circunstâncias, um relato de desumanidade, brutalidade e sadismo como esse que [Nayirah] nos deu hoje".

Muito tempo depois, soube-se que a história das incubadoras era uma mentira pseudoespecista. A refugiada não era refugiada coisa nenhuma. Era Nayirah al-Sabah, a filha de quinze anos do embaixador do Kuwait nos Estados Unidos. A mentira foi fabricada pela empresa de relações públicas Hill+Knowlton, contratada pelo governo do Kuwait com a ajuda de Porter e do copresidente do comitê, o congressista Tom Lantos (Partido Democrata, Califórnia). Pesquisas realizadas pela empresa indicaram que as pessoas poderiam reagir de modo particularmente forte a histórias de atrocidades contra bebês (jura?), então a lenda da incubadora foi arquitetada e a testemunha foi instruída para tal. A história foi desmentida por grupos de direitos humanos (Anistia Internacional, Human Rights Watch) e pela mídia, e o testemunho foi retirado dos registros do Congresso — muito tempo depois de a guerra acabar.

É preciso tomar cuidado quando nossos inimigos são retratados de forma a nos lembrar de vermes, de câncer, de excrementos. Mas também devemos ser cautelosos quando as nossas intuições empáticas, e não as odiosas, é que são manipuladas por aqueles que nos usam para seus propósitos.

Cooperação

Como foi explorado no capítulo 10, compreender a evolução da cooperação propõe dois desafios.

O primeiro é o problema fundamental de como a cooperação chega a começar; a lógica deprimente do Dilema do Prisioneiro assim conclui: aquele que toma o primeiro passo cooperativo fica um passo para trás.

Como vimos, uma solução plausível envolve populações fundadoras — quando um subconjunto de uma população fica isolado e seu grau médio de parentesco aumenta, é possível impulsionar a cooperação pela seleção de parentesco.[24] Se essa população fundadora retornar à população geral, suas tendências cooperativas suplantarão as demais, propagando assim a cooperação. Outra solução envolve os efeitos da barba verde, aquela versão pobre da seleção de parentesco, segundo a qual um traço genético produz um marcador conspícuo e uma inclinação cooperativa entre os portadores desse marcador. Nesse cenário, os que não têm barba verde serão suplantados, a menos que também desenvolvam a cooperação. Como vimos, os efeitos da barba verde ocorrem em várias espécies.

Isso levanta o segundo desafio, a saber: compreender por que os seres humanos são tão extraordinariamente cooperativos com pessoas que não são seus parentes. Seguramos a porta do elevador para desconhecidos, cedemos a passagem em cruzamentos de quatro mãos, descemos do ônibus de forma ordenada. Construímos culturas envolvendo milhões de pessoas que compartilham convenções. Isso requer mais do que efeitos fundadores e barbas-verdes; desde que Hamilton e Axelrod divulgaram ao mundo a estratégia do "olho por olho", toneladas de pesquisas têm explorado os mecanismos especificamente humanos para impulsionar a cooperação. E são muitos.

Partida ilimitada. Dois indivíduos jogam o Dilema do Prisioneiro, sabendo que, depois de uma única rodada, eles nunca mais se encontrarão. A racionalidade pede que você traia o adversário; não haverá outra chance de se recuperar se você ficar para trás nessa oportunidade. E quando se trata de duas rodadas? Bem, a segunda rodada exige a não cooperação pelas mesmas razões que a partida única. Em outras palavras, nunca faz sentido cooperar na última rodada. Portanto, se o comportamento da segunda rodada já está estabelecido, então o jogo redunda em uma partida única — na qual a estratégia mais racional é trair. Três rodadas? A mesma coisa. Ou seja, jogar por um número conhecido de rodadas conspira contra a cooperação; quanto mais racionais forem os jogadores, mais eles conseguem antever isso. São as partidas ilimitadas que incentivam a cooperação — um número desconhecido de rodadas, produzindo a sombra de um futuro, no qual a retribuição é possível e as vantagens de uma cooperação mútua sustentada se acumulam conforme aumenta o número de interações.[25]

Múltiplas partidas. Dois indivíduos jogam duas partidas um contra o outro de modo simultâneo (alternando as rodadas de ambas). Uma delas tem um limiar muito mais baixo para estabelecer a cooperação do que a outra. Uma vez que a cooperação foi estabelecida nessa partida menos brutal, ocorre um respingo psicológico de cooperação na outra. É por isso que gerentes de escritórios tensos e competitivos trazem reconfortantes forasteiros para liderar jogos de confiança, esperando que as demandas de confiança em um nível mais baixo de exigência se alastrem para o ambiente de trabalho.

Partida de livro aberto. É aquela em que o outro jogador pode ver se você foi um babaca com os outros em jogos anteriores. A reputação é um poderoso facilitador da cooperação. É disso que trata um deus moralizante — um livro cuja obra é sempre aberta. Como vimos no capítulo 9, todo mundo — de caçadores-coletores a habitantes de cidades — tem o costume de fofocar, e fazer isso abre ainda mais o livro das reputações.[26]

Partidas de livro aberto atuam como intermediárias de um tipo único e particularmente sofisticado de cooperação humana, a saber, a "reciprocidade indireta". A pessoa A ajuda a pessoa B, que ajuda a C, que ajuda a D... A reciprocidade entre dois indivíduos em uma interação fechada é como uma permuta. Mas a reciprocidade indireta do tipo "passe a boa ação adiante" é como o dinheiro, na qual a moeda comum é a reputação.[27]

Punição

Outros animais não têm reputação nem conseguem ponderar se suas interações são ilimitadas. Contudo, a punição como forma de promover a cooperação ocorre em inúmeras espécies — isso é evidenciado quando um babuíno macho que está sendo um bruto agressivo com uma fêmea é expulso temporariamente do bando pela vítima e seus parentes. A punição pode facilitar a cooperação de maneira intensa, mas sua implementação pode ter resultados potencialmente dúbios em seres humanos.

Todas as culturas exibem certo grau de disposição em pagar para punir violadores da norma, e altos graus de disposição trazem uma correlação com altos níveis de pró-socialidade. Um estudo examinou etíopes rurais que subsistiam da venda de carvão feito de madeira de florestas locais — uma clássica tragédia dos bens comuns, pois ninguém está disposto a limitar espontaneamente o corte de árvores para manter a floresta saudável. O estudo mostrou que os vilarejos com altos níveis de disposição em administrar punições custosas em um jogo econômico eram os que possuíam mais patrulhas para coibir o corte excessivo de árvores, e, portanto, manter as florestas mais saudáveis. Como vimos no capítulo 9, culturas com deuses que punem violações à norma são atipicamente pró-sociais.[28]

Uma complicação quanto às punições mais dispendiosas é evidentemente o custo — há o risco de que os custos de monitorar e punir as violações possam ser maiores do que os benefícios da cooperação induzida. Uma solução é reduzir a vigilância após grandes períodos de cooperação — em outras palavras, confiar. Por exemplo: tudo indica que pouquíssimos amish compram caros sistemas de segurança doméstica com scanner de retinas.[29]

Outra complicação diz respeito a quem executa a punição. Em outras espécies, em geral é a vítima, ou seja, o indivíduo diretamente envolvido. Por definição, a punição em jogos disputados entre dois seres humanos (por exemplo, o Jogo do Ultimato) é sempre realizada de forma direta. Nesse cenário, o castigador abdica da porção chinfrim que lhe ofereceram: a) na esperança de obter uma satisfação visceral ao privar o adversário de sua porção maior (como vimos no último capítulo, trata-se de um grande motivador da punição, fomentado pela amígdala e a ínsula); b) em um esforço para persuadir o adversário a fazer ofertas mais justas a ele no futuro; ou c) como um ato altruísta, esperando persuadir o adversário a ser mais decente com quem quer que ele venha a jogar da próxima vez. Isso é complexo para as vítimas, que devem equilibrar custos e benefícios, corações e mentes, pássaros na mão e pássaros voando. E também pode resultar em um adversário ofendido pela rejeição e que se torna ainda menos cooperativo dali em diante — um resultado que ocorreu em algumas situações.[30]

Os seres humanos aumentam a cooperação de forma única e muito eficaz através de uma punição por terceiros, executada por pessoas objetivas de fora. Contudo, tal punição pode ser custosa para esse terceiro elemento, o que significa que existe o desafio evolutivo não só de desencadear a cooperação, mas de desencadear a punição altruísta por terceiros.[31]

A resposta, várias vezes reinventada pelos seres humanos, é adicionar camadas. Desenvolva a punição secundária, castigando quem não conseguir executar a devida punição por terceiros — o universo dos códigos de honra, segundo os quais você é punido se não reportar uma violação. Uma alternativa é recompensar os castigadores — seres humanos que ganham a vida como policiais e juízes. Além disso, recentes pesquisas teóricas e empíricas mostram que ser um conspícuo castigador faz com que as pessoas confiem em você. Mas quem monitora os castigadores? Aqui é que as pessoas devem dividir e baixar o custo elevando a socialidade a um nível máximo: os custos são absorvidos por todos, e os aproveitadores são punidos (por exemplo, nós pagamos impostos e punimos quem pratica sonegação).

Quando as peças da engrenagem estão equilibradas, é possível gerar níveis extraordinários de cooperação.[32]

Essas peças da engrenagem são analisadas em um notável artigo publicado em 2010 na revista *Science*. Os autores estudaram 113 mil indivíduos que compraram um objeto (uma foto de recordação de um passeio de montanha-russa em um parque de diversões) sob uma das seguintes condições:[33]

a. Pagavam um preço fixo. (Essa era a condição de controle.)

b. Podiam pagar o quanto quisessem: as vendas decolaram, mas as pessoas tendiam a pagar quantias minúsculas, deixando a "loja" no prejuízo.

c. Pagavam o preço original, sabendo que a empresa destinava X% da receita para caridade: as vendas aumentaram, mas menos do que X%, e a loja perdeu dinheiro.

d. Podiam pagar o quanto quisessem, com metade desse valor indo para caridade. Isso impulsionou tanto as vendas quanto o preço voluntariamente pago, rendendo lucros para a loja e uma grande contribuição para caridade.

Em outras palavras, ainda que as evidências de responsabilidade social corporativa (alternativa C) aumentem um pouco as vendas, a eficácia é muito maior quando o indivíduo e a empresa *dividem* a responsabilidade social, sendo a quantia de dinheiro doada determinada pelo indivíduo.

Escolhendo seu parceiro

Como já vimos, cooperadores conseguem sobrepujar não cooperadores mais numerosos de tal forma que os primeiros são capazes de encontrar uns aos outros. Essa é a lógica por trás dos barbas-verdes facilitando o acesso a uma alma afim (ainda que não aparentada). Portanto, quando esse elemento é introduzido em um jogo (junto com a capacidade de escolher não jogar com alguém), a cooperação decola — e de forma mais barata do que punindo os traidores.[34]

Esses achados revelam inúmeros caminhos teóricos para fomentar a cooperação, e com equivalentes na vida real; além disso, aprendemos muito sobre quais deles funcionam melhor e em que situações. É assim que nós evoluímos até erguer coletivamente celeiros para os vizinhos, cultivar e colher o arroz de todo o vilarejo ou coordenar membros de uma fanfarra para formar a imagem da mascote da escola.

E, sim, para reiterar uma ideia já exposta, "cooperação" é um termo destituído de valor moral. Às vezes é preciso uma vila inteira para saquear uma vila vizinha.

Reconciliação — e outras coisas que não são sinônimos

> Então eu consegui pegar um macaco cólobo e o estava comendo, quase chegando na melhor parte, quando esse sujeito aparece e começa a implorar por um pedaço. Isso me deu nos nervos e eu mostrei os dentes para ele. Em vez de entender a dica, ele se jogou na minha direção, agarrou o braço do macaco e começou a puxar — e então eu mordi o ombro dele. Ele saiu correndo e foi sentar do outro lado da clareira, de costas para mim.
>
> Depois que eu me acalmei, pensei um pouco. Para ser sincero, eu provavelmente devia ter dividido a comida com ele. E ainda que ele tenha passado dos limites ao tentar agarrar o braço, eu só devia ter dado uma beliscada nele, em vez de uma mordida de verdade. Então eu me senti meio mal. E além disso, nós trabalhamos muito bem juntos nas patrulhas — seria bom se a gente resolvesse as coisas.
>
> Então eu pego o macaco e me sento ao lado dele. Estamos os dois constrangidos — ele não está olhando para mim, e eu estou fingindo que tem uma urtiga entre os meus dedos do pé. Mas, no fim das contas, eu estendo a ele um pedaço de carne, e ele me faz um pouco de catação. A coisa toda foi idiota, nós devíamos ter feito isso logo de saída.

Se você for um chimpanzé, a reconciliação é fácil depois que a sua frequência cardíaca volta ao normal. Isso também ocorre conosco às vezes — toque o ombro de um amigo, dê um sorrisinho discreto e diga: "Ei, agora há pouco eu estava sendo um...", e ele interrompe a sua frase e diz: "Não, não, a culpa foi minha. Eu não devia...", e as coisas se resolvem.

Fácil. Mas e quando todo mundo está tentando remendar as coisas depois que o seu pessoal matou três quartos do povo deles, ou depois que eles vieram colonizar o seu país, roubaram suas terras e o forçaram a viver em "reservas" miseráveis por décadas? São casos bem mais complicados.

Somos a única espécie que institucionaliza a reconciliação e que se vê às voltas com termos como "verdade", "desculpas", "perdão", "reparação", "anistia" e "esquecimento".

O apogeu da complexidade institucionalizada é a Comissão de Verdade e Reconciliação (CVR). A primeira surgiu nos anos 1980, e desde então elas têm sido deprimentemente úteis, tendo ocorrido em países como Bolívia, Canadá, Austrália,

Nepal e Ruanda. Algumas CVRS aconteceram em países estáveis (Canadá e Austrália) confrontando seu longo histórico de abusos contra povos indígenas. A maioria delas, porém, surgiu depois que o país em questão saiu de uma transição sangrenta e divisionista — a deposição de um ditador, o fim de uma guerra civil, um genocídio interrompido. Segundo a percepção popular, o objetivo é que os perpetradores do abuso confessem seus crimes, manifestem remorso e implorem o perdão de suas vítimas, que então o concedem, resultando em abraços lacrimosos.

Mas, em vez disso, as CVRS em geral são exercícios de pragmatismo, em que os perpetradores basicamente dizem: "Isso é o que fiz, e prometo nunca mais prejudicar seu povo", e as vítimas basicamente respondem: "Certo, e nós prometemos não buscar retribuição extrajudicial". Uma conquista por vezes grandiosa, ainda que menos comovente.

Talvez a CVR mais estudada tenha sido a da África do Sul depois que o apartheid chegou ao fim. Ela surgiu com enorme legitimidade moral, sob a supervisão de Desmond Tutu, e ganhou uma legitimidade ainda maior quando também examinou as atrocidades cometidas por guerrilheiros da liberação africana — ainda que se concentrasse predominantemente nas ações dos brancos. As audiências eram públicas e incluíam a presença das vítimas, que podiam contar suas histórias. Mais de 6 mil perpetradores testemunharam e solicitaram anistia; ela foi concedida a 13% deles.

O que houve com os cenários de perdão lacrimoso? E quanto aos perpetradores mostrando algum remorso por suas ações? Ele não era exigido, e poucos o manifestaram. O objetivo não era transformar esses indivíduos; era aumentar as chances de que aquela nação estilhaçada funcionasse. Em estudos posteriores realizados pelo Centro Sul-Africano de Estudos de Violência e Reconciliação, as vítimas participantes normalmente sentiam "que a CVR foi mais bem-sucedida no nível nacional do que no local". Muitos se sentiram ofendidos porque não houve pedidos de desculpas ou reparações, e porque muitos perpetradores permaneceram em seus empregos. De modo interessante, ecoando o capítulo 15, muitos ficaram igualmente zangados porque certas mudanças simbólicas jamais ocorreram — não só esse assassino continuou sendo policial, mas ainda por cima há um feriado/monumento/nome de rua que homenageia o apartheid. Uma grande maioria de sul-africanos negros (mas não os brancos) viram a CVR como justa e bem-sucedida, e isso acompanhou a milagrosa transição da África do Sul rumo à liberdade, em vez de desandar em guerra civil. Portanto, as CVRS revelam as diferenças entre reconciliação e outras coisas como remorso e perdão.[*35]

---

* Agradeço a uma excelente aluna de graduação, Dawn Maxey, pelo auxílio na pesquisa com as CVRS e pela maioria desses insights.

Como todo pai sabe, uma desculpa evidentemente fingida não leva a nada e pode inclusive piorar as coisas. Mas o remorso profundo é diferente. A *New Yorker* conta a história de Lu Lobello, um veterano americano da Guerra do Iraque que matou por acidente três membros de uma família, vítimas colaterais durante um tiroteio; atormentado por essa tragédia, ele passou nove anos procurando os sobreviventes para pedir desculpas. Ou considere Hazel Bryan Massery, a raivosa adolescente branca no centro da icônica foto do movimento por direitos civis em 1957, em que Elizabeth Eckford faz uma tentativa de integrar racialmente o Colégio Central de Little Rock. Alguns anos depois, Massery entrou em contato com Eckford para pedir desculpas.[36]

As desculpas "funcionam"? Depende. Uma das variáveis é o objeto do pedido de perdão, que pode ir de algo concreto ("Me desculpe por quebrar seu brinquedo") ao global e essencialista ("Me desculpe por ter enxergado seu povo como não exatamente humano"). Outro elemento a ser levado em conta é o que o perpetrador pretende fazer com seu remorso. E há ainda as características específicas do destinatário do pedido de desculpas. Estudos mostram que: a) vítimas que têm em primeiro plano os danos de um sistema coletivo reagem melhor a desculpas que destacam as falhas desse sistema ("Me desculpe; nós, policiais, deveríamos proteger os cidadãos, e não violar as leis"); b) vítimas mais orientadas a relacionamentos pessoais reagem melhor a desculpas empáticas ("Me desculpe pela dor que lhe causei ao levar embora o seu filho"); e c) vítimas que são autônomas e independentes reagem melhor a desculpas que vêm acompanhadas de ofertas de compensação. Há também a questão de quem está pedindo desculpas. O que significa que, em 1993, Bill Clinton tenha pedido desculpas aos nipo-americanos por eles terem sido enviados a campos de concentração por todo o país durante a Segunda Guerra? Ainda que o pedido de desculpas tenha sido louvável, e acompanhado por uma quantia em dinheiro como reparação, será que Clinton podia falar por Roosevelt?[37]

A questão das reparações é de uma complexidade imensa. Em um extremo, elas podem valer como prova definitiva de sinceridade. Isso se encontra no cerne do movimento de reparações pela escravidão — grande parte do progresso dos Estados Unidos rumo a uma situação de privilégio econômico baseou-se na escravidão, e muitos dos benefícios subsequentes dessa economia bem-sucedida foram negados aos afro-americanos de modo sistemático, portanto deveria haver reparações aos descendentes de escravos. No outro extremo, aquelas cujo propósito é comprar o perdão são ofensivas — esse foi o raciocínio por trás da recusa do recém-criado Estado de Israel diante da oferta financeira da Alemanha, a menos que fosse acompanhada por um adequado remorso.

No final de todos esses passos pode surgir uma das coisas mais estranhas que os seres humanos são capazes de fazer: nós perdoamos.[38] Para começar, perdoar não é esquecer. No mínimo porque, em termos neurobiológicos, isso é improvável. Um rato aprende a associar uma campainha com um choque e fica paralisado ao ouvir o som. Quando, no dia seguinte, a campainha ressoa repetidas vezes sem ser acompanhada por um choque, o que provoca a "extinção" do comportamento, o traço de memória desse aprendizado não evapora. Em vez disso, ele é substituído por um aprendizado novo: "Hoje a campainha não é uma má notícia". Como prova disso, imagine que, no dia seguinte a esse, a campainha sinalize de novo um choque. Se o aprendizado inicial de "campainha = choque" tivesse sido apagado, o aprendizado levaria um tempo tão grande nesse dia quanto levou no primeiro. Em vez disso, há uma rápida reaquisição: "campainha = choque *de novo*". Perdoar alguém não significa que você esqueceu o que ele fez.

Há um subgrupo de vítimas que alega ter perdoado o perpetrador e renunciado à raiva e ao desejo de punição. Incluí aqui a palavra "alegar" não para denotar ceticismo, mas para indicar que o perdão é um estado autodeclarado que pode ser alegado, mas não provado.

O perdão pode ocorrer como um imperativo religioso. No massacre ocorrido em Charleston em junho de 2015, o supremacista branco Dylann Roof matou nove paroquianos na Igreja Metodista Episcopal Africana Emanuel. Dois dias depois, na audiência preliminar de Roof, surpreendentemente, alguns familiares das vítimas compareceram ao local para perdoá-lo e rezar por sua alma.[39]

O perdão pode exigir uma extraordinária reavaliação cognitiva. Considere o caso de Jennifer Thompson-Cannino e Ronald Cotton.[40] Em 1984, Thompson-Cannino foi estuprada por um desconhecido. Em um reconhecimento na delegacia, ela identificou Cotton com alto grau de certeza; apesar de alegar inocência, ele foi condenado e sentenciado à prisão perpétua. Nos anos que se seguiram, os amigos de Jennifer hesitantemente sondavam se ela já seria capaz de deixar esse pesadelo para trás. "Nem ferrando", era a resposta. Ela estava consumida pelo ódio e pelo desejo de fazer mal a Cotton. E então, mais de dez anos depois que a sentença começou a ser cumprida, evidências de DNA inocentaram Cotton. Outro homem havia cometido o crime; ele foi enviado para a mesma cadeia em que estava Cotton, por outros estupros, e gabou-se de ter se safado daquele. Thompson-Cannino havia identificado o homem errado e convencido os jurados. Questões de ódio e perdão agora tinham passado para o lado de lá.

Quando eles enfim se encontraram, depois de Cotton ter sido libertado e absolvido, Thompson-Cannino perguntou: "Se eu passasse todos os minutos de todas as horas de todos os dias do resto da minha vida pedindo desculpas, você acha que poderia me perdoar?". E Cotton respondeu: "Jennifer, eu já te perdoei anos atrás". Sua capacidade de fazê-lo envolveu uma reavaliação profunda:

Perdoar Jennifer por ter me apontado como seu estuprador naquele reconhecimento levou menos tempo do que as pessoas imaginam. Eu sabia que ela era uma vítima e que estava muito machucada [...]. Fomos, os dois, vítimas da mesma injustiça cometida pelo mesmo homem, e isso nos forneceu um ponto em comum ao qual eu podia me agarrar.

Uma reavaliação completa os fez parte de um mesmo grupo (Nós), em sua condição de vítimas. Ambos agora fazem palestras juntos sobre a necessidade da reforma judiciária.

Em última instância, o perdão em geral diz respeito a uma coisa: "Faço isso por mim, não por você". O ódio é exaustivo; o perdão (ou mesmo a mera indiferença) é libertador. Para citar Booker T. Washington: "Não permitirei que nenhum homem deprecie minha alma me fazendo odiá-lo". Depreciar, distorcer e consumir. O perdão ao menos parece ser algo bom para a sua saúde: vítimas que manifestam um perdão espontâneo ou que passaram pela terapia de perdão (em oposição à "terapia de validação da raiva") mostram melhoras na saúde geral, no funcionamento cardiovascular e nos sintomas de depressão, ansiedade e TEPT. O capítulo 14 explorou como a compaixão facilmente (e talvez de modo inevitável) contém elementos de egoísmo. A concessão compassiva do perdão é o epítome disso.[41]

Acabamos de nos concentrar em coisas como perdão, pedido de desculpas, reparação, reconciliação e em que medida as CVRs dizem respeito à reconciliação, e não ao perdão. E quanto à parte da "verdade"? Ela facilita sobremaneira o processo de cura. Nas CVRs, a grande prioridade das vítimas era que os perpetradores dissessem toda a verdade — de forma detalhada, exaustiva, firme e pública. É a necessidade de saber o que aconteceu; é fazer com que o vilão diga as palavras; é mostrar ao mundo: "Olha só o que eles fizeram conosco".

Reconhecendo nossas irracionalidades

Apesar do que dizem alguns economistas, não somos máquinas racionais de otimização. Somos mais generosos em jogos do que prevê a lógica; decidimos se alguém é culpado baseando-nos na racionalidade, mas então escolhemos a punição com base na emoção; em torno de metade de nós toma decisões diferentes sobre sacrificar uma pessoa para salvar outras cinco quando isso envolve empurrar alguém ou acionar uma alavanca; resistimos com facilidade à trapaça em circunstâncias das quais ninguém ficaria sabendo; tomamos decisões morais sem saber explicar por quê. Portanto, é uma boa ideia reconhecer as características sistemáticas de nossa irracionalidade.

Às vezes nossa intenção é eliminar essas irracionalidades. Talvez a mais fundamental delas seja uma resistência visceral comum a um fato simples: não costumamos fechar acordos com amigos; espera-se que você odeie com todas as forças aqueles cuja mão está prestes a apertar, e isso não pode ser um impedimento para fazê-lo. Outro domínio está relacionado às discrepâncias entre nossas opiniões conscientes e o que nossos vieses implícitos nos levam a fazer. Como vimos, arestas de demarcações do tipo Nós/Eles podem ser amenizadas quando os vieses implícitos se fazem explícitos. Fazer isso não elimina necessariamente esse viés — afinal, não dá para se convencer de modo racional a abandonar uma crença que não foi colocada racionalmente ali. Em vez disso, revelar vieses implícitos aponta para onde você deve concentrar sua vigilância a fim de diminuir o impacto dos automatismos. Essa ideia pode ser aplicada a todos os âmbitos de nossos comportamentos sendo moldados por algo implícito, subliminar, interoceptivo, inconsciente, subterrâneo — em que mais tarde racionalizamos nossa postura. Por exemplo, todos os juízes deveriam aprender que suas decisões são sensíveis ao período que eles estão sem comer.

Outra questão sobre a qual devemos ter cuidado é o potencial humano para o otimismo irracional. Por exemplo, ainda que as pessoas possam avaliar com precisão os riscos de um comportamento, elas tendem a um otimismo deformador ao avaliar os riscos a si mesmas: "Não, isso jamais aconteceria comigo". O otimismo irracional pode ser ótimo; é por isso que só 15% dos seres humanos, em vez de 99%, ficam clinicamente deprimidos. Mas, como enfatizado por Daniel Kahneman, psicólogo e ganhador do prêmio Nobel, o otimismo irracional em situações de guerra é desastroso. Ele pode ir da convicção teologicamente otimista de que Deus está do nosso lado à tendência dos estrategistas militares de superestimar os recursos de suas próprias tropas, subestimando os do oponente — "Isso vai ser moleza, podem avançar com tudo" se torna a conclusão lógica.[42]

Um último domínio de irracionalidade que deve ser reconhecido tem relação com os "valores sagrados", abordados no capítulo 15, ou seja, quando ações puramente simbólicas podem contar mais do que concessões materiais de utilidade prática. A racionalidade pode ser a chave para estabelecer a paz, mas a importância irracional dos valores sagrados é a chave para estabelecer uma paz duradoura.

Nossa incompetência como assassinos e nossa aversão a matar

Hoje em dia, as câmeras de vídeo estão onipresentes o bastante para tornar a "privacidade" um fenômeno ameaçado. Uma das consequências dessa onipresença é que os cientistas podem praticar o voyeurismo de novas formas. O que produziu um achado interessante.

Ele tem a ver com as brigas em estádios de futebol: o "hooliganismo", ou seja, as brigas entre grupos étnicos ou nacionalistas, partidários de cada um dos times, ou, muitas vezes, *skinheads* de direita que partem para o ataque. Filmagens desses incidentes mostram que pouca gente de fato chega a brigar. A maioria fica assistindo à distância ou correndo sem rumo feito galinhas agitadas e sem cabeça. Entre os que brigam, a maioria dá um ou dois socos pouco efetivos antes de descobrir que desferir socos faz a mão doer. Os que lutam de verdade são um subgrupo minúsculo. Como observado por um pesquisador, "os seres humanos são péssimos em violência [de perto, corpo a corpo], ainda que a civilização nos faça um pouco melhores nisso".[43]

Ainda mais interessante é a evidência de que temos fortes inibições em causar um dano severo a alguém que está muito próximo.

A exploração definitiva desse tópico é de um livro de 1995 chamado *On Killing: The Psychological Cost of Learning to Kill in War and Society* [Sobre o assassinato: O custo psicológico de aprender a matar na guerra e na sociedade], de David Grossman, professor de ciência militar e coronel aposentado do Exército americano.[44]

Ele estrutura o livro em torno de uma descoberta realizada depois da Batalha de Gettysburg. Dos quase 27 mil mosquetes de tiro único recuperados do campo de batalha, cerca de 24 mil estavam carregados, sem ter sido disparados; 12 mil foram carregados várias vezes e 6 mil foram carregados de três a dez vezes. Muitos soldados estavam ali parados, pensando: "Vou atirar daqui a pouco, vou sim... hum, talvez seja melhor recarregar o meu rifle primeiro". Essas armas foram recuperadas no campo de batalha, e pertenciam a homens cuja vida corria perigo enquanto eles as recarregavam. Em Gettysburg, a maioria das mortes foi causada pela artilharia, não pela infantaria na linha de frente. No calor de um combate enlouquecido, a maioria dos soldados recarregava a arma, cuidava dos feridos, gritava ordens, fugia ou vagava a esmo, aturdido.

De modo similar, na Segunda Guerra Mundial, apenas 15% a 20% dos soldados dispararam alguma vez seus rifles. E o resto? Estavam transportando recados, ajudando os outros a carregar munições, cuidando dos colegas — mas não mirando o rifle em alguém próximo e apertando o gatilho.

Os psicólogos de guerra enfatizam como, no calor da batalha, os indivíduos não atiram em outro ser humano por ódio ou obediência, e nem mesmo por saber que o inimigo está tentando matá-los. Pelo contrário, é pelas relações de pseudoparentesco entre irmãos de armas: para proteger seus amigos e não deixar na mão os caras que estão ao seu redor. Mas, para além dessas motivações, os seres humanos mostram uma forte aversão natural a matar à queima-roupa. A maior resistência se dá em combates corpo a corpo com facas ou baionetas. Em seguida vem disparar uma arma a curta distância, depois a longa distância, e assim sucessivamente até o mais fácil, que são as bombas e a artilharia.

Em termos psicológicos, a resistência pode ser modificada. É mais fácil quando você não está mirando em um indivíduo específico — arremessar uma granada contra um grupo, em vez de atirar em uma pessoa. Matar como indivíduo é mais difícil do que em grupo — ainda que só aquela pequena porção de soldados da Segunda Guerra tenha disparado seus rifles, quase todas as armas operadas por um grupo (por exemplo, metralhadoras) foram disparadas. A responsabilidade é diluída, assim como ocorre quando um pelotão de fuzilamento sabe que um dos atiradores ganhou uma bala de festim, o que permite que cada um deles imagine que pode não ter matado ninguém.

A premissa de Grossman é reforçada por um achado novo e alarmante. Desde que deixou de ser considerado "fadiga de guerra" ou "trauma de guerra" e se transformou em uma doença psiquiátrica formal, o TEPT de combate tem sido enquadrado como o resultado do puro horror de estar sob ataque, de alguém tentar matá-lo e a todos ao seu redor. Como vimos, é uma doença na qual o condicionamento ao medo é exageradamente generalizado e patológico: uma amígdala que se tornou enorme, hiper-reativa e convencida de que você nunca está seguro. Mas considere os pilotos de drones — soldados que ficam sentados em salas de controle nos Estados Unidos, comandando drones do outro lado do planeta. Eles não estão em perigo. Ainda assim, suas taxas de TEPT *são tão altas quanto* as dos soldados que estão em pleno campo de batalha.

Por quê? Pilotos de drones fazem algo terrível e fascinante, um tipo de assassinato íntimo e à queima-roupa como nunca houve na história, usando uma tecnologia de imagens de extraordinária qualidade. Com um alvo identificado, o drone pode ficar posicionado por semanas (a uma altura que o torna invisível) sobre a casa do indivíduo, com os operadores do equipamento sempre vigilantes, à espera, digamos, de um agrupamento de alvos naquela residência. Você vê o alvo indo e vindo, jantando, tirando uma soneca na varanda, brincando com os filhos. E então vem o comando para atirar, liberando seu míssil Hellfire em uma velocidade supersônica.

Eis o relato de um piloto de drone sobre seu primeiro "assassinato" — três afegãos identificados a partir de uma base da Força Aérea em Nevada. O míssil foi disparado e ele ficou observando por uma câmera infravermelha que transmite assinaturas de calor:

A fumaça se dissipa, e há pedaços de dois caras ao redor da cratera. E tem um cara logo ali, e ele perdeu a perna direita na altura do joelho. Ele está segurando o membro e rolando para o lado, e o sangue jorra de sua perna, caindo no chão, e está muito quente. Seu sangue está quente. Mas quando chega ao chão, começa a esfriar; a poça esfria com rapidez. Ele levou um bom tempo para morrer. Eu só fiquei assistindo. Vi quando ele ficou da mesma cor que o chão no qual estava deitado.[45]

Mas não é só isso. Os pilotos esperam para ver quem surge para recolher os corpos e quem vai ao funeral, prontos para possivelmente disparar outra carga. Ou, em outras circunstâncias, o piloto pode assistir enquanto um comboio americano se aproxima de uma armadilha à beira da estrada, equipada com explosivos, sem poder avisá-lo; ou testemunhar insurgentes executando um trêmulo civil que implora por piedade.

O piloto do relato acima tinha 21 anos quando executou seu primeiro assassinato; ele acabou acumulando 1626 assassinatos mediados por drones.* Nenhum risco pessoal, apenas um olho onisciente no céu. Ele terminava o turno de trabalho e comprava um *donut* ao caminho de casa. Ainda assim, ele e muitos de seus colegas pilotos de drones sucumbiram a um TEPT devastador.

Depois de ler Grossman, a explicação é simples. O trauma mais profundo não é o medo de ser morto. É o trauma de cometer um assassinato à queima-roupa, individualizado, de observar alguém por semanas e então fazer com que ele se torne da mesma cor do chão. Grossman menciona que, durante a Segunda Guerra, havia taxas menores de surtos psiquiátricos entre os marinheiros e os médicos — indivíduos que corriam tanto perigo quanto os soldados de infantaria, mas matavam de forma impessoal ou nem chegavam a matar ninguém.

Os militares treinam os soldados para superar suas inibições de matar alguém, e Grossman observa que o treinamento se tornou mais eficaz: os recrutas não atiram mais em alvos tradicionais; em vez disso, são situações de disparo rápido com imagens móveis de realidade virtual avançando em sua direção, quando então atirar se torna um ato reflexo. Na Guerra da Coreia, 55% dos soldados americanos dispararam seus rifles; na Guerra do Vietnã, mais de 90%. E isso foi antes do surgimento de jogos de videogame violentos e dessensibilizantes.

Talvez logo surjam tipos totalmente diferentes de guerra. Talvez os próprios drones venham a decidir quando atirar. Talvez as guerras consistam em armas autônomas disparando umas contra as outras, ou cada lado competindo pela vitória com o ciberataque mais eficiente no computador do outro. Porém, enquanto ainda enxergarmos os rostos daqueles a quem matamos, essa inibição aparentemente natural será vital.

---

* É preciso notar que existe uma controvérsia enorme quanto a que parcela desses assassinatos é acidental, ou seja, danos colaterais a transeuntes inocentes; as estimativas variam de 2% a 20%.

AS POSSIBILIDADES

São notáveis as coisas que os seres humanos podem passar a vida estudando. Você pode ser um coniólogo ou um caliologista, estudando a poeira ou os ninhos de pássaros, respectivamente. Há batólogos e brontólogos, que ponderam sobre sarças e trovões, e vexilólogos e zigólogos, com seu estonteante conhecimento sobre bandeiras e métodos para apressar as coisas. E assim por diante: odontologia e odonatologia, fenologia e fonologia, parapsicologia e parasitologia. Um rinologista se apaixona por uma nosologista e ambos geram um filho que se torna um nosologista rinológico, estudando a classificação das doenças nasais.*

As páginas anteriores sugeriram a possibilidade de uma "pacificologia", o estudo científico dos efeitos do comércio, da demografia, da religião, do contato intergrupal, da reconciliação etc., sobre a habilidade dos seres humanos de viver em paz. Uma empreitada intelectual com grande potencial para ajudar o mundo.

Mas a cada novo exemplo de nossos piores comportamentos, das alfinetadas de pura mesquinhez até as carnificinas em massa, essa empreitada intelectual pode soar como empurrar uma rocha morro acima. Assim, e falsamente separando a cognição do afeto, concluímos estas páginas fomentando a certeza emocional, e não intelectual, de que há esperança, de que as coisas podem mudar, de que podemos ser mudados e de que nós, pessoalmente, podemos provocar essa mudança.

Rousseau com um rabo

Por mais de trinta anos, passei meus verões estudando os babuínos da savana no ecossistema do Serengeti, na África Oriental. Eu amo babuínos, mas devo admitir que eles são muitas vezes violentos e abusivos, de modo que os fracos sofrem debaixo dos caninos dos fortes. Certo, um pouco de distanciamento: são uma espécie de alto dimorfismo sexual, formadora de torneios, com agressividade intensificada e generalizada, além de uma forte propensão a descontar frustrações — em outras palavras, eles podem ser uns grandes babacas uns com os outros.

Em meados dos anos 1980, o bando de babuínos vizinho ao grupo que eu estudava tirou a sorte grande. Seu território incluía um hotel; e, como costuma ocorrer em empreendimentos turísticos localizados na selva, sempre foi um desafio evitar

---

* Muitos desses termos não têm correspondência em português. (N. T.)

Os restos de um de meus machos, na manhã seguinte depois do ataque de uma coalizão de rivais.

que a vida selvagem se alimentasse de restos de comida humana. Escondido em um bosque distante do hotel havia um fosso de lixo, rodeado por uma cerca. Mas os babuínos conseguem escalar cercas, derrubá-las e deixar os portões abertos — e esse bando vizinho passou a chafurdar todos os dias no lixão. Assim como outro primata bastante disperso pelo planeta — os seres humanos —, os babuínos comem quase tudo: frutas, plantas, tubérculos, insetos, ovos, presas que mataram, carcaças que pilharam.

Isso transformou o bando do "Depósito de Lixo". Ao amanhecer, os babuínos costumam descer das árvores onde dormiram e andar quinze quilômetros por dia à procura de comida. Já o bando do Depósito de Lixo dormia nas árvores acima do fosso, descia preguiçosamente às oito da manhã para esperar o trator de lixo do hotel, passava uns dez minutos em uma competição frenética por restos de rosbife, coxas de frango e pudins de passas, e então retornava para um cochilo. Cheguei a atirar dardos com anestésicos nos animais desse grupo e os estudei com colegas: eles ga-

É hora do café da manhã, assim que o lixo é despejado de um carrinho.

nharam peso, inflados por uma gordura subcutânea, exibiam níveis elevados de insulina e triglicérides no sangue, e apresentavam um início de síndrome metabólica.[46]

De alguma forma, os babuínos do "meu" bando ficaram sabendo do banquete do outro lado da colina, e logo meia dúzia deles aparecia todas as manhãs para o evento. Quem ia não era definido de forma aleatória: os que tentavam competir por comida contra os cinquenta ou sessenta indivíduos do outro grupo (Eles) eram os machos grandes e agressivos. E é no período da manhã que os babuínos empreendem a maior parte de sua socialização — sentando lado a lado, dedicando-se à catação, brincando —, de modo que optar pelo lixo significava negligenciar a socialização. Os machos que iam para o depósito todas as manhãs eram os membros mais agressivos e menos afiliativos do bando.

Não muito tempo depois, houve uma epidemia de tuberculose entre os babuínos do Depósito de Lixo. Em seres humanos, a tuberculose é uma doença crônica que consome devagar o paciente. Em primatas não humanos, é como um incêndio na floresta, pois se espalha com rapidez e mata em semanas. Eu e meus colegas veterinários de animais selvagens do Quênia identificamos a causa da epidemia: o inspetor de carnes do hotel estava aceitando suborno para aprovar vacas tuberculosas para o abate; os animais eram mortos, os órgãos mais afetados eram descartados e então consumidos pelos babuínos. A maioria do bando do Depósito de Lixo morreu, assim como todos os meus machos que faziam incursões ao lixão.[47]

Isso foi bastante perturbador para mim; acabei me habituando a um novo bando no lado oposto do parque e não cheguei nem perto dos membros restantes do meu bando por uma meia dúzia de anos. Por fim, quando aquela que viria a ser minha futura esposa visitou o Quênia pela primeira vez, reuni coragem para retornar ao bando, a fim de apresentar-lhe os babuínos da minha juventude.

Eles agora eram diferentes de todos os bandos de babuínos já estudados, exatamente como seria de se esperar caso eliminássemos metade dos machos adultos, produzindo uma taxa de duas fêmeas por macho, em vez do tradicional meio a meio, e caso os machos restantes fossem particularmente pacíficos e afiliativos.[48]

Eles ficavam muito próximos uns aos outros, sentavam-se lado a lado e se dedicavam à catação por mais tempo do que a média. Os machos ainda apresentavam uma hierarquia de dominância; o número três ainda lutava contra os números quatro e dois, defendendo sua posição e buscando uma promoção. Mas havia um índice mínimo de agressividade deslocada contra transeuntes inocentes — quando o número três perdia uma briga, ele raramente aterrorizava o número dez ou uma fêmea. Os hormônios do estresse eram baixos; a neuroquímica da ansiedade e os benzodiazepínicos funcionavam de outra forma nesses indivíduos.

Eis uma medida disso, uma imagem que, se você for babuinologista, é mais surpreendente do que uma foto mostrando babuínos inventando a roda: dois machos adultos se dedicando à catação. Isso quase nunca acontece. Exceto nesse bando.

E agora vem a parte mais importante. As fêmeas de babuínos costumam permanecer em seu bando de nascença, enquanto os machos ficam inquietos na puberdade e vão embora, indo tentar a sorte em outro lugar, que pode variar do bando vizinho a outro que fica a cinquenta quilômetros de distância. Na época em que retornei a esse bando, a maioria dos machos que escaparam da tuberculose havia morrido; o bando estava repleto de machos que haviam chegado depois da epidemia. Em outras palavras, os machos adolescentes haviam nascido em bandos normais de babuínos e então se juntaram a esse, adotando o estilo de baixa agressividade e alta afiliação. A cultura social do bando estava sendo transmitida.

Mas como? Os adolescentes que se juntaram ao bando não eram menos agressivos ou menos dados a descontar sua frustração do que aqueles que aderiram a outros bandos — não houve uma autosseleção. Tampouco havia evidências da ocorrência de uma instrução social. Em vez disso, a explicação mais provável envolvia as fêmeas residentes. Elas eram provavelmente as fêmeas de babuínos menos estressadas do planeta, pois não estavam sujeitas à típica agressividade deslocada dos machos. Nesse estado mais relaxado, estavam mais propensas a arriscar empreitadas afiliativas junto aos indivíduos novatos — em um bando típico de babuínos, leva ao menos dois meses para as fêmeas se dedicarem à catação nos novos machos ou para solicitarem seus serviços sexuais; nesse bando, era uma questão de dias a semanas. Em consonância com a falta de agressividade deslocada dos machos residentes, isso fez com que os recém-chegados mudassem gradualmente, assimilando-se à cultura do bando em cerca de seis meses. Portanto, ao serem tratados de maneira menos agressiva e mais afiliativa, os babuínos adolescentes passaram a fazer o mesmo.

Em 1965, uma estrela ascendente da primatologia, Irven DeVore, de Harvard, publicou a primeira síntese do tema.[49] Discutindo sua própria especialidade, os babuínos da savana, ele escreveu que esses animais haviam adquirido um temperamento agressivo como forma de defesa contra predadores, e a agressividade não pode ser ligada e desligada como um chuveiro. É uma parte integral da personalidade dos macacos, tão profundamente arraigada que os torna agressores potenciais em todas as situações.

Dessa forma, os babuínos da savana se tornaram, literalmente, exemplos clássicos de primatas agressivos, estratificados e governados pelos machos. Ainda assim, como podemos ver, essa imagem não é universal nem inevitável.

Os seres humanos já formaram tanto pequenos bandos nômades quanto mega-Estados, e têm demonstrado uma flexibilidade tamanha que os descendentes desenraizados dos primeiros são capazes de funcionar nos segundos. Os padrões humanos de acasalamento são atipicamente maleáveis, e nossas sociedades ostentam monogamia, poliginia e poliandria. Criamos religiões nas quais certos tipos de violência podem levá-lo ao paraíso, e outras em que a mesma violência lhe garante um lugar no inferno. Basicamente, se alguns babuínos exibiram, de modo inesperado, esse tanto de plasticidade social, nós também somos capazes disso. Aqueles que afirmam que nossos piores comportamentos são inevitáveis não sabem muita coisa a respeito dos primatas, incluindo nós mesmos, os humanos.

Uma pessoa

Em algum ponto entre neurônios, hormônios e genes, de um lado, e cultura, influências ecológicas e evolução, do outro, se encontra o indivíduo. E com mais de 7 bilhões de pessoas no planeta, é fácil sentir que nenhum indivíduo sozinho pode fazer tanta diferença.

Mas sabemos que isso não é verdade. Há uma lista obrigatória daqueles que mudaram tudo: Mandela, Gandhi, Martin Luther King, Rosa Parks, Abraham Lincoln, Aung San Suu Kyi. Sim, eles em geral tinham toneladas de conselheiros. Mas foram os catalisadores, aqueles que pagaram com a própria liberdade ou mesmo com a vida. E existem delatores que assumiram grandes riscos a fim de desencadear mudanças: Daniel Ellsberg, Karen Silkwood, W. Mark Felt (o Garganta Profunda de Watergate), Samuel Provance (o soldado americano que revelou os abusos da prisão de Abu Ghraib), Edward Snowden.*

Mas há também pessoas menos conhecidas agindo sozinhas ou em pequenos

---

* Sim, sim, eu sei que essa não é uma lista unânime, mas o que interessa aqui é a singularidade, e não os pormenores dos atos de cada um.

números, e com um impacto extraordinário. Tomemos como exemplo Mohamed Bouazizi, um vendedor de frutas de 26 anos da Tunísia, país que então entrava em seu 23º ano de um governo ditatorial corrupto e repressivo. Na feira, a polícia atormentou Bouazizi com a exigência de uma licença imaginária, esperando ganhar um suborno. Ele se recusou, não por princípio — ele muitas vezes pagava o suborno —, mas porque estava sem dinheiro. Tomou chutes e cuspidas, e seu carrinho de frutas foi derrubado. Sua reclamação ao escritório do governo foi ignorada. Uma hora depois de ter sido vítima da polícia, em 10 de dezembro de 2010, Bouazizi se postou diante desse escritório, encharcou-se de gasolina, gritou: "Como vocês esperam que eu ganhe a vida?", e ateou fogo em si mesmo.

A imolação e morte de Bouazizi desencadeou protestos na Tunísia contra o presidente Zine El Abidine Ben Ali, contra o partido governista e contra a polícia. Os protestos cresceram, e dentro de um mês o governo e Ben Ali foram depostos. A ação de Bouazizi levou a protestos no Egito, derrubando a ditadura de trinta anos de Hosni Mubarak. A mesma coisa ocorreu no Iêmen, encerrando o governo de 34 anos de Ali Abdullah Saleh. E na Líbia, conduzindo à deposição e execução de Muammar Kadafi, depois de 43 anos no poder. E na Síria, onde os protestos se transformaram em guerra civil. E na Jordânia, em Omã e no Kuwait, levando à renúncia de seus primeiros-ministros. E na Argélia, no Iraque, no Bahrein, Marrocos e na Arábia Saudita, produzindo aparentes reformas no governo. A Primavera Árabe. Bouazizi não estava pensando em reformas políticas no mundo muçulmano quando acendeu o fósforo; em vez disso, havia uma raiva que não podia ser direcio-

Manifestantes contrários ao governo exibem uma foto de Bouazizi.

nada a outro lugar senão para dentro. Pense o que quiser da breve esperança da Primavera Árabe, que foi então seguida por novos déspotas, violência, refugiados e pela catástrofe da Síria e do Estado Islâmico. E talvez a história faça o autoimolador tanto quanto o autoimolador faz a história — o descontentamento regional estava fermentando havia muito tempo. Seja como for, o ato individual de Bouazizi incentivou milhões de indivíduos em vinte países a concluir que eles podiam provocar mudanças.

E houve outros atos individuais. Em meados dos anos 1980, organizou-se uma celebração no Memorial de Pearl Harbor para marcar o aniversário do ataque. Um homem idoso se aproximou de alguns sobreviventes ali reunidos. Era sua terceira viagem ao memorial tentando reunir coragem para tal. Ele chegou perto dos sobreviventes e, em um inglês hesitante, pediu desculpas.[50]

O homem, Zenji Abe, era um piloto de caça japonês que atuara na invasão da China, em 1937, e nas batalhas do Pacífico durante a Segunda Guerra — ajudando inclusive a liderar o ataque a Pearl Harbor.

Pouca coisa em sua vida pregressa podia prever semelhante pedido de desculpas de um já idoso Abe. Sua inculcação para a guerra começou cedo, quando ele se alistou em uma academia militar na sétima série. Sua experiência de guerra foi distanciada — ele nunca matou um soldado americano de perto. O ataque a Pearl Harbor lhe deu a impressão de ser um exercício de treinamento. Seu senso de responsabilidade poderia ter sido embotado de imediato, já que a bomba que ele lançou não foi detonada. E seu país foi derrotado.

Algumas coisas favoreceram o gesto de Abe. Ele foi capturado e passou um ano como prisioneiro de guerra, sendo tratado pelos americanos de forma decente. E sentiu vergonha pelo ataque — os pilotos foram informados de que a guerra contra os Estados Unidos havia sido declarada naquela manhã e que, portanto, as defesas americanas estariam de prontidão. Ele logo percebeu que foi um ataque-surpresa.

Alguns fatores mais amplos também favoreceram seu gesto. As relações entre japoneses e americanos mudaram. E os americanos não eram inimigos tradicionais do Japão. A distância racial, cultural e geográfica pode até ter facilitado a pseudoespeciação dos americanos, mas era uma pseudoespeciação nova, em contraste com os séculos de ódio contra um inimigo vizinho — Abe nunca foi à China pedir desculpas pelo Massacre de Nanquim. Como sabemos, Eles vêm em diferentes categorias.

De modo que essas probabilidades e improbabilidades convergiram e Abe ficou lá, junto com outros nove pilotos que haviam atuado naquele dia, pedindo desculpas. Alguns sobreviventes rejeitaram o gesto de boa vontade. A maioria aceitou. Abe e outros pilotos fizeram viagens subsequentes a Pearl Harbor e participa-

À esquerda: Zenji Abe, em 6 de dezembro de 1941. À direita: Abe e Richard Fiske, em 6 de dezembro de 1991.

ram de prolongados encontros com sobreviventes americanos; apertos de mão de reconciliação foram transmitidos no programa de TV *Today* no aniversário de cinquenta anos do ataque. Em geral, os sobreviventes consideraram que os pilotos estavam apenas cumprindo ordens e julgaram suas ações atuais corajosas e admiráveis. Abe se tornou próximo de um deles, Richard Fiske, um instrutor do memorial. Fiske estava em um dos navios durante o ataque, perdeu muitos amigos entre os 2390 americanos mortos, lutou em Iwo Jima e dizia ter tanto ódio dos japoneses que desenvolveu uma úlcera perfurada. Por motivos que ele nunca entendeu por completo, Fiske foi um dos primeiros a aceitar as desculpas de Abe. Outros japoneses e americanos também se tornaram próximos, visitando as residências uns dos outros e, eventualmente, os túmulos de seus ex-inimigos.

O processo foi rico em simbolismos, a começar por um pedido de desculpas que, como vimos, não muda nada e muda tudo. Abe deu dinheiro a Fiske para que todos os meses, pelo resto da vida, ele depositasse buquês de flores no memorial. Fiske, que era corneteiro, passou a tocar no memorial não apenas os tradicionais toques de silêncio americanos, mas também seu equivalente japonês. Estabeleceu-se uma aparente condição de Nós que incluía todos que estavam lá naquele dia infame.

Talvez o mais importante de tudo, o ato individual de Abe não foi individual.

Hoje existem, nos Estados Unidos, agências de turismo especializadas em organizar viagens para veteranos da Guerra do Vietnã que desejam retornar ao país para cerimônias de reconciliação com ex-vietcongues. Os veteranos hoje lideram organizações como Friends of Danang [Amigos de Danang], desenvolvendo projetos humanitários no Vietnã, construindo escolas, clínicas e (literalmente) pontes.[51]

Essa imagem se prolonga em outro ato extraordinário. Possivelmente o evento isolado mais chocante da Guerra do Vietnã, uma atrocidade que abalou a percepção íntima dos americanos como forças do bem, foi o Massacre de My Lai.

Em 16 de março de 1968, uma companhia de soldados norte-americanos, sob o comando do tenente William Calley Jr., atacou os civis desarmados do vilarejo de My Lai.[52] A companhia estava no Vietnã havia três meses, sem ter realizado nenhum contato direto com o inimigo. Porém, já acumulava 28 mortos ou feridos devido a armadilhas e minas, o que reduziu o número de soldados para cerca de cem. De acordo com a interpretação mais comum, que hoje em dia reconhecemos de pronto, eles tinham um desejo feroz e vingativo de dar rosto a um inimigo sem rosto. Segundo a justificativa oficial, no vilarejo refugiavam-se soldados vietcongues e simpatizantes civis; há mínimas evidências para apoiar essa hipótese. Alguns dos participantes relataram ter recebido ordens para matar apenas soldados vietcongues; outros, que deviam matar todos, queimar as casas, abater o gado e destruir os poços.

A despeito desses relatos conflitantes, o resto, como dizem, é uma história agonizante. De 350 a quinhentos civis desarmados, entre os quais bebês e idosos, foram mortos. Os corpos foram mutilados e despejados no fundo de poços; cabanas e campos foram incendiados; várias mulheres sofreram estupro coletivo antes de serem mortas. Há relatos de que o próprio Calley atirou em crianças abrigadas sob as mães, que haviam morrido tentando protegê-las. Os americanos não encontraram fogo inimigo, nem homens em idade militar. Foi uma destruição de proporções bíblicas, ou romanas, ou dos vikings, ou das Cruzadas... E ela foi registrada em fotos. O horror é agravado porque My Lai não foi uma atrocidade isolada: o governo se esforçou para esconder outros incidentes e foi leniente com Calley, sentenciando-o a três anos de prisão domiciliar.

Não houve, de modo algum, uma participação unânime dos americanos (no fim das contas, 26 soldados foram acusados criminalmente, sendo Calley o único condenado; "Estávamos apenas cumprindo ordens" era a ordem do dia).*[53] Os limi-

---

* Dois dos militares que participaram do massacre acabaram cometendo suicídio. Um deles, o tenente Stephen Brooks, se matou por razões desconhecidas ainda no Vietnã. O outro, o soldado de primeira

Fotos icônicas do pesadelo. À esquerda: alguns civis, segundos antes de serem mortos; a mulher ao fundo, segurando o filho, havia acabado de ser estuprada. À direita: aldeões mortos.

tes individuais variaram. Um soldado matou uma mãe e uma criança, e depois se recusou a matar mais. Outro ajudou a reunir os civis, mas se recusou a atirar. Outros refutaram de imediato as ordens, mesmo diante de ameaças de serem levados à corte marcial ou executados. Um deles, o soldado de primeira classe Michael Bernhart, negou-se a obedecer e ameaçou relatar o ocorrido para os superiores; os oficiais depois o alocaram em patrulhas mais perigosas, talvez esperando que fosse morto.

E três homens interromperam o massacre — como era previsível, pessoas de fora. O catalisador foi o primeiro-sargento Hugh Thompson Jr., de 25 anos, que estava pilotando um helicóptero em companhia de dois membros da tripulação, Glenn Andreotta e Lawrence Colburn. Talvez um fato pertinente ao que ocorreu seja que Thompson descendia de indígenas sobreviventes da marcha fatal da Trilha das Lágrimas; seus pais, religiosos, o criaram, na Geórgia rural dos anos 1950, para se opor à segregação. Colburn e Andreotta eram católicos praticantes.

Thompson e sua tripulação estavam sobrevoando o vilarejo com a intenção de

---

classe Varnado Simpson, cometeu suicídio décadas depois, após, entre outras coisas, ver seu filho de dez anos ser morto por uma bala perdida disparada por adolescentes da vizinhança. Simpson declarou: "Ele morreu nos meus braços. E quando olhei para ele, seu rosto estava como o rosto da criança que eu matei. Eu disse: é a punição por matar as pessoas que matei". Ele foi acometido por um TEPT severo, isolou-se em sua casa com as janelas fechadas durante anos e teve êxito em sua terceira tentativa de suicídio.

apoiar a infantaria no combate aos vietcongues. Em vez de evidências de uma batalha, eles viram pilhas de civis mortos. De início, Thompson pensou que o vilarejo estava sob ataque e que os americanos protegiam os locais, mas não conseguiu descobrir de onde vinha esse ataque. Ele pousou o helicóptero em meio ao caos e viu um soldado, o sargento David Mitchell, disparar contra uma multidão de civis feridos que gemiam em uma vala, e outro, o capitão Ernest Medina, atirar em uma mulher à queima-roupa; Thompson então percebeu quem é que estava atacando. Confrontou Calley, que era seu superior hierárquico e que o mandou cuidar de sua vida.

Thompson viu um aglomerado de mulheres, crianças e idosos junto a uma casamata, e alguns soldados americanos se aproximando deles, prontos para atacar. Relatando o que houve em seguida, mais de vinte anos depois, ele descreveu seus sentimentos sobre aqueles soldados: "Eles eram os inimigos naquele momento, eu acho. Eram sem dúvida os malditos inimigos para aquelas pessoas no local". O que ele fez em seguida foi de uma força e coragem estonteantes, algo que comprova cada palavra neste livro sobre como as categorizações Nós/Eles podem mudar em um instante. Hugh Thompson pousou o helicóptero entre os aldeões e os soldados, apontou as metralhadoras para seus conterrâneos americanos e ordenou que a tripulação abrisse fogo caso eles tentassem causar ainda mais danos aos civis.*, **

Portanto, temos aqui um indivíduo transformando impulsivamente a história em vinte países, outro que superou décadas de ódio para catalisar uma reconciliação e outros que venceram cada reflexo de seu treinamento para fazer a coisa certa. Agora é hora de apresentar mais uma pessoa singular, alguém que me inspira muitíssimo.

---

* Por rádio, Thompson convocou seus colegas pilotos de helicóptero para que evacuassem os sobreviventes e os mandassem a hospitais; Andreotta caminhou entre cadáveres na vala e resgatou um garoto de quatro anos, milagrosamente ileso. Thompson relatou tudo o que viu a seus comandantes, que repassaram a notícia aos escalões superiores. Como resultado, o oficial de alta patente que tinha ordenado essa missão de busca e destruição cancelou as missões planejadas para os dias subsequentes em vilarejos vizinhos e iniciou o processo de encobrir o que houve. Andreotta morreu em batalha três semanas depois. Colburn e sobretudo Thompson tentaram informar todo tipo de fonte militar, governamental e midiática sobre os acontecimentos e tiveram um papel essencial em tornar público o Massacre de My Lai. O deputado Mendel Rivers, presidente do Comitê de Forças Armadas da Câmara, tentou barrar o indiciamento de Calley e, em seu lugar, processar Thompson como traidor; Thompson testemunhou contra Calley em seu julgamento e recebeu ameaças de morte por anos. Passaram-se três décadas até que ele e Colburn fossem condecorados pelo Exército por suas ações. Thompson morreu em 2006, com Colburn ao seu lado.

** Agradeço a dois ótimos alunos de graduação, Elena Bridgers e Wyatt Hong, pela ajuda com a pesquisa feita para toda esta seção.

À esquerda: Glenn Andreotta. À direita: Hugh Thompson, Lawrence Colburn e Do Hoa, que eles resgataram de uma vala quando criança, na vila de My Lai, em 1998.

Essa pessoa é o clérigo anglicano John Newton, nascido em 1725.[54] Bem, isso não parece muito empolgante. Ele é mais conhecido por ter composto o hino "Amazing Grace". Ah, que bacana; essa música, junto com "Hallelujah", de Leonard Cohen, sempre me emociona. Newton também foi abolicionista e um mentor para William Wilberforce em sua batalha parlamentar para banir a escravidão no Império Britânico. O.k., está melhorando. Agora, veja só esta: quando jovem, Newton foi capitão de um navio negreiro. Bingo, essas são as premissas: um homem que administrava a escravidão e lucrava com ela, um lampejo de perspectiva religiosa e moral, uma drástica recategorização de Nós e Eles, uma incrível expansão de sua humanidade, um grande compromisso de reparar a brutalidade que cometeu. Você praticamente consegue enxergar a plasticidade neuronal, abordada no capítulo 5, pegando fogo no cérebro de Newton.

Nada parecido com isso ocorreu.

Newton, filho de um capitão de navio, lança-se ao mar com o pai aos onze anos. Aos dezoito, é forçado a entrar para a Marinha, tenta desertar e é açoitado. Consegue escapar e passa a trabalhar em um navio negreiro na África Ocidental. Prepare-se para o momento em que ele percebe a similaridade entre o cativeiro dessas pessoas e a sua própria experiência, e tem uma revelação.

Nada disso ocorre.

Ele trabalha no navio negreiro, onde pelo visto é tão odiado por todos que acaba por ser despejado em um território que é hoje Serra Leoa, junto com um mercador de escravos que decide oferecê-lo de presente a sua esposa como escravo. Ele é resgatado; o navio no qual retorna à Inglaterra é surpreendido por uma tormenta terrível e começa a afundar. Newton implora pela ajuda de Deus, o navio não afunda e ele tem uma conversão espiritual ao cristianismo evangélico. Aceita então trabalhar em outro navio negreiro. Agora, prepare-se: ele encontrou Deus, depois de ter sido ele mesmo uma pessoa escravizada, e está prestes a reconhecer de repente o horror que é o tráfico escravista.

Só que não.

Ele professa certa simpatia pelos escravos e mergulha ainda mais fundo em sua conversão evangélica. Acaba se tornando capitão de um navio negreiro e trabalha mais seis anos antes de parar. Aposto que é porque enfim enxergou a verdadeira natureza de suas ações.

Também não.

É que sua saúde foi se deteriorando depois de tantas viagens árduas. Ele trabalha como cobrador de impostos, estuda teologia e se dedica a virar um padre anglicano. E investe seu dinheiro em empreendimentos de tráfico de escravos. Como diriam os nativos da minha terra natal, o Brooklyn, numa época em que o bairro não estava tão na moda: dá para acreditar nesse maluco?

Ele se torna um pregador popular, conhecido por seus sermões e pela preocupação pastoral; compõe hinos e defende publicamente os pobres e oprimidos. Em algum ponto do caminho, presume-se que para de investir no tráfico escravista, talvez por razões de consciência, talvez porque investimentos melhores surgiram. Ainda assim, nem uma palavra sobre o assunto. Por fim, ele publica um panfleto denunciando a escravidão, *trinta e quatro anos* depois de deixar de ser mercador de escravos. É um bocado de tempo para passar como um cego miserável. A voz de Newton é rara entre os abolicionistas, pois pertence a alguém que não só testemunhou tais horrores como também os infligiu. Ele se torna a principal voz abolicionista na Inglaterra e vive para ver o país banir o tráfico de escravos em 1807.

Eu jamais poderia ser Thompson, Andreotta ou Colburn. Não sou corajoso; fujo para solitários campos africanos em vez de enfrentar coisas difíceis. Talvez, no melhor dos casos, eu teria sido um dos soldados em estado de confusão que, tomados pelas inibições descritas por Grossman, passam a checar repetidas vezes o rifle para ver se está mesmo carregado, em vez de disparã-lo. Há poucos indícios de que, na velhice, alcançarei a virtude e a estatura moral de um Zenji Abe ou de um Richard Fiske. O ato de Bouazizi é incompreensível para mim.

Mas Newton, Newton é diferente; Newton é familiar. Ele extrai um conveniente conforto da aceitação bíblica da escravidão e passa décadas resistindo à possibilidade de que sua moralidade pessoal possa vencer tais convenções. Ele demonstra grande empatia, mas a aplica de modo seletivo. Expande seu círculo de quem conta como um de Nós, mas só até certo ponto. Já vimos como a pessoa que sai da multidão e corre para o edifício em chamas em geral age antes de pensar, exibindo uma arraigada automaticidade de fazer a coisa mais difícil e correta. Não há automaticidade em Newton. Quase podemos enxergar seu CPFdl exaurindo-se com tanta racionalização: "Não há nada que eu possa fazer", "É um desafio grande demais

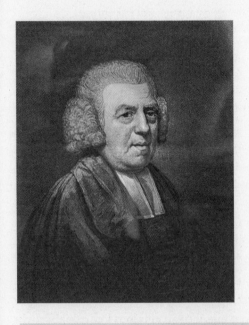

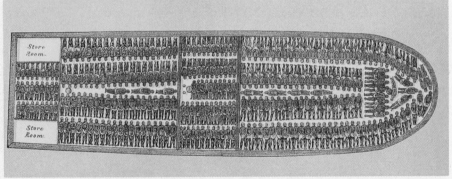

Ilustração de 1788, criada por abolicionistas, sobre o número de escravos (487) que um navio britânico podia legalmente carregar em uma viagem transatlântica. Na verdade, os navios transportavam muito mais gente do que isso.

para uma pessoa enfrentar", "Melhor se preocupar com os necessitados mais próximos de casa", "Posso usar o lucro dos investimentos para fazer atos de caridade", "Essas pessoas são, de fato, tão fundamentalmente diferentes", "Estou cansado". Sim, as jornadas começam com um único passo, mas com Newton são dez passos para a frente e nove passos egoístas para trás. O momento de perfeição moral de Thompson parece tão inatingível para mim quanto desejar ser uma gazela, uma cachoeira ou um pôr do sol incandescente. Mas existe esperança para nós, com todas as nossas fraquezas, inconsistências e fragilidades, conforme observamos Newton a seguir a passos trôpegos seu caminho até se tornar um titã moral.

Por fim: o potencial para o poder coletivo

Há uma anedota da Guerra Peninsular de 1807-14, contada pelo general de divisão George Bell, na época um guarda-marinha. Havia uma ponte separando os lados britânico e francês, com um sentinela postado em cada extremidade para dar o alarme caso o inimigo resolvesse atravessar a ponte.[55] Enquanto fazia a ronda, um oficial britânico encontrou seu sentinela em uma situação improvável: ele estava segurando um mosquete britânico e um francês, um em cada ombro, pelo visto vigiando a ponte para os dois exércitos opostos, sem que o sentinela francês estivesse à vista. A explicação do guarda? Seu colega francês tinha dado uma escapada para comprar uma bebida que eles iriam dividir e, naturalmente, ele estava tomando conta da arma do colega.

Confraternizações entre soldados inimigos são muito frequentes na guerra. São mais comuns quando eles pertencem à mesma raça e religião, e quando são militares alistados, e não oficiais. E também quando são inimigos individuais (e não grupos) que se encontram, quando a pessoa é a mesma dia após dia (por exemplo: vigiando a ponte do lado oposto ao seu) e quando alguém podia ter atirado em você, mas não o fez. A confraternização raramente tem conversas sobre vida, morte e geopolítica; em vez disso, envolve coisas como troca de alimentos (já que não é possível que a ração do outro lado seja tão ruim quanto a sua), cigarros, álcool, ou reclamar do tempo horroroso e dos horrorosos oficiais .[56]

Na Guerra Civil Espanhola, soldados republicanos e fascistas se encontravam com regularidade à noite para beber e fazer permutas de alimentos e jornais, todos atentos à vigilância dos oficiais. Na Guerra da Crimeia, as linhas inimigas faziam trocas regulares de vodca russa por baguetes francesas. Um soldado britânico da Guerra Peninsular relatou que, à noite, as tropas britânicas e francesas jogavam baralho ao redor da fogueira. E na Guerra Civil Americana, soldados ianques e re-

Soldados alemães e britânicos posam juntos.

beldes confraternizavam, faziam permutas, trocavam jornais e, com uma pungência tocante, promoviam cerimônias conjuntas de batismo na noite anterior a uma batalha que, estava claro, seria um banho de sangue.

Portanto, soldados inimigos com frequência encontravam pontos em comum entre si. Pouco mais de cem anos atrás, dois desses eventos ocorreram em uma escala impressionante.

É preciso admitir que alguma coisa boa adveio da Primeira Guerra: graças ao subsequente colapso de três impérios, os habitantes do Báltico, dos Bálcãs e da Europa Oriental ganharam sua independência. Porém, sob a perspectiva de todos os demais, foi um massacre sem propósito de 15 milhões de pessoas. A guerra para pôr fim a todas as guerras, que levou à nociva paz para acabar com toda a paz, viria a se revelar apenas mais um dentre os séculos de exemplos da Europa devorando seus jovens em conflitos sem sentido. Mas, em meio ao lamaçal da Primeira Guerra, surgiram dois exemplos de esperança que, por falta de uma palavra melhor, parecem quase milagrosos.

O primeiro foi a Trégua de Natal de 1914, quando oficiais ao longo de toda a extensão das trincheiras hesitantemente gritaram "Sem tiros" em um outro idioma, e se encontraram com os oficiais inimigos na terra de ninguém. A trégua começou como um pacto para interromper as hostilidades durante a ceia de Natal, e também para o resgate dos mortos.

As coisas se espalharam a partir dali. Como já foi bastante documentado, soldados dos dois lados emprestaram pás uns aos outros para que pudessem cavar sepulturas. E então foram ajudá-los. E então promoveram cerimônias fúnebres em conjunto. O que levou a trocas de alimentos, bebida e tabaco. Por fim, soldados desarmados acorreram à terra de ninguém, rezaram e cantaram juntos, compartilharam o jantar e trocaram presentes. Combatentes inimigos tiraram fotos em grupo; botões e capacetes foram trocados como souvenirs; alguns fizeram planos para se encontrar quando a guerra tivesse acabado. E houve as famosas partidas de futebol com bolas improvisadas, nas quais o placar raramente era contabilizado.[57]

Um historiador registrou uma arrepiante anedota sobre um soldado alemão que descrevia a trégua em uma carta para os familiares, mencionando que nem todos participaram — houve um sujeito que reprovou os outros como traidores, um obscuro cabo chamado... Hitler. Contudo, em grande parte dos oitocentos quilômetros de trincheiras, a trégua se sustentou por todo o Natal, e muitas vezes até o Ano-Novo. Os oficiais precisaram ameaçar seus comandados com a corte marcial a fim de conseguir que todos voltassem a lutar, enquanto os soldados desejavam a seus colegas uma guerra segura. Impressionante, tocante, de partir o coração. E, sem contar algumas exceções esporádicas, um fenômeno que nunca voltou a acontecer, já que mesmo breves tréguas de Natal para resgatar os mortos passaram a significar corte marcial.

Por que a trégua de 1914 funcionou? A natureza única e estática da guerra de trincheiras significava que os soldados tinham de encarar uns aos outros, dia após dia. Isso estimulou a troca de provocações, muitas vezes amigáveis, através das linhas de combate no período anterior ao Natal, estabelecendo um vago senso de conexão. Além disso, as repetidas interações produziam uma "sombra do futuro": quem traísse a trégua poderia esperar uma vingança implacável.

Outra coisa que contribuiu para o sucesso foi o fato de que todos compartilhavam da mesma tradição judaico-cristã e da cultura europeia ocidental; muitos sabiam o idioma do adversário e haviam visitado o seu país. Eram da mesma raça, e chamar pejorativamente o inimigo de "Fritz" difere por completo de "gooks", "slants" e "dinks" da peusoespeciação da Guerra do Vietnã.*

Fatores adicionais explicam por que a trégua envolveu sobretudo soldados britânicos e alemães. Enquanto os franceses lutavam com fervor em seu próprio solo, os britânicos não nutriam nenhuma animosidade específica contra os alemães, e em geral tinham a impressão de estar lutando para salvar *les derrières* dos franceses, seu inimigo histórico mais frequente. Ironicamente, durante a trégua, os soldados

---

* Termos pejorativos utilizados pelos americanos para designar os asiáticos. A tradução literal seria: "gosmas", "olhos puxados" e "chinocas". (N. T.)

britânicos diziam aos alemães que ambos deviam estar lutando contra os franceses. Enquanto isso, por acaso, a maioria dos soldados alemães era de origem saxônica, ou seja, expressavam uma afinidade familiar pelos britânicos (anglo-saxões) e sugeriam que ambos deviam estar combatendo os prussianos, o detestado grupo dominante na Alemanha.

E talvez o mais importante de tudo: a trégua teve uma aprovação de cima para baixo. Os oficiais normalmente negociavam; figuras como o papa propuseram uma trégua; era um feriado que simbolizava a paz e a boa vontade entre os homens.

Portanto, tivemos a Trégua de Natal. De modo notável, algo ainda mais milagroso aconteceu durante a guerra. No que foi designado como o fenômeno Viva e Deixe Viver, os soldados nas trincheiras reiteradamente promoviam tréguas estáveis sem trocar uma só palavra, sem que houvesse um feriado religioso comum e sem a sanção de oficiais e líderes.

Como isso aconteceu? Conforme foi documentado pelo historiador Tony Ashworth em *Trench Warfare: 1914-1918* [Guerra de Trincheiras: 1914-1918], elas sempre começavam de forma passiva. Soldados de ambos os lados faziam suas refeições mais ou menos no mesmo horário, quando as armas silenciavam — quem iria querer interromper o jantar para matar alguém ou ser morto? O mesmo ocorria quando o tempo estava péssimo e a prioridade de todos se tornava cuidar das trincheiras alagadas ou evitar congelar até a morte.[58]

A mútua contenção também surgia em circunstâncias sob a sombra do futuro. Comboios de entrega de alimentos eram alvos fáceis para a artilharia, mas sempre saíam incólumes, a fim de evitar bombardeios recíprocos. Da mesma forma, as latrinas eram poupadas.

Essas tréguas emergiam quando os soldados escolhiam *não fazer* alguma coisa. Mas também podiam ser estabelecidas por uma ação ostensiva. Como? Basta ordenar que o seu melhor atirador crave uma bala na parede de uma casa abandonada, bem perto das linhas inimigas. Então peça que ele repita a ação várias vezes, sempre atingindo o mesmo ponto. O que você está tentando dizer? "Olhe como o nosso cara é bom. Ele poderia ter mirado em vocês, mas não quis. O que vocês vão fazer a respeito?" E o outro lado então responde com o seu melhor atirador. Assim se estabelece um pacto de atirar por cima das cabeças uns dos outros.

O segredo estava na ritualização: atirar repetidas vezes no mesmo alvo irrelevante, renovando o compromisso com a paz todos os dias, no mesmo horário. As tréguas do tipo Viva e Deixe Viver podiam resistir a perturbações. Os soldados sinalizavam ao outro lado que precisariam atirar de verdade por um tempo — os oficiais estavam vindo. O sistema sobrevivia a violações. Se algum recruta entusiasmado lançasse uma granada em plena trincheira inimiga, o acordo mais comum era esperar duas granadas como resposta, muitas vezes direcionadas a alvos importantes. E então a paz seria retomada. (Ashworth descreve uma violação desse tipo, quando os alemães lançaram inesperadamente um projétil nas trincheiras britânicas. Logo um alemão gritou: "Sentimos muito por isso; esperamos que ninguém tenha sido atingido. Não foi culpa nossa, foi essa maldita artilharia prussiana". E lá vieram como resposta duas granadas britânicas.)

As tréguas do tipo Viva e Deixe Viver surgiam de maneira repetida. E repetidamente os comandantes intervinham, fazendo rodízios de soldados, ameaçando levá-los à corte marcial, ordenando incursões brutais que exigiam um tipo de combate corpo a corpo capaz de estilhaçar qualquer senso de interesse compartilhado entre inimigos.

É possível ver a evolução: tentativas iniciais de baixo custo com benefícios imediatos, tais como não atirar durante o jantar, progredindo para níveis de contenção e sinalização cada vez mais elaborados. E reconhecemos a estratégia olho por olho modificada na forma de lidar com as violações à trégua, com sua propensão para a cooperação, a punição por transgressões, os mecanismos de perdão e regras bem claras.

Então — viva! —, assim como as bactérias sociais, podemos fazer evoluir a cooperação. Mas falta à bactéria cooperativa uma psique. Asworth ponderadamente explorou a psicologia de como os participantes do Viva e Deixe Viver passaram a enxergar o inimigo.

Ele descreveu uma sequência de etapas. Primeiro, uma vez que surgia qualquer tipo de contenção mútua, o inimigo provava ser racional, respondendo a incentivos para cessar fogo. Isso despertava um senso de responsabilidade nas interações com eles; de início, esse sentimento era meramente egoísta — não viole nenhum acordo porque eles irão violar de volta. Com o tempo, essa responsabilidade ganhava um verniz moral, aproveitando-se da resistência da maioria das pessoas a trair alguém que estabelece um trato confiável com você. As motivações específicas para as tréguas geravam insights: "Ei, eles também não querem ser perturbados no jantar, assim como nós; e eles também não querem lutar nessa chuva; eles também têm de lidar com oficiais que ferram tudo". Ia surgindo um senso progressivo de camaradagem.

Isso produziu um fenômeno extraordinário. As máquinas de guerra nos países combatentes vomitavam a habitual propaganda de pseudoespeciação. Porém, ao estudar os diários e as cartas dos soldados, Ashworth observou uma hostilidade mínima com relação ao inimigo expressa por soldados de trincheiras; quanto mais distantes eles estavam do front, maior era a hostilidade. Nas palavras de um soldado da linha de frente, citado por Ashworth:

Em casa, nós insultamos os inimigos e desenhamos ofensivas caricaturas deles. Como estou cansado de kaisers grotescos! Aqui fora, é possível respeitar um inimigo corajoso, qualificado e capaz. Eles também têm pessoas queridas à sua espera em casa e precisam suportar a lama, a chuva e o aço.

As categorias de Nós e Eles se tornavam mais fluidas. Se alguém está atirando em você ou em um de seus irmãos de armas, então sem dúvida ele está com Eles. Fora isso, os inimigos (Eles) eram os ratos, os piolhos, o mofo na comida, o frio — assim como qualquer oficial confortável no quartel-general, que era considerado, nas palavras de outro soldado de trincheira, "[um] estrategista abstrato que dispõe de nossas vidas à distância".

Tais tréguas não podiam persistir; as fases finais da guerra as obliteraram, conforme o Alto-Comando Britânico adotou uma dantesca estratégia de desgaste.

Ao pensar na Trégua de Natal e no sistema Viva e Deixe Viver, sempre tenho a mesma fantasia, muito diferente daquela que iniciou este livro. O que teria aconte-

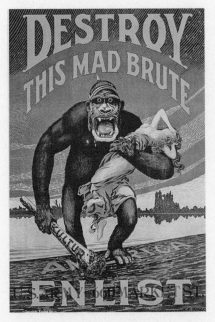

Cartazes de propaganda americano e alemão.*

---

* Tradução dos cartazes: "Destrua este bruto louco: aliste-se" e "A *entente cordiale*, 1915", referente a uma série de acordos assinados em 1904 entre o Reino Unido e a França. (N. T.)

cido se duas coisas adicionais tivessem sido inventadas durante a Primeira Guerra? A primeira é a moderna comunicação de massa — mensagens de texto, Twitter, Facebook. A segunda é uma mentalidade que surgiu apenas entre os sobreviventes destroçados daquele conflito: o cinismo da modernidade. Ao longo de centenas de quilômetros de extensão das trincheiras, os soldados reinventaram uma e outra vez o sistema Viva e Deixe Viver, sem saber que não eram os únicos. Imagine mensagens de texto pipocando por todos os lados, 1 milhão de soldados às portas da morte dizendo: "Isto é bobagem. Ninguém aqui quer continuar lutando, e descobrimos um jeito de parar". Eles podiam ter desistido, largado suas armas, ignorado ou ridicularizado ou matado qualquer oficial insistente que continuasse cuspindo obscenidades sobre Deus e a Pátria; podiam ter ido para casa beijar seus entes queridos e depois enfrentar o verdadeiro inimigo: a inflada aristocracia que não hesitava em sacrificá-los para manter o próprio poder.

É fácil nutrir essa fantasia sobre a Primeira Guerra Mundial, uma peça distante de museu adornada por bigodes enrolados e tolos capacetes com plumas de oficiais. Mas precisamos nos afastar das fotografias granuladas em preto e branco para realizar um experimento mental dificílimo. Nossos adversários contemporâneos sequestram meninas e as vendem como escravas, cometem atrocidades e, em vez de escondê-las, exibem as evidências na internet. Quando leio notícias das coisas que eles fazem, passo a odiá-los com força. É impossível imaginar a mim mesmo desfrutando um momento relaxado, participando de um coral coletivo de "Vi mamãe beijar Papai Noel" ou trocando lembrancinhas de Natal com soldados da Al-Qaeda.

E ainda assim, o tempo realiza coisas interessantes. O ódio entre americanos e japoneses na Segunda Guerra era ilimitado. Cartazes americanos de recrutamento anunciavam "Licenças Para Caçar Japas";* e um veterano da guerra no Pacífico descreveu um acontecimento corriqueiro, em uma matéria na revista *Atlantic* em 1946: "[Os soldados americanos] ferviam a pele do crânio dos inimigos e faziam enfeites de mesa para suas namoradas, ou esculpiam seus ossos para usar como abridores de cartas".[59] E houve o tratamento bestial dos prisioneiros de guerra americanos capturados pelos japoneses. Se Richard Fiske tivesse sido capturado, Zenji Abe poderia muito bem ter ajudado a enviá-lo para a morte; se o primeiro tivesse

---

* Tradução livre dos dizeres do cartaz, reproduzidos a seguir: "Licença de caça emitida a: _____. Aberta a temporada de caça àquela víbora vil e fedorenta conhecida como Cobra-Japa. É famosa por emitir um sibilante som *s-s-s* que parece uma súplica de perdão: 'Sinto muito, senhor'. Aviso: Nunca desvie a atenção desse animal, que é conhecido por apunhalar pelas costas! Assinado: Sociedade de Extermínio das Víboras". (N. T.)

matado o segundo em uma batalha, talvez tivesse transformado seu crânio em um enfeite. Em vez disso, mais de cinquenta anos depois, um escreveria cartas de condolências aos netos do outro, lamentando a morte do vovô.

Um dos pontos principais do capítulo anterior é que, no futuro, as pessoas olharão para nós e ficarão horrorizadas com o que fizemos, do alto de nossa ignorância científica. Um desafio crucial neste capítulo é reconhecer que provavelmente um dia iremos olhar para os nossos ódios atuais e achá-los misteriosos.

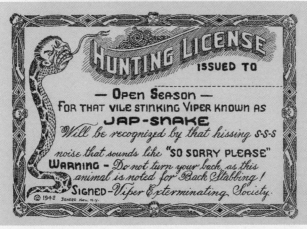

Daniel Dennett ponderou sobre o cenário de alguém que passa por uma cirurgia sem anestesia, mas com total conhecimento de que depois receberá uma droga que apaga todas as memórias do evento. Seria a dor menos dolorosa se você soubesse que seria esquecida? Aconteceria o mesmo com o ódio se você soubesse que, com o tempo, ele se desvaneceria e as similaridades entre Nós e Eles superariam as diferenças? E que cem anos atrás, em um lugar que era o inferno na terra, aqueles que tinham o maior motivo para odiar muitas vezes nem precisaram da passagem do tempo para que isso ocorresse?

O filósofo George Santayana nos forneceu um aforismo tão sábio que cumpriu a sina de se tornar um clichê: "Aqueles que não se lembram do passado estão condenados a repeti-lo". No contexto deste capítulo final, teremos de virar Santayana de cabeça pra baixo: aqueles que não se lembram das tréguas extraordinárias das trincheiras da Primeira Guerra Mundial, ou que não aprenderam com Thompson, Colburn e Andreotta, ou com as distâncias reconciliatórias percorridas por Abe e Fisjke, Mandela e Viljoen, Hussein e Rabin, ou com as fragilidades morais trôpegas e familiares que Newton venceu, ou que não reconhecem que a ciência pode nos ensinar a tornar mais prováveis eventos como esses — aqueles que não se lembram de tudo isso estão condenados a quase nunca repetir esses motivos para ter esperança.

Epílogo

Cobrimos muitos assuntos aqui e certos temas surgiram várias vezes. Vale a pena revisá-los antes de considerar dois últimos pontos.

O mais importante deles é que praticamente todos os fatos científicos apresentados neste livro se referem à *média* do que está sendo estudado. Sempre há variações, e elas são muitas vezes a coisa mais interessante a respeito de um fato. Nem toda pessoa tem a amígdala ativada ao ver o rosto de um indivíduo pertencente a Eles, nem todas as leveduras aderem a outra que traz o mesmo marcador de proteína de superfície. Em vez disso, *em média*, ambas o fazem. Como reflexo dessa afirmação, acabo de descobrir que este livro contém mais de quinhentas variações de "em média", "costumam", "normalmente", "muitas vezes", "tendem a" e "em geral". E é provável que eu tenha inserido mais, como uma espécie de lembrete. Existem diferenças individuais e interessantes exceções por onde quer que você olhe na ciência.

Agora, sem nenhuma ordem em particular:

- É ótimo se o seu córtex frontal o leva a evitar tentações, permitindo que você faça a coisa mais difícil e mais correta. Mas isso costuma ser mais eficaz quando fazer essa coisa certa se tornou tão automático que já não é mais difícil. E em geral é mais fácil evitar as tentações com o uso de distração e reavaliação do que com força de vontade.
- Ainda que seja bacana o cérebro ter tanta plasticidade, isso não é nenhuma surpresa — só podia funcionar desse jeito.
- Adversidades na infância podem deixar cicatrizes em tudo, de nosso DNA às culturas, e os efeitos podem ser eternos, muitas vezes multigeracionais. Contudo, é possível reverter mais consequências adversas do que se imaginava. Só que, quanto mais você esperar para intervir, mais difícil será.
- O cérebro e a cultura coevoluem.
- Coisas que parecem óbvias e intuitivas do ponto de vista moral não o eram

necessariamente no passado; várias tiveram início com um raciocínio não conformista.

- Muitas vezes, fatores biológicos (como os hormônios) não *causam* necessariamente um comportamento, mas o modulam e o sensibilizam, diminuindo os limiares dos estímulos ambientais que podem provocá-lo.
- A cognição e o afeto sempre interagem. O interessante é ver quando um domina o outro.
- Os genes têm efeitos diferentes em ambientes distintos; um hormônio pode fazê-lo ser mais gentil ou grosseiro, dependendo de seus valores; não evoluímos para ser "egoístas", "altruístas" ou algo assim — evoluímos para agir de formas específicas em situações específicas. Contexto, contexto, contexto.
- Em termos biológicos, o amor intenso e o ódio intenso não são opostos. O oposto de cada um deles é a indiferença.
- A adolescência mostra que a parte mais interessante do cérebro evoluiu para ser um pouco moldada pelos genes e o máximo possível pela experiência; é como nós aprendemos. Contexto, contexto, contexto.
- Demarcações arbitrárias em contínuos podem ser úteis. Mas nunca se esqueça de que são arbitrárias.
- Muitas vezes, as coisas têm mais a ver com a antecipação do prazer e sua busca do que com a experiência de senti-lo.
- Não é possível entender a agressividade sem compreender o medo (e o que a amígdala tem a ver com ambos).
- Os genes não dizem respeito a inevitabilidades, mas a potenciais e vulnerabilidades. E eles não determinam nada por si sós. As interações entre genes e ambiente estão por toda parte. A evolução é mais importante quando altera a *regulação* dos genes, e não os genes em si.
- Dividimos de modo implícito o mundo entre Nós e Eles, e preferimos os primeiros. Somos manipulados com facilidade, mesmo que de forma subliminar e em questão de segundos, quanto a quem conta como um de Nós.
- Não somos chimpanzés nem bonobos. Não somos uma espécie formadora de casais nem uma espécie formadora de torneios. Evoluímos para estar no meio-termo, nesse caso e em outras categorias que são definidas de forma bem mais clara em outros animais. Isso nos torna uma espécie muito mais maleável e resiliente. Também torna a nossa vida social muito mais confusa e bagunçada, repleta de imperfeições e passos errados.
- O homúnculo está nu.
- Ainda que, ao longo de centenas de milhares de anos, a tradicional vida

nômade dos caçadores-coletores não tenha sido exatamente entediante, ela decerto não foi assim tão sangrenta. Desde que os seres humanos abandonaram o estilo de vida dos caçadores-coletores, nós inventamos muitas coisas. Dentre as mais interessantes e desafiadoras estão os sistemas sociais em que podemos estar rodeados de estranhos e agir de forma anônima.

- Dizer que um sistema biológico funciona "bem" é uma avaliação destituída de valores morais; podem ser necessários muita disciplina, trabalho duro e força de vontade para realizar tanto uma conquista maravilhosa quanto uma barbaridade. "Fazer a coisa certa" sempre depende do contexto.

- Vários de nossos melhores momentos de moralidade e compaixão têm raízes muito mais profundas e antigas do que teriam se fossem meros produtos da civilização humana.

- Nunca confie em alguém que sugere que outros tipos de pessoas são como pequenas coisas rastejantes e contagiosas.

- Quando os seres humanos criaram o nível socioeconômico, inventaram uma forma de subordinar nunca vista antes em primatas hierárquicos.

- Eu versus Nós (ser pró-social dentro do próprio grupo) é mais fácil do que Nós versus Eles (ser pró-social entre os grupos).

- Não é legal alguém acreditar que não há problema em cometer um ato pavoroso e nocivo. Mas boa parte da desgraça do mundo vem de pessoas que, é claro, se opõem a esse ato pavoroso... mas citam algumas circunstâncias específicas que deveriam isentá-las. O caminho para o inferno está pavimentado de racionalização.

- A certeza com que agimos hoje pode parecer medonha não só para as gerações futuras, mas também para nossos "eus" futuros.

- Nem a capacidade para o raciocínio moral elegante e refinado nem a habilidade de sentir grande empatia se traduzem necessariamente em executar uma ação difícil, corajosa e compassiva.

- As pessoas matam e estão dispostas a matar por valores sagrados simbólicos. Negociações são capazes de estabelecer a paz com Eles; entender e respeitar a intensidade de seus valores sagrados pode levar a uma paz duradoura.

- Estamos o tempo todo sendo moldados por estímulos aparentemente irrelevantes, informações subliminares e forças internas sobre as quais não sabemos nada.

- Nossos piores comportamentos, aqueles que condenamos e punimos, são produtos de nossa biologia. Mas não se esqueça de que o mesmo se aplica aos nossos melhores comportamentos.

- Indivíduos que não são mais excepcionais do que o resto de nós fornecem exemplos impressionantes de nossos momentos mais sublimes como seres humanos.

Duas últimas questões

- Se tivéssemos de resumir este livro em uma única frase, seria: "É complicado". Nada parece causar nada; em vez disso, tudo apenas modula o resto. Os cientistas vivem dizendo: "Antes pensávamos X, mas agora sabemos que...". Consertar uma coisa muitas vezes bagunça outras dez, já que reina a lei das consequências involuntárias. Em qualquer tópico grande e importante, parece que 51% dos estudos científicos concluem uma coisa e 49% concluem o contrário. E assim por diante. No fim das contas, pode parecer impossível efetivamente consertar algo e tornar as coisas melhores. Mas não temos nenhuma outra opção senão tentar. E se você está lendo isso, é provável que esteja idealmente capacitado para fazê-lo. Você já provou que tem tenacidade intelectual. E tudo indica que também tem água encanada, um lugar onde morar, uma quantia adequada de calorias e poucas chances de ser infectado por uma doença parasitária grave. É possível que não tenha de se preocupar com o vírus Ebola, com déspotas militares ou em ser invisível em seu mundo. E você teve uma educação. Em outras palavras, você é um dos seres humanos sortudos. Então tente.
- Por fim, não é preciso escolher entre ser científico e ser compassivo.

Agradecimentos

O naturalista Edward O. Wilson, um dos pensadores mais influentes de nossa época, esteve no centro de ferozes controvérsias sobre a evolução do comportamento social humano (como discutido no capítulo 10). Homem elegante e altivo, ele escreveu sobre essas disputas e sobre aqueles que se opuseram com mais contundência contra ele: "Sem um traço de ironia, posso dizer que fui abençoado com inimigos brilhantes. Tenho uma grande dívida para com eles, pois redobraram minhas energias e me levaram a novas direções".

Em relação a este livro, considero-me ainda mais sortudo que Wilson, já que tive a felicidade de ter amigos brilhantes, que foram muito prestativos e generosos com seu tempo ao examinar cada um dos capítulos. Eles apontaram meus pecados de ação e omissão, as coisas que superinterpretei, subinterpretei ou interpretei de maneira equivocada, e me atualizaram em áreas sobre as quais meu conhecimento estava vinte anos ultrapassado, ou mesmo quando eu estava redonda e dolorosamente enganado. Este livro se beneficiou muitíssimo da bondade desses colegas, e agradeço profundamente a todos eles (ainda que eu assuma a responsabilidade por quaisquer erros que tenham permanecido). São eles:

Ara Norenzayan, Universidade da Colúmbia Britânica, Canadá;
Carsten de Dreu, Universidade de Leiden/Universidade de Amsterdam, Holanda;
Daniel Weinberger, Universidade Johns Hopkins;
David Barash, Universidade de Washington;
David Moore, Pitzer College e Universidade Claremont Graduate;
Douglas Fry, Universidade do Alabama em Birmingham;
Gerd Kempermann, Universidade de Tecnologia de Dresden, Alemanha;
James Gross, Universidade Stanford;
James Rilling, Universidade Emory;
Jeanne Tsai, Universidade Stanford;

John Crabbe, Universidade de Saúde e Ciência do Oregon;
John Jost, Universidade de Nova York;
John Wingfield, Universidade da Califórnia em Davis;
Joshua Greene, Universidade Harvard;
Kenneth Kendler, Universidade da Comunidade de Virgínia;
Lawrence Steinberg, Universidade Temple;
Owen Jones, Universidade Vanderbilt;
Paul Whalen, Darmouth College;
Randy Nelson, Universidade do Estado de Ohio;
Robert Seyfarth, Universidade da Pensilvânia;
Sarah Hrdy, Universidade da Califórnia em Davis;
Stephen Manuck, Universidade de Pittsburgh;
Steven Cole, Universidade da Califórnia em Los Angeles;
Susan Fiske, Universidade Princeton.

Também tive a sorte de interagir com os alunos espetaculares de Stanford, e vários deles contribuíram diretamente com este livro. Às vezes sob a forma de assistentes de biblioteca, ajudando com assuntos específicos, ou participando de um pequeno seminário que dei algumas vezes com base no conteúdo aqui apresentado. Foi ótimo trabalhar e aprender com eles. São os seguintes: Adam Widman, Alexander Morgan, Ali Maggioncalda, Alice Spurgin, Allison Waters, Anna Chan, Arielle Lasky, Ben Wyler, Bethany Michel, Bilal Mahmood, Carl Cummings, Catherine Le, Christopher Schulze, Davie Yoon, Dawn Maxey, Dylan Alegria, Elena Bridgers, Elizabeth Levey, Ellen Edenberg, Ellora Karmarkar, Erik Lehnert, Ethan Lipka, Felicity Grisham, Gabe Ben-Dor, Gene Lowry, George Capps, Helen McLendon, Helen Shen, Jeffrey Woods, Jonathan Lu, Kaitlin Greene, Katharine Tomalty, Katrina Hui, Kian Eftekhari, Kirsten Hornbeak, Lara Rangel, Lauren Finzer, Lindsay Louie, Lisa Diver, Maisy Samuelson, Morgan Freret, Nick Hollon, Patrick Wong, Pilar Abascal, Robert Schafer, Sam Bremmer, Sandy Kory, Scott Huckaby, Sean Bruich, Sonia Singh, Stacie Nishimoto, Tom McFadden, Vineet Singhal, Will Peterson, Wyatt Hong, Yun Chu.

Também gostaria de agradecer a Lisa Pereira, da Universidade Stanford; a Christopher Richards, da Penguin Books; a Thea Traff, da *New Yorker*; e a Ethan Lipka, da Nueva School, por ajudarem a dar forma a este livro durante o período final. Agradeço a Kevin Berger por pensar no título do capítulo 6. Meus calorosos e sinceros agradecimentos a Katinka Matson e Steven Barclay, meus agentes de publicação e de conferências, caixas de ressonância e amigos — vocês dois sabem como foi longa e difícil a gestação deste livro; obrigado por permanecerem comigo nesse processo.

Agradeço a Scott Moyers, da Penguin: você foi um sonho de editor. E peço desculpas a todos cujo apoio eu possa ter esquecido de registrar aqui, conforme corro freneticamente para cumprir o prazo de entrega deste livro...

Por fim, e acima de tudo, agradeço e amo loucamente aqueles que me deram o maior apoio e suportaram a maior quantidade de interrupções em jogos de tabuleiro enquanto eu trabalhava no livro: a minha família.

Apêndice 1

Neurociência para iniciantes

Considere dois cenários diferentes.

O primeiro:

Tente se lembrar de quando chegou à puberdade. Você foi preparado por um de seus pais ou professores sobre o que esperar. Acordou com uma sensação esquisita e descobriu que seu pijama estava espantosamente nojento. Animado, acordou seus pais, que se emocionaram; eles tiraram fotos constrangedoras, um carneiro foi sacrificado em seu nome, você foi carregado em uma liteira enquanto os vizinhos cantavam em uma língua ancestral. Foi uma ocasião e tanto.

Mas seja sincero: sua vida seria muito diferente se essas mudanças endócrinas tivessem ocorrido 24 horas depois?

Segundo cenário:

Ao sair de uma loja, você de repente é perseguido por um leão. Como parte da resposta ao estresse, o cérebro aumenta a frequência cardíaca e a pressão arterial, dilata os vasos sanguíneos dos músculos da perna — que agora trabalham de maneira frenética — e aguça o processamento sensorial para produzir uma concentrada visão em túnel.

O que aconteceria se o seu cérebro levasse 24 horas para enviar esses comandos? Você estaria perdido.

É isso que torna o cérebro especial. Alcançar a puberdade amanhã em vez de hoje? Não faz diferença. Produzir uns anticorpos mais tarde em vez de agora? Raramente é fatal. O mesmo se aplica ao ato de retardar o depósito de cálcio nos ossos. Mas muito daquilo em que consiste o sistema nervoso está condensado no enquadramento do capítulo 2: o que ocorreu um segundo antes? Uma velocidade incrível.

O sistema nervoso lida com contrastes, com os extremos inequívocos entre ter alguma coisa ou nada a dizer, com a maximização da relação sinal-ruído. E isso é exaustivo e caro.*

---

* É por isso, entre outras razões, que o sistema nervoso é tão vulnerável a danos. Alguém sofre uma parada cardíaca. O coração para de funcionar por alguns minutos antes de ser impelido por um cho-

UM NEURÔNIO POR VEZ

O tipo básico de célula do sistema nervoso, que também podemos chamar de "célula cerebral", é o neurônio. As centenas de milhões que existem em nosso cérebro comunicam-se entre si, formando circuitos complexos. Além disso, há células gliais, que fazem uma espécie de trabalho de estagiário: fornecem suporte estrutural e isolamento para os neurônios, armazenam energia e ajudam a limpar o dano neuronal.

Glóbulos vermelhos

Naturalmente, essa comparação entre neurônios e células gliais está toda errada. Há cerca de dez células gliais por neurônio, de vários subtipos diferentes. Elas exercem grande influência no modo como os neurônios conversam entre si, e também formam redes gliais que se comunicam de maneira totalmente diferente dos neurônios. Então a glia é importante. Ainda assim, para tornar este manual mais acessível, serei bastante neuroniocêntrico.

Boa parte do que torna o sistema nervoso tão distinto é a singularidade dos neurônios enquanto células. Em geral, as células são entidades pequenas e autônomas — considere os minúsculos e redondos glóbulos vermelhos:

Os neurônios, em contraste, são bestas alongadas e bastante assimétricas, em geral com vários processos sendo executados por toda parte.

Tais processos podem se desenvolver em proporções alucinantes. Considere este único neurônio, desenhado no início do século XX por um dos deuses da área, Santiago Ramón y Cajal.

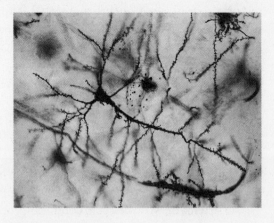

---

que a bater novamente; durante esses poucos minutos, o corpo inteiro foi privado de sangue, oxigênio e glicose. E, ao final desse período de "hipóxia-isquemia", todas as células do corpo estão deploráveis e enjoadas. Ainda assim, é provável que sejam as células do cérebro (e um consistente subgrupo delas) que estão marcadas para morrer nos próximos dias.

É como os galhos de uma árvore maníaca, o que explica o jargão ao dizer que esse é um neurônio "altamente arborizado".

Muitos dos neurônios também são grandes de maneira exagerada. Um zilhão de glóbulos vermelhos cabem no proverbial ponto final desta frase. Em contraste, há neurônios solitários na medula espinhal que enviam cabos de projeção com vários metros de comprimento. Há neurônios na medula de baleias-azuis que possuem metade do tamanho de uma quadra de basquete.

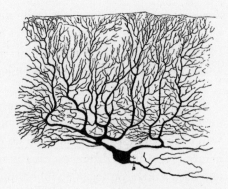

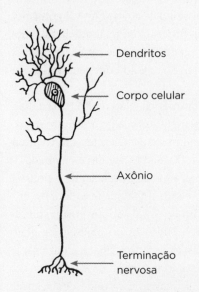

Agora vamos às subpartes de um neurônio, que são a chave para entender seu funcionamento.

O que os neurônios fazem é falar uns com os outros e fazer com que fiquem excitados. Numa ponta do neurônio estão suas orelhas metafóricas, processos especializados que recebem informações de outro neurônio. Na outra ponta estão os processos que representam a boca e se comunicam com o próximo neurônio da fila.

As orelhas, as entradas, são chamadas de dendritos. As saídas começam com um único cabo comprido chamado axônio, que então se ramifica para os terminais axonais: eles são as bocas (ignore a bainha de mielina por enquanto). Esses terminais se conectam aos dendritos do próximo neurônio da fila. Assim, as orelhas dendríticas do neurônio são informadas de que o neurônio atrás dele está excitado. O fluxo de informações corre, portanto, dos dendritos para o corpo celular, depois para o axônio, depois para os terminais axonais, e só então é transmitido ao próximo neurônio.

Vamos traduzir "fluxo de informações" para uma linguagem mais próxima da química. O que é de fato transportado dos dendritos para os terminais axonais? Uma onda de excitação elétrica. Dentro do neurônio há vários íons de carga positiva e negativa. Quando um deles recebe um sinal excitatório do neurônio anterior na ponta de uma única fibra dendrítica, abrem-se os canais na membrana daquele dendrito, permitindo a entrada de inúmeros e variados íons, bem como a saída de outros, e o resultado é que o interior da ponta daquele dendrito fica mais carregado positivamente. A carga se espalha em direção ao terminal axonal, onde é transportada até o próximo neurônio. E basta de química.

Dois detalhes importantíssimos:

O potencial de repouso. Quando um neurônio recebe uma mensagem muito excitatória do neurônio de trás, seu interior pode ficar positivamente carregado com relação ao espaço extracelular ao redor. De volta à nossa metáfora: agora o neurônio tem algo a dizer e está aos berros. Mas como são as coisas quando ele não tem nada a dizer, ou seja, não foi estimulado? Talvez permaneça em um estado de equilíbrio no qual o interior e o exterior têm cargas igualadas e neutras?* Não, nunca! Isso seria bom o bastante para uma célula qualquer do seu baço ou dedão do pé. Mas, de volta à questão crucial, neurônios são puro contraste. Quando um deles não tem nada a dizer, não se trata de um estado passivo de coisas que vai gotejando até secar. Pelo contrário, é um processo ativo. Um processo ativo, intencional, vigoroso, muscular e exaustivo. Em vez de exibir uma neutralidade de carga, esse estado de "não tenho nada a declarar" está *negativamente* carregado com relação ao ambiente exterior.

Não há como conceber um contraste mais dramático. Não tenho nada a dizer = o interior do neurônio é carregado negativamente. Tenho algo a dizer = o interior é positivo. Nenhum neurônio chega a confundir os dois. O estado internamente negativo é chamado de "potencial de repouso". O estado excitado é chamado de "potencial de ação". E por que a produção desse dramático potencial de repouso é um processo tão ativo? Porque os neurônios precisam trabalhar feito loucos, empregando várias bombas de suas membranas a fim de expulsar íons positivamente carregados e conter os negativamente carregados, tudo com o objetivo de gerar esse estado interno de repouso negativo. Mas então vem um sinal excitatório; as bombas param de funcionar, os canais se abrem e os íons correm de lá para cá a fim de gerar uma carga interna excitatória positiva. E quando essa onda de excitação termina, os canais se fecham e as bombas retornam à atividade, restabelecendo um potencial de repouso negativo. De modo notável, os neurônios gastam metade de sua energia nas bombas que produzem o potencial de repouso. Não é barato gerar contrastes dramáticos entre não ter nada a dizer e ter notícias empolgantes para contar.

Agora que entendemos os potenciais de repouso e de ação, vamos para o próximo detalhe importantíssimo:

---

* Para os químicos, em outras palavras, é quando a distribuição dos íons carregados na parte de dentro e de fora resulta em um equilíbrio.

Não é bem isso que são os potenciais de ação. O que acabei de descrever é que uma única fibrila dendrítica recebe um sinal excitatório do neurônio anterior (ou seja, o neurônio de trás apresentou um potencial de ação); isso gera um potencial de ação nesse dendrito, que se propaga rumo ao corpo celular, por toda a sua extensão, até o axônio e aos terminais axonais, que por sua vez transmitem o sinal ao próximo neurônio da fila. Não é verdade.

Em vez disso, o neurônio está ali parado sem nada a dizer, o que significa que exibe um potencial de repouso; todo o seu interior está negativamente carregado. E lá vem um sinal excitatório em direção àquela única fibrila dendrítica, emitido pelo neurônio anterior da fila. Como resultado, os canais se abrem e os íons entram e saem a partir daquele dendrito. Mas só um pouco. Não o suficiente para tornar todo o interior do neurônio positivamente carregado; apenas um tantinho menos negativo dentro do dendrito. (Só para agregar alguns números que não importam em nada: a situação muda de uma carga de potencial de repouso de cerca de −70 milivolts para cerca de −60 milivolts.) Então os canais se fecham. Esse pequeno soluço na redução da carga negativa* se espalha ao longo do eixo daquele dendrito. As bombas começam a funcionar, empurrando os íons de volta para onde estavam originalmente. Então, na ponta dessa fibrila dendrítica, a carga passa de −70 milivolts para −60 milivolts. Um pouco mais acima do eixo, de −70 milivolts para −69 milivolts. Em outras palavras, o sinal excitatório se dissipa. Você se aproximou de um lago belo e tranquilo, em seu estado de repouso, e atirou uma pedrinha nele. Ela causou uma discreta ondulação no ponto onde caiu, que se espalhou de dentro para fora, diminuindo em magnitude até se dissipar não muito longe do centro. E a quilômetros de distância, nesse nosso terminal axonal lacustre, a ondulação excitatória não teve efeito nenhum.

Em outras palavras, se uma única fibrila dendrítica é excitada, isso não basta para transmitir a excitação até o terminal axonal ou o neurônio seguinte. Como, então, uma mensagem é transmitida? Voltemos àquela ilustração incrível de Ramón y Cajal, à página 656.

Essa arborizada matriz de ramificações bifurcadas termina em um monte de pontas de fibrilas (é hora de introduzir o termo mais utilizado: "termina em uma porção de *espinhas* dendríticas"). E, para obter um nível de excitação capaz de se estender da ponta dendrítica do neurônio até o terminal axonal, é preciso haver uma somação: a mesma espinha deve ser estimulada repetidas vezes e / ou, de modo mais comum, um feixe de espinhas deve ser estimulado de uma só vez. Você não consegue obter uma onda, mas só uma tremulação, a menos que atire uma porção de pedras.

---

* Jargão: essa discreta "despolarização".

Na base do axônio, no ponto onde ele emerge do corpo celular, encontra-se uma parte especializada (chamada de "cone" do axônio). Se, somados, todos esses impulsos dendríticos produzirem uma onda significativa o suficiente para mover o potencial de repouso ao redor do cone de −70 milivolts para cerca de −40 milivolts, um limiar é ultrapassado. E uma vez que isso acontece, instala-se um pandemônio. Uma classe diferente de canais se abre na membrana do cone, permitindo uma migração massiva de íons, o que, por fim, gera uma carga positiva (cerca de +30 mV). Em outras palavras, um potencial de ação. Que então abre os mesmos tipos de canal na próxima lasquinha de membrana axonal, restabelecendo o potencial de ação no local, e depois na próxima e na próxima, até chegar aos terminais axonais.

De um ponto de vista informativo, um neurônio possui dois tipos diferentes de sistemas de sinalização. Das espinhas dendríticas ao início do cone axonal temos um sinal analógico, com gradações de sinais que se dissipam pelo espaço e pelo tempo. Do cone axonal aos terminais axonais, temos um sistema digital com uma sinalização do tipo tudo-ou-nada que reverbera por toda a extensão do axônio.

Vamos lançar agora alguns números imaginários. Suponha que um neurônio médio tenha cerca de cem espinhas dendríticas e cem terminais axonais. Quais são as implicações disso no âmbito do caráter analógico/digital dos neurônios?

Às vezes, nada de interessante. Considere que o neurônio A, como já dissemos, possui cem terminais axonais. Cada um se conecta a uma das espinhas dendríticas do próximo neurônio da fila, o neurônio B. O neurônio A atingiu um potencial de ação que se propaga por todos os seus terminais axonais, e que excita todas as cem espinhas dendríticas do neurônio B. O limiar no cone axonal do neurônio B exige que cinquenta dos dendritos fiquem excitados ao mesmo tempo a fim de gerar um potencial de ação; dessa forma, com todos os cem dendritos disparando, é certo que o neurônio B alcançará o potencial de ação.

Agora, em vez disso, o neurônio A direciona metade dos seus terminais axonais ao neurônio B e metade ao neurônio C. Ele estabelece um potencial de ação; mas isso garante o mesmo para os neurônios B e C? Sim. Cada um dos cones axonais desses neurônios tem um limiar que exige pelo menos cinquenta pedras dendríticas ao mesmo tempo, quando então surgiriam potenciais de ação.

Agora, em vez disso, o neurônio A distribui por igual seus terminais axonais entre dez diferentes neurônios-alvo, do neurônio B ao neurônio K. Será que seu potencial de ação produziria potenciais de ação nos neurônios-alvo? Sem chance: dando continuidade ao nosso exemplo, o valor de dez pedras ou espinhas dendríticas sobre cada neurônio-alvo está bem abaixo do limiar de cinquenta.

Então o que poderia provocar um potencial de ação, digamos, no neurônio K, que só tem dez de suas espinhas dendríticas recebendo sinais excitatórios do neurô-

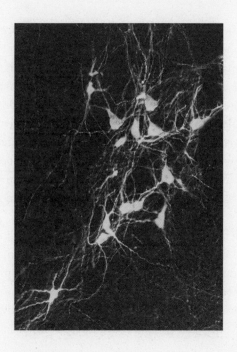

nio A? Bem, o que está acontecendo com suas outras noventa espinhas dendríticas? Elas estão recebendo impulsos de outros neurônios — nove deles, com dez impulsos cada. E quando o neurônio B atingirá o potencial de ação? Quando ao menos metade dos neurônios que disparam para ele exibirem potenciais de ação. Em outras palavras, cada neurônio agrega os impulsos de todos os neurônios em disparo. E disso surge uma regra: *por definição, quanto maior o número de neurônios para os quais o neurônio A dispara, mais neurônios ele é capaz de influenciar; porém, quanto maior o número de neurônios para os quais ele dispara, menor será sua influência média em cada um desses neurônios-alvo.* É uma espécie de compensação.

Isso não importa na medula espinhal, onde um neurônio em geral envia todos os seus disparos para o próximo da fila. Mas, no cérebro, um neurônio dispersa seus disparos para uma multidão de outros neurônios e recebe impulsos de tantos outros; o cone axonal de cada neurônio determina se o limiar foi atingido e um potencial de ação foi gerado. O cérebro está conectado nessas redes de sinais divergentes e convergentes.

Agora, para introduzir um espantoso número real: um neurônio médio possui cerca de *10 mil* espinhas dendríticas e mais ou menos o mesmo número de terminais axonais. Multiplique por 100 bilhões de neurônios e você entenderá por que são os cérebros, e não os rins, que escrevem poesia.

Só para completar, aqui vão algumas informações finais. Ao término de um potencial de ação, os neurônios possuem alguns truques adicionais para aumentar ainda mais o contraste entre nada a dizer e algo a dizer, como maneiras de concluir o potencial de ação de forma rápida e dramática: um fenômeno chamado retificação retardada e outro chamado período hiperpolarizado refratário. Mais um pequeno detalhe dessa representação mencionada acima: um tipo de célula glial envolve o axônio, formando uma camada isolante chamada bainha de mielina; essa "mielinização" permite que o potencial de ação seja propagado com mais rapidez ao longo do axônio.

E um último detalhe de grande importância futura: o limiar do cone axonal pode se alterar ao longo do tempo, modificando, portanto, a excitabilidade do neurônio. Que tipo de coisas são capazes de agir sobre esse limiar? Hormônios, estado nutricional, experiência e outros fatores que preenchem as páginas deste livro.

Agora conseguimos ir da ponta de um neurônio até a outra. E como exatamente um neurônio com potencial de ação comunica sua excitação ao próximo da fila?

DOIS NEURÔNIOS DE UMA VEZ: COMUNICAÇÃO SINÁPTICA

Então um potencial de ação foi ativado no cone axonal do neurônio A e se espalhou por todos os 10 mil terminais axonais. Como essa excitação passou para o(s) próximo(s)?

A derrota dos pró-sincícios

Se você fosse um típico neurocientista do século xix, a resposta seria fácil. Eles acreditavam que o cérebro fetal era formado por grandes quantidades de neurônios separados que lentamente desenvolviam seus processos dendríticos e axonais. Com o tempo, os terminais axonais de um neurônio alcançariam e tocariam as espinhas dendríticas do próximo, e eles se fundiriam, formando uma membrana contínua entre as duas células. A partir de todos esses neurônios fetais separados, o cérebro maduro formaria uma rede contínua e vastamente complexa composta por um único superneurônio, que era chamado de "sincício". Portanto, a excitação fluiria com rapidez entre um neurônio e outro porque eles não estariam de fato separados.

Mais para o fim do século xix, surgiu uma visão alternativa, segundo a qual cada neurônio continua a ser uma unidade independente, e os terminais axonais de um neurônio não chegam a tocar as espinhas dendríticas do seguinte. Em vez disso, haveria um espaço minúsculo entre ambos. Essa noção foi chamada de "doutrina neuronal".

Os defensores da escola do sincício achavam a doutrina neuronal bem idiota. "Mostrem os espaços entre os terminais axonais e as espinhas dendríticas", eles exigiam desses heréticos, "e expliquem como a excitação salta de um neurônio a outro."

Então, em 1873, tudo foi resolvido pelo neurocientista italiano Camillo Golgi, que inventou uma nova técnica de coloração do tecido nervoso. E o já mencionado Ramón y Cajal utilizou essa "coloração de Golgi" para marcar todos os processos, ramificações, sub-ramificações e ramos dos dendritos e dos terminais axonais de neurônios isolados. De forma crucial, a coloração não se espalhava de um neurônio para o outro. Não havia uma rede contínua e fundida de um único superneurônio. Os neurônios individuais são entidades discretas. Os adeptos da doutrina neuronal derrotaram os pró-sincícios.*

Viva! Caso encerrado: de fato há espaços micromicroscópicos entre os terminais axonais e as espinhas dendríticas. Eles são chamados de "sinapses" (embora não tenham sido de fato visualizados até a invenção do microscópio eletrônico, na década de 1950, quando se cravou o derradeiro prego no caixão sincicial). Mas ainda há a questão de como a excitação se propaga de um neurônio para o outro, saltando sobre a sinapse.

A resposta, cuja busca dominou a neurociência em meados do início do século XX, é que a excitação elétrica não salta sobre a sinapse. Em vez disso, é traduzida para um tipo diferente de sinal.

Neurotransmissores

Dentro de cada terminal axonal, presos à membrana, há pequenos balões chamados vesículas, que estão repletos de várias cópias de um mensageiro químico. E aí vem um potencial de ação iniciado a milhas de distância, no cone axonal desse neurônio. Ele se propaga pelo terminal e ativa a liberação daqueles mensageiros

---

* Nota de rodapé irônica: Cajal foi o principal expoente da doutrina neuronal. E quem era o mais importante porta-voz dos pró-sincícios? Golgi. A técnica que ele inventou acabou por provar que ele estava errado. Consta que o cientista italiano foi resmungando no caminho inteiro até Estocolmo para receber seu prêmio Nobel em 1906 — dividido com Cajal. Os dois se odiavam e não se falavam. Em seu discurso na cerimônia, Cajal conseguiu conjurar um pouco de boas maneiras para elogiar Golgi. Já este, quando chegou a sua vez, atacou Cajal e a doutrina neuronal. Babaca.

químicos para dentro da sinapse. Eles flutuam ao longo dela e alcançam a espinha dendrítica do outro lado, onde excitam o neurônio. Esses mensageiros químicos são chamados de "neurotransmissores".

Mas como os neurotransmissores, liberados do lado "pré-sináptico" da sinapse, causam excitação na espinha dendrítica "pós-sináptica"? Dentro da membrana da espinha ficam os receptores do neurotransmissor. É hora de introduzir um dos maiores clichês da biologia. A molécula do neurotransmissor tem um formato distintivo (e cada cópia da molécula tem a mesma forma). O receptor possui um sítio de ligação de um formato específico que é perfeitamente complementar ao formato do neurotransmissor. Portanto, o neurotransmissor — hora do clichê — se encaixa ao receptor como uma chave em uma fechadura. Nenhuma outra molécula se encaixa de maneira tão perfeita naquele receptor; e a molécula do neurotransmissor não se encaixa de forma tão perfeita em nenhum outro tipo de receptor. O neurotransmissor se liga ao receptor, fazendo com que os canais se abram, dando início, assim, às correntes de excitação iônica na espinha dendrítica.

Isso descreve a comunicação "transináptica" com os neurotransmissores. Com exceção de um detalhe: o que acontece com as moléculas neurotransmissoras depois que elas se ligam aos receptores? Elas não ficam ligadas para sempre — lembre-se de que os potenciais de ação ocorrem em questão de milissegundos. Pelo contrário, elas flutuam para fora dos receptores, e nesse ponto os neurotransmissores precisam ser limpos. Isso pode ocorrer de duas formas. Primeiro, nas sinapses eco-

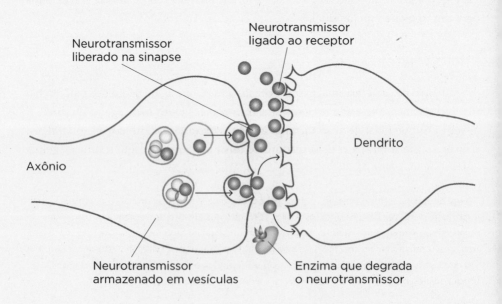

logicamente corretas, há "bombas de recaptação" na membrana do terminal axonal. Essas bombas recolhem os neurotransmissores e os reciclam, recolocando-os nas vesículas secretoras para serem usados novamente.* A segunda opção é o neurotransmissor ser degradado na sinapse por uma enzima, com os produtos da degradação sendo expelidos no mar (isto é, no meio extracelular, e dali para o líquido cerebrospinal, depois para a corrente sanguínea e por fim para a bexiga).

As etapas dessa faxina são muito importantes. Imagine que você queira incrementar a quantidade de neurotransmissores sinalizando em uma sinapse. Vamos traduzir isso nos termos excitatórios da seção anterior: você deseja aumentar a excitabilidade ao longo da sinapse, de tal forma que o potencial de ação no neurônio pré-sináptico tenha um pouco mais de efeito no neurônio pós-sináptico, elevando as chances de causar um potencial de ação nesse segundo neurônio. Você poderia aumentar a quantidade de neurotransmissores liberados — o neurônio pré-sináptico gritaria mais alto. Ou você poderia aumentar a quantidade de receptores nas espinhas dendríticas — o neurônio pós-sináptico escutaria com mais atenção.

Outra alternativa é diminuir a atividade da bomba de recaptação. Como resultado, menos neurotransmissores seriam varridos da sinapse. Portanto, eles permaneceriam na área por mais tempo e se ligariam aos receptores de maneira repetida, amplificando o sinal. Ou, em um equivalente conceitual, você poderia diminuir a atividade da enzima de degradação; menos neurotransmissores seriam degradados e, dessa forma, muitos permaneceriam na sinapse por mais tempo, com um efeito intensificado. Como vimos, algumas das descobertas mais interessantes que ajudam a explicar as diferenças individuais no comportamento humano descritas neste livro têm relação com a quantidade de neurotransmissores produzidos e liberados, além da quantidade e do funcionamento dos receptores, das bombas de recaptação e das enzimas de degradação.

Tipos de neurotransmissores

Então o que é essa mítica molécula neurotransmissora, liberada pelos potenciais de ação dos terminais axonais para todas as centenas de bilhões de neurônios? É aqui que as coisas ficam complicadas, porque existe mais de um tipo de neurotransmissor.

Por que mais de um? A mesma coisa acontece em todas as sinapses, ou seja, o neurotransmissor se liga ao seu receptor como uma chave na fechadura e provoca

---

* Mais sobre chaves em fechaduras: as bombas de recaptação têm um formato complementar ao dos neurotransmissores, de modo que eles são os únicos elementos a retornarem ao terminal axonal.

a abertura de vários canais que fazem os íons fluírem, deixando o interior da espinha um pouco menos negativamente carregado.

Uma razão para isso ocorrer é que neurotransmissores diferentes despolarizam em graus diferentes — em outras palavras, alguns têm efeitos mais excitatórios do que outros — e por durações diversas. Isso permite transmitir uma complexidade muito maior de informação de um neurônio a outro.

E agora, para dobrar o tamanho da nossa paleta, há alguns neurotransmissores que não despolarizam, ou seja, não aumentam as chances de gerar um potencial de ação no próximo neurônio da fila. Eles fazem o oposto: "hiperpolarizam" a espinha dendrítica, abrindo tipos diferentes de canais que tornam o potencial de repouso ainda mais negativo (por exemplo, mudando de −70 milivolts para −80 milivolts). Em outras palavras, existem *neurotransmissores inibitórios*. Dá para ter uma ideia de como isso complica tudo ainda mais: um neurônio com 10 mil espinhas dendríticas recebe impulsos excitatórios de diferentes magnitudes vindos de inúmeros neurônios, e recebe também impulsos inibitórios de outros neurônios, integrando tudo isso no cone axonal.

Portanto, há muitas classes diferentes de neurotransmissores, cada uma ligada a um sítio receptor específico que é complementar ao seu formato. Mas será que existem vários tipos diferentes de neurotransmissores em cada terminal axonal, de modo que um potencial de ação incitaria a liberação de toda uma orquestra de sinais? Aqui nós invocamos o Princípio de Dale, assim denominado em homenagem a Henry Dale, um dos grandes figurões desse campo, que, nos anos 1930, propôs uma regra cuja veracidade constitui o cerne do próprio senso de bem-estar de todos os neurocientistas: um potencial de ação libera o mesmo tipo de neurotransmissor a partir de todos os terminais axonais de um neurônio. Assim, deve existir um perfil neuroquímico distinto para cada neurônio específico: "Ah, esse neurônio é do neurotransmissor tipo A. Isso significa também que os neurônios com os quais ele se comunica têm receptores de neurotransmissor A em suas espinhas dendríticas".*

Existem dezenas de neurotransmissores já identificados. Alguns dos mais famosos: serotonina, noradrenalina, dopamina, acetilcolina, glutamato (o neurotransmissor mais excitatório do cérebro) e GABA (o mais inibitório). É nesse ponto que os estudantes de medicina são torturados por todos os detalhes polissilábicos de como cada neurotransmissor é sintetizado: seu precursor, as formas intermediárias nas

---

* Também significa que, se um neurônio recebe projeções axonais em 5 mil de suas espinhas de um neurônio que libera o neurotransmissor A, e as outras 5 mil de outro neurônio que libera o neurotransmissor B, ele expressa receptores diferentes sobre essas duas populações de espinhas.

quais o precursor é convertido, até, por fim, chegar à coisa de verdade, os nomes dolorosamente compridos das várias enzimas que catalisam as sínteses. No meio de tudo isso, há regrinhas bem simples construídas ao redor de três pontos:

a. Você nunca vai querer se ver na situação de ter que fugir de um leão e, ops!, os neurônios que fazem seus músculos correr desligam por falta de neurotransmissores. Por isso, os neurotransmissores são produzidos a partir de precursores que existem em abundância; muitas vezes são simples elementos da dieta. A serotonina e a dopamina, por exemplo, são respectivamente produzidas a partir dos aminoácidos triptofano e tirosina, ambos encontrados em alimentos. A acetilcolina é feita a partir de colina e lecitina.

b. Um neurônio tem a capacidade de estabelecer dezenas de potenciais de ação por segundo. Cada um deles implica reabastecer as vesículas com mais neurotransmissores, depois liberá-los e fazer uma faxina final. Assim, não é desejável que os neurotransmissores sejam moléculas enormes, complexas e elaboradas, cada uma exigindo várias gerações de pedreiros para serem construídas. Em vez disso, são todas produzidas em poucas etapas a partir de seus precursores. Elas custam pouco e são fáceis de fazer. Por exemplo, bastam duas simples etapas de síntese para transformar a tirosina em dopamina.

c. Por fim, para completar esse padrão barato e fácil na síntese dos neurotransmissores, é possível gerar múltiplos neurotransmissores a partir do mesmo precursor. Em neurônios que usam dopamina como neurotransmissor, por exemplo, há duas enzimas que executam aquelas duas etapas de construção. Já nos neurônios que liberam noradrenalina, há uma enzima adicional que converte a dopamina em noradrenalina.

Palavra de ordem: barato, barato, barato. O que faz sentido. Nada se torna obsoleto mais rápido que um neurotransmissor depois que ele fez seu trabalho pós-sináptico. O jornal de ontem só é útil hoje para treinar cãezinhos a fazer cocô dentro de casa.

Neurofarmacologia

À medida que essas descobertas sobre neurotransmissores foram surgindo, os cientistas começaram a entender o funcionamento de inúmeras drogas e remédios "neuroativos" e "psicoativos".

De modo geral, essas substâncias pertencem a duas categorias: as que aumentam a sinalização em um tipo específico de sinapse e as que a diminuem. Já vimos algumas das estratégias para ampliar a sinalização: a) estimular uma síntese maior de neurotransmissores, administrando seu precursor ou utilizando um fármaco que aumente a atividade das enzimas que os sintetizam; por exemplo, a doença de Parkinson tem relação com a perda de dopamina em uma região do cérebro, e o tratamento de primeira linha é intensificar os níveis desse neurotransmissor administrando o aminoácido L-DOPA, que é o precursor imediato da dopamina; b) fazer uso de uma versão sintética do neurotransmissor, ou de uma substância que lhe seja tão semelhante em termos de estrutura a ponto de enganar os receptores; a psilocibina, por exemplo, tem uma estrutura parecida com a da serotonina e ativa um subtipo de seus receptores; c) estimular o neurônio pós-sináptico a produzir mais receptores, o que parece fácil em teoria, mas é difícil de executar; d) inibir as enzimas de degradação, de forma que mais neurotransmissores sigam nas sinapses; e) inibir a recaptação do neurotransmissor, prolongando seus efeitos na sinapse; o antidepressivo mais badalado hoje é a fluoxetina (Prozac), que faz exatamente isso nas sinapses de serotonina. Por isso ele é muitas vezes chamado de ISRS, inibidor seletivo de recaptação da serotonina.

Enquanto isso, existe uma farmacopeia de substâncias disponíveis para diminuir a sinalização nas sinapses, e dá para imaginar quais mecanismos básicos elas irão empregar: bloquear a síntese de um neurotransmissor, bloquear sua liberação, bloquear o acesso ao receptor, e assim por diante. Um exemplo curioso: a acetilcolina faz o nosso diafragma se contrair. O curare, veneno utilizado em dardos por tribos amazônicas, bloqueia os receptores de acetilcolina. Você para de respirar.

Um último detalhe bastante relevante: da mesma forma que o limiar do cone axonal pode se alterar ao longo do tempo em resposta à experiência, quase todos os elementos básicos da ciência dos neurotransmissores também podem ser modificados pela experiência.

MAIS DE DOIS NEURÔNIOS DE UMA VEZ

Chegamos agora de maneira triunfal ao ponto de levar em conta três neurônios de uma vez. E, daqui a não muitas páginas, teremos perdido totalmente o controle e iremos considerar ainda mais do que três. O propósito desta seção é ver como funcionam os circuitos de neurônios, uma etapa intermediária antes de examinar o que certas regiões inteiras do cérebro têm a ver com o melhor e o pior de nosso comportamento. Assim, os exemplos a seguir foram escolhidos apenas para dar um gostinho de como as coisas funcionam nesse nível.

Neuromodulação

Considere o seguinte diagrama:

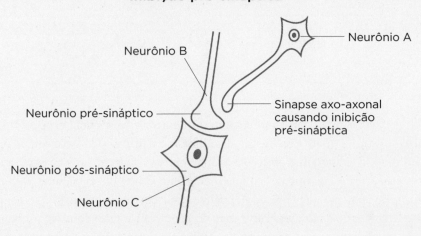

O terminal axonal do neurônio B forma uma sinapse com a espinha dendrítica do neurônio pós-sináptico (vamos chamá-lo de neurônio C) e libera um neurotransmissor excitatório. Ou seja, o de sempre. Enquanto isso, o neurônio A envia uma projeção do terminal axonal ao neurônio B. Mas não para o lugar habitual, a espinha dendrítica. Em vez disso, o terminal axonal estabelece sinapses no terminal axonal do neurônio B.

Mas o que está acontecendo aqui? O neurônio A libera o neurotransmissor inibitório GABA, que flutua através dessa sinapse "axo-axonal" e se liga a receptores daquele lado do terminal axonal do neurônio B. E esses efeitos inibitórios (por exemplo, tornar aquele potencial de repouso de −70 milivolts ainda mais negativo) botam para correr qualquer potencial de ação que esteja rondando aquela ramificação do axônio, impedindo-o de chegar à ponta e liberar neurotransmissores; no jargão do ramo, o neurônio A está tendo um efeito neuromodulador sobre o neurônio B.

Aguçando um sinal no tempo e no espaço

E agora, um novo tipo de circuito. Para abordá-lo, usarei uma forma mais simples de representação dos neurônios. Conforme o diagrama, o neurônio A envia todas as suas projeções axonais para o neurônio B e libera um neurotransmissor excitatório, simbolizado pelo sinal de adição. O círculo no neurônio B representa o corpo celular acrescido de todas as ramificações dendríticas.

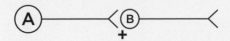

Agora considere o próximo circuito. O neurônio A estimula o neurônio B, como de costume. Além disso, estimula também o neurônio C. Isso é rotina, com o neurônio A dividindo suas projeções axonais entre as duas células-alvo e causando efeitos excitatórios em ambas. E o que o neurônio C faz? Ele envia uma projeção inibitória de volta para o neurônio A, criando um ciclo de retroalimentação negativa. Para retomar os adoráveis contrastes do cérebro, ele grita com vigor quando tem algo a dizer e, em caso contrário, se cala com o mesmo vigor. Essa é uma visão do mesmo cenário num nível mais amplo. O neurônio A dispara uma série de potenciais de ação. Existe forma melhor para informar com vigor que tudo acabou do que se tornar muito silencioso, graças ao ciclo de retroalimentação? Trata-se de uma maneira de aguçar um sinal ao longo do tempo.* Perceba que o neurônio A é capaz de "determinar" o quão poderoso será esse sinal de retroalimentação negativa ao definir quantos dos 10 mil terminais axonais ele irá desviar para o neurônio C em vez de para o B.

---

* E isso só faz sentido quando se introduz uma informação adicional. Graças a desavenças aleatórias, fortuitas e probabilísticas com os canais iônicos, os neurônios irão volta e meia gerar um potencial de ação randômico e espontâneo, surgido do nada. Então o neurônio A dispara de propósito dez potenciais de ação, seguidos de imediato por dois randômicos. Isso pode tornar difícil discernir se o neurônio A quis gritar dez, onze ou doze vezes. Ao calibrar o circuito para que o sinal inibitório de retroalimentação se manifeste logo depois do décimo potencial de ação, os dois randômicos da sequência são barrados e fica mais fácil saber o que o neurônio A quis dizer. O sinal foi aguçado com o abafamento do barulho.

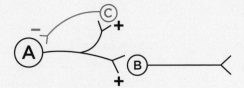

Tal aguçamento temporal de um sinal pode ser obtido de outra forma:

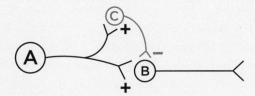

O neurônio A estimula o B e o C. O neurônio C envia um sinal inibitório para o neurônio B que chega um tempo depois de o B começar a ser estimulado (já que o ciclo ABC envolve duas etapas sinápticas, contra uma só do ciclo AB). O resultado? Aguçamento de um sinal por meio de "inibição proativa".

Agora, outra forma de aguçar um sinal: de aumentar a relação sinal-ruído. Considere este circuito de seis neurônios, no qual o neurônio A estimula o B, o C estimula o D, o E estimula o F:

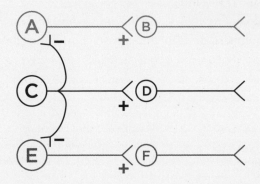

Então o neurônio C envia uma projeção excitatória para o neurônio D. Mas, além disso, o axônio do neurônio C envia projeções inibitórias colaterais aos neurônios A e E.* Portanto, se o C é estimulado, ele estimula o D *e também* silencia o A e o E. Com tal "inibição lateral", o C grita a plenos pulmões enquanto o A e o E se tornam particularmente silenciosos. Trata-se de uma maneira de aguçar um sinal espacial. (Perceba que o diagrama está simplificado, pois omiti algo óbvio: os neurônios A e E também enviam projeções inibitórias colaterais para o neurônio C, assim como os neurônios de todos os outros lados nessa rede imaginária.)

Inibições laterais como essa são comuns em sistemas sensoriais. Basta irradiar um minúsculo pontinho de luz na direção do seu olho. Espere, foi o fotorreceptor do neurônio A, C ou E que acabou de ser estimulado? Graças à inibição lateral, fica claro que foi o C. A mesma coisa ocorre nos sistemas táteis, o que nos permite dizer que foi um naco específico de pele que acaba de ser tocado, e não outro um pouco mais para um lado ou para outro. Ou nos ouvidos, o que permite distinguir com certeza que aquilo é um lá, e não um lá sustenido ou um lá bemol.**

Portanto, o que vimos foi mais um exemplo de aumento de contraste no sistema nervoso. Que importância tem o fato de que o estado silencioso de um neurônio é negativamente carregado, em vez de ser um neutro 0 milivolt? Trata-se de uma forma de aguçar o sinal no interior de um neurônio. Retroalimentação, pró--ação e inibição lateral? São maneiras de aguçar um sinal dentro de um circuito.

Dois tipos diferentes de dor

O próximo circuito abrange alguns dos elementos recém-introduzidos e explica por que existem, em linhas gerais, dois tipos diferentes de dor. Eu amo esse circuito porque ele é muito elegante.

Os dendritos do neurônio A se localizam logo abaixo da superfície da pele, e ele apresenta um potencial de ação em resposta a estímulos doloridos. O neurônio A então estimula o neurônio B, que se projeta ao longo da medula espinhal informando que algo doloroso acaba de ocorrer. Mas o neurônio A também esti-

---

* Graças à sabedoria de Dale, sabemos que cada terminal axonal do neurônio C libera o mesmo tipo de neurotransmissor. Em outras palavras, o mesmo neurotransmissor pode ser excitatório em determinadas sinapses e inibitório em outras. Depende do tipo de canal iônico ao qual o receptor está ligado na espinha dendrítica.

** Um circuito parecido existe no sistema olfatório, o que sempre me intrigou. O que poderia ser paralelo ao cheiro de uma laranja? Uma tangerina?

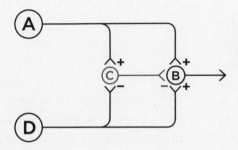

mula o neurônio C, que inibe o B. Esse é um dos nossos circuitos inibitórios proativos. O resultado? O neurônio B dispara impulsos por um tempo e então é silenciado, e você sente isso sob a forma de uma dor aguda — você foi espetado por uma agulha.

Enquanto isso, há o neurônio D, cujos dendritos se encontram mais ou menos na mesma área da pele e respondem a tipos diferentes de estímulos dolorosos. Como antes, o neurônio D excita o B, e a mensagem é enviada cérebro acima. Mas ele também envia projeções ao neurônio C, onde gera um efeito *inibitório*. O resultado? Quando o neurônio D é ativado por um sinal de dor, ele inibe a habilidade do C de inibir o B. E você sente isso sob a forma de uma dor latejante e contínua, como uma queimadura ou uma abrasão. De modo importante, isso é reforçado pelo fato de que os potenciais de ação viajam pelo axônio do neurônio D muito mais lentamente do que no A (o que tem a ver com aquela mielina que mencionei antes — os detalhes não importam). Então a dor no âmbito do neurônio A é transitória, porém imediata. A dor na ramificação do neurônio B não só é duradoura como também demora para aparecer.

As duas classes de fibras podem interagir, e em geral nós as forçamos de propósito a fazer isso. Imagine que você está com uma espécie de dor contínua e latejante — digamos, uma picada de inseto. Como pode interromper o latejamento? Basta estimular um pouquinho a fibra rápida. Dessa forma, a dor aumenta por um instante, mas, ao estimular o neurônio C, você desliga o sistema por um tempo. E é exatamente isso que fazemos em tais circunstâncias. Quando a picada de inseto começa a latejar de forma insuportável, coçamos com força ao redor dela para amenizar a dor. E a via da dor lenta e crônica é bloqueada por até alguns minutos.

Saber que a dor funciona dessa forma tem implicações clínicas importantes. Entre outras coisas, permite que cientistas desenvolvam tratamentos para pacientes com síndromes de dor crônica severa (por exemplo, alguém com uma grave lesão na coluna). Implantando um pequeno eletrodo na via da dor rápida e conectando-o a um estimulador no quadril do paciente, é possível dar a este o controle para ativar essa via em um dado instante e assim desligar a dor crônica; funciona muito bem em vários casos.

Portanto, temos um circuito que contém um mecanismo de aguçamento temporal embutido, que introduz o duplo negativo de inibir os inibidores e que é em geral muito bacana. Um dos principais motivos pelos quais adoro esse circuito é porque ele foi proposto pela primeira vez em 1965 por dois grandes neurobiólogos, Ronald Melzack e Patrick Wall. Ele foi lançado apenas como um modelo teórico: "Ninguém nunca viu esse tipo de estrutura, mas acreditamos que deve ser mais ou menos assim, a julgar pelo modo como funciona a dor". Estudos subsequentes mostraram que é exatamente assim que essa parte do sistema nervoso se conecta.

Qual cara é ele?

Um último circuito completamente hipotético.

Imagine um circuito composto por duas camadas de neurônios:

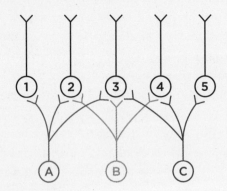

O neurônio A dispara em direção aos neurônios 1, 2 e 3; o neurônio B, para o 2, 3 e 4, e assim por diante. Agora vamos mostrar o quanto esse circuito é hipotético conferindo funções completamente imaginárias para os neurônios A, B e C. O neurônio A responde à figura do sujeito à esquerda, o B à figura do sujeito no centro e o C à figura do sujeito à direita:

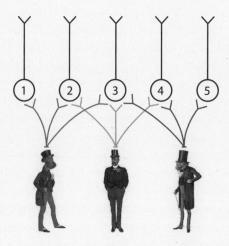

O que o neurônio 1 é capaz de aprender? A reconhecer esse sujeito em particular. Da mesma maneira, o neurônio 5 é especializado. Mas o que o neurônio 3 é capaz de aprender? Como se vestem os cavalheiros da era vitoriana. É o neurônio que irá ajudá-lo a identificar quem é vitoriano no quarteto abaixo:

O conhecimento do neurônio 3 é geral e vem da sobreposição das projeções das primeiras camadas. Os neurônios 2 e 4 são também generalistas, mas menos precisos porque só possuem dois exemplares cada.

Então o neurônio 3 se encontra no centro convergente dessa rede. E as partes mais sofisticadas do cérebro estão ligadas, em grande parte, de forma similar a este circuito de mentirinha: a um só tempo, o neurônio 3 é um elemento periférico em algum outro circuito e envia projeções para ele — digamos, um circuito que poderia ser desenhado de forma perpendicular a esta página —, ao passo que o neurônio

1 está no centro de alguma outra rede na quarta dimensão, e assim por diante. Todos esses neurônios estão inseridos em múltiplas redes.

E o que isso produz? A capacidade de fazer associações, metáforas, analogias, parábolas, símbolos. De relacionar duas coisas díspares, inclusive de diferentes modalidades sensoriais. De associar de forma homérica a cor do vinho com a cor do mar, de entender que tanto "tomate" quanto "batata" podem ser pronunciados de forma distinta numa música,* de notar que uma língua vermelha de fora o faz se lembrar das músicas dos Stones. É por isso que associamos Stravinski a Picasso, dado que os discos (lembra disso?) de Stravinski pareciam ter sempre uma pintura de Picasso na capa. E é por isso que um pedaço retangular de tecido com um padrão distintivo de cores pode representar um país inteiro, um povo ou uma ideologia.

Uma observação final. Nós somos diferentes quanto à natureza e à extensão de nossas redes associativas. E casos extremos às vezes podem produzir coisas muito interessantes. Por exemplo, muitos de nós aprendemos bem cedo a associar uma imagem como a que segue ao conceito de "rosto":

Mas então surge alguém cujas redes associativas de projeções neuronais são mais amplas e peculiares do que todas as outras. E ensina ao mundo que isto aqui também pode evocar um rosto:

* Referência a "Let's Call the Whole Thing Off", de George e Ira Gershwin, que brincam com a pronúncia múltipla dessas palavras. (N. T.)

Como podemos chamar a consequência de certos tipos de redes neuronais associativas atipicamente largas? Criatividade.

Mais uma rodada de ampliações

Um neurônio, dois neurônios, um circuito neuronal. Agora estamos prontos, nesta etapa final, para ampliar o cenário até o nível de milhares de neurônios de uma vez.

Considere a seguinte fatia de tecido vista em um microscópio:

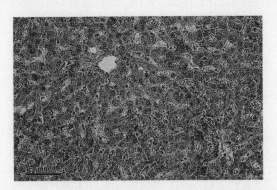

É um campo homogêneo de células, todas organizadas mais ou menos da mesma forma. A do alto à esquerda e a de baixo à esquerda são exatamente iguais.

Trata-se de um corte transversal do fígado; se você viu uma parte, viu todas. Que tédio.

Se o cérebro fosse assim, tão homogêneo e monótono, seria uma massa indiferenciada de tecido com corpos celulares neuronais recobrindo de maneira uniforme cada espaço, enviando seus processos para todos os lados. Em vez disso, há um nível gigantesco de organização interna:

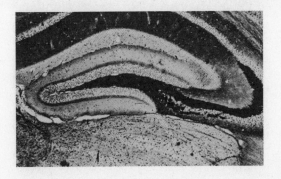

Em outras palavras, os corpos celulares dos neurônios com funções relacionadas ficam agrupados em regiões específicas do cérebro, e os axônios que eles enviam para outras partes do cérebro são organizados em cabos de projeção. O que isso significa, basicamente, é que *partes diferentes do cérebro fazem coisas diferentes*. Todas as regiões do cérebro têm nomes (em geral polissilábicos e derivados do grego ou do latim), assim como as sub-regiões e as sub-sub-regiões. Mais ainda: cada uma se comunica com um conjunto constante de outras regiões (ou seja, mandando axônios para lá) e recebe comunicações de outro conjunto constante (isto é, obtendo projeções axonais delas).

É possível enlouquecer estudando isso, como já vi, tragicamente, no caso de muitos neuroanatomistas que se deliciam com todos esses detalhes. Para os nossos propósitos, aqui vão alguns pontos importantes:

- Cada região específica contém milhões de neurônios. Alguns nomes familiares nesse nível de análise: hipotálamo, cerebelo, córtex, hipocampo.
- Algumas regiões possuem sub-regiões muito distintas e compactas, cada uma chamada de "núcleo". (Isso é meio confuso, já que a parte de cada célula que contém o DNA é também chamada de núcleo. Fazer o quê?) Alguns nomes talvez sejam completos desconhecidos, como estes: o núcleo basal de Meynert; o núcleo supraóptico do hipotálamo; o encantadoramente intitulado núcleo olivar inferior.
- Como dito antes, os corpos celulares dos neurônios com funções relacionadas estão agrupados em uma região específica ou núcleo, e enviam suas projeções axonais na mesma direção, formando uma espécie de cabo (um "trato de fibras"). Eis um exemplo tirado do hipocampo:

- De volta àquele invólucro de mielina em torno dos axônios que ajuda os potenciais de ação a se propagarem mais rápido. A mielina costuma ser branca, tanto que os cabos de tratos de fibras parecem brancos. Portanto, são em geral chamados de "substância branca".

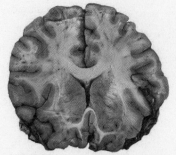

- Como podemos ver, boa parte do cérebro é tomada por tratos de fibras — várias regiões estão falando umas com as outras, às vezes através de longas distâncias.*
- Imagine que um indivíduo tenha uma lesão em determinada parte do cérebro, o misterioso ponto X. Isso nos dá a oportunidade de aprender algo sobre o cérebro, ao examinar o que parou de funcionar direito nessa pessoa. A neurociência como disciplina teve seu início graças ao estudo de soldados que haviam sofrido "ferimentos à bala". Sob uma perspectiva cínica, os intermináveis banhos de sangue das guerras da Europa no século XIX foram uma bênção de Deus para os neuroanatomistas. O indivíduo ferido agora tem um comportamento incomum. É possível concluir que o ponto X é a parte do cérebro responsável por esse comportamento em sua versão normal? Só se no local houver um agrupamento de corpos celulares neuronais. Se o ponto X for um trato de fibras, é mesmo possível aprender algo sobre a região do cérebro cujos neurônios enviam projeções axonais para esse trato, podendo tal região estar na outra ponta do cérebro. Então é importante distinguir entre "núcleos neuronais" e "fibras de passagem".
- Por fim, de volta à referência anterior de que uma parte do cérebro poderia ser o centro de um comportamento. Os exemplos do início deste apêndice mostraram como é difícil entender a função de um neurônio individual sem considerar a rede da qual ele faz parte. Aqui é a mesma coisa, mas em escala maior. Já que cada região do cérebro recebe e envia projeções para um zilhão de outros lugares, é raro que uma só região do cérebro seja "o centro" de qualquer coisa. Em vez disso, estamos falando de redes nas

---

* Só para complementar, hoje estão em curso pesquisas bastante interessantes sobre as propriedades emergentes do cérebro, que ajudam a explicar como as diferentes regiões se conectam em um cérebro em desenvolvimento com vistas à otimização, minimizando a quantia (e, portanto, o "custo") de projeções axonais obrigatórias. Para os aficionados, as coisas que o cérebro em desenvolvimento faz guardam uma semelhança com certas abordagens do Problema do Caixeiro-Viajante.

quais, muito mais provavelmente, uma região específica "desempenha um papel em", "ajuda a mediar" ou "influencia" um comportamento. A função de uma região específica do cérebro está inserida no contexto de suas conexões.

Portanto, isso conclui nosso Manual do Cérebro para iniciantes.

Apêndice 2

Princípios básicos de endocrinologia

A endocrinologia é o estudo dos hormônios, uma classe de mensageiros muito diferentes dos neurotransmissores abordados no capítulo 2. Recapitulando, os neurotransmissores são liberados pelos terminais axonais dos neurônios em resposta a potenciais de ação. Uma vez liberados, eles viajam por uma distância microscópica através da sinapse e se ligam aos receptores existentes nos dendritos do segundo neurônio, o pós-sináptico, alterando assim a excitabilidade daquele neurônio.

Em contraste, um hormônio é um mensageiro químico liberado por células secretoras (como os neurônios) em várias glândulas. Uma vez secretado, ele entra na corrente sanguínea, onde é capaz de influenciar todas as células do corpo que possuem receptores específicos.* Então de cara temos diferenças importantes. Primeiro, os neurotransmissores só afetam diretamente os neurônios do lado de lá das sinapses, ao passo que um hormônio é capaz de afetar cada um dos vários trilhões de células do corpo. Uma segunda diferença é o decurso temporal: a sinalização dos neurotransmissores através das sinapses ocorre em questão de milissegundos. Em contraste, muitos efeitos hormonais se manifestam no decorrer de horas a dias e podem persistir para sempre (por exemplo: com que frequência a puberdade desaparece depois de um tempo?).

Neurotransmissores e hormônios também diferem na escala de seus efeitos. Um neurotransmissor se liga a seu receptor pós-sináptico, resultando em uma alteração local no fluxo de íons através da membrana daquela espinha dendrítica. Por outro lado, dependendo do hormônio (e do alvo considerado), ele é capaz de alterar a atividade de proteínas específicas, ligar ou desligar certos genes, alterar o metabolismo das células, fazer com que cresçam ou se atrofiem, que se dividam, murchem ou morram. A testosterona, por exemplo, aumenta a massa muscular, e a

---

* Uma implicação dessas definições é que a mesma molécula pode servir de neurotransmissor ou hormônio em partes diferentes do corpo. Além disso (alerta de minúcias!), às vezes os hormônios têm um efeito "parácrino", influenciando células na glândula na qual foram secretados.

progesterona leva à proliferação de células no útero, fazendo com que ele fique mais espesso durante a fase lútea. De forma inversa, os hormônios da tireoide matam as células da cauda do girino quando o animal está se metamorfoseando em sapo, e uma classe de hormônios do estresse tem o poder de matar células do sistema imunológico (o que ajuda a explicar por que o estresse nos torna mais vulneráveis a resfriados). Hormônios são muitíssimo versáteis.

A maioria dos hormônios faz parte do "eixo neuroendócrino". Lembre-se do capítulo 2: todos os caminhos no sistema límbico levam ao hipotálamo, com seu papel essencial na regulação do sistema nervoso autônomo e dos sistemas hormonais. Aqui é onde entra essa segunda parte. Os neurônios no hipotálamo secretam um hormônio específico que viaja por um minúsculo sistema circulatório local conectado à hipófise, bem abaixo da base do cérebro. Lá, esse hormônio estimula a secreção de um outro, específico da hipófise, que entra na circulação sanguínea geral e incita a secreção de um terceiro hormônio de alguma glândula periférica. Eis um exemplo envolvendo meus três hormônios favoritos: durante um momento de estresse, os neurônios do hipotálamo secretam o HLC (hormônio liberador de corticotrofina), que estimula a hipófise a secretar o HACT (hormônio adrenocorticotrófico). Uma vez na corrente sanguínea, o HACT chega às glândulas adrenais, onde ativa a secreção de hormônios esteroides do estresse, os glicocorticoides (a versão humana é o cortisol, também conhecido por hidrocortisona). Outros hormônios (como estrogênio, progesterona, testosterona e hormônio da tireoide) são secretados por glândulas periféricas como o passo final de seu próprio eixo "hipotalâmico/pituitário/glândula periférica".* Como uma maravilhosa complicação, a secreção de cada hormônio pituitário em geral não está sob o controle de um único hormônio de liberação hipotalâmico. Em vez disso, há vários tipos de hormônios desempenhando essa função, e outros hormônios hipotalâmicos inibindo aquela liberação de hormônios da hipófise. Por exemplo, uma série de hormônios hipotalâmicos além do HLC regula a liberação do HACT, onde diferentes tipos de estressores produzem diferentes combinações daqueles hormônios hipotalâmicos.

Nem todos os hormônios são regulados dessa maneira "cérebro/hipófise/glândula periférica". Em certos casos existem apenas dois passos: cérebro/hipófise, quando o hormônio pituitário exerce efeitos por todo o corpo; o hormônio do crescimento costuma se encaixar nesse padrão. Em outros sistemas, o cérebro envia projeções espinha abaixo para uma glândula em particular, ajudando a regular a li-

* Só para ter certeza de que isso ficou claro, aqui vai um segundo exemplo, agora do eixo hipotalâmico/pituitário/ovariano: o hipotálamo libera o HLGN (hormônio liberador da gonadotrofina), que faz a hipófise secretar o HL (hormônio luteinizante), que por sua vez incita os ovários a liberar estrogênio.

beração de seus hormônios; o pâncreas e a secreção de insulina são exemplos disso (nesse caso, os níveis de glicose no sangue são o principal fator regulador). E também há hormônios esquisitos secretados a partir de regiões improváveis como o coração ou o intestino, em que o cérebro regula a secreção apenas de forma indireta.

Hormônios, assim como neurotransmissores, são de produção barata. É possível construí-los em poucos passos biossintéticos a partir de certos precursores abundantes, como as proteínas simples ou o colesterol.* Além disso, o corpo produz vários tipos de hormônios a partir do mesmo precursor. Por exemplo, todos os inúmeros hormônios esteroides são criados a partir do colesterol.

Até agora, não demos atenção suficiente aos receptores hormonais. Eles fazem o mesmo serviço dos receptores dos neurotransmissores: há uma molécula receptora distintiva para cada tipo de hormônio, com uma área côncava de ligação cujo formato é complementar ao formato do hormônio.** Para reaproveitar o mesmo clichê que utilizamos com os neurotransmissores, um hormônio se encaixa ao receptor como uma chave em uma fechadura. E, assim como acontece com os receptores dos neurotransmissores, também não há almoço grátis para os receptores hormonais. Os inúmeros hormônios esteroides são similares em termos estruturais. Portanto, se você vai gastar pouco na hora da produção, precisa ter receptores sutis e sofisticados que saibam diferenciar entre esses hormônios similares — você sem dúvida *não quer* receptores que confundam, digamos, estrogênio com testosterona.

E há mais similaridades entre hormônios e neurotransmissores. Assim como acontece com os receptores dos neurotransmissores, é possível alterar a "avidez" de um receptor hormonal. Isso significa que o formato do sítio de ligação muda um pouco, a fim de que o hormônio possa se encaixar de forma mais ou menos justa, aumentando ou diminuindo a duração de seus efeitos. O número de receptores para um determinado hormônio em uma célula também pode mudar, o que altera a sensibilidade da célula aos efeitos desse hormônio. O número de receptores em uma célula-alvo pode ser tão importante quanto os níveis do hormônio em si, e há doenças endócrinas nas quais são secretados níveis normais de hormônios, mas, devido a uma mutação no receptor, nenhum sinal consegue passar. Os níveis hormonais podem ser comparados ao volume da voz de alguém. Os níveis dos receptores, nesse caso, são a acuidade com que os ouvidos detectam essa voz.

---

* E só para me antecipar a um possível mal-entendido, uma zilionésima parte do colesterol de seu corpo é utilizada para a síntese de hormônios, de modo que mudanças nas taxas de colesterol resultantes da dieta não têm impacto sobre a quantidade de esteroides produzidos — o corpo sintetiza, por conta própria, colesterol o suficiente para a síntese deles.

** Na verdade, há em geral mais de uma, mas vamos deixar isso para lá.

Por fim, receptores hormonais em geral estão presentes em apenas um subgrupo de células e tecidos do corpo, o que significa que só eles são capazes de responder ao hormônio. Por exemplo, quando os girinos estão se transformando em sapos, somente as células da cauda contêm receptores para o hormônio da tireoide. De modo similar, apenas alguns tipos de câncer de mama envolvem tumores cujas células são "RE positivas" — ou seja, contêm receptores de estrogênio e respondem aos efeitos de promoção do crescimento desse hormônio.

Isso conclui nosso panorama de como os hormônios alteram as funções das células-alvo ao longo de horas a dias. Os hormônios serão altamente relevantes no capítulo 7, quando iremos considerar seus efeitos na infância e no desenvolvimento fetal. De modo específico, eles podem ter efeitos "organizadores" permanentes na fase do desenvolvimento, moldando a forma como o cérebro é construído. Em contrapartida, efeitos "ativadores" persistem por horas a dias. Esses dois domínios interagem, já que os efeitos organizadores dos hormônios no cérebro fetal exercem influência sobre quais serão os efeitos ativadores dos hormônios nesse cérebro na idade adulta.

Voltemos ao texto principal para analisar hormônios específicos.

Apêndice 3

Noções básicas sobre proteínas

As proteínas são uma classe de compostos orgânicos que constituem o tipo mais abundante de moléculas nos sistemas vivos. Elas são imensamente importantes, uma vez que inúmeros hormônios, neurotransmissores e mensageiros do sistema imunológico são feitos de proteínas; o mesmo vale para os receptores que respondem a esses mensageiros, as enzimas capazes de construir ou degradar estes receptores,* as estruturas que dão forma à célula e assim por diante.

Uma característica-chave das proteínas é a forma, já que esta determina a sua função. As proteínas que constituem a estrutura de uma célula têm o formato das diferentes peças dos andaimes usados em construções (mais ou menos). Uma proteína hormonal terá uma forma característica que é única e claramente distinta daquela de um hormônio com efeitos diferentes.** E uma proteína receptora deve possuir uma forma que é complementar à do hormônio ou neurotransmissor ao qual ela se liga (retomando o consagrado clichê do apêndice 1, a saber, que um mensageiro, tal como um hormônio, se encaixa em seu receptor como uma chave numa fechadura).

Algumas proteínas mudam de forma, alternando em geral entre duas conformações. Suponha que você tenha uma enzima (mais uma vez, trata-se de uma proteína) que sintetiza uma molécula de sacarose ligando uma molécula de glicose a uma de frutose. A enzima deve ter uma conformação que se assemelha à letra V, na qual uma ponta se liga à molécula de glicose, em um determinado ângulo, enquanto a outra se liga à frutose. A ligação de ambas as extremidades desencadeia um deslocamento para a outra conformação, na qual as duas pontas do V se aproximam o bastante para que a glicose e a frutose se conectem. A sacarose sai à deriva, e a enzima gira de volta para a conformação original.

---

* É óbvio que a realidade é mais complicada, como é o caso de quase tudo neste texto introdutório. Nem todas as enzimas são feitas de proteínas.

** E como um esclarecimento, existem milhões de cópias de uma molécula hormonal específica (por exemplo, insulina) em circulação, todas elas com o mesmo formato.

O que determina a forma e a função de uma proteína? Todas as proteínas são formadas por cadeias de aminoácidos. Existem por volta de vinte tipos diferentes deles — entre os quais alguns mais familiares, como o triptofano e o glutamato. A cadeia de aminoácidos de cada proteína é única — como a cadeia de letras que compõe uma palavra. Uma proteína tem em geral em torno de trezentos aminoácidos, e, considerando os vinte tipos diferentes, existem cerca de 10^{400} sequências possíveis (isso equivale ao número dez seguido de quatrocentos zeros), mais que o número de átomos no universo.* A sequência de aminoácidos influencia a(s) forma(s) exclusiva(s) daquela proteína. O dogma era que essa sequência *determinava* a forma, mas ocorre que a configuração também sofre alterações sutis por causa de fatores como temperatura e acidez — em outras palavras, influências do ambiente.

E o que determina a sequência de aminoácidos que se alinham para criar uma proteína específica? Um gene específico.

O DNA COMO UM MANUAL PARA A CONSTRUÇÃO DE PROTEÍNAS

O DNA é outra classe de compostos orgânicos, e, assim como há por volta de vinte tipos distintos de aminoácidos, existem quatro "letras" diferentes (chamadas de nucleotídeos) que o compõem. Uma sequência de três nucleotídeos (chamada de códon) codifica para um único aminoácido. Se existem quatro variações de nucleotídeos e cada códon contém três deles, então pode haver um total de 64 códons distintos (4 possibilidades na primeira posição da sequência × 4 na segunda × 4 na terceira = 64). Alguns deles são reservados para sinalizar o fim de um gene; desconsiderados esses "códons de parada", sobram 61 códons diferentes codificando para os vinte aminoácidos. Portanto, há certa "redundância": quase todos os aminoácidos podem ser especificados por mais de um único códon (com uma média em torno de três, isto é, 61/20). Em geral, os códons que codificam para o mesmo aminoácido diferem em um só nucleotídeo. Por exemplo, quatro códons codificam para a alanina: GCA, GAA, GCG e GCT (A, C, G e T são abreviações para quatro tipos de nucleotídeos).** A redundância será importante para entender a evolução dos genes.

---

* Na verdade, não tenho a menor ideia de quantos átomos existem no universo, mas a gente tem a obrigação de dizer alguma coisa do tipo.

** Omitirei os nomes deles para não soterrar os recém-chegados.

O trecho completo de nucleotídeos que codifica para um tipo único de proteína é chamado de gene. O conjunto completo de DNA é chamado de genoma, e codifica para todas as dezenas de milhares de genes no organismo; "sequenciar" o genoma significa determinar as sequências únicas de bilhões de nucleotídeos que compõem o genoma de um organismo. Essa extensão de DNA é tão longa (contendo por volta de 20 mil genes nos seres humanos) que precisa ser dividida em volumes separados, chamados de cromossomos.

Isso cria um problema de distribuição. A biblioteca de DNA se encontra no centro da célula, no núcleo. As proteínas, contudo, ocorrem por toda a célula e são construídas em toda parte (pense nas proteínas nos terminais axonais de um neurônio da medula de uma baleia-azul, terminais que estão a anos-luz de distância do núcleo do neurônio). Como se faz para que a informação do DNA chegue até onde a proteína é produzida? Existe um intermediário que completa esse quadro. A sequência única de nucleotídeos no DNA que codifica para um gene em particular é copiada em uma cadeia de letras similares de nucleotídeos em um composto associado chamado de RNA. Todo cromossomo contém uma extensão absurdamente longa de DNA, que codifica para um gene atrás do outro; em comparação, a fita do RNA só é tão longa quanto um gene em particular. Em outras palavras, uma dimensão mais fácil de manejar. Esse RNA é em seguida enviado ao ponto da célula em que se faz necessário, onde ele então controla quais aminoácidos devem ser amarrados em qual sequência para formar uma proteína (e existem aminoácidos flutuando pela célula, prontos para serem apanhados para um projeto de construção de proteínas). Imagine o RNA como uma fotocópia de uma única página dessa vasta enciclopédia de 20 mil páginas do DNA. (E múltiplas cópias de uma proteína cognata podem ser feitas a partir das instruções de uma única página de fotocópia do RNA. Isso sem dúvida ajuda em situações em que cópias de uma proteína devem ser distribuídas para cada uma das milhares de terminações axonais de um mesmo neurônio.)

Isso produz o que se chama de "dogma central" da vida, uma noção formulada pela primeira vez no início da década de 1960 por Francis Crick, uma das metades da famosa dupla Watson e Crick, que descobriram a estrutura de "dupla hélice" do DNA (com mais do que uma pequena ajuda surrupiada de Rosalind Franklin, mas essa é outra história). O dogma central de Crick afirma que a sequência de nucleotídeos do DNA que compõe um gene determina como uma extensão específica de RNA é organizada... que por sua vez determina como uma extensão específica de aminoácidos é construída... que assim determina a(s) forma(s) da proteína resultante... que por fim determina a função da proteína. O DNA determina o RNA que determina a proteína.* E implícito nesse dogma há outro ponto fundamental: um tipo de gene especifica um tipo de proteína.

Apenas para a sanidade geral, irei ignorar o RNA na maior parte do tempo. Para nossos propósitos, o mais interessante é o que os genes, o ponto de partida, têm a ver com seus produtos finais: as proteínas e suas funções.

MUTAÇÕES E POLIMORFISMOS

Os genes são herdados dos pais (metade do pai, metade da mãe — o que não é bem verdade, como é abordado no texto principal deste livro). Suponha que, quando o DNA de uma pessoa está sendo copiado para inclusão em um óvulo ou espermatozoide, ocorra um erro na replicação de um único nucleotídeo; como são bilhões de nucleotídeos, isso está fadado a acontecer algumas vezes. Como consequência, a não ser que o erro seja reparado, o gene, agora com uma sequência de nucleotídeos diferindo de maneira equivocada em um ponto, é passado para um descendente. Isso é uma mutação.

Segundo a genética clássica há três tipos de mutações possíveis. O primeiro é chamado de mutação pontual. Um único nucleotídeo é copiado de forma incorreta. Isso mudará a sequência de aminoácidos da proteína para a qual o gene codifica? Depende. Voltemos à questão da redundância no código do DNA, mencionada alguns parágrafos acima. Suponha que haja um códon em um gene com a sequência GCT, codificando para alanina. Mas houve uma mutação, gerando em vez disso GCA. Sem problema: isso ainda codifica para alanina. É uma mutação "sem consequências", neutra. Mas suponha que em vez disso a mutação seja para GAT. Isso codifica para um aminoácido completamente diferente chamado asparagina. Ops.

Na prática, contudo, isso pode não ser um grande problema, caso o aminoácido se pareça bastante com aquele que foi perdido. Suponha que você tenha uma sequência de nucleotídeos que codifica para a seguinte sequência metafórica de aminoácidos:

"Eu/vou/reparar/a/célula"

---

* O dogma central de que "a informação flui do DNA para o RNA para a proteína" pode falhar. Existem circunstâncias em que o RNA pode determinar a sequência de DNA. Isso tem a ver com o modo como alguns vírus funcionam, mas não é relevante para nós. Outro pedacinho de revisionismo, que angariou dois prêmios Nobel em 2006, é que uma porcentagem enorme do RNA não chega a especificar a construção de alguma proteína. Em vez disso, ele pode marcar e destruir outras sequências de RNA, um fenômeno conhecido como "interferência de RNA". E há outros RNAs criados apenas para tornar ilegíveis alguns segmentos do próprio DNA.

Graças a uma mutação sutil, há uma mudança em um dos aminoácidos, mas sem graves repercussões:

"Eu/vou/reparár/o/célula"

Isso ainda seria compreensível para a maioria das pessoas: a proteína seria meramente percebida como tendo um sotaque estrangeiro. Traduzindo em proteinês, a proteína tem uma forma um tantinho diferente e cumpre a tarefa usual de modo um pouco alterado (talvez um pouco mais lento ou mais rápido). Não é o fim do mundo.

Mas se a mutação codifica para um aminoácido que produz uma proteína com uma forma drasticamente diferente, as consequências podem ser enormes (até fatais).

Voltando ao:

"Eu/vou/reparar/a/célula"

E se houver uma mutação no nucleotídeo que ajuda a codificar para o primeiro "r", teremos uma mutação com uma grande consequência?

"Eu/vou/separar/a/célula"

Encrenca.

O tipo seguinte de mutação clássica é chamado de mutação por deleção. Nessa situação, um erro de cópia acontece ao herdar um gene, mas, em vez de um único nucleotídeo ser alterado, um deles é apagado. Por exemplo, no caso em que o sétimo nucleotídeo é excluído,

"Eu/vou/reparar/a/célula"

se torna:

"Eu/vou/rparara/c/élula"

Isso pode deslocar o enquadramento de tudo e gerar algo sem sentido, ou mesmo uma mensagem diferente (por exemplo: "Pode servir o prato de sobremesa" sendo modificado para: "Pode servir o rato de sobremesa").

Mutações de deleção às vezes envolvem a perda de mais de um nucleotídeo. Em um caso extremo, isso pode implicar a exclusão de um gene inteiro, ou mesmo de uma sequência de genes em um cromossomo em particular. Sem dúvida, nada recomendável.

Por fim, existem as mutações de inserção. Durante o processo de cópia do DNA para transmiti-lo à geração seguinte, um nucleotídeo é copiado duas vezes por acidente, acabando duplicado. Assim:

"Eu/vou/reparar/a/célula"

se torna:

"Eu/vou/reepara/r/acélula"

Ou seja, algo desarticulado, ou talvez uma mensagem diferente, como no seguinte exemplo, em que a letra "r" foi inserida no final da última palavra: "Maria não quis dividir a sobremesa com João porque ela não gosta de bolor". Em alguns casos, uma mutação de inserção pode envolver a inclusão de mais de um nucleotídeo. Em uma situação extrema, isso implicaria a duplicação de um gene inteiro.

Mutações pontuais, de deleção e de inserção, constituem a maior parte desse tópico.* As mutações que causam exclusão ou inclusão têm em geral consequências mais graves, normalmente prejudiciais, mas algumas vezes produzem uma proteína nova e interessante.

Retornando às mutações pontuais. Considere um caso que tenha como consequência a substituição de um único aminoácido na proteína, um que funcione de maneira apenas um pouco diferente do aminoácido correto. Conforme observado acima, como resultado, a proteína ainda cumpre o seu trabalho usual, mas talvez o faça um pouco mais rápido ou mais devagar. Isso pode ser o impulso para uma mudança evolutiva: se a nova versão não é vantajosa, reduzindo o sucesso reprodutivo de qualquer um que a possua, ela receberá uma pressão de seleção contrária, sendo gradualmente removida da população. Se, em vez disso, a nova versão for mais vantajosa, substituirá de forma gradual a versão antiga na população como um todo. Ou se a nova versão funcionar melhor em algumas circunstâncias e pior em outras, pode ser que ela encontre um equilíbrio com a versão mais antiga, de tal modo que certa porcentagem das pessoas tenha a primeira, e o restante, a segunda. Nesse caso, esse gene específico seria descrito como tendo duas formas ou variantes, ou seja, dois diferentes "alelos". A maioria dos genes possui múltiplos alelos. E o resultado é uma variação individual no funcionamento dos genes (esse tema é desenvolvido em um grau de complexidade bem maior no capítulo 8).

Por fim, um esclarecimento acerca da confusão que ocorre quando duas afirmações válidas da genética se chocam. A primeira é que, na média, irmãos (com exceção dos gêmeos idênticos) compartilham 50% dos genes.** A outra é que compartilhamos 98% dos genes com os chimpanzés. Então temos maior parentesco com esses primatas que com nossos irmãos? Não. Comparações entre humanos e chimpanzés se referem a *tipos* de características — ambos possuímos genes que

---

* Existem outros tipos mais raros de mutações. Uma classe delas, por exemplo, envolve uma contínua repetição do códon que codifica para um aminoácido chamado glutamina, até mesmo dezenas de vezes, produzindo o que chamamos de "doenças de expansão de poliglutaminas", sendo a mais famosa delas a doença de Huntington. No entanto, são mutações extremamente raras.

** Assim como os pais em relação aos filhos. Por outro lado, meios-irmãos compartilham 25% dos genes, da mesma forma que os avós com os netos, e assim por diante.

codificam para características relacionadas a ter, por exemplo, olhos, fibras musculares ou receptores de dopamina, e faltam a ambos os genes para, por exemplo, guelras, antenas ou pétalas de flores. Portanto há 98% de sobreposição nesse nível de comparação. Mas quando se trata de dois humanos, a comparação é entre *versões* dessas características — ambos possuem um gene que codifica para, digamos, essa coisa chamada cor dos olhos, mas será que têm a mesma versão que caracteriza uma cor em particular? O mesmo vale para o tipo sanguíneo, o tipo de receptor dopaminérgico e assim por diante. Temos 50% de sobreposição entre irmãos nesse nível de comparação.

Glossário de abreviaturas

AA	alta afabilidade/alta competência
AB	alta afabilidade/baixa competência
ABL	amígdala basolateral
AD	autoritarismo de direita
APA	Associação Americana de Psicologia
BA	baixa afabilidade/alta competência
BB	baixa afabilidade/baixa competência
CC	caçador-coletor
CCA	córtex cingulado anterior
COMT	catecol O-metiltransferase
CPA	substância cinzenta periaquedutal
CPF	córtex pré-frontal
CPFdl	córtex pré-frontal dorsolateral
CPFvl	córtex pré-frontal ventrolateral
CPFvm	córtex pré-frontal ventromedial
CPH	complexo principal de histocompatibilidade
CPM	córtex pré-motor
CVR	comissão de verdade e reconciliação
DFT	demência frontotemporal
DHEA	desidroepiandrosterona
DLD	depressão de longa duração
DP	Dilema do Prisioneiro
DZ	dizigótico
EAGA	estudo de associação genômica ampla
EEG	eletroencefalograma
EPS	Experimento da Prisão de Stanford
FNDC	fator neurotrófico derivado do cérebro
GABA	ácido gama-aminobutírico

GTS	giro temporal superior
HAC	hiperplasia adrenal congênita
HACT	hormônio adrenocorticotrófico
HL	hormônio luteinizante
HLC	hormônio liberador de corticotrofina
HLGn	hormônio liberador da gonadotrofina
IMC	índice de massa corporal
ISRS	inibidor seletivo de recaptação da serotonina
JTP	junção temporoparietal
MACN	molécula de adesão celular neuronal
MAO-A	monoamina oxidase A
MZ	monozigótico
NLET	núcleo leito da estria terminal
NPV	núcleo paraventricular
NSE	nível socioeconômico
ODS	orientação à dominância social
PAE	pressuposto de ambientes equivalentes
PHE	período hiporresponsivo ao estresse
PLD	potencialização de longa duração
PNU	polimorfismos de nucleotídeo único
PRE	potenciais relacionados a eventos
RGP	resistência galvânica da pele
RMf	ressonância magnética funcional
RNA	ácido ribonucleico
SIA	síndrome de insensibilidade androgênica
SNP	sistema nervoso parassimpático
SNS	sistema nervoso simpático
SPM	síndrome pré-menstrual
TAI	Teste de Associação Implícita
TCC	terapia cognitivo-comportamental
TDA	transportador de dopamina
TDAH	transtorno do déficit de atenção com hiperatividade
TDPM	transtorno disfórico pré-menstrual
TEA	transtorno do espectro autista
TEPT	transtorno de estresse pós-traumático
TM	Teoria da Mente
TPH	triptofano hidroxilase

Abreviaturas das notas

A fim de salvar várias florestas de papel, as referências mencionam apenas o nome do primeiro ou do segundo autores. As seguintes abreviaturas são usadas em lugar dos títulos completos de periódicos ou de certas palavras desses títulos:

AEL: *Applied Economics Letters.* AGP: *Archives of General Psychiatry.* Am: American. AMFP: *American Journal of Forensic Psychology.* Ann: Annual. ANYAS: *Annals of the New York Academy of Sciences.* Arch: Archives of. ARSR: *Annual Review of Sex Research.* BBR: *Behavioral Brain Research.* BBS: *Behavioral and Brain Sciences.* Behav: Behavior ou Behavioral. Biol: Biology ou Biological. Biol Lett: *Biology Letters.* BP: *Biological Psychiatry.* Brit: British. Bull: Bulletin. Clin: Clinical. Cog: Cognitive ou Cognition. Comp: Comparative. Curr: Current. Dir: Directions in. EHB: *Evolution and Human Behavior.* Endo: Endocrinology. Evol: Evolution. Eur: European. Exp: Experimental. Front: Frontiers in. Horm Behav: *Hormones and Behavior.* Hum: Human. Int: International. J: Journal ou Journal of. JAMA: *Journal of the American Medical Association.* JCP: *Journal of Comparative Psychology.* JEP: *Journal of Economic Psychology.* JESP: *Journal of Experimental and Social Psychology.* JPET: *Journal of Pharmacology and Experimental Therapeutics.* JPSP: *Journal of Personality and Social Psychology.* JSS: *Journal of Sports Sciences.* Med: Medical ou Medicine. Mol: Molecular. Nat: *Nature.* NEJM: *New England Journal of Medicine.* Neurobiol: Neurobiology. Neurol: Neurology. Nsci: Neuroscience ou Neurosciences. Nsci Biobehav Rev: *Neuroscience and Biobehavioral Reviews.* PLOS: *Public Library of Science.* PNAS: *Proceedings of the National Academy of Science, USA.* PNE: *Psychoneuroendocrinology.* Primat: Primatology. Proc: Proceedings of the. Prog: Progress in. PSPB: *Personality and Social Psychology Bulletin.* PSPR: *Personality and Social Psychology Review.* Psych: Psychology ou Psychological. Rep: Report ou Reports. Res: Research. Rev: Review ou Reviews. SCAN: *Social, Cognitive and Affective Neuroscience.* Sci: Science ou Sciences. Sci Am: *Scientific American.* Soc: Society ou Social. TICS: *Trends in Cognitive Sciences.* TIEE: *Trends in Ecology and Evolution.* TIGS: *Trends in Genetic Sciences.* TINS: Trends in Neuroscience.

Notas

INTRODUÇÃO [pp. 9-20]

1. R. Byrne, "Game 21 Adjourned as Thrust and Parry Give Way to Melee". *New York Times*, 20 dez. 1990.

2. Para revisões desses dois tópicos "fáceis", ver M. Winklhofer, "An Avian Magnetometer" (*Sci*, v. 336, p. 991, 2012); e L. Kow e D. Pfaff, "Mapping of Neural and Signal Transduction Pathways for Lordosis in the Search for Estrogen Actions on the Central Nervous System" (*BBR*, v. 92, n. 2, p. 169, 1998).

3. J. Watson, *Behaviorism*. 2. ed. Nova York: Norton, 1930.

4. J. Todd e E. Morris (Orgs.), *Modern Perspectives on John B. Watson and Classical Behaviorism*. Westport, CT: Greenwood Press, 1994; H. Link, *The New Psych of Selling and Advertising*. Nova York: Macmillan, 1932.

5. E. Moniz, citado em T. Szasz, *Schizophrenia: The Sacred Symbol of Psychiatry* (Syracuse, NY: Syracuse University Press, 1988).

6. K. Lorenz, citado em R. Learner, *Final Solutions: Biology, Prejudice, and Genocide* (University Park: Penn State Press, 1992).

7. Para discussões sobre as atividades de Lorenz no período nazista, ver B. Sax, "What Is a 'Jewish Dog'? Konrad Lorenz and the Cult of Wildness" (*Soc and Animals*, n. 5, p. 3, 1997; U. Deichmann, *Biologists Under Hitler* (Cambridge, MA: Harvard University Press, 1999); e B. Müller-Hill, *Murderous Science: Elimination by Scientific Selection of Jews, Gypsies, and Others, Germany 1933-1945* (Oxford: Oxford University Press, 1988).

8. O efeito Wellesley foi registrado pela primeira vez por Martha McClintock, da Universidade de Chicago: M. McClintock, "Menstrual Synchrony and Suppression" (*Nat*, v. 229, p. 244, 1971). Ainda que inúmeros estudos tenham conseguido replicar o efeito Wellesley, outros não tiveram sucesso, conforme resumido em H. Wilson, "A Critical Review of Menstrual Synchrony Research" (*PNE*, v. 17, n. 6, p. 565, 1992. Uma crítica dessa crítica pode ser encontrada em M. McClintock, "Whither Menstrual Synchrony?" (*ARSR*, v. 9, p. 77, 1998).

9. V. S. Naipaul, *Among the Believers: An Islamic Journey*. Nova York: Vintage, 1992. [Ed. bras.: *Entre os fiéis: Irã, Paquistão, Malásia, Indonésia — 1981*. São Paulo: Companhia das Letras, 1999.] E para o livro definitivo sobre todo esse campo da biologia comportamental, ver M. Konner, *The Tangled Wing: Biological Constraints on the Human Spirit* (Nova York: Henry Holt, 2003). Esse é o melhor livro que existe sobre a biologia do comportamento social humano — sutil, cheio de nuances, não dogmático e maravilhosamente bem escrito —, de autoria do antropólogo e médico Mel Konner. Para minha enor-

me sorte, Konner foi meu orientador e mentor acadêmico quando eu era estudante de graduação, e foi a figura que exerceu o maior impacto intelectual sobre a minha vida. Aqueles que conhecem Mel irão reconhecer suas impressões digitais intelectuais em cada página deste livro.

1. O COMPORTAMENTO [pp. 21-6]

1. F. Gervasi, *The Life and Times of Menachem Begin*. Nova York: Putnam, 2009.

2. Para duas boas revisões dessas distinções, ver K. Miczek et al., "Neurosteroids, GABAA Receptors, and Escalated Aggressive Behavior" (*Horm Behav*, v. 44, n. 3, p. 242, 2003); e S. Motta et al., "Dissecting the Brain's Fear System Reveals That the Hypothalamus Is Critical for Responding in Subordinate Conspecific Intruders" (*PNAS*, v. 106, n. 12, p. 4870, 2009).

3. Há uma pequena e desanimadora literatura sobre ex-crianças-soldados e participantes de genocídios que foram capazes de refrear os sintomas do transtorno de estresse pós-traumático por meio de atos de crueldade: R. Weierstall et al., "When Combat Prevents PTSD Symptoms: Results from a Survey with Former Child Soldiers in Northern Uganda" (*BMC Psychiatry*, v. 12, p. 41, 2012); R. Weierstall et al., "The Thrill of Being Violent as an Antidote to Posttraumatic Stress Disorder in Rwandese Genocide Perpetrators" (*Eur J Psychotraumatology*, v. 2, p. 6345, 2011); V. Nell, "Cruelty's Rewards: The Gratifications of Perpetrators and Spectators" (*BBS*, v. 29, n. 3, p. 211, 2006; e T. Elbert et al., "Fascination Violence: On Mind and Brain of Man Hunters" (*Eur Arch Psychiatry and Clin Nsci*, v. 260, p. S100, 2010).

4. B. Oakley et al., *Pathological Altruism*. Oxford: Oxford University Press, 2011.

5. L. MacFarquhar, "The Kindest Cut". *New Yorker*, p. 38, 27 jul. 2009.

6. Para um panorama mais detalhado da síndrome de Munchausen por procuração, ver R. Sapolsky, "Nursery Crimes", em *Monkeyluv and Other Essays on Our Lives as Animals* (Nova York: Simon and Schuster; Scribner, 2005).

7. J. King et al., "Doing the Right Thing: A Common Neural Circuit for Appropriate Violent or Compassion Behavior". *NeuroImage*, v. 30, n. 3, p. 1069, 2006.

2. UM SEGUNDO ANTES [pp. 27-83]

1. Para um resumo dos achados e ideias de MacLean, ver P. MacLean, *The Triune Brain in Evolution* (Nova York: Springer, 1990).

2. A. Damasio, *Descartes' Error: Emotion, Reason, and the Human Brain*. Nova York: Putnam, 1994; Penguin, 2005). [Ed. bras.: *O erro de Descartes*. São Paulo: Companhia das Letras, 1996.]

3. W. Nauta, "The Problem of the Frontal Lobe: A Reinterpretation". *J Psychiatric Res*, v. 8, p. 167, 1971; W. Nauta e M. Feirtag, "The Organization of the Brain". *Sci Am*, v. 241, n. 3, p. 88, 1979.

4. R. Nelson e B. Trainor, "Neural Mechanisms of Aggression". *Nat Rev Nsci*, v. 8, p. 536, 2007.

5. Para ler mais sobre os efeitos das lesões na amígdala em humanos, ver A. Young et al., "Face Processing Impairments After Amygdalotomy" (*Brain*, v. 118, p. 15, 1995); H. Narabayashi et al., "Stereotaxic Amygdalotomy for Behavior Disorders" (*Arch Neurol*, v. 9, n. 1, p. 1, 1963); V. Balasubramaniam e T. Kanaka, "Amygdalotomy and Hypothalamotomy: A Comparative Study" (*Confinia Neurolo-*

gia, v. 37, p. 195, 1975); R. Heimburger et al., "Stereotaxic Amygdalotomy for Epilepsy with Aggressive Behavior" (*JAMA*, v. 198, n. 7, p. 741, 1966); B. Ramamurthi, "Stereotactic Operation in Behavior Disorders: Amygdalotomy and Hypothalamotomy" (*Acta Neurochirurgica* [*Wien*], v. 44, p. 152, 1988); G. Lee et al., "Clinical and Physiological Effects of Stereotaxic Bilateral Amygdalotomy for Intractable Aggression" (*J Neuropsychiatry and Clin Nsci*, v. 10, n. 4, p. 413, 1998); E. Hitchcock e V. Cairns, "Amygdalotomy" (*Postgraduate Med J*, v. 49, p. 894, 1973); e M. Mpakopoulou et al., "Stereotactic Amygdalotomy in the Management of Severe Aggressive Behavioral Disorders" (*Neurosurgical Focus*, v. 25, n. 1, p. E6, 2008).

6. Alguns artigos que falam das controvérsias políticas acerca das amigdalectomias: V. Mark et al., "Role of Brain Disease in Riots and Urban Violence" (*JAMA*, v. 201, n. 11, p. 217, 1967); P. Breggin, "Psychosurgery for Political Purposes" (*Duquesne Law Rev*, v. 13, p. 841, 1975); e E. Valenstein, *Great and Desperate Cures: The Rise and Decline of Psychosurgery and Other Radical Treatments for Mental Illness* (Nova York: Basic, 2010).

7. C. Holden, "Fuss over a Terrorist's Brain". *Sci*, v. 298, p. 1551, 2002.

8. D. Eagleman, "The Brain on Trial". *Atlantic*, 7 jun. 2011; G. Lavergne, *A Sniper in the Tower*. Denton: University of North Texas Press, 1997; H. Hylton, "Texas Sniper's Brother John Whitman Shot". *Palm Beach Post*, p. A1, 5 jul. 1973.

9. Para um ótimo resumo do papel da agressividade no medo, ver o excelente J. LeDoux, *The Emotional Brain: The Mysterious Underpinnings of Emotional Life* (Nova York: Simon and Schuster, 1998). [Ed. bras.: *O cérebro emocional: Os misteriosos alicerces da vida emocional*. Rio de Janeiro: Objetiva, 1998.]

10. N. Kalin et al., "The Role of the Central Nucleus of the Amygdala in Mediating Fear and Anxiety in the Primate". *J Nsci*, v. 24, n. 24, p. 5506, 2004; T. Hare et al., "Contributions of Amygdala and Striatal Activity in Emotion Regulation". *BP*, v. 57, n. 6, p. 624, 2005; D. Zald, "The Human Amygdala and the Emotional Evaluation of Sensory Stimuli". *Brain Res Rev*, v. 41, n. 1, p. 88, 2003.

11. D. Mobbs et al., "When Fear Is Near: Threat Imminence Elicits Prefrontal- Periaqueductal Gray Shifts in Humans". *Sci*, v. 317, n. 5841, p. 1079, 2007.

12. G. Berns et al., "Neurobiological Substrates of Dread". *Sci*, v. 312, n. 5774, p. 754, 2006. Artigos adicionais sobre o papel da amígdala humana no medo: R. Adolphs et al., "Impaired Recognition of Emotion in Facial Expressions Following Bilateral Damage to the Human Amygdala" (*Nat*, v. 372, p. 669, 1994); A. Young et al., "Face Processing Impairments After Amygdalotomy" (*Brain*, v. 118, n. 1, p. 15, 1995); J. Feinstein et al., "The Human Amygdala and the Induction and Experience of Fear" (*Curr Biol*, v. 21, n. 1, p. 34, 2011); e A. Bechara et al., "Double Dissociation of Conditioning and Declarative Knowledge Relative to the Amygdala and Hippocampus in Humans" (*Sci*, v. 269, n. 5227, p. 1115, 1995).

13. A. Gilboa et al., "Functional Connectivity of the Prefrontal Cortex and the Amygdala in PTSD". *BP*, v. 55, n. 3, p. 263, 2004.

14. M. Hsu et al., "Neural Systems Responding to Degrees of Uncertainty in Human Decision-Making". *Sci*, v. 310, n. 5754, p. 1680, 2006; J. Rilling et al., "The Neural Correlates of Mate Competition in Dominant Male Rhesus Macaques". *BP*, v. 56, n. 5, p. 364, 2004.

15. C. Zink et al., "Know Your Place: Neural Processing of Social Hierarchy in Humans". *Neuron*, v. 58, n. 2, p. 273, 2008; M. Freitas-Ferrari et al., "Neuroimaging in Social Anxiety Disorder: A Systematic Review of the Literature". *Prog Neuro-Psychopharmacology and Biol Psychiatry*, v. 34, n. 4, p. 565, 2010.

16. G. Berns et al., "Neurobiological Correlates of Social Conformity and Independence During Mental Rotation". *BP*, v. 58, n. 3, p. 245, 2005.

17. K. Tye et al., "Amygdala Circuitry Mediating Reversible and Bidirectional Control of Anxiety". *Nat*, v. 471, n. 7338, p. 358, 2011; S. Kim et al., "Diverging Neural Pathways Assemble a Behavioural State from Separable Features in Anxiety". *Nat*, v. 496, n. 7444, p. 219, 2013.

18. J. Ipser et al., "Meta-analysis of Functional Brain Imaging in Specific Phobia". *Psychiatry and Clin Nsci*, v. 67, n. 5, p. 311, 2013; U. Lueken, "Neural Substrates of Defensive Reactivity in Two Subtypes of Specific Phobia". *SCAN*, v. 9, n. 11, p. 1668, 2013; A. Del Casale et al., "Functional Neuroimaging in Specific Phobia". *Psychiatry Res*, v. 202, n. 3, p. 181, 2012; J. Feinstein et al., "Fear and Panic in Humans with Bilateral Amygdala Damage". *Nat Nsci*, v. 16, n. 3, p. 270, 2013.

19. M. Cook e S. Mineka, "Selective Associations in the Observational Conditioning of Fear in Rhesus Monkeys". *J Exp Psych and Animal Behav Processes*, v. 16, n. 4, p. 372, 1990; S. Mineka e M. Cook, "Immunization Against the Observational Conditioning of Snake Fear in Rhesus Monkeys". *J Abnormal Psych*, v. 93, n. 4, p. 307, 1986.

20. S. Rodrigues et al., "Molecular Mechanisms Underlying Emotional Learning and Memory in the Lateral Amygdala". *Neuron*, v. 44, n. 1, p. 75, 2004; J. Johansen et al., "Optical Activation of Lateral Amygdala Pyramidal Cells Instructs Associative Fear Learning". *PNAS*, v. 107, n. 28, p. 12692, 2010; S. Rodrigues et al., "The Influence of Stress Hormones on Fear Circuitry". *Ann Rev of Nsci*, v. 32, n. 1, p. 289, 2009; S. Rumpel et al., "Postsynaptic Receptor Trafficking Underlying a Form of Associative Learning". *Sci*, v. 308, n. 5718, p. 83, 2005.

Outros trabalhos nessa área: C. Herry et al., "Switching On and Off Fear by Distinct Neuronal Circuits" (*Nat*, v. 454, n. 7204, p. 600, 2008); S. Maren e G. Quirk, "Neuronal Signaling of Fear Memory" (*Nat Rev Nsci*, v. 5, n. 11, p. 844, 2004); S. Wolff et al., "Amygdala Interneuron Subtypes Control Fear Learning Through Disinhibition" (*Nat*, v. 509, n. 7501, p. 453, 2014); e R. LaLumiere, "Optogenetic Dissection of Amygdala Functioning" (*Front Behav Nsci*, v. 8, p. 1, 2014).

21. T. Amano et al., "Synaptic Correlates of Fear Extinction in the Amygdala". *Nat Nsci*, v. 13, n. 4, p. 489, 2010; M. Milad e G. Quirk, "Neurons in Medial Prefrontal Cortex Signal Memory for Fear Extinction". *Nat*, v. 420, n. 6911, p. 70, 2002; E. Phelps et al., "Extinction Learning in Humans: Role of the Amygdala and vmPFC". *Neuron*, v. 43, n. 6, p. 897, 2004; S. Ciocchi et al., "Encoding of Conditioned Fear in Central Amygdala Inhibitory Circuits". *Nat*, v. 468, n. 7321, p. 277, 2010; W. Haubensak et al., "Genetic Dissection of an Amygdala Microcircuit That Gates Conditioned Fear". *Nat*, v. 468, n. 7321, p. 270, 2010.

22. K. Gospic et al., "Limbic Justice: Amygdala Involvement in Immediate Rejections in the Ultimatum Game". *PLoS ONE*, v. 9, n. 5, p. e1001054, 2011; B. De Martino et al., "Frames, Biases, and Rational Decision-Making in the Human Brain". *Sci*, v. 313, n. 5787, p. 684, 2006; A. Bechara et al., "Role of the Amygdala in Decision-Making". *ANYAS*, v. 985, n. 1, p. 356, 2003; B. De Martino et al., "Amygdala Damage Eliminates Monetary Loss Aversion". *PNAS*, v. 107, n. 8, p. 3788, 2010; J. van Honk et al., "Generous Economic Investments After Basolateral Amygdala Damage". *PNAS*, v. 110, n. 7, p. 2506, 2013.

23. R. Adolphs et al., "The Human Amygdala in Social Judgment". *Nat*, v. 393, n. 6684, p. 470, 1998.

24. D. Zald, "The Human Amygdala and the Emotional Evaluation of Sensory Stimuli", op. cit.; C. Saper, "Animal Behavior: The Nexus of Sex and Violence". *Nat*, v. 470, n. 7333, p. 179, 2011; D. Lin et al., "Functional Identification of an Aggression Locus in Mouse Hypothalamus". *Nat*, v. 470, n. 7333, p. 221, 2011; M. Baxter e E. Murray, "The Amygdala and Reward". *Nat Rev Nsci*, v. 3, n. 7, p. 563, 2002.

Outros âmbitos nos quais os estímulos positivos ativam a amígdala em: S. Aalto et al., "Neuroanatomical Substrate of Amusement and Sadness: A PET Activation Study Using Film Stimuli" (*Neurore-*

port, v. 13, n. 1, p. 67, 2002); T. Uwano et al., "Neuronal Responsiveness to Various Sensory Stimuli, and Associative Learning in the Rat Amygdala" (*Nsci*, v. 68, n. 2, p. 339, 1995); K. Tye e P. Janak, "Amygdala Neurons Differentially Encode Motivation and Reinforcement" (*J Nsci*, v. 27, n. 15, p. 3937, 2007); G. Schoenbaum et al., "Orbitofrontal Cortex and Basolateral Amygdala Encode Expected Outcomes During Learning" (*Nat Nsci*, v. 1, n. 2, p. 155, 1998); e I. Aharon et al., "Beautiful Faces Have Variable Reward Value: fMRI and Behavioral Evidence" (*Neuron*, v. 32, n. 3, p. 537, 2001).

25. P. Janak e K. Tye, "From Circuits to Behavior in the Amygdala". *Nat*, v. 517, n. 7534, p. 284, 2015.

26. J. LeDoux, "Coming to Terms with Fear". *PNAS*, v. 111, n. 8, p. 2871, 2014; J. LeDoux, "The Amygdala". *Curr Biol*, v. 17, n. 20, p. R868, 2007; K. Tully et al., "Norepinephrine Enables the Induction of Associative LTP at Thalamo-Amygdala Synapses". *PNAS*, v. 104, n. 35, p. 14146, 2007.

27. T. Rizvi et al., "Connections Between the Central Nucleus of the Amygdala and the Midbrain Periaqueductal Gray: Topography and Reciprocity". *J Comp Neurol*, v. 303, n. 1, p. 121, 1991; E. Kim et al., "Dorsal Periaqueductal Gray-Amygdala Pathway Conveys Both Innate and Learned Fear Responses in Rats". *PNAS*, v. 110, n. 36, p. 14795, 2013; C. Del-Ben e F. Graeff, "Panic Disorder: Is the PAG Involved?". *Neural Plasticity*, v. 2009, n. 2, p. 108135, 2009; P. Petrovic et al., "Context Dependent Amygdala Deactivation During Pain". *NeuroImage*, v. 16, n. 7, p. S457, 2001; J. Johansen et al., "Neural Substrates for Expectation-Modulated Fear Learning in the Amygdala and Periaqueductal Gray". *Nat Nsci*, v. 13, n. 8, p. 979, 2010; W. Yoshida et al., "Uncertainty Increases Pain: Evidence for a Novel Mechanism of Pain Modulation Involving the Periaqueductal Gray". *J Nsci*, v. 33, n. 13, p. 5638, 2013.

28. T. Heatherton, "Neuroscience of Self and Self-Regulation". *Ann Rev of Psych*, v. 62, n. 1, p. 363, 2011; A. Krendl et al., "The Good, the Bad, and the Ugly: An fMRI Investigation of the Functional Anatomic Correlates of Stigma". *Soc Nsci*, v. 1, n. 1, p. 5, 2006; F. Sambataro et al., "Preferential Responses in Amygdala and Insula During Presentation of Facial Contempt and Disgust". *Eur J Nsci*, v. 24, n. 8, p. 2355, 2006.

29. X. Liu et al., "Optogenetic Stimulation of a Hippocampal Engram Activates Fear Memory Recall". *Nat*, v. 484, n. 7394, p. 381, 2012; T. Seidenbecher et al., "Amygdalar and Hippocampal Theta Rhythm Synchronization During Fear Memory Retrieval". *Sci*, v. 301, n. 5634, p. 846, 2003; R. Redondo et al., "Bidirectional Switch of the Valence Associated with a Hippocampal Contextual Memory Engram". *Nat*, v. 513, n. 7518, p. 426, 2014; E. Kirby et al., "Basolateral Amygdala Regulation of Adult Hippocampal Neurogenesis and Fear-Related Activation of Newborn Neurons". *Mol Psychiatry*, v. 17, n. 5, p. 527, 2012.

30. A. Gozzi, "A Neural Switch for Active and Passive Fear". *Neuron*, v. 67, n. 4, p. 656, 2010.

31. G. Aston-Jones e J. Cohen, "Adaptive Gain and the Role of the Locus Coeruleus-Norepinephrine System in Optimal Performance". *J Comp Neurol*, v. 493, n. 1, p. 99, 2005; M. Carter et al., "Tuning Arousal with Optogenetic Modulation of Locus Coeruleus Neurons". *Nat Nsci*, v. 13, n. 12, p. 1526, 2010.

32. D. Blanchard et al., "Lesions of Structures Showing FOS Expression to Cat Presentation: Effects on Responsivity to a Cat, Cat Odor, and Nonpredator Threat". *Nsci Biobehav Rev*, v. 29, n. 8, p. 1243, 2005.

33. G. Holstege, "Brain Activation During Human Male Ejaculation". *J Nsci*, v. 23, n. 27, p. 9185, 2003; H. Lee et al., "Scalable Control of Mounting and Attack by Ers1+ Neurons in the Ventromedial Hypothalamus". *Nat*, v. 509, p. 627, 2014; D. Anderson, "Optogenetics, Sex, and Violence in the Brain: Implications for Psychiatry". *BP*, v. 71, n. 12, p. 1081, 2012.

34. R. Blair, "Neuroimaging of Psychopathy and Antisocial Behavior: A Targeted Review". *Curr Psychiatry Rep*, v. 12, n. 1, p. 76, 2010; K. Kiehl, *The Psychopath Whisperer: The Nature of Those Without Conscience*. Woodland Hills, CA: Crown Books, 2014; M. Koenigs et al., "Investigating the Neural Correlates of Psychopathy: A Critical Review". *Mol Psychiatry*, v. 16, n. 8, p. 792, 2011.

35. Uma consideração particularmente interessante sobre a impulsividade e o córtex frontal: J. Dalley et al., "Impulsivity, Compulsivity, and Top-Down Cognitive Control" (*Neuron*, v. 69, n. 4, p. 680, 2011).

36. J. Rilling e T. Insel, "The Primate Neocortex in Comparative Perspective Using MRI". *J Hum Evol*, v. 37, n. 2, p. 191, 1999; R. Barton e C. Venditti, "Human Frontal Lobes Are Not Relatively Large". *PNAS*, v. 110, n. 22, p. 9001, 2013; Y. Zhang et al., "Accelerated Recruitment of New Brain Development Genes into the Human Genome". *PLoS Biol*, v. 9, n. 10, p. e1001179, 2011; G. Miller, "New Clues About What Makes the Human Brain Special". *Sci*, v. 330, n. 6008, p. 1167, 2010; K. Semendeferi et al., "Humans and Great Apes Share a Large Frontal Cortex". *Nat Nsci*, v. 5, n. 3, p. 272, 2002; P. Schoenemann, "Evolution of the Size and Functional Areas of the Human Brain". *Ann Rev of Anthropology*, v. 35, p. 379, 2006.

37. J. Allman et al., "The von Economo Neurons in the Frontoinsular and Anterior Cingulate Cortex". *ANYAS*, v. 1225, p. 59, 2011; C. Butti et al., "Von Economo Neurons: Clinical and Evolutionary Perspectives". *Cortex*, v. 49, n. 1, p. 312, 2013; H. Evrard et al., "Von Economo Neurons in the Anterior Insula of the Macaque Monkey". *Neuron*, v. 74, n. 3, p. 482, 2012.

38. E. Miller e J. Cohen, "An Integrative Theory of Prefrontal Cortex Function". *Ann Rev of Nsci*, v. 24, n. 1, p. 167, 2001.

39. V. Mante et al., "Context-Dependent Computation by Recurrent Dynamics in Prefrontal Cortex". *Nat*, v. 503, n. 7474, p. 78, 2013. Mais alguns exemplos de envolvimento frontocortical na alternância de tarefas: S. Bunge, "How We Use Rules to Select Actions: A Review of Evidence from Cognitive Neuroscience" (*SCAN*, v. 4, n. 4, p. 564, 2004); E. Crone et al., "Evidence for Separable Neural Processes Underlying Flexible Rule Use" (*Cerebral Cortex*, v. 16, p. 475, 2005); R. Passingham et al., "Specialisation Within the Prefrontal Cortex: The Ventral Prefrontal Cortex and Associative Learning" (*Exp Brain Res*, v. 133, n. 1, p. 103, 2000); D. Liu et al., "Medial Prefrontal Activity During Delay Period Contributes to Learning of a Working Memory Task" (*Sci*, v. 346, n. 6208, p. 458, 2014); *1983*, estrelando Robert DeNiro, Diane Keaton e o jovem Brad Pitt em sua estreia no cinema como o sexto neurônio frontocortical da esquerda para a direita.

40. J. Baldo et al., "Memory Performance on the California Verbal Learning Test-II: Findings from Patients with Focal Frontal Lesions". *J the Int Neuropsychological Soc*, v. 8, n. 4, p. 539, 2002.

41. D. Freedman, "Categorical Representation of Visual Stimuli in the Primate Prefrontal Cortex". *Sci*, v. 291, n. 5502, p. 312, 2001. Mais exemplos de codificação categórica: D. McNamee et al., "Category-Dependent and Category-Independent Goal-Value Codes in Human Ventromedial Prefrontal Cortex" (*Nat Nsci*, v. 16, n. 4, p. 479, 2013); e R. Schmidt et al., "Canceling Actions Involves a Race Between Basal Ganglia Pathways" (*Nat Nsci*, v. 16, n. 8, p. 1118, 2013).

42. M. Histed et al., "Learning Subtracts in the Primate Prefrontal Cortex and Striatum: Sustained Activity Related to Successful Actions". *Neuron*, v. 63, n. 2, p. 244, 2004. Para um bom exemplo do córtex frontal tendo que acompanhar uma regra, ver D. Crowe et al., "Prefrontal Neurons Transmit Signals to Parietal Neurons That Reflect Executive Control of Cognition" (*Nat Nsci*, v. 16, n. 10, p. 1484, 2013).

43. M. Rigotti et al., "The Importance of Mixed Selectivity in Complex Cognitive Tasks". *Nat*, v. 497, n. 7451, p. 585, 2013; J. Cromer et al., "Representation of Multiple, Independent Categories in the Primate Prefrontal Cortex". *Neuron*, v. 66, n. 5, p. 796, 2010; M. Cole et al., "Global Connectivity of Prefrontal Cortex Predicts Cognitive Control and Intelligence". *J Nsci*, v. 32, n. 26, p. 8988, 2012.

44. L. Grossman et al., "Accelerated Evolution of the Electron Transport Chain in Anthropoid Primates". *Trends in Genetics*, v. 20, n. 11, p. 578, 2004.

45. J. W. De Fockert et al., "The Role of Working Memory in Visual Selective Attention". *Sci*, v. 291, n. 5509, p. 1803, 2001; K. Vohs et al., "Making Choices Impairs Subsequent Self-Control: A Limited-Resource Account of Decision Making, Self- Regulation, and Active Initiative". *JPSP*, v. 94, n. 5, p. 883, 2008; K. Watanabe e S. Funahashi, "Neural Mechanisms of Dual-Task Interference and Cognitive Capacity Limitation in the Prefrontal Cortex". *Nat Nsci*, v. 17, n. 4, p. 601, 2014.

46. N. Meand et al., "Too Tired to Tell the Truth: Self-Control Resource Depletion and Dishonesty". *JESP*, v. 45, n. 3, p. 594, 2009; M. Hagger et al., "Ego Depletion and the Strength Model of Self-Control: A Meta-analysis". *Psych Bull*, v. 136, n. 4, p. 495, 2010; C. DeWall et al., "Depletion Makes the Heart Grow Less Helpful: Helping as a Function of Self-Regulatory Energy and Genetic Relatedness". *PSPB*, v. 34, n. 12, p. 1653, 2008; W. Hofmann et al., "And Deplete Us Not into Temptation: Automatic Attitudes, Dietary Restraint, and Self-Regulatory Resources as Determinants of Eating Behavior". *JESP*, v. 43, n. 3, p. 497, 2007.

47. M. Inzlicht e S. Marcora, "The Central Governor Model of Exercise Regulation Teaches Us Precious Little About the Nature of Mental Fatigue and Self-Control Failure". *Front Psych*, v. 7, p. 656, 2016.

48. J. Fuster, "The Prefrontal Cortex — an Update: Time Is of the Essence". *Neuron*, v. 30, n. 2, p. 319, 2001.

49. K. Yoshida et al., "Social Error Monitoring in Macaque Frontal Cortex". *Nat Nsci*, v. 15, n. 9, p. 1307, 2012; T. Behrens et al., "Associative Learning of Social Value". *Nat*, v. 456, n. 7219, p. 245, 2008.

50. R. Dunbar, "The Social Brain Meets Neuroimaging". *TICS*, v. 16, n. 2, p. 101, 2011; K. Bickart et al., "Intrinsic Amygdala-Cortical Functional Connectivity Predicts Social Network Size in Humans". *J Nsci*, v. 32, n. 42, p. 14729, 2012; K. Bickart, "Amygdala Volume and Social Network Size in Humans". *Nat Nsci*, v. 14, n. 2, p. 163, 2010; R. Kanai et al., "Online Social Network Size Is Reflected in Human Brain Structure". *Proc Royal Soc B*, v. 279, n. 1732, p. 1327, 2012; F. Amici et al., "Fission-Fusion Dynamics, Behavioral Flexibility, and Inhibitory Control in Primates". *Curr Biol*, v. 18, n. 18, p. 1415, 2008. Para um achado similar em corvídeos, ver A. Bond et al., "Serial Reversal Learning and the Evolution of Behavioral Flexibility in Three Species of North American Corvids (*Gymnorhinus cyanocephalus, Nucifraga columbiana, Aphelocoma californica*)" (*JCP*, v. 121, n. 4, p. 372, 2007).

51. P. Lewis et al., "Ventromedial Prefrontal Volume Predicts Understanding of Others and Social Network Size". *NeuroImage*, v. 57, n. 4, p. 1624, 2011; J. Sallet et al., "Social Network Size Affects Neural Circuits in Macaques". *Sci*, v. 334, n. 6056, p. 697, 2011.

52. J. Harlow, "Recovery from the Passage of an Iron Bar Through the Head". *Publication of the Massachusetts Med Soc*, v. 2, p. 327, 1868; H. Damasio et al., "The Return of Phineas Gage: Clues About the Brain from the Skull of a Famous Patient". *Sci*, v. 264, n. 5162, p. 1102, 1994; P. Ratiu e I. Talos, "The Tale of Phineas Gage, Digitally Remastered". *Journal of Neurotrauma*, v. 21, n. 5, 2004; J. van Horn et al., "Mapping Connectivity Damage in the Case of Phineas Gage". *PLoS ONE*, v. 7, n. 5, p. e37454, 2012; M. Macmillan, *An Odd Kind of Fame: Stories of Phineas Gage*. Cambridge, MA: MIT Press,

2000; J. Jackson, "Frontis, and Nos. 949-51", em *A Descriptive Catalog of the Warren Anatomical Museum*, reproduzido em Macmillan, *An Odd Kind of Fame*. As fotografias de Gage foram extraídas de J. Wilgus e B. Wilgus, "Face to Face with Phineas Gage" (*J the History of the Nsci*, v. 18, n. 3, p. 340, 2009).

53. W. Seeley et al., "Early Frontotemporal Dementia Targets Neurons Unique to Apes and Humans". *Annals of Neurol*, v. 60, n. 6, p. 660, 2006; R. Levenson e B. Miller, "Loss of Cells, Loss of Self: Frontotemporal Lobar Degeneration and Human Emotion". *Curr Dir Psych Sci*, v. 16, n. 6, p. 289, 2008.

54. U. Voss et al., "Induction of Self Awareness in Dreams Through Frontal Low Curr Stimulation of Gamma Activity". *Nat Nsci*, v. 17, n. 6, p. 810, 2014; J. Georgiadis et al., "Regional Cerebral Blood Flow Changes Associated with Clitorally Induced Orgasm in Healthy Women". *Eur J Nsci*, v. 24, n. 11, p. 3305, 2006.

55. A. Glenn et al., "Antisocial Personality Disorder: A Current Review". *Curr Psychiatry Rep*, v. 15, n. 12, p. 427, 2013; N. Anderson e K. Kiehl, "The Psychopath Magnetized: Insights from Brain Imaging". *TICS*, v. 16, n. 1, p. 52, 2012; L. Mansnerus, "Damaged Brains and the Death Penalty". *New York Times*, p. B9, 21 jul. 2001; M. Brower e B. Price, "Neuropsychiatry of Frontal Lobe Dysfunction in Violent and Criminal Behaviour: A Critical Review". *J Neurol, Neurosurgery & Psychiatry*, v. 71, n. 6, p. 720, 2001.

56. J. Greene et al., "The Neural Bases of Cognitive Conflict and Control in Moral Judgment". *Neuron*, v. 44, n. 2, p. 389, 2004; S. McClure et al., "Separate Neural Systems Value Immediate and Delayed Monetary Rewards". *Sci*, v. 306, n. 5695, p. 503, 2004.

57. A. Barbey et al., "Dorsolateral Prefrontal Contributions to Human Intelligence". *Neuropsychologia*, v. 51, n. 7, p. 1361, 2013.

58. D. Knock et al., "Diminishing Reciprocal Fairness by Disrupting the Right Prefrontal Cortex". *Sci*, v. 314, n. 5800, p. 829, 2006.

59. D. Mobbs et al., "A Key Role for Similarity in Vicarious Reward". *Sci*, v. 324, n. 5929, p. 900, 2009; P. Janata et al., "The Cortical Topography of Tonal Structures Underlying Western Music". *Sci*, v. 298, n. 5601, p. 2167, 2002; M. Balter, "Study of Music and the Mind Hits a High Note in Montreal". *Sci*, v. 315, n. 5813, p. 758, 2007.

60. J. Saver e A. Damasio, "Preserved Access and Processing of Social Knowledge in a Patient with Acquired Sociopathy Due to Ventromedial Frontal Damage". *Neuropsychologia*, v. 29, n. 12, p. 1241, 1991; M. Donoso et al., "Foundations of Human Reasoning in the Prefrontal Cortex". *Sci*, v. 344, n. 6191, p. 1481, 2014; T. Hare, "Exploiting and Exploring the Options". *Sci*, v. 344, n. 6191, p. 1446, 2014; T. Baumgartner et al., "Dorsolateral and Ventromedial Prefrontal Cortex Orchestrate Normative Choice". *Nat Nsci*, v. 14, n. 11, p. 1468, 2011; A. Bechara, "The Role of Emotion in Decision-Making: Evidence from Neurological Patients with Orbitofrontal Damage". *Brain and Cog*, v. 55, n. 1, p. 30, 2004.

61. A. Damasio, *The Feeling of What Happens: Body and Emotion in the Making of Consciousness*. Boston: Harcourt, 1999.

62. M. Koenigs et al., "Damage to the Prefrontal Cortex Increases Utilitarian Moral Judgments". *Nat*, v. 446, n. 7138, p. 865, 2007; B. Thomas et al., "Harming Kin to Save Strangers: Further Evidence for Abnormally Utilitarian Moral Judgments After Ventromedial Prefrontal Damage". *J Cog Nsci*, v. 23, n. 9, p. 2186, 2011.

63. A. Bechara et al., "Deciding Advantageously Before Knowing the Advantageous Strategy". *Sci*, v. 275, n. 5304, p. 1293, 1997; A. Bechara et al., "Insensitivity to Future Consequences Following Damage to Human Prefrontal Cortex". *Cog*, v. 50, n. 1, p. 7, 1994.

64. L. Young et al., "Damage to Ventromedial Prefrontal Cortex Impairs Judgment of Harmful Intent". *Neuron*, v. 65, n. 6, p. 845, 2010.

65. C. Limb e A. Braun, "Neural Substrates of Spontaneous Musical Performance: An fMRI Study of Jazz Improvisation". *PLoS ONE*, v. 3, n. 2, p. e1679, 2008; C. Salzman e S. Fusi, "Emotion, Cognition, and Mental State Representation in Amygdala and Prefrontal Cortex". *Ann Rev of Nsci*, v. 33, n. 1, p. 173, 2010.

66. J. Greene et al., "An fMRI Investigation of Emotional Engagement in Moral Judgment". *Sci*, v. 293, n. 5537, p. 2105, 2001; J. Greene et al., "The Neural Bases of Cognitive Conflict and Control in Moral Judgment", op. cit.; J. Greene, *Moral Tribes: Emotion, Reason, and the Gap Between Us and Them*. Nova York: Penguin, 2013. [Ed. bras.: *Tribos morais: A tragédia da moralidade do senso comum*. Rio de Janeiro: Record, 2018.]

67. J. Peters et al., "Induction of Fear Extinction with Hippocampal-Infralimbic BDNF". *Sci*, v. 328, n. 5983, p. 1288, 2010; M. Milad e G. Quirk, "Neurons in Medial Prefrontal Cortex Signal Memory for Fear Extinction", op. cit.; M. Milad e G. Quirk, "Fear Extinction as a Model for Translational Neuroscience: Ten Years of Progress". *Ann Rev of Psych*, v. 63, n. 1, p. 129, 2012; C. Lai et al., "Opposite Effects of Fear Conditioning and Extinction on Dendritic Spine Remodeling". *Nat*, v. 483, n. 7387, p. 87, 2012. Alguns trabalhos recentes sugerem o envolvimento tanto do CPFM ventral quanto da amígdala basomedial nesse processo, como A. Adhikari et al., "Basomedial Amygdala Mediates Top-Down Control of Anxiety and Fear" (*Nat*, v. 527, n. 7577, p. 179, 2016).

68. K. Ochsner et al., "Rethinking Feelings: An fMRI Study of the Cognitive Regulation of Emotion". *J Cog Nsci*, v. 14, n. 8, p. 1215, 2002; G. Sheppes e J. Gross, "Is Timing Everything? Temporal Considerations in Emotion Regulation". *PSPR*, v. 15, n. 4, p. 319, 2011; G. Sheppes e Z. Levin, "Emotion Regulation Choice: Selecting Between Cognitive Regulation Strategies to Control Emotion". *Front Human Neurosci*, v. 7, p. 179, 2013; J. Gross, "Antecedent- and Response-Focused Emotion Regulation: Divergent Consequences for Experience, Expression, and Physiology". *JPSP*, v. 74, n. 1, p. 224, 1998; J. Gross, "Emotion Regulation: Affective, Cognitive, and Social Consequences". *Psychophysiology*, v. 39, n. 3, p. 281, 2002; K. Ochsner e J. Gross, "The Cognitive Control of Emotion". *TICS*, v. 9, n. 5, p. 242, 2005.

69. M. Lieberman et al., "The Neural Correlates of Placebo Effects: A Disruption Account". *NeuroImage*, v. 22, n. 1, p. 447, 2004; P. Petrovic et al., "Placebo and Opioid Analgesia: Imaging a Shared Neuronal Network". *Sci*, v. 295, n. 5560, p. 1737, 2002.

70. J. Beck, *Cognitive Behavior Therapy*. 2. ed. Nova York: Guilford, 2011; P. Goldin et al., "Cognitive Reappraisal Self-Efficacy Mediates the Effects of Individual Cognitive-Behavioral Therapy for Social Anxiety Disorder". *J Consulting Clin Psych*, v. 80, n. 6, p. 1034, 2012.

71. A. Bechara et al., "Failure to Respond Autonomically to Anticipated Future Outcomes Following Damage to Prefrontal Cortex". *Cerebral Cortex*, v. 6, n. 2, p. 215, 1996; C. Martin et al., "The Effects of Vagus Nerve Stimulation on Decision-Making". *Cortex*, v. 40, n. 4, p. 605, 2004.

72. G. Bodenhausen et al., "Negative Affect and Social Judgment: The Differential Impact of Anger and Sadness". *Eur J Soc Psych*, v. 24, p. 45, 1994; A. Sanfey et al., "The Neural Basis of Economic Decision-Making in the Ultimatum Game". *Sci*, v. 300, p. 1755, 2003; K. Gospic et al., "Limbic Justice: Amygdala Involvement in Immediate Rejections in the Ultimatum Game", op. cit.

73. D. Wegner, "How to Think, Say, or Do Precisely the Worst Thing on Any Occasion". *Sci*, v. 325, n. 5936, p. 58, 2009.

74. R. Davidson e S. Begley, *The Emotional Life of Your Brain*. Nova York: Hudson Street, 2011; A. Tomarken e R. Davidson, "Frontal Brain Activation in Repressors and Nonrepressors". *J Abnormal Psych*, v. 103, n. 2, p. 339, 1994.

75. A. Ito et al., "The Contribution of the Dorsolateral Prefrontal Cortex to the Preparation for Deception and Truth-Telling". *Brain Res*, v. 1464, p. 43, 2012; S. Spence et al., "A Cognitive Neurobiological Account of Deception: Evidence from Functional Neuroimaging". *Philosophical Transactions of the Royal Soc London Series B*, v. 359, n. 1451, p. 1755, 2004; I. Karton e T. Bachmann, "Effect of Prefrontal Transcranial Magnetic Stimulation on Spontaneous Truth-Telling". *BBR*, v. 225, n. 1, p. 209, 2011; Y. Yang et al., "Prefrontal White Matter in Pathological Liars". *Brit J Psychiatry*, v. 187, n. 4, p. 320, 2005.

76. D. Carr e S. Sesack, "Projections from the Rat Prefrontal Cortex to the Ventral Tegmental Area: Target Specificity in the Synaptic Associations with Mesoaccumbens and Mesocortical Neurons". *J Nsci*, v. 20, n. 10, p. 3864, 2000; M. Stefani e B. Moghaddam, "Rule Learning and Reward Contingency Are Associated with Dissociable Patterns of Dopamine Activation in the Rat Prefrontal Cortex, Nucleus Accumbens, and Dorsal Striatum". *J Nsci*, v. 26, n. 34, p. 8810, 2006.

77. T. Danjo et al., "Aversive Behavior Induced by Optogenetic Inactivation of Ventral Tegmental Area Dopamine Neurons Is Mediated by Dopamine D2 Receptors in the Nucleus Accumbens". *PNAS*, v. 111, n. 17, p. 6455, 2014; N. Schwartz et al., "Decreased Motivation During Chronic Pain Requires Long-Term Depression in the Nucleus Accumbens". *Nat*, v. 345, n. 6196, p. 535, 2014.

78. J. Cloutier et al., "Are Attractive People Rewarding? Sex Differences in the Neural Substrates of Facial Attractiveness". *J Cog Nsci*, v. 20, n. 6, p. 941, 2008; K. Demos et al., "Dietary Restraint Violations Influence Reward Responses in Nucleus Accumbens and Amygdala". *J Cog Nsci*, v. 23, n. 8, p. 1952, 2011.

79. R. Deaner et al., "Monkeys Pay per View: Adaptive Valuation of Social Images by Rhesus Macaques". *Curr Biol*, v. 15, n. 6, p. 543, 2005.

80. V. Salimpoor et al., "Interactions Between the Nucleus Accumbens and Auditory Cortices Predicts Music Reward Value". *Sci*, v. 340, n. 6129, p. 216, 2013; G. Berns e S. Moore, "A Neural Predictor of Cultural Popularity". *J Consumer Psych*, v. 22, n. 1, p. 154, 2012; S. Erk et al., "Cultural Objects Modulate Reward Circuitry". *Neuroreport*, v. 13, n. 18, p. 2499, 2002.

81. A. Sanfey et al., "The Neural Basis of Economic Decision-Making in the Ultimatum Game", op. cit. Ver também J. Moll et al., "Human Front-Mesolimbic Networks Guide Decisions About Charitable Donation" (*PNAS*, v. 103, n. 42, p. 15623, 2006); e W. Harbaugh et al., "Neural Responses to Taxation and Voluntary Giving Reveal Motives for Charitable Donations" (*Sci*, v. 316, p. 1622, 2007).

82. D. de Quervain et al., "The Neural Basis of Altruistic Punishment". *Sci*, v. 305, n. 5688, p. 1254, 2004; B. Knutson, "Sweet Revenge?". *Sci*, v. 305, n. 5688, p. 1246, 2004.

83. M. Delgado et al., "Understanding Overbidding: Using the Neural Circuitry of Reward to Design Economic Auctions". *Sci*, v. 321, n. 5897, p. 1849, 2008; E. Maskin, "Can Neural Data Improve Economics?". *Sci*, v. 321, n. 5897, p. 1788, 2008.

84. H. Takahasi et al., "When Your Gain Is My Pain and Your Pain Is My Gain: Neural Correlates of Envy and Schadenfreude". *Sci*, v. 323, n. 5916, p. 890, 2009; K. Fliessbach et al., "Social Comparison Affects Reward-Related Brain Activity in the Human Ventral Striatum". *Sci*, v. 318, n. 5854, p. 1305, 2007.

85. W. Schultz, "Dopamine Signals for Reward Value and Risk: Basic and Recent Data". *Behav and Brain Functions*, v. 6, n. 1, p. 24, 2010.

86. J. Cooper et al., "Available Alternative Incentives Modulate Anticipatory Nucleus Accumbens Activation". *SCAN*, v. 4, n. 4, p. 409, 2009; D. Levy e P. Glimcher, "Comparing Apples and Oranges: Using Reward-Specific and Reward-General Subjective Value Representation in the Brain". *J Nsci*, v. 31, n. 41, p. 14693, 2011.

87. P. Tobler et al., "Adaptive Coding of Reward Value by Dopamine Neurons". *Sci*, v. 307, n. 5715, p. 1642, 2005.

88. W. Schultz, "Dopamine Signals for Reward Value and Risk: Basic and Recent Data", op. cit.; J. Cohen et al., "Neuron-Type-Specific Signals for Reward and Punishment in the Central Tegmental Area". *Nat*, v. 482, n. 7383, p. 85, 2012; J. Hollerman e W. Schultz, "Dopamine Neurons Report an Error in the Temporal Prediction of Reward During Learning". *Nat Nsci*, v. 1, n. 4, p. 304, 1998; A. Brooks et al., "From Bad to Worse: Striatal Coding of the Relative Value of Painful Decisions". *Front Nsci*, v. 4, p. 1, 2010.

89. B. Knutson et al., "Neural Predictors of Purchases". *Neuron*, v. 53, n. 1, p. 147, 2007.

90. P. Sterling, "Principles of Allostasis: Optimal Design, Predictive Regulation, Pathophysiology and Rational Therapeutics". In: J. Schulkin (Org.), *Allostasis, Homeostasis, and the Costs of Adaptation*. Cambridge, MA: MIT Press, 2004.

91. B. Knutson et al., "Anticipation of Increasing Monetary Reward Selectively Recruits Nucleus Accumbens". *J Nsci*, v. 21, n. 159, p. RC159, 2001.

92. G. Stuber et al., "Reward-Predictive Cues Enhance Excitatory Synaptic Strength onto Midbrain Dopamine Neurons". *Sci*, v. 321, n. 5896, p. 1690, 2008; A. Luo et al., "Linking Context with Reward: A Functional Circuit from Hippocampal CA3 to Ventral Tegmental Area". *Sci*, v. 33, n. 6040, p. 353, 2011; J. O'Doherty, "Reward Representations and Reward-Related Learning in the Human Brain: Insights from Neuroimaging". *Curr Opinions in Neurobiol*, v. 14, n. 6, p. 769, 2004; M. Cador et al., "Involvement of the Amygdala in Stimulus-Reward Associations: Interaction with the Ventral Striatum". *Nsci*, v. 30, n. 1, p. 77, 1989; J. Britt et al., "Synaptic and Behavioral Profile of Multiple Glutamatergic Inputs to the Nucleus Accumbens". *Neuron*, v. 76, n. 4, p. 790, 2012; G. Stuber et al., "Optogenetic Modulation of Neural Circuits That Underlie Reward Seeking". *BP*, v. 71, n. 12, p. 1061, 2012; F. Ambroggi et al., "Basolateral Amygdala Neurons Facilitate Reward-Seeking Behavior by Exciting Nucleus Accumbens Neurons". *Neuron*, v. 59, n. 4, p. 648, 2008.

93. S. Hyman et al., "Neural Mechanisms of Addiction: The Role of Reward- Related Learning and Memory". *Ann Rev of Nsci*, v. 29, p. 565, 2006; B. Lee et al., "Maturation of Silent Synapses in Amygdala-Accumbens Projection Contributes to Incubation of Cocaine Craving". *Nat Nsci*, v. 16, n. 11, p. 1644, 2013. Para uma consideração a respeito dos comportamentos impulsivos como um tipo de vício: S. Rauch e W. Carlezon, "Illuminating the Neural Circuitry of Compulsive Behaviors" (*Sci*, v. 340, n. 6137, p. 1174, 2013); S. Ahmari et al., "Repeated Cortico-Striatal Stimulation Generates Persistent OCD-like Behavior" (*Sci*, v. 340, p. 1234, 2013); e E. Burguiere et al., "Optogenetic Stimulation of Lateral Orbitofronto-Striatal Pathway Suppresses Compulsive Behaviors" (*Sci*, v. 340, n. 6137, p. 1243, 2013).

94. S. Flagel et al., "A Selective Role for Dopamine in Stimulus-Reward Learning". *Nat*, v. 469, n. 7328, p. 53, 2011; K. Burke et al., "The Role of the Orbitofrontal Cortex in the Pursuit of Happiness and More Specific Rewards". *Nat*, v. 454, n. 7202, p. 340, 2008.

95. P. Tobler et al., "Adaptive Coding of Reward Value by Dopamine Neurons", op. cit.; C. Fiorillo et al., "Discrete Coding of Reward Probability and Uncertainty by Dopamine Neurons". *Sci*, v. 299, n. 5614, p. 1898, 2003.

96. B. Knutson et al., "Distributed Neural Representation of Expected Value". *J Nsci*, v. 25, n. 19, p. 4806, 2005; M. Stefani e B. Moghaddam, "Rule Learning and Reward Contingency Are Associated with Dissociable Patterns of Dopamine Activation in the Rat Prefrontal Cortex, Nucleus Accumbens, and Dorsal Striatum", op. cit.

97. R. Habib e M. Dixon, "Neurobehavioral Evidence for the 'Near-Miss' Effect in Pathological Gamblers". *J the Exp Analysis of Behav*, v. 93, n. 3, p. 313, 2010; M. Hsu et al., "Neural Systems Responding to Degrees of Uncertainty in Human Decision-Making". *Sci*, v. 310, n. 5754, p. 1680, 2006.

98. A. Braun et al., "Dorsal Striatal Dopamine Depletion Impairs Both Allocentric and Egocentric Navigation in Rats". *Neurobiol of Learning and Memory*, v. 97, n. 4, p. 402, 2012; J. Salamone, "Dopamine, Effort, and Decision Making". *Behavioral Nsci*, v. 123, n. 2, p. 463, 2009; I. Whishaw e S. Dunnett, "Dopamine Depletion, Stimulation or Blockade in the Rat Disrupts Spatial Navigation and Locomotion Dependent upon Beacon or Distal Cues". *BBR*, v. 18, n. 1, p. 11, 1985; J. Salamone e M. Correa, "The Mysterious Motivational Functions of Mesolimbic Dopamine". *Neuron*, v. 76, n. 3, p. 470, 2012; H. Tsai et al., "Phasic Firing in Dopaminergic Neurons Is Sufficient for Behavioral Conditioning". *Sci*, v. 324, n. 5930, p. 1080, 2009; P. Phillips et al., "Sub-second Dopamine Release Promotes Cocaine Seeking". *Nat*, v. 422, n. 6932, p. 614, 2003; M. Pessiglione et al., "Dopamine-Dependent Prediction Errors Underpin Reward-Seeking Behavior in Humans". *Nat*, v. 442, n. 7106, p. 1042, 2008.

99. M. Numan e D. Stoltzenberg, "Medial Preoptic Area Interactions with Dopamine Neural Systems in the Control of the Onset and Maintenance of Maternal Behavior in Rats". *Front Neuroendo*, v. 30, n. 1, p. 46, 2009.

100. S. McClue et al., "Separate Neural Systems Value Immediate and Delayed Monetary Rewards". *Sci*, v. 306, n. 5695, p. 503, 2004; J. Jennings et al., "Distinct Extended Amygdala Circuits for Divergent Motivational States". *Nat*, v. 496, n. 7444, p. 224, 2013.

101. M. Howe et al., "Prolonged Dopamine Signaling in Striatum Signals Proximity and Value of Distant Rewards". *Nat*, v. 500, n. 7464, p. 575, 2013; Y. Niv, "Dopamine Ramps Up". *Nat*, v. 500, n. 7464, p. 533, 2013.

102. W. Schultz, "Subjective Neuronal Coding of Reward: Temporal Value Discounting and Risk". *Eur J Nsci*, v. 31, n. 12, p. 2124, 2010; S. Kobayashi e W. Schultz, "Influence of Reward Delays on Responses of Dopamine Neurons". *J Nsci*, v. 28, n. 31, p. 7837, 2008; S. Kim et al., "Prefrontal Coding of Temporally Discounted Values During Intertemporal Choice". *Neuron*, v. 59, n. 1, p. 161, 2008; M. Roesch e C. Olson, "Neuronal Activity in Orbitofrontal Cortex Reflects the Value of Time". *J Neurophysiology*, v. 94, n. 4, p. 2457, 2005; M. Bermudez e W. Schultz, "Timing in Reward and Decision Processes". *Philosophical Trans of the Royal Soc of London B*, v. 369, p. 20120468, 2014; B. Figner et al., "Lateral Prefrontal Cortex and Self-Control in Intertemporal Choice". *Nat Nsci*, v. 13, n. 5, p. 538, 2010; K. Jimura et al., "Impulsivity and Self-Control During Intertemporal Decision Making Linked to the Neural Dynamics of Reward Value Representation". *J Nsci*, v. 33, n. 1, p. 344, 2013; S. McClure et al., "Time Discounting for Primary Rewards". *J Nsci*, v. 27, n. 21, p. 5796, 2007.

103. K. Ballard e B. Knutson, "Dissociable Neural Representations of Future Reward Magnitude and Delay During Temporal Discounting". *NeuroImage*, v. 45, n. 1, p. 143, 2009.

104. A. Lak et al., "Dopamine Prediction Error Responses Integrate Subjective Value from Different Reward Dimensions". *PNAS*, v. 111, n. 6, p. 2343, 2014.

105. V. Noreika et al., "Timing Deficits in Attention-Deficit/Hyperactivity Disorder (ADHD): Evidence from Neurocognitive and Neuroimaging Studies". *Neuropsychologia*, v. 51, n. 2, p. 235, 2013; A.

Pine et al., "Dopamine, Time, and Impulsivity in Humans". *J Nsci*, v. 30, n. 26, p. 8888, 2010; W. Schultz, "Potential Vulnerabilities of Neuronal Reward, Risk, and Decision Mechanisms to Addictive Drugs". *Neuron*, v. 69, n. 4, p. 603, 2011.

106. G. Brown et al., "Aggression in Humans Correlates with Cerebrospinal Fluid Amine Metabolites". *Psychiatry Res*, v. 1, n. 2, p. 131, 1979; M. Linnoila et al., "Low Cerebrospinal Fluid 5-Hydroxyindoleacetic Acid Concentration Differentiates Impulsive from Nonimpulsive Violent Behavior". *Life Sci*, v. 33, n. 26, p. 2609, 1983; P. Stevenson e K. Schildberger, "Mechanisms of Experience Dependent Control of Aggression in Crickets". *Curr Opinion in Neurobiol*, v. 23, n. 3, p. 318, 2013; P. Fong e A. Ford, "The Biological Effects of Antidepressants on the Molluscs and Crustaceans: A Review". *Aquatic Toxicology*, v. 151, p. 4, 2014.

107. M. Linnoila et al., "Low Cerebrospinal Fluid 5-Hydroxyindoleacetic Acid Concentration Differentiates Impulsive from Nonimpulsive Violent Behavior", op. cit.; J. Higley et al., "Excessive Mortality in Young Free-Ranging Male Nonhuman Primates with Low Cerebrospinal Fluid 5-Hydroxyindoleacetic Acid Concentrations". *AGP*, v. 53, n. 6, p. 537, 1996; M. Åsberg et al., "5-HIAA in the Cerebrospinal Fluid: A Biochemical Suicide Predictor?". *AGP*, v. 33, n. 10, p. 1193, 1976; M. Bortolato et al., "The Role of the Serotonergic System at the Interface of Aggression and Suicide". *Nsci*, v. 236, p. 160, 2013.

108. H. Clarke et al., "Cognitive Inflexibility After Prefrontal Serotonin Depletion". *Sci*, v. 304, n. 5672, p. 878, 2004; R. Wood et al., "Effects of Tryptophan Depletion on the Performance of an Iterated PD Game in Healthy Adults". *Neuropsychopharmacology*, v. 1, n. 5, p. 1075, 2006.

109. J. Dalley e J. Roiser, "Dopamine, Serotonin and Impulsivity". *Nsci*, v. 215, p. 42, 2012; P. Redgrave e I. Horrell, "Potentiation of Central Reward by Localized Perfusion of Acetylcholine and 5-Hydroxytryptamine". *Nat*, v. 262, n. 5566, p. 305, 1976; A. Harrison e A. Markou, "Serotonergic Manipulations Both Potentiate and Reduce Brain Stimulation Reward in Rats: Involvement of Serotonin-1A Receptors". *JPET*, v. 297, n. 1, p. 316, 2001.

110. A. Duke, "Revisiting the Serotonin-Aggression Relation in Humans: A Meta-analysis". *Psych Bull*, v. 139, n. 5, p. 1148, 2013.

111. A. Gopnik, "The New Neuro-Skeptics". *New Yorker*, 9 set. 2013.

112. C. Bukach et al., "Beyond Faces and Modularity: The Power of an Expertise Framework". *TICS*, v. 10, n. 4, p. 159, 2006.

3. DE SEGUNDOS A MINUTOS ANTES [pp. 84-100]

1. Maternidade abusiva e resultados antibehavioristas: D. Maestripieri et al., "Neurobiological Characteristics of Rhesus Macaque Abusive Mothers and Their Relation to Social and Maternal Behavior" (*Nsci Biobehav Rev*, v. 29, n. 1, p. 51, 2005); e R. Sullivan et al., "Ontogeny of Infant Fear Learning and the Amygdala", em M. Gazzaniga (Org.), *Cognitive Neuroscience IV* (Cambridge, MA: MIT Press, 2009), p. 889.

2. Vozes das pandas: B. Charlton et al., "Vocal Discrimination of Potential Mates by Female Giant Pandas (Ailuropoda melanoleuca)" (*Biol Lett*, v. 5, n. 5, p. 597, 2009). Vozes das mulheres: G. Bryant e M. Haselton, "Vocal Cues of Ovulation in Human Females" (*Biol Lett*, v. 5, n. 1, p. 12, 2009); e J. Knight, "When Robots Go Wild" (*Nat*, v. 434, n. 7036, p. 954, 2005).

3. H. Herzog, *Some We Love, Some We Hate, Some We Eat: Why It's So Hard to Think Straight About Animals*. Nova York: Harper, 2010.

4. Comunicação vibracional: P. Hill, *Vibrational Communication in Animals* (Cambridge, MA: Harvard University Press, 2008). Morcegos praticando a interferência: A. Corcoran e W. Conner, "Bats Jamming Bats: Food Competition Through Sonar Interference" (*Sci*, v. 346, n. 6210, p. 745, 2014). Ratos com cócegas: J. Panksepp, "Beyond a Joke: From Animal Laughter to Human Joy?" (*Sci*, v. 308, n. 5718, p. 62, 2005).

5. Para uma revisão sobre a continuidade entre as informações sensoriais subliminares e as informações sentidas, mas consideradas irrelevantes: T. Marteau et al., "Changing Human Behavior to Prevent Disease: The Importance of Targeting Automatic Processes" (*Sci*, v. 337, n. 6101, p. 1492, 2012).

6. Batata frita: M. Zampini e C. Spence, "Assessing the Role of Sound in the Perception of Food and Drink" (*Chemical Senses*, v. 3, n. 1, p. 57, 2010). K. Edwards, "The Interplay of Affect and Cognition in Attitude Formation and Change". *JPSP*, v. 59, n. 2, p. 212, 1990.

7. Uma excelente revisão do tema: J. Kubota et al. "The Neuroscience of Race" (*Nat Nsci*, v. 15, n. 7, p. 940, 2012); para uma boa revisão de todo esse campo, ver D. Ariely, *Predictably Irrational: The Hidden Forces That Shape Our Decisions* (Nova York: HarperCollins, 2008). [Ed. bras.: *Previsivelmente irracional: Como as situações do dia a dia influenciam as nossas decisões*. Rio de Janeiro: Campus/Elsevier, 2008.]

8. T. Ito e G. J. Urland, "Race and Gender on the Brain: Electrocortical Measures of Attention to the Race and Gender of Multiply Categorizable Individuals". *JPSP*, v. 85, n. 4, p. 616, 2003. Para uma boa revisão de como as atitudes implícitas são estudadas, ver B. Nosek et al., "Implicit Social Cognition: From Measures to Mechanisms" (*TICS*, v. 15, n. 4, p. 152, 2011).

9. A. Olsson et al., "The Role of Social Groups in the Persistence of Learned Fear". *Sci*, v. 309, n. 5735, p. 785, 2005.

10. J. Richeson et al., "An fMRI Investigation of the Impact of Interracial Contact on Executive Function". *Nat Nsci*, v. 6, n. 12, p. 1323, 2003; J. Richeson e S. Trawalter, "Why Do Interracial Interactions Impair Executive Function? A Resource Depletion Account". *JPSP*, v. 88, p. 6, 2005; K. Knutson et al., "Neural Correlates of Automatic Beliefs About Gender and Race". *Human Brain Mapping*, v. 28, n. 10, p. 915, 2007.

11. N. Kanwisher et al., "The Fusiform Face Area: A Module in Human Extrastriate Cortex Specialized for Face Perception". *J Nsci*, v. 17, n. 11, p. 4302, 1997; J. Sergent et al., "Functional Neuroanatomy of Face and Object Processing: A Positron Emission Tomography Study". *Brain*, v. 115, n. 1, p. 15, 1992; A. Golby et al., "Differential Responses in the Fusiform Region to Same-Race and Other-Race Faces". *Nat Nsci*, v. 4, n. 8, p. 845, 2001; A. J. Hart et al., "Differential Response in the Human Amygdala to Racial Outgroup Versus Ingroup Face Stimuli". *Neuroreport*, v. 11, n. 11, p. 2351, 2000.

12. K. Shutts e K. Kinzler, "An Ambiguous-Race Illusion in Children's Face Memory". *Psych Sci*, v. 18, n. 11, p. 763, 2007; J. Maner et al., "Functional Projection: How Fundamental Social Motives Can Bias Interpersonal Perception". *JPSP*, v. 88, n. 1, p. 63, 2005; K. Hugenberg e G. Bodenhausen, "Facing Prejudice: Implicit Prejudice and the Perception of Facial Threat". *Psych Sci*, v. 14, n. 6, p. 640, 2003; J. van Bavel et al., "The Neural Substrates of In-group Bias: A Functional Magnetic Resonance Imaging Investigation". *Psych Sci*, v. 19, n. 11, p. 1131, 2008; J. van Bavel e William Cunningham, "Self-Categorization with a Novel Mixed-Race Group Moderates Automatic Social and Racial Biases". *PSPB*, v. 35, n. 3, p. 321, 2009.

13. A. Avenanti et al., "Racial Bias Reduces Empathic Sensorimotor Resonance with Other-Race Pain". *Curr Biol*, v. 20, n. 11, p. 1018, 2010; V. Mathur et al., "Neural Basis of Extraordinary Empathy and Altruistic Motivation". *NeuroImage*, v. 51, n. 4, p. 1468, 2010.

14. J. Correll et al., "Event-Related Potentials and the Decision to Shoot: The Role of Threat Perception and Cognitive Control". *JESP*, v. 42, n. 1, p. 120, 2006.

15. J. Eberhardt et al., "See Black: Race, Crime, and Visual Processing". *JPSP*, v. 87, n. 6, p. 876, 2004; I. Blair et al., "The Influence of Afrocentric Facial Features in Criminal Sentencing". *Psych Sci*, v. 15, n. 10, p. 674, 2004; M. Brown et al., "The Effects of Eyeglasses and Race on Juror Decisions Involving a Violent Crime". *AMFP*, v. 26, p. 25, 2008.

16. J. LeDoux, "Emotion: Clues from the Brain". *Ann Rev of Psych*, v. 46, p. 209, 1995.

17. T. Ito e G. Urland, "Race and Gender on the Brain: Electrocortical Measures of Attention to the Race and Gender of Multiply Categorizable Individuals", op. cit.; N. Rule et al., "Perceptions of Dominance Following Glimpses of Faces and Bodies". *Perception*, v. 41, n. 6, p. 687, 2012; C. Zink et al., "Know Your Place: Neural Processing of Social Hierarchy in Humans", op. cit.

18. T. Tsukiura e R. Cabeza, "Shared Brain Activity for Aesthetic and Moral Judgments: Implications for the Beauty-Is-Good Stereotype". *SCAN*, v. 6, n. 1, p. 138, 2011.

19. H. Aviezer et al., "Body Cues, Not Facial Expressions, Discriminate Between Intense Positive and Negative Emotions". *Sci*, v. 338, n. 6111, p. 1225, 2012; C. Bobst e J. Lobmaier, "Men's Preference for the Ovulating Female Is Triggered by Subtle Face Shape Differences". *Horm Behav*, v. 62, n. 4, p. 413, 2012; N. Rule e N. Ambady, "Democrats and Republicans Can Be Differentiated from Their Faces". *PLoS ONE*, v. 5, n. 1, p. e8733, 2010; M. Feinberg et al., "Flustered and Faithful: Embarrassment as a Signal of Prosociality". *JPSP*, v. 102, n. 1, p. 81, 2012; N. Rule et al., "On the Perception of Religious Group Membership from Faces". *PLoS ONE*, v. 5, n. 12, p. e14241, 2010.

20. P. Whalen et al., "Human Amygdala Responsivity to Masked Fearful Eye Whites". *Sci*, v. 306, n. 5704, p. 2061, 2004.

21. R. Hill e R. Barton, "Red Enhances Human Performance in Contests". *Nat*, v. 435, n. 7040, p. 293, 2005; M. Attrill et al., "Red Shirt Colour Is Associated with Long-Term Team Success in English Football". *JSS*, v. 26, n. 6, p. 577, 2008; M. Platti et al., "The Red Mist? Red Shirts, Success and Team Sports". *JSS*, v. 15, n. 9, p. 1209, 2012; A. Ilie et al., "Better to Be Red Than Blue in Virtual Competition". *Cyber Psychology & Behav*, v. 11, n. 3, p. 375, 2008; M. Garcia-Rubio et al., "Does a Red Shirt Improve Sporting Performance? Evidence from Spanish Football". *AEL*, v. 18, n. 11, p. 1001, 2011; C. Rowe et al., "Sporting Contests: Seeing Red? Putting Sportswear in Context". *Nat*, v. 437, p. E10, 2005.

22. D. Francey e R. Bergmuller, "Images of Eyes Enhance Investments in a Real-Life Public Good". *PLoS ONE*, v. 7, n. 5, p. e37397, 2012; M. Bateson et al., "Cues of Being Watched Enhance Cooperation in a Real-World Setting". *Biol Lett*, v. 2, n. 3, p. 412, 2006; K. Haley e D. Fessler, "Nobody's Watching? Subtle Cues Affect Generosity in an Anonymous Economic Game". *EHB*, v. 26, p. 245, 2005; T. Burnham e B. Hare, "Engineering Human Cooperation". *Hum Nat*, v. 18, n. 2, p. 88, 2007; M. Rigdon et al., "Minimal Social Cues in the Dictator Game". *JEP*, v. 30, n. 3, p. 358, 2009.

23. C. Forbes et al., "Negative Stereotype Activation Alters Interaction Between Neural Correlates of Arousal, Inhibition and Cognitive Control". *SCAN*, v. 7, n. 7, p. 771, 2011.

24. C. Steele, *Whistling Vivaldi and Other Clues to How Stereotypes Affect Us*. Nova York: Norton, 2010.

25. L. Mujica-Parodi et al., "Chemosensory Cues to Conspecific Emotional Stress Activate Amygdala in Humans". *PLoS ONE*, v. 4, n. 7, p. e6415, 2009; W. Zhou e D. Chen, "Fear-Related Chemosignals

Modulate Recognition of Fear in Ambiguous Facial Expressions". *Psych Sci*, v. 20, n. 2, p. 177, 2009; A. Prehn et al., "Chemosensory Anxiety Signals Augment the Startle Reflex in Humans". *Nsci Letters*, v. 394, n. 4, p. 127, 2006.

26. H. Critchley e N. Harrison, "Visceral Influences on Brain and Behavior". *Neuron*, v. 77, n. 4, p. 624, 2013; Dana Carney et al., "Power Posing: Brief Nonverbal Displays Affect Neuroendocrine Levels and Risk Tolerance". *Psych Sci*, v. 21, n. 10, p. 1363, 2010. Alguns achados relacionados: A. Hennenlotter et al., "The Link Between Facial Feedback and Neural Activity Within Central Circuitries of Emotion: New Insights from Botulinum Toxin-Induced Denervation of Frown Muscles" (*Cerebral Cortex*, v. 19, n. 3, p. 357, 2009); e J. Davis, "The Effects of botox Injections on Emotional Experience" (*Emotion*, v. 10, n. 3, p. 433, 2010).

27. L. Berkowitz, "Pain and Aggression: Some Findings and Implications". *Motivation and Emotion*, v. 17, n. 3, p. 277, 1993.

28. M. Gailliot et al., "Self-Control Relies on Glucose as a Limited Energy Source: Willpower Is More Than a Metaphor". *JPSP*, v. 92, n. 2, p. 325, 2007; N. Mead et al., "Too Tired to Tell the Truth: Self-Control Resource Depletion and Dishonesty". *JESP*, v. 45, n. 3, p. 594, 2009; C. DeWall et al., "Depletion Makes the Heart Grow Less Helpful: Helping as a Function of Self-Regulatory Energy and Genetic Relatedness", op. cit.; B. Briers et al., "Hungry for Money: The Desire for Caloric Resources Increases the Desire for Financial Resources and Vice Versa". *Psych Sci*, v. 17, n. 11, p. 939, 2006; C. DeWall et al., "Sweetened Blood Cools Hot Tempers: Physiological Self-Control and Aggression". *Aggressive Behav*, v. 37, n. 1, p. 73, 2011; D. Benton, "Hypoglycemia and Aggression: A Review". *Int J Nsci*, v. 41, p. 163, 1988; B. Bushman et al., "Low Glucose Relates to Greater Aggression in Married Couples". *PNAS USA*, v. 111, n. 17, p. 6254, 2014. Para uma reinterpretação dessa literatura como relativa à motivação para o autocontrole, e não à capacidade para ele, ver M. Inzlicht et al., "Why Self-Control Seems (But May Not Be) Limited" (*TICS*, v. 18, n. 3, p. 127, 2014).

29. V. Liberman et al., "The Name of the Game: Predictive Power of Reputations Versus Situational Labels in Determining Prisoner's Dilemma Game Moves". *PSPB*, v. 30, n. 9, p. 1175, 2004; A. Kay e L. Ross, "The Perceptual Push: The Interplay of Implicit Cues and Explicit Situational Construals on Behavioral Intentions in the Prisoner's Dilemma". *JESP*, v. 39, n. 6, p. 634, 2003.

30. E. Hall et al., "A Rose by Any Other Name? The Consequences of Subtyping 'African-Americans' from 'Blacks'". *JESP*, v. 56, p. 183, 2015.

31. K. Jung et al., "Female Hurricanes Are Deadlier Than Male Hurricanes". *PNAS*, v. 111, n. 24, p. 8782, 2014.

32. A. Tversky e D. Kahneman, "Rationale Choice and the Framing of Decisions". *J Business*, v. 59, n. 4, p. S251, 1986. Ver também G. Hertel e N. Kerr, "Priming In-group Favoritism: The Impact of Normative Scripts in the Minimal Group Paradigm" (*JESP*, v. 37, p. 316, 2001); e C. Zogmaister et al., "The Impact of Loyalty and Equality on Implicit Ingroup Favoritism" (*Group Processes & Intergroup Relations*, v. 11, n. 4, p. 493, 2008).

33. J. Christensen e A. Gomila, "Moral Dilemmas in Cognitive Neuroscience of Moral Decision-Making: A Principled Review". *Nsci Biobehav Rev*, v. 36, n. 4, p. 1249, 2012; L. Petrinovich e P. O'Neill, "Influence of Wording and Framing Effects on Moral Intuitions". *Ethology and Sociobiology*, v. 17, n. 3, p. 145, 1996; R. O'Hara et al., "Wording Effects in Moral Judgments". *Judgment and Decision Making*, v. 5, n. 7, p. 547, 2010; R. Zahn et al., "The Neural Basis of Human Social Values: Evidence from Functional mri". *Cerebral Cortex*, v. 19, n. 2, p. 276, 2009.

34. D. Butz et al., "Liberty and Justice for All? Implications of Exposure to the U.S. Flag for Intergroup Relations". *PSPB*, v. 33, n. 3, p. 396, 2007; M. Levine et al., "Identity and Emergency Intervention: How Social Group Membership and Inclusiveness of Group Boundaries Shape Helping Behavior". *PSPB*, v. 31, n. 4, p. 443, 2005; R. Enos, "Causal Effect of Intergroup Contact on Exclusionary Attitudes". *PNAS*, v. 111, n. 10, p. 3699, 2014.

35. M. Shih et al., "Stereotype Susceptibility: Identity Salience and Shifts in Quantitative Performance". *Psych Sci*, v. 10, n. 1, p. 80, 1999.

36. P. Fischer et al., "The Bystander-Effect: A Meta-analytic Review on Bystander Intervention in Dangerous and Non-dangerous Emergencies". *Psych Bull*, v. 137, n. 4, p. 517, 2011.

37. B. Pawlowski et al., "Sex Differences in Everyday Risk-Taking Behavior in Humans". *Evolutionary Psych*, v. 6, n. 1, p. 29, 2008; B. Knutson et al., "Nucleus Accumbens Activation Mediates the Influence of Reward Cues on Financial Risk Taking". *Neuroreport*, v. 19, n. 5, p. 509, 2008; V. Griskevicius et al., "Blatant Benevolence and Conspicuous Consumption: When Romantic Motives Elicit Strategic Costly Signals". *JPSP*, v. 93, n. 1, p. 85, 2007; L. Chang et al., "The Face That Launched a Thousand Ships: The Mating-Warring Association in Men". *PSPB*, v. 37, n. 7, p. 976, 2011; S. Ainsworth e J. Maner, "Sex Begets Violence: Mating Motives, Social Dominance, and Physical Aggression in Men". *JPSP*, v. 103, n. 5, p. 819, 2012; W. Iredale et al., "Showing Off in Humans: Male Generosity as a Mating Signal". *Evolutionary Psych*, v. 6, n. 3, p. 386, 2008; M. van Vugt e W. Iredale, "Men Behaving Nicely: Public Goods as Peacock Tails". *Brit J Psych*, v. 104, n. 3, p. 3, 2013.

38. J. Q. Wilson e G. Kelling, "Broken Windows". *Atlantic Monthly*, p. 29, mar. 1982.

39. K. Keizer et al., "The Spreading of Disorder". *Sci*, v. 322, n. 5908, p. 1681, 2008.

40. Para alguns ótimos exemplos de como o córtex frontal pode direcionar a natureza e o foco do processamento sensorial, ver G. Gregoriou et al., "Lesions of Prefrontal Cortex Reduce Attentional Modulation of Neuronal Responses and Synchrony in V4" (*Nat Nsci*, v. 17, n. 7, p. 1003, 2014); S. Zhang et al., "Long-Range and Local Circuits for Top-Down Modulation of Visual Cortex Processing" (*Sci*, v. 345, n. 6197, p. 660, 2014); e T. Zanto et al., "Causal Role of the Prefrontal Cortex in Top-Down Modulation of Visual Processing and Working Memory" (*Nat Nsci*, v. 14, n. 5, p. 656, 2011).

41. R. Adolphs et al., "A Mechanism for Impaired Fear Recognition After Amygdala Damage". *Nat*, v. 433, n. 7021, p. 68, 2005.

42. M. Dadds et al., "Reduced Eye Gaze Explains Fear Blindness in Childhood Psychopathic Traits". *J the Am Academy of Child and Adolescent Psychiatry*, v. 47, n. 4, p. 455, 2008; M. Dadds et al., "Attention to the Eyes and Fear-Recognition Deficits in Child Psychopathy". *Brit J Psychiatry*, v. 189, p. 280, 2006.

43. Para uma introdução a essa literatura intercultural, ver R. Nisbett et al., "Culture and Systems of Thought: Holistic Versus Analytic Cognition" (*Psych Rev*, v. 108, n. 2, p. 291, 2001); T. Hedden et al., "Cultural Influences on Neural Substrates of Attentional Control" (*Psych Sci*, v. 19, n. 1, p. 12, 2008); J. Chiao, "Cultural Neuroscience: A Once and Future Discipline" (*Prog in Brain Res*, v. 178, p. 287, 2009); e H. Chua et al., "Cultural Variation in Eye Movements During Scene Perception" (*PNAS*, v. 102, n. 35, p. 12629, 2005).

4. DE HORAS A DIAS ANTES [pp. 101-37]

1. Sobre a castração química como geralmente eficaz em parafilíacos obsessivos: F. Berlin, "'Chemical Castration' for Sex Offenders" (*NEJM*, v. 336, n. 14, p. 1030, 1997). Sobre a falta de eficácia em

estupradores "hostis": K. Peters, "Chemical Castration: An Alternative to Incarceration" (*Duquesne University Law Rev*, v. 31, p. 307, 1992). Sobre a conclusão geral de que não funciona particularmente bem: P. Fagan, "Pedophilia" (*JAMA*, v. 288, n. 19, p. 2458, 2002). Agradeço a Arielle Lasky pela excelente ajuda nesse tema.

2. Para exemplos da falta de correlação em uma espécie de primata, ver M. Arlet et al., "Social Factors Increase Fecal Testosterone Levels in Wild Male Gray-Cheeked Mangabeys (Lophocebus albigena)" (*Horm Behav*, v. 59, n. 4, p. 605, 2011); e J. Archer, "Testosterone and Human Aggression: An Evaluation of the Challenge Hypothesis" (*Nsci Biobehav Rev*, v. 30, n. 3, p. 319, 2006); a citação está na p. 320.

3. J. Oberlander e L. Henderson, "The Sturm und Drang of Anabolic Steroid Use: Angst, Anxiety, and Aggression". *TINS*, v. 35, n. 6, p. 382, 2012; R. Agis-Balboa et al., "Enhanced Fear Responses in Mice Treated with Anabolic Androgenic Steroids". *Neuroreport*, v. 22, n. 6, p. 617, 2009.

4. E. Hermans, et al., "Testosterone Administration Reduces Empathetic Behavior: A Facial Mimicry Study". *PNE*, v. 31, n. 7, p. 859, 2006; J. van Honk et al., "Testosterone Administration Impairs Cognitive Empathy in Women Depending on Second-to-Fourth Digit Ratio". *PNAS*, v. 108, n. 8, p. 3448, 2011; P. Bos et al., "Testosterone Decreases Trust in Socially Naive Humans". *PNAS*, v. 107, n. 22, p. 9991, 2010; P. Bos et al., "The Neural Mechanisms by Which Testosterone Acts on Interpersonal Trust". *NeuroImage*, v. 61, n. 3, p. 730, 2012; P. Mehta e J. Beer, "Neural Mechanisms of the Testosterone-Aggression Relation: The Role of the Orbitofrontal Cortex". *J Cog Nsci*, v. 22, n. 10, p. 2357, 2009.

5. L. Tsai e R. Sapolsky, "Rapid Stimulatory Effects of Testosterone upon Myotubule Metabolism and Hexose Transport, as Assessed by Silicon Microphysiometry". *Aggressive Behav*, v. 22, p. 357, 1996; C. Rutte et al., "What Sets the Odds of Winning and Losing?". *TIEE*, v. 21, p. 16, 2006. Confiança e persistência: A. Boissy e M. Bouissou, "Effects of Androgen Treatment on Behavioral and Physiological Responses of Heifers to Fear-Eliciting Situations" (*Horm Behav*, v. 28, n. 1, p. 66, 1994); R. Andrew e L. Rogers, "Testosterone, Search Behaviour and Persistence" (*Nat*, v. 237, n. 5354, p. 343, 1972); J. Archer, "Testosterone and Persistence in Mice" (*Animal Behav*, v. 25, n. 2, p. 479, 1977); e M. Fuxjager et al., "Winning Territorial Disputes Selectively Enhances Androgen Sensitivity in Neural Pathways Related to Motivation and Social Aggression" (*PNAS*, v. 107, n. 27, p. 12393, 2010).

Esportes humanos: M. Elias, "Serum Cortisol, Testosterone, and Testosterone-Binding Globulin Responses to Competitive Fighting in Human Males" (*Aggressive Behav*, v. 7, n. 3, p. 215, 1981); A. Booth et al., "Testosterone, and Winning and Losing in Human Competition" (*Horm Behav*, v. 23, n. 4, p. 556, 1989); J. Carré e S. Putnam, "Watching a Previous Victory Produces an Increase in Testosterone Among Elite Hockey Players" (*PNE*, v. 35, n. 3, p. 475, 2010); A. Mazur et al., "Testosterone and Chess Competition" (*Soc Psych Quarterly*, v. 55, n. 1, p. 70, 1992); e J. Coates e J. Herbert, "Endogenous Steroids and Financial Risk Taking on a London Trading Floor" (*PNAS*, v. 105, n. 16, p. 616, 2008).

6. N. Wright et al., "Testosterone Disrupts Human Collaboration by Increasing Egocentric Choices". *Proc Royal Soc B*, v. 279, n. 1736, p. 2275, 2012.

7. P. Mehta e J. Beer, "Neural Mechanisms of the Testosterone-Aggression Relation: The Role of Orbitofrontal Cortex", op. cit.; G. van Wingen et al., "Testosterone Reduces Amygdala-Orbitofrontal Cortex Coupling". *PNE*, v. 35, n. 1, p. 105, 2010; P. Bos et al., "The Neural Mechanisms by Which Testosterone Acts on Interpersonal Trust", op. cit.

8. Sobre a testosterona na redução do medo e da ansiedade em roedores: C. Eisenegger et al., "The Role of Testosterone in Social Interaction" (*TICS*, v. 15, n. 6, p. 263, 2011). Testosterona na redu-

ção da resposta ao estresse: V. Viau, "Functional Cross-Talk Between the Hypothalamic-Pituitary-Gonadal and -Adrenal Axes" (*J Neuroendocrinology*, v. 14, p. 506, 2002). Testosterona na redução da resposta de alarme em seres humanos: J. van Honk et al., "Testosterone Reduces Unconscious Fear But Not Consciously Experienced Anxiety: Implications for the Disorders of Fear and Anxiety" (*BP*, v. 58, n. 3, p. 218, 2005); e E. J. Hermans et al., "A Single Administration of Testosterone Reduces Fear-Potentiated Startle in Humans" (*BP*, v. 59, n. 9, p. 872, 2006).

9. Revisões gerais: R. Wood, "Reinforcing Aspects of Androgens" (*Physiology & Behav*, v. 83, n. 2, p. 279, 2004); A. DiMeo e R. Wood, "Circulating Androgens Enhance Sensitivity to Testosterone Self-Administration in Male Hamsters" (*Pharmacology, Biochemistry & Behav*, v. 79, n. 2, p. 383, 2004); e M. Packard et al., "Rewarding Affective Properties of Intra-Nucleus Accumbens Injections of Testosterone" (*Behav Nsci*, v. 111, n. 1, p. 219, 1997).

10. A. N. Dimeo e R. I. Wood, "ICV Testosterone Induces Fos in Male Syrian Hamster Brain". *PNE*, v. 31, n. 2, p. 237, 2006; M. Packard et al., "Rewarding Affective Properties of Intra-Nucleus Accumbens Injections of Testosterone", op. cit.; M. Packard et al., "Expression of Testosterone Conditioned Place Preference Is Blocked by Peripheral or Intra-accumbens Injection of Alpha-flupenthixol". *Horm Behav*, v. 34, n. 1, p. 39, 1998; M. Fuxjager et al., "Winning Territorial Disputes Selectively Enhances Androgen Sensitivity in Neural Pathways Related to Motivation and Social Aggression", op. cit.; A. Lacreuse et al., "Testosterone May Increase Selective Attention to Threat in Young Male Macaques". *Horm Behav*, v. 58, n. 5, p. 854, 2010.

11. A. Dixson e J. Herbert, "Testosterone, Aggressive Behavior and Dominance Rank in Captive Adult Male Talapoin Monkeys (Miopithecus talapoin)". *Physiology & Behav*, v. 18, n. 3, p. 539, 1977.

12. Erno Hermans et al., "Exogenous Testosterone Enhances Responsiveness to Social Threat in the Neural Circuitry of Social Aggression in Humans". *BP*, v. 63, n. 3, p. 263, 2008; J. van Honk et al., "A Single Administration of Testosterone Induces Cardiac Accelerative Responses to Angry Faces in Healthy Young Women". *Behav Nsci*, v. 115, n. 1, p. 238, 2001; R. Ronay e A. Galinsky, "Lex Talionis: Testosterone and the Law of Retaliation". *JESP*, v. 47, n. 3, p. 702, 2011; P. Mehta e J. Beer, "Neural Mechanisms of the Testosterone-Aggression Relation: The Role of Orbitofrontal Cortex", op. cit.; P. Bos et al., "Testosterone Decreases Trust in Socially Naive Humans", op. cit.

13. K. Kendrick e R. Drewett, "Testosterone Reduces Refractory Period of Stria Terminalis Neurons in the Rat Brain". *Sci*, v. 204, n. 4395, p. 877, 1979; K. Kendrick, "Inputs to Testosterone-Sensitive Stria Terminalis Neurones in the Rat Brain and the Effects of Castration". *J Physiology*, v. 323, n. 1, p. 437, 1982; K. Kendrick, "The Effect of Castration on Stria Terminalis Neurone Absolute Refractory Periods Using Different Antidromic Stimulation Loci". *Brain Res*, v. 248, n. 1, p. 174, 1982; K. Kendrick, "Electrophysiological Effects of Testosterone on the Medial Preoptic-Anterior Hypothalamus of the Rat". *J Endo*, v. 96, n. 1, p. 35, 1983; E. Hermans et al., "Exogenous Testosterone Enhances Responsiveness to Social Threat in the Neural Circuitry of Social Aggression in Humans". *BP*, v. 63, n. 3, p. 263, 2008.

14. J. Wingfield et al., "The 'Challenge Hypothesis': Theoretical Implications for Patterns of Testosterone Secretion, Mating Systems, and Breeding Strategies". *Am Naturalist*, v. 136, n. 6, p. 829, 1990.

15. J. Archer, "Sex Differences in Aggression in Real-World Settings: A Meta-analytic Review". *Rev of General Psych*, v. 8, n. 4, p. 291, 2004.

16. J. Wingfield, et al., "Avoiding the 'Costs' of Testosterone: Ecological Bases of Hormone-Behavior Interactions". *Brain, Behav and Evolution*, v. 57, n. 5, p. 239, 2001; M. Sobolewski et al., "Female

Parity, Male Aggression, and the Challenge Hypothesis in Wild Chimpanzees". *Primates*, v. 54, n. 1, p. 81, 2013; R. Sapolsky, "The Physiology of Dominance in Stable Versus Unstable Social Hierarchies". In: W. Mason e S. Mendoza (Orgs.), *Primate Social Conflict*. Nova York: SUNY Press, 1993, p. 171; P. Bernhardt et al., "Testosterone Changes During Vicarious Experiences of Winning and Losing Among Fans at Sporting Events". *Physiology & Behav*, v. 65, n. 1, p. 59, 1998.

17. M. Muller e R. Wrangham, "Dominance, Aggression and Testosterone in Wild Chimpanzees: A Test of the 'Challenge' Hypothesis". *Animal Behav*, v. 67, p. 113, 2004; J. Archer, "Testosterone and Human Aggression: An Evaluation of the Challenge Hypothesis", op. cit.

18. L. Gettler et al., "Longitudinal Evidence That Fatherhood Decreases Testosterone in Human Males". *PNAS*, v. 108, n. 39, p. 16194, 2011; S. van Anders et al., "Baby Cries and Nurturance Affect Testosterone in Men". *Horm Behav*, v. 61, n. 1, p. 31, 2012; J. Mascaro et al., "Testicular Volume is Inversely Correlated with Nurturing-Related Brain Activity in Human Fathers". *PNAS*, v. 110, n. 39, p. 15746, 2013. Em certos primatas, a sincronia é tamanha que os machos estão exercendo algum grau de cuidados paternais de suas crias ao mesmo tempo que se dedicam à competição entre eles para aumentar seu futuro sucesso reprodutivo. Aqui as coisas ficam complicadas, já que a paternagem e a competição deveriam ter efeitos opostos sobre os níveis de testosterona. No único estudo a esse respeito, as bolas suplantaram a paternagem — os níveis de testosterona se elevaram. P. Onyango et al., "Testosterone Positively Associated with Both Male Mating Effort and Paternal Behavior in Savanna Baboons (Papio cynocephalus)". *Horm Behav*, v. 63, n. 3, p. 430, 2012.

19. J. Higley et al., "CSF Testosterone and 5-HIAA Correlate with Different Types of Aggressive Behaviors". *BP*, v. 40, n. 11, p. 1067, 1996.

20. C. Eisenegger et al., "Prejudice and Truth About the Effect of Testosterone on Human Bargaining Behaviour". *Nat*, v. 463, n. 7279, p. 356, 2010.

21. M. Wibral et al., "Testosterone Administration Reduces Lying in Men". *PLoS ONE*, v. 7, n. 10, p. e46774, 2012. Ver também J. van Honk et al., "New Evidence on Testosterone and Cooperation" (*Nat*, v. 485, p. E4, 2012).

22. Algumas revisões: O. Bosch e I. Neumann, "Both Oxytocin and Vasopressin Are Mediators of Maternal Care and Aggression in Rodents: From Central Release to Sites of Action" (*Horm Behav*, v. 61, n. 3, p. 293, 2012); R. Feldman, "Oxytocin and Social Affiliation in Humans" (*Horm Behav*, v. 61, n. 3, p. 380, 2012); A. Marsh et al., "The Influence of Oxytocin Administration on Responses to Infant Faces and Potential Moderation by OXTR Genotype" (*Psychopharmacology* [Berlim], v. 24, n. 4, p. 469, 2012); e M. J. Bakermans-Kranenburg e Marinus H. van Ijzendoorn, "Oxytocin Receptor (OXTR) and Serotonin Transporter (5-HTT) Genes Associated with Observed Parenting" (*SCAN*, v. 3, n. 2, p. 128, 2008). Sobre a via hipotalâmica que difere por sexo: N. Scott et al., "A Sexually Dimorphic Hypothalamic Circuit Controls Maternal Care and Oxytocin Secretion" (*Nat*, v. 525, n. 7570, p. 519, 2016).

23. D. Huber et al., "Vasopressin and Oxytocin Excite Distinct Neuronal Populations in the Central Amygdala". *Sci*, v. 308, n. 5719, p. 245, 2005; D. Viviani e R. Stoop, "Opposite Effects of Oxytocin and Vasopressin on the Emotional Expression of the Fear Response". *Prog Brain Res*, v. 170, p. 207, 2008.

24. Y. Kozorovitskiy et al., "Fatherhood Affects Dendritic Spines and Vasopressin V1a Receptors in the Primate Prefrontal Cortex". *Nat Nsci*, v. 9, p. 1094, 2006; Z. Wang et al., "Role of Septal Vasopressin Innervation in Paternal Behavior in Prairie Voles". *PNAS*, v. 91, n. 1, p. 400, 1994.

25. A. Smith et al., "Manipulation of the Oxytocin System Alters Social Behavior and Attraction in Pair-Bonding Primates, Callithrix penicillata". *Horm Behav*, v. 57, n. 2, p. 255, 2010; M. Jarcho et al.,

"Intranasal vp Affects Pair Bonding and Peripheral Gene Expression in Male *Callicebus cupreus*". *Genes, Brain and Behav*, v. 10, n. 3, p. 375, 2011; C. Snowdon, "Variation in Oxytocin Is Related to Variation in Affiliative Behavior in Monogamous, Pairbonded Tamarins". *Horm Behav*, v. 58, n. 4, p. 614, 2010.

26. Z. Donaldson e L. Young, "Oxytocin, Vasopressin, and the Neurogenetics of Sociality". *Sci*, v. 322, n. 5903, p. 900, 2008; E. Hammock e L. Young, "Microsatellite Instability Generates Diversity in Brain and Sociobehavioral Traits". *Sci*, v. 308, n. 5728, p. 1630, 2005; L. Young et al., "Increased Affiliative Response to Vasopressin in Mice Expressing the V(1a) Receptor from a Monogamous Vole". *Nat*, v. 400, n. 6746, p. 766, 1999; M. Lim et al., "Enhanced Partner Preference in a Promiscuous Species by Manipulating the Expression of a Single Gene". *Nat*, v. 429, n. 6993, p. 754, 2004.

27. E. Hammock e L. Young, "Microsatellite Instability Generates Diversity in Brain and Sociobehavioral Traits", op. cit.

28. I. Schneiderman et al., "Oxytocin at the First Stages of Romantic Attachment: Relations to Couples' Interactive Reciprocity". *PNE*, v. 37, n. 8, p. 1277, 2012.

29. B. Ditzen et al., "Intranasal Oxytocin Increases Positive Communication and Reduces Cortisol Levels During Couple Conflict". *BP*, v. 65, p. 728, 2009; D. Scheele et al., "Oxytocin Modulates Social Distance Between Males and Females". *J Nsci*, v. 32, n. 46, p. 16074, 2012; H. Walum et al., "Genetic Variation in the Vasopressin Receptor 1a Gene Associates with Pair-Bonding Behavior in Humans". *PNAS*, v. 105, n. 37, p. 14153, 2008; H. Walum et al., "Variation in the Oxytocin Receptor Gene Is Associated with Pair-Bonding and Social Behavior". *BP*, v. 71, n. 5, p. 419, 2012.

30. M. Nagasawa et al., "Oxytocin-Gaze Positive Loop and the Coevolution of Human-Dog Bonds". *Sci*, v. 348, n. 6232, p. 333, 2015.

31. M. Yoshida, et al., "Evidence That Oxytocin Exerts Anxiolytic Effects via Oxytocin Receptor Expressed in Serotonergic Neurons in Mice". *J Nsci*, v. 29, n. 7, p. 2259, 2009. Sobre a ação da ocitocina na amígdala: D. Viviani et al., "Oxytocin Selectively Gates Fear Responses Through Distinct Outputs from the Central Nucleus" (*Sci*, v. 333, n. 6038, p. 104, 2011); H. Knobloch et al., "Evoked Axonal Oxytocin Release in the Central Amygdala Attenuates Fear Response" (*Neuron*, v. 73, n. 3, p. 553, 2012); S. Rodrigues et al., "Oxytocin Receptor Genetic Variation Relates to Empathy and Stress Reactivity in Humans" (*PNAS*, v. 106, n. 50, p. 21437, 2009); M. Bakermans-Kranenburg e M. van Ijzendoorn, "Oxytocin Receptor (oxtr) and Serotonin Transporter (5-htt) Genes Associated with Observed Parenting", op. cit.; G. Domes et al., "Oxytocin Attenuates Amygdala Responses to Emotional Faces Regardless of Valence" (*BP*, v. 62, n. 10, p. 1187, 2007); P. Kirsch, "Oxytocin Modulates Neural Circuitry for Social Cognition and Fear in Humans" (*J Nsci*, v. 25, n. 49, p. 11489, 2005); I. Labuschagne et al., "Oxytocin Attenuates Amygdala Reactivity to Fear in Generalized Social Anxiety Disorder" (*Neuropsychopharmacology*, v. 35, n. 12, p. 2403, 2010); M. Heinrichs et al., "Social Support and Oxytocin Interact to Suppress Cortisol and Subjective Responses to Psychosocial Stress" (*BP*, v. 54, n. 12, p. 1389, 2003); e K. Uvnas-Moberg, "Oxytocin May Mediate the Benefits of Positive Social Interaction and Emotions" (*PNE*, v. 23, n. 8, p. 819, 1998). Carter citado em P. S. Churchland e P. Winkielman, "Modulating Social Behavior with Oxytocin: How Does It Work? What Does It Mean?" (*Horm Behav*, v. 61, n. 3, p. 392, 2012).

Efeitos da ocitocina sobre a agressividade: M. Dhakar et al., "Heightened Aggressive Behavior in Mice with Lifelong Versus Postweaning Knockout of the Oxytocin Receptor" (*Horm Behav*, v. 62, n. 1, p. 86, 2012); e J. Winslow et al., "Infant Vocalization, Adult Aggression, and Fear Behavior of an Oxytocin Null Mutant Mouse" (*Horm Behav*, v. 37, n. 2, p. 145, 2005).

32. M. Kosfeld et al., "Oxytocin Increases Trust in Humans". *Nat*, v. 435, n. 7042, p. 673, 2005; A. Damasio, "Brain Trust". *Nat*, v. 435, n. 7042, p. 571, 2005; S. Israel et al., "The Oxytocin Receptor (ox-TR) Contributes to Prosocial Fund Allocations in the Dictator Game and the Social Value Orientations Task". *PLoS ONE*, v. 4, n. 5, p. e5535, 2009; P. Zak et al., "Oxytocin Is Associated with Human Trustworthiness". *Horm Behav*, v. 48, n. 5, p. 522, 2005; T. Baumgartner et al., "Oxytocin Shapes the Neural Circuitry of Trust and Trust Adaptation in Humans". *Neuron*, v. 58, n. 4, p. 639, 2008; A. Theodoridou et al., "Oxytocin and Social Perception: Oxytocin Increases Perceived Facial Trustworthiness and Attractiveness". *Horm Behav*, v. 56, n. 1, p. 128, 2009. Sobre o fracasso em replicar: C. Apicella et al., "No Association Between Oxytocin Receptor (oxTR) Gene Polymorphisms and Experimentally Elicited Social Preferences" (*PLoS ONE*, v. 5, n. 6, p. e11153, 2010). Sobre oferecer a outra face: J. Rilling et al., "Effects of Intranasal Oxytocin and Vasopressin on Cooperative Behavior and Associated Brain Activity in Men" (*PNE*, v. 37, n. 4, p. 447, 2012).

33. A. Marsh et al., "Oxytocin Improves Specific Recognition of Positive Facial Expressions". *Psychopharmacology* (Berlim), v. 209, n. 3, p. 225, 2010; C. Unkelbach et al., "Oxytocin Selectively Facilitates Recognition of Positive Sex and Relationship Words". *Psych Sci*, v. 19, n. 11, p. 102, 2008; J. Barraza et al., "Oxytocin Infusion Increases Charitable Donations Regardless of Monetary Resources". *Horm Behav*, v. 60, n. 2, p. 148, 2011; A. Kogan et al., "Thin-Slicing Study of the Oxytocin Receptor Gene and the Evaluation and Expression of the Prosocial Disposition". *PNAS*, v. 108, n. 48, p. 19189, 2011; H. Tost et al., "A Common Allele in the Oxytocin Receptor Gene (oxTR) Impacts Prosocial Temperament and Human Hypothalamic-Limbic Structure and Function". *PNAS*, v. 107, n. 31, p. 13936, 2010; R. Hurlemann et al., "Oxytocin Enhances Amygdala-Dependent, Socially Reinforced Learning and Emotional Empathy in Humans". *J Nsci*, v. 30, n. 14, p. 4999, 2010.

34. P. Zak et al., "Oxytocin Is Associated with Human Trustworthiness", op. cit.; J. Holt-Lunstad et al., "Influence of a 'Warm Touch' Support Enhancement Intervention Among Married Couples on Ambulatory Blood Pressure, Oxytocin, Alpha Amylase, and Cortisol". *Psychosomatic Med*, v. 70, n. 9, p. 976, 2008; V. Morhenn et al., "Monetary Sacrifice Among Strangers Is Mediated by Endogenous Oxytocin Release After Physical Contact". *EHB*, v. 29, n. 6, p. 375, 2008; C. Crockford et al., "Urinary Oxytocin and Social Bonding in Related and Unrelated Wild Chimpanzees". *Proc Royal Soc B*, v. 280, n. 1755, p. 20122765, 2013.

35. Z. Donaldson e L. Young, "Oxytocin, Vasopressin, and the Neurogenetics of Sociality", op. cit.; A. Guastella et al., "Oxytocin Increases Gaze to the Eye Region of Human Faces". *BP*, v. 63, n. 1, p. 3, 2008; M. Gamer et al., "Different Amygdala Subregions Mediate Valence-Related and Attentional Effects of Oxytocin in Humans". *PNAS*, v. 107, n. 7, p. 9400, 2010; C. Zink et al., "Vasopressin Modulates Social Recognition-Related Activity in the Left Temporoparietal Junction in Humans". *Translational Psychiatry*, v. 1, n. 4, p. e3, 2011; G. Domes et al., "Oxytocin Improves 'Mind-Reading' in Humans". *BP*, v. 61, n. 6, p. 731-3, 2007; U. Rimmele et al., "Oxytocin Makes a Face in Memory More Familiar". *J Nsci*, v. 29, n. 1, p. 38, 2009; M. Fischer-Shofty et al., "Oxytocin Facilitates Accurate Perception of Competition in Men and Kinship in Women". *SCAN*, v. 8, n. 3, p. 313, 2013.

36. C. Sauer et al., "Effects of a Common Variant in the cD38 Gene on Social Processing in an Oxytocin Challenge Study: Possible Links to Autism". *Neuropsychopharmacology*, v. 37, n. 6, p. 1474, 2012.

37. E. Hammock e L. Young, "Oxytocin, Vasopressin and Pair Bonding: Implications for Autism". *Philosophical Transactions of the Royal Soc of London B*, v. 361, p. 2187, 2006; A. Meyer-Lindenberg et al.,

"Oxytocin and Vasopressin in the Human Brain: Social Neuropeptides for Translational Medicine". *Nat Rev Nsci*, v. 12, n. 9, p. 524, 2011; H. Yamasue et al., "Integrative Approaches Utilizing Oxytocin to Enhance Prosocial Behavior: From Animal and Human Social Behavior to Autistic Social Dysfunction". *J Nsci*, v. 32, n. 41, p. 14109, 2012.

38. Revisado em A. Graustella e C. MacLeod, "A Critical Review of the Influence of Oxytocin Nasal Spray on Social Cognition in Humans: Evidence and Future Directions" (*Horm Behav*, v. 61, n. 3, p. 410, 2012).

39. J. Bartz et al., "Social Effects of Oxytocin in Humans: Context and Person Matter". *TICS*, v. 15, n. 7, p. 301, 2011.

40. G. Domes et al., "Effects of Intranasal Oxytocin on Emotional Face Processing in Women". *PNE*, v. 35, n. 1, p. 83, 2010; G. De Vries, "Sex Differences in Vasopressin and Oxytocin Innervation in the Brain". *Prog Brain Res*, v. 170, p. 17, 2008; J. Bartz et al., "Effects of Oxytocin on Recollections of Maternal Care and Closeness". *PNAS*, v. 14, p. 107, n. 50, 2010.

41. M. Mikolajczak et al., "Oxytocin Not Only Increases Trust When Money Is at Stake, but Also When Confidential Information Is in the Balance". *BP*, v. 85, n. 1, p. 182, 2010.

42. H. Kim et al., "Culture, Distress, and Oxytocin Receptor Polymorphism (oxtr) Interact to Influence Emotional Support Seeking". *PNAS*, v. 107, n. 36, p. 15717, 2010.

43. O. Bosch e I. Neumann, "Both Oxytocin and Vasopressin Are Mediators of Maternal Care and Aggression in Rodents: From Central Release to Sites of Action", op. cit.

44. C. Ferris e M. Potegal, "Vasopressin Receptor Blockade in the Anterior Hypothalamus Suppresses Aggression in Hamsters". *Physiology & Behav*, v. 44, n. 22, p. 235, 1988; H. Albers, "The Regulation of Social Recognition, Social Communication and Aggression: Vasopressin in the Social Behavior Neural Network". *Horm Behav*, v. 61, n. 3, p. 283, 2012; A. Johansson et al., "Alcohol and Aggressive Behavior in Men: Moderating Effects of Oxytocin Receptor Gene (oxtr) Polymorphisms". *Genes, Brain and Behav*, v. 11, n. 2, p. 214, 2012; J. Winslow e T. Insel, "Social Status in Pairs of Male Squirrel Monkeys Determines the Behavioral Response to Central Oxytocin Administration". *J Nsci*, v. 11, n. 7, p. 2032, 1991; J. Winslow et al., "A Role for Central Vasopressin in Pair Bonding in Monogamous Prairie Voles". *Nat*, v. 365, n. 6446, p. 545, 1993.

45. T. Baumgartner et al., "Oxytocin Shapes the Neural Circuitry of Trust and Trust Adaptation in Humans", op. cit.; C. Declerk et al., "Oxytocin and Cooperation Under Conditions of Uncertainty: The Modulating Role of Incentives and Social Information". *Horm Behav*, v. 57, n. 3, p. 368, 2010; S. Shamay-Tsoory et al., "Intranasal Administration of Oxytocin Increases Envy and Schadenfreude (Gloating)". *BP*, v. 66, n. 9, p. 864, 2009.

46. C. de Dreu, "Oxytocin Modulates Cooperation Within and Competition Between Groups: An Integrative Review and Research Agenda". *Horm Behav*, v. 61, n. 3, p. 419, 2012; C. de Dreu et al., "The Neuropeptide Oxytocin Regulates Parochial Altruism in Intergroup Conflict Among Humans". *Sci*, v. 328, n. 5984, p. 1408, 2011.

47. C. de Dreu et al., "Oxytocin Promotes Human Ethnocentrism". *PNAS*, v. 108, n. 4, p. 1262, 2011.

48. S. Motta et al., "Ventral Premammillary Nucleus as a Critical Sensory Relay to the Maternal Aggression Network". *PNAS*, v. 110, n. 35, p. 14438, 2013.

49. J. Lonstein e S. Gammie, "Sensory, Hormonal, and Neural Control of Maternal Aggression in Laboratory Rodents". *Nsci Biobehav Rev*, v. 26, n. 8, p. 869, 2002; S. Parmigiani et al., "Selection, Evolu-

tion of Behavior and Animal Models in Behavioral Neuroscience". *Nsci Biobehav Rev*, v. 23, n. 7, p. 957, 1999.

50. R. Gandelman e N. Simon, "Postpartum Fighting in the Rat: Nipple Development and the Presence of Young". *Behav and Neural Biol*, v. 28, n. 3, p. 350, 1980; M. Erskine et al., "Intraspecific Fighting During Late Pregnancy and Lactation in Rats and Effects of Litter Removal". *Behav Biol*, v. 23, n. 2, p. 206, 1978; K. Flannelly e E. Kemble, "The Effect of Pup Presence and Intruder Behavior on Maternal Aggression in Rats". *Bull of the Psychonomic Soc*, v. 25, n. 2, p. 133, 1988.

51. B. Derntl et al., "Association of Menstrual Cycle Phase with the Core Components of Empathy". *Horm Behav*, v. 63, n. 1, p. 97, 2013. Para uma boa revisão, ver C. Bodo e E. Rissman, "New Roles for Estrogen Receptor Beta in Behavior and Neuroendocrinology" (*Front Neuroendocrinology*, v. 27, n. 2, p. 217, 2006).

52. D. Reddy, "Neurosteroids: Endogenous Role in the Human Brain and Therapeutic Potentials". *Prog Brain Res*, v. 186, p. 113, 2010; F. de Sousa et al., "Progesterone and Maternal Aggressive Behavior in Rats". *Behavioural Brain Res*, v. 212, n. 1, p. 84, 2010; G. Pinna et al., "Neurosteroid Biosynthesis Regulates Sexually Dimorphic Fear and Aggressive Behavior in Mice". *Neurochemical Res*, v. 33, n. 10, p. 1990, 2008; K. Miczek et al., "Neurosteroids, GABAA Receptors, and Escalated Aggressive Behavior". *Horm Behav*, v. 44, n. 3, p. 242, 2003.

53. S. Hrdy, "The 'One Animal in All Creation About Which Man Knows the Least'". *Philosophical Transactions of the Royal Soc B*, v. 368, p. 20130072, 2013.

54. A ideia do vazamento é aventada por E. Ketterson et al., "Testosterone in Females: Mediator of Adaptive Traits, Constraint on Sexual Dimorphism, or Both?" (*Am Naturalist*, v. 166, n. 4, p. 585, 2005).

55. C. Voigt e W. Goymann, "Sex-Role Reversal Is Reflected in the Brain of African Black Coucals (*Centropus grillii*)". *Developmental Neurobiol*, v. 67, n. 12, p. 1560, 2007; M. Peterson et al., "Testosterone Affects Neural Gene Expression Differently in Male and Female Juncos: A Role for Hormones in Mediating Sexual Dimorphism and Conflict". *PLoS ONE*, v. 8, n. 4, p. e61784, 2013.

56. A. Pusey e K. Schroepfer-Walker, "Female Competition in Chimpanzees". *Philosophical Transactions of the Royal Soc B*, v. 368, p. 20130077, 2013.

57. J. French et al., "The Influence of Androgenic Steroid Hormones on Female Aggression in 'Atypical' Mammals". *Philosophical Transactions of the Royal Soc B*, v. 368, p. 20130084, 2013; L. Frank et al., "Fatal Sibling Aggression, Precocial Development, and Androgens in Neonatal Spotted Hyenas". *Sci*, v. 252, n. 5006, p. 702, 1991; S. Glickman et al., "Androstenedione May Organize or Activate Sex-Reversed Traits in Female Spotted Hyenas". *PNAS*, v. 84, n. 10, p. 3444, 1987.

58. W. Goymann et al., "Androgens and the Role of Female 'Hyperaggressiveness' in Spotted Hyenas". *Horm Behav*, v. 39, n. 1, p. 83, 2001; S. Fenstemaker et al., "A Sex Difference in the Hypothalamus of the Spotted Hyena". *Nat Nsci*, v. 2, n. 11, p. 943, 1999; G. Rosen et al., "Distribution of Vasopressin in the Forebrain of Spotted Hyenas". *J Comp Neurol*, v. 498, n. 1, p. 80, 2006.

59. P. Chambers e J. Hearn, "Peripheral Plasma Levels of Progesterone, Oestradiol-17, Oestrone, Testosterone, Androstenedione and Chorionic Gonadotrophin During Pregnancy in the Marmoset Monkey, *Callithrix jacchus*". *J Reproduction Fertility*, v. 56, n. 1, p. 23, 1979; C. Drea, "Endocrine Correlates of Pregnancy in the Ring-Tailed Lemur (*Lemur catta*): Implications for the Masculinization of Daughters". *Horm Behav*, v. 59, n. 4, p. 417, 2011; M. Holmes et al., "Social Status and Sex Independently Influence Androgen Receptor Expression in the Eusocial Naked Mole-Rat Brain". *Horm Behav*,

v. 54, n. 2, p. 278, 2008; L. Koren et al., "Elevated Testosterone Levels and Social Ranks in Female Rock Hyrax". *Horm Behav*, v. 49, n. 4, p. 470, 2006; C. Kraus et al., "High Maternal Androstenedione Levels During Pregnancy in a Small Precocial Mammal with Female Genital Masculinisation". Max Planck Institute for Demographic Research Working Paper WP 2008-017, abr. 2008; C. Kraus et al., "Spacing Behaviour and Its Implications for the Mating System of a Precocial Small Mammal: An Almost Asocial Cavy *Cavia magna*". *Animal Behav*, v. 66, n. 2, p. 225, 2003; L. Koren e E. Geffen, "Androgens and Social Status in Female Rock Hyraxes". *Animal Behav*, v. 77, n. 1, p. 233, 2009.

60. DHEA e a geração local de esteroides no interior de neurônios: K. Soma et al., "Novel Mechanisms for Neuroendocrine Regulation of Aggression" (*Front Neuroendocrinology*, v. 29, n. 4, p. 476, 2008); K. Schmidt et al., "Neurosteroids, Immunosteroids, and the Balkanization of Endo" (*General and Comp Endo*, v. 157, p. 266, 2008); e D. Pradhan et al., "Aggressive Interactions Rapidly Increase Androgen Synthesis in the Brain During the Non-breeding Season" (*Horm Behav*, v. 57, n. 4, p. 381, 2010).

61. T. Johnson, "Premenstrual Syndrome as a Western Culture-Specific Disorder". *Culture, Med and Psychiatry*, v. 11, n. 3, p. 337, 1987; L. Cosgrove e B. Riddle, "Constructions of Femininity and Experiences of Menstrual Distress". *Women & Health*, v. 38, n. 3, p. 37, 2003.

62. Para a citação no texto, ver M. Rodin, "The Social Construction of Premenstrual Syndrome" (*Soc Sci & Med*, v. 35, n. 1, p. 49, 1992). Para a citação na nota de rodapé, ver A. Kleinman, "Depression, Somaticization, and the New 'Cross-Cultural Psychiatry'" (*Social Science Med*, v. 11, n. 1, p. 3, 1977).

63. H. Rupp et al., "Neural Activation in the Orbitofrontal Cortex in Response to Male Faces Increases During Follicular Phase". *Horm Behav*, v. 56, n. 1, p. 66, 2009; K. Mareckova et al. "Hormonal Contraceptives, Menstrual Cycle and Brain Response to Faces". *SCAN*, v. 9, p. 191, 2012.

64. A. Rapkin et al., "Menstrual Cycle and Social Behavior in Vervet Monkeys". *PNE*, v. 20, n. 3, p. 289, 1995; E. García-Castells et al., "Changes in Social Dynamics Associated to the Menstrual Cycle in the Vervet Monkey (*Cercopithecus aethiops*)". *Boletín de Estudios Médicos y Biológicos*, v. 37, n. 1, p. 11, 1989; G. Mallow, "The Relationship Between Aggressive Behavior and Menstrual Cycle Stage in Female Rhesus Monkeys (*Macaca mulatta*)". *Horm Behav*, v. 15, n. 3, p. 259, 1981; G. Hausfater e B. Skoblic, "Perimenstrual Behavior Changes Among Female Yellow Baboons: Some Similarities to Premenstrual Syndrome (PMS) in Women". *Animal Behav*, v. 9, n. 13, p. 165, 1985.

65. K. Dalton, "School Girls' Behavior and Menstruation". *Brit Med J*, v. 2, n. 5269, p. 1647, 1960; K. Dalton, "Menstruation and Crime". *Brit Med J*, v. 2, n. 5269, p. 1752, 1961; K. Dalton, "Cyclical Criminal Acts in Premenstrual Syndrome". *Lancet*, v. 316, n. 8203, p. 1070, 1980.

66. P. Easteal, "Women and Crime: Premenstrual Issues". *Trends and Issues in Crime and Criminal Justice*, v. 31, p. 1-8, 1991; J. Chrisler e P. Caplan, "The Strange Case of Dr. Jekyll and Ms. Hyde: How PMS Became a Cultural Phenomenon and a Psychiatric Disorder". *Ann Rev of Sex Res*, v. 13, p. 274, 2002.

67. Para uma revisão geral, ver R. Sapolsky, *Why Zebras Don't Get Ulcers: A Guide to Stress, Stress-Related Diseases and Coping*. 3. ed. (Nova York: Henry Holt, 2004). [Ed. bras.: *Por que as zebras não têm úlceras?* São Paulo: Francis, 2008.]

68. R. Sapolsky, "Stress and the Brain: Individual Variability and the Inverted-U". *Nat Nsci*, v. 18, n. 10, p. 1344, 2015.

69. K. Roelofs et al., "The Effects of Social Stress and Cortisol Responses on the Preconscious Selective Attention to Social Threat". *BP*, v. 75, n. 1, p. 1, 2007; K. Tully et al., "Norepinephrine Enables

the Induction of Associative Long-Term Potentiation at Thalamo-Amygdala Synapses", op. cit.; P. Putman et al., "Cortisol Administration Acutely Reduces Threat-Selective Spatial Attention in Healthy Young Men". *Physiology & Behav*, v. 99, n. 3, p. 294, 2010; K. Bertsch et al., "Exogenous Cortisol Facilitates Responses to Social Threat Under High Provocation". *Horm Behav*, v. 59, n. 4, p. 428, 2011.

70. J. Rosenkranz et al., "Chronic Stress Causes Amygdala Hyperexcitability in Rodents". *BP*, v. 67, n. 12, p. 1128, 2010; S. Duvarci e D. Pare, "Glucocorticoids Enhance the Excitability of Principle Basolateral Amygdala Neurons". *J Nsci*, v. 27, n. 16, p. 4482, 2007; A. Kavushansky e G. Richter-Levin, "Effects of Stress and Corticosterone on Activity and Plasticity in the Amygdala". *J Nsci Res*, v. 84, n. 7, p. 1580, 2006; A. Kavushansky et al., "Activity and Plasticity in the CA1, the Dentate Gyrus, and the Amygdala Following Controllable Versus Uncontrollable Water Stress". *Hippocampus*, v. 16, n. 1, p. 35, 2006; P. Rodríguez Manzanares et al., "Previous Stress Facilitates Fear Memory, Attenuates GABAergic Inhibition, and Increases Synaptic Plasticity in the Rat Basolateral Amygdala". *J Nsci*, v. 25, n. 38, p. 8725, 2005; H. Lakshminarasimhan e S. Chattarji, "Stress Leads to Contrasting Effects on the Levels of Brain Derived Neurotrophic Factor in the Hippocampus and Amygdala". *PLoS ONE*, v. 7, n. 1, p. e30481, 2012; S. Ghosh et al., "Functional Connectivity from the Amygdala to the Hippocampus Grows Stronger After Stress". *J Nsci*, v. 33, n. 17, p. 7234, 2013.

71. B. Kolber et al., "Central Amygdala Glucocorticoid Receptor Action Promotes Fear-Associated CRH Activation and Conditioning". *PNAS*, v. 105, n. 33, p. 12004, 2008; S. Rodrigues et al., "The Influence of Stress Hormones on Fear Circuitry", op. cit.; L. Shin e I. Liberzon, "The Neurocircuitry of Fear, Stress, and Anxiety Disorders". *Neuropsychopharmacology*, v. 35, n. 1, p. 169, jan. 2010.

72. M. Milad e G. Quirk, "Neurons in Medial Prefrontal Cortex Signal Memory for Fear Extinction", op. cit.; E. Phelps et al., "Extinction Learning in Humans: Role of the Amygdala and vmPFC", op. cit.; J. Bremner et al., "Neural Correlates of Exposure to Traumatic Pictures and Sound in Vietnam Combat Veterans With and Without Posttraumatic Stress Disorder: A Positron Emission Tomography Study". *BP*, v. 45, n. 7, p. 806, 1999; D. Knox et al., "Single Prolonged Stress Disrupts Retention of Extinguished Fear in Rats". *Learning & Memory*, v. 19, n. 2, p. 43, 2012; M. Schmidt et al., "Stress-Induced Metaplasticity: From Synapses to Behavior". *Nsci*, v. 250, p. 112, 2013; J. Pruessner et al., "Deactivation of the Limbic System During Acute Psychosocial Stress: Evidence from Positron Emission Tomography and Functional Magnetic Resonance Imaging Studies". *BP*, v. 63, n. 2, p. 234, 2008.

73. A. Young et al., "The Effects of Chronic Administration of Hydrocortisone on Cognitive Function in Normal Male Volunteers". *Psychopharmacology* (Berlim), v. 145, n. 3, p. 260, 1999; A. Barsegyan et al., "Glucocorticoids in the Prefrontal Cortex Enhance Memory Consolidation and Impair Working Memory by a Common Neural Mechanism". *PNAS*, v. 107, n. 38, p. 16655, 2010; A. Arnsten et al., "Neuromodulation of Thought: Flexibilities and Vulnerabilities in Prefrontal Cortical Network Synapses". *Neuron*, v. 76, n. 1, p. 223, 2012; B. Roozendaal et al., "The Basolateral Amygdala Interacts with the Medial Prefrontal Cortex in Regulating Glucocorticoid Effects on Working Memory Impairment". *J Nsci*, v. 24, n. 6, p. 1385, 2004; C. Liston et al., "Psychosocial Stress Reversibly Disrupts Prefrontal Processing and Attentional Control". *PNAS*, v. 106, n. 3, p. 912, 2008.

74. E. Dias-Ferreira et al., "Chronic Stress Causes Frontostriatal Reorganization and Affects Decision- Making". *Sci*, v. 325, n. 5940, p. 621, 2009; D. Lyons et al., "Stress-Level Cortisol Treatment Impairs Inhibitory Control of Behavior in Monkeys". *J Nsci*, v. 20, n. 20, p. 7816, 2000; J. Kim et al., "Amygdala Is Critical for Stress-Induced Modulation of Hippocampal Long-Term Potentiation and Learning". *J Nsci*, v. 21, n. 14, p. 5222, 2001; L. Schwabe e O. Wolf, "Stress Prompts Habit Behavior in

Humans". *J Nsci*, v. 29, n. 22, p. 7191, 2009; L. Schwabe e O. Wolf, "Socially Evaluated Cold Pressor Stress After Instrumental Learning Favors Habits over Goal-Directed Action". *PNE*, v. 35, n. 7, p. 977, 2010; L. Schwabe e O. Wolf, " Stress-Induced Modulation of Instrumental Behavior: From Goal-Directed to Habitual Control of Action". *BBR*, v. 219, n. 2, p. 321, 2011; L. Schwabe e O. Wolf, "Stress Modulates the Engagement of Multiple Memory Systems in Classification Learning". *J Nsci*, v. 32, n. 32, p. 11042, 2012; L. Schwabe et al., "Simultaneous Glucocorticoid and Noradrenergic Activity Disrupts the Neural Basis of Goal-Directed Action in the Human Brain". *J Nsci*, v. 32, n. 30, p. 10146, 2012.

75. V. Venkatraman et al., "Sleep Deprivation Biases the Neural Mechanisms Underlying Economic Preferences". *J Nsci*, v. 31, n. 10, p. 3712, 2011; M. Brand et al., "Decision-Making Deficits of Korsakoff Patients in a New Gambling Task with Explicit Rules: Associations with Executive Functions". *Neuropsychology*, v. 19, n. 3, p. 267, 2005; E. Masicampo e R. Baumeister, "Toward a Physiology of Dual-Process Reasoning and Judgment: Lemonade, Willpower, and Expensive Rule-Based Analysis". *Psych Sci*, v. 19, n. 3, p. 255, 2008.

76. S. Preston et al., "Effects of Anticipatory Stress on Decision-Making in a Gambling Task". *Behav Nsci*, v. 121, n. 2, p. 257, 2007; R. van den Bos et al., "Stress and Decision-Making in Humans: Performance Is Related to Cortisol Reactivity, Albeit Differently in Men and Women". *PNE*, v. 34, n. 10, p. 1449, 2009; N. Lighthall et al., "Acute Stress Increases Sex Differences in Risk Seeking in the Balloon Analogue Risk Task". *PLoS ONE*, v. 4, n. 7, p. e6002, 2009; N. Lighthall et al., "Gender Differences in Reward-Related Decision Processing Under Stress". *SCAN*, v. 7, n. 4, p. 476, abr. 2012; P. Putman et al., "Exogenous Cortisol Acutely Influences Motivated Decision Making in Healthy Young Men". *Psychopharmacology*, v. 208, n. 2, p. 257, 2010; P. Putman et al., "Cortisol Administration Acutely Reduces Threat-Selective Spatial Attention in Healthy Young Men", op. cit.; K. Starcke et al., "Anticipatory Stress Influences Decision Making Under Explicit Risk Conditions". *Behav Nsci*, v. 122, n. 6, p. 1352, 2008.

77. E. Mikics et al., "Genomic and Non-genomic Effects of Glucocorticoids on Aggressive Behavior in Male Rats". *PNE*, v. 29, n. 5, p. 618, 2004; D. Hayden-Hixson e C. Ferris, "Steroid-Specific Regulation of Agonistic Responding in the Anterior Hypothalamus of Male Hamsters". *Physiology & Behav*, v. 50, n. 4, p. 793, 1991; A. Poole e P. Brain, "Effects of Adrenalectomy and Treatments with ACTH and Glucocorticoids on Isolation-Induced Aggressive Behavior in Male Albino Mice". *Prog Brain Res*, v. 41, p. 465, 1974; E. Mikics et al., "The Effect of Glucocorticoids on Aggressiveness in Established Colonies of Rats". *PNE*, v. 32, n. 2, p. 160, 2007; R. Böhnke et al., "Exogenous Cortisol Enhances Aggressive Behavior in Females, but Not in Males". *PNE*, v. 35, n. 7, p. 1034, 2010; K. Bertsch et al., "Exogenous Cortisol Facilitates Responses to Social Threat Under High Provocation", op. cit.

78. S. Levine et al., "The PNE of Stress: A Psychobiological Perspective". In: S. Levine e R. Brush (Orgs.), *Psychoneuroendocrinology*. Nova York: Academic Press, 1988, p. 181; R. Sapolsky e J. Ray, "Styles of Dominance and Their Physiological Correlates Among Wild Baboons". *Am J Primat*, v. 18, n. 1, p. l, 1989; J. C. Ray e R. Sapolsky, "Styles of Male Social Behavior and Their Endocrine Correlates Among High-Ranking Baboons". *Am J Primat*, v. 28, n. 4, p. 231, 1992; C. E. Virgin e R. Sapolsky, "Styles of Male Social Behavior and Their Endocrine Correlates Among Low-Ranking Baboons". *Am J Primat*, v. 42, n. 1, p. 25, 1997.

79. D. Card e G. Dahl, "Family Violence and Football: The Effect of Unexpected Emotional Cues on Violent Behavior". *Quarterly J Economics*, v. 126, n. 1, p. 103, 2011.

80. Para um estudo de neurobiologia sobre como o estresse torna mais difícil a manutenção de hábitos saudáveis, ver C. Cifani et al., "Medial Prefrontal Cortex Neuronal Activation and Synaptic Alterations After Stress-Induced Reinstatement of Palatable Food Seeking: A Study Using c-fos-GFP Transgenic Female Rats" (*J Nsci*, v. 32, n. 25, p. 8480, 2012).

81. K. Starcke et al., "Does Everyday Stress Alter Moral Decision-Making?". *PNE*, v. 36, n. 2, p. 210, 2011; F. Youssef et al., "Stress Alters Personal Moral Decision Making". *PNE*, v. 37, n. 4, p. 491, 2012.

82. D. Langford et al., "Social Modulation of Pain as Evidence for Empathy in Mice". *Sci*, v. 312, n. 5782, p. 1967, 2006.

83. S. Taylor et al., "Biobehavioral Responses to Stress in Females: Tend-and-Befriend, Not Fight-or-Flight". *Psych Rev*, v. 107, n. 3, p. 411, 2000.

84. B. Bushman, "Human Aggression While Under the Influence of Alcohol and Other Drugs: An Integrative Research Review". *Curr Dir Psych Sci*, v. 2, n. 3, p. 148, 1993; L. Zhang et al., "The Nexus Between Alcohol and Violent Crime". *Alcoholism: Clin and Exp Res*, v. 21, n. 7, p. 1264, 1997; K. Graham e P. West, "Alcohol and Crime: Examining the Link". In: N. Heather, T. J. Peters e T. Stockwell (Orgs.), *International Handbook of Alcohol Dependence and Problems*. Nova York: John Wiley & Sons, 2001; I. Quadros et al., "Individual Vulnerability to Escalated Aggressive Behavior by a Low Dose of Alcohol: Decreased Serotonin Receptor mRNA in the Prefrontal Cortex of Male Mice". *Genes, Brain and Behav*, v. 9, n. 1, p. 110, 2010; A. Johansson et al., "Alcohol and Aggressive Behavior in Men: Moderating Effects of Oxytocin Receptor Gene (OXTR) Polymorphisms", op. cit.

5. DE DIAS A MESES ANTES [pp. 138-53]

1. D. O. Hebb, *The Organization of Behaviour*. Hoboken, NJ: John Wiley & Sons, 1949.

2. Revisões gerais: R. Nicoll e K. Roche, "Long-Term Potentiation: Peeling the Onion" (*Neuropharmacology*, v. 74, p. 18, 2013); e J. MacDonald et al., "Hippocampal Long-Term Synaptic Plasticity and Signal Amplification of NMDA Receptors" (*Critical Rev in Neurobiol*, v. 18, n. 1, p. 71, 2006).

3. T. Sigurdsson et al., "Long-Term Potentiation in the Amygdala: A Cellular Mechanism of Fear Learning and Memory". *Neuropharmacology*, v. 52, n. 1, p. 215, 2007; J. Kim e M. Jung, "Neural Circuits and Mechanisms Involved in Pavlovian Fear Conditioning: A Critical Review". *Nsci Biobehav Rev*, v. 30, n. 2, p. 188, 2006; M. Wolf, "LTP May Trigger Addiction". *Mol Interventions*, v. 3, n. 5, p. 248, 2003; M. Wolf et al., "Psychomotor Stimulants and Neuronal Plasticity". *Neuropharmacology*, v. 47, supl. 1, p. 61, 2004.

4. M. Foy et al., "17beta-estradiol Enhances NMDA Receptor-Mediated EPSPs and Long-Term Potentiation". *J Neurophysiology*, v. 81, n. 2, p. 925, 1999; Y. Lin et al., "Oxytocin Promotes Long-Term Potentiation by Enhancing Epidermal Growth Factor Receptor- Mediated Local Translation of Protein Kinase M ". *J Nsci*, v. 32, n. 44, p. 15476, 2012; K. Tomizawa et al., "Oxytocin Improves Long-Lasting Spatial Memory During Motherhood Through MAP Kinase Cascade". *Nat Nsci*, v. 6, n. 4, p. 384, 2003; V. Skucas et al., "Testosterone Depletion in Adult Male Rats Increases Mossy Fiber Transmission, LTP, and Sprouting in Area CA3 of Hippocampus". *J Nsci*, v. 33, n. 6, p. 2338, 2013; W. Timmermans et al., "Stress and Excitatory Synapses: From Health to Disease". *Nsci*, v. 248, p. 626, 2013.

5. S. Rodrigues et al., "The Influence of Stress Hormones on Fear Circuitry", op. cit.; X. Xu e Z. Zhang, "Effects of Estradiol Benzoate on Learning-Memory Behavior and Synaptic Structure in Ova-

riectomized Mice". *Life Sci*, v. 79, n. 16, p. 1553, 2006; C. Rocher et al., "Acute Stress-Induced Changes in Hippocampal/Prefrontal Circuits in Rats: Effects of Antidepressants". *Cerebral Cortex*, v. 14, n. 3, p. 224, 2004.

6. A. Holtmaat e K. Svoboda, "Experience-Dependent Structural Synaptic Plasticity in the Mammalian Brain". *Nat Rev Nsci*, v. 10, n. 9, p. 647, 2009; C. Woolley et al., "Naturally Occurring Fluctuation in Dendritic Spine Density on Adult Hippocampal Pyramidal Neurons". *J Nsci*, v. 10, n. 12, p. 4035, 1990; W. Kelsch et al., "Watching Synaptogenesis in the Adult Brain". *Ann Rev of Nsci*, v. 33, p. 131, 2010.

7. B. Leuner e T. Shors, "Stress, Anxiety, and Dendritic Spines: What Are the Connections?". *Nsci*, v. 251, p. 108, 2013; Y. Chen et al., "Correlated Memory Defects and Hippocampal Dendritic Spine Loss After Acute Stress Involve Corticotropin-Releasing Hormone Signaling". *PNAS*, v. 107, n. 29, p. 13123, 2010.

8. J. Cerqueira et al., "Morphological Correlates of Corticosteroid-Induced Changes in Prefrontal Cortex Dependent Behaviours". *J Nsci*, v. 25, n. 34, p. 7792, 2005; A. Izquierdo et al., "Brief Uncontrollable Stress Causes Dendritic Retraction in Infralimbic Cortex and Resistance to Fear Extinction in Mice". *J Nsci*, v. 26, n. 21, p. 5733, 2006; C. Liston et al., "Stress-Induced Alterations in Prefrontal Cortical Dendritic Morphology Predict Selective Impairments in Perceptual Attentional Set Shifting". *J Nsci*, v. 26, n. 30, p. 7870, 2006; J. Radley, "Repeated Stress Induces Dendritic Spine Loss in the Rat Medial Prefrontal Cortex". *Cerebral Cortex*, v. 16, n. 3, p. 313, 2006; A. Arnsten, "Stress Signaling Pathways That Impair Prefrontal Cortex Structure and Function". *Nat Rev Nsci*, v. 10, n. 6, p. 410, 2009; C. Sandi e M. Loscertales, "Opposite Effects on NCAM Expression in the Rat Frontal Cortex Induced by Acute vs. Chronic Corticosterone Treatments". *Brain Res*, v. 828, n. 1, p. 127, 1999; C. Wellman, "Dendritic Reorganization in Pyramidal Neurons in Medial Prefrontal Cortex After Chronic Corticosterone Administration". *J Neurobiol*, v. 49, n. 3, p. 245, 2001; D. Knox et al., "Single Prolonged Stress Decreases Glutamate, Glutamine, and Creatine Concentrations in the Rat Medial Prefrontal Cortex". *Nsci Lett*, v. 480, n. 1, p. 16, 2010.

9. E. Dias-Ferreira et al., "Chronic Stress Causes Frontostriatal Reorganization and Affects Decision-Making", op. cit.; M. Fuchikiami et al., "Epigenetic Regulation of BDNF Gene in Response to Stress". *Psychiatry Investigation*, v. 7, n. 4, p. 251, 2010.

10. R. Mitra e R. Sapolsky, "Acute Corticosterone Treatment Is Sufficient to Induce Anxiety and Amygdaloid Dendritic Hypertrophy". *PNAS*, v. 105, n. 14, p. 5573, 2008; A. Vyas et al., "Chronic Stress Induces Contrasting Patterns of Dendritic Remodeling in Hippocampal and Amygdaloid Neurons". *J Nsci*, v. 22, n. 15, p. 6810, 2002; S. Bennur et al., "Stress-Induced Spine Loss in the Medial Amygdala Is Mediated by Tissue-Plasminogen Activator". *Nsci*, v. 144, n. 1, p. 8, 2006; A. Govindarajan et al., "Transgenic Brain-Derived Neurotrophic Factor Expression Causes Both Anxiogenic and Antidepressant Effects". *PNAS*, v. 103, n. 35, p. 13208, 2006. Expansão do NLET: A. Vyas et al., "Effects of Chronic Stress on Dendritic Arborization in the Central and Extended Amygdala" (*Brain Res*, v. 965, n. 1, p. 290, 2003); e J. Pego et al., "Dissociation of the Morphological Correlates of Stress-Induced Anxiety and Fear" (*Eur J Nsci*, p. 27, n. 6, p. 1503, 2008).

11. A. Magarinos e B. McEwen, "Stress-Induced Atrophy of Apical Dendrites of Hippocampal CA3c Neurons: Involvement of Glucocorticoid Secretion and Excitatory Amino Acid Receptors". *Nsci*, v. 69, n. 1, p. 89, 1995; A. Magarinos et al., "Chronic Psychosocial Stress Causes Apical Dendritic Atrophy of Hippocampal CA3 Pyramidal Neurons in Subordinate Tree Shrews". *J Nsci*, v. 16, n. 10, p. 3534,

1996; B. Eadie et al., "Voluntary Exercise Alters the Cytoarchitecture of the Adult Dentate Gyrus by Increasing Cellular Proliferation, Dendritic Complexity, and Spine Density". *J Comp Neurol*, v. 486, n. 1, p. 39, 2005.

12. M. Khan et al., "Estrogen Regulation of Spine Density and Excitatory Synapses in Rat Prefrontal and Somatosensory Cerebral Cortex". *Steroids*, v. 78, n. 6, p. 614, 2013; B. McEwen, "Estrogen Actions Throughout the Brain". *Recent Prog Hormone Res*, v. 57, p. 357, 2002; B. Leuner e E. Gould, "Structural Plasticity and Hippocampal Function". *Ann Rev Psych*, v. 61, p. 111, 2010.

13. R. Hamilton et al., "Alexia for Braille Following Bilateral Occipital Stroke in an Early Blind Woman". *Neuroreport*, v. 11, n. 2, p. 237, 2000; E. Striem-Amit et al., "Reading with Sounds: Sensory Substitution Selectively Activates the Visual Word Form Area in the Blind". *Neuron*, v. 76, n. 3, p. 640, 2012.

14. S. Florence et al., "Large-Scale Sprouting of Cortical Connections After Peripheral Injury in Adult Macaque Monkeys". *Sci*, v. 282, n. 5391, p. 1117, 1998; C. Darian-Smith e C. Gilbert, "Axonal Sprouting Accompanies Functional Reorganization in Adult Cat Striate Cortex". *Nat*, v. 368, n. 6473, p. 737, 1994; M. Kossut e S. Juliano, "Anatomical Correlates of Representational Map Reorganization Induced by Partial Vibrissectomy in the Barrel Cortex of Adult Mice". *Nsci*, v. 92, n. 3, p. 807, 1999; L. Merabet e A. Pascual-Leone, "Neural Reorganization Following Sensory Loss: The Opportunity of Change". *Nat Rev Nsci*, v. 11, n. 1, p. 44, 2010; A. Pascual-Leone et al., "The Plastic Human Brain Cortex". *Ann Rev Nsci*, v. 28, p. 377, 2005; B. Becker et al., "Fear Processing and Social Networking in the Absence of a Functional Amygdala". *BP*, v. 72, n. 1, p. 70, 2012; L. Colgin, "Understanding Memory Through Hippocampal Remapping". *TINS*, v. 31, n. 9, p. 469, 2008; V. Ramírez-Amaya et al., "Spatial Longterm Memory Is Related to Mossy Fiber Synaptogenesis". *J Nsci*, v. 21, n. 18, p. 7340, 2001; M. Holahan et al., "Spatial Learning Induces Presynaptic Structural Remodeling in the Hippocampal Mossy Fiber System of Two Rat Strains". *Hippocampus*, v. 16, n. 6, p. 560, 2006; I. Galimberti et al., "Long-Term Rearrangements of Hippocampal Mossy Fiber Terminal Connectivity in the Adult Regulated by Experience". *Neuron*, v. 50, n. 5, p. 749, 2006; V. De Paola et al., "Cell Type-Specific Structural plasticity of Axonal Branches and Boutons in the Adult Neocortex". *Neuron*, v. 49, n. 6, p. 861, 2006; Hiroshi. Nishiyama et al., "Axonal Motility and Its Modulation by Activity Are Branch-Type Specific in the Intact Adult Cerebellum". *Neuron*, v. 56, n. 3, p. 472, 2007.

15. C. Pantev e S. Herholz, "Plasticity of the Human Auditory Cortex Related to Musical Training". *Nsci Biobehav Rev*, v. 35, n. 10, p. 2140, 2011.

16. A. Pascual-Leone, "Reorganization of Cortical Motor Outputs in the Acquisition of New Motor Skills". In: J. Kimura e H. Shibasaki (Orgs.), *Recent Advances in Clin Neurophysiology*. Amsterdam: Elsevier Science, 1996, pp. 304-8.

17. C. Xerri et al., "Alterations of the Cortical Representation of the Rat Ventrum Induced by Nursing Behavior". *J Nsci*, v. 14, n. 3, p. 171, 1994; B. Draganski et al., "Neuroplasticity: Changes in Grey Matter Induced by Training". *Nat*, v. 427, n. 6972, p. 311, 2004.

18. J. Altman e G. Das, "Autoradiographic and Histological Evidence of Postnatal Hippocampal Neurogenesis in Rats". *J Comp Neurol*, v. 124, n. 3, p. 319, 1965.

19. M. Kaplan, "Environmental Complexity Stimulates Visual Cortex Neurogenesis: Death of a Dogma and a Research Career". *TINS*, v. 24, n. 10, p. 617, 2001.

20. S. Goldman e F. Nottebohm, "Neuronal Production, Migration, and Differentiation in a Vocal Control Nucleus of the Adult Female Canary Brain". *PNAS*, v. 80, n. 8, p. 2390, 1983; J. Paton e F. Not-

tebohm, "Neurons Generated in the Adult Brain Are Recruited into Functional Circuits". *Sci*, v. 225, p. 4666, 1984; F. Nottebohm, "Neuronal Replacement in Adult Brain". *ANYAS*, v. 57, n. 6, p. 143, 1985.

Para uma ótima recapitulação de toda a saga da neurogênese, ver M. Specter, "How the Songs of Canaries Upset a Fundamental Principle of Science" (*New Yorker*, 23 jul. 2001).

21. D. Kornack e P. Rakic, "Continuation of Neurogenesis in the Hippocampus of the Adult Macaque Monkey". *PNAS*, v. 96, n. 10, p. 5768, 1999.

22. G. Ming e H. Song, "Adult Neurogenesis in the Mammalian Central Nervous System". *Ann Rev Nsci*, v. 28, p. 223, 2005. Sobre a taxa de substituição dos neurônios no hipocampo: G. Kempermann et al., "More Hippocampal Neurons in Adult Mice Living in an Enriched Environment" (*Nat*, v. 386, n. 6624, p. 493, 1997); e H. Cameron e R. McKay, "Adult Neurogenesis Produces a Large Pool of New Granule Cells in the Dentate Gyrus" (*J Comp Neurol*, v. 435, n. 4, p. 406, 2001). Demonstração em seres humanos: P. Eriksson et al., "Neurogenesis in the Adult Human Hippocampus" (*Nat Med*, v. 4, n. 11, p. 1313, 1998). Moduladores da neurogênese: C. Mirescu et al., "Sleep Deprivation Inhibits Adult Neurogenesis in the Hippocampus by Elevating Glucocorticoids" (*PNAS*, v. 103, n. 50, p. 19170, 2006). Papel dos novos neurônios na cognição: W. Deng et al., "New Neurons and New Memories: How Does Adult Hippocampal Neurogenesis Affect Learning and Memory?" (*Nat Rev Nsci*, v. 11, n. 5, p. 339, 2010); T. Shors et al., "Neurogenesis in the Adult Rat Is Involved in the Formation of Trace Memories" (*Nat*, v. 410, n. 6826, p. 372, 2001); T. Shors et al., "Neurogenesis May Relate to Some But Not All Types of Hippocampal-Dependent Learning" (*Hippocampus*, v. 12, p. 578, 2002).

23. Sobre corrida, glicocorticoides e neurogênese: S. Droste et al., "Effects of Long-Term Voluntary Exercise on the Mouse Hypothalamic-Pituitary-Adrenocortical Axis" (*Endo*, v. 144, n. 7, p. 3012, 2003); H. van Praag et al., "Running Enhances Neurogenesis, Learning, and Long-Term Potentiation in Mice" (*PNAS*, v. 96, n. 23, p. 13427, 1999); e G. Kempermann, "New Neurons for 'Survival of the Fittest'" (*Nat Rev Nsci*, v. 13, n. 10, p. 727, 2012).

24. L. Santarelli et al., "Requirement of Hippocampal Neurogenesis for the Behavioral Effects of Antidepressants". *Sci*, v. 301, n. 5634, p. 80, 2003.

25. J. Altman, "The Discovery of Adult Mammalian Neurogenesis". In: T. Seki, K. Sawamoto, J. Parent e A. Alvarez-Buylla (Orgs.), *Neurogenesis in the Adult Brain I*. Nova York: Springer, 2011.

26. C. Lord et al., "Hippocampal Volumes Are Larger in Postmenopausal Women Using Estrogen Therapy Compared to Past Users, Never Users and Men: A Possible Window of Opportunity Effect". *Neurobiol of Aging*, v. 29, n. 1, p. 95, 2008; R. Sapolsky, "Glucocorticoids and Hippocampal Atrophy in Neuropsychiatric Disorders". *AGP*, v. 57, n. 10, p. 925, 2000; A. Mutso et al., "Abnormalities in Hippocampal Functioning with Persistent Pain". *J Nsci*, v. 32, n. 17, p. 5747, 2012; J. Pruessner et al., "Stress Regulation in the Central Nervous System: Evidence from Structural and Functional Neuroimaging Studies in Human Populations". *PNE*, v. 35, n. 1, p. 179, 2010; J. Kuo et al., "Amygdala Volume in Combat-Exposed Veterans With and Without Posttraumatic Stress Disorder: A Cross-sectional Study". *AGP*, v. 69, n. 10, p. 1080, 2012.

27. E. Maguire et al., "Navigation-Related Structural Change in the Hippocampi of Taxi Drivers". *PNAS*, v. 97, n. 8, p. 4398, 2000; K. Woollett e E. Maguire, "Acquiring 'the Knowledge' of London's Layout Drives Structural Brain Changes". *Curr Biol*, v. 21, n. 24, p. 2109, 2011. Para uma interessante discussão sobre por que é preciso ter um hipocampo maior para se tornar motorista de táxi em Londres, com referência ao exame notoriamente difícil para tirar a licença, ver J. Rosen, "The Knowledge, London's Legendary Taxi-Driver Test, Puts Up a Fight in the Age of GPS" (*New York Times Magazine*, 10 nov. 2014).

28. S. Mangiavacchi et al., "Long-Term Behavioral and Neurochemical Effects of Chronic Stress Exposure in Rats". *J Neurochemistry*, v. 79, n. 6, p. 1113, 2001; J. van Honk et al., "Baseline Salivary Cortisol Levels and Preconscious Selective Attention for Treat: A Pilot Study". *PNE*, v. 23, n. 7, p. 741, 1998; M. Fuxjager et al., "Winning Territorial Disputes Selectively Enhances Androgen Sensitivity in Neural Pathways Related to Motivation and Social Aggression", op. cit.; I. McKenzie et al., "Motor Skill Learning Requires Active Central Myelination". *Sci*, v. 346, n. 6207, p. 318, 2014; M. Bechler e C. Ffrench-Constant, "A New Wrap for Neuronal Activity?". *Sci*, v. 344, n. 6183, p. 480, 2014; E. Gibson et al., "Neuronal Activity Promotes Oligodendrogenesis and Adaptive Myelination in the Mammalian Brain". *Sci*, v. 344, n. 6183, p. 487, 2014; J. Radley et al., "Reversibility of Apical Dendritic Retraction in the Rat Medial Prefrontal Cortex Following Repeated Stress". *Exp Neurol*, v. 196, n. 1, p. 199, 2005; E. Bloss et al., "Interactive Effects of Stress and Aging on Structural Plasticity in the Prefrontal Cortex". *J Nsci*, v. 30, n. 19, p. 6726, 2010.

29. N. Doidge, *The Brain That Changes Itself: Stories of Personal Triumph from the Front of Brain Science*. Nova York: Penguin, 2007 [Ed. bras.: *O cérebro que se transforma*. Rio de Janeiro: Record, 2011]; S. Begley, *Train Your Mind, Change Your Brain: How a New Science Reveals Our Extraordinary Potential to Transform Ourselves*. Nova York: Ballantine, 2007 [Ed. bras.: *Treine a mente, mude o cérebro*. Rio de Janeiro: Fontanar, 2008]; J. Arden, *Rewire Your Brain: Think Your Way to a Better Life*. Nova York: Wiley, 2010.

6. ADOLESCÊNCIA OU: "CARA, CADÊ MEU CÓRTEX FRONTAL?" [pp. 154-72]

1. R. Knickmeyer et al., "A Structural MRI Study of Human Brain Development from Birth to 2 Years". *J Nsci*, v. 28, n. 47, p. 12176, 2008.

2. M. Bucholtz, "Youth and Cultural Practice". *Ann Rev Anthropology*, v. 31, n. 1, p. 525, 2002; S. Choudhury, "Culturing the Adolescent Brain: What Can Neuroscience Learn from Anthropology?". *SCAN*, v. 5, n. 2, p. 159, 2010; T. James, "The Age of Majority". *Am J Legal History*, v. 4, p. 22, 1960; R. Brett, "Contribution for Children and Political Violence". In: *Child Soldiering: Questions and Challenges for Health Professionals*. WHO Global Report on Violence, 2000, p. 1; C. MacMullin e M. Loughry, "Investigating Psychosocial Adjustment of Former Child Soldiers in Sierra Leone and Uganda". *J Refugee Studies*, v. 17, n. 4, p. 472, 2004.

3. J. Giedd, "The Teen Brain: Insights from Neuroimaging". *J Adolescent Health*, v. 42, n. 4, p. 335, 2008. Demonstração do aumento da conectividade intrínseca dos neurônios do CPF durante a adolescência em macacos: X. Zhou et al., "Age-Dependent Changes in Prefrontal Intrinsic Connectivity" (*PNAS*, v. 111, n. 10, p. 3853, 2014); T. Singer, "The Neuronal Basis and Ontogeny of Empathy and Mind Reading: Review of Literature and Implications for Future Research" (*Nsci Biobehav Rev*, v. 30, n. 6, p. 855, 2006); e P. Shaw et al., "Intellectual Ability and Cortical Development in Children and Adolescents" (*Nat*, v. 440, n. 7084, p. 676, 2006).

4. D. Yurgelun-Todd, "Emotional and Cognitive Changes During Adolescence". *Curr Opinion in Neurobiol*, v. 17, n. 2, p. 251, 2007; B. Luna et al., "Maturation of Widely Distributed Brain Function Subserves Cognitive Development". *NeuroImage*, v. 13, n. 5, p. 786, 2001; B. Schlaggar et al., "Functional Neuroanatomical Differences Between Adults and School-Age Children in the Processing of Single Words". *Sci*, v. 296, n. 5572, p. 1476, 2002.

5. A. Wang et al., "Developmental Changes in the Neural Basis of Interpreting Communicative Intent". *SCAN*, v. 1, n. 2, p. 107, 2006.

6. T. Paus et al., "Maturation of White Matter in the Human Brain: A Review of Magnetic Resonance Studies". *Brain Res Bull*, v. 54, n. 3, p. 255, 2001; A. Raznahan et al., "Patterns of Coordinated Anatomical Change in Human Cortical Development: A Longitudinal Neuroimaging Study of Maturational Coupling". *Neuron*, v. 72, n. 5, p. 873, 2011; N. Strang et al., "Developmental Changes in Adolescents' Neural Response to Challenge". *Developmental Cog Nsci*, v. 1, n. 4, p. 560, 2011.

7. C. Masten et al., "Neural Correlates of Social Exclusion During Adolescence: Understanding the Distress of Peer Rejection". *SCAN*, v. 4, n. 2, p. 143, 2009.

8. J. Perrin et al., "Growth of White Matter in the Adolescent Brain: Role of Testosterone and Androgen Receptor". *J Nsci*, v. 28, n. 38, p. 9519, 2008; T. Paus et al., "Sexual Dimorphism in the Adolescent Brain: Role of Testosterone and Androgen Receptor in Global and Local Volumes of Grey and White Matter". *Horm Behav*, v. 57, n. 1, p. 63, 2010; A. Arnsten e Rebecca Shansky, "Adolescence: Vulnerable Period for Stress-Induced PFC Function?". *ANYAS*, v. 102, n. 1, p. 143, 2006; W. Moore et al., "Facing Puberty: Associations Between Pubertal Development and Neural Responses to Affective Facial Displays". *SCAN*, v. 7, n. 1, p. 35, 2012; R. Dahl, "Adolescent Brain Development: A Period of Vulnerabilities and Opportunities". *ANYAS*, v. 1021, n. 1, p. 1, 2004.

9. R. Rosenfield, "Clinical Review: Adolescent Anovulation: Maturational Mechanisms and Implications". *J Clin Endo and Metabolism*, v. 98, n. 9, p. 3572, 2013.

10. D. Yurgelun-Todd, "Emotional and Cognitive Changes During Adolescence", op. cit.; B. Schlaggar et al., "Functional Neuroanatomical Differences Between Adults and School-Age Children in the Processing of Single Words", op. cit.

11. W. Moore et al., "Facing Puberty: Associations Between Pubertal Development and Neural Responses to Affective Facial Displays", op. cit.

12. D. Gee et al., "A Developmental Shift from Positive to Negative Connectivity in Human Amygdala-Prefrontal Circuitry". *J Nsci*, v. 33, n. 10, p. 4584, 2013.

13. K. McRae et al., "Association Between Trait Emotional Awareness and Dorsal Anterior Cingulate Activity During Emotion Is Arousal-Dependent". *NeuroImage*, v. 41, n. 2, p. 648, 2008; W. Killgore et al., "Sex-Specific Developmental Changes in Amygdala Responses to Affective Faces". *Neuroreport*, v. 12, n. 2, p. 427, 2001; W. Killgore e D. Yurgelun-Todd, "Unconscious Processing of Facial Affect in Children and Adolescents". *Soc Nsci*, v. 2, n. 1, p. 28, 2007; T. Hare et al., "Biological Substrates of Emotional Reactivity and Regulation in Adolescence During an Emotional Go-Nogo Task". *BP*, v. 63, n. 10, p. 927, 2008; T. Wager et al., "Prefrontal-Subcortical Pathways Mediating Successful Emotion Regulation". *Neuron*, v. 25, n. 6, p. 1037, 2008; T. Hare et al., "Self-Control in Decision-Making Involves Modulation of the vmPFC Valuation System". *Sci*, v. 324, n. 5927, p. 646, 2009; C. Masten et al., "Neural Correlates of Social Exclusion During Adolescence: Understanding the Distress of Peer Rejection", op. cit.; Shulman et al., "Sex Differences in the Developmental Trajectories of Impulse Control and Sensation-Seeking from Early Adolescence to Early Adulthood". *J Youth and Adolescence*, v. 44, n. 1, p. 1, 2013.

14. G. Laviola et al., "Risk-Taking Behavior in Adolescent Mice: Psychobiological Determinants and Early Epigenetic Influence". *Nsci Biobehav Rev*, v. 27, n. 1, p. 19, 2003; V. Reyna e F. Farley, "Risk and Rationality in Adolescent Decision Making: Implications for Theory, Practice, and Public Policy". *Psych Sci in the Public Interest*, v. 7, n. 1, p. 1, 2006; L. Steinberg, "Risk Taking in Adolescence: New Perspectives from Brain and Behavioral Science". *Curr Dir Psych Res*, v. 16, n. 2, p. 55, 2007; L. Steinberg, *Age of Opportunity: Lessons from the New Science of Adolescence*. Nova York: Houghton Mifflin,

2014; C. Moutsiana et al., "Human Development of the Ability to Learn from Bad News". *PNAS*, v. 110, n. 41, p. 16396, 2013.

15. Revisado em A. R. Smith et al., "The Role of the Anterior Insula in Adolescent Decision Making" (*Developmental Nsci*, v. 36, n. 3, p. 196, 2014).

16. E. Shulman et al., "Sex Differences in the Developmental Trajectories of Impulse Control and Sensation-Seeking from Early Adolescence to Early Adulthood", op. cit.

17. R. Sapolsky, "Open Season". *New Yorker*, p. 57, 30 mar. 1998.

18. D. Rosenberg e D. Lewis, "Changes in the Dopaminergic Innervation of Monkey Prefrontal Cortex During Late Postnatal Development: A Tyrosine Hydroxylase Immunohistochemical Study". *BP*, v. 36, n. 4, p. 272, 1994.

19. B. Knutson et al., "FMRI Visualization of Brain Activity During a Monetary Incentive Delay Task". *NeuroImage*, v. 12, n. 1, p. 20, 2000; E. Barkley-Levenson e A. Galvan, "Neural Representation of Expected Value in the Adolescent Brain". *PNAS*, v. 111, n. 4, p. 1646, 2014; S. Schneider et al., "Risk Taking and the Adolescent Reward System: A Potential Common Link to Substance Abuse". *Am J Psychiatry*, v. 169, n. 1, p. 39, 2012; S. Burnett et al., "Development During Adolescence of the Neural Processing of Social Emotion". *J Cog Nsci*, v. 21, n. 9, p. 1, 2008; J. Bjork et al., "Developmental Differences in Posterior Mesofrontal Cortex Recruitment by Risky Rewards". *J Nsci*, v. 27, n. 18, p. 4839, 2007; J. Bjork et al., "Incentive-Elicited Brain Activation in Adolescents: Similarities and Differences from Young Adults". *J Nsci*, v. 25, n. 8, p. 1793, 2004; S. Blakemore et al., "Adolescent Development of the Neural Circuitry for Thinking About Intentions". *SCAN*, v. 2, n. 2, p. 130, 2007.

20. A. Galvan et al., "Earlier Development of the Accumbens Relative to Orbitofrontal Cortex Might Underlie Risk-Taking Behavior in Adolescents". *J Nsci*, v. 26, n. 25, p. 6885, 2006. Essa também é a fonte da imagem no texto. Uma demonstração da resposta dopaminérgica a diferentes tamanhos de recompensa como sendo mais linear e precisa em adultos: J. Vaidya et al., "Neural Sensitivity to Absolute and Relative Anticipated Reward in Adolescents" (*PLoS ONE*, v. 8, n. 3, p. e58708, 2013).

21. A. R. Smith et al., "Age Differences in the Impact of Peers on Adolescents' and Adults' Neural Response to Reward". *Developmental Cog Nsci*, v. 11, p. 75, 2015; J. Chein et al., "Peers Increase Adolescent Risk Taking by Enhancing Activity in the Brain's Reward Circuitry". *Developmental Sci*, v. 14, n. 2, p. F1, 2011; M. Gardner e L. Steinberg, "Peer Influence on Risk Taking, Risk Preference, and Risky Decision Making in Adolescence and Adulthood: An Experimental Study". *Developmental Psych*, v. 41, n. 4, p. 625, 2005; L. Steinberg, "A Social Neuroscience Perspective on Adolescent Risk-Taking". *Developmental Rev*, v. 28, n. 1, p. 78, 2008; M. Grosbras et al., "Neural Mechanisms of Resistance to Peer Influence in Early Adolescence". *J Nsci*, v. 27, n. 30, p. 8040, 2007; A. Weigard et al., "Effects of Anonymous Peer Observation on Adolescents' Preference for Immediate Rewards". *Developmental Science*, v. 17, n. 1, p. 71, 2014.

22. M. Madden et al., "Teens, Social Media, and Privacy". Pew Research Center, 23 maio 2013. Disponível em: <www.pewinternet.org/Reports/2013/Teens-Social-Media-And-Privacy/Summary--of-Findings.aspx>.

23. A. Guyer et al., "Amygdala and Ventrolateral Prefrontal Cortex Function During Anticipated Peer Evaluation in Pediatric Social Anxiety". *AGP*, v. 65, n. 11, p. 1303, 2008; A. Guyer et al., "Probing the Neural Correlates of Anticipated Peer Evaluation in Adolescence". *Child Development*, v. 80, n. 4, p. 1000, 2009; B. Gunther Moor et al., "Do You Like Me? Neural Correlates of Social Evaluation and Developmental Trajectories". *Soc Nsci*, v. 5, n. 5, p. 461, 2010.

24. N. Eisenberger et al., "Does Rejection Hurt? An fMRI Study of Social Exclusion". *Sci*, v. 302, n. 5643, p. 290, 2003; N. Eisenberger, "The Pain of Social Disconnection: Examining the Shared Neural Underpinnings of Physical and Social Pain". *Nat Rev Nsci*, v. 3, n. 6, p. 421, 2012.

25. C. Sebastian et al., "Development Influences on the Neural Bases of Responses to Social Rejection: Implications of Social Neuroscience for Education". *NeuroImage*, v. 57, n. 3, p. 686, 2011; C. Masten et al., "Neural Correlates of Social Exclusion During Adolescence: Understanding the Distress of Peer Rejection", op. cit.; J. Pfeifer e S. Blakemore, "Adolescent Social Cognitive and Affective Neuroscience: Past, Present, and Future". *SCAN*, v. 7, n. 1, p. 1, 2012.

26. J. Pfeifer et al., "Entering Adolescence: Resistance to Peer Influence, Risky Behavior, and Neural Changes in Emotion Reactivity". *Neuron*, v. 69, n. 5, p. 1029, 2011; L. Steinberg e K. Monahan, "Age Differences in Resistance to Peer Influence". *Developmental Psych*, v. 43, n. 6, p. 1531, 2007; M. Grosbras et al., "Neural Mechanisms of Resistance to Peer Influence in Early Adolescence", op. cit.

27. I. Almås et al., "Fairness and the Development of Inequality Acceptance". *Sci*, v. 328, n. 5982, p. 1176, 2010.

28. J. Decety e K. Michalska, "Neurodevelopmental Changes in the Circuits Underlying Empathy and Sympathy from Childhood to Adulthood". *Developmental Sci*, v. 13, n. 6, p. 886, 2010.

29. N. Eisenberg et al., "The Relations of Emotionality and Regulation to Dispositional and Situational Empathy-Related Responding". *JPSP*, v. 66, n. 4, p. 776, 1994; J. Decety et al., "The Developmental Neuroscience of Moral Sensitivity". *Emotion Rev*, v. 3, n. 3, p. 305, 2011.

30. E. Finger et al., "Disrupted Reinforcement Signaling in the Orbitofrontal Cortex and Caudate in Youths with Conduct Disorder or Oppositional Defiant Disorder and a High Level of Psychopathic Traits". *Am J Psychiatry*, v. 168, n. 2, p. 152, 2011; A. Marsh et al., "Reduced Amygdala-Orbitofrontal Connectivity During Moral Judgments in Youths with Disruptive Behavior Disorders and Psychopathic Traits". *Psychiatry Res*, v. 194, n. 3, p. 279, 2011.

31. L. Steinberg, "The Influence of Neuroscience on us Supreme Court Decisions About Adolescents' Criminal Culpability". *Nat Rev Nsci*, v. 14, n. 7, p. 513, 2013.

32. Roper v. Simmons, 543 U.S. 551, 2005.

33. J. Sallet et al., "Social Network Size Affects Neural Circuits in Macaques", op. cit.

7. DE VOLTA AO BERÇO, DE VOLTA AO ÚTERO [pp. 173-220]

1. P. Yakovlev e A. Lecours, "The Myelogenetic Cycles of Regional Maturation of the Brain". In: Alexandre Minkowski (Org.), *Regional Development of the Brain in Early Life*. Oxford: Blackwell, 1967; H. Kinney et al., "Sequence of Central Nervous System Myelination in Human Infancy: II. Patterns of Myelination in Autopsied Infants". *J Neuropathology & Exp Neurol*, v. 47, n. 3, p. 217, 1988; S. Deoni et al., "Mapping Infant Brain Myelination with MRI". *J Nsci*, v. 31, n. 2, p. 784, 2011; N. Baumann e D. Pham-Dinh, "Biology of Oligodendrocyte and Myelin in the Mammalian CNS". *Physiological Rev*, v. 81, n. 2, p. 871, 2001.

2. Demonstração do poder preditivo do grau de conectividade: N. Dosenbach et al., "Prediction of Individual Brain Maturity Using fMRI" (*Sci*, v. 329, n. 5997, p. 1358, 2010).

3. N. Uesaka et al., "Retrograde Semaphorin Signaling Regulates Synapse Elimination in the Developing Mouse Brain". *Sci*, v. 344, n. 6187, p. 1020, 2014; R. C. Paolicelli et al., "Synaptic Pruning by

Microglia Is Necessary for Normal Brain Development". *Sci*, v. 333, n. 6048, p. 1456, 2011; R. Buss et al., "Adaptive Roles of Programmed Cell Death During Nervous System Development". *Ann Rev of Nsci*, v. 29, n. 1, p. 1, 2006; D. Nijhawan et al., "Apoptosis in Neural Development and Disease". *Ann Rev of Nsci*, v. 23, n. 1, p. 73, 2000; C. Kuan et al., "Mechanisms of Programmed Cell Death in the Developing Brain". *TINS*, v. 23, n. 7, p. 291, 2000.

4. J. Piaget, *Main Trends in Psychology*. Londres: George Allen & Unwin, 1973; J. Piaget, *The Language and Thought of the Child*. Nova York: Psychology Press, 1979. [Ed. bras.: *A linguagem e o pensamento da criança*. São Paulo: Martins Fontes, 1989.]

5. Outros âmbitos com estágios de desenvolvimento: R. Selman et al., "Interpersonal Awareness in Children: Toward an Integration of Developmental and Clinical Child Psychology" (*Am J Orthopsychiatry*, v. 47, n. 2, p. 264, 1977); e T. Singer, "The Neuronal Basis and Ontogeny of Empathy and Mind Reading: Review of Literature and Implications for Future Research" (*Nsci Biobehav Rev*, v. 30, n. 6, p. 855, 2006).

6. S. Baron-Cohen, "Precursors to a Theory of Mind: Understanding Attention in Others". In: Andrew Whiten (Org.), *Natural Theories of Mind: Evolution, Development and Simulation of Everyday Mindreading*. Oxford: Basil Blackwell, 1991; J. Topál et al., "Differential Sensitivity to Human Communication in Dogs, Wolves, and Human Infants". *Sci*, v. 325, n. 5945, p. 1269, 2009; G. Lakatos et al., "A 'Comparative Approach to Dogs' (*Canis familiaris*) and Human Infants' Comprehension of Various Forms of Pointing Gestures". *Animal Cog*, v. 12, n. 4, p. 621, 2009; J. Kaminski et al., "Domestic Dogs are Sensitive to a Human's Perspective". *Behaviour*, v. 146, n. 7, p. 979, 2009.

7. S. Baron-Cohen et al., "Does the Autistic Child Have a 'Theory of Mind'?". *Cog*, v. 21, n. 1, p. 37, 1985.

8. L. Young et al., "Disruption of the Right Temporal Lobe Function with TMS Reduces the Role of Beliefs in Moral Judgments". *PNAS*, v. 107, n. 15, p. 6753, 2009; Y. Moriguchi et al., "Changes of Brain Activity in the Neural Substrates for Theory of Mind During Childhood and Adolescence". *Psychiatry and Clin Nsci*, v. 61, n. 4, p. 355, 2007; A. Saitovitch et al., "Social Cognition and the Superior Temporal Sulcus: Implications in Autism". *Rev of Neurol* (Paris), v. 168, n. 10, p. 762, 2012; P. Shaw et al., "The Impact of Early and Late Damage to the Human Amygdala on 'Theory of Mind' Reasoning". *Brain*, v. 127, p. 1535, 2004.

9. B. Sodian e S. Kristen, "Theory of Mind During Infancy and Early Childhood Across Cultures, Development of". In: *Int Encyclopedia of the Soc & Behav Sci*. Amsterdam: Elsevier, 2015, p. 268.

10. S. Nichols, "Experimental Philosophy and the Problem of Free Will". *Sci*, v. 331, n. 6023, p. 1401, 2011.

11. D. Premack e G. Woodruff, "Does the Chimpanzee Have a Theory of Mind?". *BBS*, v. 1, n. 4, p. 515, 1978. Evidências contrárias: D. Povinelli e J. Vonk, "Chimpanzee Minds: Suspiciously Human?" (*TICS*, v. 7, n. 4, p. 157, 2003). Evidências favoráveis: B. Hare et al., "Do Chimpanzees Know What Conspecifics Know and Do Not Know?" (*Animal Behav*, v. 61, n. 1, p. 139, 2001); e L. Santos et al., "Rhesus Monkeys (*Macaca mulatta*) Know What Others Can and Cannot Hear" (*Animal Behav*, v. 71, p. 1175, 2006).

12. J. Decety et al., "The Contribution of Emotion and Cognition to Moral Sensitivity: A Neurodevelopmental Study". *Cerebral Cortex*, v. 22, n. 1, p. 209, 2011.

13. J. Decety et al., "Who Caused the Pain? An fMRI Investigation of Empathy and Intentionality in Children". *Neuropsychologia*, v. 46, n. 11, p. 2607, 2008; J. Decety et al., "The Contribution of Emo-

tion and Cognition to Moral Sensitivity: A Neurodevelopmental Study", op. cit.; J. Decety e K. Michalska, "Neurodevelopmental Changes in the Circuits Underlying Empathy and Sympathy from Childhood to Adulthood", op. cit.

14. J. Decety et al., "The Contribution of Emotion and Cognition to Moral Sensitivity: A Neurodevelopmental Study", op. cit.; N. Eisenberg et al., "The Relations of Emotionality and Regulation to Dispositional and Situational Empathy-Related Responding", op. cit.

15. P. Blake et al., "The Ontogeny of Fairness in Seven Societies". *Nat*, v. 528, n. 7581, p. 258, 2016.

16. I. Almås et al., "Fairness and the Development of Inequality Acceptance", op. cit.; E. Fehr et al., "Egalitarianism in Young Children". *Nat*, v. 454, p. 1079, 2008; K. Olson et al., "Children's Responses to Group-Based Inequalities: Perpetuation and Rectification". *Soc Cog*, v. 29, n. 3, p. 270, 2011; M. Killen, "Children's Social and Moral Reasoning About Exclusion". *Curr Dir Psych Sci*, v. 16, n. 1, p. 32, 2007.

17. D. Garz, *Lawrence Kohlberg: An Introduction*. Colônia: Barbara Budrich, 2009.

18. C. Gilligan, *In a Different Voice: Psychological Theory and Women's Development*. Cambridge, MA: Harvard University Press, 1982.

19. N. Eisenberg, "Emotion, Regulation, and Moral Development". *Ann Rev of Psych*, v. 51, p. 665, 2000; J. Hamlin et al., "Social Evaluation by Preverbal Infants". *Nat*, v. 450, n. 7169, p. 557, 2007; M. Hoffman, *Empathy and Moral Development: Implications for Caring and Justice*. Cambridge: Cambridge University Press, 2001.

20. W. Mischel et al., "Cognitive and Attentional Mechanisms in Delay of Gratification". *JPSP*, v. 21, n. 2, p. 204, 1972; W. Mischel, *The Marshmallow Test: Understanding Self-Control and How to Master It*. Nova York: Bantam, 2014 [Ed. bras.: *O teste do marshmallow: Por que a força de vontade é a chave para o sucesso*. Rio de Janeiro: Objetiva, 2016]; K. McRae et al., "The Development of Emotion Regulation: An fMRI Study of Cognitive Reappraisal in Children, Adolescents and Young Adults". *SCAN*, v. 7, n. 1, p. 11, 2012; C. Kidd e H. Palmeri, "Rational Snacking: Young Children's Decision-Making on the Marshmallow Task is Moderated by Beliefs About Environmental Reliability". *Cog*, v. 126, n. 1, p. 109, 2013.

21. B. J. Casey et al., "From the Cover: Behavioral and Neural Correlates of Delay of Gratification 40 Years Later". *PNAS*, v. 108, n. 36, p. 14998, 2011; N. Eisenberg et al., "Contemporaneous and Longitudinal Prediction of Children's Social Functioning from Regulation and Emotionality". *Child Development*, v. 68, n. 4, p. 642, 1997; N. Eisenberg et al., "The Relations of Regulation and Emotionality to Resiliency and Competent Social Functioning in Elementary School Children". *Child Development*, v. 68, n. 2, p. 295, 1997.

22. L. Holt, *The Care and Feeding of Children*. Nova York: Appleton-Century, 1894. Esse livro teve quinze edições entre 1894 e 1915.

23. Para uma história do hospitalismo, ver R. Sapolsky, "How the Other Half Heals" (*Discover*, p. 46, abr. 1998).

24. J. Bowlby, *Attachment and Loss, v. 1, Attachment*. Nova York: Basic, 1969; J. Bowlby, *Attachment and Loss, v. 2, Separation*. Londres: Hogarth, 1973; J. Bowlby, *Attachment and Loss, v. 3, Loss: Sadness & Depression*. Londres: Hogarth 1980. [Ed. bras.: *Apego e perda, v. 1: A natureza do vínculo*. São Paulo: Martins Fontes, 2002; *Apego e perda, v. 2: Separação e angústia*. São Paulo: Martins Fontes, 2004; *Apego e perda, v. 3: Tristeza e depressão*. São Paulo: Martins Fontes, 2004.]

25. D. Blum, *Love at Goon Park: Harry Harlow and the Science of Affection*. Nova York: Perseus, 2002. Essa é a fonte da citação de Harlow.

26. R. Rosenfeld, "The Case of the Unsolved Crime Decline". *Sci Am*, v. 290, p. 82, fev. 2004; J. Donohue III e S. Levitt, "The Impact of Legalized Abortion on Crime". *Quarterly J Economics*, v. 116, n. 2, p. 379, 2001; Raine et al., "Birth Complications Combined with Early Maternal Rejection at Age 1 Year Predispose to Violent Crime at Age 18 Years". *AGP*, v. 51, n. 12, p. 984, 1994; J. Bowlby, "Forty-four Juvenile Thieves: Their Characters and Home-Life". *Int J Psychoanalysis*, v. 25, p. 107, 1944.

27. G. Barr et al., "Transitions in Infant Learning Are Modulated by Dopamine in the Amygdala". *Nat Nsci*, v. 12, n. 11, p. 1367, 2009; R. Sullivan et al., "Good Memories of Bad Events". *Nat*, v. 407, p. 38, 2000; S. Moriceau et al., "Dual Circuitry for Odor-Shock Conditioning During Infancy: Corticosterone Switches Between Fear and Attraction via Amygdala". *J Nsci*, v. 26, n. 25, p. 6737, 2006; R. Sapolsky, "Any Kind of Mother in a Storm". *Nat Nsci*, v. 12, n. 11, p. 1355, 2009.

28. R. Sapolsky e M. Meaney, "Maturation of the Adrenocortical Stress Response: Neuroendocrine Control Mechanisms and the Stress Hyporesponsive Period". *Brain Res Rev*, v. 11, n. 1, p. 65, 1986.

29. L. M. Renner e K. S. Slack, "Intimate Partner Violence and Child Maltreatment: Understanding Intra- and Intergenerational Connections". *Child Abuse & Neglect*, v. 30, n. 6, p. 599, 2006.

30. D. Maestripieri, "Early Experience Affects the Intergenerational Transmission of Infant Abuse in Rhesus Monkeys". *PNAS*, v. 102, n. 27, p. 9726, 2005.

31. C. Hammen et al., "Depression and Sensitization to Stressors Among Young Women as a Function of Childhood Adversity". *J Consulting Clin Psych*, v. 68, n. 5, p. 782, 2000; E. McCrory et al., "The Link Between Child Abuse and Psychopathology: A Review of Neurobiological and Genetic Research". *J the Royal Soc of Med*, v. 105, n. 4, p. 151, 2012; K. Lalor e R. McElvaney, "Child Sexual Abuse, Links to Later Sexual Exploitation/High-Risk Sexual Behavior, and Prevention/Treatment Programs". *Trauma, Violence & Abuse*, v. 11, n. 4, p. 159, 2010; Y. Dvir et al., "Childhood Maltreatment, Emotional Dysregulation, and Psychiatric Comorbidities". *Harvard Rev of Psychiatry*, v. 22, n. 3, p. 149, 2014; E. Mezzacappa et al., "Child Abuse and Performance Task Assessments of Executive Functions in Boys". *J Child Psych and Psychiatry*, v. 42, n. 8, p. 1041, 2001; M. Wichers et al., "Transition from Stress Sensitivity to a Depressive State: Longitudinal Twin Study". *Brit J Psychiatry*, v. 195, n. 6, p. 498, 2009.

32. C. Heim et al., "Pituitary-Adrenal and Autonomic Responses to Stress in Women After Sexual and Physical Abuse in Childhood". *JAMA*, v. 284, n. 5, p. 592, 2000; E. Binder et al., "Association of FKBP5 Polymorphisms and Childhood Abuse with Risk of Posttraumatic Stress Disorder Symptoms in Adults". *JAMA*, v. 299, n. 11, p. 1291, 2008; C. Heim et al., "The Dexamethasone/Corticotropin-Releasing Factor Test in Men with Major Depression: Role of Childhood Trauma". *BP*, v. 63, n. 4, p. 398, 2008; R. Lee et al., "Childhood Trauma and Personality Disorder: Positive Correlation with Adult CSF Corticotropin-Releasing Factor Concentrations". *Am J Psychiatry*, v. 162, n. 5, p. 995, 2005; R. J. Lee et al., "CSF Corticotropin-Releasing Factor in Personality Disorder: Relationship with Self-Reported Parental Care". *Neuropsychopharmacology*, v. 31, n. 10, p. 2289, 2006; L. Carpenter et al., "Cerebrospinal Fluid Corticotropin-Releasing Factor and Perceived Early-Life Stress in Depressed Patients and Healthy Control Subjects". *Neuropsychopharmacology*, v. 29, n. 4, p. 777, 2004; T. Rinne et al., "Hyperresponsiveness of Hypothalamic-Pituitary-Adrenal Axis to Combined Dexamethasone/Corticotropin-Releasing Hormone Challenge in Female Borderline Personality Disorder Subjects with a History of Sustained Childhood Abuse". *BP*, v. 52, n. 11, p. 1102, 2002; P. McGowan et al., "Epigenetic Regulation of the Glucocorticoid Receptor in Human Brain Associates with Childhood Abuse". *Nat Nsci*, v. 12, n. 3, p. 342, 2009; M. Tóth et al., "Post-weaning Social Isolation Induces Abnormal Forms of Aggression in Conjunction with Increased Glucocorticoid and Autonomic Stress Responses". *Horm Behav*, v. 60, n. 1, p. 28, 2011.

33. S. Lupien et al., "Effects of Stress Throughout the Lifespan on the Brain, Behaviour and Cognition". *Nat Rev Nsci*, v. 10, n. 6, p. 434, 2009; V. Carrion et al., "Stress Predicts Brain Changes in Children: A Pilot Longitudinal Study on Youth Stress, Posttraumatic Stress Disorder, and the Hippocampus". *Pediatrics*, v. 119, n. 3, p. 509, 2007; F. L. Woon e D. W. Hedges, "Hippocampal and Amygdala Volumes in Children and Adults with Childhood Maltreatment-Related Posttraumatic Stress Disorder: A Meta-analysis". *Hippocampus*, v. 18, n. 8, p. 729, 2008.

34. S. Lupien et al., "Effects of Stress Throughout the Lifespan on the Brain, Behaviour and Cognition", op. cit.; D. Hackman et al., "Socioeconomic Status and the Brain: Mechanistic Insights from Human and Animal Research". *Nat Rev Nsci*, v. 11, n. 9, p. 651, 2010; M. Sheridan et al., "The Impact of Social Disparity on Prefrontal Function in Childhood". *PLoS ONE*, v. 7, n. 4, p. e35744, 2012; J. L. Hanson et al., "Structural Variations in Prefrontal Cortex Mediate the Relationship Between Early Childhood Stress and Spatial Working Memory". *J Nsci*, v. 32, n. 23, p. 7917, 2012; M. Sweitzer et al., "Polymorphic Variation in the Dopamine D4 Receptor Predicts Delay Discounting as a Function of Childhood Socioeconomic Status: Evidence for Differential Susceptibility". *SCAN*, v. 8, n. 5, p. 499, 2013; E. Tucker-Drob et al., "Emergence of a Gene X Socioeconomic Status Interaction on Infant Mental Ability Between 10 Months and 2 Years". *Psych Sci*, v. 22, n. 1, p. 125, 2011; I. Liberzon et al., "Childhood Poverty and Recruitment of Adult Emotion Regulatory Neurocircuitry". *SCAN*, v. 10, n. 11, p. 1596, 2015; K. G. Noble et al., "Family Income, Parental Education and Brain Structure in Children and Adolescents". *Nat Nsci*, v. 18, n. 5, p. 773, 2015.

35. R. Nevin, "Understanding International Crime Trends: The Legacy of Preschool Lead Exposure". *Environmental Res*, v. 104, p. 315, 2007.

36. Revisado em R. Sapolsky, *Why Zebras Don't Get Ulcers: A Guide to Stress, Stress-Related Diseases and Coping*, op. cit. O equivalente em babuínos: P. O. Onyango et al., "Persistence of Maternal Effects in Baboons: Mother's Dominance Rank at Son's Conception Predicts Stress Hormone Levels in Subadult Males" (*Horm Behav*, v. 54, n. 2, p. 319, 2008).

37. F. L. Woon e D. W. Hedges, "Hippocampal and Amygdala Volumes in Children and Adults with Childhood Maltreatment-Related Posttraumatic Stress Disorder: A Meta-analysis", op. cit.; D. Gee et al., "Early Developmental Emergence of Human Amygdala-PFC Connectivity After Maternal Deprivation". *PNAS*, v. 110, n. 39, p. 15638, 2013; A. K. Olsavsky et al., "Indiscriminate Amygdala Response to Mothers and Strangers After Early Maternal Deprivation". *BP*, v. 74, n. 11, p. 853, 2013.

38. L. M. Oswald et al., "History of Childhood Adversity Is Positively Associated with Ventral Striatal Dopamine Responses to Amphetamine". *Psychopharmacology* (Berlim), v. 23, n. 12, p. 2417, 2014; E. Hensleigh e L. M. Pritchard, "Maternal Separation Increases Methamphetamine-Induced Damage in the Striatum in Male, But Not Female Rats". *BBS*, v. 295, p. 3, 2014; A. N. Karkhanis et al., "Social Isolation Rearing Increases Nucleus Accumbens Dopamine and Norepinephrine Responses to Acute Ethanol in Adulthood". *Alcohol: Clin Exp Res*, v. 38, n. 11, p. 2770, 2014.

39. C. Anacker et al., "Early Life Adversity and the Epigenetic Programming of Hypothalamic-Pituitary-Adrenal Function". *Dialogues in Clin Nsci*, v. 16, n. 3, p. 321, 2014.

40. S. L. Buka et al., "Youth Exposure to Violence: Prevalence, Risks, and Consequences". *Am J Orthopsychiatry*, v. 71, n. 3, p. 298, 2001; M. B. Selner-O'Hagan et al., "Assessing Exposure to Violence in Urban Youth". *J Child Psych and Psychiatry*, v. 39, n. 2, p. 215, 1998; P. T. Sharkey et al., "The Effect of Local Violence on Children's Attention and Impulse Control". *Am J Public Health*, v. 102, n. 12, p. 2287, 2012; J. B. Bingenheimer et al., "Firearm Violence Exposure and Serious Violent Behavior". *Sci*, v. 308,

n. 5726, p. 1323, 2005; I. Shaley et al., "Exposure to Violence During Childhood Is Associated with Telomere Erosion from 5 to 10 Years of Age: A Longitudinal Study". *Mol Psychiatry*, v. 18, n. 5, p. 576, 2013.

41. Para uma revisão particularmente boa, ver L. Huesmann e L. Taylor, "The Role of Media Violence in Violent Behavior" (*Ann Rev of Public Health*, v. 27, p. 393, 2006). Ver também J. D. Johnson et al., "Differential Gender Effects of Exposure to Rap Music on African American Adolescents' Acceptance of Teen Dating Violence" (*Sex Roles*, v. 33, n. 7, p. 597, 1995); J. Johnson et al., "Television Viewing and Aggressive Behavior During Adolescence and Adulthood" (*Sci*, v. 295, n. 5564, p. 2468, 2002); J. Savage e C. Yancey, "The Effects of Media Violence Exposure on Criminal Aggression: A Meta-analysis" (*Criminal Justice and Behav*, v. 35, n. 6, p. 772, 2008); C. Anderson et al., "Violent Video Game Effects on Aggression, Empathy, and Prosocial Behavior in Eastern and Western Countries: A Metaanalytic Review" (*Psych Bull*, v. 136, n. 2, p. 151); C. J. Ferguson, "Evidence for Publication Bias in Video Game Violence Effects Literature: A Meta-analytic Review" (*Aggression and Violent Behavior*, v. 12, n. 4, p. 470, 2007); e C. Ferguson, "The Good, the Bad and the Ugly: A Meta-analytic Review of Positive and Negative Effects of Violent Video Games" (*Psychiatric Quarterly*, v. 78, n. 4, p. 309, 2007).

42. W. Copeland et al., "Adult Psychiatric Outcomes of Bullying and Being Bullied by Peers in Childhood and Adolescence". *JAMA*, Psychiatry, v. 70, n. 4, p. 419, 2013; S. Woods e. White, "The Association Between Bullying Behaviour, Arousal Levels and Behaviour Problems". *J Adolescence*, v. 28, n. 3, p. 381, 2005; D. Jolliffe e D. P. Farrington, "Examining the Relationship Between Low Empathy and Bullying". *Aggressive Behav*, v. 32, p. 540, 2006; G. Gini, "Social Cognition and Moral Cognition in Bullying: What's Wrong?". *Aggressive Behav*, v. 32, n. 6, p. 528, 2006; S. Shakoor et al., "A Prospective Longitudinal Study of Children's Theory of Mind and Adolescent Involvement in Bullying". *J Child Psych and Psychiatry*, v. 53, n. 3, p. 254, 2012.

43. J. D. Unnever, "Bullies, Aggressive Victims, and Victims: Are They Distinct Groups?". *Aggressive Behav*, v. 31, n. 2, p. 153, 2005; D. P. Farrington e M. M. Tofi, "Bullying as a Predictor of Offending, Violence and Later Life Outcomes". *Criminal Behaviour and Mental Health*, v. 21, n. 2, p. 90, 2011; M. Tofi et al., "The Predictive Efficiency of School Bullying Versus Later Offending: A Systematic/Meta-analytic Review of Longitudinal Studies". *Criminal Behaviour and Mental Health*, v. 21, n. 2, p. 80, 2011; T. R. Nansel et al., "Cross-National Consistency in the Relationship Between Bullying Behaviors and Psychosocial Adjustment". *Arch Pediatrics & Adolescent Med*, v. 158, n. 8, p. 730, 2004; J. A. Stein et al., "Adolescent Male Bullies, Victims, and Bully-Victims: A Comparison of Psychosocial and Behavioral Characteristics". *J Pediatric Psych*, v. 32, n. 3, p. 273, 2007; P. W. Jansen et al., "Prevalence of Bullying and Victimization Among Children in Early Elementary School: Do Family and School Neighbourhood Socioeconomic Status Matter?". *BMC Public Health*, v. 12, n. 10, p. 494, 2012; A. Sourander et al., "What Is the Early Adulthood Outcome of Boys Who Bully or Are Bullied in Childhood? The Finnish 'From a Boy to a Man' Study". *Pediatrics*, v. 120, n. 2, p. 397, ago. 2007; A. Sourander et al., "Childhood Bullies and Victims and Their Risk of Criminality in Late Adolescence". *Arch Pediatrics & Adolescent Med*, v. 161, n. 6, p. 546, 2007; C. Winsper et al., "Involvement in Bullying and Suicide- Related Behavior at 11 Years: A Prospective Birth Cohort Study". *J the Am Academy of Child and Adolescent Psychiatry*, v. 51, n. 3, p. 271, 2012; F. Elgar et al., "Income Inequality and School Bullying: Multilevel Study of Adolescents in 37 Countries". *J Adolescent Health*, v. 45, n. 4, p. 351, 2009.

44. G. M. Glew et al., "Bullying, Psychosocial Adjustment, and Academic Performance in Elementary School". *Arch Pediatrics & Adolescent Med*, v. 159, n. 11, p. 1026, 2005.

45. K. Appleyard et al., "When More Is Not Better: The Role of Cumulative Risk in Child Behavior Outcomes". *J Child Psych and Psychiatry*, v. 46, n. 3, p. 235, 2005.

46. M. Sheridan et al., "Variation in Neural Development as a Result of Exposure to Institutionalization Early in Childhood". *PNAS*, v. 109, n. 32, p. 12927, 2012; M. Carlson e F. Earis, "Psychological and Neuroendocrinological Sequelae of Early Social Deprivation in Institutionalized Children in Romania". *ANYAS*, v. 807, n. 1, p. 419, 1997; N. Tottenham, "Human Amygdala Development in the Absence of Species-Expected Caregiving". *Developmental Psychobiology*, v. 54, n. 6, p. 598, 2012; M. A. Mehta et al., "Amygdala, Hippocampal and Corpus Callosum Size Following Severe Early Institutional Deprivation: The English and Romanian Adoptees Study Pilot". *J Child Psych and Psychiatry*, v. 50, n. 8, p. 943, 2009; N. Tottenham et al., "Prolonged Institutional Rearing Is Associated with Atypically Large Amygdala Volume and Difficulties in Emotion Regulation". *Developmental Sci*, v. 13, n. 1, p. 46, 2010; M. M. Loman et al., "The Effect of Early Deprivation on Executive Attention in Middle Childhood". *J Child Psych and Psychiatry*, v. 54, n. 1, p. 37, 2012; T. Eluvathingal et al., "Abnormal Brain Connectivity in Children After Early Severe Socioemotional Deprivation: A Diffusion Tensor Imaging Study". *Pediatrics*, v. 117, n. 6, p. 2093, 2006; H. T. Chugani et al., "Local Brain Functional Activity Following Early Deprivation: A Study of Postinstitutionalized Romanian Orphans". *NeuroImage*, v. 14, n. 6, p. 1290, 2001.

47. A ideia dela é belamente resumida em M. Small, *Our Babies, Ourselves* (Nova York: Anchor, 1999).

48. H. Arendt, *The Origins of Totalitarianism*. Nova York: Harcourt, 1951 [Ed. bras.: *Origens do totalitarismo*. São Paulo: Companhia das Letras, 1989]; T. Adorno et al., *The Authoritarian Personality*. Nova York: Harper & Row, 1950.

49. D. Baumrind, "Child Care Practices Anteceding Three Patterns of Preschool Behavior". *Genetic Psych Monographs*, v. 75, n. 1, p. 43, 1967.

50. E. E. Maccoby e J. A. Martin, "Socialization in the Context of the Family: Parent-Child Interaction". In: Mussen (Org.), *Handbook of Child Psychology*. Nova York: Wiley, 1983.

51. J. R. Harris, *The Nurture Assumption: Why Children Turn Out the Way They Do*. Nova York: Simon & Schuster, 1998. [Ed. bras.: *Diga-me com quem anda...* Rio de Janeiro: Objetiva, 1999.]

52. J. Huizinga, *Homo Ludens: A Study of the Play-Element in Culture*. Londres: Routledge & Kegan Paul, 1938 [Ed. bras.: *Homo Ludens: O jogo como elemento da cultura*. São Paulo: Perspectiva, 2014]; A. Berghänel et al., "Locomotor Play Drives Motor Skill Acquisition at the Expense of Growth: A Life History Trade-off". *Sci Advances*, v. 1, n. 7, p. 1, 2015; J. Panksepp e W. W. Beatty, "Social Deprivation and Play in Rats". *Behav and Neural Biol*, v. 39, n. 2, p. 197, 1980; M. Bekoff e J. A. Byers (Orgs.), *Animal Play: Evolutionary, Comparative, and Ecological Perspectives*. Cambridge: Cambridge University Press, 1998; M. Spinka et al., "Mammalian Play: Training for the Unexpected". *Quarterly Rev of Biol*, v. 76, n. 2, p. 141, 2001.

53. S. M. Pellis, "Sex Differences in Play Fighting Revisited: Traditional and Nontraditional Mechanisms of Sexual Differentiation in Rats". *Arch Sexual Behav*, v. 31, n. 1, p. 17, 2002; B. Knutson et al., "Ultrasonic Vocalizations as Indices of Affective States in Rats". *Psych Bull*, v. 128, n. 6, p. 961, 2002; Y. Delville et al., "Development of Aggression". In: R. Nelson (Org.), *Biology of Aggression*. Oxford: Oxford University Press, 2005.

54. Jeanne Tsai, "Ideal Affect: Cultural Causes and Behavioral Consequences". *Perspectives on Psych Sci*, v. 2, n. 3, p. 242, 2007; S. Kitayama e A. Uskul, "Culture, Mind, and the Brain: Current Evidence and Future Directions". *Ann Rev of Psych*, v. 62, p. 419, 2011.

55. C. Kobayashi et al., "Cultural and Linguistic Influence on Neural Bases of 'Theory of Mind': An fMRI Study with Japanese Bilinguals". *Brain and Language*, v. 98, n. 2, p. 210, 2006; C. Lewis et al., "Social Influences on False Belief Access: Specific Sibling Influences or General Apprenticeship?". *Child Development*, v. 67, n. 6, p. 2930, 1996; J. Perner et al., "Theory of Mind Is Contagious: You Catch It from Your Sibs". *Child Development*, v. 65, n. 4, p. 1228, 1994; D. Liu et al., "Theory of Mind Development in Chinese Children: A Meta-analysis of False-Belief Understanding Across Cultures and Languages". *Developmental Psych*, v. 44, n. 2, p. 523, 2008.

56. C. Anderson et al., "Violent Video Game Effects on Aggression, Empathy, and Prosocial Behavior in Eastern and Western Countries: A Meta-analytic Review", op. cit.

57. R. E. Nisbett e D. Cohen, *Culture of Honor: The Psychology of Violence in the South*. Boulder, CO: Westview Press, 1996.

58. A. Kusserow, "De-homogenizing American Individualism: Socializing Hard and Soft Individualism in Manhattan and Queens". *Ethos*, v. 27, n. 2, p. 210, 1999.

59. S. Ullal-Gupta et al., "Linking Prenatal Experience to the Emerging Musical Mind". *Front Systems Nsci*, v. 3, n. 48, p. 48, 2013.

60. A. DeCasper e W. Fifer, "Of Human Bonding: Newborns Prefer Their Mothers' Voices". *Sci*, v. 6, n. 4448, p. 208, 1980; A. J. DeCasper e P. A. Prescott, "Human Newborns' Perception of Male Voices: Preference, Discrimination, and Reinforcing Value". *Developmental Psychobiology*, v. 17, n. 5, p. 481, 1984; B. Mampe et al., "Newborns' Cry Melody Is Shaped by Their Native Language". *Curr Biol*, v. 19, n. 23, p. 1994, 2009; A. DeCasper e M. Spence, "Prenatal Maternal Speech Influences Newborns' Perception of Speech Sounds". *Infant Behav and Development*, v. 9, n. 2, p. 133, 1986.

61. J. P. Lecanuet et al., "Fetal Perception and Discrimination of Speech Stimuli: Demonstration by Cardiac Reactivity: Preliminary Results". *Comptes rendus de l'Académie des Sciences III*, v. 305, n. 5, p. 161, 1987; J. P. Lecanuet et al., "Fetal Discrimination of Low-Pitched Musical Notes". *Developmental Psychobiology*, v. 36, n. 1, p. 29, 2000; C. Granier-Deferre et al., "A Melodic Contour Repeatedly Experienced by Human Near-Term Fetuses Elicits a Profound Cardiac Reaction One Month After Birth". *PLoS ONE*, v. 23, n. 2, p. e17304, 2011.

62. G. Kolata, "Studying Learning in the Womb". *Sci*, v. 225, n. 4659, p. 302, 1984; A. J. DeCasper e M. J. Spence, "Prenatal Maternal Speech Influences Newborns' Perception of Speech Sounds", op. cit.

63. P. Y. Wang et al., "Müllerian Inhibiting Substance Contributes to Sex-Linked Biases in the Brain and Behavior". *PNAS*, v. 106, n. 17, p. 7203, 2009; S. Baron-Cohen et al., "Sex Differences in the Brain: Implications for Explaining Autism". *Sci*, v. 310, n. 5749, p. 819, 2005.

64. R. Goy e B. McEwen, *Sexual Differentiation of the Brain*. Cambridge, MA: MIT Press, 1980.

65. J. Money, "Sex Hormones and Other Variables in Human Eroticism". In: W. C. Young (Org.), *Sex and Internal Secretions*. 3. ed. Baltimore: Williams and Wilkins, 1963, p. 138.

66. G. M. Alexander e M. Hines, "Sex Differences in Response to Children's Toys in Nonhuman Primates (*Cercopithecus aethiops sabaeus*)". *EHB*, v. 23, n. 6, p. 467, 2002. Essa é a fonte do gráfico no texto. J. M. Hassett et al., "Sex Differences in Rhesus Monkey Toy Preferences Parallel Those of Children". *Horm Behav*, v. 54, p. 359, 2008.

67. K. Wallen e J. M. Hassett, "Sexual Differentiation of Behavior in Monkeys: Role of Prenatal Hormones". *J Neuroendocrinology*, v. 21, n. 4, p. 421, 2009; J. Thornton et al., "Effects of Prenatal Androgens on Rhesus Monkeys: A Model System to Explore the Organizational Hypothesis in Primates". *Horm Behav*, v. 55, n. 5, p. 633, 2009.

68. M. Hines, *Brain Gender*. Nova York: Oxford University Press, 2004; Greta A. Mathews et al., "Personality and Congenital Adrenal Hyperplasia: Possible Effects of Prenatal Androgen Exposure". *Horm Behav*, v. 55, n. 2, p. 285, 2009; R. W. Dittmann et al., "Congenital Adrenal Hyperplasia. I: Gender-Related Behavior and Attitudes in Female Patients and Sisters". *PNE*, v. 15, n. 5, p. 401, 1990; A. Nordenstrom et al., "Sex-Typed Toy Play Correlates with the Degree of Prenatal Androgen Exposure Assessed by CYP21 Genotype in Girls with Congenital Adrenal Hyperplasia". *J Clin Endo and Metabolism*, v. 87, n. 11, p. 5119, 2002; V. L. Pasterski et al., "Increased Aggression and Activity Level in 3- to 11-Year-Old Girls with Congenital Adrenal Hyperplasia". *Horm Behav*, v. 52, n. 3, p. 368, 2007.

69. C. A. Quigley et al., "Androgen Receptor Defects: Historical, Clinical, and Molecular Perspectives". *Endocrine Rev*, v. 16, n. 3, p. 271, 1995; N. P. Mongan et al., "Androgen Insensitivity Syndrome". *Best Practice & Res: Clin Endo & Metabolism*, v. 29, n. 4, p. 569, 2015.

70. F. Brunner et al., "Body and Gender Experience in Persons with Complete Androgen Insensitivity Syndrome". *Zeitschrift für Sexualforschung*, v. 25, p. 26, 2012; F. Brunner et al., "Gender Role, Gender Identity and Sexual Orientation in CAIS ('XY-Women') Compared with Subfertile and Infertile 46,xx Women". *J Sex Res*, v. 2, p. 1, 2015; D. G. Zuloaga et al., "The Role of Androgen Receptors in the Masculinization of Brain and Behavior: What We've Learned from the Testicular Feminization Mutation". *Horm Behav*, v. 53, n. 5, p. 613, 2008; H. F. L. Meyer-Bahlburg, "Gender Outcome in 46,XY Complete Androgen Insensitivity Syndrome: Comment on T'Sjoen et al.". *Arch Sexual Behav*, v. 39, p. 1221, 2010; G. T'Sjoen et al., "Male Gender Identity in Complete Androgen Insensitivity Syndrome". *Arch Sexual Behav*, v. 40, n. 3, p. 635, 2011.

71. J. Hönekopp et al., "2nd to 4th Digit Length Ratio (2D:4D) and Adult Sex Hormone Levels: New Data and a Meta-analytic Review". *PNE*, v. 32, n. 4, p. 313, 2007.

72. Achados em homens com relação à agressividade e à assertividade: C. Joyce et al., "Second to fourth Digit Ratio Confirms Aggressive Tendencies in Patients with Boxers Fractures" (*Injury*, v. 44, n. 11, p. 1636, 2013); e M. Butovskaya et al., "Digit Ratio (2D:4D), Aggression, and Dominance in the Hadza and the Datoga of Tanzania" (*Am J Human Biology*, v. 27, n.5, p. 620, 2015).

TDAH e autismo: D. McFadden et al., "Physiological Evidence of Hypermasculination in Boys with the Inattentive Subtype of ADHD" (*Clinical Neurosci Res*, v. 5, p. 233, 2005); M. Martel et al., "Masculinized Finger-Length Ratios of Boys, but Not Girls, Are Associated with Attention-Deficit/Hyperactivity Disorder" (*Behavioral Neuroscience*, v. 122, n. 2, p. 273, 2008); e J. Manning et al., "The 2nd to 4th Digit Ratio and Autism" (*Development Medicine Child Neurology*, v. 43, n. 3, p. 160, 2001).

Depressão e ansiedade: A. Bailey et al., "Depression in Men Is Associated with More Feminine Finger Length Ratios" (*Pers Individ Diff*, v. 39, n. 4, p. 829, 2005); e M. Evardone et al., "Anxiety, Sex-linked Behavior, and Digit Ratios" (*Arch Sex Behav*, v. 38, n. 3, pp. 442-55, 2009).

Dominância: N. Neave et al., "Second to Fourth Digit Ratio, Testosterone and Perceived Male Dominance" (*Proc Royal Society B*, v. 270, n. 1529, p. 2167, 2003).

Caligrafia: J. Beech et al., "Do Differences in Sex Hormones Affect Handwriting Style? Evidence from Digit Ratio and Sex Role Identity as Determinants of the Sex of Handwriting" (*Pers Individ Diff*, v. 39, n. 2, p. 459, 2005).

Orientação sexual: K. Hirashi et al., "The Second to Fourth Digit Ratio in a Japanese Twin Sample: Heritability, Prenatal Hormone Transfer, and Association with Sexual Orientation" (*Arch Sex Behav*, v. 41, n. 3, p. 711, 2012); A. Churchill et al., "The Effects of Sex, Ethnicity, and Sexual Orientation on Self- Measured Digit Ratio" (*Arch Sex Behav*, v. 36, n. 2, p. 251, 2007).

Achados em mulheres com relação ao autismo: J. Manning et al., "The 2nd to 4th Digit Ratio and Autism", op. cit.

Anorexia: S. Quinton et al., "The 2nd to 4th Digit Ratio and Eating Disorder Diagnosis in Women" (*Pers Individ Diff*, v. 51, n. 4, p. 402, 2011).

Destrismo ou canhotismo: B. Fink et al., "Second to Fourth Digit Ratio and Hand Skill in Austrian Children" (*Biol Psychology*, v. 67, p. 375, 2004).

Orientação sexual e comportamento sexual: T. Grimbos et al., "Sexual Orientation and the Second to Fourth Finger Length Ratio: A Meta-Analysis in Men and Women" (*Behav Neurosci*, v. 124, n. 2, p. 278, 2010); e W. Brown et al., "Differences in Finger Length Ratios Between Self-Identified 'Butch' and 'Femme' Lesbians" (*Arch Sex Behav*, v. 31, n. 1, p. 123, 2002).

73. A. Lamminmaki et al., "Testosterone Measured in Infancy Predicts Subsequent Sex-Typed Behavior in Boys and in Girls". *Horm Behav*, v. 61, n. 4, p. 611, 2012; G. Alexander e J. Saenz, "Early Androgens, Activity Levels and Toy Choices of Children in the Second Year of Life". *Horm Behav*, v. 62, n. 4, p. 500, 2012.

74. B. Heijmans et al., "Persistent Epigenetic Differences Associated with Prenatal Exposure to Famine in Humans". *PNAS*, v. 105, n. 44, p. 17046, 2008.

75. Para uma ótima revisão, ver D. Moore, *The Developing Genome: An Introduction to Behavioral Genetics* (Oxford: Oxford University Press, 2015).

76. I. Weaver et al., "Epigenetic Programming by Maternal Behavior". *Nature Neurosci*, v. 7, n. 8, p. 847, 2004; R. Sapolsky, "Mothering Style and Methylation". *Nature Neurosci*, v. 7, n. 8, p. 791, 2004; D. Francis et al., "Nongenomic Transmission Across Generations of Maternal Behavior and Stress Response in the Rat". *Science*, v. 286, n. 5442, p. 1155, 2004.

77. N. Provençal et al., "The Signature of Maternal Rearing in the Methylome in Rhesus Macaque Prefrontal Cortex and T Cells". *J Neurosci*, v. 32, n. 44, p. 15626, 2012; T. L. Roth et al., "Lasting Epigenetic Influence of Early-Life Adversity on the BDNF Gene". *BP*, v. 65, n. 9, p. 760, 2009; E. C. Braithwaite et al., "Maternal Prenatal Depressive Symptoms Predict Infant NR3C1 1F and BDNF IV DNA Methylation". *Epigenetics*, v. 10, n. 5, p. 408, 2015; C. Murgatroyd et al., "Dynamic DNA Methylation Programs Persistent Adverse Effects of Early-Life Stress". *Nat Nsci*, v. 12, n. 12, p. 1559, 2009; M. J. Meaney e M. Szyf, "Environmental Programming of Stress Responses Through DNA Methylation: Life at the Interface Between a Dynamic Environment and a Fixed Genome". *Dialogues in Clin Neuroscience*, v. 7, n. 2, p. 103, 2005; P. O. McGowan et al., "Broad Epigenetic Signature of Maternal Care in the Brain of Adult Rats". *PLoS ONE*, v. 6, n. 2, p. e14739, 2011; D. Liu et al., "Maternal Care, Hippocampal Glucocorticoid Receptors, and Hypothalamic-Pituitary-Adrenal Responses to Stress". *Sci*, v. 277, n. 5332, p. 1659, 1997; T. Oberlander et al., "Prenatal Exposure to Maternal Depression, Neonatal Methylation of Human Glucocorticoid Receptor Gene (NR3C1) and Infant Cortisol Stress Responses". *Epigenetics*, v. 3, n. 2, p. 97, 2008; F. A. Champagne, "Epigenetic Mechanisms and the Transgenerational Effects of Maternal Care". *Front Neuroendocrinology*, v. 29, n. 3, p. 386, 2008; J. P. Curley et al., "Transgenerational Effects of Impaired Maternal Care on Behaviour of Offspring and Grandoffspring". *Animal Behav*, v. 75, n. 4, p. 1551, 2008; J. P. Curley et al., "Social Enrichment During Postnatal Development Induces Transgenerational Effects on Emotional and Reproductive Behavior in Mice". *Front Behav Nsci*, v. 3, p. 1, 2009; F. A. Champagne, "Maternal Imprints and the Origins of Variation". *Horm Behav*, v. 60, n. 1, p. 4, 2011; F. A. Champagne e J. P. Curley, "Epigenetic Mechanisms Mediating the Long-Term Effects of

Maternal Care on Development". *Nsci Biobehav Rev*, v. 33, n. 4, p. 593, 2009; F. A. Champagne et al., "Maternal Care Associated with Methylation of the Estrogen Receptor-alpha1b Promoter and Estrogen Receptor-Alpha Expression in the Medial Preoptic Area of Female Offspring". *Endo*, v. 147, n. 6, p. 2909, 2006; F. A. Champagne e J. P. Curley, "How Social Experiences Influence the Brain". *Curr Opinion in Neurobiol*, v. 15, n. 6, p. 704, 2005.

8. DE VOLTA A QUANDO VOCÊ ERA APENAS UM ÓVULO FERTILIZADO [pp. 221-61]

1. E. Suhay e T. Jayaratne, "Does Biology Justify Ideology? The Politics of Genetic Attribution". *Public Opinion Quarterly*, v. 77, n. 2, p. 497, 2012. DOI:10.1093/poq/nfs049. Ver também M. Katz, "The Biological Inferiority of the Undeserving Poor" (*Social Work and Soc*, v. 11, n. 1, p. 1, 2013).

2. E. Uhlmann et al., "Blood Is Thicker: Moral Spillover Effects Based on Kinship". *Cog*, v. 124, n. 2, p. 239, 2012.

3. E. Pennisi, "ENCODE Project Writes Eulogy for Junk DNA". *Sci*, v. 337, n. 6099, p. 1159, 2012.

4. M. Bastepe, "The GNAS Locus: Quintessential Complex Gene Encoding Gsa, xLas, and Other Imprinted Transcripts". *Curr Genomics*, v. 8, n. 6, p. 398, 2007.

5. Y. Gilad et al., "Expression Profiling in Primates Reveals a Rapid Evolution of Human Transcription Factors". *Nat*, v. 440, n. 7081, p. 242, 2006.

6. D. Moore, *The Developing Genome: An Introduction to Behavioral Genetics*, op. cit.; H. Wang et al., "Histone Deacetylase Inhibitors Facilitate Partner Preference Formation in Female Prairie Voles". *Nat Nsci*, v. 16, n. 7, p. 919, 2013.

7. I. Weaver et al., "Epigenetic Programming by Maternal Behavior", op. cit.

8. Y. Wei et al., "Paternally Induced Transgenerational Inheritance of Susceptibility to Diabetes in Mammals". *PNAS*, v. 111, n. 5, p. 1873, 2014; M. Anway et al., "Epigenetic Transgenerational Actions of Endocrine Disruptors and Male Fertility". *Sci*, v. 308, n. 5727, p. 1466, 2005; K. Siklenka et al., "Disruption of Histone Methylation in Developing Sperm Impairs Offspring Health Transgenerationally". *Sci*, v. 350, n. 6261, p. 651, 2016. Para a controvérsia, ver J. Kaiser, "The Epigenetics Heretic" (*Sci*, n. 6169, v. 343, p. 361, 2014).

9. E. Jablonka e M. Lamb, *Epigenetic Inheritance and Evolution: The Lamarckian Dimension*. Oxford: Oxford University Press, 1995.

10. E. T. Wang et al., "Alternative Isoform Regulation in Human Tissue Transcriptomes". *Nat*, v. 456, n. 7221, p. 470, 2008; Q. Pan et al., "Deep Surveying of Alternative Splicing Complexity in the Human Transcriptome by High-Throughput Sequencing". *Nat Gen*, v. 40, n. 12, p. 1413, 2008.

11. A. Muotri et al., "Somatic Mosaicism in Neuronal Precursor Cells Mediated by L1 Retrotransposition". *Nat*, v. 435, n. 7044, p. 903, 2005; P. Perrat et al., "Transposition-Driven Genomic Heterogeneity in the Drosophila Brain". *Sci*, v. 340, n. 6128, p. 91, 2013; G. Vogel, "Do Jumping Genes Spawn Diversity?". *Sci*, v. 332, n. 6027, p. 300, 2011; K. Baillie et al., "Somatic Retrotransposition Alters the Genetic Landscape of the Human Brain". *Nat*, v. 479, n. 7374, p. 534, 2011.

12. A. Eldar e M. Elowitz, "Functional Roles for Noise in Genetic Circuits". *Nat*, v. 467, n. 7312, p. 167, 2010; C. Finch e T. Kirkwood, *Chance, Development, and Aging*. Oxford: Oxford University Press, 2000.

13. Alguns dos primeiros e mais clássicos estudos de adoção: L. L. Heston, "Psychiatric Disorders in Foster Home Reared Children of Schizophrenic Mothers" (*Brit J Psychiatry*, v. 112, n. 489, p. 819, 1966); S. Kety et al., "Mental Illness in the Biological and Adoptive Families of Adopted Schizophrenics" (*Am J Psychiatry*, v. 128, n. 3, p. 302, 1971); e D. Rosenthal et al., "The Adopted-Away Offspring of Schizophrenics" (*Am J Psychiatry*, v. 128, n. 3, p. 307, 1971).

14. Para um exemplo extraordinário de troca de bebês logo após o nascimento, e de suas implicações, ver "The Mixed-Up Brothers of Bogotá" (*New York Times Magazine*, 9 jul. 2015). Disponível em: <www.nytimes.com/2015/07/12/magazine/the-mixed-up-brothers-of-bogota.html>.

15. R. Ebstein et al., "Genetics of Human Social Behavior". *Neuron*, v. 65, n. 6, p. 831, 2008; S. Eisen et al., "Familial Influence on Gambling Behavior: An Analysis of 3359 Twin Pairs". *Addiction*, v. 93, n. 9, p. 1375, 1988; W. Hopkins et al., "Chimpanzee Intelligence Is Heritable". *Curr Biol*, v. 24, n. 14, p. 1649, 2014.

16. T. Bouchard e M. McGue, "Genetic and Environmental Influences on Human Psychological Differences". *J Neurobiol*, v. 54, n. 1, p. 4, 2003; David Cesarini et al., "Heritability of Cooperative Behavior in the Trust Game". *PNAS*, v. 105, n. 10, p. 3721, 2008; S. Zhong et al., "The Heritability of Attitude Toward Economic Risk". *Twin Res and Hum Genetics*, v. 12, n. 1, p. 103, 2009; D. Cesarini et al., "Genetic Variation in Financial Decision-Making". *J the Eur Economic Association*, v. 65, n. 5, p. 617, 2010.

17. K. Verweij et al., "Shared Aetiology of Risky Sexual Behaviour and Adolescent Misconduct: Genetic and Environmental Influences". *Genes, Brain and Behav*, v. 8, n. 1, p. 107, 2009; K. Verweij et al., "Genetic and Environmental Influences on Individual Differences in Attitudes Toward Homosexuality: An Australian Twin Study". *Behav Genetics*, v. 38, n. 3, p. 257, 2008.

18. K. Verweij et al., "Evidence for Genetic Variation in Human Mate Preferences for Sexually Dimorphic Physical Traits". *PLoS ONE*, v. 7, n. 11, p. e49294, 2012; K. Smith et al., "Biology, Ideology and Epistemology: How Do We Know Political Attitudes Are Inherited and Why Should We Care?". *Am J Political Sci*, v. 56, n. 1, p. 17, 2012; K. Arceneaux et al., "The Genetic Basis of Political Sophistication". *Twin Res and Hum Genetics*, v. 15, n. 1, p. 34, 2012; J. Fowler e D. Schreiber, "Biology, Politics, and the Emerging Science of Human Nature". *Sci*, v. 322, n. 5903, p. 912, 2008.

19. J. Ray et al., "Heritability of Dental Fear". *J Dental Res*, v. 89, n. 3, p. 297, 2010; G. Miller et al., "The Heritability and Genetic Correlates of Mobile Phone Use: Twin Study of Consumer Behavior". *Twin Res and Hum Genetics*, v. 15, n. 1, p. 97, 2012.

20. L. Littvay et al., "Sense of Control and Voting: A Genetically-Driven Relationship". *Soc Sci Quarterly*, v. 92, n. 5, p. 1236, 2011; J. Harris, *The Nurture Assumption: Why Children Turn Out the Way They Do*, op. cit.; A. Seroczynski et al., "Etiology of the Impulsivity/Aggression Relationship: Genes or Environment?". *Psychiatry Res*, v. 86, n. 1, p. 41, 1999; E. Coccaro et al., "Heritability of Aggression and Irritability: A Twin Study of the Buss-Durkee Aggression Scales in Adult Male Subjects". *BP*, v. 41, n. 3, p. 273, 1997.

21. E. Hayden, "Taboo Genetics". *Nat*, v. 502, n. 7469, p. 26, 2013.

22. Algumas críticas contundentes sobre as abordagens de gêmeos e adoção: R. Rose, "Genes and Human Behavior" (*Ann Rev Psych*, v. 467, p. 625, 1995); J. Joseph, "Twin Studies in Psychiatry and Psychology: Science or Pseudoscience?" (*Psychiatric Quarterly*, v. 73, n. 1, p. 71, 2002); K. Richardson e S. Norgate, "The Equal Environments Assumption of Classical Twin Studies May Not Hold" (*Brit J Educational Psych*, v. 75, p. 339, 2005); R. Fosse et al., "A Critical Assessment of the Equal-Environment

Assumption of the Twin Method for Schizophrenia" (*Front Psychiatry*, v. 6, p. 62, 2015); e A. V. Horwitz et al., "Rethinking Twins and Environments: Possible Social Sources for Assumed Genetic Influences in Twin Research" (*J Health and Soc Behav*, v. 44, n. 2, p. 111, 2003).

23. Os trabalhos de alguns dos mais proeminentes defensores dessas abordagens:

Kenneth Kendler: K. S. Kendler, "Twin Studies of Psychiatric Illness: An Update" (*AGP*, v. 58, n. 1, p. 1005, 2001); K. S. Kendler et al., "A Test of the Equal-Environment Assumption in Twin Studies of Psychiatric Illness" (*Behav Genetics*, v. 23, n. 1, p. 21, 1993); K. S. Kendler e C. O. Gardner Jr., "Twin Studies of Adult Psychiatric and Substance Dependence Disorders: Are They Biased by Differences in the Environmental Experiences of Monozygotic and Dizygotic Twins in Childhood and Adolescence?" (*Psych Med*, v. 28, n. 3, p. 625, 1998); K. S. Kendler et al., "A Novel Sibling-Based Design to Quantify Genetic and Shared Environmental Effects: Application to Drug Abuse, Alcohol Use Disorder and Criminal Behavior" (*Psych Med*, v. 46, n. 8, p. 1639, 2016); K. S. Kendler et al., "Genetic and Familial Environmental Influences on the Risk for Drug Abuse: A National Swedish Adoption Study" (*AGP*, v. 69, n. 7, p. 690, 2012); e K. S. Kendler et al., "Tobacco Consumption in Swedish Twins Reared Apart and Reared Together" (*AGP*, v. 57, n. 9, p. 886, 2000).

Thomas Bouchard: Y. Hur e T. Bouchard, "Genetic Influences on Perceptions of Childhood Family Environment: A Reared Apart Twin Study". *Child Development*, v. 66, n. 2, p. 330, 1995; M. McGue e T. J. Bouchard, "Genetic and Environmental Determinants of Information Processing and Special Mental Abilities: A Twin Analysis". In: Robert J. Sternberg (Org.), *Advances in the Psychology of Human Intelligence*, v. 5. Hillsdale, NJ: Erlbaum, 1989, pp. 7-45; e T. J. Bouchard et al., "Sources of Human Psychological Differences: The Minnesota Study of Twins Reared Apart". *Sci*, v. 250, n. 4978, p. 223, 1990.

Robert Plomin: R. Plomin et al., *Behavioral Genetics*, 5. ed. Nova York: Worth, 2008 [Ed. bras.: *Genética do comportamento*. Porto Alegre: Artmed, 2011]; K. Hardy-Brown et al., "Selective Placement of Adopted Children: Prevalence and Effects". *J Child Psych and Psychiatry*, v. 21, n. 2, p. 143, 1980; N. L. Pedersen et al., "Genetic and Environmental Influences for Type A-Like Measures and Related Traits: A Study of Twins Reared Apart and Twins Reared Together". *Psychosomatic Med*, v. 51, p. 428, 1989; e N. L. Pedersen et al., "Neuroticism, Extraversion, and Related Traits in Adult Twins Reared Apart and Reared Together". *JPSP*, v. 55, n. 6, p. 950, 1988.

Ver também E. Coccaro et al., "Heritability of Aggression and Irritability: A Twin Study of the Buss-Durkee Aggression Scales in Adult Male Subjects", op. cit.; A. Bjorklund et al., "The Origins of Intergenerational Associations: Lessons from Swedish Adoption Data" (*Quarterly J Economics*, v. 121, n. 1739, p. 999, 2006); E. P. Gunderson et al., "Twins of Mistaken Zygosity (TOMZ): Evidence for Genetic Contributions to Dietary Patterns and Physiologic Traits" (*Twin Res and Hum Genetics*, v. 9, n. 4, p. 540, 2006); e B. N. Sánchez et al., "A Latent Variable Approach to Study Gene-Environment Interactions in the Presence of Multiple Correlated Exposures" (*Biometrics*, v. 68, n. 2, p. 466, 2012).

24. Evidências de que a condição coriônica é uma variável relevante: M. Melnick et al., "The Effects of Chorion Type on Variation in IQ in the NCPP Twin Population" (*Am J Hum Genetics*, v. 30, n. 4, p. 425, 1978); N. Jacobs et al., "Heritability Estimates of Intelligence in Twins: Effect of Chorion Type" (*Behav Genetics*, v. 31, n. 2, p. 209, 2001); R. J. Rose et al., "Placentation Effects on Cognitive Resemblance of Adult Monozygotes", em L. Gedda et al. (Orgs.), *Twin Research 3: Epidemiological and Clinical Studies* (Nova York: Alan R. Liss, 1981), p. 35; K. Beekmans et al., "Relating Type of Placentation to Later Intellectual Development in Monozygotic (MZ) Twins (Abstract)" (*Behav Genetics*, v. 23, p. 547,

1993); e M. Carlier et al., "Manual Performance and Laterality in Twins of Known Chorion Type" (*Behav Genetics*, v. 26, n. 4, p. 409, 1996).

Resultados ambíguos: L. Gutknecht et al., "Long-Term Effect of Placental Type on Anthropometrical and Psychological Traits Among Monozygotic Twins: A Follow Up Study" (*Twin Res*, v. 2, n. 3, p. 212, 1999); D. K. Sokol et al., "Intrapair Differences in Personality and Cognitive Ability Among Young Monozygotic Twins Distinguished by Chorion Type" (*Behav Genetics*, v. 25, n. 5, p. 457, 1996); A. C. Bogle et al., "Replication of Asymmetry of a-b Ridge Count and Behavioral Discordance in Monozygotic Twins" (*Behav Genetics*, v. 24, n. 1, p. 65, 1994); e J. O. Davis et al., "Prenatal Development of Monozygotic Twins and Concordance for Schizophrenia" (*Schizophrenia Bull*, v. 21, n. 3, p. 357, 1995).

Evidências contrárias: Y. M. Hur, "Effects of the Chorion Type on Prosocial Behavior in Young South Korean Twins" (*Twin Res and Hum Genetics*, v. 10, n. 5, p. 773, 2007); M. C. Wichers et al., "Chorion Type and Twin Similarity for Child Psychiatric Symptoms" (*AGP*, v. 59, n. 6, p. 562, 2002); e P. Welch et al., "Placental Type and Bayley Mental Development Scores in 18 Month Old Twins", em L. Gedda et al. (Orgs.), *Twin Research: Psychology and Methodology*, op. cit, pp. 34-41.

Fonte da citação: C. A. Prescott et al., "Chorion Type as a Possible Influence on the Results and Interpretation of Twin Study Data" (*Twin Res*, v. 2, n. 4, p. 244, 1999).

25. R. Simon e H. Alstein, *Adoption, Race and Identity: From Infancy to Young Adulthood*. New Brunswick, NJ: Transaction Publishers, 2002; Child Welfare League of America, *Standards of Excellence: Standards of Excellence for Adoption Services*, ed. rev. Washington, DC: Child Welfare League of America, 2000; M. Bohman, *Adopted Children and Their Families: A Follow-up Study of Adopted Children, Their Background, Environment and Adjustment*. Estocolmo: Proprius, 1970.

26. L. J. Kamin e A. S. Goldberger, "Twin Studies in Behavioral Research: A Skeptical View". *Theoretical Population Biol*, v. 61, n. 1, p. 83, 2002.

27. M. Stoolmiller, "Correcting Estimates of Shared Environmental Variance for Range Restriction in Adoption Studies Using a Truncated Multivariate Normal Model". *Behav Gen*, v. 28, n. 6, p. 429, 1998; M. Stoolmiller, "Implications of Restricted Range of Family Environments for Estimates of Heritability and Nonshared Environment in Behavior-Genetic Adoption Studies". *Psych Bull*, v. 125, n. 4, p. 392, 1999; M. McGue et al., "The Environments of Adopted and Non-adopted Youth: Evidence on Range Restriction from the Sibling Interaction and Behavior Study (SIBS)". *Behav Gen*, v. 37, n. 3, p. 449, 2007.

28. R. Ebstein et al., "Genetics of Human Social Behavior". *Neuron*, v. 65, n. 5, p. 831, 2008.

29. Esse exemplo veio de N. Block, "How Heritability Misleads About Race" (*Cog*, v. 56, n. 2, p. 99, 1995).

30. D. Moore, *The Dependent Gene: The Fallacy of "Nature Versus Nurture"*. Nova York: Holt, 2001; M. Ridley, *Nature via Nurture*. Nova York: HarperCollins, 2003 [Ed. bras.: *O que nos faz humanos*. Rio de Janeiro: Record, 2004]; A. Tenesa e C. Haley, "The Heritability of Human Disease: Estimation, Uses and Abuses". *Nat Rev Genetics*, v. 14, n. 2, p. 139, 2013; P. Schonemann, "On Models and Muddles of Heritability". *Genetica*, v. 99, n. 2, p. 97, 1997.

31. T. Bouchard e M. McGue, "Genetic and Environmental Influences on Human Psychological Differences". *J Neurobiol*, v. 54, n. 1, p. 4, 2003.

32. L. E. Duncan e M. C. Keller, "A Critical Review of the First 10 Years of Candidate Gene-by-Environment Interaction Research in Psychiatry". *Am J Psychiatry*, v. 168, n. 10, p. 1041, 2011; S. Manuck e J. McCaffery, "Gene-Environment Interaction". *Ann Rev of Psych*, v. 65, p. 41, 2014.

33. A. Caspi et al., "Influence of Life Stress on Depression: Moderation by a Polymorphism in the 5-HTT Gene". *Sci*, v. 301, n. 5631, p. 851, 2002.

34. A. Caspi et al., "Moderation of Breastfeeding Effects on the IQ by Genetic Variation in Fatty Acid Metabolism". *PNAS*, v. 104, n. 47, p. 18860, 2007; B. K. Lipska e D. R. Weinberger, "Genetic Variation in Vulnerability to the Behavioral Effects of Neonatal Hippocampal Damage in Rats". *PNAS*, v. 92, n. 19, p. 8906, 1995.

35. J. Crabbe et al., "Genetics of Mouse Behavior: Interactions with Laboratory Environment". *Sci*, v. 284, n. 5420, p. 1670, 1999.

36. Um ótimo exemplo de um efeito ambiental dual: N. P. Daskalakis et al., "The Three-Hit Concept of Vulnerability and Resilience: Toward Understanding Adaptation to Early-Life Adversity Outcome" (*PNE*, v. 38, n. 9, p. 1858, 2013).

37. E. Turkheimer et al., "Socioeconomic Status Modifies Heritability of IQ in Young Children". *Psych Sci*, v. 14, n. 6, p. 623, 2003; E. M. Tucker-Drob et al., "Emergence of a Gene × Socioeconomic Status Interaction on Infant Mental Ability Between 10 Months and 2 Years", op. cit.; M. Rhemtulla e E. M. Tucker-Drob, "Gene-by-Socioeconomic Status Interaction on School Readiness". *Behav Genetics*, v. 42, n. 4, p. 549, 2012; D. Reiss et al., "How Genes and the Social Environment Moderate Each Other". *Am J Public Health*, v. 103, p. S111, 2013; S. A. Hart et al., "Expanding the Environment: Gene × School-Level SES Interaction on Reading Comprehension". *J Child Psych and Psychiatry*, v. 54, n. 10, p. 1047, 2013; J. R. Koopmans et al., "The Influence of Religion on Alcohol Use Initiation: Evidence for Genotype × Environment Interaction". *Behav Genetics*, v. 29, n. 6, p. 445, 1999.

38. S. Nielsen et al., "Prevalence of Alcohol Problems Among Adult Somatic Inpatients of a Copenhagen Hospital". *Alcohol and Alcoholism*, v. 29, n. 5, p. 583, 1994; S. Manuck et al., "Aggression and Anger-Related Traits Associated with a Polymorphism of the Tryptophan Hydroxylase Gene". *BP*, v. 45, n. 5, p. 603, 1999; J. Hennig et al., "Two Types of Aggression Are Differentially Related to Serotonergic Activity and the A779C TPH Polymorphism". *Behav Nsci*, v. 119, n. 1, p. 16, 2005; A. Strobel et al., "Allelic Variation in 5-HT1A Receptor Expression Is Associated with Anxiety- and Depression-Related Personality Traits". *J Neural Transmission*, v. 110, n. 12, p. 1445, 2003; R. Parsey et al., "Effects of Sex, Age, and Aggressive Traits in Man on Brain Serotonin 5-HT1A Receptor Binding Potential Measured by PET Using [C-11]WAY-100635". *Brain Res*, v. 954, n. 2, p. 173, 2002; A. Benko et al., "Significant Association Between the C(-1019)G Functional Polymorphism of the HTR1A Gene and Impulsivity". *Am J Med Genetics, Part B, Neuropsychiatric Genetics*, v. 153, n. 2, p. 592, 2010; M. Soyka et al., "Association of 5-HT1B Receptor Gene and Antisocial Behavior and Alcoholism". *J Neural Transmission*, v. 111, n. 1, p. 101, 2004; L. Bevilacqua et al., "A Population-Specific HTR2B Stop Codon Predisposes to Severe Impulsivity". *Nat*, v. 468, n. 7327, p. 1061, 2010; C. A. Ficks e I. D. Waldman, "Candidate Genes for Aggression and Antisocial Behavior: A Meta-analysis of Association Studies of the 5HTTLPR and MAOA-UVNTR". *Behav Genetics*, v. 44, n. 5, p. 427, 2014; I. Craig e K. Halton, "Genetics of Human Aggressive Behavior". *Hum Genetics*, v. 126, n. 1, p. 101, 2009.

39. H. Brunner et al., "Abnormal Behavior Associated with a Point Mutation in the Structural Gene for Monoamine Oxidase A". *Sci*, v. 262, n. 5133, p. 578, 1993; H. G. Brunner et al., "X-Linked Borderline Mental Retardation with Prominent Behavioral Disturbance: Phenotype, Genetic Localization, and Evidence for Disturbed Monoamine Metabolism". *Am J Hum Genetics*, v. 52, n. 6, p. 1032, 1993.

40. O. Cases et al., "Aggressive Behavior and Altered Amounts of Brain Serotonin and Norepinephrine in Mice Lacking MAOA". *Sci*, v. 268, n. 5218, p. 1763, 1995; J. J. Kim et al., "Selective Enhance-

ment of Emotional, but Not Motor, Learning in Monoamine Oxidase A-Deficient Mice". *PNAS*, v. 94, n. 11, p. 5929, 1997.

41. J. Buckholtz e A. Meyer-Lindenberg, "MAOA and the Neurogenetic Architecture of Human Aggression". *TINS*, v. 31, n. 3, p. 120, 2008; A. Meyer-Lindenberg et al., "Neural Mechanisms of Genetic Risk for Impulsivity and Violence in Humans". *PNAS*, v. 103, n. 16, p. 6269, 2006; J. Fan et al., "Mapping the Genetic Variation of Executive Attention onto Brain Activity". *PNAS*, v. 100, n. 12, p. 7406, 2003; L. Passamonti et al., "Monoamine Oxidase-A Genetic Variations Influence Brain Activity Associated with Inhibitory Control: New Insight into the Neural Correlates of Impulsivity". *BP*, v. 59, n. 4, p. 334, 2006; N. Eisenberger et al., "Understanding Genetic Risk for Aggression: Clues from the Brain's Response to Social Exclusion". *BP*, v. 61, n. 9, p. 1100, 2007.

42. O. Cases et al., "Aggressive Behaviour and Altered Amounts of Brain Serotonin and Norepinephrine in Mice Lacking MAOA", op. cit.; J. S. Fowler et al., "Evidence That Brain MAO A Activity Does Not Correspond to MAO A Genotype in Healthy Male Subjects". *BP*, v. 62, n. 4, p. 355, 2007.

43. O "gene do guerreiro" na literatura científica: C. Holden, "Parsing the Genetics of Behavior" (*Sci*, v. 322, n. 5903, p. 892, 2008); D. Eccles et al., "A Unique Demographic History Exists for the MAO--A Gene in Polynesians" (*J Hum Genetics*, v. 57, n. 5, p. 294, 2012); E. Feresin, "Lighter Sentence for Murder with 'Bad Genes'" (*Nat News*, 30 out. 2009); e P. Hunter, "The Psycho Gene" (*EMBO Rep*, v. 11, n. 9, p. 667, 2010).

Críticas aos cientistas do estudo maori por exagerar a importância de sua descoberta: D. Wensley e M. King, "Scientific Responsibility for the Dissemination and Interpretation of Genetic Research: Lessons from the 'Warrior Gene' Controversy" (*J Med Ethics*, v. 34, n. 6, p. 507, 2008); e S. Halwani e D. Krupp, "The Genetic Defense: The Impact of Genetics on the Concept of Criminal Responsibility" (*Health Law J*, v. 12, p. 35, 2004).

44. A. Caspi et al., "Influence of Life Stress on Depression: Moderation by a Polymorphism in the 5-HTT Gene", op. cit.

45. J. Buckholtz e A. Meyer-Lindenberg, "MAOA and the Neurogenetic Architecture of Human Aggression", op. cit.

46. J. Kim-Cohen et al., "MAOA, Maltreatment, and Gene Environment Interaction Predicting Children's Mental Health: New Evidence and a Meta-analysis". *Mol Psychiatry*, v. 11, n. 10, p. 903, 2006; A. Byrd e S. Manuck, "MAOA, Childhood Maltreatment and Antisocial Behavior: Meta-analysis of a Gene--Environment Interaction". *BP*, v. 75, n. 1, p. 9, 2013; G. Frazzetto et al., "Early Trauma and Increased Risk for Physical Aggression During Adulthood: The Moderating Role of MAOA Genotype". *PLoS ONE*, v. 2, n. 5, p. e486, 2007; C. Widom e L. Brzustowicz, "MAOA and the 'Cycle of Violence': Childhood Abuse and Neglect, MAOA Genotype, and Risk for Violent and Antisocial Behavior". *BP*, v. 60, n. 7, p. 684, 2006; R. McDermott et al., "MAOA and Aggression: A Gene-Environment Interaction in Two Populations". *J Conflict Resolution*, v. 57, n. 6, p. 1043, 2013; T. Newman et al., "Monoamine Oxidase A Gene Promoter Variation and Rearing Experience Influences Aggressive Behavior in Rhesus Monkeys". *BP*, v. 57, n. 2, p. 167, 2005; X. Ou et al., "Glucocorticoid and Androgen Activation of Monoamine Oxidase A Is Regulated Differently by R1 and Sp1". *J Biol Chemistry*, v. 281, n. 30, p. 21512, 2006.

Replicação: D. L. Foley et al., "Childhood Adversity, Monoamine Oxidase A Genotype, and Risk for Conduct Disorder" (*AGP*, v. 61, n. 7, p. 738, 2004); e D. M. Fergusson et al., "MAOA, Abuse Exposure and Antisocial Behaviour: 30-Year Longitudinal Study" (*Brit J Psychiatry*, v. 198, n. 6, p. 457, 2011).

Efeito mais fraco em garotas: E. C. Prom-Wormley et al., "Monoamine Oxidase A and Childhood Adversity as Risk Factors for Conduct Disorder in Females" (*Psych Med*, v. 39, n. 4, p. 579, 2009).

Replicabilidade para brancos, mas não para negros: C. S. Widom e L. M. Brzustowicz, "MAOA and the 'Cycle of Violence': Childhood Abuse and Neglect, MAOA Genotype, and Risk for Violent and Antisocial Behavior", op. cit.

Fracassos em replicar: D. Huizinga et al., "Childhood Maltreatment, Subsequent Antisocial Behavior, and the Role of Monoamine Oxidase A Genotype" (*BP*, v. 60, n. 7, p. 677, 2006); e S. Young et al., "Interaction Between MAO-A Genotype and Maltreatment in the Risk for Conduct Disorder: Failure to Confirm in Adolescent Patients" (*Am J Psychiatry*, v. 163, n. 6, p. 1019, 2006).

47. R. Sjoberg et al., "A Non-additive Interaction of a Functional MAO-A VNTR and Testosterone Predicts Antisocial Behavior". *Neuropsychopharmacology*, v. 33, n. 2, p. 425, 2008; R. McDermott et al., "Monoamine Oxidase A Gene (MAOA) Predicts Behavioral Aggression Following Provocation". *PNAS*, v. 106, n. 7, p. 2118, 2009; D. Gallardo-Pujol et al., "MAOA Genotype, Social Exclusion and Aggression: An Experimental Test of a Gene-Environment Interaction". *Genes, Brain and Behav*, v. 12, n. 1, p. 140, 2013; A. Reif et al., "Nature and Nurture Predispose to Violent Behavior: Serotonergic Genes and Adverse Childhood Environment". *Neuropsychopharmacology*, v. 32, n. 11, p. 2375, 2007.

48. A. Rivera et al., "Cellular Localization and Distribution of Dopamine D4 Receptors in the Rat Cerebral Cortex and Their Relationship with the Cortical Dopaminergic and Noradrenergic Nerve Terminal Networks". *Nsci*, v. 155, n. 3, p. 997, 2008; O. Schoots e H. Van Tol, "The Human Dopamine D4 Receptor Repeat Sequences Modulate Expression". *Pharmacogenomics J*, v. 3, n. 6, p. 343, 2003; C. Broeckhoven e S. Gestel, "Genetics of Personality: Are We Making Progress?". *Mol Psychiatry*, v. 8, n. 10, p. 840, 2003; M. R. Munafò et al., "Association of the Dopamine D4 Receptor (DRD4) Gene and Approach-Related Personality Traits: Meta-analysis and New Data". *BP*, v. 63, n. 2, p. 197, 2007; R. Ebstein et al., "Dopamine D4 Receptor (D4DR) Exon III Polymorphism Associated with the Human Personality Trait of Novelty Seeking". *Nat Genetics*, v. 12, n. 1, p. 78, 1996; J. Carpenter et al., "Dopamine Receptor Genes Predict Risk Preferences, Time Preferences, and Related Economic Choices". *J Risk and Uncertainty*, v. 42, p. 233, 2011; J. Garcia et al., "Associations Between Dopamine D4 Receptor Gene Variation with Both Infidelity and Sexual Promiscuity". *PLoS ONE*, v. 5, n. 11, p. e14162, 2010; D. Li et al., "Meta-analysis Shows Significant Association Between Dopamine System Genes and Attention Deficit Hyperactivity Disorder (ADHD)". *Human Mol Genetics*, v. 15, n. 14, p. 2276, 2006; L. Ray et al., "The Dopamine D4 Receptor (DRD4) Gene Exon III Polymorphism, Problematic Alcohol Use and Novelty Seeking: Direct and Mediated Genetic Effects". *Addiction Biol*, v. 14, n. 2, p. 238, 2008; A. Dreber et al., "The 7R Polymorphism in the Dopamine Receptor D4 Gene (DRD4) Is Associated with Financial Risk-Taking in Men". *EHB*, v. 30, n. 2, p. 85, 2009; D. Eisenberg et al., "Polymorphisms in the Dopamine D4 and D2 Receptor Genes and Reproductive and Sexual Behaviors". *Evolutionary Psych*, v. 5, n. 4, p. 696, 2007; A. N. Kluger et al., "A Meta-analysis of the Association Between DRD4 Polymorphism and Novelty Seeking". *Mol Psychiatry*, v. 7, n. 7, p. 712, 2002; S. Zhong et al., "Dopamine D4 Receptor Gene Associated with Fairness Preference in Ultimatum Game". *PLoS ONE*, v. 5, n. 11, p. e13765, 2010.

49. M. Bakermans-Kranenburg e M. van Ijzendoorn, "Differential Susceptibility to Rearing Environment Depending on Dopamine-Related Genes: New Evidence and a Meta-analysis". *Development Psychopathology*, v. 23, n. 1, p. 39, 2011; J. Sasaki et al., "Religion Priming Differentially Increases Prosocial Behavior Among Variants of the Dopamine D4 Receptor (DRD4) Gene". *SCAN*, v. 8, n. 2, p. 209, 2013; M. Sweitzer et al., "Polymorphic Variation in the Dopamine D4 Receptor Predicts Delay Discounting as a Function of Childhood Socioeconomic Status: Evidence for Differential Susceptibility". *SCAN*, v. 8, n. 5, p. 499, 2013.

50. F. Chang et al., "The World-wide Distribution of Allele Frequencies at the Human Dopamine D4 Receptor Locus". *Hum Genetics*, v. 98, n. 1, p. 91, 1996; C. Chen et al., "Population Migration and the Variation of Dopamine D4 Receptor (DRD4) Allele Frequencies Around the Globe". *EHB*, v. 20, n. 5, p. 309, 1999.

51. M. Reuter e J. Hennig, "Association of the Functional Catechol-O-Methyltransferase VAL-158MET Polymorphism with the Personality Trait of Extraversion". *Neuroreport*, v. 16, n. 10, p. 1135, 2005; T. Lancaster et al., "COMT val158met Predicts Reward Responsiveness in Humans". *Genes, Brain and Behav*, v. 11, n. 8, p. 986, 2012; A. Caspi et al., "A Replicated Molecular-Genetic Basis for Subtyping Antisocial Behavior in ADHD". *AGP*, v. 65, n. 2, p. 203, 2007; N. Perroud et al., "COMT but Not Serotonin-Related Genes Modulates the Influence of Childhood Abuse on Anger Traits". *Genes, Brain and Behav*, v. 9, n. 2, p. 193, 2010.

Variantes da COMT também associadas a parâmetros de avaliação cognitivos: F. Papaleo et al., "Genetic Dissection of the Role of Catechol-O-Methyltransferase in Cognition and Stress Reactivity in Mice" (*J Nsci*, v. 28, n. 35, p. 8709, 2008); F. Papaleo et al., "Effects of Sex and COMT Genotype on Environmentally Modulated Cognitive Control in Mice" (*PNAS*, v. 109, n. 49, p. 20160, 2012); e F. Papaleo et al., "Epistatic Interaction of COMT and DTNBPI Modulates Prefrontal Function in Mice and in Humans" (*Mol Psychiatry*, v. 19, n. 3, p. 311, 2013).

52. D. Enter et al., "Dopamine Transporter Polymorphisms Affect Social Approach-Avoidance Tendencies". *Genes, Brain and Behav*, v. 11, n. 6, p. 671, 2012; G. Guo et al., "Dopamine Transporter, Gender, and Number of Sexual Partners Among Young Adults". *Eur J Hum Genetics*, v. 15, n. 3, p. 279, 2007; S. Lee et al., "Association of Maternal Dopamine Transporter Genotype with Negative Parenting: Evidence for Gene × Environment Interaction with Child Disruptive Behavior". *Mol Psychiatry*, v. 15, n. 5, p. 548, 2010. M. van Ijzendoorn et al., "Dopamine System Genes Associated with Parenting in the Context of Daily Hassles". *Genes, Brain and Behav*, v. 7, n. 4, p. 403, 2008.

53. D. Gothelf et al., "Biological Effects of Catechol-O-Methyltransferase Haplotypes and Psychosis Risk in 22q11.2 Deletion Syndrome". *BP*, v. 75, n. 5, p. 406, 2013.

54. M. Dadds et al., "Polymorphisms in the Oxytocin Receptor Gene Are Associated with the Development of Psychopathy". *Development Psychopathology*, v. 26, n. 1, p. 21, 2014; A. Malik et al., "The Role of Oxytocin and Oxytocin Receptor Gene Variants in Childhood-Onset Aggression". *Genes, Brain and Behav*, v. 11, n. 5, p. 545, 2012; H. Walum et al., "Variation in the Oxytocin Receptor Gene Is Associated with Pair-Bonding and Social Behavior". *BP*, v. 71, n. 5, p. 419, 2012.

55. S. Rajender et al., "Reduced CAG Repeats Length in Androgen Receptor Gene Is Associated with Violent Criminal Behavior". *Int J Legal Med*, v. 122, n. 5, p. 367, 2008; D. Cheng et al., "Association Study of Androgen Receptor CAG Repeat Polymorphism and Male Violent Criminal Activity". *PNE*, v. 31, n. 4, p. 548, 2006; A. Raznahan et al., "Longitudinally Mapping the Influence of Sex and Androgen Signaling on the Dynamics of Human Cortical Maturation in Adolescence". *PNAS*, v. 107, n. 39, p. 16988, 2010; H. Vermeersch et al., "Testosterone, Androgen Receptor Gene CAG Repeat Length, Mood and Behaviour in Adolescent Males". *Eur J Endo*, v. 163, n. 2, p. 319, 2010; S. Manuck et al., "Salivary Testosterone and a Trinucleotide (CAG) Length Polymorphism in the Androgen Receptor Gene Predict Amygdala Reactivity in Men". *PNE*, v. 35, n. 1, p. 94, 2010; J. Roney et al., "Androgen Receptor Gene Sequence and Basal Cortisol Concentrations Predict Men's Hormonal Responses to Potential Mates". *Proc Royal Soc B*, v. 277, n. 1678, p. 57, 2010.

56. D. Comings et al., "Multivariate Analysis of Associations of 42 Genes in ADHD, ODD and Conduct Disorder". *Clin Genetics*, v. 58, n. 1, p. 31, 2000; Z. Prichard et al., "Association of Polymorphisms of the Estrogen Receptor Gene with Anxiety-Related Traits in Children and Adolescents: A Longitudinal Study". *Am J Med Genetics*, v. 114, n. 2, p. 169, 2002; H. Tiemeier et al., "Estrogen Receptor Alpha Gene Polymorphisms and Anxiety Disorder in an Elderly Population". *Mol Psychiatry*, v. 10, n. 9, p. 806, 2005; D. Crews et al., "Litter Environment Affects Behavior and Brain Metabolic Activity of Adult Knockout Mice". *Front Behav Nsci*, v. 3, p. 1, 2009.

57. R. Bogdan et al., "Mineralocorticoid Receptor Iso/Val (rs5522) Genotype Moderates the Association Between Previous Childhood Emotional Neglect and Amygdala Reactivity". *Am J Psychiatry*, v. 169, n. 5, p. 515, 2012; L. Bevilacqua et al., "Interaction Between FKBP5 and Childhood Trauma and Risk of Aggressive Behavior". *AGP*, v. 69, n. 1, p. 62, 2012; E. Binder et al., *JAMA*, v. 299, p. 1291, 2008; M. White et al., "FKBP5 and Emotional Neglect Interact to Predict Individual Differences in Amygdala Reactivity". *Genes, Brain and Behav*, v. 11, n. 7, p. 869, 2012.

58. L. Schmidt et al., "Evidence for a Gene-Gene Interaction in Predicting Children's Behavior Problems: Association of Serotonin Transporter Short and Dopamine Receptor D4 Long Genotypes with Internalizing and Externalizing Behaviors in Typically Developing 7-Year-Olds". *Developmental Psychopathology*, v. 19, n. 4, p. 1105, 2007; M. Nobile et al., "Socioeconomic Status Mediates the Genetic Contribution of the Dopamine Receptor D4 and Serotonin Transporter Linked Promoter Region Repeat Polymorphisms to Externalization in Preadolescence". *Developmental Psychopathology*, v. 19, n. 4, p. 1147, 2007.

59. M. J. Arranz et al., "Meta-analysis of Studies on Genetic Variation in 5-HT2A Receptors and Clozapine Response". *Schizophrenia Res*, v. 32, n. 2, p. 93, 1998.

60. H. Lango Allen et al., "Hundreds of Variants Clustered in Genomic Loci and Biological Pathways Affect Human Height". *Nat*, v. 467, n. 7317, p. 832, 2010.

61. E. Speliotes et al., "Association Analyses of 249,796 Individuals Reveal 18 New Loci Associated with Body Mass Index". *Nat Genetics*, v. 42, n. 11, p. 937, 2010; J. Perry et al., "Parent-of-Origin-Specific Allelic Associations Among 106 Genomic Loci for Age at Menarche". *Nat*, v. 514, n. 7520, p. 92, 2014; S. Ripke et al., "Biological Insights from 108 Schizophrenia-Associated Genetic Loci". *Nat*, v. 511, n. 7510, p. 421, 2014; F. Flint e M. Munafò, "Genesis of a Complex Disease". *Nat*, v. 511, n. 7510, p. 412, 2014; J. Tennessen et al., "Evolution and Functional Impact of Rare Coding Variation from Deep Sequencing of Human Exomes". *Sci*, v. 337, n. 6090, p. 64, 2012; F. Casals e J. Bertranpetit, "Human Genetic Variation, Shared and Private". *Sci*, v. 337, n. 6090, p. 39, 2012.

62. C. Rietveld et al., "GWAS of 126,559 Individuals Identifies Genetic Variants Associated with Educational Attainment". *Sci*, v. 340, n. 6139, p. 1467, 2013; J. Flint e M. Munafò, "Herit-Ability". *Sci*, v. 340, n. 6139, p. 1416, 2013.

63. S. Cole et al., "Social Regulation of Gene Expression in Human Leukocytes". *Genome Biol*, v. 8, n. 9, p. R189, 2007.

64. C. Chabris et al., "The Fourth Law of Behavior Genetics". *Curr Dir Psych Sci*, v. 24, n. 4, p. 304, 2015; K. Haddley et al., "Behavioral Genetics of the Serotonin Transporter". *Curr Topics in Behav Nsci*, v. 503, p. 503, 2012; F. S. Neves et al., "Is the Serotonin Transporter Polymorphism (5-HTTLPR) a Potential Marker for Suicidal Behavior in Bipolar Disorder Patients?". *J Affective Disorders*, v. 125, n. 1, p. 98, 2010; T. Y. Wang et al., "Bipolar: Gender-Specific Association of the SLC6A4 and DRD2 Gene Variants in Bipolar Disorder". *Int J Neuropsychopharmacology*, v. 17, n. 2, p. 211, 2014; P. R. Moya et al., "Com-

mon and Rare Alleles of the Serotonin Transporter Gene, slc6A4, Associated with Tourette's Disorder". *Movement Disorders*, v. 28, n. 9, p. 1263, 2013.

65. E. Turkheimer, "Three Laws of Behavior Genetics and What They Mean". *Curr Dir Psych Sci*, v. 9, n. 5, p. 160, 2000.

9. DE SÉCULOS A MILÊNIOS ANTES [pp. 262-321]

1. L. Guiso et al., "Culture, Gender, and Math". *Sci*, v. 320, n. 5880, p. 1164, 2008.

2. R. Fisman e E. Miguel, "Corruption, Norms, and Legal Enforcement: Evidence from Diplomatic Parking Tickets". *J Political Economics*, v. 115, n. 6, p. 1020, 2007; M. Gelfand et al., "Differences Between Tight and Loose Cultures: A 33-Nation Study". *Sci*, v. 332, n. 6033, p. 1100, 2011; A. Alesina et al., "On the Origins of Gender Roles: Women and the Plough". *Quarterly J Economics*, v. 128, n. 2, p. 469, 2013.

3. Para uma boa discussão sobre o assunto, ver A. Norenzayan, "Explaining Human Behavioral Diversity" (*Sci*, v. 332, n. 6033, p. 1041, 2011).

4. E. Tylor, *Primitive Culture* (1871). Nova York: J. P. Putnam's Sons, 1920.

5. A. Whitten, "Incipient Tradition in Wild Chimpanzees". *Nat*, v. 514, n. 7521, p. 178, 2014; R. O'Malley et al., "The Cultured Chimpanzee: Nonsense or Breakthrough?". *J Curr Anthropology*, v. 53, p. 650, 2012; J. Mercador et al., "4, 300-Year-Old Chimpanzee Sites and the Origins of Percussive Stone Technology". *PNAS*, v. 104, n. 9, p. 3043, 2007; E. van Leeuwen et al., "A Group-Specific Arbitrary Tradition in Chimpanzees (*Pan troglodytes*)". *Animal Cog*, v. 17, n. 6, p. 1421, 2014.

6. J. Mann et al., "Why Do Dolphins Carry Sponges?". *PLoS ONE*, v. 3, n. 12, p. e3868, 2008; M. Krutzen et al., "Cultural Transmission of Tool Use in Bottlenose Dolphins". *PNAS*, v. 102, n. 25, p. 8939, 2005; M. Möglich e G. Alpert, "Stone Dropping by *Conomyrma bicolor* (Hymenoptera: Formicidae): A New Technique of Interference Competition". *Behav Ecology and Sociobiology*, v. 6, n. 2, p. 105, 1979.

7. M. Pagel, "Adapted to Culture". *Nat*, v. 482, n. 7385, p. 297, 2012; C. Kluckhohn et al., *Culture: A Critical Review of Concepts and Definitions*. Chicago: University of Chicago Press, 1952; C. Geertz, *The Interpretation of Cultures*. Nova York: Basic, 1973. [Ed. bras.: *A interpretação das culturas*. Rio de Janeiro: LTC, 1989.]

8. D. Brown, *Human Universals*. Nova York: McGraw-Hill, 1991; D. Smail, *On Deep History and the Brain*. Oakland: University of California Press, 2008.

9. us Central Intelligence Agency, "Life Expectancy at Birth". *The World Factbook*. Disponível em: <cia.gov/library/publications/the-world-factbook/rankorder/2102rank.html>; W. Lutz e S. Scherbov, *Global Age-Specific Literacy Projections Model* (GALP): *Rationale, Methodology and Software*. Montreal: UNESCO Institute for Statistics Adult Education and Literacy Statistics Programme, 2006. Disponível em: <www.uis.unesco.org/Library/Documents/GALP2006_en.pdf>; us Central Intelligence Agency, "Infant Mortality Rate". *The World Factbook*. Disponível em: <cia.gov/library/publications/the--world-factbook/rankorder/2091rank.html>; International Monetary Fund, *World Economic Outlook Database*, out. 2015.

10. Homicide: United Nations Office on Drugs and Crime, *Global Study on Homicide 2013*, abr. 2014; K. Devries, "The Global Prevalence of Intimate Partner Violence Against Women". *Sci*, v. 340, n. 6140, p. 1527, 2013.

Estatísticas de estupro: NationMaster, "Rape Rate: Countries Compared". Disponível em: <www.nationmaster.com/country-info/stats/Crime/Rape-rate>; L. Melhado, "Rates of Sexual Violence are High in Democratic Republic of the Congo" (*Int Perspectives on Sexual and Reproductive Health*, v. 36, n. 4, p. 210, 2010); e K. Johnson et al., "Association of Sexual Violence and Human Rights Violations with Physical and Mental Health in Territories of the Eastern Democratic Republic of the Congo" (*JAMA*, v. 304, n. 5, p. 553, 2010). Estatísticas de *bullying*: F. Elgar et al., "Income Inequality and School Bullying: Multilevel Study of Adolescents in 37 Countries" (*J Adolescent Health*, v. 45, n. 4, p. 351, 2009).

11. B. Snyder, "The Ten Best Countries for Women". *Fortune*, 27 out. 2014. Disponível em: <fortune.com/2014/10/27/best-countries-for-women>. O Relatório de Desigualdade Global de Gênero (Global Gender Gap Report) foi publicado pela primeira vez em 2006 pelo Fórum Econômico Mundial. Inter-Parliamentary Union, "Women in National Parliaments". IPU.org, 1 ago. 2016. Disponível em: <www.ipu.org/wmn-e/classif.htm>; US Central Intelligence Agency, "Maternal Mortality Rate". *The World Factbook*. Disponível em: <cia.gov/library/publications/the-world-factbook/rankorder/2223rank.html>.

12. Gallup Poll International, "Do You Feel Loved?", fev. 2013; J. Henrich et al., "The Weirdest People in the World?". *BBS*, v. 33, n. 2, p. 61, 2010; M. Morris et al., "Culture, Norms and Obligations": Cross-National Differences in Patterns of Interpersonal Norms and Felt Obligations Toward Coworkers". In: W. Wosinka e R. B. Cialdini (Orgs.), *The Practice of Social Influence in Multiple Cultures: Applied Social Reasearch*. Mahwah, NJ: Lawrence Erlbaum, 2001.

13. H. Markus e S. Kitayama, "Culture and Self: Implications for Cognition, Emotion, and Motivation". *Psych Rev*, v. 98, n. 2, p. 224, 1991; S. Kitayama e A. Uskul, "Culture, Mind, and the Brain: Current Evidence and Future Directions", op. cit.; J. Sui e S. Han, "Self-Construal Priming Modulates Neural Substrates of Self-Awareness". *Psych Sci*, v. 18, n. 10, p. 861, 2007; B. Park et al., "Neural Evidence for Cultural Differences in the Valuation of Positive Facial Expressions". *SCAN*, v. 11, n. 2, p. 243, 2016.

14. H. Katchadourian, *Guilt: The Bite of Conscience*. Palo Alto, CA: Stanford General Books, 2011; J. Jacquet, *Is Shame Necessary? New Uses for an Old Tool*. Nova York: Pantheon, 2015; B. Cheon et al., "Cultural Influences on Neural Basis of Intergroup Empathy". *NeuroImage*, v. 57, n. 2, p. 642, 2011; A. Cuddy et al., "Stereotype Content Model Across Cultures: Towards Universal Similarities and Some Differences". *Brit J Soc Psych*, v. 48, p. 1, 2009.

15. R. Nisbett, *The Geography of Thought: How Asians and Westerners Think Differently... And Why*. Nova York: Free, 2003.

16. T. Hedden et al., "Cultural Influences on Neural Substrates of Attentional Control". *Psych Sci*, v. 19, n. 1, p. 12, 2008; S. Han e G. Northoff, "Culture-Sensitive Neural Substrates of Human Cognition: A Transcultural Neuroimaging Approach". *Nat Rev Nsci*, v. 9, n. 8, p. 646, 2008; T. Masuda e R. E. Nisbett, "Attending Holistically vs. Analytically: Comparing the Context Sensitivity of Japanese and Americans". *JPSP*, v. 81, n. 5, p. 922, 2001.

17. J. Chiao, "Cultural Neuroscience: A Once and Future Discipline", op. cit.

18. R. Nisbett, *The Geography of Thought: How Asians and Westerners Think Differently... And Why*, op. cit.; Y. Ogihara et al., "Are Common Names Becoming Less Common? The Rise in Uniqueness and Individualism in Japan". *Front Psych*, v. 6, p. 1490, 2015.

19. A. Mesoudi et al., "How Do People Become W.E.I.R.D.? Migration Reveals the Cultural Transmission Mechanisms Underlying Variation in Psychological Processes". *PLoS ONE*, v. 11, n. 1, p. e0147162, 2016.

20. A. Terrazas e J. Batalova, *Frequently Requested Statistics on Immigrants in the United States*. Migration Policy Institute, 2009; J. DeParle, "Global Migration: A World Ever More on the Move". *New York Times*, 25 jun. 2010; Pew Research Center, "Second-Generation Americans: A Portrait of the Adult Children of Immigrants". 7 fev. 2013. Disponível em: <www.pewsocialtrends.org/2013/02/07/second-generation-americans>.

21. J. Lansing, "Balinese 'Water temples' and the Management of Irrigation". *Am Anthropology*, v. 89, n. 2, p. 326, 1987.

22. T. Talhelm et al., "Large-Scale Psychological Differences Within China Explained by Rice Versus Wheat Agriculture". *Sci*, v. 344, n. 6184, p. 603, 2014.

23. A. Uskul et al., "Ecocultural Basis of Cognition: Farmers and Fishermen Are More Holistic than Herders". *PNAS*, v. 105, n. 25, p. 8552, 2008.

24. Z. Dershowitz, "Jewish Subcultural Patterns and Psychological Differentiation". *Int J Psych*, v. 6, n. 3, p. 223, 1971.

25. H. Harpending e G. Cochran, "In Our Genes". *PNAS*, v. 99, n. 1, p. 10, 2002; F. Chang et al., "The World-wide Distribution of Allele Frequencies at the Human Dopamine D4 Receptor Locus", op. cit.; K. Kidd et al., "An Historical Perspective on 'The World-wide Distribution of Allele Frequencies at the Human Dopamine D4 Receptor Locus'". *Hum Genetics*, v. 133, n. 4, p. 431, 2014; C. Chen et al., "Population Migration and the Variation of Dopamine D4 Receptor (DRD4) Allele Frequencies Around the Globe", op. cit.

26. C. Ember e M. Ember, "Warfare, Aggression, and Resource Problems: Cross-Cultural Codes". *Behav Sci Res*, v. 26, n. 1, p. 169, 1992; R. Textor, "Cross Cultural Summary". *Human Relations Area Files*, 1967; H. People e F. Marlowe, "Subsistence and the Evolution of Religion". *Hum Nat*, v. 23, n. 3, p. 253, 2012.

27. R. McMahon, *Homicide in Pre-famine and Famine Ireland*. Liverpool, UK: Liverpool University Press, 2013.

28. R. Nisbett e D. Cohen, *Culture of Honor: The Psychology of Violence in the South*, op. cit.

29. W. Borneman, *Polk: The Man Who Transformed the Presidency and America*. Nova York: Random House, 2008; B. Wyatt-Brown, *Southern Honor: Ethics and Behavior in the Old South*. Oxford: Oxford University Press, 1982.

30. F. Stewart, *Honor*. Chicago: University of Chicago Press, 1994.

31. D. Fischer, *Albion's Seed*. Oxford: Oxford University Press, 1989.

32. P. Chesler, "Are Honor Killings Simply Domestic Violence?". *Middle East Quarterly*, p. 61, primavera 2009. Disponível em: <www.meforum.org/2067/are-honor-killings-simply-domestic-violence>.

33. M. Borgerhoff Mulder et al., "Intergenerational Wealth Transmission and the Dynamics of Inequality in Small-Scale Societies". *Sci*, v. 326, n. 5953, p. 682, 2009.

34. P. Turchin, *War and Peace and War: The Rise and Fall of Empires*. Nova York: Penguin, 2006; D. Rogers et al., "The Spread of Inequality". *PLoS ONE*, v. 6, n. 9, p. e24683, 2011.

35. R. Wilkinson, *Mind the Gap: Hierarchies, Health and Human Evolution*. Londres: Weidenfeld and Nicolson, 2000.

36. F. Elgar et al., "Income Inequality, Trust and Homicide in 33 Countries". *Eur J Public Health*, v. 21, n. 2, p. 241; F. Elgar et al., "Income Inequality and School Bullying: Multilevel Study of Adolescents in 37 Countries", op. cit.; B. Herrmann et al., "Antisocial Punishment Across Societies". *Sci*, v. 319, n. 5868, p. 1362, 2008.

37. F. Durante et al., "Nations' Income Inequality Predicts Ambivalence in Stereotype Content: How Societies Mind the Gap". *Brit J Soc Psych*, v. 52, n. 4, p. 726, 2012.

38. N. Adler et al., "Relationship of Subjective and Objective Social Status with Psychological and Physiological Functioning: Preliminary Data in Healthy White Women". *Health Psych*, v. 19, n. 6, p. 586, 2000; N. Adler e J. Ostrove, "SES and Health: What We Know and What We Don't". *ANYAS*, v. 896, n. 1, p. 3, 1999; I. Kawachi et al., "Crime: Social Disorganization and Relative Deprivation". *Soc Sci and Med*, v. 48, n. 6, p. 719, 1999; I. Kawachi e B. Kennedy, *The Health of Nations: Why Inequality Is Harmful to Your Health*. Nova York: New Press, 2002; J. Lynch et al., "Income Inequality, the Psychosocial Environment, and Health: Comparisons of Wealthy Nations". *Lancet*, v. 358, n. 9277, p. 194, 2001; G. A. Kaplan et al., "Inequality in Income and Mortality in the United States: Analysis of Mortality and Potential Pathways". *Brit Med J*, v. 312, n. 7037, p. 999, 1996; J. R. Dunn et al., "Income Distribution, Public Services Expenditures, and All Cause Mortality in US States". *J Epidemiology and Community Health*, v. 59, n. 9, p. 768, 2005; C. R. Ronzio et al., "The Politics of Preventable Deaths: Local Spending, Income Inequality, and Premature Mortality in US Cities". *J Epidemiology and Community Health*, v. 58, n. 3, p. 175, 2004.

39. R. Evans et al., *Why Are Some People Healthy and Others Not? The Determinants of Health of Populations*. Nova York: Aldine de Gruyter, 1994.

40. D. Chon, "The Impact of Population Heterogeneity and Income Inequality on Homicide Rates: A Cross-National Assessment". *Int J Offender Therapy and Comp Criminology*, v. 56, n. 5, p. 730, 2012; F. J. Elgar e N. Aitken, "Income Inequality, Trust and Homicide in 33 Countries", op. cit.; C. Hsieh e M. Pugh, "Poverty, Income Inequality, and Violent Crime: A Meta-analysis of Recent Aggregate Data Studies". *Criminal Justice Rev*, v. 18, n. 2, p. 182, 1993; M. Daly e M. Wilson, "Income Inequality and Homicide Rates in Canada and the United States". *Canadian J Criminology*, v. 43, n. 2, p. 219, 2001.

41. K. A. DeCellesa e M. I. Norton, "Physical and Situational Inequality on Airplanes Predicts Air Rage". *PNAS*, v. 113, p. 5588, 2016.

42. M. Balter, "Why Settle Down? The Mystery of Communities". *Sci*, v. 282, n. 5393, p. 1442, 1998; P. Richerson, "Group Size Determines Cultural Complexity". *Nat*, v. 503, n. 7476, p. 351, 2013; M. Derex et al., "Experimental Evidence for the Influence of Group Size on Cultural Complexity". *Nat*, v. 503, n. 7476, p. 389, 2013; A. Gibbons, "How We Tamed Ourselves — and Became Modern". *Sci*, v. 346, n. 6208, p. 405, 2014.

43. F. Lederbogen et al., "City Living and Urban Upbringing Affect Neural Social Stress Processing in Humans". *Nat*, v. 474, n. 7352, p. 498, 2011; D. P. Kennedy e R. Adolphs, "Stress and the City". *Nat*, v. 474, n. 7352, p. 452, 2011; A. Abbott, "City Living Marks the Brain". *Nat*, v. 474, n. 7352, p. 429, 2011.

44. J. Henrich et al., "Markets, Religion, Community Size, and the Evolution of Fairness and Punishment". *Sci*, v. 327, p. 1480, 2010; B. Maher, "Good Gaming". *Nat*, v. 531, n. 7596, p. 568, 2016.

45. A. Norenzayan, *Big Gods: How Religions Transformed Cooperation and Conflict*. Princeton, NJ: Princeton University Press, 2015.

46. L. R. Perez-Florizno et al., "Differences Between Tight and Loose Cultures: A 33-Nation Study". *Sci*, v. 332, n. 6033, p. 1100, 2011.

47. J. B. Calhoun, "Population Density and Social Pathology". *Sci Am*, v. 306, p. 139, 1962; E. Ramsden, "From Rodent Utopia to Urban Hell: Population, Pathology, and the Crowded Rats of NIMH". *Isis*, v. 102, n. 4, p. 659, 2011; J. L. Freedman et al., "Environmental Determinants of Behavioral Con-

tagion". *Basic and Applied Soc Psych*, v. 1, n. 2, p. 155, 1980; O. Galle et al., "Population Density and Pathology: What Are the Relations for Man?". *Sci*, v. 176, n. 4030, p. 23, 1972.

48. A. Parkes, "The Future of Fertility Control". In: J. Meade (Org.), *Biological Aspects of Social Problems*. Nova York: Springer, 1965.

49. M. Lim et al., "Global Pattern Formation and Ethnic/Cultural Violence". *Sci*, v. 317, n. 5844, p. 1540, 2007; A. Rutherford et al., "Good Fences: The Importance of Setting Boundaries for Peaceful Coexistence". *PLoS ONE*, v. 9, n. 5, p. e95660, 2014.

50. Perez-Florizno et al., "Differences Between Tight and Loose Cultures: A 33-Nation Study", op. cit.

51. Os seguintes artigos examinam os efeitos das flutuações normais da condição atmosférica, situações extremas de tempo e aquecimento global em vários desfechos sociais: J. Brashares et al., "Wildlife Decline and Social Conflict" (*Sci*, v. 345, n. 6195, p. 376, 2014); S. M. Hsiang et al., "Civil Conflicts Are Associated with the Global Climate" (*Nat*, v. 476, n. 7361, p. 438, 2011); A. Solow, "Climate for Conflict" (*Nat*, v. 476, p. 406, 2011); S. Schiermeier, "Climate Cycles Drive Civil War" (*Nat*, v. 476, p. 406, 2011, E. Miguel et al., "Economic Shocks and Civil Conflict: An Instrumental Variables Approach" (*J Political Economy*, v. 112, n. 4, p. 725, 2004); M. Burke et al., "Warming Increases Risk of Civil War in Africa" (*PNAS*, v. 106, n. 49, p. 20670, 2009); J. P. Sandholt e K. S. Gleditsch, "Rain, Growth, and Civil War: The Importance of Location" (*Defence and Peace Economics*, v. 20, n. 5, p. 359, 2009); H. Buhaug, "Climate Not to Blame for African Civil Wars" (*PNAS*, v. 107, n. 38, p. 16477, 2010); D. D. Zhang et al., "Global Climate Change, War and Population Decline in Recent Human History" (*PNAS*, v. 104, n. 49, p. 19214, 2007); R. S. J. Tol e S. Wagner, "Climate Change and Violent Conflict in Europe over the Last Millennium" (*Climatic Change*, v. 99, n. 1, p. 65, 2009); A. Solow, "A Call for Peace on Climate and Conflict" (*Nat*, v. 497, p. 179, 2013); J. Bohannon, "Study Links Climate Change and Violence, Battle Ensues" (*Sci*, v. 341, n. 6145, p. 444, 2013); e S. M. Hsiang et al., "Quantifying the Influence of Climate on Human Conflict" (*Sci*, v. 341, n. 6151, p. 1212, 2013).

52. R. Sapolsky, "Endocrine and Behavioral Correlates of Drought in the Wild Baboon". *Am J Primat*, v. 11, n. 3, p. 217, 1986.

53. J. Bohannon, "Study Links Climate Change and Violence, Battle Ensues", op. cit.

54. E. Culotta, "On the Origins of Religion". *Sci*, v. 326, n. 5954, p. 784, 2009. Essa é a fonte da citação. C. A. Botero et al., "The Ecology of Religious Beliefs". *PNAS*, v. 111, n. 47, p. 16784, 2014; A. Shariff e A. Norenzayan, "God Is Watching You: Priming God Concepts Increases Prosocial Behavior in an Anonymous Economic Game". *Psych Science*, v. 18, n. 9, p. 803, 2007; R. Wright, *The Evolution of God*. Boston: Little, Brown, 2009. [Ed. bras.: *A evolução de Deus*. Rio de Janeiro: Record, 2012].

55. L. Keeley, *War Before Civilization: The Myth of the Peaceful Savage*. Oxford: Oxford University Press, 1996. [Ed. bras.: *A guerra antes da civilização: O mito do bom selvagem*. São Paulo: É Realizações, 2012.]

56. S. Pinker, *The Better Angels of Our Nature: Why Violence Has Declined*. Nova York: Penguin, 2011. [Ed. bras.: *Os anjos bons da nossa natureza: Por que a violência diminuiu*. São Paulo: Companhia das Letras, 2017.]

57. G. Milner, "Nineteenth-Century Arrow Wounds and Perceptions of Prehistoric Warfare". *Am Antiquity*, v. 70, n. 1, p. 144, 2005.

58. Ver este livro inteiro: D. Fry, *War, Peace, and Human Nature: The Convergence of Evolutionary and Cultural Views* (Oxford: Oxford University Press, 2015). Ver em especial estes capítulos: R. Ferguson,

"Pinker's List: Exaggerating Prehistoric War Mortality", p. 112; R. Sussman "Why the Legend of the Killer Ape Never Dies: The Enduring Power of Cultural Beliefs to Distort Our View of Human Nature", p. 92; e R. Kelly, "From the Peaceful to the Warlike: Ethnographic and Archeological Insights into Hunter- Gatherer Warfare and Homicide", p. 151.

59. F. Wendorf, *The Prehistory of Nubia*. Dallas: Southern Methodist University Press, 1968.

60. R. A. Marlar et al., "Biochemical Evidence of Cannibalism at a Prehistoric Puebloan Site in Southwestern Colorado". *Nat*, v. 407, p. 74, 2000; M. Balter, "Did Neandertals Dine In?". *Sci*, v. 326, n. 5956, p. 1057, 2009.

61. N. Chagnon, *Yanomamo: The Fierce People*. Nova York: Holt McDougal, 1984; N. A. Chagnon, "Life Histories, Blood Revenge, and Warfare in a Tribal Population". *Sci*, v. 239, n. 4843, p. 985, 1988.

62. A. Lawler, "The Battle over Violence". *Sci*, v. 336, n. 6083, p. 829, 2012.

63. G. Benjamin et al., "Violence: Finding Peace". *Sci*, v. 338, n. 6105, p. 327, 2012; S. Pinker, "Violence: Clarified". *Sci*, v. 338, n. 6105, p. 327, 2012.

64. A. R. Ramos, "Reflecting on the Yanomami: Ethnographic Images and the Pursuit of the Exotic". *Cultural Anthropology*, v. 2, n. 3, p. 284, 1987; R. Ferguson, *Yanomami Warfare: A Political History (A School for Advanced Research Resident Scholar Book)*. Santa Fe: School of American Research Press, 1995; E. Eakin, "How Napoleon Chagnon Became Our Most Controversial Anthropologist". *New York Times Magazine*, 2013, p. 13; D. Fry, *Beyond War: The Human Potential for Peace*. Oxford: Oxford University Press, 2009.

65. L. Glowacki e R. Wrangham, "Warfare and Reproductive Success in a Tribal Population". *PNAS*, v. 112, n. 2, p. 348, 2015. Para achados relacionados, ver: J. Moore, "The Reproductive Success of Cheyenne War Chiefs: A Contrary Case to Chagnon's Yanomamo" (*Curr Anthropology*, v. 31, n. 3, p. 322, 1990); e S. Beckerman et al., "Life Histories, Blood Revenge and Reproductive Success Among the Waorani of Ecuador" (*PNAS*, v. 106, n. 20, p. 8134, 2009).

66. A pesquisa original citada por Pinker e Fry: K. Hill e A. Hurtado, *Ache Life History: The Ecology and Demography of a Foraging People* (Nova York: Aldine de Gruyter, 1996).

67. S. Corry, "The Case of the 'Brutal Savage': Poirot or Clouseau? Why Steven Pinker, Like Jared Diamond, Is Wrong". Survival International, 2013. Disponível em: <www.survivalinternational.org>. Acesso em: 27 abr. 2021.

68. K. Lorenz, *On Aggression*. Nova York: MFJ Books, 1997; R. Ardrey, *The Territorial Imperative: A Personal Inquiry into the Animal Origins of Property and Nations*. Nova York: Delta Books, 1966; R. Wrangham e D. Peterson, *Demonic Males: Apes and the Origin of Human Violence*. Boston: Houghton Mifflin, 1996 [Ed. bras.: *O macho demoníaco: As origens da agressividade humana*. Rio de Janeiro: Objetiva, 1998].

69. C. H. Boehm, *Hierarchy in the Forest: The Evolution of Egalitarian Behavior*. Cambridge, MA: Harvard University Press, 1999; K. Hawkes et al., "Hunting Income Patterns Among the Hadza: Big Game, Common Goods, Foraging Goals, and the Evolution of the Human Diet". *Philosophical Transactions of the Royal Soc of London B*, v. 334, n. 1270, p. 243, 1991; B. Chapais, "The Deep Social Structure of Humankind". *Sci*, v. 331, n. 6022, p. 1276, 2011; K. Hill et al., "Co-residence Patterns in Hunter-Gatherer Societies Show Unique Human Social Structure". *Sci*, v. 331, n. 6022, p. 1286, 2011; K. Endicott, "Peace Foragers: The Significance of the Batek and Moriori for the Question of Innate Human Violence". In: D. Fry, *War, Peace, and Human Nature: The Convergence of Evolutionary and Cultural Views*, op. cit., p. 243; M. Butovskaya, "Aggression and Conflict Resolution Among the Nomadic Hadza of Tan-

zania as Compared with Their Pastoralist Neighbors". In: D. Fry, *War, Peace, and Human Nature: The Convergence of Evolutionary and Cultural Views*, op. cit., p. 278.

70. C. Apicella et al., "Social Networks and Cooperation in Hunter-Gatherers". *Nat*, v. 481, n. 7382, p. 497, 2012; J. Henrich, "Hunter-Gatherer Cooperation". *Nat*, v. 481, n. 7382, p. 449, 2012.

71. E. Thomas, *The Harmless People*. Nova York: Vintage, 1959; M. Shostak, *Nisa: The Life and Words of a!Kung Woman*. Cambridge, MA: Harvard University Press, 2006; R. Lee, *The!Kung San: Men, Women and Work in a Foraging Society*. Cambridge: Cambridge University Press, 1979.

72. C. Ember, "Myths About Hunter-Gatherers". *Ethnology*, v. 17, n. 4, p. 439, 1978.

73. R. Ferguson, *Yanomami Warfare: A Political History, a School for Advanced Research Resident Scholar Book*, op. cit.; D. Fry, *Beyond War: The Human Potential for Peace*, op. cit.; R. B. Lee, "Hunter-Gatherers on the Best-Seller List: Steven Pinker and the 'Bellicose School's' Treatment of Forager Violence". *J Aggression, Conflict and Peace Res*, v. 6, n. 4, p. 216, 2014; M. Guenther, "War and Peace Among Kalahari San". *J Aggression, Conflict and Peace Res*, v. 6, n. 4, p. 229, 2014; D. P. Fry e P. Soderberg, "Myths About Hunter-Gatherers Redux: Nomadic Forager War and Peace". *J Aggression, Conflict and Peace Res*, v. 6, n. 4, p. 255, 2014; R. Kelley, *Warless Societies and the Evolution of War*. Ann Arbor: University of Michigan Press, 2000.

74. M. M. Lahr et al., "Inter-group Violence Among Early Holocene Hunter-Gatherers of West Turkana, Kenya". *Nat*, v. 529, n. 7586, p. 394, 2016.

75. C. Boehm, *Moral Origins: The Evolution of Virtue, Altruism, and Shame*. Nova York: Basic, 2012.

76. M. C. Stiner et al., "Cooperative Hunting and Meat Sharing 400-200 kya at Qesem Cave, Israel". *PNAS*, v. 106, n. 32, p. 13207, 2009.

77. P. Wiessner, "The Embers of Society: Firelight Talk Among the Ju/'hoansi Bushmen". *PNAS*, v. 111, n. 39, p. 14013, 2014; P. Wiessner, "Norm Enforcement Among the Ju/'hoansi Bushmen: A Case of Strong Reciprocity?". *Hum Nat*, v. 16, n. 2, p. 115, 2004.

10. A EVOLUÇÃO DO COMPORTAMENTO [pp. 322-80]

1. T. Dobzhansky, "Nothing in Biology Makes Sense Except in the Light of Evolution". *Am Biol Teacher*, v. 35, n. 3, p. 125, 1973.

2. A. J. Carter e A. Q. Nguyen, "Antagonistic Pleiotropy as a Widespread Mechanism for the Maintenance of Polymorphic Disease Alleles". *BMC Med Genetics*, v. 12, n. 12, p. 160, 2011.

3. J. Gratten et al., "Life History Trade-offs at a Single Locus Maintain Sexually Selected Genetic Variation". *Nat*, v. 502, n. 7469, p. 93, 2013.

4. A. Brown, *The Darwin Wars: The Scientific Battle for the Soul of Man*. Nova York: Touchstone; Simon and Schuster, 1999.

5. V. C. Wynne-Edwards, *Evolution Through Group Selection*. Londres: Blackwell Science, 1986.

6. W. D. Hamilton, "The Genetical Evolution of Social Behavior". *J Theoretical Biol*, v. 7, n. 1, p. 1, 1964; G. C. Williams, *Adaptation and Natural Selection*. Princeton, NJ: Princeton University Press, 1966. Ver também: E. O. Wilson, *Sociobiology: The New Synthesis* (Cambridge, MA: Harvard University Press, 1975); e R. Dawkins, *The Selfish Gene* (Oxford: Oxford University Press, 1976) [Ed. bras.: *O gene egoísta*. São Paulo: Companhia das Letras, 2007].

7. S. B. Hrdy, *The Langurs of Abu: Female and Male Strategies of Reproduction*. Cambridge, MA: Harvard University Press, 1977.

8. O argumento patológico: P. Dolhinow, "Normal Monkeys?" (*Am Scientist*, v. 65, p. 266, 1977). Apenas o transbordamento da agressividade dos machos: R. Sussman et al., "Infant Killing as an Evolutionary Strategy: Reality or Myth?" (*Evolutionary Anthropology*, v. 3, n. 5, p. 149, 1995).

9. Primatas: G. Hausfater e S. Hrdy, *Infanticide: Comparative and Evolutionary Perspectives* (Nova York: Aldine, 1984); M. Hiraiwa-Hasegawa, "Infanticide in Primates and a Possible Case of Male-Biased Infanticide in Chimpanzees". In: J. L. Brown e J. Kikkawa (Orgs.), *Animal Societies: Theories and Facts* (Tóquio: Japan Scientific Societies Press, 1988), pp. 125-39; e S. Hrdy, "Infanticide Among Mammals: A Review, Classification, and Examination of the Implications for the Reproductive Strategies of Females" (*Ethology and Sociobiology*, v. 1, n. 1, p. 13, 1979). Roedores, leões: G. Perrigo et al., "Social Inhibition of Infanticide in Male House Mice" (*Ecology Ethology and Evolution*, v. 5, p. 181, 1993); A. Pusey e C. Packer, 1984, "Infanticide in Carnivores". In: G. Hausfater e S. Hrdy, *Infanticide: Comparative and Evolutionary Perspectives*, op. cit.; e S. Gursky-Doyen, "Infanticide by a Male Spectral Tarsier (*Tarsius spectrum*)" (*Primates*, v. 52, n. 4, p. 385, 2011). Ver também: D. Lukas e E. Huchard, "The Evolution of Infanticide by Males in Mammalian Societies" (*Sci*, v. 346, n. 6211, p. 841, 2014).

10. J. Berger, "Induced Abortion and Social Factors in Wild Horses". *Nat*, v. 303, n. 5912, p. 59, 1983; E. Roberts et al., "A Bruce Effect in Wild Geladas". *Sci*, v. 335, n. 6073, p. 1222, 2012; H. Bruce, "An Exteroceptive Block to Pregnancy in the Mouse". *Nat*, v. 184, p. 105, 1959.

11. A. Pusey e K. Schroepfer-Walker, "Female Competition in Chimpanzees", op. cit.

12. D. Fossey, "Infanticide in Mountain Gorillas (*Gorilla gorilla beringei*) with Comparative Notes on Chimpanzees". In: G. Hausfater e S. Hrdy, *Infanticide: Comparative and Evolutionary Perspectives*, op. cit.

13. L. Fairbanks, "Reciprocal Benefits of Allomothering for Female Vervet Monkeys". *Animal Behav*, v. 40, n. 3, p. 553, 1990.

14. V. Baglione et al., "Kin Selection in Cooperative Alliances of Carrion Crows". *Sci*, v. 300, n. 5627, p. 1947, 2003.

15. J. Buchan et al., "True Paternal Care in a Multi-male Primate Society". *Nat*, v. 425, n. 6954, p. 179, 2003.

16. D. Cheney e R. Seyfarth, *How Monkeys See the World: Inside the Mind of Another Species*. Chicago: University of Chicago Press, 1992.

17. D. Cheney e R. Seyfarth, "Recognition of Other Individuals' Social Relationships by Female Baboons". *Animal Behav*, v. 58, n. 1, p. 67, 1999; R. Wittig et al., "Kin-Mediated Reconciliation Substitutes for Direct Reconciliation in Female Baboons". *Proc Royal Soc B*, v. 274, n. 1613, p. 1109, 2007.

18. T. Bergman et al., "Hierarchical Classification by Rank and Kinship in Baboons". *Sci*, v. 203, n. 5648, p. 1234, 2003.

19. H. Fisher e H. Hoekstra, "Competition Drives Cooperation Among Closely Related Sperm of Deer Mice". *Nat*, v. 463, n. 7282, p. 801, 2010.

20. J. Hoogland, "Nepotism and Alarm Calling in the Black-Tailed Prairie Dog (*Cynomys ludovicianus*)". *Animal Behav*, v. 31, n. 2, p. 472, 1983; G. Schaller, *The Serengeti Lion: A Study of Predator-Prey Relations*. Chicago: University of Chicago Press, 1972; P. Sherman, "Recognition Systems". In: J. R. Krebs e N. B. Davies (Orgs.), *Behavioural Ecology*. Oxford: Blackwell Scientific, 1997; C. Packer et al., "A Molecular Genetic Analysis of Kinship e Cooperation in African Lions". *Nat*, v. 351, n. 6327, p. 562, 1991; A. Pusey e C. Packer, "Non-offspring Nursing in Social Carnivores: Minimizing the Costs". *Behav Ecology*, v. 5, n. 4, p. 362, 1994.

21. G. Alvarez et al., "The Role of Inbreeding in the Extinction of a European Royal Dynasty". *PLoS ONE*, v. 4, n. 4, p. e5174, 2009.

22. Modelo teórico: B. Bengtsson, "Avoiding Inbreeding: At What Cost?" (*J Theoretical Biol*, v. 73, n. 3, p. 439, 1978).

23. Insetos: S. Robinson et al., "Preference for Related Mates in the Fruit Fly, *Drosophila melanogaster*" (*Animal Behav*, v. 84, n. 5, p. 1169, 2012). Lagartos: M. Richard et al., "Optimal Level of Inbreeding in the Common Lizard" (*Proc Royal Soc of London B*, v. 276, n. 1668, p. 2779, 2009). Peixes, e pais aparentados investindo mais na criação da prole: T. Thünken et al., "Active Inbreeding in a Cichlid Fish and Its Adaptive Significance" (*Curr Biol*, v. 17, n. 3, p. 225, 2007). Vários pássaros: P. Bateson, "Preferences for Cousins in Japanese Quail" (*Nat*, v. 295, n. 5846, p. 236, 1982); L. Cohen e D. Dearborn, "Great Frigatebirds, *Fregata minor*, Choose Mates That Are Genetically Similar" (*Animal Behav*, v. 68, n. 5, p. 1129, 2004); e N. Burley et al., "Social Preference of Zebra Finches for Siblings, Cousins and Non-kin" (*Animal Behav*, v. 39, n. 4, p. 775, 1990). Pássaros dando escapadas de seus pares monogâmicos: O. Kleven et al., "Extrapair Mating Between Relatives in the Barn Swallow: A Role for Kin Selection?" (*Biol Lett*, v. 1, n. 4, p. 389, 2005); e C. Wang e X. Lu, "Female Ground Tits Prefer Relatives as Extra-pair Partners: Driven by Kin-Selection?" (*Mol Ecology*, v. 20, n. 13, p. 2851, 2011). Presumo que ninguém no mundo vai um dia ler esta frase, então, se você o fizer, eu adoraria que me avisasse, a fim de que eu possa parabenizá-lo por seus hábitos de leitura extraordinariamente meticulosos: <sapolsky@stanford.edu>. Roedores: S. Sommer, "Major Histocompatibility Complex and Mate Choice in a Monogamous Rodent" (*Behav Ecology and Sociobiology*, v. 58, n. 2, p. 181, 2005); C. Barnard e J. Fitzsimons, "Kin Recognition and Mate Choice in Mice: The Effects of Kinship, Familiarity and Interference on Intersexual Selection" (*Animal Behav*, v. 36, n. 4, p. 1078, 1988); e M. Peacock e A. Smith, "Nonrandom Mating in Pikas *Ochotona princeps*: Evidence for Inbreeding Between Individuals of Intermediate Relatedness" (*Mol Ecology*, v. 6, n. 9, p. 801, 1997).

24. A. Helgason et al., "An Association Between the Kinship and Fertility of Human Couples". *Sci*, v. 319, n. 5864, p. 813, 2008; S. Jacob et al., "Paternally Inherited HLA Alleles Are Associated with Women's Choice of Male Odor". *Nat Genetics*, v. 30, n. 2, p. 175, 2002.

25. T. Shingo et al., "Pregnancy-Stimulated Neurogenesis in the Adult Female Forebrain Mediated by Prolactin". *Sci*, v. 299, n. 5603, p. 117, 2003; C. Larsen e D. Grattan, "Prolactin, Neurogenesis, and Maternal Behaviors". *Brain, Behav and Immunity*, v. 26, n. 2, p. 201, 2012.

26. W. D. Hamilton, "The Genetical Evolution of Social Behaviour", op. cit.

27. S. West e A. Gardner, "Altruism, Spite and Greenbeards". *Sci*, v. 327, n. 5971, p. 1341, 2010.

28. S. Smukalla et al., "FLO1 Is a Variable Green Beard Gene That Drives Biofilm-like Cooperation in Budding Yeast". *Cell*, v. 135, n. 4, p. 726, 2008; E. Queller et al., "Single-Gene Greenbeard Effects in the Social Amoeba *Dictyostelium discoideum*". *Sci*, v. 299, n. 5603, p. 105, 2003.

29. B. Kerr et al., "Local Dispersal Promotes Biodiversity in a Real-Life Game of Rock-Paper-Scissors". *Nat*, v. 418, n. 6894, p. 171, 2002; J. Nahum et al., "Evolution of Restraint in a Structured Rock-Paper-Scissors Community". *PNAS*, v. 108, p. 10831, 2011.

30. G. Wilkinson, "Reciprocal Altruism in Bats and Other Mammals". *Ethology and Sociobiology*, v. 9, p. 85, 1988; G. Wilkinson, "Reciprocal Food Sharing in the Vampire Bat". *Nat*, v. 308, n. 5955, p. 181, 1984.

31. W. D. Hamilton, "Geometry for the Selfish Herd". *J Theoretical Biol*, v. 31, n. 2, p. 295, 1971.

32. R. Trivers, "The Evolution of Reciprocal Altruism". *Quarterly Rev of Biol*, v. 46, n. 1, p. 35, 1971.

33. R. Seyfarth e D. Cheney, "Grooming, Alliances and Reciprocal Altruism in Vervet Monkeys". *Nat*, v. 308, n. 5959, p. 541, 1984.

34. R. Axelrod e W. D. Hamilton, "The Evolution of Cooperation". *Sci*, v. 211, n. 4489, p. 1390, 1981.

35. M. Nowak e K. Sigmund, "Tit for Tat in Heterogeneous Populations". *Nat*, v. 355, n. 6357, p. 250, 1992; R. Boyd, "Mistakes Allow Evolutionary Stability in the Repeated Prisoner's Dilemma Game". *J Theoretical Biol*, v. 136, n. 1, p. 4756, 1989.

36. M. Nowak e R. Highfield, *SuperCooperators: Altruism, Evolution, and Why We Need Each Other to Succeed*. Nova York: Simon & Schuster, 2012; M. Nowak e K. Sigmund, "A Strategy of Win-Stay, Lose-Shift that Outperforms Tit-for-Tat in the Prisoner's Dilemma Game". *Nat*, v. 364, n. 6432, p. 56, 1993.

37. E. Fischer, "The Relationship Between Mating System and Simultaneous Hermaphroditism in the Coral Reef Fish, *Hypoplectrus nigricans* (Serranidae)". *Animal Behav*, v. 28, n. 2, p. 620, 1980.

38. M. Milinski, "Tit for Tat in Sticklebacks and the Evolution of Cooperation". *Nat*, v. 325, n. 6103, p. 433, 1987.

39. C. Packer et al., "Egalitarianism in Female African Lions". *Sci*, v. 293, n. 5530, p. 690, 2001; M. Scantlebury et al., "Energetics Reveals Physiologically Distinct Castes in a Eusocial Mammal". *Nat*, v. 440, n. 7085, p. 795, 2006; R. Heinsohn e C. Packer, "Complex Cooperative Strategies in Group-Territorial African Lions". *Sci*, v. 269, n. 5228, p. 1260, 1995.

40. R. Trivers, "Parent-Offspring Conflict". *Am Zoologist*, v. 14, n. 1, p. 249, 1974.

41. D. Maestripieri, "Parent-Offspring Conflict in Primates". *Int J Primat*, v. 23, n. 4, p. 923, 2002.

42. D. Haig, "Genetic Conflicts in Human Pregnancy". *Quartery Rev of Biol*, v. 68, n. 4, p. 495, 1993; R. Sapolsky, "The War Between Men and Women". *Discover*, p. 56, maio 1999.

43. S. J. Gould, "Caring Groups and Selfish Genes". In: *The Panda's Thumb: More Reflections in Natural History*. Londres: Penguin Books, 1990, p. 72. [Ed. bras.: *O polegar do panda*. São Paulo: Martins Fontes, 2004.]

44. S. Okasha, *Evolution and the Levels of Selection*. Oxford: Clarendon Press, 2006.

45. P. Bijma et al., "Multilevel Selection 1: Quantitative Genetics of Inheritance and Response to Selection". *Genetics*, v. 175, n. 1, p. 277, 2007. Um exemplo parecido com o das galinhas, mas em aranhas: J. Pruitt e C. Goodnight, "Site-Specific Group Selection Drives Locally Adapted Group Compositions" (*Nat*, v. 514, n. 5722, p. 359, 2014).

46. S. Bowles, "Conflict: Altruism's Midwife". *Nat*, v. 456, n. 7220, p. 326, 2008.

47. D. S. Wilson e E. O. Wilson, "Rethinking the Theoretical Foundation of Sociobiology". *Quarterly Rev of Biol*, v. 82, n. 4, p. 327, 2008.

48. F. de Waal, *Our Inner Ape*. Nova York: Penguin, 2005 [Ed. bras.: *Eu, primata*. São Paulo: Companhia das Letras, 2007]; I. Parker, "Swingers: Bonobos Are Celebrated as Peace-Loving, Matriarchal, and Sexually Liberated. Are They?". *New Yorker*, p. 48, 30 jul. 2007; R. Wrangham e D. Peterson, *Demonic Males: Apes and the Origins of Human Violence*. Nova York: Houghton Mifflin, 1996 [Ed. bras.: *O macho demoníaco: As origens da agressividade humana*. Rio de Janeiro: Objetiva, 1998]; R. Wrangham et al., "Comparative Rates of Violence in Chimpanzees and Humans". *Primates*, v. 47, n. 1, p. 14, 2006.

49. D. Falk et al., "Brain Shape in Human Microcephalics and *Homo floresiensis*". *PNAS*, v. 104, n. 7, p. 2513, 2007. A visão oposta: M. Henneberg et al., "Evolved Developmental Homeostasis Disturbed in LB1 from Flores, Indonesia, Denotes Down Syndrome and Not Diagnostic Traits of the Invalid Species *Homo floresiensis*" (*PNAS*, v. 111, n. 33, p. 11967, 2014).

50. K. Prufer et al., "The Bonobo Genome Compared with the Chimpanzee and Human Genomes". *Nat*, v. 486, n. 7404, p. 527, 2012; W. Enard et al., "Intra- and Interspecific Variation in Primate Gene Expression Patterns". *Sci*, v. 296, n. 5566, p. 340, 2002.

51. D. Barash e J. Lipton, *The Myth of Monogamy: Fidelity and Infidelity in Animals and People*. Nova York: Henry Holt, 2002 [Ed. bras.: *O mito da monogamia: Fidelidade e infidelidade entre pessoas e animais*. Rio de Janeiro: Record, 2007]; B. Chapais, *Primeval Kinship: How Pair-Bonding Gave Birth to Human Society*. Cambridge, MA: Harvard University Press, 2008.

52. T. Zerjal et al., "The Genetic Legacy of the Mongols". *Am J Hum Genetics*, v. 72, n. 3, p. 713, 2003.

53. M. Daly e M. Wilson, "Evolutionary Social Psychology and Family Homicide". *Sci*, v. 242, n. 4878, p. 519, 1988. Replicação: V. Weekes-Shackelford e T. K. Shackelford, "Methods of Filicide: Stepparents and Genetic Parents Kill Differently" (*Violence and Victims*, v. 19, n. 1, p. 75, 2004). Fracassos suecos de replicação: H. Temrin et al., "Step-Parents and Infanticide: New Data Contradict Evolutionary Predictions" (*Proc Royal Soc B*, v. 267, p. 943, 2000); M. Van Ijzendoorn et al., "Elevated Risk of Child Maltreatment in Families with Stepparents but Not with Adoptive Parents" (*Child Maltreatment*, v. 14, n. 4, p. 369, 2009); e J. Nordlund e H. Temrin, "Do Characteristics of Parental Child Homicide in Sweden Fit Evolutionary Predictions?" (*Ethology*, v. 113, n. 11, p. 1029, 2007).

54. K. Hill et al., "Co-residence Patterns in Hunter-Gatherer Societies Show Unique Human Social Structure", op. cit.

55. R. Topolski et al., "Choosing Between the Emotional Dog and the Rational Pal: A Moral Dilemma with a Tail". *Anthrozoös*, v. 26, n. 2, p. 253, 2013.

56. B. Thomas et al., "Harming Kin to Save Strangers: Further Evidence for Abnormally Utilitarian Moral Judgments After Ventromedial Prefrontal Damage", op. cit.

57. R. Sapolsky, "Would You Break That Law for Your Family?". *Los Angeles Times*, 17 nov. 2013.

58. J. Persico, *My Enemy, My Brother: Men and Days of Gettysburg*. Cambridge, MA: Da Capo, 1996.

59. R. MacMahon, *Homicide in Pre-famine and Famine Ireland*. Liverpool, UK: Liverpool University Press, 2014. Assassinato por um cheeseburger: J. Berlinger e T. Marco, "Man Kills Brother in Argument over Cheeseburger, Police Say" (CNN.com, 9 maio 2016). Disponível em: <www.cnn.com/2016/05/08/us/man-allegedly-kills-brother-over-cheeseburger/index.html>.

60. "MP Comes to the Aid of 5 Year Old Girl at Risk of Being Sold". *Kenya Daily Nation*, 13 out. 2014. Disponível em: <www.nation.co.ke/video/-/1951480/2484684/-/gditgq/-/index.html>.

61. S. Friedman e P. Resnick, "Child Murder by Mothers: Patterns and Prevention". *World Psychiatry*, v. 6, n. 3, p. 137, 2007; S. West et al., "Fathers Who Kill Their Children: An Analysis of the Literature". *J Forensic Sci*, v. 54, p. 463, 2009; S. B. Hrdy, *Mother Nature: A History of Mothers, Infants and Natural Selection*. Nova York: Pantheon, 1999.

62. J. Shepher, "Mate Selection Among Second Generation Kibbutz Adolescents and Adults: Incest Avoidance and Negative Imprinting". *Arch Sexual Behav*, v. 1, n. 4, p. 293, 1971; A. Wolf, *Sexual Attraction and Childhood Association: A Chinese Brief for Edward Westermarck*. Palo Alto, CA: Stanford University Press, 1995.

63. K. Hill et al., "Co-residence Patterns in Hunter-Gatherer Societies Show Unique Human Social Structure", op. cit.

64. N. Eldredge e S. J. Gould, "Punctuated Equilibria: An Alternative to Phyletic Gradualism". In: T. J. M. Schopf (Org.), *Models in Paleobiology*. San Francisco: Freeman Cooper, 1972, p. 82.

65. J. Goldman, "Man's New Best Friend? A Forgotten Russian Experiment in Fox Domestication". *Sci Am*, set. 2010; D. Belyaev e L. Trut, "Behaviour and Reproductive Function of Animals. II: Correla-

ted Changes Under Breeding for Tameness". *Bull Moscow Soc of Naturalists B Series* (em russo), v. 69, p. 5, 1964.

66. S. Sternthal, "Moscow's Stray Dogs". *Financial Times*, 16 jan. 2010.

67. M. Carneiro et al., "Rabbit Genome Analysis Reveals a Polygenic Basis for Phenotypic Change During Domestication". *Sci*, v. 345, n. 6200, p. 1074, 2014.

68. S. Fisher e M. Ridley, "Culture, Genes, and the Human Revolution". *Sci*, v. 340, n. 6135, p. 929, 2013; D. Swallow, "Genetics of Lactase Persistence and Lactose Intolerance". *Ann Rev of Genetics*, v. 37, p. 197, 2003; J. Troelsen, "Adult-Type Hypolactasia and Regulation of Lactase Expression". *Biochimica et Biophysica Acta*, v. 1723, n. 1, p. 19, 2005.

69. N. Mekel-Bobrov et al., "Ongoing Adaptive Evolution of ASPM, a Brain Size Determinant in *Homo sapiens*". *Sci*, v. 309, n. 5741, p. 1720, 2005.

70. J. Weiner, *The Beak of the Finch: A Story of Evolution in Our Time*. Nova York: Knopf, 1994 [Ed. bras.: *O bico do tentilhão: Uma história da evolução no nosso tempo*. Rio de Janeiro: Rocco, 1995]; J. Neel, "Diabetes Mellitus: A 'Thrifty' Genotype Rendered Detrimental by 'Progress'?". *Am J Hum Genetics*, v. 14, n. 4, p. 353, 1962; J. Diamond, "Sweet Death". *Natural History*, fev. 1992. Pima americanos versus Pima mexicanos: P. Kopelman, "Obesity as a Medical Problem" (*Nat*, v. 404, n. 6778, p. 635, 2000). Genes identificados: C. Ezzell, "Fat Times for Obesity Research" (*J NIH Research*, v. 7, p. 39, 1995); C. Holden, "Race and Medicine" (*Sci*, v. 302, n. 5645, p. 594, 2003); e J. Diamond, "The Double Puzzle of Diabetes" (*Nat*, v. 423, n. 6940, p. 599, 2003).

71. E. Pennisi, "The Man Who Bottled Evolution". *Sci*, v. 342, n. 6160, p. 790, 2013.

72. S. J. Gould e N. Eldredge, "Punctuated Equilibria: The Tempo and Mode of Evolution Reconsidered". *Paleobiology*, v. 3, n. 2, p. 115, 1977.

73. P. W. Andrews et al., "Adaptationism: How to Carry Out an Exaptationist Program". *BBS*, v. 25, n. 4, p. 489, 2002; S. J. Gould e E. S. Vrba, "Exaptation: A Missing Term in the Science of Form". *Paleobiology*, v. 8, n. 1, p. 4, 1982; A. Figueredo e S. Berry, "'Just Not So Stories': Exaptations, Spandrels, and Constraints". *BBS*, v. 25, n. 4, p. 517, 2002; J. Roney e D. Maestripieri, "The Importance of Comparative and Phylogenetic Analyses in the Study of Adaptation". *BBS*, v. 25, n. 4, p. 525, 2002.

74. A. Brown, *The Darwin Wars: The Scientific Battle for the Soul of Man*. Nova York: Touchstone; Simon and Schuster, 1999.

75. S. J. Gould e R. Lewontin, "The Spandrels of San Marco and the Panglossian Paradigm: A Critique of the Adaptationist Programme". *Proc Royal Soc of London B*, v. 205, p. 581, 1979.

76. D. Barash e J. Lipton, "How the Scientist Got His Ideas". *Chronicle of Higher Education*, 3 jan. 2010.

II. NÓS VERSUS ELES [pp. 381-417]

1. D. Hofstede, *Planet of the Apes: An Unofficial Companion*. Toronto: ECW Press, 2001.

2. T. A. Ito e G. R. Urland, "Race and Gender on the Brain: Electrocortical Measures of Attention to the Race and Gender of Multiply Categorizable Individuals", op. cit.; T. Ito e B. Bartholow, "The Neural Correlates of Race". *TICS*, v. 13, n. 12, p. 524, 2009.

3. A. Greenwald et al., "Measuring Individual Differences in Implicit Cognition: The Implicit Association Test". *JPSP*, v. 74, n. 6, p. 1464, 1998.

4. N. Mahajan et al., "The Evolution of Intergroup Bias: Perceptions and Attitudes in Rhesus Macaques". *JPSP*, v. 100, n. 3, p. 387, 2011.

5. H. Tajfel, "Social Psychology of Intergroup Relations". *Ann Rev of Psych*, v. 33, p. 1, 1982; H. Tajfel, "Experiments in Intergroup Discrimination". *Sci Am*, v. 223, p. 96, 1970.

6. E. Losin et al., "Own-Gender Imitation Activates the Brain's Reward Circuitry". *SCAN*, v. 7, n. 7, p. 804, 2012; B. C. Müller et al., "Prosocial Consequences of Imitation". *Psych Rep*, v. 110, n. 3, p. 891, 2012.

7. S. B. Flagel et al., "A Selective Role for Dopamine in Stimulus-Reward Learning". *Nat*, v. 469, n. 7328, p. 53, 2011.

8. A. S. Baron e M. R. Banaji, "The Development of Implicit Attitudes: Evidence of Race Evaluations from Ages 6, 10, and Adulthood". *Psych Sci*, v. 17, n. 1, p. 53, 2006; F. E. Aboud, *Children and Prejudice*. Nova York: Blackwell, 1988; R. S. Bigler et al., "Social Categorization and the Formation of Intergroup Attitudes in Children". *Child Development*, v. 68, n. 3, p. 530, 1997; L. A. Hirschfeld, "Natural Assumptions: Race, Essence and Taxonomies of Human Kinds". *Soc Res*, v. 65, n. 2, p. 331, 1998; R. S. Bigler et al., "Developmental Intergroup Theory: Explaining and Reducing Children's Social Stereotyping and Prejudice". *Curr Dir Psych Sci*, v. 16, n. 3, p. 162, 2007; P. Bronson e A. Merryman, "See Baby Discriminate" (*Newsweek*, p. 53, 14 set. 2009) (do livro dos autores *Nurture Shock* [Ed. bras.: *Filhos: Novas ideias sobre educação*. São Paulo: Leya, 2010]).

9. K. D. Kinzler et al., "The Native Language of Social Cognition". *PNAS*, v. 104, n. 30, p. 12577, 2007; S. Sangrigoli e S. De Schonen, "Recognition of Own-Race and Other-Race Faces by Three-Month-Old Infants". *J Child Psych and Psychiatry*, v. 45, n. 7, p. 1219, 2004.

10. S. Sangrigoli et al., "Reversibility of the Other-Race Effect in Face Recognition During Childhood". *Psych Sci*, v. 16, n. 6, p. 440, 2005.

11. R. Bigler e L. Liben, "Developmental Intergroup Theory: Explaining and Reducing Children's Social Stereotyping and Prejudice", op. cit.

12. A. J. Cuddy et al., "Stereotype Content Model Across Cultures: Towards Universal Similarities and Some Differences", op. cit.; H. Bernhard et al., "Parochial Altruism in Humans". *Nat*, v. 442, n. 7105, p. 912, 2006.

13. M. Levine et al., "Self-Categorization and Bystander Non-intervention: Two Experimental Studies". *J Applied Soc Psych*, v. 32, n. 7, p. 1452, 2002; J. M. Engelmann e E. Hermann, "Chimpanzees Trust Their Friends". *Curr Biol*, v. 26, n. 2, p. 252, 2016.

14. M. Levine et al., "Identity and Emergency Intervention: How Social Group Membership and Inclusiveness of Group Boundaries Shape Helping Behavior", op. cit.

15. H. A. Hornstein et al., "Effects of Sentiment and Completion of a Helping Act on Observer Helping: A Case for Socially Mediated Zeigarnik Effects". *JPSP*, v. 17, n. 1, p. 107, 1971.

16. L. Gaertner e C. Insko, "Intergroup Discrimination in the Minimal Group Paradigm: Categorization, Reciprocation, or Fear?". *JPSP*, v. 79, n. 1, p. 77, 2000; T. Wildschut et al., "Intragroup Social Influence and Intergroup Competition". *JPSP*, v. 82, n. 6, p. 975, 2002; C. A. Insko et al., "Interindividual-Intergroup Discontinuity as a Function of Trust and Categorization: The Paradox of Expected Cooperation". *JPSP*, v. 88, n. 2, p. 365, 2005.

17. M. Cikara et al., "Us Versus Them: Social Identity Shapes Neural Responses to Intergroup Competition and Harm". *Psych Sci*, v. 22, n. 3, p. 306, 2011; E. R. de Bruijn et al., "When Errors Are Rewarding". *J Nsci*, v. 29, n. 39, p. 12183, 2009; J. J. Van Bavel et al., "Modulation of the Fusiform Face

Area Following Minimal Exposure to Motivationally Relevant Faces: Evidence of In-group Enhancement (Not Out-group Disregard)". *J Cog Nsci*, v. 223, n. 11, p. 3343, 2011; M. Cikar et al., "Their Pain Gives Us Pleasure: How Intergroup Dynamics Shape Empathic Failures and Counter-empathic Responses". *JESP*, v. 55, p. 110, 2014.

18. T. Singer et al., "Empathic Neural Responses Are Modulated by the Perceived Fairness of Others". *Nat*, v. 439, n. 7075, p. 466, 2006; H. Takahashi et al., "When Your Gain Is My Pain and Your Pain Is My Gain: Neural Correlates of Envy and Schadenfreude". *Sci*, v. 323, n. 5916, p. 937, 2009.

19. G. Hertel e N. L. Kerr, "Priming In-group Favoritism: The Impact of Normative Scripts in the Minimal Group Paradigm". *JESP*, v. 37, p. 316, 2001.

20. J. N. Gutsell e M. Inzlicht, "Intergroup Differences in the Sharing of Emotive States: Neural Evidence of an Empathy Gap". *SCAN*, v. 7, n. 5, p. 596, 2012; J. Y. Chiao et al., "Cultural Specificity in Amygdala Response to Fear Faces". *J Cog Nsci*, v. 20, n. 12, p. 2167, 2008.

21. P. K. Piff et al., "Me Against We: In-group Transgression, Collective Shame, and In-group-Directed Hostility". *Cog & Emotion*, v. 26, n. 4, p. 634, 2012.

22. W. Barrett, "Thug Life: The Shocking Secret History of Harold Giuliani, the Mayor's Ex-Convict Dad". *Village Voice*, 5 jul. 2000; D. Strober e G. Strober, *Giuliani: Flawed or Flawless?* Nova York: Wiley, 2007.

23. J. A. Lukas, "Judge Hoffman Is Taunted at Trial of the Chicago 7 After Silencing Defense Counsel". *New York Times*, 6 fev. 1970.

24. S. Svonkin, *Jews Against Prejudice: American Jews and the Fight for Civil Liberties*. Nova York: Columbia University Press, 1997; A. Zahr, "I Refuse to Condemn". *Civil Arab*, 9 jan. 2015. Disponível em: <www.civilarab.com/i-refuse-to-condemn>.

25. D. A. Stanley et al., "Implicit Race Attitudes Predict Trustworthiness Judgments and Economic Trust Decisions". *PNAS*, v. 108, n. 19, p. 7710, 2011; Y. Dunham, "An Angry = Outgroup Effect". *JESP*, v. 47, n. 3, p. 668, 2011; D. Maner et al., "Functional Projection: How Fundamental Social Motives Can Bias Interpersonal Perception". *JPSP*, v. 88, n. 1, p. 63, 2005; K. Hugenberg e G. Bodenhausen, "Facing Prejudice: Implicit Prejudice and the Perception of Facial Threat". *Psych Sci*, v. 14, n. 6, p. 640, 2003; A. Rattan et al., "Race and the Fragility of the Legal Distinction Between Juveniles and Adults". *PLoS ONE*, v. 7, n. 5, p. e36680, 2012; Y. J. Xiao e J. J. Van Bavel, "See Your Friends Close and Your Enemies Closer: Social Identity and Identity Threat Shape the Representation of Physical Distance". *PSPB*, v. 38, n. 7, p. 959, 2012; B. Reiek et al., "Intergroup Threat and Outgroup Attitudes: A Meta-analytic Review". *PSPR*, v. 10, n. 4, p. 336, 2006; H. A. Korn, et al., "Neurolaw: Differential Brain Activity for Black and White Faces Predicts Damage Awards in Hypothetical Employment Discrimination Cases". *Soc Nsci*, v. 7, n. 4, p. 398, 2012. Ativação da ínsula durante interação com alguém de fora do grupo em um jogo: J. Rilling et al., "Social Cognitive Neural Networks During In-group and Out-group Interactions" (*NeuroImage*, v. 41, n. 4, p. 1447, 2008).

26. P. Rozin et al., "From Oral to Moral". *Sci*, v. 323, p. 1179, 2009.

27. G. Hodson e K. Costello, "Interpersonal Disgust, Ideological Orientations, and Dehumanization as Predictors of Intergroup Attitudes". *Psych Sci*, v. 18, n. 8, p. 691, 2007.

28. G. Hodson et al., "A Joke Is Just a Joke (Except When It Isn't): Cavalier Humor Beliefs Facilitate the Expression of Group Dominance Motives". *JPSP*, v. 99, n. 44, p. 460, 2010.

29. D. Berreby, *Us and Them: The Science of Identity*. Chicago: University of Chicago Press, 2008.

30. Leyens et al., "The Emotional Side of Prejudice: The Attribution of Secondary Emotions to

Ingroups and Outgroups". *PSPR*, v. 4, n. 2, p. 186, 2000; K. Wailoo, *Pain: A Political History*. Baltimore: Johns Hopkins University Press, 2014.

31. J. T. Jost e O. Hunyad, "Antecedents and Consequences of System-Justifying Ideologies". *Curr Dir Psych Sci*, v. 14, n. 5, p. 260, 2005; G. E. Newman e P. Bloom, "Physical Contact Influences How Much People Pay at Celebrity Auctions". *PNAS*, v. 111, n. 10, p. 3705, 2013.

32. J. Greenberg et al., "Evidence for Terror Management II: The Effects of Mortality Salience on Reactions to Those Who Threaten or Bolster the Cultural Worldview". *JPSP*, v. 58, n. 2, p. 308, 1990.

33. J. Haidt, "The Emotional Dog and Its Rational Tail: A Social Intuitionist Approach to Moral Judgment". *Psych Rev*, v. 108, n. 4, p. 814, 2001; J. Haidt, *The Righteous Mind: Why Good People Are Divided by Politics and Religion*. Nova York: Pantheon, 2012.

34. D. Berreby, *Us and Them: The Science of Identity*, op. cit.

35. W. Cunningham et al., "Implicit and Explicit Ethnocentrism: Revisiting the Ideologies of Prejudice". *PSPB*, v. 30, n. 10, p. 1332, 2004.

36. M. J. Wood et al., "Dead and Alive: Beliefs in Contradictory Conspiracy Theories". *Social Psych and Personality Sci*, v. 3, n. 6, p. 767, 2012.

37. C. Zogmaister et al., "The Impact of Loyalty and Equality on Implicit Ingroup Favoritism". *Group Processes & Intergroup Relations*, v. 11, n. 4, p. 493, 2008.

38. C. D. Navarrete et al., "Race Bias Tracks Conception Risk Across the Menstrual Cycle". *Psych Sci*, v. 20, n. 6, p. 661, 2009; C. Navarrete et al., "Fertility and Race Perception Predict Voter Preference for Barack Obama". *EHB*, v. 31, p. 391, 2010.

39. G. E. Newman e P. Bloom, "Physical Contact Influences How Much People Pay at Celebrity Auctions", op. cit.; R. Sapolsky, "Magical Thinking and the Stain of Madoff's Sweater". *Wall Street Journal*, 12 jul. 2014.

40. B. Sax, *Animals in the Third Reich: Pets, Scapegoats, and the Holocaust*. Providence, RI: Yogh and Thorn, 2000.

41. A. Rutland e R. Brown, "Stereotypes as Justification for Prior Intergroup Discrimination: Studies of Scottish National Stereotyping". *Eur J Soc Psych*, v. 31, n. 2, p. 127, 2001.

42. C. S. Crandall et al., "Stereotypes as Justifications of Prejudice". *PSPB*, v. 37, n. 11, p. 1488, 2011.

43. R. Niebuhr, *The Nature and Destiny of Man*, v. 1. Londres: Nisbet, 1941; B. P. Meier e V. B. Hinsz, "A Comparison of Human Aggression Committed by Groups and Individuals: An Interindividual Intergroup Discontinuity". *JESP*, v. 40, n. 4, p. 551, 2004; T. Wildschut et al., "Beyond the Group Mind: A Quantitative Review of the Interindividual-Intergroup Discontinuity Effect". *Psych Bull*, v. 129, n. 5, p. 698, 2003.

44. T. Cohen et al., "Group morality and Intergroup Relation: Cross-Cultural and Experimental Evidence". *PSPB*, v. 32, n. 11, p. 1559, 2006; T. Wildschut et al., "Intragroup Social Influence and Intergroup Competition", op. cit.

45. S. Bowles, "Conflict: Altruism's Midwife". *Nat*, v. 456, n. 7220, p. 326, 2008.

46. M. Shih et al., "Stereotype Susceptibility: Identity Salience and Shifts in Quantitative Performance". *Psych Sci*, v. 10, n. 1, p. 80, 1999; T. Harada et al., "Dynamic Social Power Modulates Neural Basis of Math Calculation". *Front Hum Nsci*, v. 6, p. 350, 2012; J. Van Bavel e W. Cunningham, "Self-Categorization with a Novel Mixed-Race Group Moderates Automatic Social and Racial Biases". *PSPB*, v. 35, n. 3, p. 321, 2009; G. Bohner et al., "Situational Flexibility of In-group-Related Attitudes: A Single

Category IAT Study of People with Dual National Identity". *Group Processes & Intergroup Relations*, v. 11, n. 3, p. 301, 2008.

47. N. Jablonski, *Skin: A Natural History*. Oakland, CA: University of California Press, 2006; A. Gibbons, "Shedding Light on Skin Color". *Sci*, v. 346, p. 934, n. 6212, 2014.

48. R. Hahn, "Why Race Is Differentially Classified on US Birth and Infant Death Certificates: An Examination of Two Hypotheses". *Epidemiology*, v. 10, n. 2, p. 108, 1999.

49. C. D. Navarrete et al., "Fear Extinction to an Out-group Face: The Role of Target Gender". *Psych Sci*, v. 20, n. 2, p. 155, 2009; J. P. Mitchell et al., "Contextual Variations in Implicit Evaluation". *J Exp Psych: General*, v. 132, n. 3, p. 455, 2003. Este último artigo é o que envolve políticos versus atletas.

50. R. Kurzban et al., "Can Race Be Erased? Coalitional Computation and Social Categorization". *PNAS*, v. 98, n. 26, p. 15387, 2001.

51. M. E. Wheeler e S. T. Fiske, "Controlling Racial Prejudice: Social-Cognitive Goals Affect Amygdala and Stereotype Activation". *Psych Sci*, v. 16, n. 1, p. 56, 2005; J. P. Mitchell et al., "The Link Between Social Cognition and Self-Referential Thought in the Medial Prefrontal Cortex". *J Cog Nsci*, v. 17, n. 8, p. 1306, 2005.

52. M. A. Halleran, *The Better Angels of Our Nature: Freemasonry in the American Civil War*. Tuscaloosa, AL: University of Alabama Press, 2010.

53. T. Keneally, *The Great Shame: And the Triumph of the Irish in the English-Speaking World*. Nova York: Anchor, 2000.

54. Obituário de Patrick Leigh Fermor, *Daily Telegraph* (Londres), 11 jun. 2011. Para uma filmagem da reunião com Kreipe, ver "Η ΑΠΑΓΩΓΗ ΤΟΥ ΣΤΡΑΤΗΓΟΥ ΚΡΑΙΠΕ", vídeo enviado por Idomeneas Kanakakis em 21 de outubro de 2010, disponível em: <www.youtube.com/watch?v=-8zlUhJwddFU>. Para um documentário sobre o sequestro e a jornada, ver "The Abduction of Gengeral Kreipe.avi", enviado por Nico Mastorakis em 25 de fevereiro de 2012, disponível em: <youtu.be/vN1qrghgCqI>.

55. E. Krusemark e W. Li, "Do All Threats Work the Same Way? Divergent Effects of Fear and Disgust on Sensory Perception and Attention". *J Nsci*, v. 31, n. 9, p. 3429, 2011.

56. M. Plitt et al., "Are Corporations People Too? The Neural Correlates of Moral Judgments About Companies and Individuals". *Social Nsci*, v. 10, n. 2, p. 113, 2015.

57. S. Fiske et al., "A Model of (Often Mixed) Stereotype Content: Competence and Warmth Respectively Follow from Perceived Status and Competition". *JPSP*, v. 82, n. 6, p. 878, 2002; L. T. Harris e S. T. Fiske, "Dehumanizing the Lowest of the Low: Neuroimaging Responses to Extreme Out-groups". *Psych Sci*, v. 17, n. 10, p. 847, 2006; L. T. Harris e S. T. Fiske, "Social Groups That Elicit Disgust Are Differentially Processed in mPFC". *SCAN*, v. 2, n. 1, p. 45, 2007. Ver também S. Morrison et al., "The Neuroscience of Group Membership" (*Neuropsychologia*, v. 50, n. 8, p. 2114, 2012).

58. T. Ashworth, *Trench Warfare: 1914-1918*. Londres: Pan, 1980.

59. K. B. Clark e M. P. Clark, "Racial Identification and Preference Among Negro Children". In: E. L. Hartley (Org.), *Readings in Social Psychology*. Nova York: Holt, Rinehart, and Winston, 1947; K. Clark e C. Mamie, "The Negro Child in the American Social Order". *J Negro Education*, v. 19, p. 341, 1950; J. Jost et al., "A Decade of System Justification Theory: Accumulated Evidence of Conscious and Unconscious Bolstering of the Status Quo". *Political Psych*, v. 25, n. 6, p. 881, 2004; J. Jost et al., "Non-conscious Forms of System Justification: Implicit and Behavioral Preferences for Higher Status Groups". *JESP*, v. 38, n. 6, p. 586, 2002.

60. S. Lehrman, "The Implicit Prejudice". *Sci Am*, v. 294, p. 32, 2006.

61. K. Kawakami et al., "Mispredicting Affective and Behavioral Responses to Racism". *Sci*, v. 323, n. 5911, p. 276, 2009; B. Nosek, "Implicit-Explicit Relations". *Curr Dir Psych Sci*, v. 16, n. 2, p. 65, 2007; L. Rudman e R. Ashmore, "Discrimination and the Implicit Association Test". *Group Processes & Intergroup Relations*, v. 10, n. 3, p. 359, 2007; J. Dovidio et al., "Implicit and Explicit Prejudice and Interracial Interaction". *JPSP*, v. 82, n. 1, p. 62, 2002. Para uma abordagem adicional para revelar vieses implícitos, ver: I. Blair, "The Malleability of Automatic Stereotypes and Prejudice" (*PSPR*, v. 6, n. 3, p. 242, 2002).

62. W. Cunningham et al., "Separable Neural Components in the Processing of Black and White Faces". *Psych Sci*, v. 15, n. 12, p. 806, 2004; W. A. Cunningham et al., "Neural Correlates of Evaluation Associated with Promotion and Prevention Regulatory Focus". *Cog, Affective & Behav Nsci*, v. 5, n. 2, p. 202, 2005; K. M. Knutso et al., "Neural Correlates of Automatic Beliefs About Gender and Race". *Hum Brain Mapping*, v. 28, n. 10, p. 915, 2007.

63. B. K. Payne, "Conceptualizing Control in Social Cognition: How Executive Functioning Modulates the Expression of Automatic Stereotyping". *JPSP*, v. 89, n. 4, p. 488, 2005.

64. J. Dovidio et al., "Why Can't We Just Get Along? Interpersonal Biases and Interracial Distrust". *Cultural Diversity & Ethnic Minority Psych*, v. 8, n. 2, p. 88, 2002.

65. J. Richeson et al., "An fMRI Investigation of the Impact of Interracial Contact on Executive Function". *Nat Nsci*, v. 6, n. 12, p. 1323, 2003; J. Richeson e J. Shelton, "Negotiating Interracial Interactions: Cost, Consequences, and Possibilities". *Curr Dir Psych Sci*, v. 16, n. 6, p. 316, 2007.

66. J. N. Shelton et al., "Expecting to Be the Target of Prejudice: Implications for Interethnic Interactions". *PSPB*, v. 31, n. 9, p. 1189, 2005.

67. P. M. Herr, "Consequences of Priming: Judgment and Behavior". *JPSP*, v. 51, n. 6, p. 1106, 1986; N. Dasgupta e A. Greenwald, "On the Malleability of Automatic Attitudes: Combating Automatic Prejudice with Images of Admired and Disliked Individuals". *JPSP*, v. 81, n. 5, p. 800, 2001.

68. W. A. Cunningham et al., "Rapid Social Perception Is Flexible: Approach and Avoidance Motivational States Shape P100 Responses to Other-Race Faces". *Front Hum Nsci*, v. 6, p. 140, 2012.

69. A. D. Galinsky e G. B. Moskowitz, "Perspective-Taking: Decreasing Stereotype Expression, Stereotype Accessibility, and In-group Favoritism". *JPSP*, v. 78, n. 4, p. 708, 2000; I. Blair et al., "Imagining Stereotypes Away: The Moderation of Implicit Stereotypes Through Mental Imagery". *JPSP*, v. 81, n. 5, p. 828, 2001; T. J. Allen et al., "Social Context and the Self-Regulation of Implicit Bias". *Group Processes & Intergroup Relations*, v. 13, n. 2, p. 137, 2010; J. Fehr e K. Sassenberg, "Willing and Able: How Internal Motivation and Failure Help to Overcome Prejudice". *Group Processes & Intergroup Relations*, v. 13, n. 2, p. 167, 2010.

70. C. Macrae et al., "The Dissection of Selection in Person Perception: Inhibitory Processes in Social Stereotyping". *JPSP*, v. 69, n. 3, p. 397, 1995.

71. T. Pettigrew e L. A. Tropp, "A Meta-analytic Test of Intergroup Contact Theory". *JPSP*, v. 90, n. 5, p. 751, 2006.

72. A. Rutherford et al., "Good Fences: The Importance of Setting Boundaries for Peaceful Coexistence", op. cit.; L. G. Babbitt e S. R. Sommers, "Framing Matters: Contextual Influences on Interracial Interaction Outcomes". *PSPB*, v. 37, n. 9, p. 1233, 2011.

73. M. J. Williams e J. L. Eberhardt, "Biological Conceptions of Race and the Motivation to Cross Racial Boundaries". *JPSP*, v. 94, n. 6, p. 1033, 2008.

74. G. Hodson et al., "A Joke Is Just a Joke (Except When It Isn't): Cavalier Humor Beliefs Facilitate the Expression of Group Dominance Motives", op. cit.; F. Pratto e M. Shih, "Social Dominance

Orientation and Group Context in Implicit Group Prejudice". *Psych Sci*, v. 11, n. 6, p. 515, 2000; F. Pratto et al., "Social Dominance Orientation and the Legitimization of Inequality Across Cultures". *J Cross-Cultural Psych*, v. 31, n. 3, p. 369, 2000; F. Durante et al., "Nations' Income Inequality Predicts Ambivalence in Stereotype Content: How Societies Mind the Gap", op. cit.; A. C. Kay e J. T. Jost, "Complementary Justice: Effects of 'Poor but Happy' and 'Poor but Honest' Stereotype Exemplars on System Justification and Implicit Activation of the Justice Motive". *JPSP*, v. 85, n. 5, p. 823, 2003; A Kay, et al., "Victim Derogation and Victim Enhancement as Alternate Routes to System Justification". *Psych Sci*, v. 16, n. 3, p. 240, 2005.

75. C. Sibley e J. Duckitt, "Personality and Prejudice: A Meta-analysis and Theoretical Review". *PSPR*, v. 12, n. 3, p. 248, 2008.

76. J. Dovidio et al., "Commonality and the Complexity of 'We': Social Attitudes and Social Change". *PSPR*, v. 13, n. 1, p. 3, 2013; E. Hehman et al., "Group Status Drives Majority and Minority Integration Preferences". *Psych Sci*, v. 23, n. 1, p. 46, 2011.

77. Demonstração de que uma recompensa compartilhada com um membro do grupo ativa mais as vias dopaminérgicas de recompensa do que a mesma recompensa compartilhada com um estranho: J. B. Freeman e D. Fareri et al., "Social Network Modulation of Reward-Related Signals" (*J Nsci*, v. 32, n. 26, p. 9045, 2012).

12. HIERARQUIA, OBEDIÊNCIA E RESISTÊNCIA [pp. 418-67]

1. J. Freeman et al., "The Part: Social Status Cues Shape Race Perception". *PLoS ONE*, v. 6, n. 9, p. e25107, 2011.

2. R. George, "Faith and Toilets". *Sci Am*, 19 nov. 2015.

3. R. I. Dunbar e S. Shultz, "Evolution in the Social Brain". *Sci*, v. 317, n. 5843, p. 1344, 2007; R. I. Dunbar, "The Social Brain Hypothesis and Its Implications for Social Evolution". *Ann Hum Biol*, v. 36, n. 5, p. 562, 2009; F. J. Pérez-Barbería et al. "Evidence for Coevolution of Sociality and Relative Brain Size in Three Orders of Mammals". *Evolution*, v. 61, n. 12, p. 2811, 2007; J. Powell et al., "Orbital Prefrontal Cortex Volume Predicts Social Network Size: An Imaging Study of Individual Differences in Humans". *Proc Royal Soc B: BiolSci*, v. 279, n. 1736, p. 2157, 2012; P. A. Lewis et al., "Ventromedial Prefrontal Volume Predicts Understanding of Others and Social Network Size". *NeuroImage*, v. 57, n. 4, p. 1624, 2011; J. L. Powell et al., "Orbital Prefrontal Cortex Volume Correlates with Social Cognitive Competence". *Neuropsychologia*, v. 48, n. 12, p. 3554, 2010; J. Lehmann e R. I. Dunbar, "Network Cohesion, Group Size and Neocortex Size in Female-Bonded Old World Primates". *Proc Royal Soc B: BiolSci*, v. 276, n. 1677, p. 4417, 2009; J. Sallet et al., "Social Network Size Affects Neural Circuits in Macaques", op. cit.

4. F. Amici et al., "Fission-Fusion Dynamics, Behavioral Flexibility, and Inhibitory Control in Primates", op. cit.; A. B. Bond et al., "Serial Reversal Learning and the Evolution of Behavioral Flexibility in Three Species of North American Corvids (*Gymnorhinus cyanocephalus, Nucifraga columbiana, Aphelocoma californica*)", op. cit.; A. Bond et al., "Social Complexity and Transitive Inference in Corvids". *Animal Behav*, v. 65, n. 3, p. 479, 2003.

5. J. Lehmann e R. I. Dunbar, "Network Cohesion, Group Size and Neocortex Size in Female-Bonded Old World Primates", op. cit.

6. J. Powell et al., "Orbital Prefrontal Cortex Volume Predicts Social Network Size: An Imaging Study of Individual Differences in Humans", op. cit.; P. A. Lewis et al., "Ventromedial Prefrontal Volume Predicts Understanding of Others and Social Network Size", op. cit.; J. L. Powell et al., "Orbital Prefrontal Cortex Volume Correlates with Social Cognitive Competence", op. cit.; K. C. Bickart et al., "Amygdala Volume and Social Network Size in Humans". *Nat Nsci*, v. 14, n. 2, p. 163, 2011; R. Kanai et al., "Online Social Network Size Is Reflected in Human Brain Structure", op. cit.

7. F. Elgar et al., "Income Inequality and School Bullying: Multilevel Study of Adolescents in 37 Countries". *J Adolescent Health*, v. 45, n. 4, p. 351, 2009.

8. E. González-Bono et al., "Testosterone, Cortisol and Mood in a Sports Team Competition". *HormBehav*, v. 35, n. 1, p. 55, 2009; E. González-Bono et al., "Testosterone and Attribution of Successful Competition". *Aggressive Behav*, v. 26, n. 3, p. 235, 2000.

9. N. O. Rule et al., "Perceptions of Dominance Following Glimpses of Faces and Bodies", op. cit.

10. L. Thomsen et al., "Big and Mighty: Preverbal Infants Mentally Represent Social Dominance". *Sci*, v. 331, n. 6016, p. 477, 2011.

11. S. V. Shepherd et al., "Social Status Gates Social Attention in Monkeys". *Curr Biol*, v. 16, n. 4, p. R119, 2006; J. Massen et al., "Ravens Notice Dominance Reversals Among Conspecifics Within and Outside Their Social Group". *Nat Communications*, v. 5, p. 3679, 2013.

12. M. Karafin et al., "Dominance Attributions Following Damage to the Ventromedial Prefrontal Cortex". *J Cog Nsci*, v. 16, n. 10, p. 1796, 2004; L. Mah et al., "Impairment of Social Perception Associated with Lesions of the Prefrontal Cortex". *Am J Psychiatry*, v. 161, n. 7, p. 1247, 2004; T. Farrow et al., "Higher or Lower? The Functional Anatomy of Perceived Allocentric Social Hierarchies". *NeuroImage*, v. 57, n. 4, p. 1552, 2011; C. F. Zink et al., "Know Your Place: Neural Processing of Social Hierarchy in Humans". *Neuron*, v. 58, n. 2, p. 273, 2008.

13. A. A. Marsh et al., "Dominance and Submission: The Ventrolateral Prefrontal Cortex and Responses to Status Cues". *J Cog Nsci*, v. 21, n. 4, p. 713, 2009; T. Allison et al., "Social Perception from Visual Cues: Role of the STS Region". *TICS*, v. 4, n. 7, p. 267, 2000; J. B. Freeman et al., "Culture Shapes a Mesolimbic Response to Signals of Dominance and Subordination That Associates with Behavior". *NeuroImage*, v. 47, n. 1, p. 353, 2009.

14. M. Nader et al., "Social Dominance in Female Monkeys: Dopamine Receptor Function and Cocaine Reinforcement". *BP*, v. 72, n. 5, p. 414, 2012; M. P. Noonan et al., "A Neural Circuit Covarying with Social Hierarchy in Macaques". *PLoSBiol*, v. 12, n. 9, p. e1001940, 2014; F. Wang et al., "Bidirectional Control of Social Hierarchy by Synaptic Efficacy in Medial Prefrontal Cortex". *Sci*, v. 334, n. 6056, p. 693, 2011.

15. M. Rushworth et al., "Are There Specialized Circuits for Social Cognition and Are They Unique to Humans?". *Current Opinion in Neurobiology* , v. 23, n. 3, p. 10806, 2013.

16. Por exemplo: J. C. Beehner et al., "Testosterone Related to Age and Life-History Stages in Male Baboons and Geladas" (*HormBehav*, v. 56, n. 4, p. 472, 2009).

17. J. Brady et al., "Avoidance Behavior and the Development of Duodenal Ulcers". *J the Exp Analysis of Behav*, v. 1, n. 1, p. 69, 1958; J. Weiss, "Effects of Coping Responses on Stress". *J Comp Physiological Psych*, v. 65, n. 2, p. 251, 1968.

18. R. Sapolsky, "The Influence of Social Hierarchy on Primate Health". *Sci*, v. 308, n. 5722, p. 648, 2005; H. Uno et al., "Hippocampal Damage Associated with Prolonged and Fatal Stress in Primates". *J Nsci*, v. 9, n. 5, p. 1705, 1989; R. Sapolsky et al., "Hippocampal Damage Associated with Prolonged

Glucocorticoid Exposure in Primates". *J Nsci*, v. 10, n. 9, p. 2897, 1990; ver também E. Archie et al., "Social Status Predicts Wound Healing in Wild Baboons" (*PNAS*, v. 109, n. 23, p. 9017, 2012).

19. R. Sapolsky, "The Physiology of Dominance in Stable Versus Unstable Social Hierarchies". In: W. Mason e S. Mendoza (Orgs.), *Primate Social Conflict*. Nova York: SUNY Press, 1993.

20. L. R. Gesquiere et al., "Life at the Top: Rank and Stress in Wild Baboons". *Sci*, v. 333, n. 6040, p. 357, 2011.

21. D. Abbott et al., "Are Subordinates Always Stressed? A Comparative Analysis of Rank Differences in Cortisol Levels Among Primates". *Horm Behav*, v. 43, n. 1, p. 67, 2003.

22. R. Sapolsky e J. Ray, "Styles of Dominance and Their Physiological Correlates Among Wild Baboons", op. cit.; J. C. Ray e R. Sapolsky, "Styles of Male Social Behavior and Their Endocrine Correlates Among High-Ranking Baboons", op. cit.; C. E. Virgin e R. Sapolsky, "Styles of Male Social Behavior and Their Endocrine Correlates Among Low-Ranking Baboons", op. cit.

23. J. Chiao et al., "Neural Basis of Preference for Human Social Hierarchy Versus Egalitarianism". *ANYAS*, v. 1167, n. 1, p. 174, 2009; J. Sidanius et al., "You're Inferior and Not Worth Our Concern: The Interface Between Empathy and Social Dominance Orientation". *J Personality*, v. 81, n. 3, p. 313, 2012.

24. G. Sherman et al., "Leadership Is Associated with Lower Levels of Stress". *PNAS*, v. 109, p. 17903, 2012; R. Sapolsky, "Importance of a Sense of Control and the Physiological Benefits of Leadership". *PNAS*, v. 109, n. 44, p. 17730, 2012.

25. N. Adler e J. Ostrove, "SES and Health: What We Know and What We Don't", op. cit.; R. Wilkinson, *Mind the Gap: Hierarchies, Health and Human Evolution*. Londres: Weidenfeld and Nicolson, 2000; I. Kawachi e B. Kennedy, *The Health of Nations: Why Inequality Is Harmful to Your Health*. Nova York: New Press, 2002; M. Marmot, *The Status Syndrome: How Social Standing Affects Our Health and Longevity*. Nova York: Bloomsbury, 2015.

26. A. Todorov et al., "Inferences of Competence from Faces Predict Election Outcomes". *Sci*, v. 308, n. 5728, p. 1623, 2005.

27. T. Tsukiura e R. Cabeza, "Shared Brain Activity for Aesthetic and Moral Judgments: Implications for the Beauty-Is-Good Stereotype", op. cit.

28. K. Dion et al., "What Is Beautiful Is Good". *JPSP*, v. 24, n. 3, p. 285, 1972.

29. N. K. Steffens e S. A. Haslam, "Power Through 'Us': Leaders' Use of We-Referencing Language Predicts Election Victory". *PLoS ONE*, v. 8, n. 10, p. e77952, 2013.

30. B. R. Spisak et al., "Warriors and Peacekeepers: Testing a Biosocial Implicit Leadership Hypothesis of Intergroup Relations Using Masculine and Feminine Faces". *PLoS ONE*, v. 7, n. 1, p. e30399, 2012; B. R. Spisak, "The General Age of Leadership: Older-Looking Presidential Candidates Win Elections During War". *PLoS ONE*, v. 7, n. 5, p. e36945, 2012; B. R. Spisak et al., "A Face for All Seasons: Searching for Context-Specific Leadership Traits and Discovering a General Preference for Perceived Health". *Front Hum Nsci*, v. 8, p. 792, 2014.

31. J. Antonakis e O. Dalgas, "Predicting Elections: Child's Play!". *Sci*, v. 323, n. 5918, p. 1183, 2009.

32. K. Smith et al., "Linking Genetics and Political Attitudes: Reconceptualizing Political Ideology". *Political Psych*, v. 32, n. 3, p. 369, 2011.

33. G. Hodson e M. Busseri, "Bright Minds and Dark Attitudes: Lower Cognitive Ability Predicts Greater Prejudice Through Right-Wing Ideology and Low Intergroup Contact". *Psych Sci*, v. 32, n. 2, p. 187, 2012; C. Sibley e J. Duckitt, "Personality and Prejudice: A Meta-analysis and Theoretical Review". *PSPR*, v. 12, n. 3, p. 248, 2008.

34. L. Skitka et al., "Dispositions, Ideological Scripts, or Motivated Correction? Understanding Ideological Differences in Attributions for Social Problems". *JPSP*, v. 83, n. 2, p. 470, 2002; L. J. Skitka, "Ideological and Attributional Boundaries on Public Compassion: Reactions to Individuals and Communities Affected by a Natural Disaster". *PSPB*, v. 25, n. 7, p. 793, 1999; L. J. Skitka e P. E. Tetlock, "Providing Public Assistance: Cognitive and Motivational Processes Underlying Liberal and Conservative Policy Preferences". *JPSP*, v. 65, n. 6, p. 1205, 1993; G. S. Morgan et al., "When Values and Attributions Collide: Liberals' and Conservatives' Values Motivate Attributions for Alleged Misdeeds". *PSPB*, v. 36, n. 9, p. 1241, 2010; J. T. Jost e M. Krochik, "Ideological Differences in Epistemic Motivation: Implications for Attitude Structure, Depth of Information Processing, Susceptibility to Persuasion, and Stereotyping". *Advances in Motivation Sci*, v. 1, p. 181, 2014.

35. S. Eidelman et al., "Low-Effort Thought Promotes Political Conservatism". *PSPB*, v. 38, n. 6, p. 808, 2012; H. Thórisdóttir e J. T. Jost, "Motivated Closed-Mindedness Mediates the Effect of Threat on Political Conservatism". *Political Psych*, v. 32, n. 5, p. 785, 2011.

36. B. Briers et al., "Hungry for Money: The Desire for Caloric Resources Increases the Desire for Financial Resources and Vice Versa", op. cit.; S. Danziger et al., "Extraneous Factors in Judicial Decisions". *PNAS*, v. 108, n. 17, p. 6889, 2011. Este último é a fonte do gráfico no texto. C. Schein e K. Gray, "The Unifying Moral Dyad". *PSPB*, v. 41, n. 8, p. 1147, 2015.

37. S J. Thoma, "Estimating Gender Differences in the Comprehension and Preference of Moral Issues". *Developmental Rev*, v. 6, n. 2, p. 165, 1986; S. J. Thoma, "Research on the Defining Issues Test". In: M. Killen e J. Smetana (Orgs.). *Handbook of Moral Development*. Nova York: Psychology Press 2006, p. 67; S. J. Thoma et al., "The Distinctiveness of Moral Judgment". *Educational Psych Rev*, v. 11, p. 361, 1999; E. Turiel, *The Development of Social Knowledge: Morality and Convention*. Cambridge: Cambridge University Press, 1983; N. Kuyel e R. J. Clover, "Moral Reasoning and Moral Orientation of us and Turkish University Students". *Psych Rep*, v. 107, n. 2, p. 463, 2010.

38. J. Haidt, "The New Synthesis in Moral Psychology". *Sci*, v. 316, n. 5827, p. 998, 2007; G. L. Baril e J. C. Wright, "Different Types of Moral Cognition: Moral Stages Versus Moral Foundations". *Personality and Individual Differences*, v. 53, n. 4, p. 468, 2012.

39. N. Shook e R. Fazio, "Political Ideology, Exploration of Novel Stimuli, and Attitude Formation". *JESP*, v. 45, n. 4, p. 995, 2009; M. D. Dodd et al., "The Political Left Rolls with the Good and the Political Right Confronts the Bad: Connecting Physiology and Cognition to Preferences". *Philosophical Transactions of the Royal Soc B*, v. 367, n. 1589, p. 640, 2012; K. Bulkeley, "Dream Content and Political Ideology". *Dreaming*, v. 12, n. 2, p. 61, 2002; J. Vigil, "Political Leanings Vary with Facial Expression Processing and Psychosocial Functioning". *Group Processes & Intergroup Relations*, v. 13, n. 5, p. 547, 2011; John Jost et al., "Political Conservatism as Motivated Social Cognition". *Psych Bull*, v. 129, n. 3, p. 339, 2003; L. Castelli e L. Carraro, "Ideology Is Related to Basic Cognitive Processes Involved in Attitude Formation". *JESP*, v. 47, n. 5, p. 1013, 2011; L. Carraro et al., "Implicit and Explicit Illusory Correlation as a Function of Political Ideology". *PLoS ONE*, v. 9, n. 5, p. e96312, 2014; J. R. Hibbing et al., "Differences in Negativity Bias Underlie Variations in Political Ideology". *BBS*, v. 37, n. 3, p. 297, 2014.

40. Para uma interessante análise das relações entre nível hierárquico, estabilidade e aversão ao risco, ver: J. Jordan et al., "Something to Lose and Nothing to Gain: The Role of Stress in the Interactive Effect of Power and Stability on Risk Taking" (*Administrative Sci Quarterly*, v. 56, p. 530, 2011). Discutido em: J. Jost et al., "Political Conservatism as Motivated Social Cognition", op. cit.

41. P. Nail et al., "Threat Causes Liberals to Think Like Conservatives". *JESP*, v. 45, n. 4, p. 901,

2009; J. Greenberg et al., "The Causes and Consequences of the Need for Self-Esteem: A Terror Management Theory". In: R. Baumeister (Org.), *Public Self and Private Self*. Nova York: Springer, 1986; T. Pyszczynski et al., "A Dual Process Model of Defense Against Conscious and Unconscious Death-Related Thoughts: An Extension of Terror Management Theory". *Psych Rev*, v. 106, n. 4, p. 835, 1999.

42. J. L. Napier e J. T. Jost, "Why Are Conservatives Happier Than Liberals?". *Psych Sci*, v. 19, n. 6, p. 565, 2008.

43. J. Block e J. Block, "Nursery School Personality and Political Orientation Two Decades Later". *J Res in Personality*, v. 40, p. 734, 2006. Ver também: M. R. Tagar et al., "Heralding the Authoritarian? Orientation Toward Authority in Early Childhood" (*Psych Sci*, v. 25, n. 4, p. 883, 2014); e R. C. Fraley et al., "Developmental Antecedents of Political Ideology: A Longitudinal Investigation from Birth to Age 18 Years" (*Psych Sci*, v. 23, n. 11, p. 1425, 2012).

44. Y. Inbar et al., "Disgusting Smells Cause Decreased Liking of Gay Men". *Emotion*, v. 12, n. 1, p. 23, 2012; T. Adams et al., "Disgust and the Politics of Sex: Exposure to a Disgusting Odorant Increases Politically Conservative Views on Sex and Decreases Support for Gay Marriage". *PLoS ONE*, v. 9, n. 5, p. e95572, 2014; H. A. Chapman e A. K. Anderson, "Things Rank and Gross in Nature: A Review and Synthesis of Moral Disgust". *Psych Bull*, v. 139, n. 2, p. 300, 2013.

45. G. Hodson e K. Costello, "Interpersonal Disgust, Ideological Orientations, and Dehumanization as Predictors of Intergroup Attitudes". *Psych Sci*, v. 18, v. 8, p. 691, 2007; K. Smith et al., "Disgust Sensitivity and the Neurophysiology of Left-Right Political Orientations". *PLoS ONE*, v. 6, n. 10, p. e2552, 2011.

46. J. Lee et al., "Emotion Regulation as the Foundation of Political Attitudes: Does Reappraisal Decrease Support for Conservative Policies?". *PLoS ONE*, v. 8, n. 12, p. e83143, 2013; M. Feinberg et al., "Gut Check: Reappraisal of Disgust Helps Explain Liberal-Conservative Differences on Issues of Purity". *Emotion*, v. 14, n. 3, p. 513, 2014.

47. J. Haidt, *The Righteous Mind: Why Good People Are Divided by Politics and Religion*. Nova York: Pantheon, 2012; L. Kass, "The Wisdom of Repugnance: Why We Should Ban the Cloning of Human Beings". *New Republic*, 2 jun. 1997.

48. R. Kanai et al., "Political Orientations Are Correlated with Brain Structure in Young Adults". *Curr Biol*, v. 21, n. 8, p. 677, 2011; D. Schreiber et al., "Red Brain, Blue Brain: Evaluative Processes Differ in Democrats and Republicans". *PLoS ONE*, v. 8, n. 2, p. e52970, 2013; W. Ahn et al., "Nonpolitical Images Evoke Neural Predictors of Political Ideology". *Curr Biol*, v. 24, n. 22, p. 2693, 2014. Para uma revisão geral, ver: J. Hibbing et al., "The Deeper Source of Political Conflict: Evidence from the Psychological, Cognitive, and Neurosciences" (*TICS*, v. 18, n. 3, p. 111, 2014).

49. J. Settle et al., "Friendships Moderate an Association Between a Dopamine Gene Variant and Political Ideology". *J Politics*, v. 72, p. 1189, 2010; K. Smith et al., "Linking Genetics and Political Attitudes: Reconceptualizing Political Ideology", op. cit.; L. Buchen, "The Anatomy of Politics". *Nat*, v. 490, n. 7421, p. 466, 2012.

Alguns artigos sobre a genética da orientação e do envolvimento político:

Estudos com gêmeos: N. G. Martin et al., "The Transmission of Social Attitudes" (*PNAS*, v. 83, n. 12, p. 4364, 1986); R. I. Lake et al., "Further Evidence Against the Environmental Transmission of Individual Differences in Neuroticism from a Collaborative Study of 45,850 Twins and Relatives on Two Continents" (*Behav Genetics*, v. 30, n. 3, p. 223, 2000); e J. R. Alford et al., "Are Political Orientations Genetically Transmitted?" (*Am Political Sci Rev*, v. 99, n. 2, p. 153, 2005).

Ligação genômica ampla: P. Hatemi et al., "A Genome-wide Analysis of Liberal and Conservative Political Attitudes" (*J Politics*, v. 73, n. 1, p. 1, 2011); e D. Amodio et al., "Neurocognitive Correlates of Liberalism and Conservatism" (*Nat Nsci*, v. 10, n. 10, p. 1246, 2007).

50. T. Kameda e R Hastie, "Herd Behavior: Its Biological, Neural, Cognitive and Social Underpinnings,". In: R. Scott e S. Kosslyn (Orgs.), *Emerging Trends in the Social and Behavioral Sciences*. Hoboken, NJ: Wiley and Sons, 2015; H. Kelman, "Compliance, Identification, and Internalization: Three Processes of Attitude Change". *J Conflict Resolution*, v. 2, n. 1, p. 51, 1958.

51. B. O. McGonigle e M. Chalmers, "Are Monkeys Logical?". *Nat*, v. 267, n. 5613, p. 694, 1977; D. J. Gillian, "Reasoning in the Chimpanzee: II. Transitive Inference". *J Exp Psych: Animal Behav Processes*, v. 7, p. 87, 1981; H. Davis, "Transitive Inference in Rats (*Rattus norvegicus*)". *J Comparative Psych*, v. 106, n. 4, p. 342, 1992; W. Roberts e M. Phelps, "Transitive Inference in Rats: A Test of the Spatial Coding Hypothesis". *Psych Sci*, v. 5, n. 6, p. 368, 1994; L. von Fersen et al., "Transitive Inference Formation in Pigeons". *J Exp Psych: Animal Behav Processes*, v. 17, n. 3, p. 334, 1991; J. Stern et al., "Transitive Inference in Pigeons: Simplified Procedures and a Test of Value Transfer Theory". *Animal Learning & Behav*, v. 23, p. 76, 1995; A. Bond et al., "Social Complexity and Transitive Inference in Corvids", op. cit.; L. Grosenick et al., "Fish Can Infer Social Rank by Observation Alone". *Nat*, v. 445, n. 7126, p. 429, 2007.

52. C. Watson e C. Caldwell, "Neighbor Effects in Marmosets: Social Contagion of Agonism and Affiliation in Captive *Callithrix jacchus*". *Am J Primat*, v. 72, n. 6, p. 549, 2010; K. Baker e F. Aureli, "The Neighbor Effect: Other Groups Influence Intragroup Agonistic Behavior in Captive Chimpanzees". *Am J Primat*, v. 40, p. 283, 1996.

53. L. A. Dugatkin, "Animals Imitate, Too". *Sci Am*, v. 283, n. 4, p. 67, 2000.

54. K. Bonnie et al., "Spread of Arbitrary Conventions Among Chimpanzees: A Controlled Experiment". *Proc Royal Soc of London B*, v. 274, n. 1608, p. 367, 2007; M. Dindo et al., "In-group Conformity Sustains Different Foraging Traditions in Capuchin Monkeys (*Cebus apella*)". *PLoS ONE*, v. 4, n. 11, p. e7858, 2009; D. Fragaszy e E. Visalberghi, "Socially Biased Learning in Monkeys". *Learning Behav*, v. 32, n. 1, p. 24, 2004; L. Aplin et al., "Experimentally-Induced Innovations Lead to Persistent Culture via Conformity in Wild Birds". *Nat*, v. 518, n. 7540, p. 538, 2014. Um estudo que não conseguiu replicar o achado básico de De Waal: E. Van Leeuwen et al., "Chimpanzees (*Pan troglodytes*) Flexibly Adjust Their Behaviour in Order to Maximize Payoffs, Not to Conform to Majorities" (*PLoS ONE*, v. 8, n. 11, p. e80945, 2013).

55. E. van de Waal et al., "Potent Social Learning and Conformity Shape a Wild Primate's Foraging Decisions". *Sci*, v. 340, n. 6131, p. 483, 2013.

56. A. Shestakova et al., "Electrophysiological Precursors of Social Conformity". *SCAN*, v. 8, n. 7, p. 756, 2013.

57. H. Tajfel e J. C. Turner, "The Social Identity Theory of Intergroup Behaviour". In: S. Worchel e W. G. Austin (Orgs.), *Psychology of Intergroup Relations*. Chicago: Nelson-Hall, 1986, pp. 7-24; E. A. Losin et al., "Own-Gender Imitation Activates the Brain's Reward Circuitry". *SCAN*, v. 7, n. 7, p. 804, 2012; R. Yu e S. Sun, "To Conform or Not to Conform: Spontaneous Conformity Diminishes the Sensitivity to Monetary Outcomes". *PLoS ONE*, v. 8, n. 5, p. e64530, 2013.

58. R. Huber et al., "Neural Correlates of Informational Cascades: Brain Mechanisms of Social Influence on Belief Updating". *NeuroImage*, v. 249, p. 2687, 2010; G. Berns et al., "Neural Mechanisms of the Influence of Popularity on Adolescent Ratings of Music". *BP*, v. 58, p. 245, 2005; M. Edelson et al., "Following the Crowd: Brain Substrates of Long-Term Memory Conformity". *Sci*, v. 333, n. 6038,

p. 108, 2011; H. L. Roediger e K. B. McDermott, "Remember When?". *Sci*, v. 333, n. 6038, p. 47, 2011; J. Chen et al., "ERP Correlates of Social Conformity in a Line Judgment Task". *BMC Nsci*, v. 13, n. 1, p. 43, 2012; K. Izuma, "The Neural Basis of Social Influence and Attitude Change". *Curr Opinion in Neurobiol*, v. 23, n. 3, p. 456, 2013.

59. J. Zaki et al., "Social Influence Modulates the Neural Computation of Value". *Psych Sci*, v. 22, n. 7, p. 894, 2011.

60. V. Klucharev et al., "Downregulation of the Posterior Medial Frontal Cortex Prevents Social Conformity". *J Nsci*, v. 31, n. 33, p. 11934, 2011. Ver também: A. Shestakova et al., "Electrophysiological Precursors of Social Conformity", op. cit.; e V. Klucharev et al., "Reinforcement Learning Signal Predicts Social Conformity" (*Neuron*, v. 61, n. 1, p. 140, 2009).

61. G. Berns et al., "Neurobiological Correlates of Social Conformity and Independence During Mental Rotation". *BP*, v. 58, p. 245, 2005.

62. S. Asch, "Opinions and Social Pressure". *Sci Am*, v. 193, n. 5, p. 35, 1955; S. Asch, "Studies of Independence and Conformity: A Minority of One Against a Unanimous Majority". *Psych Monographs*, v. 70, n. 9, p. 1, 1956.

63. S. Milgram, *Obedience to Authority: An Experimental View*. Nova York: HarperCollins, 1974.

64. C. Haney et al., "Study of Prisoners and Guards in a Simulated Prison". *Naval Research Rev*, v. 9, p. 1, 1973; C. Haney et al., "Interpersonal Dynamics in a Simulated Prison". *Int J Criminology and Penology*, v. 1, p. 69, 1973.

65. M. Banaji, "Ordinary Prejudice". *Psych Sci Agenda*, v. 8, p. 8, 2001.

66. C. Hofling et al., "An Experimental Study of Nurse-Physician Relationships". *J Nervous and Mental Disease*, v. 141, p. 171, 1966.

67. S. Fiske et al., "Why Ordinary People Torture Enemy Prisoners". *Sci*, v. 306, n. 5701, p. 1482, 2004.

68. P. Zimbardo, *The Lucifer Effect: Understanding How Good People Turn Evil*. Nova York: Random House, 2007. [Ed. bras.: *O efeito Lúcifer: Como pessoas boas se tornam más*. Rio de Janeiro: Record, 2012.] Essa é também a fonte da citação de Soljenítsin.

69. Ibid.

70. G. Perry, *Behind the Shock Machine: The Untold Story of the Notorious Milgram Psych Experiments*. Nova York: New Press, 2013.

71. T. Carnahan e S. McFarland, "Revisiting the Stanford Prison Experiment: Could Participant Self-Selection Have Led to the Cruelty?". *PSPB*, v. 33, n. 5, p. 603, 2007; S. H. Lovibond et al., "Effects of Three Experimental Prison Environments on the Behavior of Non-convict Volunteer Subjects". *Psychologist*, v. 14, n. 3, p. 273, 1979.

72. S. Reiche e S. A. Haslam, "Rethinking the Psychology of Tyranny: The BBC Prison Study". *Brit J Soc Psych*, v. 45, p. 1, 2006; S. A. Haslam e S. D. Reicher, "When Prisoners Take Over the Prison: A Social Psychology of Resistance". *PSPR*, v. 16, n. 2, p. 154, 2012.

73. P. Zimbardo, "On Rethinking the Psychology of Tyranny: The BBC Prison Study". *Brit J Soc Psych*, v. 45, p. 47, 2006.

74. A. Abbott, "How the Brain Responds to Orders". *Nat*, v. 530, p. 394, 2016.

75. B. Müller-Hill, *Murderous Science: Elimination by Scientific Selection of Jews, Gypsies, and Others, Germany 1933-1945*. Oxford: Oxford University Press, 1988. [Ed. bras.: *Ciência assassina: Como cientistas alemães contribuíram para a eliminação de judeus, ciganos e outras minorias*. Rio de Janeiro: Xenon, 1993.]

76. S. Asch, "Opinions and Social Pressure". *SciAm*, v. 193, n. 5, p. 35, 1955.

77. R. Sapolsky, "Measures of Life". *Sciences*, mar./abr. 1994, p. 10.

78. R. Watson, "Investigation into Deindividuation Using a Cross-Cultural Survey Technique". *JPSP*, v. 25, n. 3, p. 342, 1973.

79. A. Bandura et al., "Disinhibition of Aggression Through Diffusion of Responsibility and Dehumanization of Victims". *J Res in Personality*, v. 9, n. 4, p. 253, 1975.

80. L. Bègue et al., "Personality Predicts Obedience in a Milgram Paradigm". *J Personality*, v. 83, p. 299, 2015; V. Zeigler-Hill, et al., "Neuroticism and Negative Affect Influence the Reluctance to Engage in Destructive Obedience in the Milgram Paradigm". *J Soc Psych*, v. 153, n. 2, p. 161, 2013; T. Blass, "Right-Wing Authoritarianism and Role as Predictors of Attributions About Obedience to Authority". *Personality and Individual Differences*, v. 19, n. 1, p. 99, 1995; P. Burley e J. McGuinnes, "Effects of Social Intelligence on the Milgram Paradigm". *Psych Rep*, v. 40, p. 767, 1977.

81. A. H. Eagly e L. L. Carli, "Sex of Researchers and Sex-Typed Communications as Determinants of Sex Differences in Influenceability: A Meta-analysis of Social Influence Studies". *Psych Bull*, v. 90, n. 1, p. 1, 1981; S. Ainsworth e J. Maner, "Sex Begets Violence: Mating Motives, Social Dominance, and Physical Aggression in Men", op. cit.; H. Reitan e M. Shaw, "Group Membership, Sex-Composition of the Group, and Conformity Behavior". *J Soc Psych*, v. 64, p. 45, 1964.

82. S. Milgram, "Nationality and Conformity". *Sci Am*, v. 205, p. 45, 1961.

13. MORALIDADE E FAZER A COISA CERTA, UMA VEZ QUE VOCÊ DESCOBRIU QUAL É [pp. 468-506]

1. A. Shenhav e J. D. Greene, "Moral Judgments Recruit Domain-General Valuation Mechanisms to Integrate Representations of Probability and Magnitude". *Neuron*, v. 67, n. 4, p. 667, 2010; P. N. Tobler et al., "The Role of Moral Utility in Decision Making: An Interdisciplinary Framework". *Cog, Affective & Behav Nsci*, v. 8, n. 4, p. 390, 2008; B. Harrison et al., "Neural Correlates of Moral Sensitivity in OCD". *AGP*, v. 69, n. 7, p. 741, 2012.

2. L. Young et al., "The Neural Basis of the Interaction Between Theory of Mind and Moral Judgment". *PNAS*, v. 104, n. 20, p. 8235, 2007; L. Young e R. Saxe, "Innocent Intentions: A Correlation Between Forgiveness for Accidental Harm and Neural Activity". *Neuropsychologia*, v. 47, n. 10, p. 2065, 2009; L. Young et al., "Disruption of the Right Temporoparietal Junction with TMS Reduces the Role of Beliefs in Moral Judgments". *PNAS*, v. 107, n. 15, p. 6753, 2009; L. Young e R. Saxe, "An fMRI Investigation of Spontaneous Mental State Inference for Moral Judgment". *J Cog Nsci*, v. 21, n. 7, p. 1396, 2009.

3. J. Knobe, "Intentional Action and Side Effects in Ordinary Language Analysis". *Analysis*, v. 63, p. 190, 2003; J. Knobe, "Theory of Mind and Moral Cognition: Exploring the Connections". *TICS*, v. 9, n. 8, p. 357, 2005.

4. J. Knobe, "Theory of Mind and Moral Cognition: Exploring the Connections", op. cit.

5. P. Singer, "Sidgwick and Reflective Equilibrium" (*Monist*, v. 58, n. 3, 1974), reproduzido em H. Kulse (Org.), *Unsatisfying Human Life* (Oxford: Blackwell, 2002).

6. J. Haidt, "The Emotional Dog and Its Rational Tail: A Social Intuitionist Approach to Moral Judgment". *Psych Rev*, v. 108, n. 4, p. 814, 2001; J. Haidt, "The New Synthesis in Moral Psychology". *Sci*, v. 316, n. 5827, p. 996, 2007.

7. J. S. Borg et al., "Infection, Incest, and Iniquity: Investigating the Neural Correlates of Disgust and Morality". *J Cog Nsci*, v. 20, n. 9, p. 1529, 2008.

8. M. Haruno e C. D. Frith, "Activity in the Amygdala Elicited by Unfair Divisions Predicts Social Value Orientation". *Nat Nsci*, v. 13, n. 2, p. 160, 2010; D. Batson, "Prosocial Motivation: Is It Ever Truly Altruistic?". *Advances in Exp. Soc Psych*, v. 20, p. 65, 1987; A. G. Sanfey et al., "The Neural Basis of Economic Decision-Making in the Ultimatum Game", op. cit.

9. J. van Bavel et al., "The Importance of Moral Construal: Moral Versus Non-moral Construal Elicits Faster, More Extreme, Universal Evaluations of the Same Actions". *PLoS ONE*, v. 7, n. 11, p. e48693, 2012.

10. G. Miller, "The Roots of Morality". *Sci*, v. 320, n. 5877, p. 734, 2008.

11. Para toda essa seção sobre os rudimentos da moralidade em crianças pequenas, ver o excelente P. Bloom, *Just Babies: The Origins of Good and Evil* (Portland, OR: Broadway, 2014). [Ed. bras.: *O que nos faz bons ou maus*. Rio de Janeiro: Best Seller, 2014.] Essa fonte se aplica à meia dúzia de parágrafos subsequentes.

12. S. F. Brosnan e F. B. M. de Waal, "Monkeys Reject Unequal Pay". *Nat*, v. 425, n. 6955, p. 297, 2003.

13. F. Range et al., "The Absence of Reward Induces Inequity Aversion in Dogs". *PNAS*, v. 106, n. 1, p. 340, 2009; C. Wynne, "Fair Refusal by Capuchin Monkeys". *Nat*, v. 428, n. 6979, p. 140, 2004; D. Dubreuil et al., "Are Capuchin Monkeys (*Cebusapella*) Inequity Averse?". *Proc Royal Soc of London B*, v. 273, n. 1591, p. 1223, 2006.

14. S. F. Brosnan e F. B. M. de Waal, "Evolution of Responses to (un)Fairness". *Sci*, v. 346, n. 6207, p. 1251776, 2014; S. F. Brosnan et al., "Mechanisms Underlying Responses to Inequitable Outcomes in Chimpanzees, *Pan troglodytes*". *Animal Behav*, v. 79, n. 6, p. 1229, 2010; M. van Wolkenten et al., "Inequity Responses of Monkeys Modified by Effort". *PNAS*, v. 104, n. 47, p. 18854, 2007.

15. K. Jensen et al., "Chimpanzees Are Rational Maximizers in an Ultimatum Game". *Sci*, v. 318, n. 5847, p. 107, 2007; D. Proctor et al., "Chimpanzees Play the Ultimatum Game". *PNAS*, v. 110, n. 6, p. 2070, 2013.

16. V. R. Lakshminarayanan e L. R. Santos, "Capuchin Monkeys Are Sensitive to Others' Welfare". *CurrBiol*, v. 17, n. 21, p. 21, 2008; J. M. Burkart et al., "Other-Regarding Preferences in a Non-human Primate: Common Marmosets Provision Food Altruistically". *PNAS*, v. 104, n. 50, p. 19762, 2007; J. B. Silk et al., "Chimpanzees Are Indifferent to the Welfare of Unrelated Group Members". *Nat*, v. 437, n. 7063, p. 1357, 2005; K. Jensen et al., "What's in It for Me? Self-Regard Precludes Altruism and Spite in Chimpanzees". *Proc Royal Soc B*, v. 273, n. 1589, p. 1013, 2006; J. Vonk et al., "Chimpanzees Do Not Take Advantage of Very Low Cost Opportunities to Deliver Food to Unrelated Group Members". *Animal Behav*, v. 75, n. 5, p. 1757, 2008.

17. F. de Waal e Stephen Macedo, *Primates and Philosophers: How Morality Evolved*. Princeton, NJ: Princeton Science Library, 2009.

18. B. Thomas et al., "Harming Kin to Save Strangers: Further Evidence for Abnormally Utilitarian Moral Judgments After Ventromedial Prefrontal Damage", op. cit.

19. J. Greene et al., "An fMRI Investigation of Emotional Engagement in Moral Judgment", op. cit.; J. Greene et al., "The Neural Bases of Cognitive Conflict and Control in Moral Judgment", op. cit.; J. Greene, *Moral Tribes: Emotion, Reason and the Gap Between Us and Them*, op. cit.

20. D. Ariely, *Predictably Irrational: The Hidden Forces That Shape Our Decisions*, op. cit.

21. P. Singer, "Famine, Affluence, and Morality". *Philosophy and Public Affairs*, v. 1, p. 229, 1972.

22. D. A. Smalia et al., "Sympathy and Callousness: The Impact of Deliberative Thought on Donations to Identifiable and Statistical Victims". *Organizational Behav and Hum Decision Processes*, v. 102, p. 143, 2007; L. Petrinovich e P. O'Neill, "Influence of Wording and Framing Effects on Moral Intuitions", op. cit.; L. Petrinovich et al., "An Empirical Study of Moral Intuitions: Toward an Evolutionary Ethics". *JPSP*, v. 64, n. 3, p. 467, 1993; R. E. O'Hara et al., op. cit.

23. A. Cohn et al., "Business Culture and Dishonesty in the Banking Industry". *Nat*, v. 516, n. 7529, p. 86, 2014. Ver também: M. Villeval, "Professional Identity Can Increase Dishonesty" (*Nat*, v. 516, n. 7529, p. 48, 2014).

24. R. Zahn et al., "The Neural Basis of Human Social Values: Evidence from Functional MRI", op. cit.

25. K. Starcke et al., "Does Stress Alter Everyday Moral Decision-Making?", op. cit.; F. Youssef et al., "Stress Alters Personal Moral Decision Making", op. cit.

26. E. Pronin, "How We See Ourselves and How We See Others". *Sci*, v. 320, n. 5880, p. 1177, 2008.

27. R. M. N. Shweder et al., "The 'Big Three' of Morality (Autonomy, Community, Divinity) and the 'Big Three' Explanations of Suffering". In: A. M. Brandt e P. Rozin (Orgs.), *Morality and Health*. Oxford: Routledge, 1997.

28. M. Shermer, *The Science of Good and Evil*. Nova York: Holt, 2004.

29. F. W. Marlowe et al., "More 'Altruistic' Punishment in Larger Societies". *Sci*, v. 23, n. 1634, p. 1767, 2006; J. Henrich et al., "'Economic Man' in Cross-Cultural Perspective: Behavioral Experiments in 15 Small-Scale Societies". *BBS*, v. 28, p. 795, 2005.

30. R. Benedict, *The Chrysanthemum and the Sword*. Nanjing: Yilin, 1946 [Ed. bras.: *O crisântemo e a espada*. São Paulo: Perspectiva, 1972]; H. Katchadourian, *Guilt: The Bite of Conscience*. Palo Alto, CA: Stanford General Books, 2011; J. Jacquet, *Is Shame Necessary? New Uses for an Old Tool*. Nova York: Pantheon, 2015.

31. C. Berthelsen, "College Football: 9 Enter Pleas in U.C.L.A. Parking Case". *New York Times*, 29 jul. 1999. Disponível em: <www.nytimes.com/1999/07/29/sports/college-football-9-enter-pleas-in--ucla-parking-case.html>.

32. J. Bakan, *The Corporation: The Pathological Pursuit of Profit and Power* (Nova York: Simon & Schuster 2005). [Ed. bras.: *A corporação: A busca patológica por lucro e poder*. São Paulo: Novo Conceito, 2008.]

33. J. Greene, *Moral Tribes: Emotion, Reason and the Gap Between Us and Them*, op. cit.

34. D. G. Rand et al., "Spontaneous Giving and Calculated Greed". *Nat*, v. 489, p. 427, 2012.

35. S. Bowles, "Policies Designed to Self-Interested Citizens May Undermine 'The Moral Sentiments': Evidence from Economic Experiments". *Sci*, v. 320, n. 5883, p. 1605, 2008; E. Fehr e B. Rockenbach, "Detrimental Effects of Sanctions on Human Altruism". *Nat*, v. 422, n. 6928, p. 137, 2003.

36. M. M. Littlefield et al., "Being Asked to Tell an Unpleasant Truth About Another Person Activates Anterior Insula and Medial Prefrontal Cortex". *Front Hum Nsci*, v. 9, p. 553, 2015; S. Harris, *Lying*. Four Elephants, 2013. e-book.

37. Para um tour pela trapaça animal, ver os seguintes trabalhos: B. C. Wheeler, "Monkeys Crying Wolf? Tufted Capuchin Monkeys Use Anti-predator Calls to Usurp Resources from Conspecifics". *Proc Royal Soc B Biol Sci*, v. 276, n. 1669, p. 3013, 2009; F. Amici et al., "Variation in Withholding of In-

formation in Three Monkey Species". *Proc Royal Soc B Biol Sci*, v. 276, p. 3311, 2009; A. le Roux et al., "Evidence for Tactical Concealment in a Wild Primate". *Nat Communications*, v. 4, n. 1462, p. 1462, 2013; A. Whiten e R. W. Byrne, "Tactical Deception in Primates". *BBS*, v. 11, n. 2, p. 233, 1988; F. de Waal, *Chimpanzee Politics: Power and Sex Among Apes*. Baltimore: Johns Hopkins University Press, 1982; G. Woodruff e D. Premack, "Intentional Communication in the Chimpanzee: The Development of Deception". *Cog*, v. 7, n. 4, p. 333, 1979; R. W. Byrne e N. Corp, "Neocortex Size Predicts Deception Rate in Primates". *Proc Royal Soc B Biol Sci*, v. 271, n. 1549, p. 693, 2004; C. A. Ristau, "Language, Cognition, and Awareness in Animals?". *ANYAS*, v. 406, p. 170, 1983; T. Bugnyar e K. Kotrschal, "Observational Learning and the Raiding of Food Caches in Ravens, Corvuscorax: Is It 'Tactical' Deception?". *Animal Behav*, v. 64, p. 185, 2002; J. Bro-Jorgensen e W. M. Pangle, "Male Topi Antelopes Alarm Snort Deceptively to Retain Females for Mating". *Am Nat*, v. 176, v. 1, p. E33, 2010; C. Brown et al., "It Pays to Cheat: Tactical Deception in a Cephalopod Social Signalling System". *Biol Lett*, v. 8, n. 5, p. 729, 2012; T. Flower, "Fork-Tailed Drongos Use Deceptive Mimicked Alarm Calls to Steal Food". *Proc Royal Soc B Biol Sci*, v. 278, n. 1711, p. 1548, 2011.

38. Kirsten G. Volz et al., "The Neural Basis of Deception in Strategic Interactions". *Front Behav Nsci*, v. 9, p. 27, 2015.

39. Y. Yang et al., "Prefrontal White Matter in Pathological Liars", op. cit.; Y. Yang et al., "Localisation of Increased Prefrontal White Matter in Pathological Liars". *Br J Psychiatry*, v. 190, n. 2, p. 174, 2007.

40. D. D. Langleben et al., "Telling Truth from Lie in Individual Subjects with Fast Event-Related fMRI". *Hum Brain Mapping*, v. 26, n. 4, p. 262, 2005; J. M. Nunez et al., "Intentional False Responding Shares Neural Substrates with Response Conflict and Cognitive Control". *NeuroImage*, v. 25, n. 1, p. 267, 2005; G. Ganis et al., "Neural Correlates of Different Types of Deception: An fMRI Investigation". *Cerebral Cortex*, v. 13, n. 8, p. 830, 2003; K. L. Phan et al., "Neural Correlates of Telling Lies: A Functional Magnetic Resonance Imaging Study at 4 Tesla". *Academic Radiology*, v. 12, n. 2, p. 164, 2005; N. Abe et al., "Dissociable Roles of Prefrontal and Anterior Cingulate Cortices in Deception". *Cerebral Cortex*, v. 16, n. 2, p. 192, 2006; N. Abe, "How the Brain Shapes Deception: An Integrated Review of the Literature". *Neuroscientist*, v. 17, n. 5, p. 560, 2011.

41. A. Priori et al., "Lie-Specific Involvement of Dorsolateral Prefrontal Cortex in Deception". *Cerebral Cortex*, v. 18, n. 2, p. 451, 2008; L. Zhu et al., "Damage to Dorsolateral Prefrontal Cortex Affects Tradeoffs Between Honesty and Self-Interest". *Nat Nsci*, v. 17, n. 10, p. 1319, 2014.

42. T. Baumgartner et al., "The Neural Circuitry of a Broken Promise". *Neuron*, v. 64, n. 5, p. 756, 2009.

43. F. Sellal et al., "'Pinocchio Syndrome': A Peculiar Form of Reflex Epilepsy?". *J Neurol, Neurosurgery and Psychiatry*, v. 56, n. 8, p. 936, 1993.

44. J. D. Greene e J. M. Paxton, "Patterns of Neural Activity Associated with Honest and Dishonest Moral Decisions". *PNAS*, v. 106, n. 30, p. 12506, 2009.

45. L. Pascual et al., "How Does Morality Work in the Brain? A Functional and Structural Perspective of Moral Behavior". *Front Integrative Nsci*, v. 7, n. 65, p. 65, 2013.

46. D. G. Rand e Z. G. Epstein, "Risking Your Life Without a Second Thought: Intuitive Decision-Making and Extreme Altruism". *PLoS ONE*, v. 9, n. 10, p. e109687, 2014; R. W. Emerson, *Essays, First Series: Heroism* (1841). Disponível em: <emersoncentral.com/texts/essays-first-series/>.

14. SENTIR, ENTENDER E ALIVIAR A DOR DO OUTRO [pp. 507-35]

1. Ótimas leituras sobre esse tópico genérico, feitas pelos principais cientistas da área: D. Keltner et al., *The Compassionate Instinct: The Science of Human Goodness* (Nova York: W. W. Norton, 2010); e R. Davidson e S. Begley, *The Emotional Life of Your Brain*, op. cit.

2. G. Hein et al., "The Brain's Functional Network Architecture Reveals Human Motives". *Sci*, v. 351, n. 6277, p. 1074, 2016. Ver também S. Gluth e L. Fontanesi, "Wiring the Altruistic Brain" (*Sci*, v. 351, n. 6277, p. 1028, 2016).

3. A. Whiten et al., "Imitative Learning of Artificial Fruit Processing in Children (*Homo sapiens*) and Chimpanzees (*Pan troglodytes*)". *JCP*, v. 110, n. 1, p. 3, 1996; V. Horner e A. Whiten, "Causal Knowledge and Imitation/Emulation Switching in Chimpanzees (*Pan troglodytes*) and Children (*Homo sapiens*)". *Animal Cog*, v. 8, n. 3, p. 164, 2005.

4. D. Jeon et al., "Observational Fear Learning Involves Affective Pain System and Cav1.2 CA2+ Channels in ACC". *Nat Nsci*, v. 13, n. 4, p. 482, 2010.

5. B. L. Warren et al., "Neurobiological Sequelae of Witnessing Stressful Events in Adult Mice". *BP*, v. 73, n. 1, p. 7, 2012.

6. D. J. Langford et al., "Social Modulation of Pain as Evidence for Empathy in Mice", op. cit.

7. M. Tomasello e A. Vaish, "Origins of Human Cooperation and Morality". *Ann Rev Psych*, v. 64, p. 231, 2013; D. Povinelli et al., resenha de A. E. Russon et al., *Reaching into Thought: The Minds of the Great Apes* (*TICS*, v. 2, n. 4, p. 158, 1998).

8. F. de Waal e A. van Roosmalen, "Reconciliation and Consolation Among Chimpanzees". *Behav Ecology and Sociobiology*, v. 5, n. 1, p. 55, 1979; E. Palagi e G. Cordoni, "Postconflict Third-Party Affiliation in *Canis lupus*: Do Wolves Share Similarities with the Great Apes?". *Animal Behav*, v. 78, n. 4, p. 979, 2009; A. Cools et al., "Canine Reconciliation and Third-Party-Initiated Postconflict Affiliation: Do Peacemaking Social Mechanisms in Dogs Rival Those of Higher Primates?". *Ethology*, v. 14, n. 1, p. 53, 2008; O. Fraser e T. Bugnyar, "Do Ravens Show Consolation? Responses to Distressed Others". *PLoS ONE*, v. 5, n. 5, 2010. DOI:10.1371/journal.pone.0010605; A. Seed et al., "Postconflict Third-Party Affiliation in Rooks, *Corvusfrugilegus*". *Curr Biol*, v. 2, n. 2, p. 152, 2006; J. Plotnik e F. de Waal, "Asian Elephants (*Elephasmaximus*) Reassure Others in Distress". *Peer J*, v. 2, n. 1, 2014. DOI:10.7717/peerj.278; Z. Clay e F. de Waal, "Bonobos Respond to Distress in Others: Consolation Across the Age Spectrum". *PLoS ONE*, v. 8, n. 1, p. e55206, 2013.

9. J. P. Burkett et al., "Oxytocin-Dependent Consolation Behavior in Rodents". *Sci*, v. 351, n. 6271, p. 375, 2016.

10. G. E. Rice e P. Gainer, "'Altruism' in the Albino Rat". *J Comp and Physiological Psych*, v. 55, n. 1, p. 123, 1962; J. S. Mogil, "The Surprising Empathic Abilities of Rodents". *TICS*, v. 16, n. 3, p. 143, 2012; I. Ben-Ami Bartal et al., "Empathy and Pro-social Behavior in Rats". *Sci*, v. 334, n. 6061, p. 1427, 2011.

11. I. B. Ami Bartal et al., "Pro-social Behavior in Rats is Modulated by Social Experience". *eLife*, v. 3, p. e01385, 2014.

12. C. Lamm et al., "Meta-analytic Evidence for Common and Distinct Neural Networks Associated with Directly Experienced Pain and Empathy for Pain". *NeuroImage*, v. 54, n. 3, p. 2492, 2011; B. C. Bernhardt e T. Singer, "The Neural Basis of Empathy". *Ann Rev Nsci*, v. 35, p. 1, 2012.

13. A. Craig, "How Do You Feel? Interoception: The Sense of the Physiological Condition of the Body". *Nat Rev Nsci*, v. 3, n. 8, p. 655, 2002; J. Kong et al., "A Functional Magnetic Resonance Imaging Study on the Neural Mechanisms of Hyperalgesic Nocebo Effect". *J Nsci*, v. 28, n. 49, p. 13354, 2008.

14. B. Vogt, "Pain and Emotion Interactions in Subregions of the Cingulate Gyrus". *Nat Rev Nsci*, v. 6, n. 7, p. 533, 2005; K. Ochsner et al., "Your Pain or Mine? Common and Distinct Neural Systems Supporting the Perception of Pain in Self and Other". *SCAN*, v. 3, n. 2, p. 144, 2008. Essa é a fonte da citação de Ochsner.

15. N. Eisenberger et al., "Does Rejection Hurt? An fMRI Study of Social Exclusion", op. cit.; D. Pizzagalli, "Frontocingulate Dysfunction in Depression: Toward Biomarkers of Treatment Response". *Neurophyschopharmacology*, v. 36, n. 1, p. 183, 2011.

16. C. Lamm et al., "The Neural Substrate of Human Empathy: Effects of Perspective-Taking and Cognitive Appraisal". *J Cog Nsci*, v. 19, n. 1, p. 42, 2007; P. Jackson et al., "Empathy Examined Through the Neural Mechanisms Involved in Imagining How I Feel Versus How You Feel Pain". *Neuropsychologia*, v. 44, n. 5, p. 752, 2006; M. Saarela et al., "The Compassionate Brain: Humans Detect Intensity of Pain from Another's Face". *Cerebral Cortex*, v. 17, n. 1, p. 230, 2007; N. Eisenberg et al., "The Relations of Emotionality and Regulation to Dispositional and Situational Empathy-Related Responding". *JPSP*, v. 66, n. 4, p. 776, 1994; J. Burkett et al., "Oxytocin-Dependent Consolation Behavior in Rodents", op. cit.; M. Botvinick et al., "Viewing Facial Expressions of Pain Engages Cortical Areas Involved in the Direct Experience of Pain". *NeuroImage*, v. 25, n. 1, p. 312, 2005; C. Lamm et al., "The Neural Substrate of Human Empathy: Effects of Perspective-Taking and Cognitive Appraisal", op. cit.; C. Lamm et al., "What Are You Feeling? Using Functional Magnetic Resonance Imaging to Assess the Modulation of Sensory and Affective Responses During Empathy for Pain". *PLoS ONE*, v. 2, n. 12, p. e1292, 2007.

17. D. Jeon et al., "Observational Fear Learning Involves Affective Pain System and Cav1.2 Ca2+ Channels in ACC", op. cit.

18. A. Craig, "How Do You Feel — Now? The Anterior Insula and Human Awareness". *Nat Rev Nsci*, v. 10, n. 1, p. 59, 2009; B. King-Casas et al., "The Rupture and Repair of Cooperation in Borderline Personality Disorder". *Sci*, v. 321, n. 5890, p. 806, 2008; M. H. Immordino-Yang et al., "Neural Correlates of Admiration and Compassion". *PNAS*, v. 106, n. 19, p. 8021, 2009.

19. J. Decety e K. Michalska, "Neurodevelopmental Changes in the Circuits Underlying Empathy and Sympathy from Childhood to Adulthood", op. cit.; J. Decety, "The Neuroevolution of Empathy". *ANYAS*, v. 1231, n. 1, p. 35, 2011. A segunda referência é a fonte da citação.

20. E. Brueau et al., "Distinct Roles of the 'Shared Pain' and 'Theory of Mind' Networks in Processing Others' Emotional Suffering". *Neuropsychologia*, v. 50, n. 2, p. 219, 2012; C. Lamm et al., "How Do We Empathize with Someone Who Is Not Like Us? A Functional Magnetic Resonance Imaging Study". *J Cog Nsci*, v. 22, n. 2, p. 362, 2010; C. Keysers et al., "Somatosensation in Social Perception". *Nat Rev Nsci*, v. 11, n. 6, p. 417, 2020.

21. L. Harris e S. Fiske, "Dehumanizing the Lowest of the Low: Neuroimaging Responses to Extreme Outgroups". *Psych Sci*, v. 17, n. 10, p. 847, 2006.

22. I. Konvalinka et al., "Synchronized Arousal Between Performers and Related Spectators in a Fire-Walking Ritual". *PNAS*, v. 108, n. 20, p. 8514, 2011; Y. Cheng et al., "Love Hurts: An fMRI Study". *NeuroImage*, v. 51, p. 923, 2010.

23. A. Avenanti et al., "Transcranial Magnetic Stimulation Highlights the Sensorimotor Side of Empathy for Pain". *Nat Nsci*, v. 8, n. 7, p. 955, 2005; X. Xu et al., "Do You Feel My Pain? Racial Group Membership Modulates Empathic Neural Responses". *J Nsci*, v. 29, n. 26, p. 8525, 2009; V. Mathur et al., "Neural Basis of Extraordinary Empathy and Altruistic Motivation", op. cit.; G. Hein et al., "Neural Responses to Ingroup and Outgroup Members' Suffering Predict Individual Differences in Costly Helping". *Neuron*, v. 68, n. 1, p. 149, 2010; E. Bruneau et al., "Social Cognition in Members of Conflict

Groups: Behavioural and Neural Responses in Arabs, Israelis and South Americans to Each Other's Misfortunes". *Philosophical Transactions of the Royal Soc B*, v. 367, p. 717, 2012; E. Bruneau e R. Saxe, "Attitudes Towards the Outgroup are Predicted by Activity in the Precuneus in Arabs and Israelis". *NeuroImage*, v. 52, n. 4, p. 1704, 2010; J. Gutsell e M. Inzlicht, "Intergroup Differences in the Sharing of Emotive States: Neural Evidence of an Empathy Gap", op. cit.; J. Freeman et al., "The Neural Origins of Superficial and Individuated Judgments About Ingroup and Outgroup Members". *Hum Brain Mapping*, v. 31, n. 1, p. 150, 2010.

24. K. Wailoo, *Pain: A Political History*. Baltimore: Johns Hopkins University Press, 2014.

25. C. Oveis et al., "Compassion, Pride, and Social Intuitions of Self-Other Similarity". *JPSP*, v. 98, n. 4, p. 618, 2010; M. W. Kraus et al., "Social Class, Contextualism, and Empathic Accuracy". *Psych Sci*, v. 21, p. 1716, 2012; J. Stellar et al., "Class and Compassion: Socioeconomic Factors Predict Responses to Suffering". *Emotion*, v. 12, n. 3, p. 449, 2012; P. Piff et al., "Higher Social Class Predicts Increased Unethical Behavior". *PNAS*, v. 109, n. 11, p. 4086, 2012.

26. J. Gutsell e M. Inzlicht, "Intergroup Differences in the Sharing of Emotive States: Neural Evidence of an Empathy Gap", op. cit.; H. Takahasi et al., "When Your Gain Is My Pain and Your Pain Is My Gain: Neural Correlates of Envy and Schadenfreude", op. cit.; T. Singer et al., "Empathic Neural Responses Are Modulated by the Perceived Fairness of Others", op. cit.; S. Preston e F. de Waal, "Empathy: Its Ultimate and Proximate Bases". *BBS*, v. 25, n. 1, p. 1, 2002.

27. C. N. DeWall et al., "Depletion Makes the Heart Grow Less Helpful: Helping as a Function of Self-Regulatory Energy and Genetic Relatedness". *PSPB*, v. 34, n. 12, p. 1653, 2008. Madre Teresa é citada em P. Slovic, "'If I Look At the Mass, I Will Never Act': Psychic Numbing and Genocide" (*Judgment and Decision Making*, v. 2, p. 1, 2007). A outra citação tem sido atribuída a Stálin em muitas fontes, entre elas L. Lyons, "Looseleaf Notebook" (*Washington Post*, 30 jan. 1947).

28. A. Jenkins e J. Mitchell, "Medial Prefrontal Cortex Subserves Diverse Forms of Self-Reflection". *SocNsci*, v. 6, n. 3, p. 211, 2011.

29. G. Di Pellegrino et al., "Understanding Motor Events: A Neurophysiological Study". *Exp Brain Res*, v. 91, n. 1, p. 176, 1992; G. Rizzolatti et al., "Premotor Cortex and the Recognition of Motor Actions". *Cog Brain Res*, v. 3, n. 2, p. 131, 1996. Ver também P. Ferrari et al., "Mirror Neurons Responding to the Observation of Ingestive and Communicative Mouth Actions in the Ventral Premotor Cortex" (*Eur J Nsci*, v. 17, n. 8, p. 1703, 2003); e G. Rizzolatti e L. Craighero, "The Mirror-Neuron System" (*Ann Rev Nsci*, v. 27, p. 169, 2004).

30. P. Molenberghs et al., "Is the Mirror Neuron System Involved in Imitation? A Short Review and Meta-analysis". *Nsci and Biobehavioral Reviews*, v. 33, n. 7, p. 975, 2009.

31. Estudos de ressonância magnética em humanos: V. Gazzola e C. Keysers, "The Observation and Execution of Actions Share Motor and Somatosensory Voxels in All Tested Subjects: Single-Subject Analyses of Unsmoothed fMRI Data" (*Cerebral Cortex*, v. 19, n. 6, p. 1239, 2009); e M. Iacoboni et al., "Cortical Mechanisms of Human Imitation" (*Sci*, v. 286, n. 5449, p. 2526, 1999). Registros de neurônios individuais em seres humanos: C. Keysers e V. Gazzola, "Social Neuroscience: Mirror Neurons Recorded in Humans" (*Curr Biol*, v. 20, n. 8, p. R353, 2010); e J. Kilner e A. Neal, "Evidence of Mirror Neurons in Human Inferior Frontal Gyrus" (*J Nsci*, v. 29, n. 32, p. 10153, 2009).

32. M. Rochat et al., "The Evolution of Social Cognition: Goal Familiarity Shapes Monkeys' Action Understanding". *Curr Biol*, v. 18, n. 3, p. 227, 2008; M. Lacoboni, "Grasping the Intentions of Others with One's Own Mirror Neuron System". *PLoS Biol*, v. 3, n. 3, p. e79, 2005.

33. C. Catmur et al., "Sensorimotor Learning Configures the Human Mirror System". *Curr Biol*, v. 17, n. 17, p. 1527, 2007.

34. G. Hickok, "Eight Problems for the Mirror Neuron Theory of Action Understanding in Monkeys and Humans". *J Cog Nsci*, v. 21, n. 7, p. 1229, 2009.

35. V. Gallese e A. Goldman, "Mirror Neurons and the Simulation Theory". *TICS*, v. 2, n. 12, p. 493, 1998.

36. V. Caggiano et al., "Mirror Neurons Differentially Encode the Peripersonal and Extrapersonal Space of Monkeys". *Sci*, v. 324, n. 5925, p. 403, 2009.

37. V. Gallese et al., "Mirror Neurons". *Perspectives on Psych Sci*, v. 6, p. 369, 2011.

38. Uma amostra de alguns artigos relevantes: L. Oberman et al., "EEG Evidence for Mirror Neuron Dysfunction in Autism Spectrum Disorders" (*Brain Res: Cog Brain Res*, v. 24, n. 2, p. 190, 2005); M. Dapretto et al., "Understanding Emotions in Others: Mirror Neuron Dysfunction in Children with Autism Spectrum Disorders" (*Nat Nsci*, v. 9, n. 1, p. 28, 2006); I. Dinstein et al., "A Mirror Up to Nature" (*Curr Biol*, v. 19, n. 1, p. R13, 2008); e A. Hamilton, "Reflecting on the Mirror Neuron System in Autism: A Systematic Review of Current Theories" (*Developmental Cog Nsci*, v. 3, p. 91, 2013).

39. G. Hickok, *The Myth of Mirror Neurons: The Real Neuroscience of Communication and Cognition*. Nova York: Norton, 2014.

40. D. Freedberg e V. Gallese, "Motion, Emotion and Empathy in Esthetic Experience". *TICS*, v. 11, n. 5, p. 197, 2007; S. Preston e F. de Waal, "Empathy: Its Ultimate and Proximate Bases", op. cit.; J. Decety e P. Jackson, "The Functional Architecture of Human Empathy". *Behav and Cog Nsci Rev*, v. 3, n. 2, p. 71, 2004.

41. J. Pfeifer et al., "Mirroring Others' Emotions Relates to Empathy and Interpersonal Competence in Children". *NeuroImage*, v. 39, n. 4, p. 2076, 2008; V. Gallese, "The 'Shared Manifold' Hypothesis: From Mirror Neurons to Empathy". *J Consciousness Studies*, v. 8, n. 5, p. 33, 2001.

42. J. Kaplan e M. Iacoboni, "Getting a Grip on Other Minds: Mirror Neurons, Intention Understanding, and Cognitive Empathy". *Soc Nsci*, v. 1, n. 3, p. 175, 2006.

43. Center for Building a Culture of Empathy, "Mirror Neurons". [s.d.]. Disponível em: <cultureofempathy.com/References/Mirror-Neurons.htm>; J. Marsh, "Do Mirror Neurons Give Us Empathy?". *Greater Good Newsletter*, 29 mar. 2012; V. Ramachandran, "Mirror Neurons and Imitation Learning as the Driving Force Behind 'the Great Leap Forward' in Human Evolution". *Edge*, 31 maio 2000.

44. Grayling é citado por C. Jarrett, "Mirror Neurons: The Most Hyped Concept in Neuroscience?" (*Psychology Today*, 10 dez. 2012). Disponível em: <www.psychologytoday.com/blog/brain-myths/201212/mirror-neurons-the-most-hyped-concept-in-neuroscience>; Cara Buckley, "Why Our Hero Leapt onto the Tracks and We Might Not". *New York Times*, 7 jan. 2007.

45. Todas as citações são de: G. Hickok, *The Myth of Mirror Neurons: The Real Neuroscience of Communication and Cognition*, op. cit. Para mais análises sobre o ceticismo, ver C. Jarrett, "A Calm Look at the Most Hyped Concept in Neuroscience: Mirror Neurons" (*Wired*, 13 dez. 2013); D. Dobbs, "Mirror Neurons: Rock Stars or Backup Singers?" (*News Blog*, ScientificAmerican.com, 18 dez. 2007); B. Thomas, "What's So Special About Mirror Neurons?" (*Guest Blog*, ScientificAmerican.com, 6 nov. 2012); A. Gopnik, "Cells That Read Minds?" (*Slate*, 26 abr. 2007); e "A Mirror to the World". *Economist*, 12 maio 2005, disponível em: <www.economist.com/node/3960516>.

46. L. Jamison, "Forum: Against Empathy". *Boston Review*, 10 set. 2014.

47. C. Lamm et al., "The Neural Substrate of Human Empathy: Effects of Perspective-Taking and Cognitive Appraisal", op. cit.

48. N. Eisenberg et al., "The Relations of Emotionality and Regulation to Dispositional and Situational Empathy-Related Responding", op. cit.; G. Carlo et al., "The Altruistic Personality: In What Contexts Is It Apparent?". *JPSP*, v. 61, n. 31, p. 450, 1991.

49. B. Briers et al., "Hungry for Money: The Desire for Caloric Resources Increases the Desire for Financial Resources and Vice Versa?", op. cit.; J. Twenge et al., "Social Exclusion Decreases Prosocial Behavior". *JPSP*, v. 92, n. 1, p. 56, 2007; L. Martin et al., "Reducing Social Stress Elicits Emotional Contagion of Pain in Mouse and Human Strangers". *Curr Biol*, v. 25, n. 3, p. 326, 2015.

50. R. Davidson e S. Begley, *The Emotional Life of Your Brain*, op. cit.; M. Ricard et al., "Mind of the Meditator". *Sci Am*, v. 311, p. 39, 2014.

51. A. Lutz et al., "Long-Term Meditators Self-Induce High-Amplitude Gamma Synchrony During Mental Practice". *PNAS*, v. 101, n. 46, p. 16369, 2004; T. Singer e M. Ricard (Orgs.), *Caring Economics: Conversations on Altruism and Compassion, Between Scientists, Economists, and the Dalai Lama*. Nova York: St. Martin's, 2015; O. Klimecki et al., "Functional Neural Plasticity and Associated Changes in Positive Affect After Compassion Training". *Cerebral Cortex*, v. 23, n. 7, p. 1552, 2013.

52. P. Bloom, "Against Empathy". *Boston Review*, 10 set. 2014; B. Oakley, *Cold-Blooded Kindness*. Amherst, NY: Prometheus, 2011; Yawei Cheng et al., "Expertise Modulates the Perception of Pain in Others". *Curr Biol*, v. 17, n. 19, p. 1708, 2007; Davidson e S. Begley, *The Emotional Life of Your Brain*, op. cit. Essa é a fonte da citação.

53. K. Izuma et al., "Processing of the Incentive for Social Approval in the Ventral Striatum During Charitable Donation". *J Cog Nsci*, v. 22, n. 4, p. 621, 2010; K. Izuma et al., "Processing of Social and Monetary Rewards in the Human Striatum". *Neuron*, v. 58, n. 2, p. 284, 2008; E. Dunn et al., "Spending Money on Others Promotes Happiness". *Sci*, v. 319, n. 5870, p. 1687, 2008.

54. B. Purzycki et al., "Moralistic Gods, Supernatural Punishment and the Expansion of Human Sociality". *Nat*, v. 530, p. 327, 2016.

55. L. Penner et al., "Prosocial Behavior: Multilevel Perspectives". *Ann Rev Psych*, v. 56, p. 365, 2005.

56. W. Harbaugh et al., "Neural Responses to Taxation and Voluntary Giving Reveal Motives for Charitable Donations", op. cit.

57. E. Tricomi et al., "Neural Evidence for Inequality-Averse Social Preferences". *Nat*, v. 463, n. 7284, p. 1089, 2010.

15. METÁFORAS PELAS QUAIS MATAMOS [pp. 536-61]

1. "Fighting and Dying for the Colors at Gettysburg". HistoryNet.com, 7 jun. 2007. Disponível em: <www.historynet.com/fighting-and-dying-for-the-colors-at-gettysburg.htm>.

2. O assassinato de Tavin Price: D. Pryor, "Mentally Challenged Teen Shot Dead for Wearing Wrong Color Shoes" (EurThisNThat.com, 22 set. 2016). Disponível em: <www.eurthisnthat.com/2015/06/03/mentally-challenged-teen-shot-dead-for-wearing-wrong-color-shoes/comment-page-1>. Greves de fome na Irlanda: "1981 Irish Hunger Strike" (Wikipedia.com). Disponível em: <en.wikipedia.org/wiki/1981_Irish_hunger_strike#First_hunger_strike>. Mortes do "My Way": N. Onishi, "Sinatra Song Often Strikes Deadly Chord" (*New York Times*, 7 fev. 2010).

3. T. Appenzeller, "Old Masters". *Nat*, v. 497, p. 302, 2013.

4. R. Hughes, *The Shock of the New*. Nova York: Knopf, 1991. A seguinte referência foi incluída na esperança de fazer parecer que eu realmente li este livro: M. Foucault, *This Is Not a Pipe* (Oakland:

University of California Press, 1983). [Ed. bras.: *Isto não é um cachimbo*. Rio de Janeiro: Paz e Terra, 2015.]

5. T. Deacon, *The Symbolic Species: The Coevolution of Language and the Brain*. Nova York: Norton, 1997.

6. L. Boroditsky, "How Language Shapes Thought". *Sci Am*, fev. 2011.

7. G. Lakoff e M. Johnson, *Metaphors We Live By*. Chicago: University of Chicago Press, 1980 [Ed. bras.: *Metáforas da vida cotidiana*. Campinas: Educ; São Paulo: Mercado de Letras, 2002]; G. Lakoff, *Moral Politics: What Conservatives Know That Liberals Don't*. Chicago: University of Chicago Press, 1996.

8. T. Singer e C. Frith, "The Painful Side of Empathy". *Nat Nsci*, v. 8, p. 845, 2005.

9. M. Kramer et al., "Distinct Mechanism for Antidepressant Activity by Blockade of Central Substance P Receptors". *Sci*, v. 281, n. 5383, p. 1640, 1998; B. Bondy et al., "Substance P Serum Levels are Increased in Major Depression: Preliminary Results". *BP*, v. 53, n. 6, p. 538, 2003; G. Berns et al., "Neurobiological Substrates of Dread", op. cit.

10. H. Takahasi et al., "When Your Gain Is My Pain and Your Pain Is My Gain: Neural Correlates of Envy and Schadenfreude", op. cit.

11. P. Ekman e W. Friesen, *Unmasking the Face: A Guide to Recognizing Emotions from Facial Cues*. Upper Saddle River, NJ: Prentice Hall, 1975.

12. M. Hsu et al., "The Right and the Good: Distributive Justice and Neural Encoding of Equity and Efficiency". *Sci*, v. 320, n. 5879, p. 1092, 2008; F. Sambataro et al., "Preferential Responses in Amygdala and Insula During Presentation of Facial Contempt and Disgust", op. cit.; P. S. Russell e R. Giner-Sorolla, "Bodily Moral Disgust: What It Is, How It Is Different from Anger, and Why It Is an Unreasoned Emotion". *Psych Bull*, v. 139, n. 2, p. 328, 2013; H. A. Chapman e A. K. Anderson, "Things Rank and Gross in Nature: A Review and Synthesis of Moral Disgust", op. cit.; H. Chapman et al., "In Bad Taste: Evidence for the Oral Origins of Moral Disgust". *Sci*, v. 323, n. 5918, p. 1222, 2009; P. Rozin et al., "From Oral to Moral". *Sci*, v. 323, n. 5918, p. 1179, 2009.

13. C. Chan et al., "Moral Violations Reduce Oral Consumption". *J Consumer Psych*, v. 24, n. 3, p. 381, 2014; K. J. Eskine et al., "The Bitter Truth About Morality: Virtue, Not Vice, Makes a Bland Beverage Taste Nice". *PLoS ONE*, v. 7, n. 7, p. e41159, 2012.

14. E. J. Horberg et al., "Disgust and the Moralization of Purity". *JPSP*, v. 97, n. 6, p. 963, 2009.

15. K. Smith et al., "Disgust Sensitivity and the Neurophysiology of Left-Right Political Orientations", op. cit.; G. Hodson e K. Costello, "Interpersonal Disgust, Ideological Orientations, and Dehumanization as Predictors of Intergroup Attitudes", op. cit.; M. Landau et al., "Evidence That Self-Relevant Motives and Metaphoric Framing Interact to Influence Political and Social Attitudes". *Psych Sci*, v. 20, n. 11, p. 1421, 2009.

16. A. Sanfey et al., "The Neural Basis of Economic Decision-Making in the Ultimatum Game", op. cit.

17. T. Wang et al., "Is Moral Beauty Different from Facial Beauty? Evidence from an fMRI Study". *SCAN*, v. 10, n. 6, p. 814, 2015.

18. S. Lee e N. Schwarz, "Washing Away Postdecisional Dissonance". *Sci*, v. 328, n. 5979, p. 709, 2010.

19. S. Schnall et al., "With a Clean Conscience: Cleanliness Reduces the Severity of Moral Judgments". *Psych Sci*, v. 19, n. 12, p. 1219, 2008; K. Kaspar et al., "Hand Washing Induces a Clean Slate Effect in Moral Judgments: A Pupillometry and Eye-Tracking Study". *Sci Rep*, v. 5, p. 10471, 2015.

20. C.-B. Zhong e K. Liljenquist, "Washing Away Your Sins: Threatened Morality and Physical Cleansing". *Sci*, v. 313, n. 5792, p. 1451, 2006; L. N. Harkrider et al., "Threats to Moral Identity: Testing the Effects of Incentives and Consequences of One's Actions on Moral Cleansing". *Ethics & Behav*, v. 23, n. 2, p. 133, 2013.

21. M. Schaefer et al., "Dirty Deeds and Dirty Bodies: Embodiment of the Macbeth Effect Is Mapped Topographically onto the Somatosensory Cortex". *Sci Rep*, v. 5, p. 18051, 2015. Ver também: C. Denke et al., "Lying and the Subsequent Desire for Toothpaste: Activity in the Somatosensory Cortex Predicts Embodiment of the Moral-Purity Metaphor" (*Cerebral Cortex*, v. 26, n. 2, p. 477, 2016). Um debate sobre esses achados: D. Johnson et al., "Does Cleanliness Influence Moral Judgments? A Direct Replication of Schnall, Benton, and Harvey (2008)" (*Soc Psych*, v. 45, n. 3, p. 209, 2014); e J. L. Huang, "Does Cleanliness Influence Moral Judgments? Response Effort Moderates the Effect of Cleanliness Priming on Moral Judgments" (*Front Psych*, v. 5, n. 1276, p. 1276, 2014).

22. S. W. Lee et al., "A Cultural Look at Moral Purity: Wiping the Face Clean". *Front Psych*, v. 6, p. 577, 2015.

23. H. Xu et al., "Washing the Guilt Away: Effects of Personal Versus Vicarious Cleansing on Guilty Feelings and Prosocial Behavior". *Front Hum Nsci*, v. 8, n. 1, p. 97, 2014.

24. J. Ackerman et al., "Incidental Haptic Sensations Influence Social Judgments and Decisions". *Sci*, v. 328, n. 5986, p. 1712, 2010; ver também M. V. Day e R. Bobocel, "The Weight of a Guilty Conscience: Subjective Body Weight as an Embodiment of Guilt" (*PLoS ONE*, v. 8, n. 7, p. e69546, 2013).

25. L. Williams e J. Bargh, "Experiencing Physical Warmth Promotes Interpersonal Warmth". *Sci*, v. 322, n. 5901, p. 606, 2008; Y. Kang et al., "Physical Temperature Effects on Trust Behavior: The Role of Insula". *SCAN*, v. 6, n. 4, p. 507, 2010.

26. B. Briers et al., "Hungry for Money: The Desire for Caloric Resources Increases the Desire for Financial Resources and Vice Versa", op. cit.; X. Wang e R. Dvorak, "Sweet Future: Fluctuating Blood Glucose Levels Affect Future Discounting". *Psych Sci*, v. 21, n. 2, p. 183, 2010.

27. M. Anderson, "Neural Reuse: A Fundamental Organizational Principle of the Brain". *BBS*, v. 33, n. 4, p. 245, 2014; G. Lakoff, "Mapping the Brain's Metaphor Circuitry: Metaphorical Thought in Everyday Reason". *Front Hum Nsci*, v. 8, n. 958, 2014. DOI:10.3389/fnhum.2014.00958.

28. P. Gourevitch, *We Wish to Inform You That Tomorrow We Will Be Killed with Our Families*. Nova York: Farrar, Straus and Giroux, 2000 [Ed. bras.: *Gostaríamos de informá-lo de que amanhã seremos mortos com nossas famílias*. São Paulo: Companhia das Letras, 2006]; R. Guest, *The Shackled Continent*. Washington, DC: Smithsonian Books, 2004; G. Stanton, "The Rwandan Genocide: Why Early Warning Failed". *J African Conflicts and Peace Studies*, v. 1, n. 2, p. 6, 2009; R. Lemarchand, "The 1994 Rwandan Genocide". In: S. Totten e W. Parsons (Orgs.), *Century of Genocide*. 3. ed. Abingdon, UK: Routledge, 2009, p. 407.

29. S. Atran et al., "Sacred Barriers to Conflict Resolution". *Sci*, v. 317, p. 1039, 2007.

30. A frase de Hussein foi veiculada pela CNN, 6 nov. 1995.

31. D. Thornton, "Peter Robinson and Martin McGuinness Shake Hands for the First Time". *Irish Central*, 18 jan. 2010. Disponível em: <www.irishcentral.com/news/peter-robinson-and-martin-mcguinness-shake-hands-for-the-first-time-81957747-237681071.html>.

32. J. Carlin, *Playing the Enemy: Nelson Mandela and the Game That Made a Nation*. Nova York: Penguin, 2008 [Ed. bras.: *Invictus — Conquistando o inimigo: Nelson Mandela e o jogo que uniu a África do Sul*. Rio de Janeiro: Sextante, 2009]; D. Cruywagen, *Brothers in War and Peace: Constand and Abraham Viljoen and the Birth of the New South Africa*. Cidade do Cabo: Zebra, 2014.

16. BIOLOGIA, SISTEMA DE JUSTIÇA CRIMINAL E (ORA, POR QUE NÃO?) LIVRE-ARBÍTRIO
[pp. 562-92]

1. Innocence Project, "DNA Exonerations in the United States". Disponível em: <www.innocence-project.org/dna-exonerations-in-the-united-states>.

2. N. Schweitzer e M. Saks, "Neuroimage Evidence and the Insanity Defense". *Behav Sci & the Law*, v. 29, n. 4, p. 4, 2011; A. Roskies et al., "Neuroimages in Court: Less Biasing Than Feared". *TICS*, v. 17, n. 3, p. 99, 2013.

3. J. Marks, "A Neuroskeptic's Guide to Neuroethics and National Security". *Am J Bioethics: Nsci*, v. 1, n. 2, p. 4, 2010; A. Giridharadas, "India's Use of Brain Scans in Courts Dismays Critics". *New York Times*, 15 set. 2008; A. Madrigal, "MRI Lie Detection to Get First Day in Court". *Wired*, 16 mar. 2009.

4. S. Reardon, "Science in Court: Smart Enough to Die?". *Nat*, v. 506, n. 7488, p. 284, 2014.

5. J. Monterosso et al., "Explaining Away Responsibility: Effects of Scientific Explanation on Perceived Culpability". *Ethics & Behav*, v. 15, n. 2, p. 139, 2005; S. Aamodt, "Rise of the Neurocrats". *Nat*, v. 498, n. 7454, p. 298, 2013.

6. J. Rosen, "The Brain on the Stand". *New York Times Magazine*, 11 mar. 2007.

7. S. Lucas, "Free Will and the Anders Breivik Trial". *Humanist*, p. 36, set./out. 2012; J. Greene e J. Cohen, "For the Law, Neuroscience Changes Nothing and Everything". *Philosophical Transactions of the Royal Soc B: Biol Sci*, v. 359, n. 1451, p. 1775, 2004.

8. D. Robinson, *Wild Beasts and Idle Humours: The Insanity Defense from Antiquity to the Present*. Cambridge, MA: Harvard University Press, 1996.

9. S. Kadri, *The Trial: Four Thousand Years of Courtroom Drama*. Nova York: Random House, 2006.

10. J. Quen, "An Historical View of the M'Naghten Trial". *Bull of the History of Med*, v. 42, n. 1, p. 43, 1968.

11. As opiniões discordantes de O'Connor e Scalia estão em *Roper v. Simmons*, 545 US 551, 2005.

12. L. Buchen, "Arrested Development". *Nat*, v. 484, n. 7394, p. 304, 2012.

13. J. Rosen, "Brain on the Stand", op. cit.

14. L. Mansnerus, "Damaged Brains and the Death Penalty", op. cit.; M. Brower e B. Price, "Neuropsychiatry of Frontal Lobe Dysfunction in Violent and Criminal Behaviour: A Critical Review", op. cit.

15. M. Gazzaniga, "Free Will Is an Illusion, but You're Still Responsible for Your Actions". *Chronicle of Higher Education*, 18 mar. 2012; M. Gazzaniga, *Who's in Charge? Free Will and the Science of the Brain*. Nova York: Ecco, 2012.

16. L. Steinberg et al., "Are Adolescents Less Mature Than Adults? Minors' Access to Abortion, the Juvenile Death Penalty, and the Alleged APA 'Flip-flop'". *Am Psychologist*, v. 64, n. 7, p. 583, 2009.

17. S. Morse, "Brain and Blame". *Georgetown Law J*, v. 84, p. 527, 1996.

18. B. Libet, "Can Conscious Experience Affect Brain Activity?". *J Consciousness Studies*, v. 10, n. 12, p. 24, 2003; B. Libet et al., "Time of Conscious Intention to Act in Relation to Onset of Cerebral Activity (Readiness-Potential)". *Brain*, v. 106, p. 623, 1983.

19. V. Ramachandran, *The Tell-Tale Brain: A Neuroscientist's Quest for What Makes Us Human*. Nova York: Norton, 2012. [Ed. bras.: *O que o cérebro tem para contar: Desvendando os mistérios da natureza humana*. Rio de Janeiro: Zahar, 2014.]

20. C. Dweck, *Mindset: How You Can Fulfill Your Potential*. Londres: Constable & Robinson, 2012 [Ed. bras.: *Mindset: A nova psicologia do sucesso*. Rio de Janeiro: Objetiva, 2017]; C. Dweck, "Motivatio-

nal Processes Affecting Learning". *Am Psychologist*, v. 41, n. 10, p. 1040, 1986; S. Levy e C. Dweck, "Trait-Focused and Process-Focused Social Judgment". *Soc Cog*, v. 16, n. especial, p. 151, 1998; C. Mueller e C. Dweck, "Intelligence Praise Can Undermine Motivation and Performance". *JPSP*, v. 75, n. 1, p. 33, 1998.

21. J. Cantor, "Do Pedophiles Deserve Sympathy?". cnn.com, 21 jun. 2012.

22. S. Morse, "Neuroscience and the Future of Personhood and Responsibility". In: J. Rosen e B. Wittes (Orgs.), *Constitution 3.0: Freedom and Technological Change*. Washington, dc: Brookings Institution, 2011; J. Rosen, "Brain on the Stand", op. cit.; S. Morse, "Brain Overclaim Syndrome and Criminal Responsibility: A Diagnostic Note". *Ohio State J Criminal Law*, v. 3, p. 397, 2006. Essa é a fonte das citações de Morse nos parágrafos subsequentes.

23. H. Bok, "Want to Understand Free Will? Don't Look to Neuroscience". *Chronicle Review*, 23 mar. 2012.

24. S. Morse, "Neuroscience and the Future of Personhood", op. cit.; S. Nichols, "Experimental Philosophy and the Problem of Free Will". *Sci*, v. 331, n. 6023, p. 1401, 2011.

25. S. Morse, "Neuroscience and the Future of Personhood and Responsibility", op cit.

26. Marvin Minsky, citado em J. Coyne, "You Don't Have Free Will". *Chronicle Review*, 23 mar. 2012.

27. J. Kaufman et al., "Brain-Derived Neurotrophic Factor: 5-httlpr Gene Interactions and Environmental Modifiers of Depression in Children". *BP*, v. 59, n. 8, p. 673, 2006.

28. J. Russell, *Witchcraft in the Middle Ages*. Ithaca, ny: Cornell University Press, 1972.

29. D. Dennett, *Elbow Room: The Varieties of Free Will Worth Wanting*. Cambridge, ma: MIT Press, 1984.

30. J. Greene e J. Cohen, "For the Law, Neuroscience Changes Nothing", op. cit.

31. M. Hoffman, *The Punisher's Brain: The Evolution of Judge and Jury*. Cambridge, ma: Cambridge University Press, 2014.

32. K. Gospic et al., "Limbic Justice: Amygdala Involvement in Immediate Rejections in the Ultimatum Game". *PLoS ONE*, v. 9, n. 5, p. e1001054, 2011; J. Buckholtz, "Neural Correlates of Third-Party Punishment". *Neuron*, v. 60, n. 5, p. 930, 2009.

33. D. de Quervain et al., "The Neural Basis of Altruistic Punishment", op. cit.; B. Knutson, "Sweet Revenge?", op. cit.

34. J. Bonnefon et al., "The Social Dilemma of Autonomous Vehicles". *Sci*, v. 352, n. 6293, p. 1573, 2016; J. Greene, "Our Driverless Dilemma". *Sci*, v. 352, n. 6293, p. 1514, 2016.

17. guerra e paz [pp. 593-646]

1. M. Fisher, "The Country Where Slavery Is Still Normal". *Atlantic*, 28 jun. 2011; C. Welzel, *Freedom Rising: Human Empowerment and the Quest for Emancipation*. Cambridge: Cambridge University Press, 2013.

2. S. Pinker, *The Better Angels of Our Nature: Why Violence Has Declined*, op. cit.

3. N. Elias, *The Civilizing Process: Sociogenetic and Psychogenetic Investigations*. Ed. rev. Malden, ma: Blackwell, 2000 [Ed. bras.: *O processo civilizador*. Rio de Janeiro: Zahar, 1995]; Wesley Yang, "Nasty, Brutish, and Long". *New York*, 16 out. 2011.

4. E. S. Herman e D. Peterson, "Steven Pinker on the Alleged Decline of Violence". *Int Socialist Rev*, n. 86, nov./dez. 2012.

5. R. Douthat, "Steven Pinker's History of Violence". *New York Times*, 17 out. 2011; J. Gray, "Delusions of Peace". *Prospect*, out. 2011; E. Kolbert, "Peace in Our Time: Steven Pinker's History of Violence". *New Yorker*, 3 out. 2011; T. Cowen, "Steven Pinker on Violence". *Marginal Revolution*, 7 out. 2011.

6. C. Apicella et al., "Social Networks and Cooperation in Hunter-Gatherers". *Nat*, v. 481, n. 7382, p. 497, 2012.

7. S. Huntington, "Democracy for the Long Haul". *J Democracy*, v. 7, n. 2, p. 3, 1996; T. Friedman, *The Lexus and the Olive Tree*. Nova York: Anchor, 1999. [Ed. bras.: *O lexus e a oliveira: Entendendo a globalização*. Rio de Janeiro: Objetiva, 1999.]

8. L. Rhue e A. Sundararajan, "Digital Access, Political Networks and the Diffusion of Democracy". *Soc Networks*, v. 36, p. 40, 2014.

9. M. Inzlicht et al., "Neural Markers of Religious Conviction". *Psych Sci*, v. 20, n. 3, p. 385, 2009; M. Anastasi e A. Newberg, "A Preliminary Study of the Acute Effects of Religious Ritual on Anxiety". *J Alternative and Complementary Med*, v. 14, n. 2, p. 163, 2008.

10. U. Schjoedt et al., "Reward Prayers". *Nsci Letters*, v. 433, n. 3, p. 165, 2008; N. P. Azari et al., "Neural Correlates of Religious Experience". *Eur J Nsci*, v. 13, n. 8, p. 1649, 2001; U. Schjoedt et al., "Highly Religious Participants Recruit Areas of Social Cognition in Personal Prayer". *SCAN*, v. 4, n. 2, p. 199, 2009; A. Norenzayan e W. Gervais, "The Origins of Religious Disbelief". *TICS*, v. 17, n. 1, p. 20, 2013; U. Schjoedt et al., "The Power of Charisma: Perceived Charisma Inhibits the Frontal Executive Network of Believers in Intercessory Prayer". *SCAN*, v. 6, n. 1, p. 119, 2011.

11. L. Galen, "Does Religious Belief Promote Prosociality? A Critical Examination". *Psych Bull*, v. 138, n. 5, p. 876, 2012; S. Georgianna, "Is a Religious Neighbor a Good Neighbor?". *Humboldt J Soc Relations*, v. 11, p. 1, 1994; J. Darley e C. Batson, "From Jerusalem to Jericho: A Study of Situational and Dispositional Variables in Helping Behavior". *JPSP*, v. 27, n. 1, p. 100, 1973; L. Penner et al., "Prosocial Behavior: Multilevel Perspectives". *Ann Rev Psych*, v. 56, n. 1, p. 365, 2005.

12. C. Batson et al., *Religion and the Individual: A Social-Psychological Perspective*. Oxford: Oxford University Press, 1993; D. Malhotra, "(When) Are Religious People Nicer? Religious Salience and the 'Sunday Effect' on Prosocial Behavior". *Judgment and Decision Making*, v. 5, n. 2, p. 138, 2010.

13. A. Norenzayan e A. Shariff, "The Origin and Evolution of Religious Prosociality". *Sci*, v. 322, n. 5898, p. 58, 2008.

14. A. Shariff e A. Norenzayan, "God Is Watching You: Priming God Concepts Increases Prosocial Behavior in an Anonymous Economic Game", op. cit.; W. Gervais, "Like a Camera in the Sky? Thinking About God Increases Public Self-Awareness and Socially Desirable Responding". *JESP*, v. 48, p. 298, 2012. Ver também I. Pichon et al., "Nonconscious Influences of Religion on Prosociality: A Priming Study" (*Eur J Soc Psych*, v. 37, n. 5, p. 1032, 2007); e M. Bateson et al., "Cues of Being Watched Enhance Cooperation in Real-World Setting" (*Biol Lett*, v. 2, n. 3, p. 412, 2006).

15. S. Jones, "Defeating Terrorist Groups". RAND Corporation, CT-314 (testemunho apresentado perante o Comitê de Forças Armadas da Câmara, Subcomitê de Terrorismo, Ameaças Não Convencionais e Capacidades), 18 set. 2008; P. Shadbolt, "Karma Chameleons: What Happens When Buddhists Go to War". CNN.com, 22 abr. 2013.

16. J. LaBouff et al., "Differences in Attitudes Toward Outgroups in Religious and Nonreligious Contexts in a Multinational Sample: A Situational Context Priming Study". *Int J for the Psych of Religion*, v. 22, n. 1, p. 1, 2011; B. J. Bushman et al., "When God Sanctions Killing: Effect of Scriptural

Violence on Aggression". *Psych Sci*, v. 18, n. 3, p. 204, 2007. Essa é a fonte do gráfico no texto. H. Ledford, "Scriptural Violence Can Foster Aggression". *Nat*, v. 446, p. 114, 2007.

17. J. Ginges et al., "Religion and Support for Suicide Attacks". *Psych Sci*, v. 20, p. 224, 2009.

18. G. Allport, *The Nature of Prejudice*. Boston: Addison-Wesley, 1954.

19. T. Pettigrew e L. Tropp, "A Meta-analytic Test of Intergroup Contact Theory". *JPSP*, v. 90, n. 5, p. 751, 2006.

20. A. Al Ramiah e M. Hewstone, "Intergroup Contact as a Tool for Reducing, Resolving, and Preventing Intergroup Conflict: Evidence, Limitations, and Potential". *Am Psychologist*, v. 68, n. 7, p. 527, 2013; Y. Yablon e Y. Katz, "Internet-Based Group Relations: A High School Peace Education Project in Israel". *Educational Media Int*, v. 38, n. 2, p. 175, 2001; L. Goette e S. Meier, "Can Integration Tame Conflicts?". *Sci*, v. 334, p. 1356, 2011; M. Alexander e F. Christia, "Context Modularity of Human Altruism". *Sci*, v. 334, n. 6061, p. 1392, 2011; M. Kalman, "Israeli/Palestinian Camps Don't Work". *San Francisco Chronicle*, 19 out. 2008.

21. I. Beah, *A Long Way Gone*. Nova York: Sarah Crichton, 2007. [Ed. bras.: *Muito longe de casa: Memórias de um menino soldado*. São Paulo: Companhia de Bolso, 2015.]

22. R. Weierstall et al., "Relations Among Appetitive Aggression, Post-traumatic Stress and Motives for Demobilization: A Study in Former Colombian Combatants". *Conflict and Health*, v. 7, n. 1, p. 9, 2012; N. Boothby, "What Happens When Child Soldiers Grow Up? The Mozambique Case Study". *Intervention*, v. 4, n. 3, p. 244, 2006.

23. J. MacArthur, "Remember Nayirah, Witness for Kuwait?". *New York Times*, 6 jan. 1992; J. MacArthur, "Kuwaiti Gave Consistent Account of Atrocities; Retracted Testimony". *New York Times*, 24 jan. 1992; "Deception on Capitol Hill" (editorial), *New York Times*, 15 jan. 1992; T. Regan, "When Contemplating War, Beware of Babies in Incubators". *Christian Science Monitor*, 6 set. 2002; R. Sapolsky, "'Pseudokinship' and Real War". *San Francisco Chronicle*, 2 mar. 2003. Para o testemunho de Nayirah, ver <www.youtube.com/watch?v=LmfVs3WaE9Y>.

24. D. Queller et al., "Single-Gene Greenbeard Effects in the Social Amoeba *Dictyostelium discoideum*", op. cit.; M. Nowak, "Five Rules for the Evolution of Cooperation". *Sci*, v. 314, n. 5805, p. 1560, 2006.

25. C. Camerer e E. Fehr, "When Does Economic Man Dominate Social Behavior?". *Sci*, v. 311, n. 5757, p. 47, 2006; J. McNamara et al., "Variation in Behaviour Promotes Cooperation in the Prisoner's Dilemma Game". *Nat*, v. 428, n. 6984, p. 745, 2004; C. Hauert e M. Doebeli, "Spatial Structure Often Inhibits the Evolution of Cooperation in the Snowdrift Game". *Nat*, v. 428, n. 6893, p. 643, 2004.

26. M. Milinski et al., "Reputation Helps Solve the 'Tragedy of the Commons'". *Nat*, v. 415, n. 6870, p. 424, 2002.

27. M. Nowak et al., "Fairness Versus Reason in the Ultimatum Game". *Sci*, v. 289, n. 5485, p. 1773, 2000; G. Vogel, "Behavioral Evolution: The Evolution of the Golden Rule". *Sci*, v. 303, n. 5661, p. 1128, 2004.

28. J. Henrich et al., "Costly Punishment Across Human Societies". *Sci*, v. 312, n. 5781, p. 1767, 2006; B. Vollan e E. Olstrom, "Cooperation and the Commons". *Sci*, v. 330, n. 6006, p. 923, 2010; D. Rustagi et al., "Conditional Cooperation and Costly Monitoring Explain Success in Forest Commons Management". *Sci*, v. 330, n. 6006, p. 961, 2010.

29. S. Gächter et al., "The Long-Run Benefits of Punishment". *Sci*, v. 322, n. 5907, p. 1510, 2008.

30. B. Knutson, "Sweet Revenge?", op. cit.; D. de Quervain et al., "The Neural Basis of Altruistic Punishment", op. cit.; E. Fehr e S. Gächter, "Altruistic Punishment in Humans". *Nat*, v. 415, n. 6868, p.

137, 2002; E. Fehr e B. Rockenbach, "Detrimental Effects of Sanctions on Human Altruism", op. cit.; C. T. Dawes et al., "Egalitarian Motives in Humans". *Nat*, v. 446, n. 7137, p. 794, 2007.

31. E. Fehr e U. Fischbacher, "The Nature of Human Altruism". *Nat*, v. 425, n. 6960, p. 785, 2003; M. Janssen et al., "Lab Experiments for the Study of Social-Ecological Systems". *Sci*, v. 328, n. 5978, p. 613, 2010; R. Boyd et al., "Coordinated Punishment of Defectors Sustains Cooperation and Can Proliferate When Rare". *Sci*, v. 328, n. 5978, p. 617, 2010.

32. J. Jordan et al., "Third-Party Punishment as a Costly Signal of Trustworthiness". *Nat*, v. 530, n. 7591, p. 473, 2016.

33. A. Gneezy et al., "Shared Social Responsibility: A Field Experiment in Pay-What-You-Want Pricing and Charitable Giving". *Sci*, v. 329, n. 5989, p. 325, 2010; S. DellaVigna, "Consumers Who Care". *Sci*, v. 329, n. 5989, p. 287, 2010.

34. J. McNamara et al., "The Coevolution of Choosiness and Cooperation". *Nat*, v. 451, n. 7175, p. 189, 2008.

35. IDASA, *National Elections Survey, ago. 1994*. Cidade do Cabo: Institute for Democracy in South Africa, 1994; Human Science Research Council, *Omnibus, May 1995*. Pretória: HSRC/Mark Data, 1995; B. Hamber et al., "'Telling It Like It Is...': Understanding the Truth and Reconciliation Commission from the Perspective of Survivors". *Psych in Soc*, v. 26, p. 18, 2000.

36. D. Filkins, "Atonement: A Troubled Iraq Veteran Seeks Out the Family He Harmed". *New Yorker*, 29 out. 2012; D. Margolick, *Elizabeth and Hazel: Two Women of Little Rock*. New Haven, CT: Yale University Press, 2011.

37. R. Fehr e M. Gelfand, "When Apologies Work: How Matching Apology Components to Victims' Self-Construals Facilitates Forgiveness". *Organizational Behav and Hum Decision Processes*, v. 113, n. 1, p. 37, 2010.

38. M. McCullough, *Beyond Revenge: The Evolution of the Forgiveness Instinct*. Hoboken: Jossey-Bass, 2008.

39. M. Berman, "'I Forgive You.' Relatives of Charleston Church Shooting Victims Address Dylann Roof". *Washington Post*, 19 jun. 2015.

40. J. Thompson-Cannino et al., *Picking Cotton: Our Memoir of Injustice and Redemption*. Nova York: St. Martin's Griff, 2010.

41. L. Toussaint et al., "Effects of Lifetime Stress Exposure on Mental and Physical Health in Young Adulthood: How Stress Degrades and Forgiveness Protects Health". *J Health Psych*, v. 21, n. 6, p. 1004, 2014; K. A. Lawler et al., "A Change of Heart: Cardiovascular Correlates of Forgiveness in Response to Interpersonal Conflict". *J Behav Med*, v. 26, n. 5, p. 373, 2003; M. C. Whited et al., "The Influence of Forgiveness and Apology on Cardiovascular Reactivity and Recovery in Response to Mental Stress". *J Behav Med*, v. 33, n. 4, p. 293, 2010; C. vanOyen Witvliet et al., "Granting Forgiveness or Harboring Grudges: Implications for Emotion, Physiology, and Health". *Psych Sci*, v. 12, n. 2, p. 117, 2001; P. A. Hannon et al., "The Soothing Effects of Forgiveness on Victims' and Perpetrators' Blood Pressure". *Personal Relationships*, v. 19, n. 2, p. 27, 2011; G. L. Reed e R. D. Enright, "The Effects of Forgiveness Therapy on Depression, Anxiety, and Posttraumatic Stress for Women After Spousal Emotional Abuse". *J Consulting Clin Psych*, v. 74, n. 5, p. 920, 2006.

42. D. Kahneman e J. Renshon, "Why Hawks Win". *Foreign Policy*, jan./fev. 2007.

43. D. Laitin, "Confronting Violence Face to Face". *Sci*, v. 320, p. 51, 2008.

44. D. Grossman, *On Killing: The Psychological Costs of Learning to Kill in War and Society*. Nova York: Back Bay, 1995.

45. M. Power, "Confessions of a Drone Warrior". *GQ*, 22 out. 2013; J. L. Otto e B. J. Webber, "Mental Health Diagnoses and Counseling Among Pilots of Remotely Piloted Aircraft in the United States Air Force". *MSMR*, v. 20, n. 3, p. 3, 2013; J. Dao, "Drone Pilots Are Found to Get Stress Disorders Much as Those in Combat Do". *New York Times*, 22 fev. 2013.

46. J. Altmann et al., "Body Size and Fatness of Free-Living Baboons Reflect Food Availability and Activity Level". *Am J Primat*, v. 30, n. 2, p. 149, 1993; J. Kemnitz et al., "Effects of Food Availability on Insulin and Lipid Levels in Free-Ranging Baboons". *Am J Primat*, v. 57, n. 1, p. 13, 2002; W. Banks et al., "Serum Leptin Levels as a Marker for a Syndrome X-Like Condition in Wild Baboons". *J Clin Endo and Metabolism*, v. 88, n. 3, p. 1234, 2003.

47. R. Tarara et al., "Tuberculosis in Wild Baboon (*Papio cynocephalus*) in Kenya". *J Wildlife Diseases*, v. 21, n. 2, p. 137, 1985; R. Sapolsky e James Else, "Bovine Tuberculosis in a Wild Baboon Population: Epidemiological Aspects". *J Med Primat*, v. 16, n. 4, p. 229, 1987.

48. R. Sapolsky e L. Share, "A Pacific Culture Among Wild Baboons, Its Emergence and Transmission". *PLoS Biol*, v. 2, n. 4, p. e106, 2004; R. Sapolsky, "Culture in Animals, and a Case of a Non-human Primate Culture of Low Aggression and High Affiliation". *Soc Forces*, v. 85, n. 1, p. 217, 2006; R. Sapolsky, "Social Cultures in Non-human Primates". *Curr Anthropology*, v. 47, n. 4, p. 641, 2006; R. Sapolsky, "A Natural History of Peace". *Foreign Affairs*, v. 85, n. 1, p. 104, 2006.

49. I. DeVore, *Primate Behavior: Field Studies of Monkeys and Apes*. Nova York: Holt, 1965.

50. A. McAvoy, "Pearl Harbor Vets Reconcile in Hawaii". *Associated Press*, 6 dez. 2006; R. Ohira, "Zenji Abe, the Enemy Who Became a Friend". *Honolulu Advertiser*, 12 abr. 2007.

51. N. Rhee, "Why us Veterans Are Returning to Vietnam". *Christian Science Monitor*, 10 nov. 2013.

52. K. Sim e M. Bilton, *Remember My Lai*. pbs Video, 1989; W. G. Eckhardt, "My Lai: An American Tragedy". *UMKC Law Review*, n. 68, verão 2000; M. Bilton e K. Sim, *Four Hours in My Lai*. Nova York: Penguin, 1993. Essa é a fonte da citação de Varnado Simpson. T. Angers, *The Forgotten Hero of My Lai: The Hugh Thompson Story*. Lafayette, LA: Acadian House, 1999. Essa é a fonte da citação de Hugh Thompson.

53. M. Bilton e K. Sim, *Four Hours in My Lai*, op. cit.

54. A. Hochschild, *Bury the Chains: The British Struggle to Abolish Slavery*. Basingstoke, UK: Pan Macmillan, 2005 [Ed. bras.: *Enterrem as correntes: Profetas e rebeldes na luta pela libertação dos escravos*. Rio de Janeiro: Record, 2007]; E. Metaxas, *Amazing Grace: William Wilberforce and the Heroic Campaign to End Slavery*. Nova York: HarperOne, 2007.

55. G. Bell, *Rough Notes by an Old Soldier: During Fifty Years' Service, from Ensign G. B. to Major-General C. B.* Londres: Day, 1867.

56. M. Seidman, "Quiet Fronts in the Spanish Civil War". *The Historian*, v. 61, n. 4, p. 821, verão 1999. Disponível em: <libcom.org/library/quiet-fronts-michael-seidman>; F. Robinson, *Diary of the Crimean War*. Londres: G. Rolleston, 1856; E. Costello, *The Adventures of a Soldier*. Londres: Henry Colburn, 1841; J. Persico, *My Enemy, My Brother: Men and Days of Gettysburg*. Cambridge, MA: Da Capo, 1996.

57. S. Weintraub, *Silent Night: The Story of the World War I Christmas Truce*. Nova York: Plume, 2002.

58. T. Ashworth, *Trench Warfare, 1914-1918: The Live and Let Live System*. Londres: Pan, 1980. O Viva e Deixe Viver também é analisado em R. Axelrod, *The Evolution of Cooperation* (Nova York: Basic, 2006). [Ed. bras.: *A evolução da cooperação*. Rio de Janeiro: Leopardo, 2010.]

59. E. Jones, "One War Is Enough". *Atlantic*, fev. 1946.

Créditos das imagens

Páginas:

36 Cortesia Chickensaresocute/ CC BY-SA 3.0

188 Photo Researchers, Inc./ Science Source

199 Cortesia Angela Catlin

264 AFP/ Getty Images

264 Zoonar GmbH/ Alamy

266 Katherine Cronin e Edwin van Leeuwen/ Chimfunshi Wildlife Orphanage Trust

273 Cortesia Yulin Jia/ Dale Bumpers National Rice Research Center/ Departamento de Agricultura dos Estados Unidos/ CC BY 2.0

302 (Dir.) Augustin Ochsenreiter/ Museu de Arqueologia do Tirol do Sul

302 (Esq.) Eurac/ Samadelli/ Staschitz/ Museu de Arqueologia do Tirol do Sul

314 Cortesia Mopane Game Safaris/ CC BY-SA 4.0

350 (Inferior) SD Dirk/ Wikimedia Commons

356 Cortesia Liz Schulze

372 Vincent J. Musi

382 ZUMA Press, Inc./ Alamy

463 (Topo, à dir.) Jacob Halls/ Alamy

463 (Inferior) Walt Disney Studios Motion Pictures/ Lucasfilm Ltd.

539 (Topo) Dennis Hallinan/ Alamy

539 (Inferior) Cortesia © 2016 C. Herscovici/ Artists Rights Society (ARS), Nova York

558 Moshe Milner/ Assessoria de Imprensa do Governo de Israel/ Flickr

609 (Topo) Cortesia © 2013 Marcus Bleasdale/ VII para Human Rights Watch

609 (Inferior, à esq.) Cortesia Pierre Holtz/ UNICEF CAR/ CC BY-SA 2.0

609 (Inferior, à dir.) Bjorn Svensson/ Alamy

629 Chris Belsten/ Flickr

631 (Esq.) NA (Domínio público)

631 (Dir.) Cortesia Maureen Monte

635 (Esq.) Cortesia Jim Andreotta

635 (Dir.) Cortesia Susan T. Kummer

645 (Topo) Ralph Crane/ The LIFE Images Collection/ Getty Images

645 (Inferior) Cartazes de guerra/ Alamy

657 Cortesia BruceBlaus/ CC BY 3.0

657 (Inferior) Cortesia MethoxyRoxy/ CC BY-SA 2.5

661 Deco Images/Alamy

676 Keystone Pictures USA/ Alamy

677 (Topo) Cortesia Doc. RNDr. Josef Reischig, CSc./ CC BY SA 3.0

677 (Inferior) Cortesia Blacknick e Nataliia Skrypnyk, Universidade Nacional de Kiev Taras Shevchenko/ CC BY-SA 4.0

678 Cortesia Livet, Sanes e Lichtman/ Universidade Harvard

679 Cortesia Rajalakshmi L. Nair et al./ CC BY 2.0

Índice remissivo

Os números de página em *itálico* se referem às ilustrações.

Abe, Zenji, 630, *631*, 636, 646
ABL *ver* amígdala basolateral
aborígenes australianos, 408
aborto, 189, 199, 573
Abu Ghraib, prisão de (Iraque), 455, 460, 628
accumbens ver núcleo *accumbens*
acetilcolina, 32-3, 666-8
Acordos de Paz de Camp David (1978), 21
adaptacionismo *ver* evolução
Adler, Nancy, 288
adolescência, 51, 80, 102, 154-61, *162*, 163-71, 175, 179-80, 182, 194, 196, 199, 203, 234, 256, 331, 353, 362, 413, 427, 447, 527, 570, 573, 606, 627, 633, 648; *ver também* puberdade
Adorno, Theodor, 200, *395*, 438
adrenalina, 32, 126-7
afabilidade, 234, 405-7, 412, 414, 508
Afeganistão, 268, 536, 597
afiliação, 11, 91, 97, 135-6, 155, 201, 515, 541, 627
África do Sul, 313, 560-1, 607, 616
África: Ocidental, 89, 406, 635; Oriental, 23, 277, 297, 373, 401, 406, 624
africânderes, 560
afro-americanos, 92, 95, 389, 392, 396, 401-2, 405, 409, 411, 416, 563, 605, 617
agotes (antiga minoria francesa), 394, 404
agressividade, 10-2, 18, 21-3, 25, 36-40, 46, 48-9, 58, 80, 94, 101-3, 106-9, 114, 117, 119-26, 132-7, 172, 181, 196-7, 200, 203-4, 210, 213-7, 221, 238, 248-57, 277, 290, 293, 297, 310-1, 328, 352, 362, 367, 369, 382, 388, 398, 428, 431, 436, 448, 458, 583, *584-5*, 603, 624-8, 648; agressão ofensiva e defensiva, 22; agressividade e irritabilidade perimenstruais, 123; deslocada, 23, 132, 133, 172, 362, 431, 626, 627; feminina, 119-23, 125, 136; "fúria no ar", 290; masculina, 102, 210, 213, 310; materna, 120, 123; pressão ecológica e, 297; ritualística, 23; tipos de, 120; *ver também* amígdala; crimes/criminalidade; testosterona; violência
agricultura, 267, 273-4, 286, 311, 319
Ahern, Bertie, 559-60
ainus do Japão, 401
Akil, Huda, 75
Alá, 278, 385, 536
Alasca, 275-6
Alberts, Susan, 430
albinos, 364, 594
álcool, 70, 75, 135, 195, 217, 246, 255, 293, 440, 569, 638
alcoolismo, 217, 234, 252, 578
Alemanha, 38, 118, 200, 233, *285*, 304, 359, 388, 396, 456, 475, 528, 558, 599, 617, 641
alienígenas espaciais, 391
Allen, Robert, 537
Allman, John, 51, 494-5
Allport, Gordon, 413
Al-Sabah, Nayirah, 610

Altman, Joseph, 147-8, 150

Altmann, Jeanne, 430

altruísmo, 11, 21, 23-4, 44, 133, 149, 317, 333, 336, 338-9, 348-9, 358-9, 367, 384, 398, 458, 476, 487, 499, 506, 529-31, 534, 547, 648; patológico, 23, 44, 529; recíproco, 317, 336, 338-9, 348-9, 354, 359, 366-7, 384, 487, 499, 506, 531

Alzheimer, mal de, 10, 58, 569

amamentação, 110, 119, 373

Amazônia, 233, 275, 304, 306-7, 309, 668

ambiguidade, 11, 40, 395, 438, 442, 467, 575

ameaças, percepção de, 443, 446

amebas, 339, 348

América Central, 275

América do Norte, 275

América do Sul, 211, 275, 352, 420

América Latina, 597

amígdala, 30, 35-49, 63-6, 69, 75-81, 83, 88, 90-4, 99, 100, 102, 104, 106, 110, 114, 117, 120, 126, 130-2, 137, 142, 144, 151-2, 159, 165, 167, 178-9, 191-2, 194-5, 199, 249, 257, 291, 355, 381, 388, 392, 394, 402, 406, 410, 412, 416, 423, 426, 446, 449-50, 466-7, 471, 477-8, 492, 494-5, 504, 513, 516, 527-9, 589, 593, 596, 606, 613, 622, 647-8; amigdalectomias, 37-8; basolateral (ABL), 42-6, 64, 130-1, 144; *ver também* estresse

Amin, Idi, 408

aminoácidos, 256, 258, 667-8, 686-90

amor, 11, 19-21, 25, 31, 39, 49, 115, 119, 133, 136, 188-9, 220, 272, 294, 529, 533, 648

Anchorage (Alasca), 275

andamaneses, 311, *312*, 316

Andreotta, Glenn, 633-6, 646

androgênios, 101-3, 107, 121-3, 136, 213-6; *ver também* testosterona

anedonia, 70, 195

Angola, 267, 313, 596

animais, 101, 122, 309, 317, 337, 358, 371, 373, 376, 392, 428, 466, 550, 596; compaixão em, 509, 512; contágio emocional em, 509, 512; crueldade com os, 495, 497; de estimação, 41, 185; direitos dos, 189; estudos de Harlow com, 188-91, 203; gatilhos sensoriais de comportamento em, 86-7; vocalizações de, 40, 86, 203, 212, 332-3, 421, 448, 540

Anjos bons da nossa natureza: Por que a violência diminuiu, Os (Pinker), 300, 594, 595

ansiedade, 39-41, 45-6, 49, 64-6, 78, 81, 94, 103-5, 114, 120, 136, 143-4, 168, 181, 193-4, 196-7, 199, 216-8, 244, 256, 260, 277, 415, 432, 444, 447, 451-2, 467, 503, 515, 527, 529, 545, 600, 605, 619, 626

antidepressivos, 149, 150, 668; inibidores seletivos de recaptação da serotonina (ISRS), 668

antissemitismo, 557; *ver também* judeus

antissocialidade, 28, 132, 181, 192-3, 202, 250-1, 268, 287, 337, 484-6, 501, 583

antropologia, 267, 306, 313, 377

apartheid, 560, 607, 616

apatia, 58

Apego e perda (Bowlby), 188

apego, teoria do, 188

aprendizado: observacional, 522; social, 103, 106, 108, 117, 135, 448, 509

aquecimento global, 10, 169, 297-8

aquiescência, 447, 457, 460, 462-4

Arábia Saudita, 268, 361, 629

Arafat, Yasser, 559

Arca de Noé, mito da, 323

Archer, John, 103

Ardrey, Robert, 310

área fusiforme de faces do cérebro, 82, 88, 116, 124, 157, 381, 400, 406

Arendt, Hannah, 200, 465

arganazes, 111-7, 227, 511, 515

Argélia, 596, 629

Ariely, Dan, 479, 482

Aristóteles, 122, 477

Armistead, Lewis, 403

arqueologia, 300, 310, 538

Arquipélago Gulag (Soljenítsin), 456

arroz, cultura do, 273-4, 276-7, 542, 614

artêmias, 17

Asch, Solomon, 452, 455, 461, 464-5

Ashworth, Tony, 642

Ásia, 275; Leste Asiático, 100, 204, 268-70, 273-7, 547; Sudeste Asiático, 497

"assassinatos por honra", 283-4, 286, 364

asseio e limpeza, 546

assimilacionismo *versus* pluralismo, 416

Associação Americana de Psicologia (APA), 202, 573

ateísmo, 604

Atlantic (revista), 644

atletas, 103, 390, 402

Ato de Reforma da Defesa por Insanidade (EUA, 1984), 568

Atran, Scott, 556, 557

audição: alucinações auditivas, 574; de músicos, 146; deficientes auditivos, 145, 152; estímulos auditivos, 92, 208; tímpanos, 375-7, 379

Aung San Suu Kyi, 628

autismo, 116, 176, 199, 216, 234, 292, 524

autocontrole, 54, 95, 185, 570, 595

autoestima, 24, 107, 186, 191, 194, 234, 443

automatismo, 29, 55, 386, 394-5, 413, 526

autoridade, 200, 206, 234, 300, 415, 447, 452, 460, 477

autoritarismo de direita, 415, 438, 442, 464

aversão, 47, 51, 64, 66, 72, 114, 178-9, 192, 392, 404, 406-7, 432, 442-6, 460, 515-6, 533, 543-6, 551, 620-1; interpessoal, 392; moral, 392, 444, 544-5, 551

Axelrod, Robert, 341-3, 348, 366, 556

babuínos, 23, 124, 133, 161-2, 171, 190, 194, 205, 290, 297, 318, 329, 331-2, 335, 352-3, 365, 374, 383, 419-22, 429-32, 434, 447, 448, 509, 612, 624-8

Bahrein, 629

Bálcãs, 596, 606, 639

Banaji, Mahzarin, 455

bandeiras, poder simbólico das, 96, 385, 537-8, 605

Barash, David, 361, 376

"barba verde", efeito, 336, 384, 403, 611

Bargh, John, 548

Barnum, P. T., 58

Basílica de São Marcos (Veneza), 375

batak, povo, 311

Batalha de Boyne (Irlanda, 1690), 559

Batalha de Gettysburg (EUA, 1863), 363, 403, 537

Baumeister, Roy, 94

Baumgartner, Thomas, 504

Baumrind, Diana, 200-1, 206

BBC (British Broadcasting Corporation), 458

bebês, 87, 111, 177, 187-9, 199-200, 208-9, 213-4, 217, 233, 272, 328, 425, 472-3, 488, 513, 610, 632

Beckwith, Jonathan, 377-8

Begin, Menachem, 21-2, 153

behaviorismo, 15-6, 22, 84-6, 187-8, 191, 589

beleza, 71, 91, 435, 545, 592

Bell, George, 638

Belyaev, Dmitry, 371

Ben Ali, Zine El Abidine, 629

Benchley, Robert, 381

Benedict, Ruth, 490

bens públicos, 289, 484, 498

Bering, ponte terrestre de, 275

Berkowitz, David, 223, 574

Bernhart, Michael, 633

Berreby, David, 393-4

Bíblia, 18, 603

Bingham, Hiram, 403

Biologia, ciência única (Mayr), 348

biologia molecular, 217, 227, 370, 528

Blakemore, Sarah-Jayne, 160

Block, Ned, 239

Bloom, Paul, 472, 529, 544

bodes expiatórios, 118, 417, 464, 516

Boehm, Christopher, 315, 317-8

Bok, Hilary, 580

Bokassa, Jean-Bédel, 361

Boko Haram, 460

"bola virtual", paradigma da, 165, 514, 542

bondade, 24-5, 27, 91, 109, 169, 203, 528, 531, 535, 545

"bonecas", estudos de, 409

bonobos, 56, 113, 121, 123, 311, 319, 359-60, 422, 511, 593, 648

Boroditsky, Lera, 540

Bouazizi, Mohamed, 629-30, 636

Bouchard, Thomas, 233, 237, 242

Bowlby, John, 188-9, 220

Bowles, Samuel, 304, 315, 358, 398, 498

Boyce, Tom, 194

Boyd, Robert, 344
Brady, Joseph, 428
braille, leitura em, 145-6
Brasil, 268, 296, 305
brincadeiras, 61, 175, 180, 202, 203, 211-2
Brooks, Stephen, 632
Brosnan, Sarah, 473-5
Brown, Andrew, 374
Brown, Donald, 267
browniano, movimento, 230
Brown, Stuart, 203
Brown *versus* Conselho de Educação, caso, 409
bruxaria, 317, *565*, 586
Bucy, Paul, 30
budismo/budistas, 25, 528-9, 534-5, 602
bulbo olfatório, *30*
bullying, 197-8, 268, 287, 423, 447
Burdick, Eugene, 344
Burundi, 553
Bush, George H. W., 362
Bush, George W., 52, 362, 397, 435, 445, 610

Cabana do Pai Tomás, A (Stowe), 376
caçadores-coletores, 73, 116, 155, 286, 292, 309-11, *314*, 366-7, 401, 485, 488, 491, 552, 595, 597-8, 601, 612, 649
cães, 42, 175, 203, 256, 320, 323, 371-2, 384, 396, 473-4, 497, 500, 509, 511, 574, 595; ferais de Moscou, 371-2, *373*; mercados asiáticos de carne de cachorro, 497
cálcio, 140-1, 143, 196, 655
Calhoun, John C., 280, 292-3
Calley Jr., William, 632, 634
calvinistas, 536
Camboja, 276
camundongos, 41, 49, 112, 114, 134-5, 227, 244, 247, 249, 256, 426-7, 509-10, 528
Canadá, *285*, 311, 361, 367, 506, 615-6
câncer, 9-10, 196, 322, 347, *354*, 378, 443, 556, 610, 684
Cantor, James, 577
capital social, 194, 287, 289, 485, 501
capitalismo, 124, 377, 434
caraoquês filipinos, violência em, 538

caridade, 117, 164, 364, 530-3, 614, 638
caritianas, 275
carnívoros, 121
Carrion, Victor, 193
Carter, Sue, 111-2, 114
casais, formação de, 111, 136, 227, 349, 351-2, 354, 360, 376, 648
casamentos arranjados, 284, *285*
Caspi, Avshalom, 251
catecol O-metiltransferase (COMT), 253-4
causação, 573, 576, 580, 583
Cavernas da Califórnia (cordilheira de Serra Nevada), 160
CCA *ver* córtex cingulado anterior
Ceaușescu, Nicolae, 199
células gliais, 149, 173, 219, 656, 662
cenário da "rainha vermelha", 339
cerebelo, *55*, 678
cérebro, *35*; amígdala *ver* amígdala cerebral; área fusiforme de faces, 82, 88, 116, 124, 157, 381, 400, 406; conformidade e, 166; córtex, *35*; córtex cingulado anterior *ver* córtex cingulado anterior (CCA); córtex frontal *ver* córtex frontal; córtex pré-frontal *ver* córtex pré-frontal; córtex pré-motor *ver* córtex pré-motor (CPM); danos cerebrais, 243, 572, 579; de indivíduos transgêneros, 213; fetal, 209-10, 216-7, 662, 684; hemisfério direito, *35*; hemisfério esquerdo, *35*; hemisférios do, 35, 144, 194; hipocampo *ver* hipocampo; hipotálamo *ver* hipotálamo; "hipótese do cérebro social" de Dunbar, 422; humano, 51, 113, 172; junção temporoparietal *ver* junção temporoparietal (JTP); lateralização do, *35-6*; lesões cerebrais, 61, 569, 577; *locus ceruleus*, 48, 130; macro-organização do, 28; maleabilidade do, 58, 153; mesencéfalo, 31-2, 48, 102; modelo trino do, 28-9; neocórtex *ver* neocórtex; neurônios *ver* neurônios; neurotransmissores *ver* neurotransmissores; núcleo *accumbens ver* núcleo *accumbens*; núcleo leito da estria terminal *ver* núcleo leito da estria terminal (NLET); plasticidade cerebral, 171, 221; referências cerebrais, 59; regiões do, 28-9, 34-7, 50, 54, 59, 65, 69, 81-3, 94, 113,

119-20, 151, 157, 406, 427, 450, 477, 514, 516, 523, 678; sistema dopaminérgico mesolímbico/mesocortical *ver* dopamina; sistema límbico do *ver* sistema límbico; substância cinzenta periaquedutal *ver* substância cinzenta periaquedutal (CPA); tálamo, 90, 104, 130, 446; tamanho do cérebro e tamanho do grupo social, relação entre, 56; tronco encefálico, 31-2, 48, 69, 130; *ver também* neurociência; neurônios; sistema nervoso

Chagnon, Napoleon, 306-8

Champagne, Frances, 218

Charleston, massacre de (Metodista Episcopal Africana Emanuel, 2015), 618

Charlie Hebdo (jornal), 537

cheiros, 47, 96, 99, 392, 445

Cheney, Dorothy, 331-2, 337

Chestnut, Joey, 424

cheyenne, índios, 275

Chicago, revoltas de (1968), 390, 462

Chimpanzee Politics (De Waal), 436

chimpanzés, 18, 50, 56, 113, 161-2, 177, 226, 234, 240, 265, 266, 267, 310-1, 319, 329, 331, 338, 352-3, 359-60, 381, 383, 387, 408-10, 436, 448-9, 461, 475, 500, 509, 511, 540, 595, 648, 690

China, 100, 102, 124, 268, 270, 274, 276-7, 300, 373, 393, 406, 408-9, 588, 597-8, 630; Revolução Cultural na, 408

Chomsky, Noam, 378

Chuck E. Cheese's (rede de restaurantes), 337

chumbo, exposição ao, 194, 196

Churchland, Patricia, 526

ciclo menstrual, 123-5, 136, 158, 214, 259, 586; ovulação, 91, 119, 124, 158, 328, 396; período perimenstrual, 124-6; síndrome pré-menstrual (SPM), 123-6, 137; transtorno disfórico pré-menstrual (TDPM), 123

cidades: centros urbanos, 98, 242, 291, 293, 298, 378, 486, 489, 554; "processo civilizador", 595; urbanização, 291

"Cinco Grandes Fatores" da personalidade, 234

"Cinderela", efeito, 36-2

Cingapura, 268, 293, 296, 594

Clark, Kenneth e Mamie, 409

classe média, 113, 186, 206-7, 405

classes sociais *ver* nível socioeconômico

Clay, Henry, 280

clima e mudanças climáticas, 297

Clinton, Bill, 439, 617

cocaína, 70, 244

cognição, 28-9, 52, 59, 62-4, 67, 127, 135, 142, 159, 177, 184, 186, 193, 219, 236, 246, 253, 393, 394, 397, 467, 469, 471, 482, 508, 513, 520, 526, 545-6, 549, 596, 608, 624, 648; carga cognitiva, 54-5, 67, 410, 440, 467, 519, 527, 530, 578; desenvolvimento cognitivo, 175, 177, 246; fases da progressão cognitiva, 174-5; moral, 441

Cohen, Dov, 280

Cohen, Jonathan, 52, 63, 588

Cohn, Alain, 480

Cohn, Roy, 389

Colapinto, John, 211

Colapso: Como as sociedades escolhem o fracasso ou o sucesso (Diamond), 296

Colburn, Lawrence, 633-4, 635, 636, 646

Colégio Central de Little Rock (Arkansas), 617

Coles, Robert, 180

coletivismo, 273-4, 277, 299

colina (aminoácido), 667

"coloração de Golgi", 663

comércio: efeitos benéficos das trocas comerciais, 599

Coming of Age in Samoa (Mead), 123

Comissão de Verdade e Reconciliação (CVR), 615-6

compaixão, 21, 507-9, 512-3, 518, 528-30, 534, 619, 649; atos compassivos, 529, 533-4; *ver também* empatia

"compatibilismo", 567

competição/competitividade, 10-2, 21-2, 107, 120, 123, 156, 204, 277, 279, 308, 332, 336, 341, 343, 349, 358, 360, 367, 369, 405, 483-4, 625

"complexidade integrativa", 439

complexo principal de histocompatibilidade (CPH), 334-5, 365

comportamento: mecânica quântica e, 564; natureza multifatorial do, 15, 582-3; social, 12, 52, 55-6, 85, 114, 256, 325, 583

COMT *ver* catecol O-metiltransferase

"condicionamento ao medo", 88

"condicionamento operante", 42, 85

"condicionamento pavloviano", 42

confiança, 104, 118, 136, 382, 584

"confirmação", vieses de, 397

conflito do desmame, 353

conflitos, resolução de, 557

conformidade ver obediência e conformidade

Congo, 254, 311, 329, 367, 554-5, 597

Congresso dos Estados Unidos, comitê de direitos humanos do, 610

Congresso Nacional Africano (ANC), 561

consequencialismo, 492, 494-5

conservadorismo, 183, 189, 437-9, 445-6, 483, 544

"consolação", comportamento de, 511

contágio emocional, 164, 507-8, 513, 552

contágio sensório-motor, 512

"contato", teoria do, 413, 606

controle de impulsos, 135, 137, 171, 193-4, 201, 570

cooperação, 11-2, 21, 70, 95, 118, 204, 234, 269, 277, 287, 289, 308, 319, 331-2, 336-7, 339, 341, 343, 345-8, 357-8, 367, 369, 382-3, 387, 398, 435, 474, 480, 483-4, 496, 498, 506, 523, 530, 589, 611-5, 642

"cooperar sempre", estratégia, 342, 345, 504

coreanos, 117, 255, 271

Coreia do Sul, 296

Coreia, Guerra da, 597, 623

cores do espectro visível, 13

corpo, informação interoceptiva sobre o, 93

corporações, desmoralização de, 491

Correll, Joshua, 89

corrupção, 263, 501

Corry, Stephen, 309

córtex cingulado anterior (CCA), 51, 64, 88, 94, 96, 134, 178, 432, 451, 461, 471, 503-5, 513-9, 527, 531, 542-3, 552, 600

córtex frontal, 23-4, 34, 44, 47-8, 50-3, 56, 61-2, 66, 68, 72, 81, 89, 94, 104, 110, 131, 142, 154, 158, 162, 169, 171-2, 193-5, 410, 440, 503, 514, 518-9, 522, 570, 572, 591; comportamento social, 56-9

córtex insular (ínsula), 47, 51, 64, 79, 94, 165, 167,

178-9, 249, 392, 394, 406, 432, 444-6, 450, 471, 481, 492, 495, 500, 504, 513, 516, 527, 543-5, 548, 551-2, 556, 589, 596, 613

córtex motor, 30, 52, 66, 143, 146, 153, 507, 520, 575

córtex orbitofrontal medial, 91, 545

córtex pré-frontal (CPF), 25, 47, 52-6, 59, 61, 63-9, 76-7, 80, 82, 89, 94, 104, 130-1, 157, 160, 165-6, 169, 176, 178, 186, 249, 406, 410, 423, 426-7, 435, 500, 503-4, 516, 520; dorsolateral (CPF-DL), 59-65, 68, 79, 88, 91, 167, 410, 426-7, 446, 452, 469, 471, 477, 481, 492, 494, 495, 502-5, 516, 529, 589, 596, 601, 637; ventromedial (CPFVM), 59-63, 65-6, 72, 79, 91, 124, 159, 164, 167, 178-9, 270, 363, 396, 406, 423, 451-2, 471, 476, 478, 481, 492-3, 495, 513, 589

córtex pré-motor (CPM), 520-1, 523, 525

cortisol, 682

corvos, 421-2, 473

Cotton, Ronald, 618

CPA ver substância cinzenta periaquedutal

CPH ver complexo principal de histocompatibilidade

Craddock, Sandie, 125

Crick, Francis, 687

Crimeia, Guerra da (1853-6), 638

crimes/criminalidade, 126, 194, 196, 206, 252-3; crime organizado, 389; crimes de guerra, 455; sistema de justiça criminal, 10, 82, 562-3, 591; taxas de, 98, 189, 289; taxas de criminalidade, 98; teoria criminal das "janelas quebradas", 98

crises culturais, 295

cristianismo, 390, 486, 636

cromossomos, 109, 196, 214, 221, 223, 240, 324, 687, 689

Crow Creek, sítio arqueológico de (Dakota do Sul), 301

cruzamento consanguíneo, 161

Cuba, 444

culpa, 222, 271, 462, 490, 508, 570

cultura, 200; definição de, 265; culturas coletivistas, 100, 156, 204-5, 253, 269-71, 489-90, 583; culturas de honra, 205, 278-9, 281, 283; culturas igualitárias, 286; culturas individualistas *ver* individualismo; culturas pastoralistas *ver* pastoralismo; culturas pré-históricas e indígenas, 304, *305*

curare (veneno utilizado em dardos por tribos amazônicas), 668

Cushing, síndrome de, 151-2

Dalai-Lama, 460, 528

Dale, Henry, 666

Dalton, Katharina, 125

Daly, Martin, 361

Damasio, Antonio, 34, 61, 66, 99, 495, 522

Darden, Chris, 389-90

Darwin, Charles, 227, 373

"darwinismo neural", 156

Das, Gopal, 147

Davidson, Richard, 528

Davis, Richard, 557

Dawkins, Richard, 323, 327, *356*

De Dreu, Carsten, 118

De Kock, Eugene, 607

De Waal, Frans, 267, 436, 449, 473-6, 511

DeCasper, Anthony, 208

Decety, Jean, 178-9, 517

decisões *ver* tomada de decisões

"defesa Twinkie", 94

degradação ambiental, 296

democratas, 397, 443

"demônio da perversidade", 67

Dennett, Daniel, 587, 646

deontologia, 492-3

depressão, 70-1, 78, 95, 141, 143, 150-2, 164, 190, 193, 195-9, 203, 216-7, 234, 243, 260, 277, 353, 415, 429, 515, 542, 582-3, 619

derrames, 34, 46, 58, 145, 149, 578

Descartes, René, 34

desigualdade de renda, 287-9, 414, 477

desmame, conflito do, 353

desnutrição, 10, 186, *236*

desonestidade, 502

despotismo, 317-8

deuses moralizantes, 299, 487, 531, 601

DeVore, Irven, 377-8, 627

diabetes, 127, 217, 288, 373, 599; gestacional, 353

Diallo, Amadou, 89

Diamond, Jared, *296*

Diana, princesa de Gales, *395*

dicotomização, 385-6, 418, 517; *ver também* Nós e Eles, dicotomia

Diga-me com quem anda ... (Harris), 201

"dilema do bonde desgovernado" (matar uma pessoa para salvar cinco), 63, 477, 479, 492-3

Dilema do Prisioneiro (DP), 95, 118, 339-43, 345, 366, 387, 557, 611

dimorfismo sexual, 211, 349, 352, 360, 376, 624

Dinamarca, 268, *285*

direita, autoritarismo de, 415, 438, 442, 464

direitos, revolução dos, 596

direitos civis, 438, 577, 596, 617

direitos humanos, 309, 610

Disney, Walt, 87

dissimulação, 426, 500-2

DNA, 109, 112, 141, 147, 221, 223-31, 248, 258, 275, 359-60, 375, 525, 563, 618, 647, 678, 686-9; estrutura de "dupla hélice" do, 687; *ver também* genética

doação de órgãos para desconhecidos, 24

Dobzhansky, Theodosius, 322

dominância social, 90, 311, 324, 393, 415, 426, 432, 442

Donohue, John, 189

dopamina, 68-75, *76*, 77, *78*, 79-80, 105, 110, 129, 151, 160, 162-3, 169, 195, 252-4, 260, 275, 384, 532, 538, 578, 583, 589, 666-8, 691; L-DOPA (precursor imediato da dopamina), 668; sinalização dopaminérgica, 69, 71-2, 77, 78, 252-4, 426; sistema dopaminérgico, 36, 68-73, 77, 79, 81, 87, 252-3, 385, 450, 529-30, *533*

dor(es), 46, 64-5, 70, 94, 142, 168, 178-9, 181, 388, 432, 507-10, 512-7, 524, 527-9, 531, 535, 541-2, 551, 646, 673-4; circuitos da dor, *65*, 543; dor emocional, 512-3; tipos de, 514, 517

"Down by the Riverside" (canção), 10

drogas, 23, 37, 70, 73, 79, 102-3, 164, 193, 195, 217, 392, 517, 667

drones, 303, 435, 622-3

Drummond, Edward, 567

Dunbar, Robin, 421, 423

Dweck, Carol, 576
Dylan, Bob, 183

EAGA *ver* estudos de associação genômica ampla
Eakin, John, 537
Eckford, Elizabeth, 617
"efeito barba verde", 336, 384, 403, 611
"efeito Cinderela", 361-2
"efeito do vencedor" (em animais de laboratório), 104
"efeito espectador" ("síndrome de Genovese"), 97
"efeito Flynn", 596
"efeito Macbeth", 546-7
efeito Wellesley, 17, 93
efeito Westermarck, 365
Egito, 300, 362, 536, 629
egoísmo, 18, 133, 356, 447, 485-6, 498, 619, 648
Eichmann, Adolf, 455, 465
Eisenberger, Naomi, 164
Eisenegger, Christoph, 108
El Salvador, 594
Eldredge, Niles, 368-9, 378
elementos genéticos móveis *ver* transpósons
Elias, Norbert, 595
Ellsberg, Daniel, 628
Ember, Carol, 313, 315
Emerson, Ralph Waldo, 506
emoções negativas, 63, 124, 277
emoções positivas, 116, 445, 529
empatia, 11-2, 21, 23, 27, 51, 90, 120, 134-5, 142, 166, 168-9, 171, 178-81, 255, 267, 277, 366-7, 388, 432, 442, 444, 446, 450, 458, 467, 507-10, 512-3, 515-20, 524-6, 529-31, 534, 543, 551, 580, 593, 595-6, 598, 605, 607, 637, 649; "fadiga da empatia", 519; *ver também* compaixão
endocrinologia, 14, 23, 101, 119, 277, 427, 681; *ver também* hormônios
Entre os fiéis: Irã, Paquistão, Malásia, Indonésia — 1981 (Naipaul), 19
epilepsia, 38, 45, 521, 566, 578, 585-6, 590, 594
equidade e justiça, senso de, 183, 488
equilíbrio homeostático *ver* homeostase
equilíbrio pontuado, 368-70, 378
Erro de Descartes, O (Damasio), 34

Escherichia coli (bactéria), 337, 374
Escola primária Sandy Hook, massacre da (2012), 543
Escolha de Sofia, A (filme), 66
escravos/escravidão, 273, 280, 393, 451, 495, 593-4, 597, 617, 635-6, *637*
espécies "formadoras de casais" *versus* "formadoras de torneios", 349, 351, *352*, 354, 360, 376, 624, 648
espectro visível, 13
esquizofrenia, 10, 232, 234, 237, 258, 260, 564, 567, 574, 587
essencialismo, 222, 393, 396, 414, 417, 460
Estados Unidos, 96, 189, 201, 204, 262, 268, 272-3, 281, *282-3*, *285*, 292-3, 295, 304, 306, 337, 344, 389-90, 401, 438, 444, 456, 484-6, 506, 544, 597, 610, 617, 630, 632; Sul dos, 180, 205, 279-81, *282*, 283, 378, 393, 489
esteroides, 103, 106, 121, 128, 209, 255-6, 308, 370, 375, 682-3
estímulos auditivos, 92, 208
estímulos sensoriais, 14, 21, 386, 551
estímulos visuais, 30
Estônia, 268, 296
estresse, *129*; agudo, 144; conceito de U invertido no, 128, *129*; contexto dos custos e benefícios do estresse, *129*; crônico, 70, 144, 151, 195, 429; "estresse" das plantas, 229; estressores, 126-7, 132-3, 149, 291, 429, 481, 511, 682; hormônios do, 23, 42, 68, 94, 113, 428, 452, 482, 626, 682; "luta ou fuga", resposta de, 127, 134-5, 149; positivo, 128-9; resposta masculina *versus* resposta feminina ao, 134-5; síndrome do estresse executivo, 428; sustentado, 130, 132, 134, 137, 142-4, 151; Teste de Estresse Social de Trier, 133; *ver também* transtorno de estresse pós-traumático (TEPT)
estrogênio, 13, 117, 119-20, 124, 136, 144, 149, 151, 158, 209-10, 215, 218, 256, 682-4
"Estudo da Prisão da BBC" (201), 458
estudos de associação genômica ampla (EAGA), 258-60
"estudos de bonecas", 409
estupros, 10, 23, 89, 97, 102, 268, 284, 554, 595, 608-9, 618-9, 632-3

Etiópia, 308, 597
etologia, 16, 84-6, 208
Eurásia, 595
eurocentrismo, 596
Europa, 84-5, 188, 275, 295, 297, 304, 406, 566, 568, 593-4, 596, 602, 639, 679
Evangelho segundo São Marcos, 586
Evans, Robert, 289
evolução, 323-4; adaptação na, 127, 136, 325, 330, 333, 338, 358, 369, 374-7, 379, 588; biologia evolutiva, 326; do comportamento, 171, 322, 325-6, 342, 366, 369-70; "efeito barba verde", 336, 384, 403, 611; "exaptação", 375, 551; "seleção de grupo", 326; seleção de parentesco, 330-8, 348-9, 352, 354, 359, 362-7, 552, 611; seleção fenotípica, 356; seleção individual, 327, 329, 338, 349, 354, 359, 361; seleção multinível, 354-5, 357-8; seleção natural, 227, 324-5; seleção sexual, 324-5, 355; "sobrevivência do mais apto", 322
excitação, 31, 45-6, 49, 81, 130, 138-40, 168, 204, 324, 445, 471, 503, 509, 517, 527, 546, 574, 657-9, 662-4
Exército Republicano Irlandês (IRA), 459, 559
Experimento da Prisão de Stanford (EPS), 453-9
"experimento de Libet", 574
experimento do hospital de Hofling, 455
experimentos de "playback", 332, 347

Facebook, 164, 644
faces, área fusiforme de, 82, 88, 116, 124, 157, 381, 400, 406
"fadiga da empatia", 519
Fairbanks, Lynn, 331
Farah, Martha, 194
fascismo, 200, 301, 395, 638
fator neurotrófico derivado do cérebro (FNDC), 130, 143-4, 193, 218
Fehr, Ernst, 60, 108, 504
Felt, W. Mark, 628
fenilalanina, 243
fenilcetonúria, 243
fenótipo, 214, 355-6
Ferguson, R. Brian, 303

feromônios, 87, 92-3, 104, 115, 334, 365, 500, 511
ferramentas, uso de, 265
fetos, 156, 174, 208-10, 214-7, 236, 353-4, 365, 518; desenvolvimento fetal, 14, 156, 217
fígado, 494, 581, 677
"Filho de Sam", assassinatos do (1976), 222, 574
Filipinas, 268, 311, 538
Fischer, David Hackett, 281, 283
física quântica, 564
Fiske, Richard, 631, 644
Fiske, Susan, 402, 517, 606
"fissão-fusão", dinâmica grupal de, 56
Floyd, "Pretty Boy" (ladrão de bancos), 182
fluoxetina (Prozac), 668
Flynn, efeito, 596
FNDC ver fator neurotrófico derivado do cérebro
fobias, 41, 144, 234, 377
fofoca, 158, 267, 318, 421, 425, 491, 612
fome, 28, 93-4, 99, 187, 296, 311, 318, 328, 440, 472, 527, 537-8, 541, 549, 598
Forbes, Chad, 92
força de vontade, 54-5, 78, 94, 184-5, 440, 577, 591, 647, 649
fósseis, 323-4, 368-70
França, 301, 394, 567, 596, 643
Francis, Darlene, 218
Frank, Laurence, 121
Franklin, Rosalind, 687
fratricídio, 364
Freud, Sigmund, 187-9, 220
Friedman, Thomas, 599
Fry, Douglas, 308-9, 315-7
função executiva, 50, 52-3, 131; ver também cognição; córtex frontal
"fúria no ar", 290

GABA (neurotransmissor), 72, 120, 130, 138, 666, 669
Gabrieli, John, 88
Gage, Fred "Rusty", 148
Gage, Phineas, 57-8
Galápagos, ilhas, 373
Gallese, Vittorio, 520, 523-4
Gandhi, Mahatma, 135, 348, 525, 628

gatos, 41, 152, 595

Gauthier, Isabel, 82

gays *ver* homossexualidade

Gazzaniga, Michael, 572

Geertz, Clifford, 267

gêmeos, 222, 232-8, 241, 247, 352, 446, 561, 690

gênero gramatical, 540

generosidade, 44, 118, 179, 253, 255, 296, 382, 484-5, 487, 531, 601-2

genética, 14, 87, 92, 222, 240; "expedições de pesca" no estudo dos genes, 257, 259; 5HTT (gene), 243, 248-9, 257; "algoritmos genéticos", 345; cérebro humano e, 172; "Cinco Grandes Fatores" da personalidade, 234; códons, 223, 686; comportamental, 222, 231, 233-5, 238, 242, 246, 259; conflito genético intersexual, 353; contexto e, 253; distorções da, 222; DRD4 (gene), 252, 254, 257, 275, 276; elementos genéticos móveis, 229, *ver também* transpósons; epigenética, 218-9, 227, 231, 236, 238, 371, 585, 587; eventos transposicionais, 230; éxons, 228, 231, 371; expressão gênica, 226, 371; FADS2 (gene), 244; fator de transcrição (FT), 224-7, 230, 248, 371; "gene do guerreiro", 80, 250-1; "gene egoísta", 356; genes maternos, 354; genes paternos, 354; genes relacionados a hormônios esteroides, 255-6; "genes saltitantes", 229; herdabilidade, 234, 237-46, 446; interações gene/ambiente, 242-7, 251-7, 355; íntrons, 228; medicina personalizada com base nos genes, 222; molecular, 220, 246; regulação genética, 218, 223; variante7R (do gene DRD4), 253, 275, 276, 277; *ver também* DNA

Gengis Khan, 361, 574

genocídio, 306, 378, 398, 444, 553-5, 597-8, 616

genoma, 109, 221-2, 225-6, 229, 231-2, 240, 248, 258-9, 330, 336, 356-7, 359-60, 582, 687

genômica, 222, 247, 258, 260, 359, 446

genótipo, 355-6, 373

Genovese, Kitty, 97

George V, rei da Inglaterra, 363

Gettysburg, Batalha de (EUA, 1863), 363

gibões, 18, 352, 360

Giuliani, Rudy, 98, 389-90

Gladwell, Malcolm, 153

glândula adrenal, 32

glicocorticoides, 127-34, 142-4, 149, 151, 181, 187, 191-5, 213, 217-8, 252, 257, 270, 429-32, 452, 509, 511, 528, 578, 582, 682

glicose, 28, 31, 37, 94, 99, 104, 126, 224, 353, 440, 578, 656, 683, 685

glóbulos vermelhos, 656, 657

Glowacki, Luke, 308

glutamato (neurotransmissor), 130, 139-42, 144, 446, 582, 666, 686

Gobodo-Madikizela, Pumla, 607

Golden Balls (programa de TV), 340

Golgi, Camillo, 663

Goodall, Jane, 265-6, 353

Gopnik, Adam, 82

Gore, Al, 397

gorilas, 18, 56, 169, 311, 329, 381, 422

Gould, Elizabeth, 148

Goy, Robert, 210-2

Graham versus Florida, caso, 570

Grant, Peter e Rosemary, 373

gravidez, 119-20, 123, 208-9, 212, 329, 608

Grayling, Anthony, 525

Greely, Hank, 579

Green Bay Packers, 399

Greene, Joshua, 63, 76, 442, 477-9, 493-6, 498, 505-6, 518, 557, 562, 567, 588

Gross, James, 65

Grossman, David, 621-3, 636

"Grupo Baader-Meinhof" (célula terrorista), 38

"grupo", seleção de, 326

"grupo mínimo", paradigmas de, 383

grupo social, tamanho do, 56, 422

Guerra antes da civilização: O mito do bom selvagem, A (Keeley), 300

Guerra Civil Americana (1861-5), 403, 537, 544, 638-9

Guerra Civil Espanhola (1936-9), 638

Guerra Civil Russa (1917-22), 598

Guerra da Coreia, 597, 623

Guerra da Crimeia (1853-6), 638

Guerra do Golfo (1991), 610

Guerra do Vietnã, 10, 408, 455-6, 597, 602, 623, 632, 640

guerras, 296-303, 307, 310, 319, 363, 528, 554, 595-7, 599, 602, 623, 639, 679; *ver também* Primeira Guerra Mundial; Segunda Guerra Mundial
Guerras dos Bálcãs, 596
guerreiros, 462-3
guihiba, índios, 275
Guilherme II, imperador da Alemanha, 363
Guilherme III, rei da Inglaterra, 559
Guilt: The Bite of Conscience (Katchadourian), 490
gunwinggu, povo, 311
Guthrie, Woody, 182

habilidades sociais, 116, 201-2, 421
Habyarimana, Juvénal, 553
HAC *ver* hiperplasia adrenal congênita
HACT *ver* hormônio adrenocorticotrófico
hadza, povo, 311, *312*, 485-6, 598
Haidt, Jonathan, 184, 394, 441-2, 470-2, 477, 483, 544
Haig, David, 354
Haig, Douglas, 388
haka (ritual neozelandês), 23
Haldane, J. B. S., 330
Hamad, Ghazi, 557
Hamas, 557
Hamilton, W. D. (Bill), 327, 330, 336, 338, 342-3, 348, 611
Hamlin, Kiley, 472
Hancock, Winfield Scott, 403
Harlow, Harry, 188-91, 203, 220
Harmless People, The (Thomas), 313
Harris, Judith Rich, 201
Harris, Sam, 500, 564
Hartley, L. P., 595
Haslam, Alex, 458-9
Hebb, Donald, 139, 147, 245
Henrich, Joseph, 601
heroína, 70, 217
Heston, Charlton, 381
Hickok, Gregory, 522-4
hidrocortisona, 682
hienas, 121-2, 327, 422
hierarquias, 107, 202, 414-5, 418-9, 423-4, 427, 430, 434, 436, 447, 465-6, 480
higiene, pureza e julgamento moral, 445

Hill+Knowlton (empresa de relações públicas), 610
Hinckley Jr., John, 568
hindus, 284-5, 391, 406, 595, 604
Hines, Melissa, 213
hiperplasia adrenal congênita (HAC), 213-5
hipertensão, 127, 373, 401
hipocampo, 30, 35, 43, 47-8, 50, 64, 69, 75, 81, 110, 130-2, 142-4, 149, 151-3, 193-4, 219, 429, 451, 678
hipófise, 109, 127, 370, 429, 600, 682
hipotálamo, 31-4, 48, 99, 102, 106, 109, 120, 127, 210, 225, 678, 682
hipóxia, 24, 158, 578, 656
hispânicos, 97
Historia Animalium (Aristóteles), 122
Hitler, Adolf, 9, 188, 200, 390, 574, 640
HLC *ver* hormônio liberador de corticotrofina
Ho Chi Minh, 408
Hoa, Do, *635*
Hobbes, Thomas, 300, 303, 311, 319, 321, 595
Hoffman, Abbie, 390
Hoffman, Julius, 390
Hoffman, Morris, 589
Hofling, experimento do hospital de, 455
Holanda, 34, 99, 118, 217, 236, 296
Holland, John, 345
Holocausto, 34, 450, 554
Holt, Luther, 187
homeostase, 126-7
homicídios, 22, 169, 267, 279, 281, *282*, 302, 304-5, 309, 313, 315, 317, 319, 364, 447, 489, 535, 594, 597
hominoideos (grandes primatas), 17-8, 79
homofobia, 234
homossexualidade, 94, 114, 214-6, 234, 284, 394, 409, 437-8, 443, 445, 464, 544, 594, 596
homúnculo, *569-75*, 577, 580, 582, 587, 648
Honduras, 268, 594
honestidade, 55, 108, 152, 184, 436, 500, 504-6, 601
hormônios, 12, 14, 18, 21, 33, 42, 68, 94, 101, 109-10, 112-3, 115-7, 119-22, 130, 132, 136,

142, 144, 151, 158, 173, 193, 209-10, 214, 216, 218, 221, 236, 255-6, 261-2, 370, 375, 428, 452, 482, 568, 582-3, 626, 628, 648, 681-5; hormônio adrenocorticotrófico (HACT), 127, 193, 682; hormônio liberador de corticotrofina (HLC), 127, 130, 133, 193, 682

Hotel King David (Jerusalém), 21

Hrdy, Sarah Blaffer, 120, 123, 328, 377-8

Hubbard, Ruth, 378

Hughes, Robert, 539

Huizinga, Johan, 202

Human Being Died That Night: A South African Story of Forgiveness, A (Gobodo-Madikizela), 607

Hume, David, 61

Hungria, 296

Hunter, Kim, 381

Huntington, doença de, 58, 578, 581, 690

Hussein, rei da Jordânia, 559

hutus, 459, 553-5

Iacoboni, Marco, 524-5

ianomâmis, 306-8, 310, 313

Ibn Saud, rei da Arábia Saudita, 361

Ibrahim, Meriam, 390-1

ícones (imagens religiosas), 536

Idade Média, 595

"identidade social", teoria da, 450, 465

ideologia política, 437-8, 444

ídolos, 536

Iêmen, 268, 629

Igreja Metodista Episcopal Africana Emanuel, 618

igrejas batistas negras, 437

igualitarismo, 179-80; *ver também* culturas igualitárias

Iluminismo, 593, 596

imigração/imigrantes, 97, 255, 272-3, 277, 391-2, 396, 403, 537, 544

imitação *ver* mimetismo

Império Britânico, 408

impulsividade, 50, 79-80, 104, 142, 249, 253, 275

indeterminação subatômica da mecânica quântica, 564

Índia, 277, 296, 301, 311, 328, 333, 385

indígenas, 273, 275, 304, 306, 308-9, 595, 597, 599, 616, 633

individualismo, 100, 156, 204-7, 253, 269-77, 464, 489-90, 583

Indochina, 596

Indonésia, 19, 406

infância/crianças: adversidades na infância, 193-8, 251-2, 255, 582-3; bebês, 87, 111, 177, 187-9, 199-200, 208-9, 213-4, 217, 233, 272, 328, 425, 472-3, 488, 513, 610, 632; crianças-soldados, 155; maus-tratos na infância, 197-8, 219, 251, 257; senso infantil de equidade e justiça, 488; "teste do marshmallow" (controle de impulsos em crianças), 184-6; trabalho infantil, 495, 593-4; violência infantil, 594; "Você deve ser muito inteligente" *versus* "Você deve ter se esforçado bastante", 576

infanticídio competitivo, 311, 329, 349, 361, 376

influência social, 164

informações interoceptivas, 93-4, 100, 513-4, 548

Inglaterra, 96, 155, 188, 281, 285, 294, 363, 393, 636

inibidores seletivos de recaptação da serotonina (ISRS, antidepressivos), 668

Innocence Project, 563

Insel, Thomas, 111-2

insetos eussociais, 327

ínsula *ver* córtex insular

insulina, 353, 566, 683, 685; resistência à, 353

integração de mercado, 485-6, 499

inteligência, 367, 421, 576; emocional, 171; Q.I., 38, 157, 171, 196, 199, 213, 231, 233, 239, 244, 246, 438, 502, 564, 582, 596; social, 171, 197, 255, 427, 464

interações sociais, 70, 269, 338, 363, 523

inveja, 21, 71, 118, 366, 406-7, 460

Irã, 409, 444, 536

IRA (Exército Republicano Irlandês), 459, 559

Iraque, 409, 536-7, 610, 617, 629

Irgun (grupo paramilitar sionista), 21

Irlanda, 559

Irlanda do Norte, 459, 537, 559, 605

irracionalidade, 365-6, 396, 462, 571, 619-20; reconhecimento de nossas irracionalidades, 619-20

Is Shame Necessary? (Jacquet), 490

islamismo, 357, 391, 486, 536, 604; *ver também* muçulmanos

Islândia, 262, 268, 334, 594

Israel, 21, 233, 296, 365, 388, 557-8, 599, 604, 606, 617

Itália, *285*, 301, 520, 536

Jackson, Andrew, 280

Jacquet, Jennifer, 490-1

Jaime II, rei da Inglaterra, 559

James-Lange, teoria, 93-4

James, LeBron, 153, 391

James, William, 61, 93

Jamison, Leslie, 526, 529

Japão, 204-5, 268, 272, 276, 401, 407, 594, 630-1, 644

Jerusalém, 21

Jesus Cristo, 586

Jindal, Bobby, 391

jogo compulsivo, 234

jogos de soma zero, 388

jogos econômicos e teoria dos jogos, 24, 44, 60, 70, 80, 92, 95, 96, 106, 114, 118, 252, 268, 287, 339, 387, 391, 440, 480, 484-5, 488, 504, 545, 548, 589, 601-2, 613; integração de mercado, 485-6, 499; Jogo do Ditador, 485; Jogo do Ultimato, 44, 108, 474, 485-6, 488, 589, 613

Johnson, Mark, 541

Jones, Steve, 357

Jordânia, 558, 629

Jost, John, 393, 414, 437, 442

judaísmo, 536

judeus, 22, 34, 274, 366, 378, 385, 389, 396, 406, 408, 455, 558, 604, 606

junção temporoparietal (JTP), 60, 116, 176-7, 271, 469, 513, 516, 518, 520

Jyllands-Posten (jornal dinamarquês), 536-7

Kadafi, Muammar, 629

Kagame, Paul, 554

Kahneman, Daniel, 96, 499, 620

Kamin, Leon, 237, 378

Kant, Immanuel, 470

Kaplan, George, 289

Kaplan, Michael, 148

Kass, Leon, 437, 445

Katchadourian, Herant, 490

Kaufman, Irving, 389-90

Kawachi, Ichiro, 289

Keeley, Lawrence, 300-4, 307, 309, 311, 315, 319, 599

Keizer, Kees, 99

Kelling, George, 98

Keltner, Dacher, 518-9, 527

Kendler, Kenneth, 235, 237

Kennedy, Anthony, 170

Kennedy, John F., 344, 362, 396

Kerry, John, 435

kibutz israelense, sistema de, 365

Kidd, Kenneth, 275, 277

Kiehl, Kent, 59

Kimberly-Clark (fabricante de papel), 491

"Kindest Cut, The" (MacFarquhar), 24

King Jr., Martin Luther, 628

King, Mary-Claire, 226

Kipling, Rudyard, 374

Kluckhohn, Clyde, 267

Klüver, Heinrich, 30

Knutson, Brian, 74, 76, 79, 270

Kohlberg, Lawrence, 180-1, 183, 441

Kramer, Heinrich, 586

Kreipe, Heinrich, 404

Kroeber, Alfred, 267

Ku Klux Klan, 462

!kung (povo do Kalahari), 313, *314*, 317, 367

Kusserow, Adrie, 206-7

Kuwait, 610, 629

lactação, 110, 123

lactose, 372

Lakoff, George, 540-1

Lamarck, Jean-Baptiste, 218, 227-8, 326

Lange, Carl, 93

Lantos, Tom, 610

lares adotivos *versus* lares biológicos, 237

Lavater, Johann, 502

L-DOPA (precursor imediato da dopamina), 668

lealdade, 96, 363, 388, 390-1, 395, 406, 441-2, 483

lecitina, 667

LeDoux, Joseph, 42-3, 46

Lee, John, 537

Lee, Robert E., 280

Leigh Fermor, Patrick, 404

Lenski, Richard, 374

leões, 121-2, 128, 149, 326, 329, 333, 347, 352, 419

leucotomias frontais (lobotomias), 16

Levitt, Steven, 189

Lewinsky, Monica, 439

Lewontin, Richard, 241, 374-8

liberais, 183, 189, 436-7, 439, 441-6, 483, 541, 603

liberalismo, 437, 446

Libet, Benjamin, 574-5

Líbia, 536, 629

límbicas, áreas *ver* sistema límbico

Limite de segurança (Burdick e Wheeler), 344

limpeza e asseio, 546

linchamento, lei do, 280

Lincoln, Abraham, 628

linguagem: efeitos inconscientes da, 95; gênero gramatical, 540; metáforas *ver* metáforas; pistas linguísticas, 96

Lipton, Judith, 361, 376

Little Rock, Colégio Central de (Arkansas), 617

Liulevicius, Vejas, 363

livre-arbítrio, 562, 564, 566-9, 571-3, 575-6, 578-80, 583, 585, 587-8, 591-2

Lobello, Lu, 617

lobotomias frontais (leucotomias), 16

locus ceruleus (região cerebral), 48, 130

Loma Prieta, terremoto (São Francisco, 1989), 295-6

Lømo, Terje, 140

Londres, taxistas de, 151

Lorenz, Konrad, 16-7, 86, 310, 460

luta de classes, 290

"luta ou fuga", resposta de, 127, 134-5, 149

Lying (Harris), 500

M'Naghten, Daniel, 567-8, 579

macacos langur, 328-9, 331

macacos-prego, 422, 449, 473-5, 500

macacos reso, 56, 70, 172, 211, 251, 352, 426, 429, 520-1

macacos-titis, 111

macacos-vervet, 124, 331-2, 449, 540

Maccoby, Eleanor, 201

MacFarquhar, Larissa, 24

Macho demoníaco: As origens da agressividade humana, O (Wrangham e Peterson), 310-1

machos alfa, 23, 400, 419-20, 430, 434, 447

machos beta, 430

MacLean, Paul, 28-30

Madoff, Bernie, 396

Máfia, 279, 389

Magritte, René, 539

Maimônides, Moisés, 532

Malásia, 275, 296, 307, 311, 490, 596

maldade, 9, 25, 82, 456

Malleus Maleficarum (Kramer e Sprenger), 586

mamíferos, 17, 28, 73, 80, 87, 103, 109-11, 122, 127, 148, 156, 161, 174, 210, 230, 330, 363, 368, 444, 501, 513, 534, 542

Mandela, Nelson, 153, 348, 459, 560-1, 628, 646

mandris, 92, 350, 352

Mao Tsé-Tung, 598

MAO-A *ver* monoamina oxidase A

Maomé, 536-7

maoris, 250

mapas espaciais, 151

marcadores somáticos, 66, 495, 522

Marcus, Gary, 525

Marrocos, 629

"marshmallow", teste do (controle de impulsos em crianças), 184-6

Martin, John, 201

Maslach, Christina, 454

massacre da escola primária Sandy Hook (2012), 543

massais (povo africano), 279, 304-5, 313, 318, 373, 489, 608

Massery, Hazel Bryan, 617

matrilocalidade, 367

Mayr, Ernst, 348, 356

Maze, prisão de (Irlanda do Norte), 459

Mazrui, Ali, 297

mbuti, povo, 311, *312*, 367

McCarthy, Joseph, 443

McClintock, Barbara, 229

McDonald's, 599

McGaugh, James, 43

McGuinness, Martin, 559, 561

Mead, Margaret, 123

Meaney, Michael, 193, 218, 220

mecânica quântica, 564

Medalha Carnegie, 506

Medina, Ernest, 634

meditação, 25, 528

medo, 39-49, 64, 81, 100, 104, 114, 122, 130-1, 137, 142, 144, 192, 251, 404, 497, 500, 509, 515, 544, 623, 648

Meinhof, Ulrike, 38

Méliès, Georges, 391

Melzack, Ronald, 674

memória, 28, 43, 50, 52-3, 55, 58, 60, 66, 81, 116, 129-31, 137, 139, 143, 151, 159, 171, 193-4, 251, 279, 451, 453, 528, 618

menstruação *ver* ciclo menstrual

mentiras, 68, 500-1; detectores de mentira (polígrafo), 503

mercado, integração de, 485-6, 499

meritocracia/pensamento meritocrático, 167

metáforas, 11, 28-9, 43, 54, 62, 114, 197, 207, 229, 274, 290, 338, 356-7, 456, 516, 540-1, 543, 545, 547-9, 552, 556, 561, 657-8, 676

Metáforas da vida cotidiana (Lakoff e Johnson), 541

México, 392

micos, 110-1, 121, 135, 211, 331, 352, 420, 448

Milgram, Stanley, 452, 454-7, 459, 462-5

Milk, Harvey, 94

Miller versus Alabama, caso, 170, 570

mimetismo, 507-9, 521

Ming, dinastia, 597-8

Minsky, Marvin, 583, 585

Mischel, Walter, 184

Mitchell, David, 634

Moçambique, 596

Mogil, Jeffrey, 134, 510, 528

Moisés, 361

Money, John, 213

Mongólia, 373

Moniz, Egas, 16

monoamina oxidase A (MAO-A), 248-53, 578

monogamia, 108, 111-3, 136, 255, 333, 351, 360-1, 511, 628

monoteísmo, 278, 299, 489

moral: interacionismo moral, 184

Moral Life of Children, The (Coles), 180

Moral Origins: The Evolution of Virtue, Altruism, and Shame (Boehm), 317

Moral Politics: How Liberals and Conservatives Think (Lakoff), 541

Moral Tribes: Emotion, Reason, and the Gap Between Us and Them (Greene), 495

moralidade, 55, 63, 67, 204, 265, 270, 272, 277, 292, 366, 368, 405, 441, 461, 468, 470, 472, 476, 479-83, 489-91, 496-7, 503, 518, 545, 551, 637, 649; ação moral, 134, 184; aversão moral, 392, 444, 544-5, 551; decisões morais, 96, 133, 184, 469-72, 476-7, 479, 482, 493-5, 499, 580, 619; desenvolvimento moral em crianças, 183; desmoralização, 491; estágios de desenvolvimento moral, 180-1, 441; intuição moral, 184, 468, 477, 494-7; intuicionismo moral, 476, 479, 495; pureza, higiene e julgamento moral, 445; raciocínio moral, 134, 166, 168-9, 182, 184, 469, 472, 476-7, 492, 494-5, 526, 649; religiões moralizantes, 292, 299, 487, 531; "Tragédia da Moralidade do Senso Comum", 496-7, 518

mórmons, 299, 361, 603

Morozov, Pavlik, *363*, 476

Morse, Stephen, 571, 579-80

mortes do "My Way" (violência em caraoquês filipinos), 538

Moscone, George, 94

motivação, 45, 55, 68, 77-8, 81, 95, 177, 181, 201, 269, 439, 469, 529, 532, 576, 589; "Você deve ser muito inteligente" *versus* "Você deve ter se esforçado bastante", 576

movimento browniano, 230

Mubarak, Hosni, 629

muçulmanos, 385, 390-1, 536, 601-2, 604, 606

mudanças climáticas, 297; *ver também* aquecimento global

multifatorial, comportamento como, 15, 582-3

músculos, 18, 22, 25, 27-8, 31-3, 52, 55, 58, 84, 94, 99, 104, 127, 167, 172, 178, 303, 324, 421, 501, 514, 520-1, 523, 542, 564, 573, 655, 667

muskoke, índios, 275

Mutual of Omaha's Wild Kingdom (programa de TV), 326

Mỹ Lai, Massacre de (Guerra do Vietnã), 455, 632, 634, *635*

"My Way" (canção), 538

Myth of Mirror Neurons, The (Hickok), 524

Naipaul, V. S., 19

Napoleão Bonaparte, 541, 602

Nature (revista), 259, 347, 473, 480, 511

Nature Neuroscience (revista), 218

Nauta, Walle, 34, 59

Navarrete, Carlos, 396, 402

navio negreiro, *637*

nazismo/nazistas, 17, 34, 150, 233, 396, 408, 456, 460-1, 493, 554, 558

Nelson, Charles, 199

neocórtex, 28, 422-3, 500, 551

Nepal, *333*, 616

Netanyahu, Benjamin, 557

neurobiologia, 14, 27-8, 41, 55, 81, 83, 89, 105, 119, 130, 133, 153, 155, 164, 173, 178, 184, 277, 432, 446, 451-2, 511-3, 541, 577, 601

neurociência, 28, 34, 81-2, 147-8, 150, 157-8, 477, 513, 528, 562, 564, 571, 579-80, 588, 663, 679; *ver também* cérebro

neurofarmacologia, 667-8

neuroimagem, 37-8, 40, 45, 56, 63, 71-2, 79, 82, 88, 96, 116, 153, 157, 164-6, 169, 176, 270, 272, 355, 388, 405, 422, 477, 502-3, 521, 528-9, 532, 563, 579

neurônios, *656-7*, *668-9*; axônios de, 34, 109, 144-7, 157, 173-4, 657, 659-60, 662, 669, 672-3, 678-9; bainha de mielina em torno de axônios, 154, 157-8, 174, 220, 657, 662; circuitos neurais, 28, 79, 156, 479, 502, 668; cone axonal de, 138-9, 660-3, 666; "darwinismo neural",

156; de "Von Economo" (neurônios fusiformes), 51, 58, 551-2; dendritos de, 111, 130, 139, 143-4, 657, 660, 663, 672-3, 681; dopaminérgicos, 69-70, *75*; espinha dendrítica, 139-41, 143, 664, 669, 672, 681; excitatórios, 44; inibitórios, 44; neurogênese, 147-50, 152, 229, 335, 568; neuromodulação, *669*; neurônio pós sináptico, 665, 668-9; neurônios-espelho, 166, 178, 450, 521-6; plasticidade axonal, 145; plasticidade neuronal, 138, 150, 152-3, 422, *635*; potencial de ação de, 99, 106, 138-9, 173, 658-72; sinapses, 16, 29, 43, 46, 75, 130, 139-50, 154, 156, 158, 171, 173-4, 185, 202, 217, 219, 243, 247-9, 252, 568, 663, 664, 665, 668-9, 672, 681

neuropeptídeos, 110-19, 254-5

neuroticismo, 234, 464

neurotransmissores, 28, 37, 43, 51, 81, 120, 136, 139, 141, 151, 158, 171, 221, 253-4, 261, 568, 577, 583, 664-9, 681, 683, 685

Newton, John, *635*

New York Times, The (jornal), 97, 151, 538

New Yorker (revista), 24, 82, 149, 437, 617

Nichols, Shaun, 580

Nicolau II, tsar da Rússia, 363

Niebuhr, Reinhold, 398

Nigéria, 268, 301, 407, 536

Nike, 491

Niño, El (fenômeno climático), 297

Nisbett, Richard, 271, 279-81

nível socioeconômico, 194, 196, 246, 257, 288, 424, 433, 438, 466, 544, 578, 649

Nixon, Richard, 439, 602

NLET *ver* núcleo leito da estria terminal

NMDA (receptor de glutamato), 139-41

Nobel, Prêmio, 16, 25, 86, 96, 113, 366, 499, 620, 663, 688

nomadismo, 313, 598

nomenclaturas de parentesco, 363

noradrenalina, 32, 48, 126, 130-1, 250, 254, 666-7

Norenzayan, Ara, 291-2, 601, 604

Nós e Eles, dicotomia, 47, 381-6, 388, 392-404, 409-418, 437, 460, 465, 468, 472, 482, 493,

495-6, 511, 517-8, 553, 600, 605, 620, 634-5, 643, 646, 648

Nottebohm, Fernando, 148-9

Nova Guiné, 275, 304-7, 362

"Nova Ordem" na Indonésia, 19

novidades, busca por, 155, 161-2, 168-9, 252, 254, 275

novocaína, 37

Nowak, Martin, 344

Ntaryamira, Cyprien, 553

núcleo *accumbens*, 69-72, 77-80, 105, 110, 112, 151, 162-3, 227, 252, 451

núcleo leito da estria terminal (NLET), 48, 102, 104, 144

"número de Dunbar", 423

nyangatom, povo, 308

O'Connor, Sandra Day, 571, 573

Obama, Barack, 396

obediência e conformidade, 181, 391, 418, 442, 447-50, 452, 454-5, 460, 467, 554, 621

obesidade, 217, 373

Oceania, 124

Ochsner, Kevin, 514

Ocidente, 155, 187, 199, 275, 284, 286, 360, 401, 409, 490, 495, 554, 566, 587, 596-7

ocitocina, 101, 109-20, 135-6, 218, 225, 227, 254-5, 359, 370, 382, 511, 515, 583, *584*, 593; *ver também* vasopressina

ódio, 25, 49, 366, 395, 397, 409, 444, 497, 556, 559, 618-9, 621, 630-1, 634, 644, 646, 648; *ver também* raiva

olfato, 30, 87, 92; bulbo olfatório, *30*; cheiros, 47, 96, 99, 392

"olho por olho", atitude/estratégia, 341-8, 358, 489

olhos, impacto social dos, 87, 91-2, 99-100, 104, 114

Omã, 268, 484, 629

On Killing: The Psychological Cost of Learning to Kill in War and Society (Grossman), 621

Onze de Setembro, atentados do (2001), 295, 597

orangotangos, 18, 56, 86, 377, 422, 448, 474

órfãos romenos, 199

Organization of Behavior, The (Hebb), 139

orientações políticas, 436-7; *ver também* ideologia política; conservadores; liberais

Oriente Médio, 118, 275, 321, 396, 557, 597, 606, 629

Oscilação Sul (El Niño), 297

ossos, 280, 301-2, 317, 324-5, 370, 582, 644, 655

otimismo, 12, 104, 152, 234, 273, 593, 596, 620

Otzi ("homem de gelo" tirolês), 301, *302*

ovelhas, 110, 175, 183, 273, 277

ovulação, 91, 119, 124, 158, 328, 396

Pääbo, Svante, 359-60

pais e mães/cuidados parentais, 350; estilos parentais básicos, 200-1; "substituição materna", 331; pais adotivos *versus* pais biológicos, 237

países mais ou menos "restritivos", 296

Paisley, Ian, 559-60

palavras, significados de, 540-1

Palestina, 21, 285, 388, 557, 604, 606

Pangloss, dr. (personagem), 377

pânico, ataques de, 46

Papez, James, 30

Paquistão, 296, 435

"paradigma panglossiano", 377

parasitas, 151, 217, 230, 338, 578

parentesco, seleção de, 330, 332-3, 335-8, 348-9, 352, 354, 359, 362-4, 366-7, 552, 611

Parkes, A. S., 292

Parkinson, doença de, 69, 578, 668

Parks, Rosa, 153, 628

Pascual-Leone, Alvaro, 146

pastoralismo, 277-8, 281, 283, 286, 299, 308-9, 315, 321, 372, 485, 489, 496, 608

patricídio, 364

Pavlov, Ivan, 42, 384

Paxton, Joseph, 505-6

paz, 294, 338, 342, 526, 557, 599, 620, 639, 641-2, 649; "pacificologia", 624

Pearl Harbor, ataque a (1941), 630

pedofilia, 577

Peel, Robert, 567-8

peixes, 103, 127, 204, 265, 334, 338, 346, 359, 366, 429, 448

pele, resistência galvânica da (RGP), 445

809

pelotões de fuzilamento, 462, 622

pena de morte, 10, 563-4, 571-2

pensamento categórico, 13, 53, 402

pensamento meritocrático, 167

pensamento simbólico e metafórico, 541, 550; *ver também* metáforas; simbolismo

perdão, 21, 91, 201, 616-9

Perkins, Marlin, 326, 419

"permanência do objeto", 174-5

Perry, Gina, 457

persistência da lactase, 372

personalidade: "Cinco Grandes Fatores" da, 234; fascista, 200; traços de, 234, 464

perspectiva, tomada de, 176, 180, 255, 413, 416, 463, 465-6, 469, 507-8, 512-3, 518, 523, 596

perversidade, 67

"pessoa jurídica", noção americana de, 405

Peterson, Dale, 310

Phelps, Elizabeth, 71

Piaget, Jean, 174, 180

pima, índios, 275, 373

Pinker, Steven, 300-5, 307, 309, 313, 315, 526, 594-9

pinturas rupestres, 310, 539

pistas subliminares e inconscientes, 87

Planeta dos macacos (filme), 381

plantas, transpósons e, 229

"playback", experimentos de, 332, 347

pleiotropia antagonista, 322

Plomin, Robert, 237

pobreza, 192, 194, 246, 253, 288-9, 415, 433, 439, 466, 492, 534, 582

Poe, Edgar Allan, 67

polarização política, 440

poliandria, 333, 362, 628

poligamia, 112, 278, 333, 361, 371, 582, 594

polígrafo (detectores de mentira), 503

politeísmo, 278, 299

populações: densidade populacional, 263, 292-3, 296, 328; heterogeneidade das, 290, 294-5, 401; "populações fundadoras", 348, 611; tamanho das, 292

porquinhos-da-índia, 210-1

Porter, John, 610

Portugal, 596

"potenciais relacionados a eventos" (PRE), 89

preás, 122

preconceitos, 119, 221, 382, 385, 394-5, 410-1, 415, 438, 470, 605-6

"preferência condicionada de lugar", 105

pré-históricas, culturas, 304, *305*

pressionada, contribuições trazidas pela pessoa, 464

"Pretty Boy Floyd" (canção), 182

Previsivelmente irracional (Ariely), 479

Price, Tavin, 537

primatas, 17-8, 23, 28, 30, 41, 50-1, 56, 58, 82, 103, 106, 108, 121, 123-4, 127, 149, 161-2, 171, 175, 183, 202, 211, 215, 275, 291, 310, 320, 322, 328-32, 338, 349, 352-3, 362, 370, 383, 386, 394, 398, 420-3, 427-9, 431-4, 436, 448, 466, 473-5, 487-8, 500-1, 534, 552, 626, 628, 649, 690; grandes primatas, 12, 18, 50, 265, 323-4, 352, 359, 552

Primavera Árabe (2011), 138, 629-30

Primeira Guerra Mundial, 364, 388, 404, 408, 597-9, 639, 644, 646

Prinz, Jesse, 530

prisão perpétua, 170, 189, 570, 574, 607, 618

prisioneiros, 103, 440, 454, 456-9, 538, 595, 644

"processo civilizador", 595

progesterona, 119-20, 124-6, 136, 138, 158, 209, 682

próstata, câncer de, 322

proteínas, 37, 110, 142, 223-8, 230, 256, 261, 334-5, 339, 370-1, 681, 683, 685-8

Provance, Samuel, 628

Prozac (fluoxetina), 668

pseudociência, 221, 394, 563

psicologia, 15-6, 84, 93, 107, 188-9, 201-2, 269, 287, 415, 452, 454-5, 525, 576, 579, 607, 642

psicopatas, 49, 59, 100, 169, 255, 502

psicoterapia, 65

psilocibina, 668

psiquiatria, 124, 583

puberdade, 106-7, 155, 158, 161, 202, 211, 214, 331, 655, 681; *ver também* adolescência

punições, 9-10, 45, 62, 66, 71, 84-5, 94, 167, 170,

179, 181, 191, 201, 268, 283, 287, 291-2, 306, 366, 450, 453, 471, 473, 484-5, 486, 487, 490, 531, 563, 578, 580, 589-90, 612-3, 618-9, 633, 642

Punisher's Brain, The: The Evolution of Judge and Jury (Hoffman), 589

pureza, higiene e julgamento moral, 445

q.i. *ver* inteligência

quântica, mecânica, 564

Quênia, 190, 206, 279, 310, 313, 315, 364, 545, 596, 608, 626

quíchuas, índios, 275

quicuios (povo africano), 608

Rabin, Leah, 559

Rabin, Yitzhak, 558-9

raças e diferenças raciais, 401

raciocínio moral, 134, 166, 168-9, 182, 184, 469, 472, 476-7, 492, 494-5, 526, 649

racismo, 88-9, 97, 221, 378, 409-10

Raine, Adrian, 59

"rainha vermelha", cenário da, 339

raiva, 37, 44-5, 64-6, 103, 124, 165, 178-9, 253-4, 281, 481, 516, 544, 618-9, 629; *ver também* ódio

Rakic, Pasko, 148-50

Ramachandran, Vilayanur, 525, 575

Ramón y Cajal, Santiago, 656, 659, 663

Ramsés ii, faraó, 361

Rand, David, 498

Rápido e devagar: duas formas de pensar (Kahneman), 499

Rapoport, Anatol, 341

raposas, 371, *372*

ratazanas, 218-9

ratos, 41, 43, 75, 77, 85, 109, 121-2, 129, 131, 143, 146, 148, 151-2, 191-2, 195, 218, 290, 292-3, 335, 342, 384-5, 448, 511-2, 550, 643

ratos-toupeira, 121-2

Rayburn, Sam, 502

Reagan, Ronald, 397, 568

reavaliação, estratégias de, 65-6, 159-60, 166, 185, 445, 618-9, 647

Rebelião de An Lushan (China, 755-63), 597-8

Rebelião Taiping (China, 1850), 598

reciprocidade, 21, 24, 44, 267, 287, 317-8, 338, 347, 387, 483, 488, 508, 612

reciprocidade indireta, 317-8, 612

recompensa, mecanismo de, 45, 56, 60-2, 68, 70-9, 81, 84, 118, 132-3, 142, 160, 162-3, 184-5, 195, 253, 348, 384, 473-5, 531-3, 543, 549-50, 589

reconciliação, 11, 21, 23, 181, 593, 615-6, 619, 624, 631-2

Regra de Ouro, 482-3, 506, 512

Reicher, Stephen, 458-9

religião/religiões, 73, 91, 253, 274, 278, 292-3, 298-9, 355, 359, 394, 486-7, 497, 528, 531, 536, 596, 599-605, 624, 628, 638

Religion, Brain and Behavior (periódico), 601

reparações, questão das, 617

répteis, 31, 127, 265

República Centro-Africana, 361

republicanos, 397, 435, 442-3, 559, 638

reputação, 97, 101, 108-9, 122, 278, 284, 306, 387, 506, 531-2, 612

resistência à insulina, 353

resistência galvânica da pele (rgp), 445

resolução de conflitos, valores sagrados na, 557

resposta "sensório-motora isomórfica", 89

Revolta dos Mau Mau (Quênia, anos 1950), 608

Revolta dos Sipais (Índia, 1857), 385

revoltas de Chicago (1968), 390, 462

"revolução dos direitos", 596

Revolução Industrial, 593

Ricard, Matthieu, 528

riscos, assumir, 98, 132, 161, 460, 506, 561, 627

Rivers, Mendel, 634

Rizzolatti, Giacomo, 520, 523

rna, 223-4, 228, 230, 687-8; *ver também* genética

Robben, ilha, 459, 560

Robinson, Peter, 559, 561

roedores, 87, 92, 108, 112, 114, 116-7, 119, 121, 132, 134, 149, 161, 187, 191, 209-10, 215, 244, 250, 292, 325, 334, 347, 365, 429, 510, 512, 517, 556, 609

Romênia, 199, 268

Roof, Dylann, 618

Roosevelt, Franklin Delano, 397, 617

Roper versus Simmons, caso, 570, 573

Rosenberg, Julius e Ethel, 389

Rousseau, Jean-Jacques, 300, 303, 319, 321, 595, 624

Rozin, Paul, 392, 545

Ruanda, 268, 311, 329, 552-5, 561, 598, 606, 616

Rudolph, Wilma, 577

Russell, Jeffrey, 586

Rússia, 304, 363, 597-8

saguis, 111-2, 121, 211, *350*, 352

Sahlins, Marshall, 311

Saleh, Ali Abdullah, 629

Samoa, 124

Sandusky, Jerry, 577-8

Santayana, George, 646

São Francisco, terremoto Loma Prieta (1989), 295-6

Saud, rei da Arábia Saudita, 361

saúde precária, 288-9, 433

saúde pública, 288, 319, 456

Saudi, dinastia, 361

Saypol, Irving, 389-90

Scalia, Antonin, 571

Schadenfreude (deleite com a desgraça alheia), 21, 71, 388, 407, 543

Schiller, Friedrich, 435

Schultz, Wolfram, 72, 75

Science (revista), 134, 244, 295, 307, 315, 484, 532, 614

Scientific American (revista), 293

secas, 206, 229, 297-8, 319

Segunda Guerra Mundial, 34, 200-1, 295, 398, 403, 407, 596-8, 617, 621, 623, 630, 644

seleção: conflito genético intersexual, 353

"seleção de grupo", 326

seleção de parentesco, 330, 332-3, 335-8, 348-9, 352, 354, 359, 362-4, 366-7, 552, 611

seleção fenotípica, 356; *ver também* fenótipo

seleção individual, 327, 329, 338, 349, 354, 359, 361

seleção multinível, 354-5, 357-8

seleção natural, 227, 324-5

seleção sexual, 324-5, 355

semai, povo, 307, 490

semang, povo, 311, *312*

sensações hápticas (tato), 548

sensações interoceptivas, 550

"separação de padrão", 149

Seromba, Athanase, 554

serotonina, 80, 135, 224, 243, 247-51, 258, 260, 277, 582-3, 666-8

serotonina: inibidores seletivos de recaptação da serotonina (ISRS, antidepressivos), 668

Sete de Chicago, julgamento dos (1969), 390

sexo, 18, 49, 70; ocitocina liberada pelo, 112

Sexo trocado: A história real do menino criado como menina (Colapinto), 211

sexos, diferenças entre os, 70, 91, 122, 135, 156, 161, 180, 196, 211, 213, 256, 262, 301, 346

Seyfarth, Robert, 331-2, 337

Shariff, Azim, 601

Shepher, Joseph, 365

Sherman, Marshall, 537

Shermer, Michael, 483

Shweder, Richard, 267, 483

SIA *ver* síndrome de insensibilidade androgênica

Sibéria, 371-2

Sigmund, Karl, 344

Silkwood, Karen, 628

simbolismo, 267, 539-40, 559, 561

simpatia, 21, 23, 166, 168, 198, 435, 507-9, 636; *ver também* empatia

Simpson, O. J., 389

Simpson, Varnado, 633

sinal-ruído, relação, 655, 671

síndrome de Cushing, 151-2

"síndrome de Genovese" ("efeito espectador"), 97

síndrome de insensibilidade androgênica (SIA), 214-5

"síndrome de Klüver-Bucy", 30

síndrome de Munchausen por procuração, 24

síndrome do estresse executivo, 428

Singer, Peter, 470, 479

Singer, Tania, 528

Síria, 536, 629-30

sistema límbico, 29-34, 47, 59-60, 63, 66, 69, 87, 90, 92, 164, 168, 179, 513, 682 sistema nervoso, 14, 655-6; autônomo, 31-2, 122, 682; parassimpático, 32, 48, 114, 126; parassimpático (SNP), 32-3; remapeamento do, 42, 146-7, 152; simpático (SNS), 32-3, 42, 48-9, 65, 127, 130, 193, 197, 503; *ver também* cérebro; neurônios

Skinner, B. F., 84-5, 189

Skitka, Linda, 439

Small, Meredith, 200

Snowden, Edward, 628

Sobell, Morton, 389

Sobhuza II, rei da Suazilândia, 361

sobrevivência do mais apto, 322

socialidade, 30, 47, 51, 56, 60, 101, 108, 115-6, 119, 135-6, 155, 164, 255, 359, 422, 471, 542, 589, 604, 613

sociedades desiguais, 287-8

sociobiologia, 325, 327, 359, 362, 367-9, 374, 376-9

sociograma, 270, 274

sociopatas, 24, 135, 178, 181, 197

Söderberg, Patrik, 315-6

sódio, 139-1

sofrimento, 27, 33, 114, 134, 167-8, 178, 271, 416, 432, 497, 508, 510, 512-3, 515-20, 526-30, 534-5, 608

Soljenítsin, Aleksandr, 456

Somália, 479-80, 536, 597

Spence, Melanie, 208

Sprenger, Jakob, 586

Stálin, Ióssif, 363, 476, 519, 597

Star Wars (filmes), 462

status socioeconômico, 90, 136, 278, 287, 320, 381, 399, 405, 426, 466

Steele, Claude, 92

Steinberg, Laurence, 163, 166, 573

Suazilândia, 361

substância cinzenta periaquedutal (CPA), 46-7, 64, 178-9, 446, 512

"substituição materna", 331

Sudão, 268, 279, 301, 306, 390

Suécia, 268, *285*, 301

Suharto, 19

suicídio, 9, 80, 85, 364, 415, 632-3

Sul dos Estados Unidos, 180, 205, 279-81, *282*, 283, 378, 393, 489

Sullivan, Regina, 191-2

sunitas, 263, 390, 409, 536, 602

Suomi, Stephen, 219

Suprema Corte dos Estados Unidos, 170, 397, 568, 570

suruís, 275

Survival International (organização de direitos humanos), 309

Suu Kyi, Aung San, 628

Szyf, Moshe, 218-9

Taiwan, 276

Tajfel, Henri, 383, 450, 460

tálamo, 90, 104, 130, 446

tamanho do grupo social, 56, 422

Tamerlão, 597-8

Tang, dinastia, 597

Tasmânia, 311

tato: informações táteis, 145; neurônios táteis, 145-6

taxistas de Londres, 151

Taylor, Shelley, 134

TCC *ver* terapia cognitivo-comportamental

TDAH *ver* transtorno do déficit de atenção com hiperatividade

temperamento, 251, 256, 345, 395, 431, 551, 628

temperatura ambiente, agressividade e, 298

temperatura do corpo, 28, 31, 126, 551

temperatura, sensações de, 548

Tempo de Dificuldades (Rússia, séc. XVI e XVII), 598

tentilhões, 373

Teoria da Mente (TM), 60, 116, 176-80, 204, 271, 405-6, 422-3, 426, 469, 502, 512-3, 516, 518, 523, 596, 601

"teoria de gestão do terror", 443

"teoria do apego", 188

"teoria do contato", 413, 606

Teoria dos Arcos Dourados da Paz, 599

teoria dos jogos *ver* jogos econômicos e teoria dos jogos

teoria James-Lange, 93-4

TEPT *ver* transtorno de estresse pós-traumático

terapia cognitivo-comportamental (TCC), 65-6

Teresa, Madre, 519

terremoto de 1989 (São Francisco), 295-6

Territorial Imperative, The (Ardrey), 310

terrorismo, 390, 536, 558, 602, 604

Teste de Aprendizado Verbal da Califórnia (TAVC), 53

Teste de Estresse Social de Trier, 133

"teste do marshmallow" (controle de impulsos em crianças), 184-6

Testes de Associação Implícita, 118-9, 409, 563

testosterona, 40, 92-3, 101-9, 116-7, 127, 136, 138, 151, 158, 169-70, 203, 209-18, 225, 252, 255-6, 262, 281, 293, 424, 427-8, 436, 681-3

Tetlock, Philip, 439

Thomas, Elizabeth Marshall, 313

Thompson Jr., Hugh, 633-4, *635*, 636, 638, 646

Thompson-Cannino, Jennifer, 618

Tibete, 272, 333, 362

ticunas, 275

Tierney, Patrick, 306

tímpanos, 375-9

Tinbergen, Niko, 86

tirosina, 667

tomada de decisões, 44, 59, 61-2, 96, 135, 144, 160, 184, 194, 339, 469-71, 477, 479, 482, 494, 557, 580, 583, *584*, 589

tomada de perspectiva, 176, 180, 255, 413, 416, 463, 465-6, 469, 507-8, 512-3, 518, 523, 596

Tomasello, Michael, 475

"torneios", espécies formadoras de, 349, 351-2, 354, 360, 376, 624, 648

tortura, 19, 455, 586, 595, 666

Toxoplasma gondii (protozoário), 151-2, 217

TPH *ver* triptofano hidroxilase

traços de personalidade, 234, 464

tragédia dos bens comuns *versus* tragédia da moralidade do senso comum, 496-7, 518

Traição das imagens, A (quadro de Magritte), *539*

transgêneros, indivíduos, 213

transpósons, 229-31, 371

transtorno bipolar, 234, 260

transtorno de estresse pós-traumático (TEPT), 40, 81, 151-3, 193, 198, 220, 257, 582, 619, 622-3, 633; *ver também* estresse

transtorno do déficit de atenção com hiperatividade (TDAH), 79, 216, 234, 253, 583

trapaças, 345, 347, 441, 480-2, 501, 505, 602, 619

Trench Warfare: 1914-1918 (Ashworth), 641

Trevas no Eldorado: Como cientistas e jornalistas devastaram a Amazônia e violentaram a cultura ianomâmi (Tierney), 306

triptofano, 667

triptofano hidroxilase (TPH), 248

Trivers, Robert, 338, 377-8

Tsai, Jeanne, 270

Tunísia, 629

Turchin, Peter, 286

tutsis, 366, 459, 553-5, 606

Tutu, Desmond, 616

Tversky, Amos, 96

Tylor, Edward, 265

Ucrânia, 268, 296, 301

Uganda, 329, 408

U invertido, conceito de (no estresse), 128, *129*

União Soviética, 344, *363*, 369, 388-9, 596-7

Universidade da Califórnia em Los Angeles (UCLA), escândalo de 1999 na, 490

urbanização, 291

Us and Them: The Science of Identity (Berreby), 393

utilitarismo, 492-4

"valores sagrados", 390-1, 557-61, 605, 620, 649

vasopressina, 109-13, 115-7, 136, 218, 227, 254-5, 370, 511, 582; *ver também* ocitocina

vasos sanguíneos, 31, 581, 655

"vencedor", efeito do (em animais de laboratório), 104

"vencer" um leilão, dopamina e, 71

Venezuela, 594

vergonha, 91, 389, 481, 483, 489-91, 630

Viagem à Lua (filme), 391

vida urbana *ver* cidades

viés intergrupal, efeito de, 383

"vieses de confirmação", 397

Vietnã, Guerra do, 10, 408, 455-6, 597, 602, 623, 632, 640

Viljoen, Abraham, 560

Viljoen, Constand, 560-1, 646

vingança, 21, 47, 106, 317, 364, 434, 489, 536, 603, 640

violência, 10-1, 17, 21, 23-4, 38-9, 49-50, 80, 101, 109, 133, 164, 169-70, 185, 189, 191-2, 196-8, 205, 221, 251, 268, 278-81, 283-4, 286, 289-90, 293, 295, 297-8, 300-1, 303-4, 306-17, 361, 364, 377, 387, 402, 454, 553, 559-60, 569, 583, 594-8, 602-3, 608, 628, 630; intrafamiliar, 364; territorial, 310; urbana, 489; violência doméstica, 23, 133, 192, 196, 284, 286, 402, 594; violência infantil, 594; *ver também* agressividade; crimes/criminalidade; estupro; guerras; homicídios; tortura

virtude, ética da, 492, 506

visão: espectro visível, 13; estímulos visuais, 30, 70

vítima, natureza da, 463-4

vocalizações de animais, 40, 86, 203, 212, 332-3, 421, 448, 540

"Você deve ser muito inteligente" *versus* "Você deve ter se esforçado bastante", 576

Voltaire, 377

Von Frisch, Karl, 86

Von Neumann, John, 339

votação, sistema de, 397

Wallace, Alfred Russel, 227

Wallen, Kim, 212

Wall, Patrick, 674

Washington, Booker T., 619

Watergate, escândalo de, 439

Watson, John, 15, 84

Wegner, Daniel, 67

Wellesley, efeito, 17, 93

Wendorf, Fred, 302

Westermarck, efeito, 365

Weyer, Johann, 565-6

Wheeler, Harvey, 344

Wheeler, Mary, 402

White, Dan, 94

Whiten, Andrew, 449

Whitman, Charles, 38-9

Who's in Charge? Free Will and the Science of the Brain (Gazzaniga), 572

Wiesel, Elie, 25

Wiessner, Polly, 318

Wilberforce, William, 635

Wilde, Oscar, 496

Wilkinson, Richard, 288

Williams, George, 326

Williams, Robin, 23

Wilson, Allan, 226

Wilson, David Sloan, 358-9

Wilson, Edward O., 359, 377

Wilson, James Q., 98

Wilson, Margo, 361

Wingfield, John, 106

Woodward, James, 494-5

Worchel, Stephen, 606

Wrangham, Richard, 308, 310-1

Wyatt-Brown, Bertram, 280

Wynne-Edwards, V. C., 326

Wynn, Karen, 472

xenofobia, 119, 336

xiitas, 263, 390, 409, 602

Yanomamo: The Fierce People (Chagnon), 306

Young, Larry, 111, 511

Zahr, Amer, 390

Zhong, Chen-Bo, 546

Zimbardo, Philip, 452-60, 465

zulus, 304, *305*, 561

1ª EDIÇÃO [2021] 10 reimpressões

ESTA OBRA FOI COMPOSTA EM DANTE PELO ACQUA ESTÚDIO E IMPRESSA EM OFSETE PELA GRÁFICA SANTA MARTA SOBRE PAPEL PÓLEN DA SUZANO S.A. PARA A EDITORA SCHWARCZ EM MARÇO DE 2025.

A marca FSC® é a garantia de que a madeira utilizada na fabricação do papel deste livro provém de florestas que foram gerenciadas de maneira ambientalmente correta, socialmente justa e economicamente viável, além de outras fontes de origem controlada.